KB166164

한국주역대전 13

계사상전

이 저서는 2012년 대한민국 교육부와 한국학중앙연구원(한국학진흥사업단)의 한국학분야 토대연구지원사업의 지원을 받아 수행된 연구임(AKS-2012-EAZ-2101)

13

한국주역대전

한국주역대전 편찬실

계사상전

學古房

한국주역대전을 펴내며

　2012년 9월 첫 작업을 시작한 '『한국주역대전』편찬 · 표점 · 번역 · 주해 ·
해제'라는 방대한 사업이 이제 출판의 결실을 보게 되었다. 지난 수 십 년간
유교경학과 한국학의 급속한 성장에도 불구하고 한국역학은 여전히 불모의
상태를 벗어나기 어려웠다. 개별 연구들이 적지 않게 축적되어 왔고, 이에
고무되어 한국역학사를 공동으로라도 엮어보자는 호기로운 시도가 없었던
것은 아니지만, 그것이 아직 시기상조라는 자각과 함께 무산되곤 하였다. 한
국역학 원전자료는 한국경학자료 가운데 단연 방대한 양을 자랑한다. 반면
전문연구자는 턱없이 부족하다. 사정이 이러하니 한국역학이 우뚝 서기까지
는 아직 갈 길이 멀기만 하다. 이러한 정황 속에서 『한국주역대전』의 출간은
매우 기쁜 일이 아닐 수 없다.

　이번에 출간되는 『한국주역대전』은 한국학자의 역학관련 자료 가운데 주
요한 것을 가려 뽑아 『주역전의대전』 체제에 맞추어 집해(集解)형식으로 편
찬한 것이다. 『주역전의대전』은 중국은 물론 조선시대 역학사상 형성에 무
엇보다 영향력이 큰 문헌이라 할 수 있다. 이번 『한국주역대전』은 먼저 『주
역전의대전』을 소주까지 모두 번역하여, 주역에 대한 중국학자들의 이해와
한국학자들의 해석을 비교해 볼 수 있도록 하였다. 편찬 체재는 경문－정전
－본의－중국대전－한국대전으로 구성하였다. 편찬과 표점, 그리고 번역을
동반한 『한국주역대전』을 통해 한국학자들의 『주역전의대전』에 대한 깊은
이해 및 새로운 해석의 지평을 볼 수 있을 것이다. 또한 한국학자들의 저작을
시대별로 배열하였으므로 그 흐름을 일목요연하게 파악할 수 있을 것이다.

　이번 『한국주역대전』을 편찬하면서 연구기간은 짧고 작업은 방대하여 아
쉬운 점이 한 둘이 아니었다. 제한된 연구기간으로 인해 연구 범위를 제한할
수밖에 없었으며, 따라서 작자 미상의 자료, 연대 미상의 자료, 『주역전의대
전』과 유사하여 별다른 특징을 볼 수 없는 자료는 편찬 범위에 포함시키지

않았다. 또한 다산의 『주역사전』처럼 중요한 자료일지라도 별도로 번역되어 시중에 유통되고 있는 책은 자료에 포함시키지 않았다. 특히 상수학 관련 자료들에 대한 번역은 앞으로 더 정치한 번역이 필요할 것이라고 생각되며, 그에 대한 별도의 연구도 필요할 것이다. 그럼에도 불구하고 이번 『한국주역대전』의 출간은 한국역학연구의 획기적인 토대를 제공하여, 많은 후속연구를 가능하게 하리라는 기대로 그 아쉬움을 상쇄하고자 한다.

이와 같이 방대한 토대사업은 실상 국가적 지원이 아니고서는 실행되기 어렵다. 이 사업의 지원을 결정해 주신 한국학중앙연구원과 한국학진흥사업단에 감사드린다. 그리고 제한된 연구기간의 압박 속에 과도한 업무를 사명감으로 감당해 준 연구진들의 노고에 고마운 마음을 전한다.

오늘날과 같은 출판시장의 현실에서 『한국주역대전』과 같은 방대한 분량의 책을 간행해 줄 출판사를 찾는다는 것은 결코 쉽지 않은 일이다. 모든 어려움에도 불구하고 조금의 망설임도 없이 흔쾌하게 이 책의 출판을 결정해 주신 도서출판 학고방의 하운근 사장님께 깊은 감사를 드린다.

2017년 1월
한국주역대전편찬 연구책임자
성균관대학교 유학대학 교수/한국주자학회 · 율곡학회 회장
최 영 진

목차

계사상전

繫辭上傳

‖中國大全‖

程子曰, 聖人用意深處, 全在繫辭, 詩書乃格言.

정자가 말하였다 : 성인이 뜻을 깊게 둔 부분은 모두 계사에 있다. 『시경』과 『서경』은 격언이다.

○ 繫辭本欲明易, 若不先求卦義, 則看繫辭不得.

「계사전」은 본래 『주역』을 설명하려고 한 것이니, 먼저 괘의 의미를 탐구하지 않는다면 「계사전」을 알 수 없다.

○ 如繫辭之文, 後人決學不得. 譬之化工生物, 且如生出一枝花, 或有剪裁爲之者, 或有繪畫爲之者. 看時雖有相類然, 終不若化工所生, 自有一般生意.

「계사전」의 글은 후대의 사람이 결코 따라할 수 없다. 조물주가 만물을 냄으로 비유하자면 예컨대 한 가지의 꽃을 만들어낼 경우 어떤 이는 다듬어 내고 어떤 이는 그림으로 그려낸다. 보기에는 서로 비슷하지만 끝내 조물주가 만든 것이 저절로 생의를 지니고 있는 것과는 같을 수 없다.

本義

繫辭, 本謂文王周公所作之辭, 繫于卦爻之下者, 卽今經文, 此篇, 乃孔子所述繫辭之傳也. 以其通論一經之大體凡例, 故无經可附而自分上下云.

계사(繫辭)는 본래 문왕과 주공이 지은 말씀으로 괘(卦)와 효(爻)의 아래에 단 것을 이르니 곧 지금의 경문이고, 이 편(篇)은 공자가 지은 계사(繫辭)에 관한 전(傳)이다. 한 경(經)의 대체와 범례를 통론하였기 때문에 경문에 붙일 만한 곳이 없어서 별도로 상편과 하편으로 나누었다.

朱子曰, 熟讀六十四卦, 則覺得繫辭之語, 其爲精密, 是易之括例.

주자가 말하였다 : 64괘를 익숙하게 읽으면 「계사전」의 말이 정밀함을 알게 되니 이는 역을

총괄하는 보기이다.

○ 繫辭, 或言造化以及易, 或言易以及造化, 不出此理.
「계사전」에서는 조화를 말하여 『역』을 언급하거나, 『역』을 말하여 조화를 언급하였으니 이런 도리에서 벗어나지 않는다.

○ 六十四卦, 只是上經說得齊整, 下經便亂董董地, 繫辭也如此, 只是上繫好看, 下繫便没理會
64괘에서 상경의 설명은 정리되어 있고 하경의 설명은 난잡한데 「계사전」도 이와 같아서 「상전」은 보기 좋고 「하전」은 이해하기 어렵다.

○ 雙湖胡氏曰, 繫辭傳中, 言聖人繫辭者六. 曰聖人設卦觀象繫辭焉而明吉凶, 曰聖人有以見天下之動繫辭焉以斷其吉凶者凡兩出. 曰繫辭焉所以告也, 曰繫辭焉以盡其言, 曰繫辭焉而命之, 皆指文王周公卦爻辭言也. 若繫辭上下傳, 則是孔子統論一經之卦爻大體凡例. 如論先聖作易之由, 則見於包義氏仰觀俯察, 及易有太極, 及河圖洛書數章. 如論用易之法, 則見於大衍之數五十章, 與夫卦爻之剛柔象數之變化, 三極之道, 幽明之故, 鬼神之情狀, 皆搜抉无隱. 若徒有上下經而无繫辭傳, 則象數之學不明, 理義之微莫顯, 易亦竟无以致用於萬世, 而適乎仁義中正之歸矣. 其有稱大傳者, 因太史公, 引天下同歸而殊塗一致而百慮, 爲易大傳. 蓋太史公, 受易楊何, 何之屬, 自著易傳行世, 故稱孔子者, 曰大傳以別之耳.
쌍호호씨가 말하였다:「계사전」에서 '성인이 말씀을 달았다[繫辭]'고 말한 부분이 여섯이다. "성인이 괘를 베풀어 괘상을 보고 말을 달아 길흉을 밝혔다"[1]라 하고, "성인이 천하의 움직임을 보고 말을 달아 길흉을 판단했다"[2]라 한 것이 두 번 나온다. "말을 단 것은 이로써 일러주는 것이다"[3]라 하고, "말을 달아 그 말을 다한다"[4]라 하고, "말을 달아 분부하니"라 하였으니, 모두 문왕과 주공의 괘사와 효사를 가리켜 말한 것이다. 「계사전상」「계사전하」는 공자가 『역경』괘효의 대체와 범례를 통합적으로 논한 것이다. 앞 시대의 성인이 역을 지은 유래를 논한 것은 복희[包義]씨의 '위로 보고 아래로 살핌[仰觀俯察]'과 '역에 태극이 있음'

---

1) 이러한 내용은 『주역(周易)·계사전(繫辭傳) 상』의 제2장에 보인다.
2) 『周易·繫辭傳』: 聖人, 有以見天下之動, 而觀其會通, 以行其典禮, 繫辭焉, 以斷其吉凶, 是故謂之爻; 聖人有以見天下之動, 而觀其會通, 以行其典禮, 繫辭焉, 以斷其吉凶.
3) 『周易·繫辭傳』: 易有四象, 所以示也, 繫辭焉, 所以告也, 定之以吉凶, 所以斷也.
4) 『周易·繫辭傳』: 子曰, 聖人立象, 以盡意, 設卦, 以盡情僞, 繫辭焉, 以盡其言, 變而通之, 以盡利, 鼓之舞之, 以盡神.

과, '하도낙서(河圖洛書)'등의 몇 개의 문장이 있다. 역을 사용하는 방법을 논한 것은 '크게 펼친 수가 50이다'의 문장5)과 '괘효의 강유와 상수의 변화', '삼극의 도', '어둠과 밝음의 연고', '귀신의 실정과 실상' 등으로 다 찾아내 주어 숨겨진 것이 없다. 상하의 경전만 있고 「계사전」이 없었더라면 상수(象數)의 학문이 밝아지지 않고 의리(理義)의 정미함이 드러나지 않아서 『역경』 또한 필경 오랜 세월 동안 사용되어 인의와 중정의 귀취(歸趣)에 나갈 수 없을 것이다. '대전(大傳)'이란 명칭은 태사공(太史公)이 "천하가 돌아감이 같아도 길은 다르며, 이룸이 하나여도 걱정은 갖가지이다"를 인용하며 「역대전」이라고 한 것에서 비롯되었다. 태사공은 양하(楊何)에게 역을 수학했는데 양하(楊何)의 무리가 스스로 지은 『역전(易傳)』이 세상에 돌아다녔기 때문에 공자(孔子)를 지칭할 때는 「대전(大傳)」이라 하여 구별하였다.

○ 雲峯胡氏曰, 上下繫, 各十二章, 始皆言易簡, 終皆言易在德行不在言, 辭示人學易之要深切矣.
운봉호씨가 말하였다 : 「계사전상」「계사전하」가 각각 12장인데 처음에는 모두 이간(易簡)을 말하고 마지막에는 역이 덕행에 있지 언변에 있지 않음을 말하였으니, 「계사전」이 사람들에게 역을 배우는 요지를 제시한 것이 깊고 절실하다.

‖韓國大全‖

송능상(宋能相) 「계사전질의(繫辭傳質疑)」6)

本義, 題辭中無經可附四字, 語意欠分明, 恐或有脫誤者.
『본의』에서 제목의 풀이 가운데 "경문에 붙일 만한 곳이 없어서[無經可附]"라는 말은 어의에 분명함이 부족하니, 혹 빠진 부분이 있는 듯하다.

---

5) 『周易・繫辭傳』: 大衍之數五十, 其用四十有九. 分而爲二, 以象兩, 掛一, 以象三, 揲之以四, 以象四時, 歸奇於扐, 以象閏, 五歲再閏. 故, 再扐而後掛.

6) 경학자료집성DB에서는 「계사상전」 '제1장'으로 분류했으나, 내용에 따라 이 자리로 옮겼다.

제1장第一章

天尊地卑, 乾坤定矣, 卑高以陳, 貴賤位矣, 動靜有常, 剛柔
斷矣, 方以類聚, 物以群分, 吉凶生矣, 在天成象, 在地成形,
變化見矣.

하늘은 높고 땅은 낮으니 건과 곤이 정해지고, 낮음과 높음으로 진열되니 귀함과 천함이 자리하고,
동(動)과 정(靜)에 떳떳함이 있으니 강(剛)과 유(柔)가 결단되고, 방향은 부류로써 모아지고 사물(事
物)은 무리로써 나누어지니 길과 흉이 생기고, 하늘에 있어서는 형상이 이루어지고 땅에 있어서는
형체가 이루어지니 변과 화가 나타난다.

∥中國大全∥

小註

程子曰, 天尊地卑, 止天下之理得而成位乎其中矣.
정자가 말하였다 : "하늘은 높고 땅은 낮으니[天尊地卑]" 단락은 "천하의 이치가 얻어짐에
그 가운데 자리를 이룬다[天下之理得而成位乎其中矣]"까지이다.

○ 天尊地卑, 尊卑之位定而乾坤之義明矣. 尊卑旣判, 貴賤之位分矣. 陽動陰靜, 各有
其常, 則剛柔判矣. 事有理, 一作萬事理也, 物有形也. 事則有類, 形則有群, 善惡分而
吉凶生矣. 象見於天, 形成於地, 變化之跡見矣. 陰陽之交, 相摩軋, 八方之氣, 相推盪,
雷霆以動之, 風雨以潤之, 日月運行, 寒暑相推而成造化之功. 得乾者成男, 得坤者成
女, 乾當始物, 坤當成物. 乾坤之道易簡而已, 乾始物之道易, 坤成物之能簡. 平易故人
易知, 簡直故人易從. 易知則可親就而奉順, 易從則可取法而成功. 親合則可以常久,
成事則可以廣大. 聖賢德業久大, 得易簡之道也, 天下之理易簡而已. 有理而後有象,
成位在乎中也.

하늘은 높고 땅은 낮으니 높고 낮은 자리가 정해짐에 건곤의 뜻이 분명하다. 높고 낮음이 판별되니 귀함과 천한 자리가 구분된다. 양은 동(動)하고 음은 정(靜)하여 각각 떳떳함이 있으니 강(剛)과 유(柔)가 판별된다. 일에는 이치〈어떤 판본에는 '만 가지 일의 이치[萬事理]'라고 되어 있다〉가 있고, 물건에는 형체가 있다. 일에는 부류가 있고 형체에는 무리가 있으니 선과 악이 분별되어 길흉이 생긴다. 형상은 하늘에서 나타나고 형체는 땅에서 이루어지니 변화의 자취가 나타난다. 음양의 사귐은 서로 비비고 문지르며 팔방의 기운은 서로 밀치고 움직이며 우레와 번개로 움직이고 바람과 비로 적시며 해와 달이 운행해서 추위와 더위가 서로 밀치면서 조화의 공을 이룬다. 건을 얻은 자는 남성을 이루고 곤을 얻은 자는 여성을 이루는데 건은 사물을 시작함에 해당하고 곤은 사물을 이룸에 해당한다. 건곤의 도리는 평이하고 간략할 뿐이니 건이 사물을 시작하는 도리는 평이하고 곤이 사물을 이루는 능력은 간략하다. 평이하기 때문에 사람이 알기 쉽고 간결하기 때문에 사람이 따르기 쉽다. 알기 쉬우니 가까이 나아가 받들어 따르고, 따르기 쉬우니 법칙으로 취해서 공을 이룬다. 가깝게 합하면 떳떳하게 오래갈 수 있고 일을 이루면 넓고 커질 수 있다. 성현의 덕과 업이 오래가고 큰 것은 평이하고 간략한 도를 얻음이니 천하의 이치는 평이하고 간략할 뿐이다. 이치가 있은 뒤에 상(象)이 있으니 가운데서 자리를 이룬다.

本義

天地者, 陰陽形氣之實體, 乾坤者, 易中純陰純陽之卦名也. 卑高者, 天地萬物上下之位, 貴賤者, 易中卦爻上下之位也. 動者陽之常, 靜者陰之常, 剛柔者, 易中卦爻陰陽之稱也. 方, 謂事情所向, 言事物善惡, 各以類分, 而吉凶者, 易中卦爻占決之辭也. 象者, 日月星辰之屬, 形者, 山川動植之屬. 變化者, 易中蓍策卦爻, 陰變爲陽, 陽化爲陰者也. 此, 言聖人作易, 因陰陽之實體, 爲卦爻之法象, 莊周所謂易以道陰陽, 此之謂也.

하늘과 땅은 음양과 형기의 실체이고, 건곤은 역 가운데 순양(純陽)과 순음(純陰)의 괘(卦) 이름이다. 낮고 높음은 천지만물의 높고 낮은 자리이고, 귀함과 천함은 역 괘효(卦爻)의 위아래의 자리이다. 움직임은 양의 떳떳함이고 고요함은 음의 떳떳함이며, 강과 유는 역 가운데 괘효의 음양의 명칭이다. 방향은 사정(事情)이 향하는 바를 이르니 사물의 선악이 각기 부류로써 나누어짐을 말한 것이고, 길흉은 역 가운데 괘효의 점을 쳐서 결단한 말이다. 상(象)은 일월과 성신의 종류이고 형(形)은 산천과 동물ㆍ식물의 종류이며, 변(變)과 화(化)는 역 가운데 시책(蓍策)과 괘효가 음이 변하여 양이 되고 양이 화하여 음이 되는 것이다. 이것은 성인이 역을 지을 적에 음양의 실체에 근거하여 괘효의 법칙과 괘상을 만듦을 말한 것이니, 장주(莊周)가 이른바 "역(易)으로써 음양(陰陽)을 말했다"는 것이 이것이다.

小註

朱子曰, 天尊地卑, 上一截, 皆說面前道理, 下一截, 是說易書. 聖人做個易與天地準處 如此. 如今看面前天地, 便是他那乾坤, 卑高便是貴賤. 聖人只是見成說這個, 見得易 是準這個. 若把下面一句說做未畫之易也不妨, 然聖人是從那有易後說來. 又曰, 天尊 地卑乾坤定矣, 觀天地則見易也.

주자가 말하였다 : "하늘은 높고 땅은 낮다"에서 위의 한 대목은 눈앞의 도리를 말한 것이고, 아래의 한 대목은 『역서(易書)』를 말한 것이다. 성인이 역을 지을 때 천지를 기준으로 삼았 다는 것이 이와 같다. 지금 눈앞의 천지를 보면 이것이 곧 건곤이며 낮고 높음이 곧 귀천이 다. 성인은 단지 '천지[이런 것]'를 설명한 것임을 알아서, 역이 '천지[이런 것]'을 기준으로 삼았음을 알았다. 아래 부분의 한 구절을 '괘를 긋기 전의 역'이라 말해도 무방하지만 성인이 역이 있게 된 뒤에 좇아서 설명한 것이다.

또 말하였다: "하늘은 높고 땅은 낮으니 건곤이 정해졌다"는 천지를 보면 역을 보는 것이다.

○ 問, 此第一章第一節, 蓋言聖人因造化之自然以作易. 曰, 論其初, 則聖人是因天理 之自然而著之於書, 此是後來人說話. 又是見天地之實體而知易之書如此. 如見天之 尊地之卑, 卻知得易之所謂乾坤者如此, 如見天之高地之卑, 卻知得易所分貴賤者如 此. 又曰, 此是因至著之象以見至微之理. 又曰, 上句是言造化之實體, 以明下句易中 之事.

물었다: 여기 제 1장 제 1절은 성인이 조화의 자연에 근거하여 역을 지은 것임을 말한 것입 니까?

답하였다: 그 처음을 논한다면 성인이 천리의 자연함을 근거로 해서 글로 드러낸 것이니 이것 은 후대 사람의 설명입니다. 또 이는 천지의 실체를 보고서 『주역』이 이와 같음을 안 것입니 다. 예컨대 하늘이 높고 땅이 낮음을 보고 『역』에서 말한 건과 곤이 이와 같음을 알고, 하늘 이 높고 땅이 낮음을 보고 『역』에서 구분한 귀함과 천함이 이와 같음을 아는 것입니다.

또 답하였다: 이것은 지극히 드러난 상을 근거로 지극히 은미한 이치를 나타낸 것입니다.

또 답하였다: 위의 구절은 조화의 실체를 말한 것인데 그것으로 아래 구절의 『역』가운데의 일을 밝힌 것입니다.

○ 方以類聚, 物以群分, 伊川說是. 亦是言天下事物, 各以類分, 故存乎易者, 吉有吉 類, 凶有凶類.

"방향은 부류로써 모아지고 사물(事物)은 무리로써 나누어진다"에 대한 이천의 설명은 옳 다. 이것은 또한 천하의 사물이 각각 종류대로 나누어짐을 말한 것이다. 그러므로 역에 있는 것이 길(吉)에는 길한 종류가 있고 흉(凶)에는 흉한 종류가 있다.

○ 方以類聚物以群分, 方只是事, 訓術訓道. 善有善之類, 惡有惡之類, 各以其類而聚也. 又曰, 方向也, 所向善, 則善底人, 皆來聚, 所向惡, 則惡底人, 皆來聚. 物又通天下之物而言, 是個好物事, 則所聚者, 皆好物事也, 若是個不好底物事, 則所聚者, 皆不好底物事也.

"방향은 부류로써 모아지고 사물(事物)은 무리로써 나누어진다"에서 방(方)은 일이니 방술과 방도의 의미이다. 선(善)에는 선의 종류가 있고 악(惡)에는 악의 종류가 있어 각각 종류대로 모인다.

또 말하였다: 방(方)은 방향이니 선을 지향하면 선한 사람들이 모두 모이고 악을 지향하면 악한 사람들이 모두 모인다. 물(物)은 천하의 사물을 통틀어 말한 것으로 좋은 사물에는 모여드는 것이 다 좋은 사물이고, 좋지 않은 사물에는 모여드는 것이 다 좋지 않은 사물이다.

○ 在天成象在地成形變化見矣, 變化是易中陰陽二爻之變化. 故又曰, 變化者進退之象也. 又曰, 貴賤是易之位, 剛柔是易之變化, 類皆是易, 不必專主乾坤二卦而言. 又曰, 上是天地之變化, 下是易之變化.

"하늘에서는 형상을 이루고 땅에서는 형체를 이루니 변화가 나타난다"에서 변화는 역 가운데 음양 두 효의 변화이다. 그러므로 또 "변과 화는 나아감과 물러감의 상이다"[7]라 말하였다. 또 말하였다: 귀천은 역의 자리이고 강유는 역의 변화이니 부류마다 모두 역인 것이지 반드시 건곤 두 괘만을 주로 해서 말한 것은 아니다.

또 말하였다: 위는 천지의 변화이고 아래는 『역』의 변화이다.

○ 融堂錢氏曰, 无畫之易在太極先, 有畫之易自兩儀始. 蓋下文所謂貴賤剛柔吉凶變化, 自乾坤而始著, 非自乾坤而始有也.

융당전씨가 말하였다: 괘획이 없는 역(易)은 태극보다 먼저 있고, 괘획이 있는 역(易)은 양의로부터 시작된다. 아래 문장에 이른바 귀천·강유·길흉·변화는 건곤으로부터 드러나기 시작하는 것이지 건곤으로부터 존재하기 시작한 것은 아니다.

○ 雙湖胡氏曰, 天尊地卑, 陰陽固有自然尊卑之象. 然於易上欲見其尊卑處, 何者爲最親切. 曰自太極生兩儀象卦, 最可見. 太極動而生陽, 靜而生陰, 則陽已居先矣. 至於陽儀之上, 生一陽一陰, 先陽固宜也. 陰儀上, 當以陰爲主矣, 其生一陽一陰, 亦以陽

---

7) 『周易·繫辭傳』: 變化者, 進退之象也, 剛柔者, 晝夜之象也, 六爻之動, 三極之道也,

居先焉. 以至於六畫, 莫不先陽而後陰, 於是首乾終坤. 乾不期尊而自尊, 坤不期卑而自卑, 於此見尊陽卑陰, 非聖人之私意, 卦畫自然之象而亦造化自然之位也.

쌍호호씨가 말하였다: "하늘은 높고 땅은 낮다"는 음양이 본디 지닌 자연히 높고 낮음의 상이다. 그러나 역에서 그 높고 낮음의 의미를 보려한다면 어느 부분이 가장 친절한가? 내가 살펴보았다: 태극에서 양의와 사상과 팔괘가 나온다는 구절에서[8] 가장 잘 볼 수 있다. 태극이 동하여 양을 낳고 정하여 음을 낳으니 양이 먼저 거처한다. 양의(陽儀)의 위에서 하나의 양과 하나의 음이 나올 때는 양이 먼저임이 마땅하다. 음의(陰儀)의 위에서는 음을 위주로 함이 마땅하지만, 하나의 양과 하나의 음이 나올 때도 양이 먼저 거처한다. 여섯 획에 이르기까지 양이 먼저이고 음이 나중이 아닌 것이 없으니 여기에서 건이 처음이고 곤이 마침이 된다. 건은 높음을 기약하지 않아도 저절로 높고 곤은 낮음을 기약하기 않아도 저절로 낮으니, 여기에서 양을 높이고 음을 낮춤이 성인의 사사로운 의도가 아니라 괘획의 자연한 상이고 또한 조화의 자연한 자리임을 알 수 있다.

○ 張子曰, 不言高卑而曰卑高者, 亦有義. 高以下爲基, 亦是人先見卑處, 然後見高也.

장자가 말하였다: '높고 낮음'이라 하지 않고 '낮고 높음'이라 한 것에는 의미가 있다. 높음은 낮음을 기초로 삼으니, 사람도 먼저 낮은 곳을 본 뒤에 높은 곳을 본다.

○ 鶴山魏氏曰, 卦畫自下始也. 位六位也. 貴賤, 觀於屯言以貴下賤, 訟言以下訟上之類可見矣. 天圓而動, 地方而靜, 故有常. 剛爻一三五, 柔爻二四六也. 斷, 因九六之得位失位而斷之也, 觀於位正當也位不當也之類可見矣.

학산위씨가 말하였다: 괘를 긋는 것은 아래에서부터 시작한다. '자리'는 여섯 자리이다. '귀천'은 준괘(屯卦䷂)의 "귀한 신분으로 천한 자들에게 낮추다"[9]는 말과 송괘(訟卦䷅)의 "아래에서 위와 송사하다"[10]는 말들에서 볼 수 있다. 하늘은 둥글어 움직이고 땅은 모가 나서 고요하기 때문에 떳떳함이 있다. 강효(剛爻)는 초효·삼효·오효이고, 유효(柔爻)는 이효·사효·상효이다. '단(斷)'은 구(九)와 육(六)이 자리를 얻고 자리를 잃은 것에 근거해서 판단함이니, 이는 '자리가 정당하다'거나 '자리가 부당하다'는 말들에서 볼 수 있다.

○ 臨川吳氏曰, 動靜有常, 以天地之用言, 天運轉不已, 陽常動也, 地塡凝不移, 陰常靜也. 剛柔, 以卦之奇耦二畫言, 剛謂奇畫, 柔謂耦畫. 斷, 猶判也, 剛畫猶陽動之實而

---

8) 『周易·繫辭傳』: 是故, 易有大極, 是生兩儀, 兩儀生四象, 四象生八卦,
9) 『周易·屯卦』: 象曰, 雖磐桓, 志行正也, 以貴下賤, 大得民也.
10) 『周易·屯卦』: 九二, 象曰, 不克訟, 歸逋竄也. 自下訟上, 患至掇也.

一, 柔畫猶陰靜之虛而二也.

임천오씨가 말하였다: '동(動)과 정(靜)에 떳떳함이 있다'는 천지의 작용으로 말한 것으로 하늘은 돌고 돌아 그침이 없으니 양의 떳떳함은 움직임이고, 땅은 두껍게 메워져 움직이지 않으니 음의 떳떳함은 고요함이다. '강(剛)과 유(柔)'는 괘의 기우(奇耦) 두 획으로 말한 것으로 강은 기획(奇畫)이고 유는 우획(耦畫)을 말한다. '단(斷)'은 판단이니, 강획(剛畫)은 양으로 움직이고 실하며 하나이고, 유획(柔畫)은 음으로 고요하고 비었으며 둘이다.

○ 誠齋楊氏曰, 聚散異向, 好惡相攻, 由是吉凶生焉.

성재양씨가 말하였다: 모이고 흩어짐이 방향을 달리하고 좋아하고 미워함이 서로를 공격하니 이런 것을 말미암아서 길흉이 생한다.

○ 東坡蘇氏曰, 方本異也, 而以類而聚, 此同之生於異也. 物群則其勢不得不分, 此異之生於同也. 天地一物也, 陰陽一氣也, 或爲象或爲形, 所在之不同, 故云在者, 明其一也. 象者, 形之精華發於上者也, 形者, 象之體質留於下者也.

동파소씨가 말하였다: 방향은 본래 다른데 부류끼리 모이니 이것은 같음이 다름에서 나옴이다. 만물이 무리를 지으면 형세가 나뉘지 않을 수 없으니 이것은 다름이 같음에서 나옴이다. 천지는 하나의 물건이고 음양은 하나의 기인데 혹 형상이 되고 혹 형체가 됨은 있는 곳이 다르기 때문이니 그래서 '재(在)'라고 한 것은 그것이 하나임을 명시하는 것이다. 형상은 형체의 정화가 위로 발한 것이고 형체는 형상의 몸체가 아래에 머문 것이다.

○ 盤澗董氏曰, 在天成象在地成形變化見矣, 變化非因形象而後有也. 變化流行非形象則無以見, 故因形象而變化之迹可見也. 日月星辰象也, 山川動植形也. 象陽氣所爲, 形陰氣所爲, 然陽中有陰, 則日星陽也, 月辰陰也, 陰中有陽, 則山陰而川陽. 然陰陽又未嘗不相錯而各自爲陰陽也.

반간동씨가 말하였다: "하늘에 있어서는 형상이 이루어지고 땅에 있어서는 형체가 이루어지니 변과 화가 나타난다"에서 변화는 형상에 근거한 뒤에 있는 것이 아니다. 변화의 유행은 형상이 아니면 볼 수 없기 때문에 형상에 근거해서 변화의 자취를 볼 수 있다. 일월성신(日月星辰)은 형상이고 산천동식(山川動植)은 형체이다. 형상은 양기가 만든 것이고 형체는 음기가 만든 것이지만 양 속에 음이 있으니 일(日)과 성(星)은 양이고 월(月)과 신(辰)은 음이며, 음 속에 양이 있으니 산(山)은 음(陰)이고 천(川)은 양이다. 그러나 음양은 일찍이 서로 섞이지 않은 적이 없었지만, 각각 스스로 음양이 되었다.

○ 涑水司馬氏曰, 乾坤定於天地, 貴賤陳於尊卑, 剛柔斷於動靜, 吉凶生於萬物, 變化見於形象, 皆非聖人爲之也. 天地之判, 陰陽之交, 本自有之, 而聖人準之以爲敎爾.

속수사마씨가 말하였다: 건곤이 천지에서 정해지고, 귀천이 높고 낮음에서 진열되고, 강유가 동(動)과 정(靜)에서 결단되고, 길흉이 만물에서 생겨나고, 변화가 형상에서 나타남은 다 성인이 한 것이 아니다. 하늘과 땅이 갈라짐에 음양의 사귐은 본래 있었으며, 성인은 그것을 기준으로 삼아 가르쳤을 뿐이다.

○ 勉齋黃氏曰, 此言, 有天地則乾坤貴賤剛柔吉凶變化之理昭然可見. 然必有乾坤而後, 貴賤剛柔吉凶之體始具, 有貴賤剛柔吉凶而後變化之用始行, 始於乾坤終於變化. 此生生所以不窮, 天地所以常久而不已也.

면재황씨가 말하였다: 이 부분은 천지가 있으면 건곤·귀천·강유·길흉·변화의 이치를 분명히 볼 수 있다는 말이다. 그렇지만 반드시 건곤이 있은 뒤에 귀천·강유·길흉의 본체가 처음으로 갖추어지고, 귀천·강유·길흉이 있은 뒤에 변화의 작용이 처음으로 행해지니, 건곤에서 시작해서 변화에서 마친다. 이것은 낳고 낳아서 끝이 없고 천지가 항구해서 그침이 없는 까닭이다.

○ 雲峯胡氏曰, 朱子曰, 此非是因有天地而始定乾坤, 乃是觀天地卽見易也. 蓋乾坤之卦未畫, 觀之天尊地卑, 乾坤之位已定矣. 貴賤之位未齊, 觀天地萬物之卑高, 卦爻之貴賤已位矣. 易未有卦爻, 則未有剛柔之稱也. 天地間陽者常動可見其爲剛, 陰者常靜可見其爲柔矣. 易未有爻位, 則未有吉凶之辭也. 天地間事事物物, 善惡各以其類而分, 善者可知其爲吉, 惡者可知其爲凶矣. 未有蓍卦, 固未見所謂陽化陰陰變陽也. 天成象地成形, 蓍卦之變化已於此乎見矣. 此一節言畫前之易固如是也.

운봉호씨가 말하였다: 주자가 "이것은 천지가 있음을 근거로 처음으로 건곤이 정해졌다는 말이 아니니, 천지를 보면 곧 역(易)을 보는 것이다"라고 하였다. 건곤의 괘를 긋기 전에 하늘은 높고 땅은 낮음을 보면 건곤의 자리는 이미 정해진 것이다. 귀천의 자리가 아직 정돈되기 전에 천지만물의 낮고 높음을 보면 괘효의 귀천은 이미 자리에 위치한 것이다. 역에 괘효가 없다면 강유의 명칭은 없다. 천지의 사이에 양은 늘 움직이니 강(剛)이 됨을 볼 수 있고 음은 늘 고요하니 유(柔)가 됨을 볼 수 있다. 역에 효의 자리가 없다면 길흉이라는 말이 없을 것이다. 천지의 사이에 있는 사물마다 선악이 그 부류대로 나뉘니 선은 길함이 되고 악은 흉함이 됨을 알 수 있다. 시괘(蓍卦)가 없으면 이른바 양이 음으로 화하고 음이 양으로 변한다는 것을 볼 수 없다. 하늘이 형상을 이루고 땅이 형체를 이루니, 시괘(蓍卦)의 변화를 이미 여기에서 볼 수 있다. 이 1절은 괘를 긋기 전의 역(易)이 진실로 이와 같음을 말한 것이다.

韓國大全

권근(權近) 『주역천견록(周易淺見錄)』

天尊地卑, 止, 變化見矣.
하늘은 높고 땅은 낮으니, … 변과 화가 나타난다.

此言聖人因天地自然之易而作易也. 上句是言在天地自然之法象也, 下句是言在卦爻發揮之法象也.
이는 성인이 천지의 자연한 역에 근거하여 『주역』을 지었음을 말하였다. 위 구절은 천지의 자연한 법(法)과 상(象)을 말한 것이고, 아래 구절은 괘효에 발휘된 법(法)과 상(象)을 말한 것이다.

김장생(金長生) 『경서변의(經書辨疑)-주역(周易)』

第一章, 天尊地卑.
제1장, 하늘은 높고 땅은 낮으니.

本義, 易中卦爻上下之位, 天位人位地位也.
『본의』의 "역 가운데 괘효의 위와 아래의 자리이다"는 하늘의 자리와 사람의 자리와 땅의 자리이다.

박치화(朴致和) 「설계수록(雪溪隨錄)」

繫辭合易與聖人天地而混言之, 故甚難看也.
「계사전」은 『주역』과 성인과 천지를 합쳐서 섞어 말하였기 때문에 알기가 매우 어렵다.

○ 乾坤, 因卦畫而得名也.
건괘(乾卦☰)와 곤괘(坤卦☷)는 괘의 획에 근거하여 이름을 얻었다.

○ 方四方也, 物萬物也. 方以類聚, 言東南爲陽, 故同聚一邊, 西北爲陰, 故亦同聚一邊之意也, 以此爲解, 未知如何.

'방(方)'은 사방이고 '물(物)'은 만물이다. "방향은 부류로써 모아지고"는, 동쪽과 남쪽은 양(陽)이 되므로 같은 부류가 한 방향으로 모이고, 서쪽과 북쪽은 음(陰)이 되므로 또한 같은 부류가 한 방향으로 모인다는 뜻을 말한 것으로 해석하면 어떠한지 모르겠다.

○ 象影象也, 形形質也. 在天者, 輕淸, 故曰象, 在地者, 重濁, 故曰形, 言在天者, 猶在地之影也.
'상(象)'은 영상이고, '형(形)'은 형질이다. 하늘에 있는 것은 가볍고 맑기 때문에 '영상'이라 하고, 땅에 있는 것은 무겁고 탁하기 때문에 '형질'이라고 하니, 하늘에 있는 것이 땅에 있는 것의 영상과 같음을 말한 것이다.

○ 天地乾坤, 卑高貴賤, 以易書與天地對待, 解釋未爲不是, 而以此一節, 專言天地, 解釋畫前之易, 亦似無妨.
천지(天地)와 건곤(乾坤), 비고(卑高)와 귀천(貴賤)은 『주역』이라는 책과 천지를 상대시켜 이렇지 않은 것이 없음을 해석하였지만, 이 한 구절이 오직 천지를 말하여 획을 그리기 이전의 역(易)을 해석하였다고 해도 지장이 없을 듯하다.

이익(李瀷) 『역경질서(易經疾書)』

易首乾坤, 乾高象天, 坤下象地, 則天地者物也, 乾坤者卦名也. 卑高者, 上下也. 六子包在乾坤中, 乾三索而得震坎艮, 坤三索而得巽离兌. 下畫爲卑, 上畫爲高, 自卑而高, 故曰卑高. 陳於卑而得震巽, 陳於中而得坎离, 陳於高而得艮兌也. 以位則高貴而卑賤, 三凶五功, 是也, 以畫則陽貴陰賤, 以貴下賤, 是也. 靜則七八, 動則九六, 理未有不變. 故以變爲常, 剛變則爲柔, 柔變則爲剛也. 禮云方物出謀, 史云不可方物, 方是意向, 物是形質. 如叢蔚則鳥與獸同歸, 腐臭則蠅與蟲同歸, 卽方以類聚也. 然鳥與鳥群, 獸與獸群, 蠅與蠅群, 蟲與蟲群, 卽物以群分也. 易中取象, 如大畜之良馬童牛豶豕之類, 方以類聚也, 乾龍壯羊漸鴻之類, 物以群分也, 其所値之得失而吉凶生矣. 震雷离霆, 巽風坎雨, 在天成象, 艮山兌澤, 在地成形, 六子交感於乾坤之中, 而變化見矣.
역(易)의 첫머리는 건괘(乾卦)와 곤괘(坤卦)인데, 건은 높아서 하늘[天]을 상징하고 곤은 낮아서 땅[地]을 상징하니, 천지(天地)는 사물이고 건곤은 괘의 이름이다. '낮음과 높음'은 위와 아래이다. 여섯 자식이 건곤의 가운데 포함되니, 건괘가 세 번 구하여 진괘(震卦☳)와 감괘(坎卦☵)와 간괘(艮卦☶)를 얻고, 곤괘가 세 번 구하여 손괘(巽卦☴)와 리괘(離卦☲)와 태괘(兌卦☱)를 얻는다. 아래의 획은 낮음이 되고 위의 획은 높음이 되는데, 낮은 것으로부터 높아지기 때문에 '낮음과 높음'이라고 하였다. 낮은 곳에 진열되면 진괘와 손괘가 되고,

가운데에 진열되면 감괘와 리괘가 되고, 높은 곳에 진열되면 간괘와 태괘가 된다. 자리로는 높은 것이 귀하고 낮은 것이 천하니 '삼효는 흉하고 오효는 공적이 있음'11)이 이것이며, 획으로는 양이 귀하고 음이 천하니 '귀한 것으로 천한 것에 아래함'12)이 이것이다. 고요한 것은 칠(七)과 팔(八)이고 움직이는 것은 구(九)와 육(六)인데, 이치는 변화하지 않음이 없다. 그러므로 변화를 일상으로 여기니, 강(剛)이 변하면 유(柔)가 되고, 유(柔)가 변하면 강(剛)이 된다. 『예기』에 "사물에 따라 계책을 낸다"13)고 하였고, 『사기』에 "사물에 따를 수 없다"고 하였으니, '방(方)'은 뜻이 향함이고 '물(物)'은 형질이다. 무성한 숲에 새와 짐승이 함께 돌아가고, 썩는 냄새에 파리와 개미가 함께 돌아가는 것이 바로 "방향은 부류로써 모아진다"는 것이다. 그러나 새와 새가 무리이고 짐승과 짐승이 무리이며, 파리와 파리가 무리이고 개미와 개미가 무리이니, 바로 "사물이 무리로써 나누어진다"는 것이다. 『주역』에서 상을 취한다면 (대축괘(大畜卦☶☰)의) '좋은 말·송아지·거세된 돼지'14) 같은 류가 "방향은 부류로써 모아진다"는 것이고, 건괘(乾卦☰)의 용(龍)과 대장괘(大壯卦☳☰)의 양(羊)과 점괘(漸卦☴☶)의 기러기[鴻] 같은 류가 "사물이 무리로써 나누어진다"는 것인데, 그 놓인 것의 얻음과 잃음으로 길함과 흉함이 나온다. 진괘의 우레와 리괘의 번개, 손괘의 바람과 감괘의 비는 하늘에 있으며 형상을 이루고, 간괘의 산과 태괘의 못은 땅에 있으며 형체를 이루니, 여섯 자식이 건곤의 가운데서 교감하여 변화가 나타난다.

윤동규(尹東奎) 『경설(經說)-역(易)』15)

天尊地卑者, 謂乾法天坤法地也, 蓋乾坤之定, 卽天尊地卑之謂也. 卑高以下, 卽乾坤卦中所有之事也, 成象之謂乾, 效法之謂坤, 非所謂在天成象在地成形者耶. 亦可指乾坤中事也. 剛柔者, 亦指乾坤而言也. 乾剛坤柔相摩, 而生三男三女, 卽下文所謂乾道成男坤道成女者也. 八卦相盪, 因而重之, 成六十四也, 乾坤生六子成四象爲八卦, 八卦因相重而成六十四卦也.

"하늘은 높고 땅은 낮다"는 건괘(乾卦☰)가 하늘을 본받고 곤괘(坤卦☷)가 땅을 본받음을 말하니, 건곤이 정해짐은 하늘이 높고 땅이 낮음을 말한다. '낮음과 높음으로'부터는 건괘와 곤괘에 있는 일이며, "상(象)을 이룸을 건(乾)이라 하고, 법(法)을 드러냄을 곤(坤)이라 한다"16)는 이른바 "하늘에 있어서는 형상이 이루어지고, 땅에 있어서는 형체가 이루어진다"는

---

11) 『周易·繫辭傳』: 三與五, 同功而異位, 三多凶, 五多功, 貴賤之等也.
12) 『周易·屯卦』: 象曰, 雖磐桓, 志行正也, 以貴下賤, 大得民也.
13) 『禮記·內則』: 四十始仕, 方物出謀發慮, 道合則服從, 不可則去.
14) 『周易·大畜卦』: 九三, 良馬逐, 利艱貞, 曰閑輿衛, 利有攸往. 六四, 童牛之牿, 元吉. 六五, 豶豕之牙, 吉.
15) 경학자료집성DB에서는 「계사상전」 '제7장'에 해당하는 것으로 분류했으나, 내용에 따라 이 자리로 옮겼다.

것이 아니겠는가? 또한 건곤에 있는 일을 가리켰다고 할만하다. 강유는 또한 건곤을 가리켜 말하였다. 건의 강함과 곤의 유함이 서로 마찰하여 세 아들과 세 딸을 낳으니, 아래 글의 이른바 "건의 도가 남성을 이루고, 곤의 도가 여성을 이룬다"는 것이다. 팔괘가 서로 섞임에 의거하여 거듭하면 64괘가 이루어지니, 건곤(乾坤)이 여섯 자식을 낳아 사상(四象)을 이루고 팔괘(八卦)가 되며, 팔괘가 의거하여 서로 거듭함에 64괘를 이룬다.

子程子, 破劉牧乾坤坎離同生之說, 曰譬如父母生男女, 豈男女與父母同生. 說卦有乾坤三索而得六子, 謂乾坤坎離同生, 豈有此事. 說是同生, 則何言六子耶. 今若遵康節加倍之法, 謂兩相摩而爲四, 四相摩而爲八云, 則是正不免程子所謂父母男女同生之非, 奚可哉. 蓋易本以乾坤爲首, 故大傳先言乾坤法天地, 成男成女, 因言成象之謂乾, 效法之謂坤, 乾坤其易之縕等說, 節節關鎖. 若如加倍之說, 則乾坤何以爲易之縕易之門耶. 程子之訓, 恐爲正當, 無遺法耳.

정자가 유목의 '건곤감리(乾坤坎離)가 함께 나온다'는 설을 논파하여 "비유하면 부모가 자녀를 낳음과 같으니, 어찌 자녀와 부모가 함께 나오겠는가? 「설괘전」에서 '건곤이 세 번 구하여 여섯 자식을 얻는다'고 하였는데, 건곤감리가 함께 나온다고 한다면 어찌 이러한 일이 있겠는가? 함께 나옴을 말하는 것이라면, 어째서 여섯 자식을 말하였겠는가?"라고 하였다. 지금 만약 소강절의 배(倍)를 더하는 방법을 준수하여 '둘이 서로 마찰하여 넷이 되고, 넷이 서로 마찰하여 여덟이 됨을 말한다'고 한다면, 이는 바로 정자가 말한 '부모와 자녀가 함께 나온다는 것은 그르다'에서 벗어나지 못한 것이니, 어찌 가하겠는가? 대체로 역의 근본은 건곤을 첫머리로 하기 때문에 「대전」에서 먼저 건곤이 천지를 본받아서 남성을 이루고 여성을 이룸을 말하였고, 인하여 "상(象)을 이룸을 건(乾)이라 하고, 법(法)을 드러냄을 곤(坤)이라 한다"와 "건곤은 역의 쌓임이로다"[17] 등의 설을 말하여 구절마다 묶어 버렸다. 만약 배(倍)를 더하는 설과 같다면, 건곤이 어찌 역(易)의 쌓임과 역의 문이 되겠는가? 정자의 가르침이 정당한 것 같으니 여지가 없을 것이다.

유정원(柳正源)『역해참고(易解參攷)』

天尊 [至] 見矣.

하늘은 높고 … 나타난다.

---

16) 『周易 · 繫辭傳』.

17) 『周易 · 繫辭傳』.

龜山楊氏曰, 天地者, 乾坤之象一也. 一闔一闢, 往來不窮, 其孰爲乾, 孰爲坤耶. 觀乎天地, 則乾坤定矣. 故乾爲君爲父, 〈案, 此下, 恐闕爲夫二字〉 以天尊故也. 坤爲臣爲子爲妻, 地卑故也. 六爻, 自初而至於上, 則尊卑陳矣, 五爲君, 二爲臣, 則貴賤位矣.

구산양씨가 말하였다: 천지는 건곤(乾坤)의 상과 동일하다. 한번 닫히고 한번 열려서 가고 옴이 끝이 없는데, 어느 것을 건이라 하고 어느 것을 곤이라 하겠는가? 천지를 본다면 건과 곤이 정해질 것이다. 그러므로 건(乾)은 임금이 되고 아버지가 되니, 〈내가 살펴보았다: 이 글 아래에 '남편이 된다[爲夫]'는 말이 빠진 듯하다〉 하늘이 높기 때문이다. 곤(坤)은 신하가 되고 자식이 되고 부인이 되니, 땅이 낮기 때문이다. 육효가 초효로부터 상효에 이르니 높고 낮음이 정해지고, 오효는 임금이 되고 이효는 신하가 되니 귀함과 천함이 자리한다.

○ 漢上朱氏曰, 陽爲貴, 乾也, 陰爲賤, 坤也. 在天成象, 陰陽也, 在地成形, 剛柔也, 陰陽之氣, 變於上, 剛柔之形, 化於下. 陰陽交錯, 剛柔互分, 天地變化之道, 乾坤之交也. 爻或得朋, 或失類, 或遠而相應, 或近而不相得, 或睽而通, 或異而同, 此吉凶所由生也.

한상주씨가 말하였다: 양은 귀(貴)하니 건(乾)이고, 음은 천(賤)하니 곤(坤)이다. 하늘에 있어서 형상을 이루는 것은 음양이고, 땅에 있어서 형체를 이루는 것은 강유이니, 음양의 기운이 위에서 변화하고, 강유의 형질이 아래에서 변화한다. 음양이 서로 섞이고 강유가 서로 나뉘며 천지가 변화하는 도는 건곤의 사귐이다. 효(爻)가 혹은 벗을 얻고, 혹은 부류를 잃으며, 혹은 멀리서도 서로 호응하고 혹은 가깝지만 서로 얻지 못하며, 혹은 어긋나도 통하고 혹은 달라도 같아지니 이에 길흉이 근거하여 나오는 것이다.

○ 朱子曰, 變化二字, 下章說得最分曉, 變是自陰而陽, 化是自陽而陰. 易中說變化, 唯此處最親切.

주자가 말하였다: '변화(變化)'라는 말은 아래의 장에서 설명한 것이 가장 분명하니, '변(變)'은 음으로 부터 양이 되고, '화(化)'는 양으로부터 음이 되는 것이다. 『주역』에서 변화에 대한 설명이 여기가 가장 친절하다.

○ 董銖問, 陰陽以氣言, 剛柔以質言, 旣有卦爻可見, 則當以質言, 而不得以陰陽言矣, 故彖辭多言剛柔, 不言陰陽是否. 曰, 是.

동수가 물었다: 음양(陰陽)은 기운으로 말하였고 강유(剛柔)는 형질로 말하였으니, 이미 볼 수 있는 괘효가 있으면 형질로 말해야지 음양으로 말할 수 없기 때문에 단사에서 강유를 말함이 많고 음양을 말하지 않은 것입니까?
답하였다: 그렇습니다.

○ 誠齋楊氏曰, 南方之人, 喜聞楚語, 北方之人, 喜聞燕語, 方以類聚也. 鵲之巢, 无烏之子, 馬之厩, 无狐之穴, 物以群分也. 善惡之分聚, 亦然.

성재양씨가 말하였다: 남방의 사람은 초(楚)나라 말을 듣기를 좋아하고, 북방의 사람은 연(燕)나라 말을 듣기를 좋아함이 '방향은 부류로써 모아짐'이다. 까치의 둥지에는 까마귀 새끼가 없고, 말의 마구간에는 여우의 구멍이 없음이 '사물은 무리로써 나누어짐'이다. 선(善)과 악(惡)의 나뉨과 모임도 그러하다.

○ 南軒張氏曰, 乾位西北, 坎艮震陽, 皆以類聚, 坤位西南, 巽離兌陰, 皆以類聚, 此方以類聚也. 乾爲天, 而坎水艮山震雷, 皆群分於此, 坤爲地, 而離火兌澤巽木, 皆群分於此, 此物以群分也. 或聚或分, 而得者爲吉, 失者爲凶, 吉凶生矣.

남헌장씨가 말하였다: 건괘(乾卦)가 서북에 자리함에 감괘(坎卦)·간괘(艮卦)·진괘(震卦)의 양이 모두 부류로써 모아지고, 곤괘(坤卦)가 서남에 자리함에 손괘(巽卦)·리괘(離卦)·태괘(兌卦)의 음이 모두 부류로써 모아지는 이것이 "방향은 부류로써 모아진다"는 것이다. 건괘가 하늘이 됨에 감괘의 물과 간괘의 산과 진괘의 우뢰가 모두 여기에서 무리로써 나눠지고, 곤괘가 땅이 됨에 리괘의 불과 태괘의 못과 손괘의 나무가 모두 여기에서 무리로써 나눠지는 이것이 "사물은 무리로써 나누어진다"는 것이다. 혹은 모이고 혹은 나뉘면서 얻는 것은 길함이 되고 잃는 것은 흉함이 되니, 길함과 흉함이 생긴다.

○ 雙湖胡氏曰, 朱子訓方義, 蓋本程子, 而諸說訓爲四方, 亦不可不備. 龜山與南軒, 徑就後天八卦論, 方物聚分, 本只就四方萬物說, 吉凶生方是易. 然萬物之類聚群分, 其具列於八卦, 亦有如二先生所言矣. 若就先天八卦論, 乾兌離震, 生於陽儀, 故類聚於東南, 巽坎艮坤, 生於陰儀, 故類聚於西北, 而八卦之物, 亦皆隨卦而群分焉, 亦未有不可. 要之作易莫先於伏羲, 則方物之聚散, 是論先天八卦矣.

쌍호호씨가 말하였다: 주자가 '방(方)'의 뜻을 풀이한 것은 대체로 정자에 근거하지만, 사방(四方)으로 풀이하는 여러 설명도 갖추지 않을 수 없다. 구산과 남헌이 갑자기 후천팔괘에 나아가 논하였지만, '사방과 만물의 모임과 나눔[方以類聚, 物以群分]'은 본래 사방과 만물에 나아가 설명하였던 것일 뿐이니, 길함과 흉함이 생겨야 비로소 역(易)인 것이다. 그러나 만물의 부류가 모이고 무리가 나눔이 팔괘에 갖추어져 나열됨은 또한 두 선생의 말과 같은 것이 있다. 만약 선천팔괘에 나아가 논한다면, 건괘(乾卦)·태괘(兌卦)·리괘(離卦)·진괘(震卦)는 양의 법도[陽儀]에서 나오므로 부류가 동남쪽에 모이고, 손괘(巽卦)·감괘(坎卦)·간괘(艮卦)·곤괘(坤卦)는 음의 법도[陰儀]에서 나오므로 부류가 서북쪽에 모이는데, 팔괘는 또한 모두 괘를 따라서 무리가 나누어지니, 또한 불가함이 없다. 요컨대 역을 지음이 복희보다 앞서는 것이 없으니, 사방과 만물의 모임과 흩어짐은 선천의 팔괘를 논한 것이다.

○ 案, 象者, 陰陽之精華也, 形者, 陰陽之體質也. 日月星辰, 出入盈虛, 隨時迭變者, 陰陽之在天而變化也, 山川動植, 發散收斂, 隨時變遷者, 陰陽之在地而變化也. 儀象卦爻之陰變爲陽, 陽化爲陰, 揲蓍卦爻之九化爲八, 六變爲七者, 有似乎此歟.

내가 살펴보았다: 형상은 음양의 정화이고 형체는 음양의 몸체이다. 일월(日月)과 성신(星辰)이 나가고 들어오며 차고 기울어 때에 따라 번갈아 변하는 것은 음양이 하늘에서 변화하는 것이고, 산천과 동식물이 발산하고 수렴하여 때에 따라 변천하는 것은 음양이 땅에서 변화하는 것이다. 괘효의 음(陰)이 변(變)하여 양(陽)이 되고 양이 화(化)하여 음이 됨을 본받아 형상하고, 괘효의 구(九)가 화(化)하여 팔(八)이 되고 육(六)이 변하여 칠(七)이 되는 것을 헤아리면 이와 유사함이 있을 듯하다.

김근행(金謹行) 「주역차의(周易箚疑)·역학계몽차의(易學啓蒙箚疑)·독역범례(讀易凡例)·주역의목(周易疑目)」

繫辭上篇第一章, 天地卑高, 以陰陽而言, 乾坤貴賤, 以易卦而言. 方以類聚, 物以群分, 自是一義, 而類聚群分, 先言同類, 後言異類. 方與物, 有體用之分, 方者, 物之方也.

「계사상편」 제1장의 하늘과 땅, 낮음과 높음은 음양으로 말한 것이고, 건과 곤, 귀함과 천함은 역의 괘로써 말한 것이다. "방향은 부류로써 모아지고 사물은 무리로써 나누어진다"는 본래 동일한 뜻으로, '부류로써 모아짐'과 '무리로써 나누어짐'은 먼저 같은 부류를 말하고, 뒤에 다른 부류를 말한 것이다. '방향'과 '사물'은 몸체[體]와 작용[用]의 나뉨이 있고, '방향'은 '사물'의 방향이다.

김상악(金相岳) 『산천역설(山天易說)』

天地者, 乾坤之體也, 尊卑者, 乾坤之位也, 故天在上而尊, 地在下而卑. 動靜者, 陰陽之常也, 故陽動陰靜, 而剛柔斷矣. 方物有善惡, 故方聚物分, 而吉凶生矣. 象形有上下, 故成象成形, 而變化見矣. 此因乾坤對待之體, 言易卦流行之用.

하늘과 땅은 건과 곤의 몸체이고, 높음과 낮음은 건과 곤의 자리이기 때문에 하늘은 위에서 높고 땅은 아래에서 낮다. 동과 정은 음과 양의 상도(常道)이기 때문에 양은 움직이고 음은 고요하여 강과 유가 결단된다. 방향과 사물에는 선과 악이 있기 때문에 방향이 모이고 사물이 나누어짐에 길과 흉이 생긴다. 형상과 형체는 위와 아래가 있기 때문에 형상을 이루고 형체를 이룸에 변화가 나타난다. 이것은 건곤의 마주하는 몸체에 근거하여 역괘(易卦)의 흘러가는 작용을 말한 것이다.

박윤원(朴胤源) 『경의(經義)·역경차략(易經箚略)·역계차의(易繫箚疑)』

易之理, 陰陽而已, 夫子言陰陽, 必從天地說起, 則其曰動靜有常, 亦言天地之動靜, 而非泛言陰陽之動靜歟. 如以此動靜字, 爲泛言陰陽, 而非言天地者, 則與他句異例, 恐未然. 蓋此節每截, 皆言天地, 乾坤, 天地也, 卑高, 亦是天地之高卑也. 類聚群分, 皆天地間物事, 末又曰成象成形, 則首尾以天地爲言也. 何獨於動靜一句, 泛言陰陽, 而不言天地乎. 或言天地之動靜, 卽陰陽之動靜, 陰陽之動靜, 卽天地之動靜, 不可二之, 然則天地陰陽, 果無分別歟, 陰陽天地, 果無先後歟.

역(易)의 이치는 음양일 뿐이고, 공자가 음양을 말할 때는 반드시 천지(天地)로부터 설명을 시작하니, 그 "동(動)과 정(靜)에 떳떳함이 있다"고 한 것은 또한 천지의 동과 정을 말한 것이지 범범하게 음양의 동정을 말한 것은 아닌 듯하다. 만약 여기의 동과 정을 범범하게 음양을 말한 것이지 천지를 말한 것이 아니라고 한다면, 다른 구절과 범례가 달라지니 아마도 그렇지 않은 듯하다. 대체로 이 구절은 절구마다 모두 천지를 말하였으니, '건곤'은 천지이고, '낮음과 높음'도 천지의 높음과 낮음이다. '부류로써 모아지고 무리로써 나누어짐'은 모두 천지 사이의 사물이며, 끝에 다시 "형상이 이루어지고 형체가 이루어진다"고 하였으니 처음과 끝을 천지로써 말하였다. 어찌 홀로 동과 정의 한 구절에서만 범범하게 음양을 말하고 천지를 말하지 않았겠는가? 혹 천지의 동과 정이 바로 음양의 동과 정이고, 음양의 동과 정이 바로 천지의 동과 정이어서 둘로 할 수 없다고 한다면, 그렇다면 천지와 음양은 과연 분별이 없겠으며, 음양과 천지는 과연 선후(先後)가 없단 말인가?

박제가(朴齊家) 『주역(周易)』

卑高以陳.
낮음과 높음으로 진열되니.

張子曰, 不言高卑, 而曰卑高, 亦有義, 人先見卑, 然後見高也.
장자가 말하였다: 높음과 낮음이라고 하지 않고, '낮음과 높음'이라고 한 것은 또한 뜻이 있으니, 사람은 먼저 낮은 것을 보고 뒤에 높은 것을 본다.

案, 卦畫自下而上, 以上爲貴, 故曰卑高. 其曰陳者, 謂畫而積之也.
내가 살펴보았다: 괘를 긋는 것은 아래로부터 올라가서 위를 귀하게 여기므로 '낮음과 높음'이라고 하였다. '진열된다'고 한 것은 긋고 쌓아감을 말한다.

심취제(沈就濟) 『독역의의(讀易疑義)』

首一節, 以理言心學也.

첫 구절은 이치로 심학(心學)을 말하였다.

윤행임(尹行恁) 『신호수필(薪湖隨筆)·계사전(繫辭傳)』

曰天曰地, 以形體言也, 曰尊曰卑, 以上下言也, 曰乾曰坤, 以性情言也. 卑高者, 淸濁也, 貴賤者, 陰陽也, 淸爲陽, 濁爲陰, 陽貴而陰賤. 動靜者, 用也, 剛柔者, 體也, 動爲陽, 靜爲陰, 陽剛而陰柔. 類聚者, 以其隣也, 群分者, 失其與也, 吉凶者, 殊其德也. 象形者, 成其氣也, 變化者, 見其理也. 統以論之, 定然後有常, 天地之道, 常而已. 〈第一章〉

'하늘'이라 하고 '땅'이라 한 것은 형체로써 말한 것이고, '높다'고 하고 '낮다'고 한 것은 위와 아래로써 말한 것이고, '건'이라 하고 '곤'이라 한 것은 성정으로 말한 것이다. 낮음과 높음은 맑음과 탁함이고, 귀함과 천함은 음과 양인데, 맑은 것은 양이 되고 탁한 것은 음이 되니, 양은 귀하고 음은 천하다. 동(動)과 정(靜)은 작용이고 강과 유는 몸체인데, 동은 양이 되고 정은 음이 되니, 양은 강(剛)하고 음은 유(柔)하다. '부류로써 모아짐'은 이웃하기 때문이고, '무리로써 나누어짐'은 함께함을 잃기 때문이며, '길'과 '흉'은 그 덕이 다르기 때문이다. '형상'과 '형체'는 그 기운을 이룬 것이고, '변'과 '화'는 그 이치가 드러난 것이다. 총괄하여 논의하면 정해진 뒤에야 떳떳함이 있으니, 천지의 도는 떳떳함일 뿐이다. 〈제1장이다〉

오희상(吳熙常) 「잡저(雜著)-역(易)」

繫辭上傳第一章, 天尊地卑, 乾坤定矣, 卑高以陳, 貴賤位矣, 驟看尊卑卑高, 疑若語疊, 細玩則可通. 蓋尊卑以象言, 乾坤卽陰陽之大分也, 卑高以形言, 貴賤卽上下之位也. 以象言, 故先尊而後卑, 以形言, 故先卑而後高. 〈形必由卑而高, 爻亦自下而上.〉 且看淂天尊地卑乾坤定矣兩[18]句, 爲一節之大綱, 則亦自無重疊之疑矣.

「계사상전」 제1장의 "하늘은 높고 땅은 낮으니 건과 곤이 정해지고, 낮음과 높음으로 진열되니 귀함과 천함이 자리한다"에서 문득 '높음과 낮음[尊卑]'과 '낮음과 높음[卑高]'을 본다면, 말이 중첩된 것 같이 의심되지만 자세히 본다면 통할 수 있다. 대체로 '높음과 낮음'은 형상으로 말한 것이니, 건과 곤은 바로 음과 양의 큰 분류이고, '낮음과 높음'은 형체로 말한 것이니, 귀함과 천함은 바로 위와 아래의 자리이다. 형상으로 말하였기 때문에 높음을 먼저하고 낮음을 뒤에 하였고, 형체로 말하였기 때문에 낮음을 먼저하고 높음을 뒤에 하였다.

---

18) 兩: 경학자료집성DB에는 '而'로 되어 있으나, 경학자료집성 영인본과 문맥을 살펴 '兩'으로 바로잡았다.

〈형체는 반드시 낮음에 의거하여 높아지고, 효(爻)도 아래로부터 올라간다.〉 또한 "하늘은 높고 땅은 낮으니 건과 곤이 정해진다"는 두 어구가 이 구절의 대강이 됨을 살핀다면, 또한 저절로 중첩한다는 의심이 없어질 것이다.

심대윤(沈大允) 『주역상의점법(周易象義占法)』

以言易卽天地之理也, 放配易於天而合言之也.

이것으로 역(易)이 바로 천지의 이치임을 말했으니, 역을 하늘에 그대로 짝지우고 합하여 말한 것이다.

오치기(吳致箕) 「주역경전증해(周易經傳增解)」

天地者, 陰陽之形體也, 乾坤者, 易中陰陽之卦名也. 卑高者, 天地萬物之位也, 貴賤者, 易中卦爻之位也. 動靜者, 陽動陰靜之常也, 剛柔者, 易中卦爻之陰陽也. 方者, 卽如四方之謂, 而類聚者, 如東方之類, 相聚於東方, 南方之類, 相聚於南方, 是也. 物者, 萬物也, 亦言事物之善惡也. 群分者, 以萬物言, 則如角之群分別于羽, 介之群分別于鱗, 是也, 以善惡言, 則人而君子善小人惡, 物而鳳凰善鴟鴉惡, 皆其分也. 吉凶者, 易中卦爻占決之辭也. 日月星辰之屬曰象, 飛潛動植之類曰形也. 變化者, 易中揲蓍求卦, 陰極則變爲陽, 陽極則化爲陰者也. 此節言聖人作易, 法象乎天地萬物陰陽變化也.

'하늘'과 '땅'은 음양의 형체이고, '건'과 '곤'은 역(易)에 있는 음양의 괘 이름이다. '낮음'과 '높음'은 천지만물의 자리이고, '귀함'과 '천함'은 역에 있는 괘효의 자리이다. '동'과 '정'은 양이 움직이고 음이 고요한 상도(常道)이고, '강(剛)'과 '유(柔)'는 역에 있는 괘효의 음과 양이다. '방향'은 곧 사방과 같은 것을 말하고, '부류로써 모아짐'은 동방의 부류가 동방에서 서로 모이고, 남방의 부류가 남방에서 서로 모이는 것과 같은 것이다. '사물'은 만물이며, 또한 사물의 선악을 말한다. '무리로써 나누어짐'을 만물로 말하면 뿔이 있는 무리가 조류와 분별되고, 껍질이 있는 무리가 어류와 분별되는 것과 같은 것이며, 선악으로 말하면 사람이면서 군자는 선하며 소인은 악하고, 사물이면서 봉황은 선하며 부엉이는 악한 것이 모두 그 나누어짐이다. '길'과 '흉'은 역에 있는 괘효에서 점으로 결단한 말이다. 일월성신에 속한 것은 '형상'이라고 하고, 날짐승과 물고기, 동물과 식물의 부류를 '형체'라고 한다. '변'과 '화'는 역에서 시초를 셈하여 괘를 구함에 음이 다하면 변(變)하여 양이 되고, 양이 다하면 화(化)하여 음이 되는 것이다. 이 구절은 성인이 역을 지음에 천지만물과 음양의 변화를 본받아 형상했음을 말하였다.

이진상(李震相) 『역학관규(易學管窺)』

卑高以陳,

낮음과 높음으로 진열되니,

凡物之象, 皆由卑而高, 故畫卦爻, 必自下而上. 旣陳之後, 高者爲貴, 卑者爲賤.

모든 사물의 형상은 모두 낮은 곳에서 높아지기 때문에 괘효를 그림에도 반드시 아래로부터 올라간다. 이미 진열된 뒤에는 높은 것은 귀하게 되고, 낮은 것은 천하게 된다.

○ 方以類聚,

방향은 부류로써 모아지고,

這方字, 以方位看, 亦通. 乾兌離震, 生於陽儀, 故類聚於東南, 巽坎艮坤, 生於陰儀, 故類聚於西北. 陽生則君子道長, 陰生則小人道長, 善惡之分, 各以類應矣.

여기의 ‘방(方)’자는 방위로 보더라도 통한다. 건괘(乾卦☰)·태괘(兌卦☱)·리괘(離卦☲)·진괘(震卦☳)는 양(陽)의 법도에서 나오기 때문에 부류가 남동쪽에 모이고, 손괘(巽卦☴)·감괘(坎卦☵)·간괘(艮卦☶)·곤괘(坤卦☷)는 음(陰)의 법도에서 나오기 때문에 부류가 서남쪽에 모인다. 양이 나오면 군자의 도(道)가 자라나고, 음이 나오면 소인의 도가 자라나서 선과 악의 나뉨이 각각 부류대로 호응할 것이다.

○ 小註融堂說.

소주의 융당의 설명.

无畫之易, 便是太極, 太極之先, 豈有物乎.

괘획이 없는 역이 바로 태극이니, 태극의 앞에 어찌 무언가가 있겠는가?

박문호(朴文鎬) 「경설(經說)·주역(周易)」

繫辭註, 程子曰三字, 或大書或小書, 蓋其依文釋義者大書, 以補傳之闕, 若其汎爲論說者, 則直歸於小註. 然其大書者, 於註例, 終有所未便云.

「계사전」의 주석에서 ‘정자왈(程子曰)’ 세 글자는 크게 쓰기도 하고 작게 쓰기도 하였는데, 대체로 본문에 의거하여 뜻을 해석한 것은 크게 써서 「대전」에 빠진 것을 보충하였고, 범범하게 논설한 것이라면 직접 소주(小註)로 돌렸다. 그러나 그 크게 쓴 것은 주석하는 범례에 끝내는 곤란한 바가 있다고 할 것이다.

是故, 剛柔相摩, 八卦相盪,

이러므로 강(剛)과 유(柔)가 서로 마찰하며 팔괘(八卦)가 서로 섞여서,

‖中國大全‖

本義

此, 言易卦之變化也. 六十四卦之初, 剛柔兩畫而已, 兩相摩而爲四, 四相摩而爲八, 八相盪而爲六十四.

여기에서는 역괘(易卦)의 변화를 말하였다. 육십사괘의 처음은 강과 유의 두 획일 뿐이니, 둘이 서로 마찰하여 사(四)가 되고, 사(四)가 서로 마찰하여 팔(八)이 되고, 팔(八)이 서로 움직여서 육십사괘(六十四卦)가 되었다.

小註

朱子曰, 繫辭中說是故字, 都是喚那下文起, 也有相連處, 也有不相連處.

주자가 말하였다: 「계사전」 가운데 말한 '이러므로[是故]'라고 말한 것은 모두 아래 문장을 일으키는 것인데 서로 이어지는 곳도 있고 이어지지 않는 곳도 있다.

○ 問, 剛柔相摩, 八卦相盪, 竊謂六十四卦之初, 剛柔兩畫而已, 兩而四, 四而八, 八而十六, 十六而三十二, 三十二而六十四, 皆是自然生生而不已, 而謂之摩盪何也. 曰, 摩如一物在一物上面, 摩旋底意思, 亦是相交意思, 如今人磨子相似. 下面一片不動, 上面一片只管摩旋, 推盪不曾住. 自兩儀生四象, 則老陽老陰不動, 而少陰少陽則交. 自四象生八卦, 則乾坤震巽不動, 而兌離坎艮則交. 自八卦而生六十四卦, 皆是從上加去下體不動, 每一卦生八卦, 故謂之摩盪. 又曰摩是兩個物事相摩憂, 盪是圓轉推盪出來, 摩是八卦以前事, 盪是有那八卦了, 旋推盪那六十四卦出來. 漢書所謂盪軍, 是圓轉去殺他, 磨轉他底意思.

물었다: '강유상마(剛柔相摩)'와 '팔괘상탕(八卦相盪)'은, 육십사괘의 처음에는 강과 유의

두 획이었을 뿐이다가 둘에서 넷으로 넷에서 여덟로 여덟에서 십육으로 십육에서 삼십이로 삼십이에서 육십사로 된 것이니, 모두 자연히 낳고 낳는 이치인데 '마(摩)'와 '탕(盪)'이라 한 것은 어째서입니까?

답하였다: '마(摩)'는 예를 들면 한 물건이 다른 한 물건의 위에 있으면서 부딪히며 도는 뜻이며 또한 서로 사귀는 뜻이니 지금 사람들이 맷돌이라 하는 것과 비슷합니다. 아래의 한 부분은 움직이지 않고, 위의 한 부분만 갈며 돌아가서 밀치고 움직임이 멈춘 적이 없습니다. 양의(兩儀)에서 사상(四象)이 나오는데 노양(老陽)과 노음(老陰)은 움직이지 않고 소음(少陰)과 소양(少陽)은 사귑니다. 사상(四象)에서 팔괘가 나오는데 건곤진손(乾坤震巽)은 움직이지 않고 태리감간(兌離坎艮)은 사귑니다. 팔괘에서 육십사괘가 나올 때에도 다 위에서 더하고 아래 몸체는 움직이지 않아서 매번 한 괘에서 여덟 괘가 나오기 때문에 '마(摩)'라 하고 '탕(盪)'이라 하였습니다.

또 답하였다: '마(摩)'는 두 물체가 서로 마찰하며 두드리는 것이고 '탕(盪)'은 둥글게 돌며 밀쳐 내는 일로서 '마(摩)'는 팔괘 이전의 일이고 '탕(盪)'은 팔괘가 있은 뒤에 돌면서 육십사괘를 밀쳐서 나오게 하는 것입니다. 『한서』에서 말한 '탕군(盪軍)'은 둥글게 돌아가며 그것을 덜어내는 것이니, 그것을 갈아서 돌린다는 뜻입니다.

○ 臨川吳氏曰, 畫卦之初, 以一剛一柔, 與第二畫之剛柔相磨而爲四象. 又以二剛二柔, 與第三畫之剛柔相磨而爲八卦. 八卦旣成, 則又各以八悔卦, 盪於一貞卦之上, 而一卦爲八卦, 八卦爲六十四卦也.

임천오씨가 말하였다: 괘를 긋는 처음에 하나의 강과 하나의 유가 두 번째 획의 강과 유와 서로 부딪혀 사상이 된다. 또 두 강과 두 유가 세 번째 획의 강과 유와 부딪혀 팔괘가 된다. 팔괘가 이미 이루어지면 각각 여덟 개의 움직이는 괘[外卦]를 한 개의 곧은 괘[內卦]의 위에서 움직여서 한 괘가 팔괘가 되고 팔괘가 육십사괘가 된다.

‖韓國大全‖

이익(李瀷) 『역경질서(易經疾書)』

乾一剛摩坤而生三男, 坤一柔摩乾而生三女. 旣成八卦, 以八卦盪八卦, 成六十四, 如下面八卦, 推盪上面八卦. 一盪而生訟蹇頤恒家人晉臨夬八卦, 餘可類推. 詳在下九章.

건(乾)인 하나의 강(剛━)이 곤(坤)과 마찰하여 세 아들[☳,☵,☶]을 낳고, 곤(坤)인 하나의 유(柔--)가 건과 마찰하여 세 딸[☴,☲,☱]을 낳는다. 이미 팔괘를 이루고는 팔괘를 팔괘와 섞어서 64괘를 이루니, 아래의 팔괘가 위의 팔괘로 밀려서 섞임과 같다. 한 번씩 섞여서 송괘(訟卦☰)·건괘(蹇卦☶)·이괘(頤卦☶)·항괘(恒卦☳)·가인괘(家人卦☲)·진괘(晉卦☶)·임괘(臨卦☳)·쾌괘(夬卦)라는 여덟 괘를 낳으니, 나머지는 유추할 수 있다. 자세한 것은 아래의 9장에 있다.

유정원(柳正源) 『역해참고(易解參攷)』

剛柔 [至] 相盪,

강과 유가 … 서로 섞여서,

韓氏曰, 相切摩也, 言陰陽之交感, 相推盪也, 言運化之推移.

한강백이 말하였다: 서로 맞춰 마찰함은 음양이 서로 감응함을 말하고, 서로 밀쳐 섞임은 운행 변화의 진행을 말한다.

○ 朱子曰, 盪比摩, 便闊了.

주자가 말하였다: '섞임[盪]'은 '마찰함[摩]'에 비하면 펼쳐진 것이다.

○ 案, 兩儀上, 各生兩儀, 陽上亦有陰, 陰上亦有陽, 如金在礪上, 摩戛推轉, 東底忽在西面上, 西底忽在東面上. 四象八卦之交不交, 便可見矣. 八卦上, 各生八卦, 乾上亦有坤, 坤上亦有乾, 如水在器中, 動盪周旋, 左底忽循右邊去, 右底忽循左邊去. 六十四卦之交不交, 便可見矣.

내가 살펴보았다: 양의(兩儀)의 위에 각각 양의가 나와서 양(陽) 위에도 음이 있고, 음(陰) 위에도 양이 있으니, 숫돌 위의 쇠가 문지르며 옮겨가서 동쪽에 있던 것이 갑자기 서쪽의 위에 있고, 서쪽에 있던 것이 갑자기 동쪽의 위에 있음과 같다. 사상과 팔괘의 사귐과 사귀지 않음도 곧 알 수 있을 것이다. 팔괘(八卦)의 위에 각각 팔괘가 나와서 건괘(乾卦☰)의 위에 또한 곤괘(坤卦☷)가 있고, 곤괘의 위에 또한 건괘가 있으니, 그릇 안의 물이 섞이며 돌아가 좌측에 있던 것이 갑자기 우측으로 돌아가고, 우측에 있던 것이 갑자기 좌측으로 돌아감과 같다. 64괘의 사귐과 사귀지 않음도 곧 알 수 있을 것이다.

송능상(宋能相) 「계사전질의(繫辭傳質疑)」

剛柔相摩, 八卦相盪, 伏羲畫卦之情, 始終明白. 蓋其初只畫剛柔, 兩儀以象陰陽, 兩儀之上, 各生兩儀, 以象陰陽二者, 又各自有陰陽. 復於其上, 各加兩儀, 以明夫陰陽二者, 經緯錯綜, 其變無窮, 不止於四象而已, 於是乎三才之象, 亦已具焉. 剛柔爻畫, 各有不同, 而吉凶大小, 居然可見, 而乃觀象而命名, 則所謂乾兌離震巽坎艮坤者. 其卦有八次第情狀, 皆出於自然, 有不容聖人一毫私智而成者. 然天下之事變有萬, 民心之哲愚不一, 而只以是八者, 通志而斷疑, 猶患其有所不盡也. 是故因而重之, 其別有六十四, 而一卦之上, 各加八卦. 有事則筮, 隨遇而占, 下上貞悔之間, 無不可見, 則是所謂剛柔相摩八卦相盪者也.

"강과 유가 서로 마찰하며 팔괘가 서로 섞였다"에는 복희가 괘를 그은 실정이 처음부터 끝까지 명백하다. 대체로 그 처음에는 강(剛)과 유(柔)만을 그었으니 양의(兩儀)로 음양을 상징한 것이고, 양의의 위에 각각 양의가 나왔으니 음양 두 가지에 다시 각각 음과 양이 있음을 상징한 것이다. 다시 그 위에 각각 양의를 더하여서 저 음양이라는 것이 가로 세로로 섞여서 그 변화가 무궁하여 사상에 그칠 뿐이 아님을 밝혔으니, 여기에서 삼재의 상이 또한 이미 갖추어진다. 강과 유의 효의 획이 각각 같지 않아서 길과 흉, 큼과 작음이 쉽사리 드러나고, 또 상을 보고서 이름붙일 수 있었으니, 이른바 건괘(乾卦☰)・태괘(兌卦☱)・리괘(離卦☲)・진괘(震卦☳)・손괘(巽卦☴)・감괘(坎卦☵)・간괘(艮卦☶)・곤괘(坤卦☷)인 것이다. 그 괘에 여덟 개의 차례와 실정이 있는데, 모두 자연함에서 나왔으며, 한 터럭의 성인의 사사로운 지혜도 용납하지 않고 이루어진 것이다. 그러나 천하의 일의 변화에는 온갖 것이 있고, 민심의 현명하고 어리석음은 한결같지 않아서 단지 이 여덟 개로 뜻을 통하고 의심을 결단함에는 여전히 미진함이 있음을 걱정하였다. 이런 까닭으로 의거하여 거듭하여 따로 64괘를 두었는데, 한 괘의 위에 각각 팔괘를 더하였다. 일이 있음에 경우에 따라서 점치면 아래와 위, 내괘와 외괘의 사이에서 나타나지 않는 것이 없으니, 이것이 이른바 "강과 유가 서로 마찰하며 팔괘가 서로 섞였다"는 것이다.

又有曰, 八卦而小成, 引而伸之, 曰兩儀生四象, 四象生八卦, 八卦定吉凶, 曰八卦成列, 象在其中, 因而重之, 爻在其中, 曰始作八卦, 以通神明之德, 以類萬物之情, 曰八卦以象告 爻象以情言 曰八卦相錯, 孔子之所以明伏羲意者, 反覆丁寧, 若是其備, 而後來學易者, 類不能直契而精勘. 雖以子程子之明理, 而卻於始畫八卦之說, 源流次第, 未免籠罩, 邵康節之通於易, 而八生十六, 十六生三十二之論, 乃反以曲暢旁通偶合之妙者, 直作聖人當初之正義, 亦可謂無意味矣. 夫不識一每生二, 自然之理, 則八卦之畫, 出於人爲, 而自乾至坤之序, 都歸於強名矣, 不識畫卦因重, 化裁之道, 則八卦之成, 徑先得名, 而必至於六畫而止者, 未見有定理矣. 雖然, 朱夫子未嘗爲一定之論, 而或反以邵子之義爲多, 弟子之惑, 竊滋甚焉. 鼓之以雷霆一節, 乾道成男一節, 本義分屬於變化之象形, 不徒爲上下彼此也, 本末先後之義, 亦在於其中矣.

또 "팔괘에 조금 이루어 이끌어 편다"고 하고,[19] "양의가 사상을 낳고 사상이 팔괘를 낳으니 팔괘가 길흉을 정한다"고 하고,[20] "팔괘가 줄을 이루니 상(象)이 그 가운데 있고, 의거하여 거듭하니 효(爻)가 그 가운데 있다"고 하고,[21] "비로소 팔괘를 만들어 이로써 신묘하고 밝은 덕에 통하며, 만물의 실정을 분류한다"고 하고,[22] "팔괘는 상(象)으로 일러주고 효사[爻]와 단사[象]는 정황[情]으로 말해준다"고 하고,[23] "팔괘가 서로 섞인다"고 하였다.[24] 공자가 복희의 뜻을 밝힌 것이 거듭해서 틀림없고 이와 같이 갖추었는데도, 뒤에 역을 배우는 자들이 대부분 직접 합치하여 정밀히 교감하지 못하였다. 비록 정자의 이치를 밝힘으로도 팔괘를 처음 긋는 설에서 원류와 차례가 구속됨을 면하지 못하였으며, 소강절의 역에 통달함으로도 팔(八)이 16을 낳고 16이 32를 낳는다는 논의에서 도리어 조리가 분명하고 널리 통하여 우연히 합치하는 것을 직접 성인의 당초의 바른 뜻으로 간주하였으니, 또한 무의미하다고 할 수 있다. 하나가 항상 둘을 낳음이 자연한 이치임을 알지 못한다면, 팔괘의 획이 인위(人爲)에서 나오고 건(乾)으로부터 곤(坤)에 이르는 순서도 모두 억지로 이름붙인 것이 될 것이며, 괘를 긋고 의거하여 거듭한 것이 변화를 마름질하는 도리임을 알지 못한다면, 팔괘가 이루어짐에 문득 먼저 이름을 얻고 반드시 여섯 획에 이른 뒤에야 그친 것이 정해진 이치가 있음을 알지 못할 것이다. 비록 그렇지만 주자도 일찍이 일정한 논의로 삼지 못하고 돌이켜 소자의 뜻을 좋게 여겼으니, 제자들의 의혹됨이 이에 더욱 심해졌다. "우레와 번개로써 고동한다"는 구절과 "건의 도가 남성을 이룬다"는 구절을 『본의』에서 변화의 형상과 형체로 나누어 놓았으니, 다만 위와 아래, 저것과 이것이 될 뿐만이 아니라, 본말과 선후의 뜻도 그 가운데 있을 것이다.

김근행(金謹行) 「주역차의(周易箚疑)·역학계몽차의(易學啓蒙箚疑)·독역범례(讀易凡例)·주역의목(周易疑目)」

摩盪二字, 摩是有轉磨加倍之義, 盪是有顚倒交錯之義.
'마찰함[摩]'과 '섞임[盪]'에서 '마찰함[摩]'은 굴려 비벼서 더한다는 뜻이고, '섞임[盪]'은 뒤집어서 뒤섞는다는 뜻이다.

---

19) 『周易·繫辭傳』: 八卦而小成, 引而伸之, 觸類而長之, 天下之能事畢矣.
20) 『周易·繫辭傳』: 是故, 易有大極, 是生兩儀, 兩儀生四象, 四象生八卦, 八卦定吉凶, 吉凶生大業.
21) 『周易·繫辭傳』.
22) 『周易·繫辭傳』: 於是, 始作八卦, 以通神明之德, 以類萬物之情.
23) 『周易·繫辭傳』: 八卦以象告, 爻象以情言, 剛柔雜居, 而吉凶可見矣.
24) 『周易·說卦傳』.

김상악(金相岳) 『산천역설(山天易說)』

八卦者, 剛柔之體, 剛柔者, 八卦之性. 初畫至二畫, 不可以名卦, 故曰剛柔相摩, 至三畫而後成卦, 故曰八卦相盪.

팔괘(八卦)는 강(剛)과 유(柔)의 몸체이고, 강유(剛柔)는 팔괘의 특성이다. 처음의 획이 두 번째 획에 이르렀어도 괘에 이름을 붙일 수 없으므로 "강과 유가 서로 마찰하며"라고 하였고, 세 번째 획에 이른 뒤에 괘가 이루어지므로 "팔괘가 서로 섞여서"라고 하였다.

윤행임(尹行恁) 『신호수필(薪湖隨筆)·계사전(繫辭傳)』

造化, 非兩則不成, 故陰陽相合而交運, 如二物之摩而生之又生, 至於八卦成, 而卦旣成矣. 加倍而爲六十四, 則如水之在器而沸上, 故曰盪, 盪也摩也, 其義差有間焉.

조화는 둘이 아니면 이루어지지 않으므로 음과 양이 서로 화합하여 사귀어 움직이니, 마치 두 사물이 마찰하여 낳고 또 낳음과 같으며, 팔괘가 이루어지게 되어야 괘가 이윽고 이루어질 것이다. 배로 더하여 64괘로 함은 그릇에 있는 물이 위로 용솟음침과 같으므로 '섞는다'고 하였으니, '섞음'과 '마찰함'은 그 뜻에 약간 차이가 있다.

摩而盪之, 陰陽以位, 故風雷而鼓動乎萬物, 日月而昭明乎兩間, 寒暑而迭行乎四時, 山峙而水流, 草木邃而鳥獸化.

마찰하고 섞여서 음과 양으로 자리하기 때문에 바람과 우레가 만물을 고동하고, 해와 달이 둘의 사이에서 빛나고, 추위와 더위가 사시에 번갈아 운행되며, 산이 우뚝 솟고 물이 흐르며, 초목이 생장하고 금수가 변화한다.

심대윤(沈大允) 『주역상의점법(周易象義占法)』

言陰陽四象之分合向背也.

음양(陰陽)과 사상(四象)의 나뉨과 합침, 향함과 등짐을 말하였다.

鼓之以雷霆, 潤之以風雨, 日月運行, 一寒一暑,

우레와 번개로써 고동하며, 바람과 비로써 적셔주며, 해와 달이 운행(運行)하며, 한 번 춥고 한 번 더워,

▌中國大全▐

本義

此, 變化之成象者.

이것은 변화가 상(象)을 이룬 것이다.

小註

朱子曰, 鼓之以雷霆以下四句, 是說易中所有.

주자가 말하였다: '우레로써 고동한다' 이하의 4구는 역(易) 가운데 있는 것을 설명하였다.

○ 建安丘氏曰, 前以乾坤貴賤剛柔吉凶變化言, 是對待之陰陽, 交易之體也. 此以摩盪鼓潤運行言, 是流行之陰陽, 變易之用也. 至下文則言乾坤之德行, 而繼以人體乾坤者終之.

건안구씨가 말하였다: 앞에서 건곤·귀천·강유·길흉·변화로 말한 것은 대대하는 음양이니 교역하는 본체이고, 여기에서 마탕(摩盪)·고윤(鼓潤)·운행(運行)으로 말한 것은 유행하는 음양이니 변역하는 작용이다. 아래 문장에 이르러서는 건곤의 덕행을 말하여 사람이 건곤을 체득하는 것으로 이어 마쳤다.

‖韓國大全‖

이익(李瀷) 『역경질서(易經疾書)』

穀梁傳, 震者何, 雷也. 電者何, 霆也. 震雷离霆, 巽風坎雨, 是在天成象, 不言艮兌, 卽在地成形也. 山澤通氣然後, 雷霆風雨, 行於天, 大地之勢, 北山南澤. 一寒一暑, 只繫於日月往來, 天腹赤道, 正當大海之中, 而春秋分之日軌也. 夏北冬南, 彼寒則此暑, 此寒則彼暑, 寒暑運行, 不離於艮山兌澤之間, 而爲陰陽舒翕之候也. 樂記以潤作奮, 奮主風言, 潤主雨言.

『곡량전』에서는 "진(震)이란 무엇인가? 우레이다. 전(電)이란 무엇인가? 번개이다"[25]라고 하였다. 진괘(震卦☳)인 우레와 리괘(離卦☲)인 번개, 손괘(巽卦☴)인 바람과 감괘(坎卦☵)인 비는 하늘에 있으며 형상을 이루고, 언급하지 않은 간괘(艮卦☶)와 태괘(兌卦☱)는 땅에 있으며 형체를 이룬다. 산과 못이 기운을 통한 뒤에야 우레와 번개, 바람과 비가 하늘에서 운행되는데, 대지의 형세는 북쪽이 산이고 남쪽이 못이다. 한 번 춥고 한 번 더운 것은 단지 해와 달의 왕래에 달려 있는데, 천복(天腹)의 적도는 바로 대해(大海)의 중앙으로 춘분과 추분의 일궤(日軌)에 해당된다. 여름에는 북쪽이고 겨울에는 남쪽이어서 저기가 추우면 여기가 덥고 여기가 추우면 저기가 더우니, 추위와 더위의 운행은 간괘(艮卦)인 산과 태괘(兌卦)인 못의 사이에서 벗어나지 못하고, 음과 양의 펼침과 거둠의 기후가 된다. 『악기』에는 '적심[潤]'이 '떨침[奮]'으로 되어있는데, '떨침'은 바람을 위주로 말한 것이고, '적심'은 비를 위주로 말한 것이다.

윤동규(尹東奎) 『경설(經說)-역(易)』[26]

鼓之以雷霆以下, 八卦之取象本如此, 而此所謂在天成象在地成形者也. 以此明八卦相盪之義.

"우레와 번개로써 고동한다"부터는 팔괘가 상을 취함이 본래 이와 같으니, 이것이 이른바 "하늘에 있어서는 형상이 이루어지고, 땅에 있어서는 형체가 이루어진다"는 것이다. 이것으로 '팔괘가 서로 섞인다'는 뜻을 밝혔다.

---

25) 『春秋穀梁傳·隱公』.

26) 경학자료집성DB에서는 「계사상전」 '제7장'에 해당하는 것으로 분류했으나, 내용에 따라 이 자리로 옮겼다.

김상악(金相岳) 『산천역설(山天易說)』

有八卦而後, 可見雷霆風雨日月寒暑運行之妙.

팔괘가 있은 뒤에야 우레와 번개, 바람과 비, 해와 달, 추위와 더위가 운행하는 신묘함을
알 수 있다.

서유신(徐有臣) 『역의의언(易義擬言)』[27]

鼓之以雷霆,

우레와 번개로써 고동하며,

雷震象, 霆艮象.

우레는 진괘(震卦☳)의 상이고 번개는 간괘(艮卦☶)의 상이다.

潤之以風雨,

바람과 비로써 적셔주며,

風巽象, 雨兌象.

바람은 손괘(巽卦☴)의 상이고, 비는 태괘(兌卦☱)의 상이다.

日月運行,

해와 달이 운행하며,

離坎之象.

리괘(離卦☲)와 감괘(坎卦☵)의 상이다.

이진상(李震相) 『역학관규(易學管窺)』

鼓之以雷霆.

우레와 번개로써 고동하며.

震爲陽生, 而離次之, 巽爲陰生, 而坎次之, 故先言雷霆, 而後言風雨. 離日漸暄, 至兌
則徂暑, 坎月生凉, 而至艮則總寒. 此言六子之功用, 而仍以乾坤之道總之, 亦先天之
序也.

진괘(震卦☳)에서 양이 발생하여 리괘(離卦☲)가 다음하고, 손괘(巽卦☴)에서 음이 발생

---

27) 경학자료집성DB에서는 「계사상전」 '통론'으로 분류했으나, 내용에 따라 이 자리로 옮겼다.

하여 감괘(坎卦☵)가 다음하기 때문에 먼저 우레와 번개를 말하고, 뒤에 바람과 비를 말하였다. 리괘(離卦)인 해가 점차 따뜻해져 태괘(兌卦☱)에 이르면 비로소 더워지고, 감괘인 달이 서늘함을 낳아 간괘(艮卦☶)에 이르면 모두 추워진다. 여기서는 여섯 자식의 공용을 말하였지만, 여전히 건곤(乾坤)의 도로 총괄하였으니, 또한 선천의 차례이다.

乾道成男, 坤道成女,

건(乾)의 도(道)가 남성을 이루고 곤(坤)의 도(道)가 여성을 이루니,

‖中國大全‖

本義

此, 變化之成形者. 此兩節, 又明易之見於實體者, 與上文相發明也.

이것은 변화가 형체를 이룬 것이다. 이 두 절(節)은 또 역(易)이 실체에 나타남을 밝혔으니, 윗 문장과 서로 보완관계에 있다.

小註

朱子曰, 剛柔相摩八卦相盪, 方是說做這卦. 做這卦了, 那鼓之以雷霆與風雨日月寒暑之變化, 皆在這卦中, 那成男成女之變化, 也在這卦中. 見造化關捩子纔動, 那許多物事都出來, 易只是模寫他這個. 又曰, 鼓之以雷霆潤之以風雨, 此已上是將造化之實體, 對易中之理, 此下便是說易中卻有許多物事.

주자가 말하였다: '강유상마(剛柔相摩)'와 '팔괘상탕(八卦相盪)'은 괘가 만들어짐을 말한 것이다. 괘가 만들어지면 우레와 번개로 고동하는 것과 풍우·일월·한서의 변화는 모두 괘 가운데 있고, 남성을 이루고 여성을 이루는 변화 또한 괘 가운데 있다. 조화의 핵심이 움직이자 수많은 사물이 나오는 것을 보았으니, 역(易)은 단지 그것을 모사한 것이다. 또 말하였다: "우레와 번개로 고동하고 풍우로 적신다"는 구절의 이상(以上)은 조화의 실체를 가지고 역 속의 이치를 대응시킨 것이고 그 이하(以下)는 역 속의 수많은 사물을 말한 것이다.

○ 天地父母, 分明是一理. 乾道成男坤道成女, 則凡天下之男皆乾之氣, 天下之女皆坤之氣. 從這裏便徹上徹下, 卽是一個氣都透了.

천지와 부모는 분명 동일한 이치이다. 건(乾)의 도는 남성을 이루고 곤(坤)의 도는 여성을 이루니 천하의 남성은 모두 건의 기운이고 천하의 여성은 모두 곤의 기운이다. 이곳을 좇으면 곧 위와 아래가 통하니, 하나의 기운이 관통하고 있는 것이다.

○ 乾道成男坤道成女, 通人物言之. 在動物如牝馬之類, 在植物亦有男女, 如麻有牡麻, 及竹有雌雄之類, 皆離陰陽剛柔不得. 又曰, 豈得男便都无陰, 女便都无陽. 這般須要錯看.

건의 도는 남성을 이루고 곤의 도는 여성을 이룸은 사람과 만물을 통틀어 말한 것이다. 동물에 있어서는 암말의 부류이고, 식물에 있어서도 남녀가 있으니 마(麻)에 빈마(牡麻)가 있고 대나무에 자웅 있는 것과 같은 부류는 모두 음양과 강유를 떠날 수 없는 것이다.

또 말하였다: 어찌 남성에게는 전혀 음이 없고 여성에게는 전혀 양이 없다고 할 수 있겠는가? 이런 것은 섞여 있다고 보아야 한다.

○ 正蒙云, 游氣紛擾, 合而成質者, 生人物之萬殊, 陰陽兩端循環不窮者, 立天地之大義. 陰陽循環如磨, 游氣紛擾如磨中出者. 剛柔相摩, 八卦相盪, 鼓之以雷霆, 潤之以風雨, 日月運行, 一寒一暑, 此陰陽循環立天地之大義也. 乾道成男, 坤道成女, 此游氣紛擾生人物之萬殊也.

『정몽』에서 말하였다: 떠도는 기운이 어지럽다가 합쳐서 물질을 이룬 것이 온갖 인물을 낳고, 음과 양의 두 단서가 순환하여 다함이 없는 것이 천지의 대의를 세운다. 음과 양이 순환함은 맷돌과 같고, 떠도는 기운이 어지러운 것은 맷돌에서 나오는 것과 같다. "강유가 서로 마찰하고 팔괘가 서로 섞여서 우레와 번개로써 고동하며, 바람과 비로써 적셔주며, 해와 달이 운행(運行)하며, 한 번 춥고 한 번 덥다"는 것은 음과 양이 순환하여 천지의 대의를 세우는 것이고, "건의 도는 남성을 이루고 곤의 도는 여성을 이룬다"는 것은 떠도는 기운이 어지럽다가 온갖 인물을 낳는 것이다.

○ 雲峯胡氏曰, 剛柔二爻, 相摩而爲八卦, 八卦相盪而爲六十四, 摩與盪卽上文所謂變化也. 六十四卦之中, 自有雷霆風雨日月寒暑, 變化而成象者也. 卦之中自有男女, 變化而成形者也. 此一節, 畫後之易, 又如此也, 大抵易之未畫, 卦爻之變化, 在天地實體中, 及其旣畫, 天地萬物之變化, 又在卦爻實體中. 本義兩以實體言, 見在天地者, 卽未畫之易, 在易者, 卽是已畫之天地, 其體皆實而非虛也.

운봉호씨가 말하였다: 강과 유 두 효가 서로 마찰하여 팔괘가 되고 팔괘가 서로 섞여서 육십사괘가 되니 '마(摩)'와 '탕(盪)'은 윗 글에서 말한 변화이다. 육십사괘 가운데 본래 뇌정(雷霆)과 풍우(風雨)와 일월(日月)과 한서(寒暑)가 있으니 변화하여 상(象)을 이룬 것이다.

괘 가운데 본래 남자와 여자가 있으니 변화하여 형체를 이룬 것이다. 이 1절은 괘가 그어진 뒤의 역이 또한 이와 같다는 것이니, 역이 괘가 그어지기 전에는 괘효의 변화가 천지의 실체 가운데 있고, 괘가 그어진 뒤에는 천지 만물의 변화가 괘효의 실체 가운데 있다. 『본의』에서 두 번 '실체'를 말하였는데 천지에 들어 있는 것은 괘가 이루어지기 전의 역이고, 역에 들어 있는 것은 괘로 이루어진 천지이니 그 몸체는 다 실하여 허하지 않다.

‖韓國大全‖

권근(權近) 『주역천견록(周易淺見錄)』

剛柔相摩, 止, 坤道成女,
강과 유가 서로 마찰하며 … 곤의 도가 여성을 이루니,
上節因天之造化而作卦爻也, 此節推在卦之法象而配天地也.
위의 구절은 하늘의 조화에 근거하여 괘효를 만든 것이고, 이 구절은 괘효의 모범과 모습에서 유추하여 천지에 짝한 것이다.

鼓之以雷霆,
우레와 번개로써 고동하며,
雷者, 震也, 一陽之始生,
우레는 진괘(震卦☳)로 한 양(⚊)이 처음 생긴 것이고,

潤之以風雨,
바람과 비로써 적셔주며,
風者, 巽也, 一陰之始生. 故互擧而先言之然後, 乃言日月相推, 寒暑遷移, 而變化以成也. 然雷爲震而震爲离, 巽爲風而坎爲雨, 日與暑亦离之象, 月與寒而坎之象也. 陽始生於震, 而盛於離, 日之暑, 陰始生於巽, 而盛於坎, 月之寒. 故先以震巽爲始而後, 三言坎离之象也. 不言艮兌者, 是言造化之流行, 故不可以言山澤也. 吳氏謂艮在西北嚴凝之方爲寒, 兌在東南溫熱之方爲暑, 亦通. 陽之生始於東北之震, 歷東而南, 以至於乾, 則陽之純而成男, 陰之生始於西南之巽, 歷西而北, 以至於坤, 則陰之純而成女. 故終以乾坤總之也.

바람은 손괘(巽卦☴)로 한 음(⚊)이 처음 생긴 것이다. 그러므로 서로 들어서 먼저 말한 뒤에 해와 달이 서로 밀치며 추위와 더위가 옮겨 가서 변화가 이루어짐을 말하였다. 그러나 우레는 진괘가 되고 진괘는 리괘(離卦☲)가 되며, 손괘는 바람이 되고 감괘(坎卦☵)는 비가 되며, 해와 더위는 또한 리괘의 상이고 달과 추위는 감괘의 상이다. 양은 처음 진괘에서 발생하여 리괘에서 성대하니 해의 더위이고, 음은 처음 손괘에서 발생하여 감괘에서 성대하니 달의 추위이다. 그러므로 먼저 진괘와 손괘로 시작을 삼은 뒤에 세 차례 감괘와 리괘의 상을 말하였다. 간괘(艮卦☶)와 태괘(兌卦☱)를 말하지 않은 것은 조화의 유행을 말하였기 때문에 산과 못은 말할 수 없었다. 오씨가 "간괘는 서북의 매섭게 추운 방위이니 추위가 되고, 태괘는 동남의 따뜻한 열기의 방위이니 더위가 된다"고 한 것도 통한다. 양이 동북의 진괘에서 발생하여 동쪽을 거쳐 남쪽으로 건괘(乾卦☰)에 이르면 양이 순수하여 남성을 이루고, 음이 서남의 손괘에서 발생하여 서쪽을 거쳐 북쪽으로 곤괘(坤卦☷)에 이르면 음이 순수하여 여성을 이룬다. 그러므로 끝에는 건과 곤으로 총괄하였다.

송시열(宋時烈) 『역설(易說)』

八卦相盪之下.

"팔괘가 서로 섞여서" 이하.

雷霆風雨日月, 孔云, 雷者震也, 霆者離之雷, 風者巽也, 雨者坎之水. 離日坎月云云. 坎離疊言其象, 艮澤不言其象, 孔謂雷電風雨, 亦出山澤也, 其說欠精. 蓋乾坤坎離, 不易者也, 震巽艮兌, 反易者也, 言震巽則艮兌在其中故耶. 兌正秋也, 萬物成熟之時, 艮成萬物始萬物之莫盛者也, 至於乾道成男坤道成女之時, 艮兌之道, 在其中故耶.

우레와 번개, 바람과 비, 해와 달에 대해 공영달은 "우레는 진괘(震卦☳)이고 번개는 리괘(離卦☲)의 우레이며, 바람은 손괘(巽卦☴)이고 비는 감괘(坎卦☵)의 물이다. 리괘는 해이고 감괘는 달이다"라고 하였다. 감괘와 리괘에 대해서는 그 상을 거듭 말하고, 간괘(艮卦☶: 산)와 연못(兌卦☱)에 대해서는 그 상을 말하지 않았는데, 공영달은 "우레와 번개, 바람과 비도 산과 연못에서 나오기 때문이다"라고 하였으니, 그 설명이 정밀함이 부족하다. 대체로 건괘와 곤괘, 감괘와 리괘는 바뀌지 않는 것이고, 진괘와 손괘, 간괘와 태괘는 반대로 변하는 것으로, 진괘와 손괘를 말하면 간괘와 태괘는 그 가운데 있기 때문일 것이다. 태괘는 한가을로 만물이 성숙하는 때이고, 간괘는 더할 나위 없이 만물을 이루고 만물을 시작하는 것이니, 건의 도가 남성을 이루고 곤의 도가 여성을 이루는 때에 이르면 간괘와 태괘의 도가 그 가운데 있기 때문일 것이다.

유정원(柳正源) 『역해참고(易解參攷)』

乾道 [至] 成女.

건의 도가 … 여성을 이루니.

龜山楊氏曰, 此一動一靜, 天地之間, 理之所不能已者. 其相摩相盪, 非有機緘綱維而然也. 至於乾道成男坤道成女, 蓋變化之見而形象之著也.

구산양씨가 말하였다: 이는 한 번 움직이고 한 번 고요함이니, 천지의 사이에서 이치가 그칠 수 없는 것이다. 그 서로 마찰하며 서로 섞임은 움직임의 벼리가 있어서 그러한 것이 아니다. 건(乾)의 도가 남성을 이루고 곤(坤)의 도가 여성을 이루게 됨은 변화가 드러나고 형체가 나타나기 때문이다.

○ 漢上朱氏曰, 六子致用, 萬物化生, 然不越乎乾坤也. 震坎艮三男, 得乾之道也, 巽離兌三女, 得坤之道也. 乾陽物也, 得乎乾者, 皆陽物也, 乾道成男, 是也, 坤陰物也, 得乎坤者, 皆陰物也, 坤道成女, 是也.

한상주씨가 말하였다: 여섯 자식이 작용을 다하여 만물이 변화 생성하지만, 건(乾)과 곤(坤)을 벗어난 것이 아니다. 진괘(震卦☳)·감괘(坎卦☵)·간괘(艮卦☶) 세 아들은 건의 도리를 얻었고, 손괘(巽卦☴)·리괘(離卦☲)·태괘(兌卦☱) 세 딸은 곤의 도리를 얻었다. 건은 양의 것이어서 건도(乾道)를 얻은 것은 모두 양의 것이니, "건의 도가 남성을 이룬다"가 이것이고, 곤은 음의 것이어서 곤도(坤道)를 얻은 것은 모두 음의 것이니, "곤의 도가 여성을 이룬다"가 이것이다.

○ 誠齋楊氏曰, 自剛柔相摩, 至坤道成女, 言乾坤錯綜而生六子之妙也. 以乾之剛, 摩坤之柔, 以坤之柔, 摩乾之剛, 一剛一柔, 相推相盪, 鼓之以雷霆而爲震離, 莫之鼓而鼓也, 潤之以風雨而爲巽坎, 莫之潤而潤也, 日月運行, 夫寒暑而爲坎離, 莫之運而運也. 得乾之剛者, 爲長男中男少男, 得坤之柔者, 爲長女中女少女, 亦莫之成而成也. 易之乾坤, 其神乎.

성재양씨가 말하였다: "강(剛)과 유(柔)가 서로 마찰하여"부터 "곤(坤)의 도가 여성을 이루니"까지는 건괘(乾卦☰)와 곤괘(坤卦☷)가 섞여서 여섯 자식을 낳는 미묘함을 말하였다. 건괘의 강으로 곤괘의 유에 마찰하고, 곤괘의 유로 건괘의 강에 마찰하여 하나의 강과 하나의 유가 서로 밀치고 서로 섞여서 우레와 번개로써 고동하여 진괘(震卦☳)와 리괘(離卦☲)가 되지만 고동하는 것이 없이 고동하며, 바람과 비로써 적셔주어 손괘(巽卦☴)와 감괘(坎卦☵)가 되지만 적셔주는 것이 없이 적셔주며, 해와 달이 운행하며 춥고 더워서 감괘와 리

괘가 되지만 운행하는 것이 없이 운행한다. 건괘의 강을 얻은 것은 맏아들과 둘째아들과 막내아들이 되고, 곤괘의 유를 얻는 것은 맏딸과 둘째딸과 막내딸이 되지만 또한 이루는 것이 없이 이룸이니, 역(易)의 건과 곤은 신묘하도다!

○ 案, 此兩節, 言卦爻變化也. 風雨寒暑, 運行不息, 乾男坤女, 生生不已, 是天地自然 之易, 而卦爻之變化, 實此理也.
내가 살펴보았다: 이 두 구절은 괘효의 변화를 말하였다. 바람과 비, 추위와 더위는 운행이 그치지 않음이고, 건이 남성을 이룸과 곤이 여성을 이룸은 낳고 낳기를 그치지 않음이니, 천지의 자연한 변역이며 괘효의 변화가 실로 이 이치이다.

김상악(金相岳)『산천역설(山天易說)』

男女, 通人物而言也.
남성과 여성은 사람과 사물을 통틀어 말한 것이다.

○ 乾道成男, 故震坎艮皆屬陽, 坤道成女, 故巽離兌皆屬陰.
건(乾)의 도가 남성을 이루기 때문에 진괘(震卦☳)·감괘(坎卦☵)·간괘(艮卦☶)는 모두 양에 속하고, 곤(坤)의 도가 여성을 이루기 때문에 손괘(巽卦☴)·리괘(離卦☲)·태괘(兌卦☱)는 모두 음에 속한다.

서유신(徐有臣)『역의의언(易義擬言)』[28]

乾道成男,
건(乾)의 도가 남성을 이루고,
震坎艮也.
진괘(震卦☳)와 감괘(坎卦☵)와 간괘(艮卦☶)이다.

坤道成女,
곤(坤)의 도가 여성을 이루고,
巽離兌也.
손괘(巽卦☴)와 리괘(離卦☲)와 태괘(兌卦☱)이다.

---

28) 경학자료집성DB에서는「계사상전」'통론'으로 분류했으나, 내용에 따라 이 자리로 옮겼다.

윤행임(尹行恁) 『신호수필(薪湖隨筆)·계사전(繫辭傳)』

道者, 則也, 有物乃有則, 成男成女, 陰陽之道也. 不曰天地, 而曰乾坤者, 以德也.

'도(道)'는 법칙이니 사물이 있으면 곧 법칙이 있고, 남성을 이루고 여성을 이룸은 음양의 도이다. '천지'라고 하지 않고 '건곤'이라 한 것은 덕으로 하였기 때문이다.

오치기(吳致箕) 「주역경전증해(周易經傳增解)」

剛柔者, 卽卦爻之陰陽也, 八卦者, 卽乾兌離震巽坎艮坤也. 男女者, 在天地爲陰陽, 在人爲夫婦, 在物爲牝牡雌雄, 而以易中卦爻言, 則剛男而柔女也. 蓋剛柔兩畫, 相摩而爲四象, 四相摩而爲八卦, 八相盪而爲六十四卦, 其中有雷霆風雨日月寒暑之象, 夫婦男女牝牡雌雄之形也. 此節言易卦之變化也.

'강유'는 곧 괘효의 음양이고, '팔괘'는 곧 건괘(乾卦☰)·태괘(兌卦☱)·리괘(離卦☲)·진괘(震卦☳)·손괘(巽卦☴)·감괘(坎卦☵)·간괘(艮卦☶)·곤괘(坤卦☷)이다. '남성'과 '여성'은 천지에 있어서는 음양, 사람에 있어서는 부부, 사물에 있어서는 빈모(牝牡)와 자웅이 되는데, 역에 있는 괘효로 말하면 강(剛)이 남성이고 유(柔)가 여성이다. 대체로 강과 유, 두 획이 서로 마찰하여 사상(四象)이 되고, 사상이 서로 마찰하여 팔괘가 되며, 팔괘가 서로 섞여서 64괘가 되는데, 그 가운데 우레와 번개, 바람과 비, 해와 달, 추위와 더위의 상이 있으며, 부부와 남녀, 빈모와 자웅의 형체가 있다. 이 구절은 역에 있는 괘의 변화를 말하였다.

乾知大始, 坤作成物.

건(乾)은 큰 시작을 주관하고 곤(坤)은 물건을 이룬다.

┃中國大全┃

本義

知, 猶主也. 乾主始物而坤作成之, 承上文男女而言乾坤之理. 蓋凡物之屬乎陰陽者, 莫不如此, 大抵陽先陰後, 陽施陰受, 陽之輕淸未形, 而陰之重濁有跡也.

지(知)는 주관함과 같다. 건은 물건을 시작함을 주관하고 곤은 이것을 이루니, 윗글의 남녀를 이어서 건곤의 이치를 말한 것이다. 물건이 음양에 속하는 것이 이와 같지 않음이 없으니, 모두 양이 먼저이고 음이 뒤이며, 양은 베풀고 음은 받으며, 양의 가볍고 맑음은 나타나지 않고 음의 무겁고 탁함은 자취가 있다.

小註

朱子曰, 乾知大始, 坤作成物, 知者管也. 乾管却大始, 大始卽生物之始, 乾始物而坤成之也.

주자가 말하였다 : '건은 큰 시작을 주관하고 곤은 물건을 이룬다'에서 지(知)는 주관함이다. 건이 주관함이 큰 시작이고 큰 시작은 물건을 낳는 처음이니, 건은 물건을 시작하고 곤은 그것을 이룬다.

○ 乾知大始, 知主之意也, 如知州知縣. 乾爲其初, 爲其萌芽, 坤作成物, 坤管下面一截, 有所作爲.

'건은 시작을 주관하고'에서 '지(知)'는 주관의 뜻이니 '주(州)를 주관하고' '현(縣)을 주관한다'는 주관과 같다. 건이 처음을 만듦은 싹을 만드는 것이고, '곤이 물건을 이룸'은 곤이 후반부를 주관하여 일하는 바가 있음이다.

○ 知訓管字, 不當解作知見之知, 大始未有形, 知之而已. 成物乃流形之時, 故有爲. '지(知)'는 주관한다는 뜻의 글자이니 안다는 의미의 '지(知)'로 보면 안 된다. 큰 시작에는 아직 형체가 없으니 주관만 할 따름이다. 물건을 이룸은 형체가 나타나는 때이기 때문에 할 일이 있다.

○ 乾只是氣之統體, 无所不包. 但自其氣之動而言則爲陽, 自其氣之靜而言則爲陰, 所以陽常兼陰, 陰不得兼陽. 陽大陰小, 陽全陰半, 陽饒陰乏而陰必附陽, 皆此意也. 邵子曰, 陽不能獨立, 必得陰而後立, 故陽以陰爲基. 陰不能自見, 必待陽而後見, 故陰以陽爲倡. 陽知其始而享其成, 陰效其法而終其勞也.
건은 기운을 통합한 본체로 포함하지 않음이 없다. 다만 기운의 움직임에서 말하면 양이 되고, 기운의 고요함에서 말하면 음이 되기 때문에 양은 늘 음을 겸하지만 음은 양을 겸할 수 없다. 양은 크고 음은 작으며 양은 전체이고 음은 절반이며 양은 남고 음은 부족하여 음은 반드시 양에 붙어있어야 한다는 것들은 모두 이 뜻이다.
소자가 말하였다: 양은 혼자 설 수 없고 반드시 음을 얻은 뒤에 설 수 있기 때문에 양은 음으로 터전을 삼는다. 음은 스스로 나타날 수 없고 반드시 양을 기다린 뒤에 나타나기 때문에 음은 양으로 선창(先唱)을 삼는다. 양은 시작을 주관하여 [곤의] 이룸을 누리고 음은 법칙을 본받아 [건의] 수고로움을 마친다.

○ 柴氏中行曰, 一氣之動, 則自有知覺, 而生意所始, 乾實爲之. 一氣旣感, 則妙合而凝, 其形乃著, 有作成之意, 坤實爲之.
시중행이 말하였다: 한 기운이 움직이면 저절로 지각이 있어서 나오려는 의지가 시작되니 건이 실제로 하는 것이다. 한 기운이 느껴지면 묘하게 합하여 엉겨서 형체가 드러나 이루려는 의지가 있으니 곤이 실제로 하는 것이다.

▎韓國大全 ▎

이현익(李顯益) 「주역설(周易說)」

乾知大始, 朱子謂知訓管字, 不當解作知見之知, 而柴氏中行謂一氣之動, 則自有知覺, 而生意所始, 此似以知爲知見之知也. 且妙合而凝, 是以太極與二五言, 則凝固是作成物, 而若妙合, 則不但爲作成物也. 知大始者, 亦然, 其說非是.

"건은 큰 시작을 주관하고[乾知大始]"에서 주자는 "지(知)는 '주관한다'는 뜻으로 풀어야지 '인식한다'의 '지(知)'로 풀어서는 안 된다"고 하였는데, 시중행은 "한 기운이 움직이면 스스로 지각이 있어서 생의가 나온다"고 하였으니, 이것은 '지(知)'를 '인식한다'의 '지(知)'로 여긴 것 같다. 또한 "묘하게 합쳐져 응결된다"29)는 태극과 음양·오행으로 말한 것이다. 그렇다면 '응결된다'는 참으로 물건을 이루는 것이겠지만, '묘하게 합한다'는 물건을 이루는 것으로만 여길 수는 없다. "큰 시작을 주관한다"는 것도 그러하니, 그 설명이 옳지 않다.

語類問, 乾知是知坤作是行否, 曰是, 又曰, 乾之易, 致知之事, 坤之簡, 力行之事, 此亦恐非定論.

『주자어류』에서 "'건은 주관한다[乾知]'는 지(知)이고 '곤은 이룬다[坤作]'는 행(行)입니까?"라고 묻자, "그렇다"고 하고, 다시 "건의 평이함은 치지(致知)의 일이고, 곤의 간략함은 역행(力行)의 일이다"라고 하였는데, 이것도 정론은 아닌 듯하다.

〈更詳之, 以易與簡分知行, 則是與以知與作分知行者, 義自別, 此則無可疑. 而惟所謂乾知是知, 坤作是行, 是直以乾知之知, 爲知見之知, 而與知訓管字不當. 解作知見之知之說不合, 此可疑也. 且知見之知, 專以知一邊, 言知覺, 則是有主宰之意, 而非專以知一邊言者. 然則知覺, 卽是管字之義, 而以知覺爲言, 與以知見之知言者, 爲不同矣.

다시 살펴보니, '평이함'과 '간략함'을 지(知)와 행(行)으로 구분하는 것은 '주관함'과 '이룸'을 지와 행으로 구분하는 것과는 뜻이 저절로 구별되니, 이는 의심할 것이 없다. 그렇지만 "'건은 주관한다[乾知]'는 지(知)이고 '곤은 이룬다[坤作]'는 행(行)이다"라고 한 것은 다만 '건은 주관한다[乾知]'의 '지(知)'를 '인식한다'의 '지(知)'로만 여긴 것이니, "'지(知)'는 '주관한다'는 뜻으로 풀어야 한다"는 것과 맞지 않다. '인식한다'의 '지(知)'로 풀이하는 설은 맞지 않으니 이는 의심할 만하다. 또한 '인식한다'의 '지(知)'는 오로지 인식[知]하는 것일 뿐이지만, '지각(知覺)'을 말하면 주재의 뜻이 있어서 오로지 인식[知]만을 말하는 것은 아니다. 그렇다면 지각은 주관한다는 뜻이니, '지각'으로 말하는 것과 '인식한다'의 '지(知)'로 말하는 것은 같지 않을 것이다.〉

유정원(柳正源) 『역해참고(易解參攷)』

乾知 [至] 成物.

---

29) 『太極圖說』.

건(乾)은 큰 시작을 주관하고 … 물건을 이룬다.

朱子曰, 知猶管也, 作猶爲也, 乾始物而坤成之. 記曰, 樂著大始, 坤作成物, 先儒讀爲
附著之著, 則此之謂也.
주자가 말하였다: '지(知)'는 주관함과 같고 '작(作)'은 해냄과 같으니, 건(乾)이 물건을 시작
하고 곤(坤)이 그것을 이룸이다. 『예기』에 "악(樂)은 큰 시작에 붙어 있고 곤(坤)은 물건을
이룬다"[30]고 하였는데, 선유가 붙어 있다는 '착(著)'으로 읽은 것이 이것을 말한다.

○ 息齋余氏曰, 乾道成男, 坤道成女, 以兩物之雌雄, 觀乾坤也, 乾知大始, 坤作成物,
以一物之首尾, 觀乾坤也. 男固屬乾, 女固屬坤, 而男女之始, 皆稟於乾, 其成, 皆育於
坤也.
식재여씨가 말하였다: "건(乾)의 도가 남성을 이루고 곤(坤)의 도가 여성을 이루니"는 두
물건의 암컷과 수컷으로 건과 곤을 본 것이고, "건은 큰 시작을 주관하고 곤은 물건을 이룬
다"는 한 물건의 머리와 꼬리로 건과 곤을 본 것이다. 남성은 참으로 건에 속하고 여성은
참으로 곤에 속하지만, 남성과 여성의 시작은 모두 건에서 비롯되고, 그것의 이루어짐은 모
두 곤에서 길러진다.

○ 呂伯恭問, 程子云, 乾當大始, 當字如何形容. 朱子曰, 乾便是物之大始, 故以當字
言之, 得爲切密.
여백공이 물었다: 정자가 "건은 큰 시작을 담당[當]한다"고 하였는데, '담당[當]'은 무엇을 나
타냅니까?
주자가 답하였다: 건(乾)은 바로 만물의 큰 시작이기 때문에 '담당한다'고 말을 해야 긴밀하
게 됩니다.

김상악(金相岳) 『산천역설(山天易說)』

乾之始物, 有知覺之意, 坤之成物, 有作爲之意.
건(乾)의 사물을 시작함에는 지각의 뜻이 있고, 곤(坤)의 사물을 이룸에는 행위의 뜻이 있다.

---

30) 『禮記·樂記』: 樂著大始, 而禮居成物, 著不息者, 天也, 著不動者, 地也.

윤행임(尹行恁) 『신호수필(薪湖隨筆)·계사전(繫辭傳)』

物有本末, 知而后作, 始而後成. 物麗于土, 成之者坤, 而所以成者, 在乎乾也. 故乾爲始, 坤爲成, 不有以始之, 則無可以成者也.

사물에는 근본과 말단이 있으니, 안 뒤에야 행하고 시작한 뒤에야 이룬다. 사물이 땅에 걸려 있어서 그것을 이루는 것은 곤이지만, 이루어지는 까닭은 건에 있다. 그러므로 건이 시작이 되고 곤이 이룸이 되니, 시작하는 것이 없으면 이룰 수 있는 것이 없다.

심대윤(沈大允) 『주역상의점법(周易象義占法)』

乾爲先天, 氣之太極, 坤爲後天, 形之極.

건(乾)은 선천(先天)이니 기운의 태극이고, 곤(坤)은 후천(後天)이니 형체의 표준이다.

乾以易知, 坤以簡能,

건은 평이함으로써 주관하고 곤은 간략함으로써 능하니,

‖ 中國大全 ‖

本義

乾健而動, 卽其所知, 便能始物而无所難, 故爲以易而知大始. 坤, 順而靜, 凡其所能, 皆從乎陽而不自作, 故爲以簡而能成物.

건은 굳세고 움직이니 주관하는 바가 물건을 시작하여 어려운 바가 없기 때문에 쉬움으로써 큰 시작을 주관함이 된다. 곤은 유순하고 고요하니 그 능한 바가 모두 양을 따르고 스스로 짓지 않기 때문에 간략함으로써 물건을 이룸이 된다.

小註

朱子曰, 乾之易只管上一截事, 到下一截卻屬坤, 故易. 坤只是承乾下著, 做上一截事, 只做下面一截, 故簡. 如乾以易知, 坤以簡能, 知便是做起頭, 能便是做了. 觀隤然確然, 亦可見易簡之理.

주자가 말하였다 : 건의 쉬움은 단지 윗부분만을 주관하고 아랫 부분은 곤에 속하기 때문에 쉽다. 곤은 단지 건을 이어서 아래에 붙어서 윗부분의 일을 지을 뿐이니, 단지 아랫부분을 짓기 때문에 간략하다. "건은 쉬움으로써 주관하고 곤은 간략함으로써 능하다"에서의 지(知)는 시작을 일으키는 것이고 능(能)은 마침을 짓는 것이다. '순하다'와 '확실하다'는[31] 말을 보아도 이간(易簡)의 이치를 볼 수 있다.

○ 乾以易知, 乾陽物也, 陽剛健故作爲易成. 坤以簡能, 坤因乾先發, 得有頭腦, 特因而爲之, 故簡.

---

31) 『周易·繫辭傳』: 夫乾確然, 示人易矣, 夫坤隤然, 示人簡矣.

"건은 쉬움으로써 주관함"은 건은 양의 물건이고 양은 강건하기 때문에 작위가 쉽게 이루어진다. "곤은 간략함으로써 능함"은 곤은 건이 먼저 발동하여 머리가 되면 곤은 다만 따라서 하기 때문에 간략하다.

○ 乾惟行健, 其所施爲, 自是容易, 觀造化生長可見. 只是這氣一過時, 萬物皆生了, 可見其易. 要生便生, 更无凝滯, 要做便做, 更无等待, 非健不能也. 又曰, 乾德剛健, 他做時, 便通透徹達, 欄截障蔽他不住, 人剛健者亦如此. 易知, 只是說他恁地做時不費力. 坤最省事, 更无勞攘, 只承受那乾底, 生將物出來, 便見得是能. 陰只是一個順, 若不順, 如何配陽而生物. 簡只順從而已.

건은 움직임이 강건하기 때문에 그 베풀어 행함이 저절로 쉬우니 조화의 낳고 기름을 보면 알 수 있다. 다만 이 기운이 한번 지나감에 만물이 나오니, 그 쉬움[易]을 알 수 있다. 낳으려 하면 곧 낳아서 막힘이 없고 작용하려 하면 작용해서 기다림이 없으니, 강건함이 아니면 가능하지 않다.

또 말하였다: 건의 덕은 강건해서 작용할 때 투철하고 통달해서 경계나 장애물에 머물지 않으니 사람이 강건한 것도 이와 같다. '쉬움으로써 주관함'은 이처럼 작용함에 힘을 들이지 않는다는 말이다. 곤은 가장 간략하게 일을 해서 번거로움이 없으니 단지 건을 받아들여 물건을 나오게 함을 보면 능(能)함을 알 수 있다. 음은 단지 하나의 순함일 뿐이니 만약 순하지 않으면 어떻게 양의 짝이 되어 만물을 낳겠는가? 간략함은 단지 순종함일 뿐이다.

○ 乾以易知坤以簡能以上, 是言乾坤之德, 易則易知以下, 是就人而言, 言人兼體乾坤之德也. 乾以易知者, 乾健不息, 惟主於生物, 都无許多艱深險阻, 故能以易而知大始. 坤順承天, 惟以成物, 都无許多繁攘作爲, 故能以簡而作成物. 大抵陽施陰受, 乾之生物, 如瓶盛水, 其道至易, 坤惟承天以成物, 別无作爲, 故其理至簡. 其在人, 則无艱阻而自直, 故人易知, 順理而不繁攘, 故人易從. 易知則人皆同心親之, 易從則人皆協力而有功矣.

"건은 쉬움으로써 주관하고 곤은 간략함으로써 능하다" 이상은 건곤의 덕을 말하였고, "평이하면 알기 쉽고" 이하는 사람에게 나아가 말하였으니 사람이 건곤의 덕을 아울러 체득함을 말하였다. 건은 쉬움으로써 주관한다는 것은 건의 굳건함은 쉼이 없어서 오직 물건을 낳음을 주관함에 많은 어려움과 막힘이 전혀 없기 때문에 쉬움으로써 큰 시작을 주관할 수 있다. 곤의 순함은 하늘을 받들어 오직 물건을 이룸에 많은 번거로움과 작위가 전혀 없기 때문에 간략함으로써 물건을 이룰 수 있다. 일반적으로 양은 베풀고 음은 받아들이는데, 건이 물건을 냄은 병에 물을 담는 것처럼 그 도가 지극히 평이하고, 곤이 하늘을 이어서 물건을 이룸은 특별한 작위가 없어서 그 이치가 지극히 간략하다. 사람에 있어서는 어려움과 막힘이 없이 스스로 정직하기 때문에 사람들이 알기 쉽고, 이치를 따라서 번거롭지 않기 때문에 사람들이 따르기 쉽다. 알기 쉬우면 사람들이 다 마음을 함께해 친해지고 따르기 쉬우면 사람들이 다 힘을 합쳐서 공이 생긴다.

○ 誠齋楊氏曰, 自乾知大始, 至坤以簡能, 何謂也. 曰, 此贊乾坤之功, 雖至溥而无際, 而乾坤之德, 實至要而不繁也.
성재양씨가 물었다: "건은 쉬움으로써 주관하고"에서 "곤은 간략함으로써 능하다"까지는 무슨 말입니까?
답하였다: 이것은 건곤의 공이 비록 지극히 광대해서 끝이 없지만 건곤의 덕은 실로 지극히 간략해서 번거롭지 않음을 찬미한 것입니다.

○ 潘氏曰, 乾主宰大始, 坤作成萬物, 此乾坤之職也. 使爲乾者用力之難, 爲坤者用功之繁, 則乾坤亦勞矣. 惟乾以易知, 故主宰大始不以爲難, 惟坤以簡能, 故作成萬物不以爲繁也.
반씨가 말하였다 : 건은 큰 시작을 주관하고 곤은 만물을 이루는 것은 건곤의 직분이다. 건의 일을 하는 자에게 어렵게 힘을 쓰게 하고 곤의 일을 하는 자에게 번거롭게 공을 쓰게 하면 건곤도 피로할 것이다. 오직 건이 쉬움으로써 주관하기 때문에 큰 시작을 주관해도 어렵게 여기지 않고, 오직 곤이 간략함으로써 능하기 때문에 만물을 이루어도 번거롭게 여기지 않는다.

○ 雲峯胡氏曰, 本義曰, 此承上文男女而言乾坤之理. 蓋物凡陽皆屬乾之男, 凡陰皆屬坤之女. 一陰一陽可相有, 不可相无, 然其理則陽主於始物, 陰不過作成之爾. 陽主始物, 自然而然, 胡爲是之, 易也健故也. 陰但從陽, 自能成物, 胡爲是之, 簡也順故也. 上兩節論陰陽之形體, 兼氣與形而言也, 此論陰陽之性情, 因氣與形而以理言也.
운봉호씨가 말하였다:『본의』에서 "이것은 윗글의 남녀를 이어서 건곤의 이치를 말하였다"고 하였다. 일반적으로 물건은 양은 모두 건인 남자에 속하고 음은 모두 곤인 여자에 속한다. 하나의 음과 하나의 양은 서로 있어야지 서로 없으면 안 되지만 이치상으론 양이 물건을 시작함을 주관하고 음은 그것을 이루는 데 불과할 뿐이다. 양이 물건을 시작함을 주관함은 저절로 그런 것인데 어째서인가? 쉬워서 굳건하기 때문이다. 음이 다만 양을 좇아서 스스로 물건을 이룰 수 있음은 어째서인가? 간략해서 따르기 때문이다. 위의 두 구절은 음양의 형체를 논함에 기(氣)와 형(形)을 겸해서 말했고, 여기에서는 음양의 성정을 논한 것으로 기(氣)와 형(形)을 근거로 해서 이치를 가지고 말했다.

┃韓國大全┃

권근(權近) 『주역천견록(周易淺見錄)』

乾知太始, 止, 坤以簡能,

건은 큰 시작을 주관하고, … 곤은 간략함으로 능하니,

上言八卦, 此接末句, 專言乾坤, 非指卦名, 直以天地之道明之也.

위에서는 팔괘를 말하였고, 이것은 끝 구절에 붙여서 건곤만을 말하였으니, 괘의 이름을 가리키는 것이 아니라, 바로 천지의 도로써 밝힌 것이다.

박지계(朴知誡) 「차록(箚錄)-계사상전(繫辭上傳)」[32]

第六節, 乾以易知. 云云.

제 6절에서 말하였다: 건은 평이함으로써 주관하고. 운운.

乾坤易簡之德, 凡物之萬類, 莫不皆然. 以天之垂象至著明者言之, 則當暑之時, 草木生長茂盛, 豈非至易乎. 及其寒也, 則但能成就而已, 无一毫之生長, 豈非至簡乎. 若以民義言之, 君先於臣, 而臣不事二姓, 男先於女, 而女必從一而終, 先生施敎, 而弟子是則, 溫恭自虛, 所受是極, 先聖垂敎, 而後聖述而不作, 此四者, 無非簡易之德也. 後之自聖者, 必欲變改先訓以爲高, 則其爲悖天地之理, 與臣之反君, 女之棄夫, 何以異哉. 又以學者之事言之, 則克己復禮, 乾道也, 主敬行恕, 坤道也. 克復之工, 其於求仁, 可謂至易, 主敬行恕, 蓋從乎此之道也. 克己則無人欲之雜, 不求一而心便一, 主敬, 所以從其一德也. 復禮則事皆天理, 不待推, 而自然及物. 所謂己欲立而立人也, 行恕, 亦所以從其仁道也, 豈非簡乎. 不自量才之高下, 而妄意高遠者, 於此可以觀矣. 觀物察己, 亦近思也, 觀天地之理, 可以察吾之學矣.

건곤(乾坤)의 평이하고 간략한 덕(德)은 온갖 부류의 사물이 그러하지 않음이 없다. 하늘이 상을 드리워 지극히 밝히는 것으로 말한다면, 더울 때에는 초목이 무성하게 나서 자라니, 어찌 지극히 평이한 것이 아니겠는가? 추워지게 되면 다만 성취할 수 있을 뿐이지, 한 터럭의 나서 자람이 없으니, 어찌 지극히 간략한 것이 아니겠는가? 만약 백성의 의리로 말한다

---

32) 경학자료집성DB에서는 「계사상전」 '제6장'으로 분류했으나, 내용에 따라 이 자리로 옮겼다.

면, 임금이 신하에 앞서고 신하는 두 성씨를 섬기지 않으며, 남자가 여자에 앞서고 여자는 반드시 한 남편을 종신토록 따르며, 선생이 가르침을 베풀면 제자가 이를 본받아 공손하게 자처하고 배운 바를 이에 지극히 하며, 앞선 성인이 가르침을 드리우고 뒤의 성현이 기술하고 창작하지 않으니, 이 네 가지는 평이하고 간략한 덕이 아님이 없다. 뒤에 성현을 자처하는 자가 반드시 앞선 가르침을 고쳐서 높아지려 한다면 천지의 이치를 어기게 되니, 신하가 임금을 배반함과 여인이 지아비를 버림이 어찌 다르겠는가? 다시 학자의 일로 말한다면, '자기를 극복하여 례(禮)로 돌아감'[33]은 건(乾)의 도이고, '공경을 주로 하여 어짊을 행함'[34]은 곤(坤)의 도이다. 극복하여 돌아가는 공부는 인(仁)을 구함에 지극히 평이하다고 할 수 있는데, 공경을 주로 하여 어짊을 행함은 대체로 이 도리를 따르는 것이다. 자기를 극복하면 인욕의 섞임이 없어서 한결같음을 구하지 않더라도 마음이 곧 한결같은데, 공경을 주로 함은 그 한결같은 덕을 따르는 것이다. 례로 돌아가면 일이 모두 천리여서 미룸을 기다리지 않더라도 자연히 사물에 미친다. 이른바 자기가 서고자 하면 사람을 세워준다는 것인데, 어짊을 행하면 또한 인(仁)의 도를 따르는 것이니, 어찌 간략한 것이 아니겠는가? 스스로 재주의 고하를 헤아리지 못하여 헛되이 높고 먼 것에 뜻을 두는 자를 여기에서 살필 수 있을 것이다. '사물을 살펴서 자기를 관찰함'[35]도 가까이서 생각함[36]이니, 천지의 이치를 관찰하여 나의 학문을 살필 수 있다.

이익(李瀷) 『역경질서(易經疾書)』

神機嘿運曰知, 事功施爲曰作, 乾知管攝乎坤作, 坤作奉承乎乾知. 如人本於祖, 物本於土, 水本於源, 木本於根者, 以一物言始之小也. 凡有形無形, 或動或植, 莫非元氣之所化, 而元氣又本於天, 是謂大始. 始者, 卽成物之本也, 董子曰, 道之大原, 出於天. 語有所祖, 易書之易, 變易之易, 變易之易, 本於容易之易, 易去聲. 孔子論易, 一則云易知, 二則云示易, 兩字義同, 而音別也. 天下之疾而易行, 莫如銃丸, 地圍只九萬里, 而說者云, 銃丸之疾, 必將七日始復, 天去地不知其幾萬里, 而日日環復, 其至易如此. 夫乾至健而不息. 故其行至易而疾速. 易者, 難之反, 苟有澁難, 不能如此. 不息則無時而不變, 如一日之間, 子變爲丑, 丑變爲寅, 一時之間, 初刻變爲二刻, 二刻變爲三刻, 比如車輪之勢, 轉動滑易, 或頃刻暫停, 便覺澁難. 言易則變在其中, 故轉爲變易之易, 而音入聲. 凡字義變, 則音轉亦例也. 故易道之爲變易也, 從此而變彼, 非以此而換

---

33) 『論語·顏淵』: 顏淵問仁, 子曰, 克己復禮爲仁, 一日克己復禮, 天下歸仁焉. 爲仁由己, 而由人乎哉.

34) 『論語集註·顏淵』: 愚按, 克己復禮, 乾道也, 主敬行恕 坤道也.

35) 『近思錄·致知類』

36) 『論語·子張』: 子夏曰, 博學而篤志, 切問而近思, 仁在其中矣.

彼也. 天道至易, 故能變易, 聖人範圍天道, 作爲一書, 命名曰易, 易之本, 則不過一去聲之易, 而盡之矣. 然則天者何也. 其名則天, 其性則健, 其事則易, 去聲也, 其跡則易, 入聲也, 則天之跡, 爲之書名, 故亦入聲也. 然則難易之易, 包變易之易, 而乾之所以知者, 用此道也. 至於坤之作事, 有至妙者存焉, 承天之機, 含化無窮. 小大洪纖, 遇時咸成, 而非物物雕作, 故曰簡能.

신묘한 기틀이 고요히 운행됨을 '주관한다[知]'고 하고, 현실의 일이 시행됨을 '이룬다[作]'고 하니, '건(乾)이 주관함'은 곤의 이룸을 주관하여 다스리고, '곤(坤)이 이룸'은 건의 주관을 받들어 계승한다. 사람이 조상에 근본하고 사물이 흙에 근본하며, 물이 본원에 근본하고 나무가 뿌리에 근본 한다고 하는 것은 한 사물로 시작의 작음을 말한 것이다. 형체가 있거나 형체가 없거나, 동물이거나 식물이거나 원기(元氣)의 변화가 아닌 것이 없으며, 원기는 또한 하늘에 근본 하니, 이를 큰 시작이라 한다. 시작은 만물을 이루는 근본이니, 동중서는 "도의 큰 근원은 하늘에서 나온다"고 하였다. 말이 근원한 바가 있어서 역서(易書)의 '역(易)'은 변역(變易)의 '역(易)'이지만, 변역의 '역'은 용이(容易)의 '이(易)'에 근본하니, '이(易)'는 거성이다. 공자가 역을 논함에 한 번은 '알기 쉽대[易]'고 하고 한 번은 '변역[易]'을 보였다'고 하였으니, 두 글자가 뜻은 같지만 음이 구별된다. 천하에 신속하여 쉽게 나가는 것이 총알만한 것이 없고 땅의 둘레는 구만리일 뿐이어서 말하는 자들이 "총알같이 빨라서 반드시 칠일이면 돌아온다"고 하는데, 하늘과 땅의 거리는 몇 만리(萬里)인 줄은 모르지만 날마다 돌아와 회복하니, 그 지극히 쉬움이 이와 같다. 건은 지극히 강건하고 그치지 않으므로 그 나아감이 지극히 쉬우며 신속하다. '쉬움[易]'은 어려움의 반대이니, 참으로 어려움이 있다면 이와 같을 수 없을 것이다. 그치지 않으면 언제나 변화하지 않음이 없으니, 하루의 사이에도 자시(子時)가 변하여 축시(丑時)가 되고, 축시가 변하여 인시(寅時)가 되며, 한 시간의 사이에도 일각(一刻)이 변하여 이각이 되고, 이각이 변하여 삼각(三刻)이 된다. 비유하면 수레바퀴의 형세가 굴러 감이 원활하다면 혹시 잠시 멈추더라도 어려움을 느끼게 된다. '쉬움[易]'을 말하면 변화가 그 가운데 있기 때문에 바뀌어 변역의 '역(易)'이 되니, 음이 입성(入聲)이다. 무릇 글자의 뜻이 변하면 음이 바뀌는 것도 상례이다. 그러므로 역의 도리가 변역이 됨은 이것[쉬움]을 따라 저것[변역]으로 변한 것이지, 이것으로 저것을 바꾼 것이 아니다. 천도(天道)는 지극히 쉽기 때문에 변역할 수 있고, 성인은 천도를 본받아서 하나의 책을 짓고 이름을 '역(易)'이라 하였으니, 역의 근본은 '쉬움'을 뜻하는 거성의 '이(易)'에 불과하며 그것으로 다할 것이다. 그렇다면 하늘이란 무엇인가? 그 이름은 하늘[天]이고, 그 성격은 강건하며, 그 일은 거성인 쉬움[易]이고, 그 자취는 입성인 바뀜[易]이니, 하늘의 자취가 책의 이름이 되었기 때문에 또한 입성이다. 그렇다면 난이(難易)의 '이(易)'는 변역(變易)의 '역(易)'을 포함하며, 건이 주관하는 까닭은 이 도리를 쓰기 때문이다. 곤의 이룸에 이르면 지극히 신묘함이 보존되어 있으니, 하늘의 기틀을 계승하여 변화를 머금음이 무궁하다. 작고 크며 넓고 섬세한 것을 때마다 모두 이루어 사물마다 새겨내기 때문에 "간략함으로써 능하다"고 하였다.

유정원(柳正源) 『역해참고(易解參攷)』

乾以 [至] 簡能.
건은 평이함으로써 … 간략함으로써 능하니.

朱子曰, 易簡, 只是健順可見. 且以人論之, 健底人, 遇事時, 自然覺易, 易只是不難. 又如人稟得順性, 及其作事, 便自然簡, 簡只是不煩.
주자가 말하였다: 평이함과 간략함은 단지 강건함과 유순함에서 볼 수 있는 것이다. 다시 사람으로 논하자면, 강건한 사람은 일을 만났을 때에 저절로 평이하다고 생각하니, 평이함은 어렵지 않은 것일 뿐이다. 또 유순한 성격을 타고난 사람은 일을 함에 있어서 자연히 간략하니, 간략함은 번거롭지 않은 것일 뿐이다.

○ 案, 易知, 以知言, 簡能, 以行言, 如生知安行之知, 學知利行之行也. 乾以易知, 如猛將臨戰制勝, 爲力甚易, 顔子克己似之. 故曰乾道. 坤以簡能, 如宿將堅壁淸野, 所守甚約, 仲弓敬恕似之. 故曰坤道.
내가 살펴보았다: '평이함으로써 주관함'은 '지(知)'로 말한 것이고, '간략함으로써 능함'은 '행(行)'으로 말한 것이니, 나면서 알고 편안히 행하는 지(知)와 배워서 알고 이롭게 여겨 행하는 행(行)과 같다. "건은 평이함으로써 주관하고"는 용맹한 장수가 전투에 임하여 승리함에 힘쓰기를 매우 쉽게 함과 같으니, 안자(顔子)의 자기를 극복함이 이와 유사하다. 그러므로 '건(乾)의 도'라 하였다. "곤은 간략함으로써 능하니"는 노련한 장수가 성벽을 견고히 하고 들판을 비워서 지키기를 매우 간략히 함과 같으니, 중궁(仲弓)의 삼가고 용서함이 이와 유사하다. 그러므로 '곤(坤)의 도'라 하였다.

백봉래(白鳳來) 「三經通義-역전(三經通義-易傳)」

簡易.
평이함과 간략함.

吁, 乾坤爲天地之性情, 則簡易爲乾坤之性情也. 上承形氣, 下察動靜, 則居中簡易, 其不爲參天地之化育, 贊乾坤之生成耶. 周公所謂夫政不簡不易, 民不能近, 平易近民,民必歸之者, 此也, 仲弓所謂居簡而行簡, 無乃太簡乎, 居敬而行簡者, 亦此也.

아! 건(乾)과 곤(坤)은 하늘과 땅의 성정(性情)이 되니, 간략함과 평이함은 건과 곤의 성정이 된다. 위로는 형기를 잇고 아래로는 동정을 살핀다면 가운데 머물면서 간략하고 평이할 것이니, 천지의 화육에 참여하게 되고 건곤의 생성을 돕게 되지 않겠는가? 주공(周公)의 이른바 "정치가 간략하고 평이하지 않으면 백성이 가까이 할 수 없고, 평이하여 백성을 가까이 하면 백성이 반드시 여기로 돌아온다"[37]는 것이 이것이고, 중궁(仲弓)의 이른바 "간략함에 머물며 간략함을 행한다면 너무 간략한 것이 아니겠는가? 삼가면서 간략함을 행한다"[38]는 것이 또한 이것이다.

김상악(金相岳)『산천역설(山天易說)』

乾坤之變化, 皆由於易簡之德, 故上傳以此始, 下傳以此終, 而第六章又言易簡之善, 配至德.

건곤(乾坤)의 변화는 모두 평이함과 간략한 덕에서 나오기 때문에 「상전」에서 이것으로 시작하고, 「하전」에서 이것으로 마쳤으며, 6장에서 다시 "이간(易簡)의 선(善)은 지덕(至德)에 배합한다"고 하였다.

윤행임(尹行恁)『신호수필(薪湖隨筆)·계사전(繫辭傳)』

易知者, 健也, 簡能者, 順也. 天地之大, 旣生萬物, 從又容之, 紛綸混混, 動靜涵育, 溥博無垠, 浩浩難名, 而其道也, 健而順而已.

'평이함으로써 주관함'은 강건하기 때문이고, '간략함으로써 능함'은 유순하기 때문이다. 천지의 큼으로 이미 만물을 낳고서도 쫓으며 용납하여 어지럽게 섞였으며, 동정으로 감싸 길러서 널리 펼침이 한계가 없으니, 드넓어 이름붙이기 어렵지만 그 도(道)는 강건하고 유순할 뿐이다.

윤종섭(尹鍾燮)『경(經)-역(易)』

繫辭傳, 乾以易知, 坤以簡能, 天道至易, 資始萬物, 有自然莫之爲而爲者, 地道至簡, 發育萬品, 有當然莫之致而致者. 所謂鼓萬物而不與聖人同憂者也.

「계사전」에서 "건은 평이함으로써 주관하고 곤은 간략함으로써 능하다"고 하였는데, 하늘의

---

37)『資治通鑑外紀』.
38)『論語·雍也』.

도는 지극히 평이하여 만물이 바탕하여 시작하니 자연히 그렇게 하는 것이 없으면서 그렇게 하는 것이 있고, 땅의 도는 지극히 간략하여 온갖 종류가 펼쳐져 자라나니 당연히 이르게 하는 것이 없으면서 이르게 하는 것[39]이 있다. 이른바 "만물을 고동시키되 성인과 함께 근심하지 않는다"[40]는 것이다.

심대윤(沈大允) 『주역상의점법(周易象義占法)』

乾自一而分, 因性而爲道, 坤分而體一, 以道成性. 自一而分, 故雖精微而易知, 分而體一, 故雖繁多而簡能.

건(乾)은 하나로부터 나뉘니 본성에 근거하여 도리가 되고, 곤(坤)은 나뉘었지만 하나를 형성하니 도리로 본성을 이룬다. 하나로부터 나뉘기 때문에 비록 정미해도 평이함으로 주관하고, 나뉘었지만 하나를 형성하기 때문에 비록 번잡해도 간략함으로 능하다.

---

39) 『孟子·萬章』: 莫之爲而爲者, 天也, 莫之致而至者, 命也.
40) 『周易·繫辭傳』: 顯諸仁, 藏諸用, 鼓萬物而不與聖人同憂, 盛德大業, 至矣哉.

易則易知, 簡則易從, 易知則有親, 易從則有功, 有親則可久,
有功則可大, 可久則賢人之德, 可大則賢人之業,

평이하면 알기 쉽고 간략하면 따르기 쉬우며, 알기 쉬우면 친함이 있고 따르기 쉬우면 공이 있으며,
친함이 있으면 오래할 수 있고 공이 있으면 크게 할 수 있으며, 오래할 수 있으면 현인의 덕이요
크게 할 수 있으면 현인의 업이니,

▌中國大全▌

本義

人之所爲, 如乾之易, 則其心明白而人易知, 如坤之簡, 則其事要約而人易從.
易知則與之同心者多, 故有親, 易從則與之協力者衆, 故有功. 有親則一於內,
故可久, 有功則兼於外, 故可大. 德謂得於己者, 業謂成於事者. 上言乾坤之德
不同, 此言人法乾坤之道, 至此則可以爲賢矣.

사람의 하는 바가 건(乾)의 쉬움과 같으면 그 마음이 명백하여 사람들이 알기 쉽고, 곤(坤)의 간략함
과 같으면 그 일이 요약되어 사람들이 따르기 쉽다. 알기 쉬우면 더불어 마음을 함께 하는 자가 많아
서 친함이 있고, 따르기 쉬우면 더불어 협력하는 자가 많아서 공(功)이 있다. 친함이 있으면 안에서
한결같으므로 오래할 수 있고, 공(功)이 있으면 밖에서 모아지니 크게 할 수 있다. 덕(德)은 나에게
얻어진 것을 말하고 업(業)은 일이 이루어진 것을 말한다. 위에서는 건곤의 덕이 같지 않음을 말하였
고, 여기서는 사람이 건곤의 도(道)를 본받음을 말하였으니, 여기에 이르면 어진 사람이라고 할 수
있다.

小註

朱子曰, 乾以易知, 坤以簡能, 此易簡在乾坤. 易則易知, 簡則易從, 卻是以人事言. 兩
個易字, 又自不同, 一個是簡易之易, 一個是難易之易, 要之只是一個字, 但微有毫釐
之間.

주자가 말하였다: "건은 쉬움으로써 주관하고 곤은 간략함으로써 능하다"는 이간이 건곤에

있고, "평이하면 알기 쉽고 간략하면 따르기 쉽다"는 사람의 일로 말하였다. 두 '이(易)'자는 본래 같지 않아서 하나는 간이(簡易)의 쉬움이고 하나는 난이(難易)의 쉬움이니, 요약해볼 때 이 한 글자는 미묘해서 아주 작은 차이가 있다.

○ 夫易知底人, 人自然去親他, 若其中險深不可測, 則誰親之. 做事不煩碎, 人所易從, 有人從之, 功便可成, 若是頭項多, 做得事來艱難底, 必无人從之, 如何得有功. 易知而人親附, 自然可以長久, 易從而有功, 則所爲之事, 自然廣大.
일반적으로 알기 쉬운 사람은 사람들과 자연히 친해지지만 속이 음험하고 깊어 알기 힘들다면 누가 친하려 하겠는가? 일을 하는데 번거롭지 않아 사람들이 따르기 쉽다면 따르는 사람이 있어서 곧 공을 이룰 수 있지만, 만약 항목이 많고 일을 어렵게 해나간다면 반드시 따르는 사람들이 없을 것이니 어떻게 공이 있을 수 있겠는가? 알기 쉬워서 사람들이 친하고 따라야 자연히 오래 갈 수 있고, 따르기 쉬워서 공이 있어야 하는 일이 자연히 넓고 커진다.

○ 易知易從, 不必皆指聖人. 但易時, 人自然易知, 簡時, 人自然易從.
알기 쉽고 따르기 쉬움은 반드시 전부 성인만을 가리킨 말이 아니다. 쉽게 하면 사람들이 자연히 알기 쉽고, 간략하게 하면 사람들이 자연히 따르기 쉽다.

○ 有親可久則爲賢人之德, 是就存主處言, 有功可大則爲賢人之業, 是就做事處言. 蓋自乾以易知, 便是指存主處, 坤以簡能, 便是指做事處. 故易簡而天下之理得, 則與天地參矣.
"친함이 있어서 오래할 수 있다면 현인의 덕이다"는 주체의 관점에서 말하였고, "공이 있어서 커질 수 있다면 현인의 업이다"는 일을 하는 관점에서 말하였다. 본래 "건은 쉬움으로써 주관한다"는 주체의 관점이고, "곤은 간략함으로써 능하다"는 일을 하는 관점이다. 그러므로 이간(易簡)으로 천하의 이치를 얻어서 천지와 더불어 셋이 된다.

○ 德者得也, 得之於心謂之德, 如得這個孝, 則爲孝之德. 業是做得成頭緒, 有次第了. 不然, 泛泛做, 只是俗事, 更无可守.
덕은 얻음으로 마음에 얻어진 것을 덕이라 하니, 효(孝)를 얻으면 효의 덕이다. 업은 일을 함에 조리를 갖추고 순서를 두는 것이다. 그렇게 하지 않으면 막연하게 해서 단지 세속의 일일 뿐이니, 다시 지킬 것이 없다.

○ 問, 本義曰, 知則同心, 從則協力, 一於內故可久, 兼於外故可大, 如何. 曰, 旣易知則人皆可以同心, 旣易從則人皆可以協力. 一於內故可久者, 謂可久是賢人之德, 德則得於已者. 兼於外故可大者, 謂可大是賢人之業, 事業則見於外者故爾.

물었다:『본의』에서 말한, "알면 마음을 함께 하고 따르면 힘을 합치며, 안으로 한결같기에 오래갈 수 있고 밖을 아우르기에 커질 수 있다"는 무슨 뜻입니까?

답하였다: 알기 쉬운 뒤에는 사람들이 다 마음을 함께 할 수 있고, 따르기 쉬운 뒤에는 사람들이 힘을 합칠 수 있습니다. '안으로 한결같기 때문에 오래할 수 있음'은 오래할 수 있음이 현인의 덕이라는 말이니 덕은 자기에게서 얻어지는 것입니다. '밖을 아우르기에 커질 수 있음'은 커질 수 있음이 현인의 업이라는 말이니 사업은 밖으로 나타나는 것이기 때문입니다.

○ 可久者, 日新而不已, 可大者, 富有而无疆, 有幾多事. 今工夫易得間斷, 便是不能久, 見道理偏滯不開展, 便是不能大, 須是兩頭齊著力乃得也.

오래할 수 있는 자는 날마다 새로워서 그침이 없고 커질 수 있는 자는 풍부하게 소유해서 끝이 없다는 것에는 다소 일이 있다. 만일 공부가 쉽게 중단됨이 있으면 오래갈 수 없고 도리를 봄에 치우치고 막혀서 펼쳐 나가지 못하면 커질 수도 없는 것이니 이 두 가지는 함께 힘을 써야만 얻을 수 있다.

○ 問, 可久可大, 只說是賢人之德業. 楊氏曰, 可而已, 非其至也, 如何. 曰, 其說亦是, 此雖不說是聖人, 至成位乎中, 則是聖人也.

물었다: '오래할 수 있고 크게 할 수 있음은 단지 현인의 덕과 업을 말한 것일 뿐이다'에 대해 양씨가 "좋다는 것일 뿐이지 지극하다는 것은 아니다"라고 하였는데 어떠합니까?

답하였다: 그 설명도 또한 옳습니다. 비록 성인이라고 말하지 않았지만 (천지의) 가운데 자리를 이룰 수 있는 것이 곧 성인입니다.

○ 平菴項氏曰, 稱賢人者, 明乾坤之德業, 人皆可充而至也. 若但言聖人, 則嫌於必生知安行而後可, 而進修之路絶矣.

평암항씨가 말하였다 : 현인이라고 한 것은 건곤의 덕업을 사람들이 모두 채워서 이를 수 있음을 밝힌 것이다. 만약 성인만을 말했다면 반드시 나면서부터 알아 편안히 행할 수 있어야만 할 수 있다고 혐의하여 나아가 닦는 길이 끊어질 것이다.

○ 雲峯胡氏曰, 前三節, 見得天地間物物有乾坤, 此一節, 見得人心, 自具一乾坤. 人之心, 如乾之易, 則明白易知, 同心者衆, 故可一於內, 而爲賢人之德. 人之行事, 如坤之簡, 則要約易從, 協力者衆, 故可兼於外, 而爲賢人之業. 蓋人之心, 本自明白正大, 本自與乾坤同體, 世之人往往, 傾險, 使人不可近, 勞擾, 使人不可行持. 不可持久, 不可充拓, 卒自爲小人之歸, 殊可惜也. 本義曰, 此言人能法乾坤之道, 至此則可以爲賢人矣,蓋爲衆人言也. 夫子不敢遽言聖人, 姑曰可久可大, 姑曰賢人之德業, 欲衆人皆可至也.
운봉호씨가 말하였다 : 앞의 세 구절에서 천지의 모든 사물에 건곤이 있음을 알 수 있고, 이 한 구절에서 사람의 마음이 본래 하나의 건곤을 갖추었음을 알 수 있다. 사람의 마음이 건의 쉬움과 같으면 명백해서 알기 쉬우니 마음을 함께 하는 자가 많아져서 안으로 한결같아 현인의 덕이 된다. 사람의 하는 일이 곤의 간략함과 같으면 요약해서 따르기 쉬워서 힘을 합치는 자가 많아져서 밖으로 아우르니 현인의 업이 된다. 사람의 마음은 본래 명백하고 정대해서 건곤과 더불어 몸체를 함께 하지만, 세상 사람들은 종종 험악함에 기울어져 가깝게 갈 수 없게 하고, 수고롭게 근심하여 지속적으로 행할 수 없게 한다. 지속할 수도 없고 개척할 수도 없어서 결국 스스로 소인이 되어버리고 마니 매우 애석하다. 『본의』에서 "이는 사람이 건곤의 도를 본받음을 말하였으니, 여기에 이르면 어진 사람이라 할 수 있다"고 한 것은 대체로 중인을 위하여 말한 것이다. 공자가 대번에 성인을 거론하지 않고 '오래하고 커질 수 있음'을 말하고 '현인의 덕업'을 말한 것은 중인들이 모두 이를 수 있게 함이다.

‖韓國大全‖

권근(權近)『주역천견록(周易淺見錄)』

易則易知, 止, 賢人之業.
평이하면 알기 쉽고, … 현인의 업이니.

此言人體天地之道也. 天地之道, 非聖人莫能體, 然欲人皆可以體. 故但以易簡之德而言, 此賢人利而行之之事也.
이는 사람이 천지의 도리를 체득함을 말한 것이다. 천지의 도리는 성인이 아니면 체득할 수 없지만, 사람들이 모두 체득할 수 있게 하려 하였다. 그러므로 다만 평이하고 간략한 덕으로 말하였으니, 이는 현인이 이롭게 여겨서 행하는 일이다.

김장생(金長生)『경서변의(經書辨疑)-주역(周易)』

易則易知.
평이하면 알기 쉽다.

易知之知字, 上以王釋之, 此以知識之意釋之.

‘알기 쉽다[易知]’의 ‘지(知)’자는 위에서는[乾知大始] ‘통치함[王]’으로 해석하였는데, 여기서는 ‘지식’의 뜻으로 해석하였다.

박지계(朴知誡) 「차록(箚錄)-계사상전(繫辭上傳)」[41]

第七節, 易則易知. 云云.

제 7절에서 말하였다: 평이하면 알기 쉽고. 운운.

此以一人之身而兼體簡易之德也. 乾坤之道, 亦具於一人之身, 蓋心之神氣, 乾道也, 身之形氣, 坤道也. 盡此心神明之量, 而知性知天, 則所謂始條理也, 所謂知至至之者也, 豈非乾之始物而無所難乎. 身之形氣, 皆從乎心之所知之理, 而力行之操存之, 不以形氣物欲之紛擾亂之, 則豈非坤之皆從乎陽而不自作乎. 此則所謂知終終之者也, 眞能以簡而成物也. 朱子書曰, 就此覺處, 敬以操之, 使之常存而常覺, 是乃乾坤簡易交相爲用之妙也, 此說正所以明此也. 蓋覺卽心上知之之事也, 操以存養, 卽身上踐履之事也. 人能體乾之道, 而心之所爲, 如乾之易, 則其心所知之理, 明白無隱, 而形諸言語, 故人易知. 雖然, 以言敎者訟, 以身敎者從. 故必以身體道, 如坤之簡, 則其身所行之事要約, 而無非禮之妄動, 故人易從. 論語所謂約之以禮, 孟子所謂守約而施博者, 亦皆謂此也.

이것은 한 사람의 몸으로 이간(易簡)의 덕을 겸비하여 체득한 것이다. 건곤의 도는 또한 한 사람의 몸에 갖추어지니, 마음의 신기(神氣)는 건의 도이고, 신체의 형기(形氣)는 곤의 도이다. 이 마음의 신명을 극진히 하여 성품을 알고 하늘을 아는 것[42]이 이른바 ‘시작하는 가닥[始條理]’인 것[43]이고, ‘이를 줄을 알아서 이에 이른다’[44]는 것이니, 어찌 건(乾)이 만물을 시작함에 어려움이 없는 것이 아니겠는가? 몸의 형기는 모두 마음이 아는 바의 이치를 따라서 힘써 행하고 잡아 보존하니, 형기와 물욕의 분란으로 어지럽히지 않는다면 어찌 곤(坤)이 모두 양을 따르고 스스로는 작위하지 않는 것이 아니겠는가? 이것이 이른바 ‘마칠 줄을 알아서 이에 마친다’[45]는 것이니, 참으로 간략함으로 사물을 이룰 수 있다. 주자가 편지에서 “깨달아야 할 곳에 나아가 삼가 지켜서 이를 항상 보존하고 항상 깨닫게 함이 바로 건곤의 간략함과 평이함이 서로 돕는 운용의 묘리이다”라고 하니, 이 설이 바로 이를 밝힌

---

41) 경학자료집성DB에서는 「계사상전」 ‘제7장’에 해당하는 것으로 분류했으나, 내용에 따라 이 자리로 옮겼다.

42) 『孟子 · 盡心』: 孟子曰, 盡其心者, 知其性也, 知其性, 則知天矣.

43) 『孟子 · 萬章』: 玉振之也者, 終條理也, 始條理者, 智之事也, 終條理者, 聖之事也.

44) 『周易 · 文言傳』: 知至至之, 可與幾也, 知終終之, 可與存義也.

45) 『周易 · 文言傳』: 知至至之, 可與幾也, 知終終之, 可與存義也.

것이다. 대체로 깨달음은 마음으로 아는 일이고, 잡아서 보존하여 기름은 몸으로 실천하는 일이다. 사람이 건(乾)의 도를 체득할 수 있어서 마음이 하는 바가 건과 같이 평이하다면, 그 마음이 아는 이치가 숨김없이 명백하여 언어에 나타나기 때문에 사람들이 알기 쉽다. 비록 그렇지만 말로 가르친 자는 다투고, 몸으로 가르친 자는 따른다. 그러므로 반드시 몸으로 도를 체득하여 곤과 같이 간략하다면, 몸이 하는 일이 간략하고 예에 어긋나는 허망한 행동이 없기 때문에 사람들이 따르기 쉽다. 『논어』의 이른바 '예로써 요약한다'와 『맹자』의 이른바 '긴히 지키고 널리 베푼다'는 것이 또한 모두 이것을 말한다.

心主於內而未形, 如天之無形有氣, 而氣之運行, 一日一周, 明日又一周, 故德要日進而不已. 與我同心者多, 則人亦一於內而不已, 故可久. 事見於外而有跡, 如地之形跡高下, 相因之无窮, 故業要積蓄於外. 與我協力者衆, 則人亦功成於外, 故可大. 朱子本義曰, 知至至之, 進德之事, 知終終之, 居業之事也, 人之德業, 已盡於此矣. 雖然, 賢人者, 非自成己而已, 亦必成物也. 故必待人知而有親, 德可久然後, 乃謂賢人之德, 是乃大學所謂明明德於天下也. 天下雖大, 而吾心之體無不該, 事物雖多, 而吾心之用無不貫. 故唯可久者, 賢人之德也, 唯可大者, 賢人之業也.

마음이 안을 주장하여 나타나지 않음은 하늘이 형체는 없지만 기운은 있음과 같은데, 기운의 운행은 오늘 일주(一周)하고 내일 또 일주하므로 덕도 날로 나아가 그치지 않으려 한다. 나와 더불어 마음을 같이하는 자가 많으면, 사람들도 안으로 한결같아 그치지 않으므로 오래갈 수 있다. 일이 밖에 나타나서 자취가 있음은 땅 자취의 높고 낮음이 서로 기인하여 다함이 없음과 같으므로 사업도 밖으로 축적하려고 한다. 나와 더불어 힘을 합치는 자가 많으면, 사람들도 밖으로 공을 이루어 크게 될 수 있다. 주자가 『본의』에서 "이를 줄을 알아서 이름은 덕(德)을 진작하는 일이고, 마칠 줄을 알아서 마침은 업(業)에 머무르는 일이다"라고 하였으니, 사람의 덕과 업이 이미 여기에서 다할 것이다. 비록 그렇지만 현인은 스스로 자기만을 이룰 뿐만이 아니라, 또한 반드시 사물을 이루어준다. 그러므로 반드시 사람들이 알아 친애함이 있어서 덕이 오래갈 수 있은 뒤에야 이내 현인의 덕이라고 하는 것이니, 이것이 바로 대학의 이른바 '명덕을 천하에 밝힌다'는 것이다. 천하가 비록 크지만 내 마음의 본체가 갖추지 않음이 없으며, 사물이 비록 많지만 내 마음의 작용이 꿰지 못함이 없다. 그러므로 오래갈 수 있는 것이 현인의 덕이고, 크게 할 수 있는 것이 현인의 업이다.

或問, 可久可大, 楊氏曰, 可而已, 非其至也, 如何, 朱子曰, 其說亦是, 此雖不說是聖人, 至成位乎中, 則是聖人也. 此說恐出於語錄, 而錄者或失朱子本旨也. 夫久大在於人知人從之下, 是非在己者, 乃由人而致在外者也, 在外者, 雖聖人亦不可必. 孔子不得位, 堯舜病博施, 當盡在己, 可以得位, 可以博施之德而已. 故曰可久可大. 易簡, 本謂天地聖人之德, 而賢人者亦可及之, 非如過化存神之妙, 故曰賢人之德業. 下文曰, 易簡而理得, 理得而成位乎中, 詳此文勢, 則理得, 卽易簡之事也, 非謂易簡之後, 別有加一等, 而爲理得成位也. 一說, 賢人云者, 凡稱譽之號也, 如曰仲尼賢於堯舜者, 是也, 此亦似通.

어떤 이가 "오래갈 수 있음과 크게 할 수 있음을 양씨가 '가(可)'할 뿐이지, 지극한 것은 아니다'라고 하였는데, 어떠합니까?"라고 묻자, 주자가 "그 설명도 옳다. 이것이 비록 성인을 말한 것은 아니지만, '가운데에 자리를 이룸'에 이르면 성인이다"라고 하였다. 이 설명은 아마도 『어록』에 나오는데, 기록한 자가 혹 주자의 본지를 잃었을 것이다. 오래할 수 있고 크게할 수 있음은 사람들이 알고 사람들이 따른 뒤에 있으니, 자기에게 있는 것이 아니라 사람을 말미암아 밖으로 이른 것이며, 밖에 있는 것은 비록 성인이라도 기필할 수 없다. 공자는 지위를 얻지 못하고, 요순은 널리 베풂을 병으로 여겼지만,[46] 자기에게 있어서 마땅히 다하였으니, 지위를 얻었고 널리 베풀었다고 할 수 있는 덕이다. 그러므로 "오래할 수 있고 크게할 수 있다"고 하였다. 평이함과 간략함은 본래 천지와 성인의 덕을 말하는데, 현인도 이에 미칠 수 있으며, '지나치면 교화되고 존립하면 신묘해짐'[47]과 같은 신묘함이 아니므로 "현인의 덕과 업이다"라고 하였다. 아래의 글에서 "평이하고 간략함에 이치가 얻어지니, 이치가 얻어짐에 그 가운데 자리를 이룬다"라고 하였는데, 이 글의 형세를 살피면 이치를 얻음은 평이함과 간략함의 일이지, '평이하고 간략한 뒤에 별도로 한 등급을 더해야 이치가 얻어지고 자리를 이룬다'고 말한 것은 아니다. 한 설명에, "현인이라고 한 것은 높음을 범범하게 일컫는 것이니 '중니가 요순보다 현명하다'고 한 것과 같은 것이 이것이다"라고 하니, 이것도 통하는 듯하다.

이익(李瀷) 『역경질서(易經疾書)』

易簡承乾坤說, 而至可久可大, 始拈出人字. 此以上, 恐只據乾坤說也, 言乾道至易, 故其管攝亦易, 坤道至簡, 故其從事亦能. 親與新通, 大學經言親, 傳言新. 此則第五章云, 富有之謂大業, 日新之謂盛德, 亦申明德業之義, 而與有親可久, 有功可大者, 相符, 皆可證也. 易知則包變易之義, 故曰有新而可久, 日新之謂也, 易從則事就, 故曰有功而可大, 大業之謂也. 然人有賢聖之別, 而功有次第. 故久則曰可, 大則曰可, 此猶未至於富有日新也. 故曰賢人, 五章但云, 聖人之盛德大業, 贊之曰至矣. 言富有則與有功可大別, 日新則與有親可久別, 上下相呼喚.

---

46) 『論語·雍也』: 子貢曰, 如有博施於民而能濟衆, 何如, 可謂仁乎. 子曰, 何事於仁. 必也聖乎. 堯舜, 其猶病諸.

47) 『孟子·盡心』: 夫君子, 所過者化, 所存者神, 上下與天地同流, 豈曰小補之哉.

쉬움과 간략함은 건(乾)과 곤(坤)을 이어 말한 것이고, '오래할 수 있다'와 '크게 할 수 있다'에 이르러야 비로소 사람의 뜻을 끄집어낼 수 있다. 여기까지는 단지 건과 곤을 의거하여 말한 듯하니, 건의 도리가 지극히 쉽기 때문에 주관하여 다스림이 또한 쉽고, 곤의 도리가 지극히 간략하기 때문에 그 일을 따름도 능하다고 말한 것이다. '친함[親]'과 '새로움[新]'은 통하니,『대학』경문에서는 '친함'이라 하였는데 주석에서는 '새로움'이라 하였다. 이것이 곧 5장의 "풍부히 소유함을 대업(大業)이라 하고, 날로 새로워짐을 성덕(盛德)이라 한다"는 것이니, 또한 덕(德)과 업(業)의 뜻을 거듭 밝히고 "친함이 있으면 오래할 수 있고 공이 있으면 크게 할 수 있다"는 것과 서로 부합함이 모두 증거가 될 수 있다. 알기 쉬우면 변역(變易)의 뜻을 포함하므로 '새로워져 오래할 수 있다'고 하였으니 날로 새로워짐을 말하고, 따르기 쉬우면 일이 이뤄지므로 '공이 있어 크게 할 수 있다'고 하였으니 대업을 말한다. 그러나 사람에게는 현(賢)과 성(聖)의 구별이 있고 공(功)에는 차례가 있다. 그러므로 오래하면 할 수 있음을 말하고 크게 하면 할 수 있음을 말하였으니, 이는 아직도 '풍부히 소유함'과 '날로 새로워짐'에 이르지는 못한 것이다. 그러므로 현인이라고 하였고, 5장에서는 단지 성인의 성덕(盛德)과 대업(大業)을 말하였기에 이를 기려서 '지극하다'고 하였다. '풍부히 소유함'은 공이 있어 크게 할 수 있음과 구별되고, '날로 새로워짐'은 친함이 있어 오래할 수 있음과 구별되지만 위와 아래가 서로 호응함을 말한다.

유정원(柳正源)『역해참고(易解參攷)』

易則 [至] 之業.
평이하면 … 현인의 업이니.

韓氏曰, 順萬物之情, 故曰有親, 通萬物之志, 故曰有功.
한강백이 말하였다: 만물의 실정을 따르므로 '친함이 있다'고 하였고, 만물의 뜻에 통하므로 '공이 있다'고 하였다.

○ 漢上朱氏曰, 乾坤之道, 觀乎天地萬物之變化, 其道較然著見矣. 然反觀吾身, 善端所起者, 乾也, 身行之而作成之者, 坤也. 人皆有善端, 不亦易知乎, 行其所知, 不亦簡能乎, 飢而食, 渴而飲, 晝作而夜止, 不亦簡且易哉. 蓋以此推天下, 未有不知而從者也. 我知之, 人亦知之, 故有親, 我行之, 人皆行之, 故有功, 有親則俟百世而不惑, 有功則放諸四海而準. 可久者, 謂之德, 可大者, 謂之業, 賢人之德業, 至於配天地, 成位乎兩間, 可謂久且大矣. 然不過健順而已, 而健順者, 在反求諸己而已, 知此則天尊地卑, 八卦相盪, 在乎中矣.

한상주씨가 말하였다: 건(乾)과 곤(坤)의 도리를 천지 만물의 변화에서 본다면, 그 도리가 환하게 나타날 것이다. 그러나 나의 몸에서 돌이켜 본다면, 선(善)한 단서가 일어나는 것이 건이고, 몸소 행하여 이루는 것이 곤이다. 사람은 모두 선한 단서가 있으니 또한 알기 쉽지 않겠으며, 그 아는 것을 행하니 또한 간략함으로 능하지 않겠으며, 배고파서 먹고 목말라서 마시며 낮에 일하고 밤에 그치니 또한 간략하고 평이하지 않겠는가? 이것으로 천하에 미룬다면 알지 못하면서 따르는 자는 없을 것이다. 내가 아는 것을 사람도 알기 때문에 친(親)함이 있고, 내가 행하는 것을 사람들도 모두 행하기 때문에 공(功)이 있으며, 친함이 있으면 백세를 기다려도 의혹되지 않고, 공이 있으면 사해에 풀어도 모범이 된다. 오래할 수 있는 것은 '덕(德)'을 말하고 크게 할 수 있는 것은 '업(業)'을 말하니, 현인의 덕과 업이 천지에 짝함에 이르러 둘의 사이에서 자리를 이루게 되면 오래함과 크게 함을 말할 수 있다. 그러나 강건함과 유순함일 뿐이니, 강건함과 유순함은 돌이켜 나에게 구하는데 있을 뿐이고, 이와 같으면 '하늘은 높고 땅은 낮음'과 '팔괘가 서로 섞임'이 가운데 있을 것이다.

○ 朱子曰, 鵝湖之會, 子靜詩云, 易簡工夫終久大, 彼所謂簡易者, 苟簡容易耳. 乾以易知者, 乾是至健, 要做便做, 直是易, 坤是至順, 順理而爲. 故曰簡, 此言造化之理. 至於可久則賢人之德, 日新而不已, 可大則賢人之業, 富有而无彊. 易簡有幾多事在, 豈容易苟簡之云乎.

주자가 말하였다: 아호의 모임에서 육자정의 시(詩)에 "이간(易簡) 공부는 끝내 오래가며 크다"고 하였는데, 저기서 말한 이간은 대략적이고 용이하다는 것이다. "건은 평이함으로써 주관한다"는 건이 지극히 강건하여 하고자 하면 곧 하는 것이 바로 '평이함[易]'이고, 곤은 지극히 유순하여 이치에 순응하여 행한다. 그러므로 '간략하다'고 하였으니, 이는 조화의 이치를 말한다. '오래할 수 있으면 현인의 덕이다'로 말하면 날로 새로워져 그치지 않음이고, '크게 할 수 있으면 현인의 업이다'는 풍부히 소유하여 경계[48]가 없음이다. 이간에 자주 많은 일이 있다면 어찌 용이하고 대략적이라고 할 수 있겠는가?

○ 案, 人法乾之易, 則其心平易明白, 若有險僻, 則人不可測, 此所謂易則易知也. 若其中難測, 則人不與之同心, 此所謂易知則有親也. 若其心不同, 則安能與之久保, 此所謂有親則可久也. 若不保其久, 則豈可謂實得於己, 此所謂可久則賢人之德也. 法坤之簡, 則其事直截要約, 若有煩碎, 則人不肯爲, 此所謂簡則易從也. 煩碎多端, 人不肯從, 則誰與之協力也, 此所謂易從則有功也. 若衆力不協, 則安能與之大爲, 此所謂有功則可大也. 旣不能大, 則豈能有成事, 此所謂可大則賢人之業也. 可者, 非僅可之辭

---

48) 『주자어류』에 의거하여 '强'을 '彊'으로 번역하였음.

也, 以賢人言, 故曰可, 此勉人入德之門, 而下節極言聖人之功.

내가 살펴보았다: 사람들이 건(乾)의 평이함을 본받으면 그 마음이 평이하고 명백하며, 만약 험난하고 구석짐이 있다면 사람들이 알 수 없으니, 이것이 이른바 “평이하면 알기 쉽다”이다. 만약 그 속을 알기 어렵다면 사람들이 더불어 마음을 함께 할 수 없으니, 이것이 이른바 “알기 쉬우면 친함이 있다”이다. 만약 그 마음을 함께 하지 않는다면 어찌 더불어 오래 보존할 수 있겠는가? 이것이 이른바 “친함이 있으면 오래할 수 있다”이다. 만약 그것을 오래도록 보존하지 못한다면 어찌 실제로 자기에게 얻었다고 할 수 있겠는가? 이것이 이른바 “오래할 수 있으면 현인의 덕이다”이다. 곤(坤)의 간략함을 본받으면 그 일이 직절하고 간략하며, 만약 번거롭고 잘다면 사람들이 기꺼이 할 수 없으니, 이것이 이른바 “간략하면 따르기 쉽다”이다. 번거롭고 잘아 단서가 많으며 사람들이 기꺼이 따르지 않는다면 누가 더불어 힘을 합치겠는가? 이것이 이른바 “따르기 쉬우면 공이 있다”이다. 만약 여럿이 힘을 합치지 않는다면 어찌 더불어 크게 해낼 수 있겠는가? 이것이 이른바 “공이 있으면 크게 할 수 있다”이다. 이미 크게 할 수 없다면 어찌 일을 이룰 수 있겠는가? 이것이 이른바 “크게 할 수 있으면 현인의 업이다”이다. '할 수 있다[可]'는 '겨우 가하다'는 말이 아니라, 현인으로 말했기 때문에 '할 수 있다'고 한 것이니 이는 사람들을 설득하여 덕에 들어가게 하는 문이며, 아래 구절은 성인의 일을 지극히 말한 것이다.

本義, 案, 易知以心言, 易從以事言, 心內也, 事外也, 而於內則曰一, 於外則曰兼. 蓋心雖發見於事爲, 而其所以明白易知者, 同此心也, 故曰一於內, 事雖在外做得, 而其所以做得事功者, 本乎心也, 故曰兼於外. 上言乾坤之德, 此言人法乾坤之道, 其心明白易知, 其事要約易從. 故人與之同心而協力, 以致德崇於內而業廣於外也.

『본의』에 대하여 내가 살펴보았다: '알기 쉽다'는 마음으로 말하였고, '따르기 쉽다'는 일로 말하였는데, 마음은 안이고 일은 밖이어서 안에 대해서는 '한결같다'고 하고, 밖에 대해서는 '모아진다'고 하였다. 대체로 마음은 비록 일을 함에 나타나지만 명백하여 알기 쉬운 까닭은 이 마음을 같이 하기 때문이므로 '안에서 한결같다'고 하였고, 일은 비록 밖에서 이루어지지만 일이 이루어지는 까닭은 마음에 근본하기 때문에 '밖에서 모아진다'고 하였다. 위에서는 건곤(乾坤)의 덕(德)을 말하였고, 여기서는 사람이 건곤의 도(道)를 본받아 그 마음이 명백하여 알기 쉽고, 그 일이 간략하여 따르기 쉬움을 말하였다. 그러므로 사람들이 더불어 마음을 같이 하고 힘을 합쳐서 안으로는 덕이 높아지고 밖으로는 업이 넓어짐을 다하게 된다.

김상악(金相岳) 『산천역설(山天易說)』

易知與簡能, 在賢人爲良知良能, 故其德業亦如此.

'평이함으로써 주관함'과 '간략함으로써 능함'은 현인(賢人)에 있어서 양지(良知)와 양능(良能)이 되기 때문에 그 덕과 업이 또한 이와 같다.

○ 第五章之盛德大業, 第七章之崇德廣業, 卽此之德業.
5장의 '성덕'과 '대업', 7장의 '덕을 높이고 업을 넓힘'이 바로 여기의 덕과 업이다.

박윤원(朴胤源)『경의(經義)·역경차략(易經箚略)·역계차의(易繫箚疑)』

易則易知, 簡則易從, 是法天地者事, 知與從, 似是我自知此理, 我自從此道. 非人知人從之謂, 來易亦如此說矣. 然而本義, 以易知爲人之知我心, 易從爲人之從我事, 何歟. 豈以易知之下, 有親之親字, 於他人之親就己, 最爲說得當故歟. 然今若曰自家於此理, 知得分明, 則浹洽親切, 不相疏隔云, 則其義亦豈不好歟. 且以有功言之, 我自從此道而行, 日積月累, 無少間斷, 則自至於有功, 亦豈不辭意平順乎. 然則朱子之必以人知人從說, 其意果何所在.

"평이하면 알기 쉽고 간략하면 따르기 쉽다"는 천지를 본받은 자의 일이니, '앎[知]'과 '따름[從]'은 나 스스로 이치를 알고, 나 스스로 도리를 따르는 것 같다. 남들이 알아주고 남들이 따라옴을 말하는 것이 아니니, 래씨의 역에서도 이와 같이 설명하였다. 그런데『본의』에서 '알기 쉽다'를 남들이 나의 마음을 아는 것으로 여기고, '따르기 쉽다'를 남들이 나의 일을 따르는 것으로 여긴 것은 어째서인가? 어찌 '알기 쉽다'의 아래에 '친함이 있다'의 '친함'을 타인이 나를 친애하여 따름으로 보는 것이 가장 설명이 마땅하기 때문이라고 여겼단 말인가? 그러나 지금 만약 '스스로 이 이치를 분명하게 알면 화목하고 친절하여 서로 소원하지 않음을 말한 것'이라고 한다면, 그 의미가 또한 어찌 좋지 않겠는가? 또한 '공이 있음'으로 말한다면, 나 스스로 이 도리를 따라 행하여 날마다 쌓고 쌓아서 조금의 끊어짐도 없다면 스스로 공이 있음에 이른다는 것이니, 또한 어찌 말의 뜻에 순탄하지 않겠는가? 그렇다면 주자의 반드시 남들이 알고 남들이 따른다는 설은 그 뜻이 과연 어디에 근거한 것인가?

윤행임(尹行恁)『신호수필(薪湖隨筆)·계사전(繫辭傳)』

易簡者, 其堯之爲君乎. 行之也, 易而不艱, 治之也, 簡而不繁, 九族睦則親也, 萬邦協則功也, 澤流後世, 與天同道, 則久而大也. 合而言之, 則德業也. 蓋受天地之中以生者, 人也, 乾爲父, 坤爲母. 一心有一太極, 亡失其本, 則天地之心, 卽我心也. 心者, 氣也, 性者, 理也, 其理其氣, 原乎天地. 理本善, 氣有善有不善, 孟子曰, 盡心者, 知性, 知性則知天.

평이함과 간략함은 요(堯)임금일 것이다. 행함은 평이하여 어렵지 않았고 다스림은 간략하여 번거롭지 않았으니, 구족(九族)이 화목함은 친함이고 만방(萬邦)이 협력함은 공적이며, 은택이 후세에 흐르고 하늘과 도리를 같이 하니 오래가고 커졌다. 합쳐서 말하면 덕업(德業)이다. 대체로 천지의 중도를 받아서 태어난 것은 사람이니, 건은 아비가 되고 곤은 어미가 된다. 한 마음에는 하나의 태극이 있으니, 근본을 잃지 않으면 천지의 마음이 그대로 나의 마음이다. 마음은 기운이고 성품은 이치인데, 그 이치와 기운은 천지에 근본한다. 이치는 본래 선하고 기운에는 선함도 있고 불선함도 있으니, 맹자는 "마음을 다하는 자는 성품을 알고, 성품을 알면 하늘을 안다"[49]고 하였다.

有德然後有業, 親然後久, 功然後大, 知然後親, 從然後功. 德之本在久, 久之本在親, 親之本在知, 業之本在大, 大之本在功, 功之本在從, 從之本簡是也, 知之本易是也. 久者悠遠, 大者博厚, 中庸所謂至誠无息, 豈非此之謂也歟.

덕이 있은 뒤에야 업이 있으며, 친한 뒤에야 오래가게 되고 공이 있은 뒤에야 크게 되며, 안 뒤에야 친하게 되고 따른 뒤에야 공이 있게 된다. 덕의 근본은 오래함에 있고 오래함의 근본은 친함에 있고 친함의 근본은 앎에 있으며, 업의 근본은 크게 함에 있고 크게 함의 근본은 공에 있고 공의 근본은 따름에 있는데, 따름의 근본은 간략함이 이것이고 앎의 근본은 평이함이 이것이다. 오래감은 아득하게 멀어짐이고, 크게 됨은 널리 두터워짐이니,『중용』의 이른바 '지극한 성(誠)은 쉼이 없다'가 어찌 이것을 말한 것이 아니겠는가?

심대윤(沈大允)『주역상의점법(周易象義占法)』

平常故易, 要約故簡, 因性故平常, 成性故要約.

항상 그렇기 때문에 쉽고 긴히 간추리기 때문에 간략하며, 본성에 근거하기 때문에 항상 그러하고, 본성을 이루기 때문에 긴히 간추린다.

박문호(朴文鎬)「경설(經說)·주역(周易)」

易則易知以下, 本義恐讀者, 或蒙上認作乾坤之事. 故取其末賢人之人, 以冠其上而釋之.

"평이하면 알기 쉽다"부터는,『본의』에서 글을 읽는 사람들이 혹 위를 이어서 건곤(乾坤)의 일로 생각할까 염려하였다. 그러므로 구절 끝의 '현인(賢人)'의 '인(人)'을 취하여 위에까지 적용해 해석하였다.

---

49)『孟子·盡心』: 孟子曰, 盡其心者, 知其性也, 知其性, 則知天矣.

易簡而天下之理得矣, 天下之理得而成位乎其中矣.

평이하고 간략함에 천하(天下)의 이치가 얻어지니, 천하(天下)의 이치가 얻어짐에 그 가운데에 자리를 이룬다.

┃中國大全┃

本義

成位, 謂成人之位, 其中, 謂天地之中, 至此則體道之極功, 聖人之能事, 可以與天地參矣.

'자리를 이룸[成位]'은 사람의 자리를 이룸이고, '그 가운데[其中]'는 천지의 가운데이다. 이에 이르면 도를 체득하여 행하는 지극한 공부와 성인의 능한 일이 천지와 더불어 참여할 수 있다.

小註

朱子曰, 易簡理得, 只是淨淨潔潔, 无許多勞擾委曲. 張子所謂, 盡人道, 竝立乎天地, 以成三才, 則盡人道, 非聖人不能也.

주자가 말하였다: 평이하고 간략함에 이치를 얻음은 다만 정결(淨潔)해서 많은 번거로움과 왜곡이 없는 것이다. 장자가 말한 "인도를 다함이란 천지에 함께 서서 삼재를 이루는 것이다"라고 하였으니, 인도를 다함은 성인이 아니고는 할 수 없다.

○ 柴氏中行曰, 人心一造乎易簡, 而天下之理擧不外此. 是理也, 三才之道也, 人得之與天地竝立矣.

시중행이 말하였다: 사람의 마음이 한결같이 이간(易簡)에서 움직이면 천하의 이치도 모두 여기에서 벗어나지 않는다. 이 이치란 삼재의 도이니 사람이 얻으면 천지와 함께 선다.

○ 雲峯胡氏曰, 此章首言天地間有自然之易, 繼言易中有自然之大地, 末言天地與易不外乎自然之理. 所謂自然之理者何也, 易也簡也. 易簡而天下之理得者, 聖人理與心會自然得之者也, 成位乎其中者, 成人之位於天地之中也. 夫位乎天地之中者, 皆人也, 必聖人, 方能成人之位, 而无愧於爲人焉. 然則必如此後, 謂之成人, 則前所謂賢於人者猶未也. 本義前曰, 至此則可以爲賢人, 謂衆人皆可至也, 此曰至此則體道之極功, 聖人之能事. 蓋謂賢者, 所可至也, 朱子敎人之意, 深矣.

운봉호씨가 말하였다: 이 장은 먼저 천지 사이의 자연의 역을 말했고, 이어서 역 가운데 있는 자연의 천지를 말했으며, 끝에서는 천지와 역이 자연의 이치에서 벗어나지 않음을 말했다. 이른바 '자연의 이치'란 무엇인가, 평이함[易]과 간략함[簡]이다. 이간(易簡)으로 천하의 이치를 얻음은 성인이 이치를 마음으로 부합하여 자연히 얻음이고, 그 가운데 자리를 이룸은 사람의 자리를 천지의 가운데 이룸이다. 천지의 가운데 자리를 이루는 자는 사람인데 반드시 성인이어야 사람의 자리를 이루어 사람이 됨에 부끄러움이 없다. 그러나 반드시 이처럼 한 뒤에라야 '사람을 이룬다'고 한다면 앞에서 말한 현인도 아직 (이룬 것이) 아니다. 『본의』에서 앞서 "여기에 이르면 어진 사람이라 할 수 있다"고 한 것은 중인이 모두 이를 수 있음을 말한 것이고, 여기서 "여기에 이르면 도를 체득한 지극한 공으로 성인이 능한 일이다"라고 한 것은 어진 사람이 이를 수 있는 것임을 말한 것이니, 주자가 사람들을 가르치려한 뜻이 깊다.

韓國大全

권근(權近) 『주역천견록(周易淺見錄)』

易簡而天下之理得矣, [止] 成位乎其中矣.

쉽고 간략함에 천하의 이치가 얻어지니, … 그 가운데 자리를 이룬다.

此言賢者體道之功, 能至於極, 則可以成位乎天地之中, 而竝立矣. 此聖人之能事, 猶中庸自致曲而至於無臭化育也.

이는 현자의 도를 체득하는 공능이 지극함에 이를 수 있다면 천지의 가운데에 자리를 이루어 함께 설 수 있음을 말한 것이다. 이는 성인이 능히 하는 일로 『중용』의 '한편으로 지극히 함으로 부터 자취 없이 화육됨'[50]에 이름과 같다.

박치화(朴致和) 「설계수록(雪溪隨錄)」

天尊地卑一節, 言天地中固已備易體, 是故以下, 言易中亦自具天地造化, 乾道成男以下, 言易與天地相配, 易則易知以下, 言聖賢體易而能與天地參而爲一也.

"하늘은 높고 땅은 낮으니"의 구절에서는 천지(天地) 가운데는 참으로 역(易)의 몸체가 이미 갖추어져 있음을 말하였고, '이러므로'부터는 『주역』에도 저절로 천지의 조화가 갖추어져 있음을 말하였으며, "건의 도가 남성을 이루고"부터는 역과 천지가 서로 짝이 됨을 말하였고, "평이하면 알기 쉽고"부터는 성현이 역(易)을 체득하여 천지에 참여해서 하나가 됨을 말하였다.

○ 天尊地卑一節, 言天地一易書也, 是故以下, 言易書一天地也, 易則易知以下, 言聖人一易與天地也.

"하늘은 높고 땅은 낮으니"의 구절은 천지(天地)가 『주역』이라는 책과 하나임을 말하였고, '이러므로'부터는 『주역』이라는 책이 천지와 하나임을 말하였고, "평이하면 알기 쉽고"부터는 성인이 역(易)이나 천지와 하나임을 말하였다.

○ 易之爲易也, 始於剛柔, 而成於八卦, 剛柔相磨而成八卦, 八卦相盪而爲六十四卦.

역(易)이 역이 되는 것은 강유(剛柔)에서 시작되고 팔괘(八卦)에서 이루어지니, 강과 유가 서로 마찰하여 팔괘가 이루어지고, 팔괘가 서로 섞여서 64괘가 된다.

○ 八卦, 剛柔之磨成也, 六十四卦, 八卦之推盪也.

팔괘(八卦)는 강유(剛柔)가 마찰하여 이루어진 것이고, 64괘는 팔괘가 밀쳐서 섞인 것이다.

○ 皷之以雷霆, 潤之以風雨, 言造化之運用也, 乾道成男, 坤道成女, 言造化之生物也.

"우레와 번개로써 고동하며, 바람과 비로써 적셔주며"는 조화의 운용을 말한 것이고, "건(乾)의 도가 남성을 이루고 곤(坤)의 도가 여성을 이루니"는 조화가 만물을 낳음을 말한 것이다.

○ 一寒一暑, 指先天圖圈子也.

"한 번 춥고 한 번 더움"은 선천도의 동그라미를 가리킨다.

---

50) 『中庸』: 其次, 致曲, 曲能有誠, 誠則形, 形則著, 著則明, 明則動, 動則變, 變則化, 唯天下至誠, 爲能化.

○ 統而言之, 則六十四卦, 約而言之, 則乾坤二卦而已. 故但言乾坤, 以配天地, 而贊其功德也.

총괄하여 말하면 64괘이고, 간략하게 말하면 건곤(乾坤) 두 괘일 뿐이다. 그러므로 단지 건곤만을 말하여 천지(天地)에 짝지우고 그 공덕을 기렸다.

○ 言天地, 則萬物在其中, 言乾坤, 則諸卦在其中. 故上言六十四卦之用, 末言乾坤二卦之用, 以配天地, 而贊其功德也.

천지(天地)를 말하면 만물은 그 안에 있고, 건곤(乾坤)을 말하면 모든 괘는 그 안에 있다. 그러므로 위에서는 64괘의 작용을 말하였고, 끝에서는 건곤(乾坤) 두 괘의 작용을 말하여 천지에 짝지우고 그 공덕을 기렸다.

이익(李瀷) 『역경질서(易經疾書)』

天下之理得者, 萬物育也, 成位乎其中者, 天地位焉也. 此從事理推原, 故與中庸不同.

'천하의 이치를 얻음'은 만물을 화육함이고, '그 가운데 자리를 이룸'은 천지가 자리함이다. 이것은 사리(事理)를 따라서 근원을 추론하였으므로 『중용』과는 같지 않다.

윤동규(尹東奎) 『경설(經說)-역(易)』[51]

大抵乾坤易簡之德, 則聖人之德也, 體易簡之德, 而成位于中者, 卽一聖人也. 故以賢人之德業終之, 而下傳亦曰, 乾易知險, 坤簡知阻, 以此說心研慮, 成天下之亹亹者. 故又曰, 天地設位, 聖人成能, 其意可以見矣. 〈右第一章〉

대체로 건곤의 이간(易簡)의 덕은 성인의 덕이니, 이간의 덕을 체득하여 가운데 자리를 이룬 자는 곧 성인이다. 그러므로 현인의 덕업(德業)으로 끝마쳤고, 「하전」에서 또한 '건은 평이함으로 험함을 알고, 곤은 간략함으로 막힘을 아니, 이것으로 마음을 기쁘게 하고 생각을 궁구할 수 있어서 천하의 부지런히 애씀을 이룬다'[52]고 하였다. 그러므로 또한 '천지가 자리를 베풂에 성인이 공능을 이룬다'[53]고 하였으니, 그 뜻을 알 수 있을 것이다. 〈이상은 제1장이다〉

---

51) 경학자료집성DB에서는 「계사상전」 '제7장'에 해당하는 것으로 분류했으나, 내용에 따라 이 자리로 옮겼다.
52) 『周易·繫辭傳』: 夫乾, 天下之至健也, 德行, 恒易以知險, 夫坤, 天下之至順也, 德行, 恒簡以知阻, 能說諸心, 能研諸侯之慮, 定天下之吉凶, 成天下之亹亹者.
53) 『周易·繫辭傳』: 天地設位, 聖人成能, 人謀鬼謀, 百姓與能.

유정원(柳正源) 『역해참고(易解參攷)』

易簡 [至] 中矣.

평이하고 간략함에 … 가운데에 자리를 이룬다.

張子曰, 易簡得而成位乎天地之中, 蓋盡人道, 竝立乎天地, 以成三才, 則是與天地參矣. 蓋盡得人道, 理自當爾, 不必受命, 孔子之道, 豈不可參天地.

장자가 말하였다: 평이하고 간략함을 얻어서 천지의 가운데 자리를 이룸은 인도(人道)를 다하여 천지와 함께 자리하여 삼재(三才)를 이룬 것이니, 천지에 참여한 것이다. 대체로 인도를 다한다면 도리가 저절로 마땅하여 천명을 기다림이 필요치 않으니, 공자의 도리가 어찌 천지에 참여하지 않을 수 있겠는가?

○ 案, 理之一字, 自夫子始發於此, 孟子因此以說理義, 先儒許多義理說話, 皆原於此.

내가 살펴보았다: 이치라는 말은 본래 부자가 여기에서 처음으로 말하였고, 맹자가 이를 근거하여 이치의 뜻을 설명하였으니, 선유의 수많은 의리에 대한 설명이 모두 여기에 근원한다.

김근행(金謹行) 「주역차의(周易箚疑)·역학계몽차의(易學啓蒙箚疑)·독역범례(讀易凡例)·주역의목(周易疑目)」

皷之以下至簡能, 就易上言天地之實體, 首一節就天地上, 言卦爻之效則, 易則易知以下, 言人之體易立極之義.

“우레와 번개로써 고동하며”부터 “간략함으로써 능하니”까지는 역(易)의 위에서 천지(天地)의 실체를 말하였고, 첫 구절은 천지(天地)의 위에서 괘효의 본받음을 말하였고, “평이하면 알기 쉽고”부터는 사람이 역(易)을 체득하여 인극(人極)을 세웠다는 뜻을 말하였다.

김상악(金相岳) 『산천역설(山天易說)』

言聖人能成位乎天地之中也.

성인은 천지의 가운데 자리를 이룰 수 있음을 말하였다.

윤행임(尹行恁) 『신호수필(薪湖隨筆)·계사전(繫辭傳)』

人能體乎天地之理, 不過曰易簡, 知易簡, 則得其理矣, 得其理, 則萬物之理, 皆有以得之矣. 大學致知之工, 卽理得之本也, 理得乎心, 則居天下之廣居, 立天下之正位, 此所以成位之謂也.

사람이 천지(天地)의 이치를 체득할 수 있다는 것은 '평이하고 간략하다'고 함에 불과하니, 평이하고 간략할 줄 알면 그 이치를 체득하고, 그 이치를 체득하면 만물의 이치를 모두 얻게 된다. 『대학』의 '치지(致知)' 공부는 이치를 터득하는 근본으로, 이치를 마음에 터득하면 천하의 넓은 처소에 거처하고 천하의 바른 위치에 자리할 것이니,[54] 이것이 자리를 이루는 까닭이라 할 수 있다.

심대윤(沈大允) 『주역상의점법(周易象義占法)』

人位乎天地之中, 而參其化育矣.

사람이 천지의 가운데 자리하여 그 화육에 참여한 것이다.

오치기(吳致箕) 「주역경전증해(周易經傳增解)」

上文旣言乾坤陰陽之成男成女, 故此承上文, 而以在人之乾坤, 言聖人之體易也. 知者, 猶言主也, 作者, 猶言行也. 蓋凡人物, 莫不有陽先陰後之理, 陽始施而陰終受. 故言乾主乎大始之事, 坤行乎成物之事也. 乾健而不息, 無凝滯於始物, 故曰易, 坤順而從陽, 不自專於成物, 故曰簡也. 下易字, 卽難易之易也. 人之所爲明白, 如乾之易, 則人易知矣, 要約, 如坤之簡, 則人易從矣. 人知則與之同心, 故有親, 人從則與之恊力, 故有功也. 有親, 則一於內而可以久其德, 有功, 則兼於外而可以大其業也. 賢人, 指用易者也. 易而久其德, 簡而大其業, 則天下之理無不得, 而成位乎天地之中, 參爲三才矣.

위에서 이미 건곤(乾坤)과 음양이 남성을 이루고 여성을 이룸을 말하였으므로 여기서는 위의 글을 이어 사람에게 있는 건곤을 가지고 성인이 역을 체득하였음을 말하였다. '주관[知]'은 주재한다고 말함과 같고, '이룸[作]'은 실행한다고 말함과 같다. 모든 사람과 사물에는 양이 앞서고 음이 뒤서는 이치가 있지 않음이 없어서 양이 처음에 펼치면 음이 끝에서 거둔다. 그러므로 건이 크게 시작하는 일을 주관하고, 곤이 만물을 이루는 일을 실행한다고 말하였다. 건은 강건하게 쉬지 않아서 사물을 시작함에 엉켜서 막힘이 없으므로 '평이하다'고 하고, 곤은 유순하게 양을 따라서 사물을 이룸에 독단으로 하지 않으므로 '간략하다'고 하였다. 아래의 '이(易)'자는 '어렵고 쉽다'의 '쉬움[易]'이니, 사람이 하는 일이 명백하여 건(乾)의 평이함과 같다면 사람들이 쉽게 알 것이고, 간추려서 곤(坤)의 간략함과 같다면 사람들이 쉽게 따를 것이다. 사람들이 안다면 더불어 마음을 함께 하므로 친함이 있고, 사람들이 따르

---

54) 『孟子·滕文公』: 居天下之廣居, 立天下之正位, 行天下之大道, 得志, 與民由之, … 此之謂大丈夫.

면 더불어 힘을 합치므로 공이 있다. 친함이 있으면 안으로 한결같아서 그 덕을 오래할 수 있고, 공이 있으면 밖으로 겸비하여 그 업을 크게 할 수 있다. 현인은 역을 쓰는 자를 가리킨다. 평이하여 그 덕을 오래하고, 간략하여 그 업을 크게 하면 천하의 이치를 얻지 못함이 없어서 천지의 가운데 자리를 이루고 참여하여 삼재(三才)가 될 것이다.

이진상(李震相) 『역학관규(易學管窺)』

天下之理得.

천하의 이치가 얻어지니.

夫子贊易, 首於此發一理字揭, 萬世理學之原, 信乎主理之爲宗旨也.

공자가 역(易)의 찬술하면서 첫머리에 하나의 '이치[理]'라는 말을 걸은 것이 만세 리학(理學)의 근원이니, 참으로 주리론(主理論)의 종지가 된다.

이병헌(李炳憲) 『역경금문고통론(易經今文考通論)』

天尊地卑, 乾坤定矣, 卑高以陳, 貴賤位矣, 動靜有常, 剛柔斷矣, 方以類聚, 物以群分, 吉凶生矣, 在天成象, 在地成形, 變化見矣. 是故剛柔相摩, 八卦相盪, 皷之以雷霆 潤之以風雨, 日月運行, 一寒一暑, 乾道成男, 坤道成女, 乾知大始, 坤化成物, 乾以易知, 坤以簡能. 易則易知, 簡則易從, 易知則有親, 易從則有功, 有親則可久, 有功則可大, 可久則賢人之德, 可大則賢人之業, 易簡而天下之理得矣, 天下之理得而易成位乎其中矣. 〈盪化二字從孟虞本, 六經無盪字. 霆蜀才疑爲電, 穀梁曰雷霆也. 理得而下, 馬荀王肅本有易字, 故采入, 此恐爲眞古文〉

하늘은 높고 땅은 낮으니 건과 곤이 정해지고, 낮은 것과 높은 것이 진열되니 귀함과 천함이 자리하고, 동(動)과 정(靜)에 떳떳함이 있으니 강과 유가 결단되고, 방향은 부류로써 모아지고 사물은 무리로써 나누어지니 길과 흉이 생기고, 하늘에 있어서는 형상이 이루어지고 땅에 있어서는 형체가 이루어지니 변화가 나타난다. 이러므로 강(剛)과 유(柔)가 서로 마찰하며 팔괘가 서로 섞여서 우레와 번개로써 고동하며, 바람과 비로써 적셔주며, 해와 달이 운행하며, 한 번 춥고 한 번 더워, 건(乾)의 도(道)가 남성을 이루고 곤(坤)의 도(道)가 여성을 이루니, 건(乾)은 큰 시작을 주관하고 곤(坤)은 물건을 이룬다. 건은 평이함으로써 주관하고 곤은 간략함으로써 능하니, 쉬우면 알기 쉽고 간략하면 따르기 쉬우며, 알기 쉬우면 친함이 있고 따르기 쉬우면 공이 있으며, 친함이 있으면 오래할 수 있고 공이 있으면 크게 할 수 있으며, 오래할 수 있으면 현인의 덕이요 크게 할 수 있으면 현인의 업이니, 평이하고 간략함에 천하의 이치가 얻어지니, 천하의 이치가 얻어짐에 그 가운데에 자리를 이룬다.〈'팔괘상탕(八卦相盪)'의 '탕(盪)'자와 '곤화성물(坤化成物)'의 '화(化)'자는 맹희와 우번의 판본을 따랐으니, 육경에는 '탕(盪)'자가 없다. '정(霆)'은 촉재는 '전(電)'이라고 의심했으며, 『춘추곡량전』에서는 "우레[雷]가 정(霆)이다"라고 하였다. '이치가 얻어지니' 아래에 마융·순상·왕숙의 판본에는 '역(易)'자가 있기 때문에 끼워 넣었는데, 이것은 진고문(眞古文)인 듯하다〉

物三稱群, 故吉凶分. 京曰, 摩相磑功也, 釋文云, 盪衆[55]家作蕩, 蕩動也, 又曰, 滌盪. 孟曰, 霆雷之餘氣, 挺生萬物者也. 荀曰, 男謂乾初適坤爲震, 二適坤爲坎, 三適坤爲艮, 女謂坤初適乾爲巽, 二適乾爲离, 三適乾爲兌也. 始, 謂乾稟元氣, 萬物資始也, 物, 謂坤任育體, 萬物資生也. 陽位成於五, 五爲上中, 陰位成於二, 二爲下中. 故易成位乎其中也. 按, 中謂易簡之中, 人之知氣, 實從乾元而來. 此一章, 首明乾坤之道, 以示易之門戶也.

사물이 셋이면 무리라고 일컫기 때문에 길과 흉이 나누어진다. 경방은 "마찰[摩]은 서로 문지르는 것이다"고 하였고, 『경전석문』에 "탕(盪)은 여러 판본에 '탕(蕩)'으로 되어 있는데, '탕(蕩)'은 움직임이다"라고 하였고, 또 "흔들어 움직임이다"라고 하였다. 맹희는 "우레와 번개의 남은 기운은 만물을 뽑아내는 것이다"라고 하였고, 순상은 "남성은 건괘가 곤괘(☷)의 처음에 나아가 진괘(☳)가 되고, 곤괘의 두 번째에 나아가 감괘(☵)가 되고, 곤괘의 세 번째에 나아가 간괘(☶)가 됨을 말하며, 여성은 곤괘가 건괘(☰)의 처음에 나아가 손괘(☴)가 되고, 건괘의 두 번째에 나아가 리괘(☲)가 되고, 건괘의 세 번째에 나아가 태괘(☱)가 됨을 말한다. '시작'은 건(乾)이 원기를 내려줘 만물이 근거하여 시작함[56]을 말하고, '사물'은 곤이 몸체의 기름을 담당하여 만물이 근거하여 생겨남[57]을 말한다. 양의 자리는 오효에서 이루어지니 오효는 상괘의 가운데가 되고, 음의 자리는 이효에서 이루어지니 이효는 하괘의 가운데가 된다. 그러므로 역이 그 가운데에 자리를 이룬다"고 하였다. 내가 보기에 가운데는 평이하고 간략한 가운데를 말하니, 사람의 화기는 실로 건원(乾元)으로부터 온다. 여기 첫 장에서는 먼저 건곤(乾坤)의 도를 밝혀서 역(易)의 문호를 보였다.

右, 第一章.

이상은 제1장이다.

---

55) 衆: 경학자료집성DB에는 '象'으로 되어 있으나, 경학자료집성 영인본을 참조하여 '衆'으로 바로잡았다.
56) 『周易·乾卦』: 彖曰, 大哉乾元, 萬物資始, 乃統天.
57) 『周易·坤卦』: 彖曰, 至哉坤元, 萬物資生, 乃順承天.

▌中國大全▌

本義

此章以造化之實, 明作經之理. 又言乾坤之理, 分見於天地, 而人兼體之也.

이 장은 조화의 실체로 경문의 이치를 밝히고, 건곤의 이치가 천지에 나뉘어 나타나고 사람이 겸해서 그것을 체득함을 말한 것이다.

小註

朱子曰, 自天尊地卑, 至變化見矣, 是擧天地事理以明易, 自是故以下, 擧易以明天地間事.

주자가 말하였다: '하늘은 높고 땅은 낮다'에서 '변화가 나타난다'까지는 천지의 사리를 들어서 역을 밝힌 것이고, '이런 까닭에'부터는 역을 들어서 천지 사이의 일을 밝힌 것이다.

○ 雙湖胡氏曰, 此章專論伏羲體造化以作易之事, 重在乾坤二卦. 生八卦以至六十四卦, 蓋先天易首乾終坤, 包六十四卦. 於其中, 凡陽皆乾, 凡陰皆坤也. 末歸結乾坤易簡之德, 賢人體之造其極, 聖人之能事畢矣.

쌍호호씨가 말하였다: 이 장은 오로지 복희씨가 조화를 체득하여 역(易)을 지은 일이 중요함이 건곤(乾坤) 두 괘에 있음을 논했다. 팔괘를 생함으로부터 64괘에 이르기까지 선천의 역은 건에서 시작하여 곤으로 마치며 64괘를 포함한다. 그 가운데 양은 모두 건이고 음은 모두 곤이다. 끝에서는 돌이켜 건곤의 평이하고 간략한 덕, 현인이 그것을 체득하여 극처에 나아감, 성인의 능한 일로 마쳤다.

‖ 韓國大全 ‖

송시열(宋時烈) 『역설(易說)』

右第一章. 言乾坤包六子而成德業, 賢人體乾坤而成人道, 成位其中者, 參三才之位也.

이상은 제1장이다. 건곤이 육자를 포함하여 덕업을 이루고, 현인이 건곤을 체득하여 인도(人道)를 이루었음을 말하였으니, 그 가운데에 자리를 이루는 자는 삼재(三才)의 자리에 참여한 것이다.

오치기(吳致箕) 「주역경전증해(周易經傳增解)」

右第一章. 此章首言易卦變化, 本乎天地[58]陰陽, 而終言聖人體易, 參乎天地之中也.

이상은 제1장이다. 이 장에서는 먼저 『역(易)』에 있는 괘의 변화가 천지음양에 근본함을 말하고, 끝에서 성인이 역을 체득하여 천지의 가운데 참여함을 말하였다.

---

58) 地: 경학자료집성DB에는 '他'로 되어 있으나, 경학자료집성 영인본을 참조하여 '地'로 바로잡았다.

제2장第二章

聖人設卦, 觀象繫辭焉, 而明吉凶,

성인이 괘를 베풀어 상을 보고 말을 달아 길흉을 밝히며,

‖中國大全‖

小註

程子曰, 聖人設卦觀象, 止吉无不利.

정자가 말하였다: "성인이 괘를 베풀어 상을 보고" 단락은 "길해서 이롭지 않음이 없다"까지 이다.

○ 聖人旣設卦觀卦之象而繫之以辭, 明其吉凶之理, 以剛柔相推而知變化之道. 吉凶 之生由失得也, 悔吝者可憂虞也. 進退消長所以成變化也, 剛柔相易而成晝夜, 觀晝夜 則知剛柔之道矣. 三極上中下也, 極中也, 皆其時中也. 三才以物言也, 三極以位言也. 六爻之動以位爲義乃其序也, 得其序則安矣. 辭所以明義, 玩其辭義, 則知其可樂也. 觀象玩辭而能通其意, 觀變玩占而能順其時, 動不違於天矣.

성인이 괘를 베풀어 괘상을 보고 말을 달아서 길흉의 이치를 밝혔고 강유로 서로 밀침에 변화의 도를 알았다. 길흉이 생함은 잃고 얻음 때문이고 회린(悔吝)은 근심하고 걱정할만하다. 진퇴와 소장(消長)으로 변화를 이루고 강유가 서로 바뀌어 밤낮을 이루니 밤낮을 보면 강유의 도를 안다. 삼극은 상중하이고 극은 중(中)이니 때의 알맞음[時中]이다. 삼재는 물건으로 말하였고 삼극은 자리로 말하였다. 육효의 변동은 자리로 뜻을 삼았으니 [역의] 질서인데 질서를 얻으면 편안하다. 말로 뜻을 밝혔으니 그 말의 뜻을 완미하면 즐거워할만함을 안다. 상을 보고 말을 완미하며 의미를 통하고, 변동을 보고 점을 완미하여 때를 따르면 행동이 천리를 어기시 않는다.

本義

象者, 物之似也. 此, 言聖人作易, 觀卦爻之象而繫以辭也.

상(象)은 실물과 유사(類似)한 것이다. 이는 성인이 역(易)을 지을 때 괘효의 상(象)을 보아서 말을 달았음을 말한 것이다.

小註

朱子曰, 易當來只是爲卜筮而作. 文言象象, 卻是推說做義理上去, 觀乾坤二卦, 便可見. 孔子曰, 聖人設卦觀象, 繫辭焉而明吉凶, 不是占筮, 如何明吉凶.

주자가 말하였다: 역은 본래 점서를 위하여 지어졌는데, 「문언전」·「단전」·「상전」에서는 도리어 의리적 관점에서 설명해나갔으니 건곤(乾坤) 두 괘를 보면 알 수 있다. 공자가 "성인이 괘를 베풀어 상을 보고 말을 달아 길흉을 밝혔다"라고 하였으니 점서가 아니라면 어떻게 길흉을 밝히겠는가?

○ 龜山楊氏曰, 此總言易之爲書也.

구산양씨가 말하였다: 여기에서는 『역』의 글을 총괄하여 말하였다.

○ 漢上朱氏曰, 聖人設卦, 本以觀象不言而見吉凶. 自伏羲至於堯舜文王, 觀象而自得也. 聖人懼觀之者其智有不足以知此, 於是, 繫之卦辭又繫之爻辭, 以明告之, 非得已也, 爲觀象而未知者, 設也.

한상주씨가 말하였다: 성인이 괘를 베풀었으니 본래 상을 보면 말하지 않아도 길흉이 나타난다. 복희씨에서부터 요순과 문왕에 이르기까지는 상을 보면 저절로 알았다. 성인이 [상을] 보는 사람의 지혜가 이것을 잘 알지 못할 것이라 두려워하여, 이 때문에 괘사를 달고 효사를 달아서 밝게 알려주었으니, 부득이하여 상을 보고도 알지 못하는 자를 위해 베푼 것이다.

‖韓國大全‖

김상악(金相岳) 『산천역설(山天易說)』

此以下, 始言聖人作易之事. 象者, 物之似也.

여기부터는 비로소 성인이 역을 짓는 일을 말하였다. '상(象)'은 사물과 유사한 것이다.

심취제(沈就濟) 『독역의의(讀易疑義)』

第二章, 聖人設卦, 以伏羲言也, 觀象繫辭, 以文王言也.

제2장의 "성인이 괘를 베풀어"는 복희로 말한 것이고, "상을 보고 말을 달아"는 문왕으로 말한 것이다.

吉凶變化剛柔晝夜者, 以神言也, 道學也.

길과 흉, 변과 화, 강과 유, 낮과 밤은 신묘함으로 말한 것이니, 도학이다.

太陰太陽, 少陰少陽者, 羲之四象, 太剛太柔, 少剛少柔者, 禹之四象.

태음·태양·소음·소양은 복희의 사상이고, 태강(太剛)·태유(太柔)·소강·소유는 우임금의 사상이다.

윤행임(尹行恁) 『신호수필(薪湖隨筆)·계사전(繫辭傳)』

卦之設矣, 象可以觀焉, 象之觀矣, 辭可以繫焉, 辭之繫矣, 吉凶可以著矣. 吉凶在於人, 而禍福隨之, 若占筮得吉, 而不迪于吉, 則凶, 占筮得凶, 而靡從于凶, 則吉.

괘를 베풀면 상을 볼 수 있고, 상을 보면 말을 달을 수 있고, 말을 달면 길흉을 드러낼 수 있다. 길과 흉이 사람에게 있어서 화와 복이 이를 따르는데, 만약 점쳐서 길을 얻더라도 길에 나아가지 못하면 흉하게 되고, 점쳐서 흉을 얻더라도 흉을 좇지 않으면 길하게 된다.

設卦云者, 自然之謂也, 非人謀之攸爲也. 故曰設, 設者, 因其自然之理而陳之也.

'괘를 베푼다'고 한 것은 자연함을 말하니, 사람이 꾀하여 만든 것이 아니다. 그러므로 '베푼다'고 하였으니, '베풂[設]'은 자연한 이치에 근거하여 펼친 것이다.

剛柔相推, 而生變化,

강과 유가 서로 밀어서 변화를 낳으니,

‖中國大全‖

本義

言卦爻陰陽, 迭相推盪, 而陰或變陽, 陽或化陰, 聖人, 所以觀象而繫辭, 衆人, 所以因蓍而求卦者也.

괘효의 음양이 번갈아 서로 밀고 섞여서 음이 양으로 변하거나 양이 음으로 화함을 말한 것이니, 이로써 성인은 상(象)을 보고 말을 달았고, 보통 사람들은 설시(揲蓍)하여 괘를 구하였다.

小註

朱子曰, 易中說卦爻, 多只說剛柔, 不全就陰陽上說. 卦爻是有形質了, 陰陽全是氣. 又曰, 健順剛柔之精者, 剛柔健順之粗者.

주자가 말하였다: 역에서 괘효를 설명할 때에 대부분 강유로 설명하고 전혀 음양으로 설명하지 않았다. 괘효는 형질이 있는 것이고, 음양은 모두 기이다.

또 말하였다 : 건순(健順)은 강유의 순정한 것이고, 강유(剛柔)는 건순의 조잡한 것이다.

○ 龜山楊氏曰, 此總言爻之變動也.

구산양씨가 말하였다: 여기에서는 효의 변동을 총괄하여 말했다.

○ 柴氏中行曰, 剛柔之爻, 推移不常, 以發易道變化之理.

시중행이 말하였다: 강과 유의 효가 밀치며 옮겨서 일정하지 않음은 역의 도가 변화하는 이치를 드러낸 것이다.

○ 雲峯胡氏曰, 易之道, 不外乎辭變象占. 吉凶占也, 占以辭而明, 故曰繫辭焉而明吉凶. 剛柔相推象也, 變由象而出, 故曰剛柔相推而生變化.

운봉호씨가 말하였다 : 역의 도는 사·변·상·점에서 벗어나지 않는다. 길흉은 점인데 점은 말을 통해 밝히기 때문에 "말을 달아서 길흉을 밝혔다"고 하였다. 강유가 서로 밀치는 것이 상인데 변화는 상을 통해 출현하기 때문에 "강유가 서로 밀쳐서 변화를 낳는다"고 하였다.

‖韓國大全‖

송시열(宋時烈) 『역설(易說)』

聖人設卦以下, 至生變化, 言易之有吉凶變化.

"성인이 괘를 베풀어"부터 "변화를 낳으니"까지는 역에 길흉과 변화가 있음을 말하였다.

김상악(金相岳) 『산천역설(山天易說)』

陰變爲陽, 陽化爲陰, 是相推而生也.

음이 변(變)하여 양이 되고, 양이 화(化)하여 음이 되는 것이 서로 밀어서 낳는 것이다.

박윤원(朴胤源) 『경의(經義)·역경차략(易經箚略)·역계차의(易繫箚疑)』

首章言剛柔相摩, 此章言剛柔相推. 剛柔一也, 而或言摩, 或言推, 何歟. 彼以畫卦之初而言, 此以成卦之後而言, 故有不同歟. 然則相推之推, 便是八卦相盪之盪歟. 推與盪, 抑亦有其義之不同者歟. 今於易中而觀之, 剛柔相推之妙, 於何見得分曉歟. 如乾之初九交于坤之初六爲震, 是自陽而推于陰也, 坤之初六交于乾之初九爲巽, 是自陰而推于陽也. 又如夬極而乾矣, 反下而又爲姤, 剝極而坤矣, 反下而又爲復, 此類皆剛柔之相推也, 如是看, 則可以貫通歟.

첫 장에서는 "강과 유가 서로 마찰한다"고 하고, 이 장에서는 "강과 유가 서로 민다"고 하였다. 강과 유는 하나인데, 혹은 마찰한다고 하고, 혹은 민다고 하는 것은 어째서인가? 저기서는 괘를 긋는 처음을 말하였고, 여기서는 괘가 이루어진 뒤를 발하였으므로 같지 않음이 있는 것인가? 그렇다면 서로 민다의 '묾[推]'은 "팔괘가 서로 섞인다"의 '섞임[盪]'인 것인가?

아니면 '밂[推]'과 '섞임[盪]'은 또한 그 뜻이 같지 않은 것인가? 지금 역(易)에서 본다면 강과 유가 서로 미는 신묘함을 어디에서 분명하게 볼 수 있단 말인가? 건괘(☰)의 초구가 곤괘(☷)의 초육과 사귀어 진괘(☳)가 되었다면 이는 양으로 음을 미룬 것이고, 곤괘의 초육이 건괘의 초구와 사귀어 손괘(☴)가 되었다면 이는 음으로 양을 미룬 것이다. 또 쾌괘(夬卦☱)가 지극하여 건괘(☰)가 되거나 반대로 내려와 다시 구괘(姤卦☴)가 되며, 박괘(剝卦☶)가 지극하여 곤괘(☷)가 되거나 반대로 내려와 다시 복괘(復卦☳)가 되는 이러한 부류가 모두 강과 유가 서로 미는 것이니, 이와 같이 본다면 통용할 수 있을 듯하다.

심취제(沈就濟) 『독역의의(讀易疑義)』

變化者, 陰陽也, 相推者, 剛柔也, 陰陽者, 性情也, 剛柔者, 精神也, 陰陽者, 體也, 剛柔者, 質也, 陰陽者, 乾坤也, 剛柔者, 坎離也, 陰陽者, 四正也, 剛柔者, 四維也.
변화하는 것은 음양이고 서로 미루는 것은 강유인데, 음양은 성정이고 강유는 정신이며, 음양은 몸체이고 강유는 체질이며, 음양은 건곤(乾坤)이고 강유는 감리(坎離)이며, 음양은 네 정방(正方)이고 강유는 네 우방(隅方)이다.

不入於至精至微之地, 孰能見神之所爲乎. 此章言其精微之理者, 以其神在故也. 神也者, 推盪[59]剛柔而變化陰陽者也, 是故, 難言者變化也, 難知者悔吝也.
지극히 정미한 경지에 들어가지 못했다면 누가 신(神)이 하는 바를 알 수 있겠는가? 이 장은 그 정미한 이치를 말했으니, 신이 있기 때문이다. 신이란 강유를 밀어 섞어서 음양을 변화시키는 것이니, 이 때문에 말하기 어려운 것은 변화이고, 알기 어려운 것은 회린(悔吝)이다.

윤행임(尹行恁) 『신호수필(薪湖隨筆)·계사전(繫辭傳)』

剛爲柔之推, 柔爲剛之推, 而變者, 變其體也, 化者, 化其用也. 何謂變體. 以陽而變, 爲陰之體, 以陰之體, 又變爲陽, 是也. 何謂化用. 以其位則中正, 而失其道則不中不正, 不能中正而得其遇, 則爲中正, 是也.
강(剛)은 유(柔)를 미는 것이 되고, 유는 강을 미는 것이 되며, 변(變)은 그 몸체를 변하게 함이고, 화(化)는 그 작용을 이룸이다. 무엇을 몸체를 변하게 함이라 하는가? 양으로써 변하여 음의 몸체가 되고, 음의 몸체로써 또 변하여 양이 되는 것이 이것이다. 무엇을 작용을

---

59) 者, 推盪: 경학자료집성DB에는 '□□□'로 되어 있으나, 경학자료집성 영인본과 문맥을 살펴 '者, 推盪'으로 바로잡았다.

이룸이라 하는가? 자리로는 중정하여도 그 도를 잃으면 중정하지 않게 되고, 중정하지는 못해도 그 만남을 얻으면 중정하게 되는 것이 이것이다.

심대윤(沈大允) 『주역상의점법(周易象義占法)』

陽老則變爲陰, 退也, 陰老則變爲陽, 進也.

양이 늙으면 변하여 음이 되니 물러남이고, 음이 늙으면 변하여 양이 되니 나아감이다.

오치기(吳致箕) 「주역경전증해(周易經傳增解)」

設卦者, 言聖人之作易也. 象者, 物之形也, 卦有一卦之象, 爻有六爻之象也. 觀其象, 而繫之以辭, 以明其吉凶之占, 卽六十四卦之通例, 而莫不由於剛柔相推而變化生矣. 蓋易道, 不過乎辭變象占, 而由變以觀象, 由象以繫辭, 由辭以明占. 故變化者, 易之道也.

'괘를 베풂'은 성인이 역(易)을 지음을 말한다. '상(象)'은 사물의 형체이니, 괘에는 한 괘의 상이 있고, 효에는 육효의 상이 있다. 그 상(象)을 보고 말[辭]을 달아서 길흉의 점(占)을 밝히는 것이 곧 64괘의 통례인데, 강과 유가 서로 밀어서 변화를 낳음에 말미암지 않는 것이 없다. 대체로 역의 도(道)는 '말[辭]'과 '변'과 '상'과 '점'에 지나지 않는데, 변을 말미암아 상을 보고, 상을 말미암아 말을 달고, 말을 말미암아 점을 밝힌다. 그러므로 변화는 역의 도이다.

是故, 吉凶者, 失得之象也, 悔吝者, 憂虞之象也,

그러므로 길과 흉은 잃고 얻는 상이고, 회와 린은 근심과 헤아림의 상이고,

‖中國大全‖

本義

吉凶悔吝者, 易之辭也, 得失憂虞者, 事之變也. 得則吉, 失則凶, 憂虞, 雖未至凶, 然已足以致悔而取羞矣. 蓋吉凶相對而悔吝居其中間, 悔, 自凶而趨吉, 吝, 自吉而向凶也. 故聖人觀卦爻之中, 或有此象, 則繫之以此辭也.

길흉회린은 역(易)의 말이고 얻고 잃음과 근심과 헤아림은 일의 변화이다. 얻으면 길하고 잃으면 흉하며, 근심과 헤아림은 비록 흉함에는 이르지 않았지만 이미 뉘우침을 이루어 부끄러움을 취할 수 있다. 길과 흉은 상대가 되고 회와 인은 그 중간에 위치하니, 회(悔)는 흉에서 길로 나아가고, 인(吝)은 길에서 흉으로 향한다. 그러므로 성인(聖人)이 괘효의 가운데 이러한 상(象)이 있음을 보면 이러한 말씀을 달았다.

小註

朱子曰, 悔者, 將趨於吉而未至於吉, 吝者, 將趨於凶而未至於凶.

주자가 말하였다 : 회는 길로 가려는데 아직 길에 이르지는 못했고, 린은 흉으로 가려는데 아직 흉에 이르지는 못한 것이다.

○ 悔吝, 便是吉凶底交互處. 悔是吉之漸, 吝是凶之端.

회린은 길흉이 만나는 지점이다. 회는 길의 과정이고 인은 흉의 실마리이다.

○ 吉凶悔吝四者, 循環周而復始. 悔了便吉, 吉了便吝, 吝了便凶, 凶了便悔, 正是生於憂患, 死於安樂相似. 蓋憂苦患難中必悔, 悔便是吉之漸. 及至吉了, 少間便安意肆志, 必至做出不好, 可羞吝底事出來. 吝便是凶之漸矣, 及至凶矣, 又卻悔. 只管循環不

已, 正如剛柔變化, 剛了化, 化便是柔, 柔了變, 變便是剛, 亦循環不已. 又曰, 吉凶悔吝, 聖人說得極密. 吉過則悔, 旣悔必吝, 吝又復吉, 如動而生陽, 動極復靜, 靜而生陰, 靜極復動. 悔屬陽, 吝屬陰. 悔是逞快做出事來了, 有錯失處, 這便生悔, 所以屬陽. 吝則是那限限衰衰不分明底, 所以屬陰, 亦猶驕是氣盈, 吝是氣歉.

길흉회린 네 가지는 순환하여 돌며 다시 시작한다. 뉘우치면 길하게 되고 길이 되면 인색하게 되고 인색하면 흉하게 되고 흉이 되면 뉘우치게 되니, 바로 "우환에서 살고 안락에서 죽는다"[60]는 것과 비슷하다. 일반적으로 근심고통과 환란 속에서는 후회하는데 후회는 곧 길로 가는 과정이다. 길하게 되면 편안하고 방자한 뜻이 반드시 좋지 않음을 만들게 되니 부끄러워할 만한 일이 생긴다. 린은 흉으로 가는 과정인데 흉에 이르면 또 뉘우친다. 단지 끝없이 순환하여 마치 강유의 변화와 같으니, 강이 화하면 화가 곧 유이고, 유가 변하면 변이 곧 강인 것도 끝없이 순환한다.

또 말하였다: 길흉회린에 대한 성인의 말씀이 지극히 정밀하다. 길이 지나가면 뉘우치고 이미 뉘우치면 인색하며 인색하면 또 다시 길하게 되는 것이 마치 동하면 양을 생하고 동이 극하면 다시 정하고 정하면 음을 생하고 정이 극하면 다시 동한다. 뉘우침은 양에 속하고 인색함은 음에 속한다. 뉘우침은 만족스럽게 일을 했지만 잘못된 곳이 있으면 후회하기 때문에 양에 속한다. 인색함은 구석구석 흩어져 있어 분명하지 않기 때문에 음에 속한다. 교만은 기가 넘치고 인색은 기가 부족한 것과도 같다.

○ 節齋蔡氏曰, 象者, 有其彷彿而未盈之謂. 其辭之吉者, 則得之象, 可由之而見, 其辭之凶者, 則失之象, 可由之而見. 其辭悔吝者, 則憂虞之象, 可由之而見. 憂慮也, 虞度也, 能慮能度, 則可免失而致得矣. 此言上文觀象繫辭明吉凶之義.

절재채씨가 말하였다: 상은 비슷하지만 채워지지 않음을 말한다. 말이 길하면 (말을) 통해 얻는 상을 볼 수 있고, 말이 흉하면 잃는 상을 볼 수 있다. 말이 후회스럽거나 인색하면 근심하고 걱정하는 상을 볼 수 있으니, 근심과 걱정이란 생각하고 헤아리는 것이니 생각하고 헤아릴 수 있으면 잃음을 면하여 얻을 수 있다. 여기에서는 윗 글의 '상을 보고 말을 달아 길흉을 밝혔다'는 뜻을 말하였다.

○ 括蒼龔氏曰, 憂在心, 虞在物. 在心則方有端而无患, 成悔而已矣, 悔者, 心每有之而不忘, 故積之以成吉. 在物, 則已有形而可虞, 非悔之可及也, 故成吝. 吝者, 口以爲是, 文過而不改也, 故積之以成凶.

괄창공씨가 말하였다: 근심은 마음에 있고 헤아림은 물건에 있다. 마음에 있으면 실마리는

생겼지만 환란은 없어서 뉘우침을 이룰 뿐이다. 뉘우치면 마음에 늘 두어서 잊지 않기 때문에 그것이 쌓여서 길함을 이룬다. 물건에 있으면 이미 드러나 걱정할 만하여 뉘우침으로 따라잡을 수 없기 때문에 인색함을 이룬다. 인색함은 입으로 옳다고 하면서 표현은 지나치지만 고치지 않기 때문에 그것이 쌓여서 흉함을 이룬다.」

‖韓國大全‖

권근(權近) 『주역천견록(周易淺見錄)』

吉凶者, 失得之象也,
길과 흉은 잃고 얻는 상이고,

又曰, 吉凶者, 言乎其失得也, 前節言在卦之象也, 後節言在辭之言也.
또 "길과 흉은 그 잃음과 얻음을 말한다"[61]고 하였으니, 앞 구절은 괘에 있는 상을 말하고, 뒤 구절은 괘사에 있는 말을 말한다.

박치화(朴致和) 「설계수록(雪溪隨錄)」

吉凶得失在事, 悔吝憂虞在心.
길과 흉, 얻음과 잃음은 일에 있고, 회와 린, 근심과 헤아림은 마음에 있다.

○ 悔覺非, 吝護短, 悔而遂之則爲吉, 吝而不舍則爲凶. 方在吉凶之間, 故爲憂虞之象也.
회(悔)는 그릇됨을 깨달음이고, 린(吝)은 단점을 비호함이니, 뉘우쳐서 이를 따르면 길하게 되고, 인색하여 버리지 않으면 흉하게 된다. 바로 길과 흉의 사이에 있기 때문에 근심과 헤아림의 상이 된다.

○ 悔吝相爲終始, 有始悔而終吝者, 有始吝而終悔者.
회와 린은 서로 처음과 끝이 되니, 처음에는 뉘우쳐도 끝내는 인색한 자도 있고, 처음에는

---

61) 『周易・繫辭傳』.

인색해도 끝내는 뉘우치는 자도 있다.

○ 羞故吝, 故朱子以羞字解吝字也.
부끄럽기 때문에 인색하므로 주자가 부끄럽다는 말로 인색함을 해석하였다.

유정원(柳正源)『역해참고(易解參攷)』

是故 [至] 象也.
그러므로 … 헤아림의 상이고.

漢上朱氏曰, 得失之初, 微於毫髮, 及有吉凶, 則得失之象見. 憂慮, 虞度躊躇而不決者, 得失未判之時也, 及有悔吝, 而憂慮之象見. 凡此明人道也.
한상주씨가 말하였다: 얻고 잃음의 처음은 털끝보다 미세하지만, 길흉이 있게 되면 얻고 잃음의 상이 나타난다. 근심과 헤아림은 헤아리고 머뭇거리며 결정하지 못하는 것으로 얻고 잃음이 구분되지 않은 때이지만, 뉘우침과 인색함이 있게 되면 근심과 헤아림의 상이 나타난다. 무릇 이것들은 인도(人道)를 밝힌 것이다.

○ 林學蒙問, 本義說悔吝者憂虞之象, 以爲悔自凶而趨吉, 吝自吉而向凶. 竊意人心本善, 物各有理, 若心之所發, 鄙吝而不知悔, 這便是自吉而向凶. 朱子曰, 不然, 吉凶悔吝, 正是對那剛柔變化說. 剛極便柔, 柔極便剛. 這四箇循環, 如春夏秋冬相似, 凶便是冬, 悔便是秋, 秋又冬去. 曰, 此以配陰陽, 則其屬當如此. 於人事上說, 則如何. 曰, 天下事未嘗不生於憂患, 而死於安樂. 若這吉中不知戒懼, 自是生出吝來, 雖未至於凶, 畢竟向那凶路去. 日中則昃, 月盈則食, 自古極亂, 未有不生於極治也.
임학몽이 물었다:『본의』에서 "회와 린은 근심과 헤아림의 상이다"를 설명하여 "회(悔)는 흉에서 길로 나아가고, 린(吝)은 길에서 흉으로 향한다"고 하였습니다. 제 생각에는 사람의 마음은 본래 선하고 사물에는 각각 이치가 있는데, 만약 마음을 펼침에 비루해도 뉘우칠 줄 모른다면 이것이 바로 길에서 흉으로 향하는 것인 듯합니다.
주자가 답하였다: 그렇지 않습니다. 길흉회린은 바로 강유(剛柔)의 변화와 상대하여 말한 것입니다. 강이 지극하면 곧 유가 되고, 유가 지극하면 곧 강이 됩니다. 저 네 가지의 순환은 춘하추동과 서로 유사하여 흉은 바로 겨울이고 회는 바로 가을이니, 가을은 또한 겨울이 지난 것입니다.
물었다: 이것을 음양과 짝지우면 귀속됨이 이와 같아야 하겠지만, 인사(人事)로 말한다면 어떠합니까?

답하였다: 천하의 일은 일찍이 "우환에서 살아나고 안락에서 죽어가지"[62] 않는 것이 없으니, 만약 길한 가운데 두려워할 줄을 모른다면 저절로 린(吝)이 살아 나와서 비록 흉함에 이르지는 않더라도 필경은 흉의 길로 나아갈 것입니다. 해가 중앙에 있으면 기울기 마련이고, 달이 꽉 차면 쇠하게 마련이니, 예로부터 지극한 환란은 지극한 다스림에서 발생하지 않은 것이 없습니다.

김근행(金謹行) 「주역차의(周易箚疑)·역학계몽차의(易學啓蒙箚疑)·독역범례(讀易凡例)·주역의목(周易疑目)」

第二章, 吉凶悔吝, 凶者, 言其失, 悔吝者, 言其小疵也. 四者之中, 三者爲凶之屬, 蓋四者動上事也. 凡動而不失者, 幾希, 君子每致謹焉. 故通書曰, 吉凶悔吝, 生乎動, 吉爲一也.

제2장의 길흉회린(吉凶悔吝)에서 흉은 잃음을 말하고, 회린은 작은 하자를 말한다. 네 가지 가운데 세 가지가 흉함에 속하니, 대체로 네 가지가 움직임 위의 일이기 때문이다. 무릇 움직여 잃지 않는 것이 드무니 군자는 항상 삼감을 다한다. 그러므로『통서』에서 "길흉회린은 움직임에서 나오는데, 길한 것은 하나가 된다"고 하였다.

김상악(金相岳)『산천역설(山天易說)』

變而得者吉, 變而失者凶, 悔吝者, 在失得之間. 憂者, 慮也在心, 虞者, 度也在物, 能慮能度, 則可以免失而致得. 蓋吉者善也, 凶者惡也, 故曰得失之象也, 悔則自惡而善, 吝則自善而惡, 故曰憂虞之象也.

변하여 얻은 것은 길하고 변하여 잃은 것은 흉하며, 회린(悔吝)은 잃고 얻음의 사이에 있다. 근심은 염려이니 마음에 있고, 헤아림은 생각함이니 사물에 있는데, 염려하고 헤아릴 수 있다면 잃음을 벗어나서 얻음에 이를 수 있다. 대체로 길은 선하고 흉은 악하므로 "잃고 얻는 상이다"라고 하였고, 회(悔)는 악으로부터 선해지고 린(吝)은 선으로부터 악해지므로 "근심과 헤아림의 상이다"라고 하였다.

심취제(沈就濟)『독역의의(讀易疑義)』

悔生於心, 吝生於志.

회(悔)는 마음에서 생기고, 린(吝)은 뜻에서 생긴다.

---

62)『孟子·告子』.

精神者, 坎离也, 坎离者, 險難也. 人生於險難之中, 則憂患者人之本有也. 簡易者, 天道也, 險難者, 人事也, 先於險難, 修其人事, 則自然得易簡之理也.

정신(精神)은 감괘와 리괘이고, 감괘와 리괘는 험함과 어려움이다. 사람은 험하고 어려운 가운데 태어나니, 우환은 사람에게 본래 있는 것이다. 간략함과 평이함은 천도(天道)이고, 험함과 어려움은 인사(人事)니, 험함과 어려움에 앞서서 인사를 닦는다면 자연히 평이하고 간략한 이치를 얻을 것이다.

神非遠也, 在於我也, 至誠求之, 則神可得見. 惟其見神而後, 可以言交易變易之理也, 易者神也. 聖人作易者, 經緯也, 君子學易者, 經綸也.

신(神)은 멀리 있는 것이 아니라 나에게 있으니, 지극한 정성으로 구한다면 신을 볼 수 있을 것이다. 신(神)을 본 뒤에야 교역(交易)과 변역(變易)의 이치를 말할 수 있으니, 역(易)은 신이다. 성인이 역을 지은 것은 근간이 되고, 군자가 역을 배우는 것은 다스리는 것이다.

윤행임(尹行恁) 『신호수필(薪湖隨筆)・계사전(繫辭傳)』

人之得失憂虞, 而卦之吉凶悔吝從之, 堯舜得之而吉, 桀紂失之而凶, 成宣悔而無憂, 桓靈吝而有虞, 人事修於下, 則天心豫於上.

사람이 얻고 잃으며 근심하고 헤아려서 괘의 길・흉・회・린이 이를 따르니, 요순이 얻어서 길하고 걸주가 잃어서 흉하며, 성제(成帝)[63]와 선제(宣帝)[64]는 뉘우쳐서 근심이 없고, 환제(桓帝)[65]와 영제(靈帝)[66]는 인색하여 걱정이 있다. 사람의 일을 아래에서 닦으면 하늘의 마음이 위에서 기뻐한다.

이진상(李震相) 『역학관규(易學管窺)』

第二章, 吉凶悔吝.

제 2장, 길흉회린.

以吉凶悔吝配四象, 則吉猶太陽, 吝猶少陰, 悔猶少陽, 凶猶太陰. 蓋吉過則吝生, 吝則必凶, 凶過則悔萌, 悔則必吉. 吝之必凶, 猶少陰之積爲太陰也, 悔之必吉, 猶少陽之達

---

63) 성제(成帝): 중국 전한(前漢)의 제11대 황제(재위 BC 32~BC 7).
64) 선제(宣帝): 중국 전한(前漢)의 제10대 황제(B.C.91~B.C.49).
65) 환제(桓帝): 중국 후한(後漢)의 제11대 황제(재위 146-167).
66) 영제(靈帝): 중국 후한(後漢)의 제12대 황제.

于太陽也. 小註下段,[67] 分得未安, 吉過則悔, 非自匈趨吉之義. 旣悔而吝, 與無悔同, 吝如何復吉, 吝乃自吉向匈之象, 悔吉吝匈, 如春夏秋冬.

길흉회린(吉凶悔吝)을 사상(四象)에 짝지우면 길은 태양(太陽)과 같고, 린은 소음(少陰)과 같고, 회는 소양(少陽)과 같고, 흉은 태음(太陰)과 같다. 대체로 길이 지나치면 인색함이 나오는데 인색하면 반드시 흉하며, 흉이 지나치면 뉘우침이 싹트는데 뉘우치면 반드시 길하다. 인색함이 반드시 흉함은 소음이 쌓여서 태음이 됨과 같고, 뉘우침이 반드시 길함은 소양이 태양에 도달함과 같다. 소주의 아랫부분에서 분배한 것은 좋지 않으니, '길이 지나치면 뉘우친다'는 흉에서 길로 간다는 뜻이 아니다. 이미 뉘우치고도 인색하다면 뉘우침이 없는 것과 같으니, 인색함이 어떻게 다시 길하겠는가? 인색함은 길로부터 흉으로 가는 상이니, 뉘우침과 길함과 인색함과 흉함은 춘하추동(春夏秋冬)과 같다.

---

67) 叚: 경학자료집성DB에는 '叚'로 되어 있으나, 경학자료집성 영인본을 참조하여 '段'으로 바로잡았다.

變化者, 進退之象也, 剛柔者, 晝夜之象也, 六爻之動, 三極
之道也,

변과 화는 나아감과 물러남의 상이고, 강과 유는 낮과 밤의 상이고, 육효(六爻)의 동함은 삼극(三極)의 도(道)이니,

中國大全

本義

柔變而趨於剛者, 退極而進也, 剛化而趨於柔者, 進極而退也. 旣變而剛, 則晝而陽矣, 旣化而柔, 則夜而陰矣. 六爻, 初二爲地, 三四爲人, 五上爲天. 動卽變化也. 極, 至也, 三極, 天地人之至理, 三才各一太極也. 此, 明剛柔相推以生變化, 而變化之極, 復爲剛柔, 流行於一卦六爻之間, 而占者得因所値, 以斷吉凶也.

유가 변하여 강에 나아감은 물러남이 지극하여 나아감이고, 강이 화하여 유에 나아감은 나아감이 지극하여 물러남이다. 이미 변하여 강하면 낮이어서 양이고, 이미 화하여 유하면 밤이어서 음이다. 육효(六爻)는 초효와 이효는 지(地)가 되고 삼효와 사효는 인(人)이 되고 오효와 상효는 천(天)이 된다. 동(動)은 곧 변화이다. 극(極)은 지극함이니, 삼극(三極)은 천지인의 지극한 이치이니, 삼재(三才)가 각기 한 태극(太極)을 갖고 있는 것이다. 여기에서는 강유가 서로 밀어서 변화를 낳고 변화의 지극함이 다시 강유가 되어서 한 괘(卦) 여섯 효(爻)의 사이에 유행하니, 점치는 자가 얻은 바로 길흉을 결단함을 밝혔다.

小註

朱子曰, 此章, 首三句是題目, 下面是解說這個. 吉凶悔吝, 自大說去小處, 變化剛柔, 自小說去大處. 吉凶悔吝說人事變化, 剛柔說卦畫, 從剛柔而爲變化, 又自變化而爲剛柔. 所以下個變化之極者, 未到極處時, 未成這個物事, 變似那一物變時, 從萌芽變來, 成枝成葉, 化時是那消化了底意思.

주자가 말하였다: 이 장에서 앞의 세 구는 제목이고 아래 부분은 그것을 해설하였다. 길흉회

린은 큰 것에서 작은 것으로 설명하였고 변화강유는 작은 것에서 큰 것으로 설명하였다. 길흉회린은 인사의 변화를 설명하였고 강유는 괘획을 설명하였으니, 강유를 따라 변화하고 변화함으로부터 강유가 된다. 아래의 변화의 지극함이란, 지극함에 이르지 않았을 때는 아직 사물을 완성하지 못하니 변은 한 물건이 변(變)할 때 싹으로부터 변해 나와 가지를 이루고 잎을 이루는 것과 같고 화(化)할 때에는 사라져버린다는 뜻이다.

○ 變化者進退之象, 是剛柔之未定者, 剛柔者晝夜之象, 是剛柔之已成者. 蓋柔變而趨於剛, 是退極而進, 剛化而趨於柔, 是進極而退. 旣變而剛, 則晝而陽, 旣化而柔, 則夜而陰, 猶言子午卯酉. 卯酉是陰陽之未定, 子午是陰陽之已定. 又如四象之有老少, 故此兩句惟以子午卯酉言之, 則明矣. 然陽化爲柔, 只恁地消縮去无痕迹, 故曰化, 陰變爲剛, 是其勢浸長有頭面, 故曰變. 此亦見陰半陽全, 陽先陰後, 陽之輕淸无形而陰之重濁有迹也.

"변화는 나아감과 물러남의 상이다"는 강유가 정해지지 않음이고, "강유는 낮과 밤의 상이다"는 강유가 이미 이루어짐이다. 유가 변해서 양으로 감은 물러남이 지극해서 나아감이고, 강이 화해서 유로 감은 나아감이 지극해서 물러남이다. 이미 변하여 강이 되면 낮으로 양이고 이미 화하여 유가 되면 밤으로 음이니 자오와 묘유를 말하는 것과 같다. 묘유는 음양이 아직 정해지지 않은 것이고 자오는 음양이 이미 정해진 것이다. 또 사상에 노소(老少)가 있음과 같으니 이 두 구절은 자오와 묘유로 미루어 말하면 분명하다. 그렇지만 양이 화하여 유가 됨은 사라지고 줄어들어 흔적이 없으니 '화'라 하고, 음이 변해 강이 됨은 기세가 불어나고 늘어나면서 모습이 있으니 '변'이라 한다. 음은 반이고 양은 온전하며, 양이 먼저고 음이 나중이며, 양은 가볍고 맑아 모습이 없고 음은 무겁고 탁해서 흔적이 있다는 것을 여기에서도 볼 수 있다.

○ 問, 本義解吉凶者失得之象也一段下云, 剛柔相推而生變化, 變化之極復爲剛柔, 流行一卦六爻之中, 而占者得因其所値, 以爲吉凶之決. 竊意在天地之中, 陰陽變化无窮, 而萬物得因之以生生, 在卦爻之中, 九六變化无窮, 而人始得因其變以占吉凶. 曰, 易自是占其變, 若都變了只一爻不變, 則反以不變者爲主, 或都全不變, 則不變者, 又反是變也.

물었다:『본의』에서 "길흉은 잃고 얻는 상"이란 한 단락을 풀이하면서 "강유가 서로 밀어서 변화를 낳고 변화의 지극함이 다시 강유가 되어서 한 괘(卦) 여섯 효(爻)의 사이에 유행하니, 점치는 자가 얻은 바로 길흉을 결단한다"고 하였습니다. 생각건대 천지에는 음양의 변화가 무궁하니 만물이 그것을 얻어 나오고 나오며, 괘효에는 구육(九六)의 변화가 무궁하여 사람이 비로소 그 변화를 얻어 길흉을 점친다는 것입니까?

답하였다: 역은 본래 그 변화를 점치는 것이니 만약 모두 변하고 한 효만 변하지 않으면 도리어 변하지 않은 효를 위주로 하고, 전부 변하지 않으면 그 변하지 않은 것이 도리어 변화입니다.

○ 吉凶悔吝, 變化剛柔, 四句皆互換往來, 乍讀似不貫穿, 細看來, 不勝其密. 吉凶與悔吝相貫, 悔自凶而趨吉, 吝自吉而趨凶.[68] 進退與晝夜相貫, 進自陰而趨乎陽, 退自陽而趨乎陰也.

길흉·회린과 변화·강유의 네 구는 모두 서로 바뀌며 오가니 건성으로 읽으면 통달할 수 없을 듯 하고 자세히 본다면 매우 정밀하다. 길흉과 회린은 서로 연관되어 있으니 회는 흉에서 길로 가고 린은 길에서 흉으로 간다. 진퇴와 주야는 서로 연관되어 있으니 진은 음에서 양으로 가고 퇴는 양에서 음으로 간다.

○ 節齋蔡氏曰, 進者息也, 退者消也, 變化者, 爻之動也. 剛變化而爲柔, 則柔進剛退之象可見, 柔變化而爲剛, 則剛進柔退之象可見, 此剛柔之質. 剛晝陽也, 柔夜陰也, 故剛用事則晝之象可見, 柔用事則夜之象可見. 動, 變易也, 極者, 太極也, 以其變易无常, 乃太極之道也. 三極, 謂三才各具一太極也, 變至六爻, 則一卦之體具, 而三才之道備矣. 此言上文剛柔相推而生變化之義.

절재채씨가 말하였다: 진은 늘어남이고 퇴는 줄어듦이며 변화는 효의 변동이다. 강이 변화하여 유가 되면 유가 나아가고 강이 물러나는 상을 볼 수 있고, 유가 변화하여 강이 되면 강이 나아가고 유가 물러가는 상을 볼 수 있으니, 이것이 강유의 본질이다. 강은 낮이고 양이며 유는 밤이고 음이니 강이 작용하면 낮의 상을 볼 수 있고 유가 작용하면 밤의 상을 볼 수 있다. '동(動)'은 변역이고 '극(極)'은 태극이니 변역에 일정함이 없어 태극의 도이다. '삼극(三極)'은 삼재가 각각 동일한 태극을 갖춤을 말하니, 변하여 여섯 효에 이르면 한 괘의 몸체를 갖추어지고 삼재의 도가 구비된다. 여기에서는 윗 글의 "강유가 서로 밀쳐서 변화를 낳는다"는 뜻을 말했다.

○ 雲峯胡氏曰, 變者自柔而剛, 剛則復化, 化者自剛而柔, 柔則復變. 便如悔者自凶而吉, 吉則復吝, 吝者自吉而凶, 凶則復悔. 變化者, 剛柔之未定, 剛柔者, 變化之已成. 悔吝者, 吉凶之未定, 吉凶者, 悔吝之已成也. 一卦六爻之間, 莫不有三才太極之理, 此曰三極, 是卦爻已動之後, 各具一太極. 後曰易有太極者, 則卦爻未生之先, 統體一太極也.

운봉호씨가 말하였다: '변(變)'은 유(柔)가 강이 되는 것인데 강(剛)하면 다시 화(化)하며,

'화(化)'는 강이 유가 되는 것인데 유하면 다시 변한다. '회(悔)'는 흉이 길이 되는 것인데 길하면 다시 린(吝)이 되며, '린(吝)'은 길이 흉이 되는 것인데 흉하면 다시 회가 된다. 변화는 강유가 아직 정해지지 않음이고, 강유는 변화가 이미 이루어짐이다. 회린은 길흉이 아직 정해지지 않음이고, 길흉은 회린이 이미 정해짐이다. 한 괘의 여섯 효에 삼재와 태극의 이치가 다 있으니 여기에서의 '삼극(三極)'은 괘효가 이미 변동한 뒤에 각각 갖추어진 동일한 태극이고, 뒤의 "역에 태극이 있음"은 괘효가 아직 생하지 않을 때 통합적 본체로서의 동일한 태극이다.

‖韓國大全‖

송시열(宋時烈)『역설(易說)』

自是故吉凶以下, 至三極之道也, 言易之象. 象中有箇道, 蓋易象與人道相符也. 爻之動, 卽三才之道也.

"그러므로 길과 흉은"부터 "삼극의 도이니"까지는 역의 상을 말하였다. 상에는 도가 있으니, 역의 상(象)은 사람의 도(道)와 서로 부합한다. 효의 움직임이 곧 삼재(三才)의 도이다.

윤동규(尹東奎)『경설(經說)-역(易)』

謹按. 六爻之動, 三極之道也, 註曰極至也, 三極天地人之至理, 三才各一太極也. 若以極字訓至, 理字訓道, 則恐不可以極謂道, 而道爲極之道也. 如下文天之道地之道人之道, 三才之道, 恐一般說, 然則道非三極, 而乃三極之理也, 道非天地人, 而乃陰之意. 故不言敬致而變平秩, 言平在曆日之法, 重在日至. 若於此少差, 則春夏分至, 皆不得其平, 欲其於此尤可加審也.

내가 삼가 살펴보았다: "육효의 움직임은 삼극(三極)의 도이다"를 『본의』의 주에서 "극(極)은 지극함이니, 삼극은 천지인(天地人)의 지극한 이치이며, 삼재(三才)는 각각 한 태극을 갖춘 것이다"라고 하였다. 만약 '극(極)'자를 지극함으로 풀이하고 '리(理)'자를 도로 풀었다면, 극(極)을 도(道)라 하는 것은 불가하고, 도(道)는 지극함의 도가 되는 듯하다. 아래 글의 하늘의 도·땅의 도·사람의 도와 같이 삼재의 도는 일반적으로 말한 듯하니, 그렇다면 도(道)는 삼극이 아니라 곧 삼극의 이치이고, 도는 천지인이 아니라 곧 숨어있는 뜻이다. 그러므로 삼가 맞이하여 평질(平秩)을 변화시킴을 말하지 않고, 고르게 함이 역일(曆日)의 법에 달려 있다고 말하였으니, 중점이 하지(夏至)에 있다. 만약 여기에서 조금 차이난다면 춘분과 추분, 하지와 동지가 모두 평질을 이룰 수 없으니, 여기에서 더욱 살피려고 하는 것이다.

○ 註中, 方出之日而識其初出之景, 方納之日而識其景, 出於周禮, 匠人爲規識日出之景與日入之景, 及大司徒土圭正日之法. 然乃立表之法, 朝夕之景, 無干於二分平秩之用也, 測景之法, 雖有東西南北之遠, 須得日中之景, 乃得其平矣.
주석 가운데에 "막 나오는 해를 가지고 그 처음 나오는 그림자를 기록하고, 막 들어가는 해를 가지고 그 그림자를 기록한다"는 것은 『주례』에 나오니, 장인이 해가 나오는 그림자와 해가 들어가는 그림자를 재서 기록하는 것과 대사도가 토규(土圭)로 날을 바로 잡는 방법이다. 그러나 입표(立表)의 방법에서 아침과 저녁의 그림자는 춘분과 추분에 평질(平秩)하는 일과는 상관이 없고, 그림자를 계산하는 방법은 비록 동서남북에 멀리 있지만 반드시 해의 중간 그림자를 얻어야만 그 고르게 함을 얻을 수 있다.

○ 上旣分命, 此統言朞數曆象日月之法也.
앞에서 이미 나누어 명령하였기에, 여기서는 일 년의 날의 수와 달력으로 해와 달을 헤아리는 방법을 합쳐 말하였다.

○ 一統志, 嵎夷今登州山東省, 昧谷陝西省城縣鞏昌府, 鞏昌卽漢天水. 幽都今順天府宛平縣, 今北京所屬也.
『일통지』에 의하면 '우이(嵎夷)'는 지금의 산동성 등주이고, '매곡(昧谷)'은 섬서성 성현의 공창부이니, 공창은 곧 한나라의 천수(天水)이다. '유도(幽都)'는 지금의 순천부 완평현이니, 지금은 북경에 속해 있다.

○ 厥民之夷, 如詩所謂我心則夷之夷.
백성들의 평안함은 『시경』에서 말한 "내 마음이 평안하련만"[69]의 평안함과 같다.

○ 篇內四欽字, 而事事一欽字貫之, 則欽爲一篇之綱領. 克明其德, 以及九族百姓萬邦, 又明於天道地道, 知人則哲, 則是明之實事也. 旣誠其身, 及於萬邦, 則文之著見也. 察於人倫, 明於天地, 得人而□□, 思之深遠. 其所以欽明文思者, 非出勉强, 故曰安安. 敬乎天而恭, 使下隨事必咨, 則是允恭也, 末乃擧大寶之位, 而得人巽與之, 則非

<hr>

69) 『詩經 · 國風』.

克讓而能之乎. 宅之四隅, 則光被四表矣, 敬天順人, 則格于上下矣. 推之篇中, 可見其盛德之實, 嗚呼大哉, 史臣之贊堯也. 惟天爲大, 惟堯則之, 其是之謂乎.

책 안에 "공경한다"는 말이 네 번 있지만 "공경한다"는 말은 일마다 관통하니, '공경함'은 이 책의 강령이 된다. 능히 큰 덕을 밝혀서 구족과 백성과 만방에 미치고,70) 또 천도와 지도에 밝으며 사람을 알아서 명철하니, 이는 밝음의 실제의 일이다. 이미 그 몸을 정성되게 하고 만방에 미쳤으니, 문채가 드러남이다. 인륜을 살피고 천지에 밝아서 사람을 얻었으니, 생각함이 심원함이다. 그 공경하고 밝으며 문채가 나고 생각하는 것은 힘써서 억지로 하는 것이 아니므로 "편안하고 편안하다"71)고 하였다. 하늘을 공경하여 삼가서 아랫사람에게 일을 맡김에 반드시 감탄하였으니 이는 참으로 공경함이며, 끝내는 크게 보배로운 지위를 사람을 뽑아서 주었으니 능히 사양하여 해냄이 아니겠는가? 네 구석에 집을 지었으니 광명이 천하에 미치고, 하늘을 공경하고 사람을 따랐으니 위와 아래를 바로잡을 것이다. 책에서 미루어 본다면 그 성대한 덕의 실제를 볼 수 있으니, 아! 크도다. 사신(史臣)이 요임금을 찬양함이여! "하늘만이 위대하거늘 요임금만이 본받았다"72)는 이를 말한 것이로다!

舜典.
순전.

○ 孟子引二十有八載帝乃殂落之文, 而爲堯典, 則舜典之合於堯典爲一篇, 卽古也. 伏生旣傳誦全篇無錯, 而獨闕二十八字, 何也. 古文孔傳, 晉時鄭冲授蘇愉, 愉授梁柳, 柳授臧曺, 曺授梅賾, 賾乃於前晉, 奏上其書, 而亦闕二十八字. 所謂姚方興, 至齊蕭鸞建武之時, 得於大航頭湿爛之餘者, 似爲可疑. 今以二典考之, 愼徽五典, 接於欽哉之下, 文勢相連, 孟子亦引. 今舜典之文爲堯典, 而二典皆稱虞書, 則二典似合爲一篇, 而本煞有不可曉者. 蓋當時事與人言語, 自與今日不同. 然其中有那事今尙存, 言語有與今不異者, 則尙可曉, 愚謂此訓深得其旨.

맹자가 "섭정한지 28년 만에 제(帝)가 마침내 돌아갔다"는 글을 인용함에 「요전(堯典)」으로 간주하였으니,73) 「순전(舜典)」을 「요전」과 합쳐 하나의 책으로 한 것이 오래되었다. 복생이 이미 전체의 책을 전하여 암송함에 어긋남이 없었는데, 홀로 (「순전」 첫머리의) 28자만 빠진 것은 어째서인가? 『고문상서』에 대한 공안국의 전(傳)은 진나라 때에 정충이 소유에게 전수하고, 소유가 양유에게 전수하고, 양유가 장조에게 전수하고, 장조가 매색에게 전수하였는데, 매색이 전진(前晉)의 때에 그 책을 위에 바치면서 또한 28자를 빠뜨렸다. 이른바

---

70) 『書經・堯典』: 克明俊德, 以親九族, 九族, 旣睦, 平章百姓, 百姓, 昭明, 恊和萬邦, 黎民, 於變時雍.
71) 『書經・堯典』: 曰若稽古帝堯, 曰放勳, 欽明文思安安, 允恭克讓, 光被四表, 格于上下.
72) 『孟子・滕文公』: 孔子曰 大哉, 堯之爲君, 惟天爲大, 惟堯則之, 蕩蕩乎民無能名焉.
73) 『孟子・萬章』: 堯典曰, 二十有八載, 放勳乃殂落.

요방흥이 제나라 소만 건무의 때에 배다리의 앞부분이 벗겨진 곳에서 얻었다는 것은 의심할
만한 듯하다. 이제 「요전」과 「순전」으로 고찰하면 "오전(五典)을 삼가 아름답게 하라"가
"공경하라"의 다음에 이어지는데, 문세가 서로 연결되고 맹자도 인용하였다. 지금 「순전」의
글은 「요전」으로 되어 있고, 「요전」과 「순전」은 모두 우서라고 불렀으니, 「요전」과 「순전」
은 합쳐져 하나의 책인 것 같지만, 본래부터 묶여 있었는지는 알 수 없는 점이 있다. 대체로
당시에 일과 사람의 언어는 자연 지금과는 같지 않다. 그러나 그 가운데에 어떤 일은 지금도
여전히 보존되어 있고, 언어에 지금과 다르지 않음이 있는 것은 아직도 알 수가 있으니,
내가 생각하기에 이러한 가르침들은 깊이 그 뜻을 터득해야 한다.

유정원(柳正源) 『역해참고(易解參攷)』

變化 [至] 道也.
변과 화는 … 삼극의 도이니.

陸氏曰, 虞本作晝夜者剛柔之象.
육적이 말하였다: 우번의 판본에는 "낮과 밤은 강과 유의 상이다"로 되어있다.

案, 進退晝夜三極者, 言天地造化之妙也, 變化剛柔六爻者, 言卦爻往來之故也. 故本
義曰, 此明剛柔相推, 以生變化.
내가 살펴보았다: 나아감과 물러남, 낮과 밤, 삼극(三極)은 천지조화의 오묘함을 말하였고,
변과 화, 강과 유, 육효(六爻)는 괘효가 왕래하는 연고를 말하였다. 그러므로 『본의』에서
"여기서는 강유가 서로 밀어서 변화를 낳음을 밝혔다"고 하였다.

本義小註, 朱子說自大 [至] 大處.
『본의』의 소주에서 주자가 "큰 것에서 … 큰 것으로 설명하였다"고 하였다.
案, 吉凶是大分, 而悔吝是交互, 故謂之小, 變化是交互, 故謂之小, 而剛柔又是大分.
내가 살펴보았다: 길흉은 크게 나눈 것이지만 회린은 서로 갈마 들기 때문에 '소(小)'라 하였
고, 변화는 서로 갈마들기 때문에 '소'라 하였지만 강유는 다시 크게 나눈 것이다.

김근행(金謹行) 「주역차의(周易箚疑)·역학계몽차의(易學啓蒙箚疑)·독역범례(讀易凡例)·주역의목(周易疑目)」[74]

變化二字, 變有頭面, 化無痕跡. 自陽而言, 以陰爲陽, 則陽有頭面, 故曰變也, 漸漸消

融而爲陰, 故曰化也. 以此義推之, 則於陰陽上, 皆可言變化, 不必一定分屬於陰陽, 而 不可移易矣.

'변화(變化)'라는 말에서 '변(變)'에는 앞면이 있고, '화(化)'에는 흔적이 없다. 양(陽)으로부터 말하면, 음이 양으로 되었다면 양에는 앞면이 있으므로 '변(變)'이라 하였고, 점점 사라져서 음이 되므로 '화(化)'라고 하였다. 이러한 뜻으로 미룬다면 음양의 위에서 모두 변화를 말할 수 있으니, [변화를] 일정하게 음양에 분속시켜 옮겨 바꾸지 못하게 할 필요는 없을 것이다.

김상악(金相岳) 『산천역설(山天易說)』

六爻, 初二爲地, 三四爲人, 五上爲天. 極至也. 三極天地人之至理, 三才各一太極, 而 天有陰陽, 地有剛柔, 人有仁義, 故曰三極之道也. 自章首至此, 專言辭變占皆出乎象 也.

육효는, 초효와 이효가 땅이 되고, 삼효와 사효가 사람이 되고, 오효와 상효가 하늘이 된다. '극(極)'은 지극함이다. '삼극(三極)'은 천지인의 지극한 이치이고, 삼재는 각각 하나의 태극을 갖추고 있는데, 하늘에는 음양이 있고 땅에는 강유가 있고 사람에게는 인의가 있으므로 "삼극의 도이다"라고 하였다. 장의 첫머리부터 여기까지는 오로지 말[辭]과 변(變)과 점(占)이 모두 상(象)에서 나왔음을 말하였다.

박윤원(朴胤源) 『경의(經義)・역경차략(易經箚略)・역계차의(易繫箚疑)』

變化者, 進退之象, 朱子於陰每言變, 於陽每言化矣. 然則陰只可言變, 陽只可言化, 不 可言變歟. 蔡節齋說, 曰剛變化而爲柔, 柔變化而爲剛, 是陽亦有變化, 陰亦有變化矣. 與朱子說不同, 何歟. 此不可拘於一義歟.

"변과 화는 나아감과 물러감의 상이다"에서 주자는 언제나 음에 대해서는 변(變)을 말하고, 양에 대해서는 화(化)를 말하였다. 그렇다면 음은 단지 변(變)만을 말할 수 있고, 양은 단지 화(化)만을 말해야지 변(變)을 말할 수는 없는 것인가? 채절재의 설명에서 "강(剛)이 변화하여 유(柔)가 되고, 유가 변화하여 강이 된다"고 하였으니, 이는 양에도 변화가 있고 음에도 변화가 있는 것이다. 주자의 설명과 같지 않은 것은 어째서인가? 여기서는 하나의 뜻에 구속되지 말아야 할 듯하다.

---

74) 경학자료집성DB에서는 「계사상전」 '제5장'으로 분류했으나, 내용에 따라 이 자리로 옮겼다.

윤행임(尹行恁) 『신호수필(薪湖隨筆)·계사전(繫辭傳)』

陽進則陰退, 陰進則陽退, 晝往而夜來, 夜往而晝來. 姤復爲其端, 乾坤爲其極. 六爻者, 情也, 三極者, 性也, 性則體也理也, 情則用也氣也. 體靜而用動, 理一而氣二.

양이 나아가면 음이 물러나고, 음이 나아가면 양이 물러나며, 낮이 가면 밤이 오고, 밤이 가면 낮이 온다. 구괘(姤卦䷫)와 복괘(復卦䷗)는 그 단초가 되고, 건괘(乾卦䷀)와 곤괘(坤卦䷁)는 그 지극함이 된다. 육효는 정감이고 삼극은 본성이니, 성품은 몸체이고 이치이며, 정감은 작용이고 기운이다. 몸체는 고요해도 작용은 움직이며, 이치는 하나여도 기운은 둘이다.

심대윤(沈大允) 『주역상의점법(周易象義占法)』

剛柔變化者, 晝夜推遷之象也. 太極兩儀四象, 各有極, 曰三極, 三才之道也. 三極各有陰陽, 故兩三而爲六, 三者, 層數也, 兩三者, 分數也, 層數陽也, 分數陰也. 陽統陰, 故層數統分數而爲六, 四象者, 分數也, 四象各有陰陽, 故兩四而爲八. 天下之物, 層數莫不兩三而爲六, 分數莫不兩四而爲八. 故易之爻兩三而爲六, 易之卦兩四而爲八, 如人之上下體, 各有三層而爲六, 四支各有兩節而爲八.

강유가 변화하는 것은 낮과 밤이 밀어서 옮겨가는 상이다. 태극·양의·사상에는 각각 지극함이 있기에 '삼극(三極)'이라 하니, 삼재(三才)의 도이다. 삼극(三極)에는 각각 음양이 있으므로 삼(三)을 둘로 하면 여섯이 되니, 삼은 겹친 수[層數]이고 삼을 둘로 한 것은 나눈 수[分數]이다. 겹친 수는 양이고, 나눈 수는 음인데, 양이 음을 이끌기 때문에 겹친 수가 나눈 수를 이끌어 여섯이 된 것이다. 사상은 나눈 수인데 사상에 각각 음양이 있으므로 넷을 둘로 하면 여덟이 된다. 천하의 사물은 겹친 수로는 삼(三)을 둘로 하여 여섯이 되지 않는 것이 없으며, 나눈 수로는 사(四)를 둘로 하여 여덟이 되지 않는 것이 없다. 그러므로 역의 효는 삼을 둘로 하여 여섯이 되고, 역의 괘는 사를 둘로 하여 여덟이 되니, 사람의 위아래의 몸체에 각각 삼층이 있어서 여섯이 되고, 사지에 각각 마디를 둘로 함이 있어서 여덟이 되는 것과 같다.

오치기(吳致箕) 「주역경전증해(周易經傳增解)」

吉凶悔吝, 以占決言, 得失憂虞, 以人事言也. 占之吉者, 在人事, 則爲得, 凶者, 在人事, 則爲失. 悔者, 在人事爲憂, 懼而憂則向吉, 吝者, 在人事爲虞, 患而虞則向凶也. 變化剛柔, 以卦畫言, 進退晝夜, 以造化言也. 剛化而爲柔者, 進極而退也, 柔變而爲剛者, 退極而進也. 剛屬陽明, 故爲晝, 柔屬陰暗, 故爲夜也, 蓋觀晝夜進退之象, 則可以知萬事萬物之變化也. 動者, 變化之謂也, 極者, 天地人三才之至理也, 言六爻之變化,有三才至極之道也.

길흉회린은 점쳐 결단한 것으로 말하였고, 잃음과 얻음, 근심과 헤아림은 사람의 일로 말하였다. 점쳐서 길한 것은 사람의 일에 있어서는 얻음이 되고, 흉한 것은 사람의 일에 있어서는 잃음이 된다. 뉘우침은 사람의 일에 있어서는 근심이 되는데, 두려워하여 근심한다면 길로 향하고, 인색함은 사람의 일에 있어서는 헤아림이 되는데, 근심하여 헤아리면 흉으로 향한다. 변화와 강유는 괘의 획으로 말하였고, 나아감과 물러남, 낮과 밤은 조화로써 말하였다. 강(剛)이 화하여 유(柔)가 된 것은 나아감이 지극하여 물러남이고, 유가 변하여 강이 된 것은 물러남이 지극하여 나아감이다. 강은 양의 밝음에 속하기 때문에 낮이 되고, 유는 음의 어둠에 속하기 때문에 밤이 되는데, 낮과 밤의 나아가고 물러나는 상을 본다면, 온갖 일과 사물의 변화를 알 수 있을 것이다. '동(動)함'은 변화를 말함이고, '극(極)'은 천지인(天地人) 삼재의 지극한 이치이니, 육효의 변화에 삼재의 지극한 도리가 있음을 말한다.

이진상(李震相) 『역학관규(易學管窺)』

小註自大說自小說.

소주의 '큰 것부터 설하였다'와 '작은 것부터 설하였다'에 대하여.

吉匃大而悔吝小, 變化小而剛柔大.

길흉은 큰 것이고 회린은 작은 것이며, 변화는 작은 것이고 강유는 큰 것이다.

박문호(朴文鎬) 「경설(經說)・주역(周易)」[75]

天有天之理, 地有地之理, 人有人之理. 故謂三才各一太極也. 三才已如此, 況萬物之衆, 其所稟之理, 又安得不各一而殊乎. 然則理一云者, 所稟雖殊, 其均爲所以然者, 則不害其爲同矣.

하늘에는 하늘의 이치가 있고, 땅에는 땅의 이치가 있고, 사람에게는 사람의 이치가 있다. 그러므로 [『본의』에서] "삼재가 각기 한 태극을 갖추었다"고 하였다. 삼재가 이미 이와 같은데, 하물며 만물의 무리에 품부된 바의 이치가 또한 어찌 각각 하나여서 다르지 않겠는가? 그렇다면 이치가 하나라고 한 것은, 품부된 것이 비록 달라도 균일하게 소이연(所以然)이 되는 것이니, 같다고 해도 지장이 없을 것이다.

---

75) 경학자료집성DB에서는 「계사상전」 '제1장'에 해당하는 것으로 분류했으나, 내용에 따라 이 자리로 옮겼다.

是故, 君子所居而安者, 易之序也, 所樂而玩者, 爻之辭也,

그러므로 군자가 거처하여 편안히 여기는 것은 역(易)의 차례이고, 즐거워하여 완미하는 것은 효(爻)의 말이니,

║中國大全║

本義

易之序, 謂卦爻所著事理當然之次第. 玩者, 觀之詳.

역(易)의 차례는 괘효(卦爻)에 드러난 사리의 당연한 차례를 이른다. 완(玩)은 상세히 봄이다.

小註

或問, 所居而安者易之序也, 與居則觀其象之居, 不同. 上居字, 是總就身之所處而言, 下居字, 是靜對動而言. 朱子曰, 然.

어떤 이가 물었다: '거처함에 편안함은 역의 차례'와 '거할 때는 그 상을 본다'고 할 때의 '거(居)'는 다릅니다. 앞의 '거(居)'는 몸이 거처하는 곳을 통틀어 말하였고, 뒤의 '거(居)'는 움직임과 상대되는 고요함을 말한 것입니까?

주자가 답하였다: 그렇습니다.

○ 問, 所居而安者易之序也. 曰, 序是次序, 謂卦爻之初終. 如潛見飛躍, 循其序則安. 又問, 所樂而玩者爻之辭. 曰, 橫渠謂, 每讀每有益, 所以可樂. 蓋有契於心, 則自然樂.

물었다: "거처함에 편안함은 역의 차례이다"는 무슨 말입니까?

답하였다: '서(序)'는 차례이니 괘효의 처음과 마침을 말합니다. 예컨대 잠기고 나타나고 날고 도약함과 같이 그 차례를 따르면 편안한 것입니다.

또 물었다: "즐겁게 완미함은 효의 말이다"는 무슨 말입니까?

답하였다: 장횡거가 "매번 읽을 때마다 유익하니 즐겁다" 했으니 마음에 합치되면 자연히 즐겁다는 것입니다.

○ 節齋蔡氏曰, 序次序也, 自卦言否泰剝復之類, 自爻言潛見飛躍之類, 皆序也. 知其序之有常, 故居其位而安. 樂, 樂其理也, 玩, 習厭也. 辭者, 聖人所繫所以明理, 知其理之无窮, 故樂而玩.

절재채씨가 말하였다: 서(序)는 차례이니, 괘로 말하면 비괘(否卦䷋)·태괘(泰卦䷊)·박괘(剝卦䷖)·복괘(復卦䷗)의 종류이고, 효로 말하면 잠기고 나타나고 날고 도약하는 종류이니 다 차례이다. 차례의 일정함을 알기 때문에 그 자리에 거처하여 편안하다. '락(樂)'은 이치를 즐거워함이고, 완(玩)은 충분히 익숙해짐이다. 말은 성인이 달아서 이치를 밝힌 것이니, 이치의 무궁함을 알기 때문에 즐기고 완미한다.

○ 雲峯胡氏曰, 所居而安, 是安分, 所樂而玩, 是窮理. 君子安分則窮理愈精, 窮理則安分愈固.

운봉호씨가 말하였다: 거처함에 편안함은 분수에 편안함이고 즐겁게 완미함은 이치를 궁구함이다. 군자가 분수에 편안하면 이치를 궁구함이 더욱 정밀해지고, 이치를 궁구하면 분수에 편안함이 더욱 확고해진다.

‖韓國大全‖

송시열(宋時烈) 『역설(易說)』

是故君子以下, 言君子用易.

"그러므로 군자가"부터는 군자가 역을 씀을 말하였다.

유정원(柳正源) 『역해참고(易解參攷)』

所居 [至] 辭也.

거처하여 … 효의 말[辭]이니.

正義, 居可治之位而安靜, 居之是易位之次序, 若居乾之初九, 而安在勿用, 居乾之九三, 而安在乾乾.

『주역정의』에서 말하였다: 다스릴 수 있는 자리에 거처하여 안정됨이고, 거처하는 것은 역

(易) 자리의 차례이니, 만약 건괘의 초구에 거처한다면 안정됨은 '쓰지 않음'에 있고, 건괘의 구삼에 거처한다면 안정됨은 '힘쓰고 힘씀'에 있다.

○ 張子曰, 序猶言分也, 易中有貴賤吉凶, 皆自然之分也. 所居皆安之, 君子安分也.
장자가 말하였다: 차례는 분수(分數)라고 말함과 같으니, 역 가운데 귀천과 길흉이 있음이 모두 자연한 분수이다. 거처하는 바에 모두 편안함은 군자가 분수를 편히 여기기 때문이다.

○ 南軒張氏曰, 爻辭, 雖吉凶得失之類, 而性命道德之奧寓焉.
남헌장씨가 말하였다: 효(爻)의 말은 비록 길흉이나 득실 따위이지만, 성명과 도덕의 심오함이 깃들어있다.

○ 節初齊氏曰, 序作象, 則與上下文義合, 易唯序卦專, 言次第, 故不若作象. 居處也, 象言吉凶悔吝, 蓋其理之自然, 勢之必然也. 君子窮理盡性, 以至於命, 知其合必如此, 悖必如彼, 而唯易之聽焉, 所謂安也.
절초제씨가 말하였다: '차례[序]'는 '상(象)'으로 해야만 곧 위아래의 문장과 뜻이 부합하고, 『주역』에서는 오직 「서괘전」만이 차례를 말하였으므로 '상(象)'으로 하는 것만 못하다. 거처함은 머무름이고, 상(象)은 길흉회린을 말하니 대체로 자연한 이치이고, 필연적 형세이다. 군자가 '이치를 궁구하고 성품을 다하여 천명에 이름'은 합치하면 반드시 이와 같고 어긋나면 반드시 저와 같음을 알아서 오직 역(易)을 따름이니, 이른바 편안히 여김이다.

○ 案, 吉凶悔吝, 事理之當然也, 悔自凶而趨吉, 吝自吉而向凶, 皆當然之次第也.
내가 살펴보았다: 길흉회린은 사리(事理)의 당연한 것이니, 뉘우침이 흉(凶)에서 길(吉)로 나아가고 인색함이 길에서 흉으로 향함은 모두 당연한 차례이다.

김상악(金相岳)『산천역설(山天易說)』

此言君子用易之道.
이는 군자가 역(易)을 쓰는 방도를 말한 것이다.

윤행임(尹行恁)『신호수필(薪湖隨筆)・계사전(繫辭傳)』

在潛龍則勿用, 在飛龍則利見, 安其序也. 先天而天不違, 後天而奉天時, 樂其辭也. 安者, 素位也, 樂者, 知天也.
잠룡의 때에는 쓰지 않고 비룡의 때에는 만나 보는 것을 이롭게 여김이 그 차례를 편안히 여기는 것이다. 하늘에 앞서 있어도 하늘에 어긋나지 않으며, 하늘에 뒤에 있어도 하늘의 때를 받드는 것이 그 말을 즐거워함이다. 편안히 여기는 것은 평소의 자리이기 때문이고, 즐거워하는 것은 하늘을 알기 때문이다.

심대윤(沈大允) 『주역상의점법(周易象義占法)』

序者, 時位之淺深上下也.

차례는 때와 자리의 얕음과 깊음, 위와 아래이다.

오치기(吳致箕) 「주역경전증해(周易經傳增解)」

君子, 指學易者也. 居者, 處也, 安者, 安其道也, 樂者, 悅樂也, 玩者, 玩味也. 序言後天卦序, 而以其天道人事消長窮通之至理存焉. 故君子隨處而安其道也. 辭者, 周公所繫三百八十四爻之辭, 吉凶悔吝之所決. 故君子悅樂而玩味也. 上二節, 言聖人之作易, 此下二節, 言君子學易之事也.

'군자'는 역을 배우는 자를 가리킨다. '거처함'은 머무름이고, '편안히 여김'은 그 도를 편안히 여김이며, '즐거워함'은 기뻐하는 것이고, '완미함'은 음미하여 맛봄이다. '차례[序]'는 후천괘의 차례를 말하는데, 천도와 인사의 사라짐과 자라남, 막힘과 통함의 지극한 이치가 보존되어 있다. 그러므로 군자는 머무는 곳에 따라 그 도를 편안히 여긴다. '말[辭]'은 주공(周公)이 달은 384효의 말로, 길과 흉, 회와 린을 결단하는 것이다. 그러므로 군자가 기뻐하면서 음미하여 맛본다. 위의 두 구절은 성인이 역을 지은 것을 말하였고, 여기 아래의 두 구절은 군자가 역을 배우는 일을 말하였다.

이진상(李震相) 『역학관규(易學管窺)』

易之序.

역의 차례.

齊氏據音訓, 謂序當作象, 然象非可據而爲安. 所以變象言序, 象之言潛見飛躍, 各循其序, 則豈不安乎.

제씨가 『음훈』에 근거하여 "차례[序]는 상(象)으로 해야 한다"고 했는데, '상(象)'은 의거하여 편안히 할 수 있는 것이 아니다. 그래서 상을 바꾸어 차례를 말했으니, 상에서 '잠기고 나타나고 날고 도약함'을 말함에 각각 그 순서를 따른다면 어찌 편안하지 않겠는가?

是故, 君子居則觀其象而玩其辭, 動則觀其變而玩其占. 是以
自天祐之, 吉无不利.

그러므로 군자는 거처할 때에는 그 상을 보고 그 말을 완미하며, 움직일 때에는 그 변화함을 보고
그 점(占)을 완미한다. 이 때문에 하늘로부터 도와주어 길(吉)하여 이롭지 않음이 없는 것이다.

中國大全

本義

象辭變, 已見上. 凡單言變者, 化在其中. 占, 謂其所値吉凶之決也.

상(象)과 사(辭)와 변(變)은 이미 앞에 있다. 일반적으로 변(變)만을 말한 것은 화(化)가 그 가운데
들어 있다. 점(占)은 만난 일에 대한 길흉의 결단을 이른다.

小註

朱子曰, 居則玩其辭, 如潛龍勿用, 其理, 當此時只是潛晦不當用. 若占得此爻, 凡事便
未可做. 所謂君子動則觀其變而玩其占, 亦當知其理如此.

주자가 말하였다: '거처할 때 그 말을 완미함'은 예컨대 '잠룡물용(潛龍勿用)'은 이치상 이런
때에는 잠겨 숨어서 쓰지 말아야 한다. 만약 점쳐서 이 효를 얻었다면 모든 일을 할 수 없다.
'군자가 움직일 때 그 변화를 보고 그 점을 완미한다'는 것도 그 이치가 이와 같음을 알아야
한다.

○ 易有象八卦, 六爻然後有辭, 卦爻之辭. 筮有變, 老陰老陽然後有占, 變爻之辭. 象
之變也, 在理而未形於事者也, 辭則各因象而指其吉凶. 占則又因吾之所値之辭而決
焉, 其示人也益以詳矣. 故君子居而學易, 則旣觀象矣, 又玩辭以考其所處之當否, 動
而諏筮則旣觀變矣, 又玩占以考其所値之吉凶, 善而吉者則行, 否而凶者則止. 是以動
靜之間擧无違理, 而自天祐之无不利也. 蓋觀者一見而決, 玩者反覆而不舍之辭也.

역에 사상과 팔괘가 있어 여섯 효가 된 후에 맬[辭]이 있으니 괘효의 말이다. 시초점에 변화가 있으니 노음과 노양이 있은 후에 점이 있으니 변효의 말이다. 상의 변화는 이치에 있어서 일에 드러나지 않으니, 말은 상을 근거로 길흉을 가리켜주고 점은 또 내가 얻은 말에 근거해 결정되니 사람들에게 보여줌이 더욱 상세하다. 그러므로 군자가 거처함에 역을 배우면 이미 상을 보고 또 말을 완미하여 처리할 일의 타당함을 살피고, 행동함에 점을 쳐서 이미 그 변화를 보고 점을 완미하여 만난 것의 길흉을 완미해 좋고 길하면 행하고 막히고 흉하면 그친다. 이 때문에 동정에 이치를 어기지 않아 하늘로부터 도와주어 이롭지 않음이 없다. 보는 것은 한 번 보고 결정함이고 완미함은 반복하여 그만두지 않는다는 말이다.

○ 柴氏中行曰, 居者靜而未涉於事也, 動者涉於事也. 居則觀卦之象而玩其辭, 以探其隱賾, 動則觀其剛柔之變而玩其辭之所占, 以求不悖其道. 一動一靜不違天理, 則俯仰无愧, 心逸日休, 德進業長, 用无不利, 蓋言道之所寓, 人當體之也.
시중행이 말하였다: '거(居)'는 고요히 일에 관계하지 않을 때이고 '동(動)'은 일에 관계할 때이다. 거처할 때에는 괘의 상을 보고 그 말을 완미하여 숨은 도리를 찾아내고, 움직일 때에는 강유의 변화를 보고 말의 점을 완미하여 도리에 어긋나지 않기를 구한다. 한번 움직이고 한번 고요함에 천리를 어기지 않는다면 올려보고 내려 봄에 부끄러움이 없어 마음이 편안해 날로 아름답고 덕을 증진하고 업을 확장하여 행함에 이롭지 않음이 없으니 도가 깃든 바를 사람이 체득해야 함을 말하였다.

○ 節齋蔡氏曰, 觀象玩辭, 學易也, 觀變玩占, 用易也. 學易則无所不盡其理, 用易則唯盡乎一爻之時. 居既盡乎天之理, 動必合乎天之道, 故曰自天祐之吉无不利也.
절재채씨가 말하였다: 상을 보고 말을 완미함은 역을 배우는 것이고 변화를 보고 점을 완미함은 역을 쓰는 것이다. 역을 배우면 이치를 다 드러내고 역을 쓰면 오직 한 효의 때를 다 드러낸다. 거할 때 하늘의 이치를 다 드러내고 움직일 때 하늘의 도에 부합하기 때문에 하늘로부터 도와주어 이롭지 않음이 없다.

○ 平菴項氏曰, 吉凶者失得之已定者也, 其憂虞之初, 謂之悔吝. 變化者易之用也, 其所以變化, 則剛柔二物而已. 故觀吉凶者, 必自悔吝始, 觀變化者, 必自剛柔始. 文王觀此四者而繫之以辭, 讀易者, 亦當觀此四者, 而玩文王之辭, 則靜居動作无不利矣.
평암항씨가 말하였다: 길흉은 잃고 얻음이 이미 정해진 것이니 그것을 근심하고 걱정하는 처음을 회린이라 한다. 변화는 역의 쓰임이니 변화를 할 수 있음은 강유의 두 물건 때문이다. 그러므로 길흉을 보는 자는 회린으로부터 시작하고 변화를 보는 자는 강유로부터 시작해야 한다. 문왕이 이 네 가지를 보고 말을 달았으니, 역을 읽는 자가 또한 이 네 가지를 보고

문왕의 말을 완미한다면 고요히 있을 때나 움직여 행할 때나 이롭지 않음이 없을 것이다.

○ 雲峯胡氏曰, 象與變有剛柔變化之殊, 辭與占有吉凶悔吝之異. 君子居而學易, 已窮乎象與辭之理, 動而用易, 又適乎變與占之宜, 動靜无非易, 卽无非天, 故自天祐之吉无不利. 天地間, 剛柔變化, 无一時間, 人在大化中, 吉凶悔吝, 无一息停. 吉一而已, 凶悔吝三焉. 故上文示人以吉凶悔吝者, 聖人作易之事, 此獨吉而无凶悔吝者, 君子學易之功也.

운봉호씨가 말하였다: 상과 변에는 강유변화의 다름이 있고 말과 점에는 길흉회린의 다름이 있다. 군자가 거할 때 역을 배워 이미 상과 말의 이치를 궁리하고 움직일 때 역을 사용해 변과 점의 마땅함에 나아가니, 움직이고 고요함에 역이 아님이 없고 하늘이 아님이 없어 하늘로부터 도와주어 길하고 이롭지 않음이 없다. 천지사이에 강유의 변화는 한 때도 틈이 없고, 사람이 큰 조화 가운데 있어 길흉회린은 한 숨도 머무름이 없다. 길은 하나이고 흉·회·린은 셋이다. 그러므로 윗 글에서 길흉회린으로 보여준 것은 성인이 『역』을 지은 일이고, 길하기만 하고 흉회린이 없는 것은 군자가 『역』을 배운 공효이다.

‖韓國大全‖

송시열(宋時烈) 『역설(易說)』

是故君子居則以下, 言用易則吉.

"그러므로 군자는 거처할 때는"부터는 역을 쓰면 길함을 말하였다.

이현익(李顯益) 「주역설(周易說)」

居則觀其象而翫其辭, 動則觀其變而翫其占, 居字朱子謂是静對動而言. 然此動字, 似只是卜筮之謂, 則居字爲不卜筮之時. 然則此雖作動靜看, 只是平居與卜筮之時之分, 非以身心之動靜言也.

"거처할 때는 그 상을 보고 그 말을 완미하며, 움직일 때는 그 변화함을 보고 그 점을 완미한다"에서 '거처한다[居]'는 것을 주자는 '고요함이니 움직임에 상대하여 말하였다'고 하였다. 그러나 여기의 '움직인대[動]'는 말은 단지 점치는 것을 말한 것 같으니, 거처한다는 것은 점치지 않았을 때가 된다. 그렇다면 이것을 움직임과 고요함으로 간주하더라도, 단지 평소와 점치는 때의 구분일 뿐이지, 몸과 마음의 움직임과 고요함으로 말한 것은 아니다.

박치화(朴致和) 「설계수록(雪溪隨錄)」

動靜合乎易, 易則天. 故曰自天祐之.

동과 정은 역에서 합쳐지니 역은 하늘이다. 그러므로 "하늘로부터 돕는다"고 하였다.

○ 聖人設卦一節, 言畫卦繫辭之事也, 剛柔相推一節, 言占法也, 是故吉凶一節, 覆說上文二節之義也. 君子居則一節, 言觀象玩占之事也.

"성인이 괘를 베풀어 …"의 구절은 괘를 긋고 말을 단 일을 말하였고, "강과 유가 서로 밀어서 …"의 구절은 점치는 법을 말하였고, "그러므로 길과 흉은 …"의 구절은 앞의 두 구절의 뜻을 반복해서 설명하였다. "군자가 거처할 때는 …"의 구절은 상을 보고 점을 완미하는 일을 말하였다.

이익(李瀷) 『역경질서(易經疾書)』

設卦, 指伏羲觀象, 繫辭, 指文王周公, 剛柔相推, 進退變化, 指卦變. 文王卦辭中, 雖不言, 而孔子推說其義如此, 亦文王之意也. 至吉凶悔吝, 指周公爻辭, 卦辭卽包括爻辭, 故下是故字. 失得, 承前章末節而言, 得是天下之理得也, 失乃反是. 作易示人之義, 爲其有失. 故先失後得, 失得旣辨, 吉凶定矣. 當其過之未著, 悔則之吉, 吝則之凶, 故有憂虞之象. 下文又言吉凶者, 言乎其失得也, 悔吝者, 言乎其小疵也, 若曰自吉趨凶, 何謂小疵. 故曰憂悔吝者, 存乎介, 介是分界之義, 謂察幾而審處也. 當其介, 不吝而悔, 則可以無咎, 故曰震无咎者, 存乎悔.

'괘를 베풂'은 복희가 상을 보았음을 가리키고, '말을 닮'은 문왕과 주공을 가리키며, 강과 유가 서로 밀어서 나아가고 물러나 변화함은 괘의 변화를 가리킨다. 문왕의 괘사에는 비록 말하지 않았지만, 공자가 미루어 그 뜻이 이와 같다고 설명하였으니 또한 문왕의 뜻이다. 길과 흉, 회와 린에 이르면 주공의 효사를 가리키는데, 괘사는 바로 효사를 포괄하기 때문에 '그러므로[是故]'라는 말을 하였다. 잃음과 얻음은 앞장 끝의 구절을 이어서 말한 것이니, 얻음은 천하의 이치를 얻음이고, 잃음은 이것의 반대이다. 역을 지어 사람들에게 보인 뜻은 잃음이 있기 때문이다. 그러므로 잃음을 먼저하고 얻음을 뒤에 하였는데, 잃음과 얻음이 이미 판별되면 길과 흉이 정해질 것이다. 과실이 아직 드러나지 않았을 때에 뉘우치면 길하게 되고, 인색하면 흉하게 되기 때문에 근심과 헤아림의 상이 있다. 아래에서 다시 "길흉은 잃음과 얻음을 말한 것이고, 회린은 작은 하자를 말한 것이다"라고 하였는데, 만약 '길로부터 흉으로 나간다'고 한다면 어찌 '작은 하자'라고 했겠는가? 그러므로 "회린을 근심함은 경계에 있다"고 하였는데, 경계는 나뉘는 지점의 의미이니, 기미를 살펴서 처소를 정함을 말한다. 그 경계에 있으면서 인색하지 않고 뉘우치면 허물이 없을 수 있으므로 "움직여 허물이 없게 함은 뉘우침에 있다"고 하였다.

陰陽之義, 進退晝夜而已, 言晝夜, 則寒暑盛衰等, 皆包之矣. 進退屬事, 晝夜屬物, 易之變化剛柔, 所以象之也. 極者, 非枯然一物. 必動而流行, 故周子曰, 太極動而生陽, 靜而生陰, 靜極復動, 六爻之動, 其道亦然. 易對爻爲言, 則指卦之序也, 序對辭爲言, 則當時未有序卦之辭可知. 今序卦, 卽孔子之文也. 居安易序, 謂乾坤之後, 次屯次蒙次需次訟之類, 無不以之審愼而安處也. 下文云居則觀象玩辭, 然則樂玩者, 包在居安之內, 而居對動爲言, 則未動之前, 素位而安也. 居以身言, 樂以心言.

음양의 뜻은 나아감과 물러남, 낮과 밤일 뿐인데, 낮과 밤을 말하면 추위와 더위, 흥성과 쇠퇴 등은 모두 여기에 포함될 것이다. 나아감과 물러남은 일에 속하고, 낮과 밤은 물건에 속하는데, 역의 변화와 강유가 그것을 형상한 것이다. (삼극(三極)의) '극(極)'은 어떤 말라붙은 것이 아니다. 반드시 움직여서 흘러가므로 주자(周子)는 "태극은 움직여서 양을 낳고 고요하여 음을 낳는데, 고요함이 지극하면 다시 움직인다"고 하였으니, 육효(六爻)의 움직임도 그 도가 또한 그러하다. 역(易)은 효(爻)와 상대하여 말했으니 괘의 차례를 가리키고, 차례[序]는 말[辭]과 상대하여 말했으니 당시에는 괘의 차례를 정하는 말이 없었음을 알 수 있다. 지금의 「서괘전(序卦傳)」은 공자의 글이다. 거처하여 편안함은 역의 차례이니, 건곤(乾坤)의 뒤에 준괘(屯卦)·몽괘(蒙卦)·수괘(需卦)·송괘(訟卦)가 이어지는 것으로 살피고 삼가서 편안히 있지 않음이 없음을 말한다. 아래에서 "거처할 때에는 상을 보고 말을 완미한다"고 하였으니, 그렇다면 즐거워하여 완미하는 것은 거처하여 편안히 하는 것의 안에 포함되는데, '거처함[居]'은 '움직임[動]'과 상대하여 말했으니, 움직이기 이전에 평소의 자리에서 편안히 있는 것이다. 거처함은 몸으로 말하였고, 즐거워함은 마음으로 말하였다.

第十章云, 易有聖人之道四焉, 下又云, 子曰易有聖人之道四焉者, 此之謂也. 語同而下文始加子曰字, 上所云者, 非子之言明矣. 魯昭公二年, 晉韓宣子適魯, 見易象與魯春秋, 曰周禮盡在魯矣, 夫卦爻之辭, 當時諸侯皆有, 陳宣公筮觀國之光, 鄭大叔引迷復凶, 皆前此者也. 況晉之獻公, 筮得睽孤寇張之弧, 文公得公用享于天子, 知莊子得師出以律否臧凶, 則晉國自有此書, 宣子所指 非文王周公之辭, 亦明矣.

제 10장에서 "역에 성인의 도가 넷이 있다"고 하고, 아래에서 다시 "공자가 '역에 성인의 도가 넷이 있다는 것은 이것을 말한다'고 말하였다"고 하였다. 말이 같은데 아래의 글에서

비로소 '공자가 말하였다'는 말을 덧붙였으니, 위에서 말한 것은 공자의 말이 아님이 분명하다. 노나라 소공 2년에 진(陳)나라의 한선자가 노(魯)나라에 가서 역(易)의 상(象)과 노나라 『춘추』를 보고는 "주례(周禮)가 모두 노나라에 있다"고 하였으니, 괘효의 말은 당시의 제후들 모두에게 있었으며, 진나라 선공이 '나라의 빛남을 본다'[76]고 점을 친 것과 정나라 대숙이 '아득하게 회복하여 흉하다'[77]를 인용한 것이 모두 이것 이전의 것이다. 하물며 진(晉)나라의 헌공이 점쳐서 '어긋나 외로워 도적에게 화살을 당김'[78]을 얻고, 문공이 '공이 천자에게 조공을 드림'[79]을 얻고, 지장자가 '군대가 출동함에 규율에 맞게 함이니, 그렇지 않으면 이기더라도 흉함'[80]을 얻었으니, 진나라에 본래 이 책이 있었고, 한선자가 가리킨 것도 문왕과 주공의 말이 아님이 또한 분명하다.

愚意如易有聖人之道四焉者, 象象之外, 別有其說, 不在諸侯, 而但在於魯孔子之所述[81]也. 自文王周公至孔子, 六百餘年, 其間豈無議論贊翼者乎. 孔子卽因以添修, 如春秋之因舊文筆削. 可削而削, 則其不削者, 許多可知. 易之大傳, 何以異是. 可存而存, 雖謂孔子之文, 可也. 故曰述而不作. 不然大傳中子曰二字, 終解不得也. 朱子謂後人所加, 若然, 何以或加或否. 如此數節者, 與十章均述, 四道之語, 兩相勘合然後, 其義可通也. 此文總之, 則屬居動二字, 分之則有辭變象占之別, 觀象則制器在中, 觀變則以動在中.

내가 생각건대 만약 "역에 성인의 도가 넷이 있다"가 단전과 상전의 외에 별도로 그 설이 있었더라도, 다른 제후국에 있었던 것이 아니라, 다만 노나라의 공자가 기술한 것에 있었을 뿐이다. 문왕과 주공으로부터 공자에 이르기까지 600여 년이니, 어찌 그 사이에 의논하여 보태주는 자가 없었겠는가? 공자는 그것을 근거하여 덧붙여 정리하였으니, 『춘추』가 옛글에 근거하여 덧붙이고 제거함과 같다. 제거할 만하여 제거하였으니, 그 제거하지 않은 것이 많음을 알 수 있다. 역의 「대전」이 어찌 이와 다르겠는가? 보존할 만하여 보존하였으니, 비록 공자의 글이라고 하더라고 문제없다. 그러므로 "기술하되 창작하지 않는다"고 하였다. 그렇지 않으면 「대전」 가운데 '공자가 말하였다'라는 말은 끝내 해석할 수 없을 것이다. 주자는 후인이 첨가한 것으로 여겼는데, 만약 그렇다면 어째서 붙이기도 하고 빼기도 하였단 말인가? 이와 같은 여러 구절은 10장과 더불어 같이 기술되었으니, '도가 넷이 있다'는

---

76) 『周易·觀卦』: 六四, 觀國之光, 利用賓于王.

77) 『周易·復卦』: 上六, 迷復, 凶, 有災眚, 用行師, 終有大敗, 以其國君凶, 至于十年, 不克征.

78) 『周易·睽卦』: 上九, 睽孤, 見豕負塗載鬼一車. 先張之弧, 後說之弧, 匪寇, 婚媾. 往遇雨則吉.

79) 『周易·大有卦』: 九三 公用亨于天子, 小人, 弗克.

80) 『周易·師卦』: 初六, 師出以律, 否, 臧, 凶.

81) 述: 경학자료집성DB에는 '迷'로 되어 있으나, 경학자료집성 영인본과 문맥을 살펴 '述'으로 바로잡았다.

말과 둘을 서로 교감한 뒤에야 그 뜻이 통할 수 있다. 이 글은 총괄하면 거처함과 움직임에 속하고, 구분하면 말[辭]과 변(變)과 상(象)과 점(占)의 분별이 있는데, 상을 본다면 '기물을 만드는 것'이 가운데 있고, 변화를 본다면 '움직이는 것'이 가운데 있다.[82]

유정원(柳正源) 『역해참고(易解參攷)』

居則 [至] 不利.

거처할 때에는 … 이롭지 않음이 없는 것이다.

龜山楊氏曰, 觀象玩辭, 故能明吉凶之變, 觀變玩占, 故能識時措之宜, 所以盡三極之道也.

구산양씨가 말하였다: 상을 보고 말을 완미하므로 길흉의 변화를 밝힐 수 있고, 변화함을 보고 점을 완미하므로 때에 맞추는 마땅함을 알 수 있으니, 그래서 삼극의 도를 다하는 것이다.

○ 雙湖胡氏曰, 上言君子居觀樂玩, 皆是居之事, 下文以居對動, 言重在行之事矣. 其曰觀象玩辭, 申上文義也.

쌍호호씨가 말하였다: 위에서는 군자가 거처하며 보고 즐거워하여 완미함을 말하였으니 모두 거처하는 일이고, 아래 글에서는 거처함을 움직임과 상대하였으니 중점이 행하는 일에 있음을 말한 것이다. "상을 보고 말을 완미한다"고 한 것은 윗글의 뜻을 거듭하였다.

○ 案, 吉一而已, 凶悔吝三焉. 人心之天理常少, 而人欲常多, 君子常少, 而小人常多, 天下之治日常少, 而亂日常多, 是固天運之所使, 而或一或三歟. 然人心本有善, 而无惡, 惡者, 其旁出也, 天理本有吉, 而无凶, 凶者, 其變處也. 故於此結之曰, 吉无不利, 君子學易之功, 亦不過復其初而已.

내가 살펴보았다: 길함은 하나일 뿐이지만 흉함과 후회와 인색함은 셋이다. 사람의 마음은 천리는 항상 적고 인욕은 항상 많으며, 군자는 항상 적고 소인은 항상 많으며, 천하가 다스려지는 때는 항상 적고 어지러운 때는 항상 많으니, 이는 참으로 하늘의 운행이 시키는 것이어서 혹은 하나이고 혹은 셋이란 말인가? 그러나 사람의 마음은 본래 선하여 악이 없으니 악이란 곁으로 나온 것이며, 천리는 본래 길함이 있고 흉함이 없으니 흉함이란 변화된 곳이다. 그러므로 여기에서 결론지어 "길하여 이롭지 않음이 없다"고 하였으니, 군자가 역을 배우는 공부도 그 처음을 회복함에 불과할 뿐이다.

---

82) 『周易·繫辭傳』: 易有聖人之道四焉. … 以動者尙其變, 以制器者尙其象, ….

김상악(金相岳) 『산천역설(山天易說)』

此一節, 言象辭變占, 不可廢一.

이 일절은 상(象)··사(辭)·변(變)·점(占)에서 어느 하나도 폐지할 수 없음을 말한 것이다.

심취제(沈就濟) 『독역의의(讀易疑義)』[83]

第二[84]章, 自天佑之者, 天之於人也. 命之以性, 則欲其善也, 降之以易者, 欲其學也. 君子學此易, 而存天所命之性, 則於是乎自天佑之, 而吉無不利也. 此天字歸結於首天字也.

제 2장의 "하늘로부터 도와준다"는 하늘이 사람에 대한 것이다. 분부하기를 본성으로 함은 선하게 하려 함이고, 내리기를 역(易)으로 함은 배우게 하려 함이다. 군자가 이 역을 배워서 하늘이 분부한 본성을 보존하니, 이에 하늘로부터 도와주어 길하여 이롭지 않음이 없다. 여기의 '하늘'이라는 말은 첫 장의 '하늘'이라는 말에 귀결된다.

윤행임(尹行恁) 『신호수필(薪湖隨筆)·계사전(繫辭傳)』

居則觀象而翫辭者, 知也, 動則觀變而翫占者, 行也. 動合天, 則中正純粹, 天申用休, 保佑命之, 其理不忒, 猶影響.

'거처할 때는 상을 보고 말을 완미한다'는 것은 지(知)이고, '움직일 때에는 변화함을 보고 점을 완미한다'는 것은 행(行)이다. 움직임이 하늘에 합치하면 중정하고 순수하여 하늘이 거듭 아름다움을 쓰고[85] 보우하여 분부하니,[86] 그 이치가 어긋나지 않음이 그림자와 같다.

오희상(吳熙常) 「잡저(雜著)-역(易)」

第二章承上章, 言聖人作易之事. 蓋首章, 言天地自然之法象見於畫前者, 至此章, 始言觀象設卦, 而象辭變占, 卽易中之大義. 故前章首節 已隱暎含[87]具, 而此章詳言之.

제 2장은 위의 장을 이어서 성인이 역을 지은 일을 말하였다. 대체로 첫 장은 천지의 자연한

---

83) 경학자료집성DB에서는 '제3장'이라는 영인본의 말에 근거하여 '繫辭上傳3章'에 해당하는 것으로 분류했으나, 내용에 따라 이 자리로 옮겼다.

84) 二: 경학자료집성DB와 영인본에는 '三'으로 되어 있으나, 문맥을 살펴 '二'로 바로잡았다.

85) 『書經·益稷』: 禹曰, 安汝止, 惟幾惟康, 其弼直, 惟動, 不應俟志, 以昭受上帝, 天其申命用休.

86) 『中庸』: 詩曰, 嘉樂君子. 憲憲令德. 宜民宜人. 受祿于天, 保佑命之, 自天申之.

87) 含: 경학자료집성DB에는 '舍'로 되어 있으나, 경학자료집성 영인본과 문맥을 살펴 '含'으로 바로잡았다.

법상(法象)이 괘를 긋기 이전에 나타난 것을 말하였고, 이 장에서는 상을 보고 괘를 베풀었음을 말했는데, 상과 말[辭], 변과 점은 역 가운데의 대의이다. 그러므로 앞 장의 첫 구절에서 이미 은밀하게 비추고 머금어 갖추고서 이 장에서 상세하게 말하였다.

심대윤(沈大允) 『주역상의점법(周易象義占法)』

言與天同道而享其福利也.

하늘과 도를 같이 하여 그 복리(福利)를 누림을 말하였다.

오치기(吳致箕) 「주역경전증해(周易經傳增解)」

居者, 未涉乎事之時也, 動者, 涉乎事之時也. 靜而未占事時, 易之所有者, 象與辭, 故探其隱賾之理. 動而方占事時, 易之所示者, 變與占, 故辨其吉凶之機. 動靜觀玩如是, 則所趨皆吉, 所避皆凶. 故有自天之祐, 旣吉而无復不利也.

거처함은 아직 일에 간여하지 않은 때이고, 움직임은 일에 간여하는 때이다. 고요히 일을 점치지 않았을 때에 역에 갖춰져 있는 것은 '상(象)'과 '말[辭]'이므로 그 은미하고 잡다한 이치를 탐구한다. 움직여 막 일을 점쳤을 때에 역이 보이는 것은 '변(變)'과 '점(占)'이므로 그 길과 흉의 기미를 분별한다. 움직이고 고요할 때에 보고 완미함이 이와 같다면, 나간 곳은 모두 길하고, 피한 것은 모두 흉하다. 그러므로 하늘로부터 도움이 있으니, 이윽고 길하여 다시 이롭지 않음이 없다.

이진상(李震相) 『역학관규(易學管窺)』

吉无不利.

길하여 이롭지 않음이 없다.

先言吉凶悔吝, 吉一而已, 凶悔吝占其三. 天時之治少而亂多, 人事之善寡而惡衆, 固其氣機之變者, 而學易之極功, 則有吉而無凶, 此乃天理之所以常勝, 而人道之不容遽泯也.

먼저 길흉회린을 말했지만, 길함은 하나일 뿐이고, 흉회린이 나머지 셋을 차지한다. 하늘의 때에 다스려짐이 적고 혼란함이 많음과 사람의 일에 선함이 적고 악함이 많음은 참으로 기운의 기틀이 변하는 것이지만, 역(易)을 배우는 지극한 공효는 길함이 있고 흉함이 없음에 있으니, 이는 하늘의 이치가 항상 이기고 사람의 도리가 갑자기 없어지지 않는 까닭이다.

이병헌(李炳憲) 『역경금문고통론(易經今文考通論)』

聖人設卦, 觀象繫辭焉, 而明吉凶悔吝,〈從孟〉 剛柔相推, 而生變化, 是故, 吉凶者, 失得之象也, 悔吝者, 憂虞之象也, 變化者, 進退之象也, 剛柔者, 晝夜之象也, 六爻之動, 三極之道也, 是故, 君子所居而安者, 易之序也, 所樂而玩者, 爻之辭也, 是故, 君子居則觀其象而玩其辭, 動則觀其變而玩其占. 是以自天祐之, 吉無不利.

성인이 괘를 베풀어 상을 보고 말을 달아 길흉회린을 밝히며,〈맹희를 따랐다〉 강과 유가 서로 밀어서 변화를 낳으니, 그러므로 길과 흉은 잃고 얻는 상이고, 회와 린은 근심과 헤아림의 상이고, 변과 화는 나아감과 물러감의 상이고, 강과 유는 낮과 밤의 상이고, 육효(六爻)의 동함은 삼극(三極)의 도(道)이니, 그러므로 군자가 거처하여 편안히 여기는 것은 역(易)의 차례이고, 즐거워하여 완미하는 것은 효(爻)의 말이니, 그러므로 군자는 거처할 때에는 그 상을 보고 그 말을 살펴보며, 움직일 때에는 그 변화함을 보고 그 점(占)을 살펴본다. 이 때문에 하늘로부터 도와주어 길(吉)하여 이롭지 않음이 없는 것이다.

京曰, 序次也, 韓康伯〈王弼弟子, 注繫辭〉曰, 三極三才也, 本義曰, 三才各一太極也. 觀夫君子所居而安者, 爲易之序, 則此爲學易之大本, 觀象玩辭, 觀變玩占, 乃其次第事也. 人之思慮, 當堅凝靜, 專先審自身之所處, 當易之何卦何爻而後, 玩辭而行焉, 則此所謂未占有孚, 孚在占前也.

경방은 "서(序)는 차례이다"라고 하였고, 한강백〈왕필의 제자로 「계사전」을 주석하였다.〉은 "삼극(三極)은 삼재이다"라고 하였고, 『본의』에서는 "삼재가 각각 한 태극을 갖고 있다"고 하였다. 군자가 거처하여 편안히 여기는 것이 역의 차례가 되는 것을 본다면, 이것은 역을 배우는 대본(大本)이 되며, 상을 보고 말을 완미하며 변화를 보고 점(占)을 완미함은 바로 차례를 짓는 일이다. 사람의 생각은 응결되어 고요할 때에는 오로지 먼저 자신의 처지를 살펴야 하고, 역의 어떤 괘와 어떤 효에 해당된 뒤에는 말을 완미하여 행동해야 하니, 이것이 이른바 '점치지 않고도 믿음이 있다'[88]는 것이니, 믿음이 점치기 이전에 있는 것이다.

右, 第二章.

이상은 제2장이다.

---

88) 『周易·革卦』: 九五, 大人虎變, 未占, 有孚.

‖中國大全‖

本義

此章, 言聖人作易, 君子學易之事.

이 장은 성인이 역(易)을 짓고 군자가 역(易)을 배우는 일을 말하였다.

小註

雙湖胡氏曰, 此章專論文王周公繫辭, 以明伏羲卦象, 剛柔變化, 吉凶悔吝. 凡三極之道, 皆見辭中, 而君子學易, 必當合伏羲卦象, 文王周公卦爻辭, 兼得之. 末歸結在卜筮上, 以獲自天之祐也.

쌍호호씨가 말하였다: 이 장은 오로지 문왕과 주공이 말을 달아서 복희씨 괘상의 강유변화와 길흉회린을 밝혔음을 논하였다. 삼극의 도는 모두 말 가운데 나타나니 군자가 역을 배우면 복희씨의 괘상에 부합해야 하고 문왕과 주공의 말도 겸하여 알아야 한다. 말미에서는 귀결이 점치는 일에 있으니 그것을 사용하여 하늘의 도움을 획득한다.

‖韓國大全‖

오치기(吳致箕) 「주역경전증해(周易經傳增解)」

右第二章.   此章言聖人作易君子學易之事.

이상은 제 2장이다. 이 장은 성인이 역을 짓고 군자가 역을 배우는 일을 말하였다.

제3장第三章

象者, 言乎象者也, 爻者, 言乎變者也,

단(彖)은 상(象)을 말함이고, 효(爻)는 변화를 말함이고,

▌中國大全▐

小註

程子曰, 彖者言乎象者也, 止辭也者各指其所之.

정자가 말하였다: "단은 상을 말한 것이다" 단락은 "말은 각기 갈 바를 가리킨다"까지이다.

○ 彖, 言卦之象, 爻隨時之變, 因得失而有吉凶, 能如是則无咎. 位有貴賤之分, 卦兼小大之義, 吉凶之道, 於辭可見, 以悔吝爲防, 則存意於微小, 震懼而得无咎者, 以能悔也. 卦有小大, 於時之中, 有小大也, 有小大, 則辭之險易殊矣, 辭各隨其事也.

단(彖)은 괘의 상을 말하고 효(爻)는 때의 변화를 따름이고, 잃고 얻음으로 인해 길흉이 있으니 이와 같이 하면 허물이 없다. 자리는 귀하고 천한 구분이 있고 괘에 작고 큰 뜻을 겸하고 길흉의 도는 말에서 알 수 있고, 회린으로 예방함은 은미하고 작은 것에 주의를 기울임에 있고, 두려워해서 허물 없음을 얻음은 뉘우칠 수 있기 때문이다. 괘에 작고 큰 것이 있음은 때의 가운데 작고 큼이 있음이고 작고 큼이 있으면 말의 험하고 쉬움이 다르니 말은 각각 그 일을 따른다.

本義

象謂卦辭, 文王所作者, 爻謂爻辭, 周公所作者. 象指全體而言, 變指一節而言.

단(彖)은 괘사를 이르니 문왕(文王)이 지은 것이고, 효(爻)는 효사를 이르니 주공(周公)이 지은 것이다. 상(象)은 전체를 가리켜 말한 것이요, 변(變)은 일절(一節)을 가리켜 말한 것이다.

小註

朱子曰, 彖辭最好玩味, 說得卦中情狀出. 彖辭極精, 分明是聖人所作. 問, 彖是總一卦之義. 曰, 也有別說底.

주자가 말하였다: 단사는 완미하기 가장 좋아서 괘의 실정을 말해준다. 단사는 매우 정밀하니 분명 성인이 지은 것이다.

물었다: 단사는 한 괘의 뜻을 총괄한 것입니까?

답하였다: 또한 별도의 말도 들어있습니다.

○ 爻, 是兩個交乂, 看來只是交變之義, 變, 謂剛柔相推而生者. 卦分明似將一片木, 畫掛於壁上, 所以爲卦耳.

효는 두 개가 교차하니 사귀어 변하는 의미이고, 변은 강유가 서로 밀쳐 생한다. 괘는 분명한 조각 나무를 가지고 벽 위에 획을 걸어서 괘라 한다.

‖韓國大全‖

박치화(朴致和) 「설계수록(雪溪隨錄)」

因名卦之象, 而繫辭焉, 故曰象者, 言乎象者也.

괘에 이름을 붙이는 상에 의거하여 말을 달았기 때문에 "단은 상을 말하는 것이다"라고 하였다.

○ 變者, 專在爻, 故曰爻者, 言乎變者也.

변화는 오로지 효에 있기 때문에 "효는 변화를 말하는 것이다"라고 하였다.

이익(李瀷) 『역경질서(易經疾書)』

易之義, 先有象而後有彖. 象本於四象, 至成八卦而具六位, 象在其中, 六十四卦旣立,始有象之名. 故曰八卦以象告, 爻象以情言也. 象辭者, 就象之中, 總括之言, 爻辭者, 又就六畫之變而言也. 下云爻也者, 效天下之動, 則爻當以效爲訓. 又云因而重之, 爻在其中, 則爻之名, 起於六畫之後. 又云爻者, 言乎變者也, 道有變動, 故曰爻則乃變動之名, 而非指七八之畫也. 又云發揮於剛柔而生爻, 則剛柔者, 畫之體而發揮變動. 所謂效天下之動也. 又云繫辭焉, 以斷其吉凶, 謂之爻, 所樂而玩者, 爻之辭, 則必待繫辭而後, 爻之名始著也. 故曰言乎變者也.

역의 뜻은 먼저 상(象)이 있은 뒤에 단(彖)이 있다. 상은 사상(四象)에 근본 하는데, 팔괘가 이루어지고 여섯 자리가 갖춰지게 되어 상(象)이 그 가운데 있고, 64괘가 이미 확립되면 비로소 단(彖)이라는 이름이 있게 된다. 그러므로 "팔괘는 상으로 일러주고, 효사와 단사는 정황으로 말해준다"[89]고 하였다. 단사(彖辭)는 상에 나아가 총괄하여 말한 것이고, 효사(爻辭)는 다시 여섯 획의 변화에 나아가 말한 것이다. 아래에서 "효는 천하의 움직임을 본받는 것이다"[90]라고 하였으니, 효는 마땅히 '본받는다'로 풀어야 한다. 또 "의거하여 거듭하니 효가 그 가운데 있다"[91]고 하였으니, 효라는 이름은 여섯 획이 있은 뒤에 나온다. 또 "효는 변화를 말함이다"[92]라고 하고 "도에는 변동이 있다"[93]고 하였으므로 "효는 변동을 이름하는 것이지, 칠팔(七八)의 획을 가리키는 것은 아니다"라고 하는 것이다. 또 "강유에서 발휘하여 효를 낳는다"[94]고 하였으니, 강유는 획의 몸체이면서 변동을 발휘한다. 이른바 '천하의 움직임을 본받는다'는 것이다. 또 "말을 달아서 길흉을 결단한다"[95]고 한 것은 효를 말하고, 즐거워하며 완미하는 것은 효의 말이니, 반드시 말이 달린 뒤에야 효라는 이름이 비로소 드러난다. 그러므로 "변화를 말하는 것이다"라고 하였다.

유정원(柳正源) 『역해참고(易解參攷)』

象者 [至] 者也,
단(彖)은 … 말함이고,

張子曰, 象謂一卦之質.
장자가 말하였다: 상은 한 괘의 체질을 말한다.

---

89) 『周易 · 繫辭傳』.
90) 『周易 · 繫辭傳』.
91) 『周易 · 繫辭傳』.
92) 『周易 · 繫辭傳』.
93) 『周易 · 繫辭傳』.
94) 『周易 · 說卦傳』.
95) 『周易 · 繫辭傳』.

○ 龜山楊氏曰, 象總言一卦之象, 若坤言牝馬之類, 是也. 六爻變動, 不可爲典要, 故曰言乎變.

구산양씨가 말하였다: 단(象)은 한 괘의 상을 전체적으로 말한 것이니, 곤괘(坤卦)에서 빈마(牝馬)를 말하는 따위가 이것이다. 육효는 변동하여 정해진 준칙을 삼을 수 없기 때문에 "변화를 말한다"고 하였다.

○ 案, 象有指全卦而言, 有指一爻而言, 然象之得名, 本以全體言.

내가 살펴보았다: 상(象)에는 전체의 괘를 가리켜 말한 것도 있고, 하나의 효를 가리켜 말한 것도 있다. 그러나 상이라는 이름은 본래 전체의 것을 가지고 말한 것이다.

김상악(金相岳)『산천역설(山天易說)』

象者, 文王所繫一卦之辭, 爻者, 周公所繫六爻之辭. 文王觀七八之象, 以作象辭, 周公觀九六之變, 以作爻辭.

단사(象辭)는 문왕이 달은 한 괘에 대한 말이고, 효사(爻辭)는 주공이 달은 여섯 효에 대한 말이다. 문왕은 칠(七)과 팔(八)의 상(象)을 보고서 단사를 지었고, 주공은 구(九)와 육(六)의 변화를 보고서 효사를 지었다.

윤행임(尹行恁)『신호수필(薪湖隨筆)·계사전(繫辭傳)』

有象而后有卦, 有卦而后有爻, 文王之象在於象, 周公之繫在於爻. 象如稱, 爻如星, 象如錘.

상(象)이 있은 뒤에 괘가 있고, 괘가 있은 뒤에 효가 있으니, 문왕의 단사는 상에 있고, 주공의 계사는 효에 있다. 상은 저울과 같고, 효는 눈금과 같고, 단사는 저울추와 같다.

吉凶者, 言乎其失得也, 悔吝者, 言乎其小疵也, 无咎者, 善
補過也.

길흉은 얻음과 잃음을 말한 것이고 회린은 작은 하자를 말한 것이고 무구(无咎)는 과실을 잘 보충한
것이다.

中國大全

本義

此, 卦爻辭之通例.

이는 괘사와 효사의 통례이다.

小註

或問, 悔吝者言乎其小疵也. 只是以其未便至於吉凶否. 朱子曰, 悔是漸好, 知道是錯
了, 便有進善之理, 悔便到无咎. 吝者暗嗚說不出, 心下不足, 没分曉. 然未至有大過,
故曰小疵, 然小疵畢竟是小過.

어떤 이가 물었다: "회린은 작은 하자가 있음을 말한다"고 함은 곧 길흉에 이르지 않았기
때문입니까? 주자가 말하였다: 뉘우침은 점점 좋아짐이니 잘못을 알아 선으로 나아는 도리
가 있어 뉘우치면 허물이 없게 됩니다. 인색함은 소리없이 울면서도 말하지 못함이니 마음
으로 부족하다고 하면서도 분명히 깨닫지 못하는 것입니다. 그렇게 큰 과실에는 이르지 않
아서 '작은 하자'라 하였지만, '작은 하자'는 결국 작은 과실입니다.

○ 龜山楊氏曰, 吉凶者失得之報, 有失則有得, 无失則无得矣. 悔吝者无大咎也, 言乎
小疵而已. 无咎者, 本有咎也, 以其善補過, 故无咎.

구산양씨가 말하였다; 길흉은 실득의 과보이니 잃음이 있으면 얻음이 있고 잃음이 없으면
얻음도 없다. 회린은 큰 허물은 없다는 것은 작은 하자가 있을 뿐임을 말한다. 허물 없음은

본래 허물이 있었지만 과실을 보충하기 때문에 허물이 없는 것이다.

○ 雲峯胡氏曰, 前章言卦爻中吉凶悔吝之辭, 未嘗及无咎之辭, 此章方及之. 大抵不貴无過而貴改過, 无咎者善補過也, 聖人許人自新之意切矣.

운봉호씨가 말하였다: 앞 장에서는 괘효 중 길흉과 회린의 말을 말하고, 허물 없음의 말은 언급하지 않았는데 이 장에서 막 언급했다. 요컨대 허물 없음이 귀한 것이 아니라 과실을 고침이 귀하기에 "허물 없음은 과실을 잘 보충함"이라 하였으니, 성인이 사람들이 스스로 새로워짐을 허여한 뜻이 절실하다.

○ 臨川吳氏曰, 此承上章正釋二聖人繫辭之旨. 象者文王所繫一卦之辭, 因名卦之象而言, 卽上章所謂設卦觀象也. 爻者周公所繫六爻之辭, 因揲蓍之變而言, 卽上章所謂剛柔相推而生變化也. 卦畫之變化而以蓍策之變言者, 蓋蓍三變得九則剛變而化柔, 蓍三變得六則柔變而化剛也. 象辭爻辭, 或曰吉或曰凶者, 以言其事之有得有失也. 辭曰悔曰吝者, 以言其事雖未大失而已有小疵也. 辭曰无咎者, 以善其能補過也. 有過當有咎, 能補之, 則不過矣, 故得无咎也.

임천오씨가 말하였다: 여기에서는 윗 장에서 두 성인이 말을 달은 취지를 직접 해석한 것을 이었다. 단은 문왕이 단 한 괘의 말인데 괘상을 근거로 말했으니 곧 윗 장에서 "괘를 베풀어 상을 본다"는 것이다. 효는 주공이 단 육효의 말인데 설시를 근거로 말했으니 곧 윗 장에서 "강과 유가 서로 밀쳐서 변화를 생한다"는 것이다. 괘획의 변화인데 시책의 변화로 말한 것은 설시의 삼변에서 구를 얻으면 강이 변해 유가 되고, 설시의 삼변에서 육을 얻으면 유가 변해 강이 됨이다. 단사와 효사에 길하다 하고 흉하다 함은 그 일의 얻음과 잃음을 말한 것이다. 단사와 효사에 회라 하고 린이라 함은 그 일이 비록 실패하진 않았지만 조금 하자가 있음이다. 단사나 효사에 허물이 없다고 함은 잘 과실을 보충할 수 있기 때문이다. 과실이 있으면 허물이 있어야 하지만, 보충할 수 있다면 지나치지 않기 때문에 허물이 없게 된다.

▌韓國大全▌

이익(李瀷) 『역경질서(易經疾書)』

事之失得, 而吉凶已判, 小疵則未至於失得也. 當疵小之時, 悔則補過而无咎, 吝則其過遂成. 下文云憂悔吝者, 存乎介, 震无咎者, 存乎悔. 憂者, 審慮之謂, 介者, 分界之謂, 厥旣有悔, 則當有震動改過, 故曰存乎96)悔. 悔故有震動, 震動故有分介而无咎. 惟吝者, 終至於凶, 故不言也.

일의 득실로 길흉은 이미 판별되며, 작은 하자는 득실에 이르지 않은 것이다. 작은 하자가 있을 때에 뉘우치면 과실을 보완하여 허물이 없고, 인색하면 그 과실이 드디어 이루어진다. 아래 글에서 "회린을 근심함은 경계에 있고, 움직여 허물이 없게 함은 뉘우침에 있다"고 하였다. 근심은 살펴 헤아림을 말하고, 경계는 나뉘는 지점을 말하는데, 거기에서 이미 뉘우침이 있다면 마땅히 움직여 과실을 고침이 있으므로 "뉘우침에 있다"고 하였다. 뉘우치기 때문에 움직임이 있고, 움직이기 때문에 나뉘어져 허물이 없게 된다. 인색한 자는 끝내 흉함에 이르기 때문에 말하지 않았다.

유정원(柳正源) 『역해참고(易解參攷)』

吉凶 [至] 過也.
길흉은 … 허물을 잘 보충한 것이다.

漢上朱氏曰, 易有言又誰咎者, 其咎實自取自咎可也. 有言不可咎者, 義所當爲才不足也. 君子度德量力, 折之以中道, 則无咎矣. 吉凶悔吝, 一也, 其實悔吝无咎, 所以明吉凶也.

한상주씨가 말하였다: 『주역』에서 "또 누구를 허물하겠는가?"97)라고 말함이 있으니, 그 허물은 실로 스스로 취함이고 스스로 허물해야 할 것이다. "허물할 수 없다"98)고 말한 것은 뜻이 당연히 재주가 부족하기 때문이다. 군자는 덕을 헤아리고 힘을 살펴서 중도로써 결단하니, 허물이 없을 것이다. 길흉과 회린은 하나이니, 실은 회린과 허물 없음으로 길흉을 밝히는 것이다.

○ 南軒張氏曰, 悔吝雖未爲大過, 然悔未純吉, 吝未純凶, 如物有瑕疵也. 无咎本有咎, 能以善補其過惡, 故无咎.

남헌장씨가 말하였다: '회린'은 비록 큰 과실을 행하지 않았지만, 뉘우침이 순전히 길한 것도 아니고, 인색함이 순전히 흉한 것도 아니니, 사물에 하자가 있음과 같다. '허물이 없음'은

---

96) 乎: 경학자료집성DB에는 '平'으로 되어 있으나, 경학자료집성 영인본을 참조하여 '乎'로 바로잡았다.
97) 『周易‧同人卦』: 象曰, 出門同人, 又誰咎也. 『周易‧解卦』: 象曰, 負且乘, 亦可醜也. 自我致戎, 又誰咎也.
98) 『周易‧大過卦』: 象曰, 過涉之凶, 不可咎也.

본래는 허물이 있었으나, 그 잘못됨을 잘 보충할 수 있기 때문에 허물이 없는 것이다.

○ 西山眞氏曰, 予友湯伯紀曰, 无咎之所以善補過者, 蓋謂卦爻中, 有時位之難處, 本當有咎, 以其善處, 故免. 所謂轉禍爲福, 易危爲安. 故謂之善補過耳, 非眞以爲某卦某爻, 先自有過, 而後能改也. 而无咎之辭, 取之太泛, 當取豫上六臨六三復六三離初九損六四夬九五. 六條皆改過親切者, 伯紀之說, 是矣. 然當處難之時, 而處之善, 乃可以无過, 尤學者所宜盡心也.

서산진씨가 말하였다: 나의 벗 탕백기가 이르기를 "허물 없음이 과실을 잘 보충함이 되는 것은 대체로 괘효의 가운데 때와 자리의 어려운 곳이 있으면 본래 허물이 있어야 하지만, 잘 대처하기 때문에 모면함을 말한다. 이른바 화가 바뀌어 복이 되고, 위태함이 바뀌어 편안함이 됨이다. 그러므로 잘 허물을 보충했다고 하는 것이지, 참으로 어떤 괘나 어떤 효가 앞서는 본래 허물이 있다가 뒤에 고칠 수 있다는 것이 아니다"라고 하였다. '허물이 없다'는 말은 취한 것이 아주 범범하니, 마땅히 예괘(豫卦)의 상육효,[99] 임괘(臨卦)의 육삼효,[100] 복괘(復卦)의 육삼효,[101] 리괘(離卦)의 초구효,[102] 손괘(損卦)의 육사효,[103] 쾌괘(夬卦)의 구오효[104]에서 취해야 한다. 여섯 조목은 모두 허물을 고침이 친절한 것이니, 백기의 설이 이것이다. 그러나 어려움에 처한 때에 대처하기를 잘해야 허물이 없을 수 있으니, 더욱이 학자는 마음을 다해야 할 것이다.

○ 案, 吉凶者, 得失之大者也, 悔自凶而趨吉, 吝自吉而向凶, 皆自小而至大也. 一念之善, 而剝變爲復, 一念之惡, 而泰變爲否, 皆以小而成者也.

내가 살펴보았다: 길과 흉은 얻음과 잃음의 큰 것이며, 뉘우침은 흉함에서 길함으로 나아가고 인색함은 길함에서 흉함으로 향하니, 모두 작음에서 큼에 이르는 것이다. 한 생각이 선하면 박괘(剝卦☶☷)가 변하여 복괘(復卦☷☳)가 되고, 한 생각이 악하면 태괘(泰卦☷☰)가 변하여 비괘(否卦☰☷)가 되니, 모두 작음에서 이루어진 것이다.

김상악(金相岳) 『산천역설(山天易說)』

---

99) 上六, 冥豫, 成, 有渝, 无咎.
100) 六三, 甘臨. 无攸利, 旣憂之, 无咎.
101) 六三, 頻復, 厲无咎.
102) 初九, 履錯然, 敬之, 无咎.
103) 六四, 損其疾, 使遄, 有喜, 无咎.
104) 九五, 莧陸夬夬, 中行, 无咎.

悔吝者, 雖未至凶, 猶有小失也, 无咎者, 本有咎而以其補過, 故得无也.
'회린(悔吝)'은 비록 흉함에 이르지는 않았지만 여전히 조금의 과실이 있는 것이고, '허물이 없음'은 본래 허물이 있다가 그 과실을 보충하였기 때문에 없게 된 것이다.

○ 吉凶悔吝无咎, 分屬五行, 木生長主吉, 金殺伐主凶, 水內明外暗主悔, 火外明內暗主吝, 土居中主无咎.
'길흉회린'과 '허물이 없음'을 오행에 분속시키면, 목(木)은 낳아 기르니 길(吉)이 주가 되고, 금(金)은 죽여 베어내니 흉(凶)이 주가 되며, 수(水)는 안은 밝고 밖은 어두우니 회(悔)가 주가 되고, 화(火)는 밖은 밝고 안은 어두우니 린(吝)이 주가 되며, 토(土)는 가운데 자리하니 허물 없음이 주가 된다.

박윤원(朴胤源) 『경의(經義)·역경차략(易經箚略)』

悔吝, 皆謂之小疵, 則善補過, 亦兼言悔吝者, 而但悔固趨於吉者, 吝是趨於凶者, 吝何以補過而至於无咎耶. 無乃吝而知悔, 則亦可改過而無悔耶. 然則畢竟无咎, 專在於悔. 故下節以爲震无咎者, 存乎悔, 於此只言悔.
'회린(悔吝)'에 모두 '작은 하자'라고 하였으니, '허물을 잘 보충함'도 회린을 겸하여 말한 것이다. 그런데 뉘우침만 참으로 길함으로 나가는 것이고, 인색함은 흉함으로 나가는 것이니, 인색함이 어찌 과실을 보충하여 허물이 없음에 이르는 것이겠는가? 인색해도 뉘우칠 줄 안다면, 또한 과실을 고쳐서 후회가 없을 수 있다는 것이 아니겠는가? 그렇다면 끝내 허물이 없음은 오로지 뉘우침에 있게 된다. 그러므로 아래의 구절에서 "움직여 허물이 없게 함은 뉘우침에 있다"고 하면서 여기서는 뉘우침만 말했을 뿐이다.

박윤원(朴胤源) 『경의(經義)·역계차의(易繫箚疑)』

悔者, 漸趨於吉, 吝者, 漸趨於凶. 悔則能改過, 吝則不肯改過. 二者之分, 若是不同, 而同謂之小疵, 何歟. 以下文震無咎者存乎悔觀之, 則所謂無咎者善補過, 專以悔言, 而楊龜山, 以無大咎, 皆屬之悔吝, 何歟. 悔者, 固能補過矣, 吝者, 終亦有至於悔而能改過之道歟.
뉘우침은 점차 길함으로 나가고, 인색함은 점차 흉함으로 나간다. 뉘우치면 과실을 고칠 수 있고, 인색하면 기꺼이 과실을 고치지 않는다. 두 가지의 구분이 이처럼 같지 않은데, 함께 '작은 하자'라고 한 것은 어째서인가? 아래의 "움직여 허물이 없게 함은 뉘우침에 있다"는 글로 본다면, 이른바 '허물이 없음은 과실을 잘 보충한 것이다'는 오로지 뉘우침으로 말한 것인데, 양구산이 큰 허물이 없음을 모두 뉘우침과 인색함에 귀속시킨 것은 어째서인가? 뉘우침은 참으로 과실을 보충할 수 있는 것이고, 인색함에도 끝내는 뉘우침에 이르러 과실을 고칠 수 있는 도(道)가 있다는 것인가?

윤행임(尹行恁) 『신호수필(薪湖隨筆)·계사전(繫辭傳)』

一疵不留, 萬善皆得者, 吉无不利, 人孰無過. 補之則得者, 善而无咎, 學者之樂而翫者, 正在於斯.

하나의 하자도 있지 않아 온갖 선을 얻은 자는 길하여 이롭지 않음이 없지만, 사람이 누가 과실이 없겠는가? 보충하여 얻는 자는 선하여 허물이 없으니, 학자가 즐기면서 익히는 이유가 바로 여기에 있다.

陽爲君子爲中國爲貴爲大爲吉, 陰爲小人爲外夷爲賤爲小爲凶. 進君子而退小人, 尊中國而攘外夷, 易之大義存焉.

양은 군자가 되고 중국이 되고 귀함이 되고 큼이 되고 길함이 되며, 음은 소인이 되고 오랑캐가 되고 천함이 되고 작음이 되고 흉함이 된다. 군자를 나아가게 하고 소인을 물러나게 하며, 중국을 높이고 오랑캐를 물리침에 역(易)의 대의가 담겨져 있다.

오치기(吳致箕) 「주역경전증해(周易經傳增解)」

彖者, 文王之卦辭也, 彖謂全卦之象, 而如乾元亨利貞, 以全卦純陽之象爲彖辭之類, 是也. 爻者, 周公之爻辭也, 變謂一爻之變, 而如乾潛龍勿用, 以在下初陽之變爲爻辭之類, 是也. 盡善之謂得, 大不善之謂失, 小不善之謂疵, 而覺其不善, 動心欲改者, 爲悔, 知其不善, 未能卽改者, 爲吝也. 過乃小不善之稱, 而能改者, 爲補過而无咎. 故无咎謂之善補過也. 此節言彖爻之名義, 及彖爻中吉凶悔吝无咎之名義也.

단은 문왕의 괘사이고, 상은 전체 괘의 상을 말하니, 건괘(乾卦)의 '원형이정(元亨利貞)'처럼 전체 괘의 순양(純陽)의 상으로 단사를 삼은 것이 이것이다. 효는 주공의 효사이고, 변은 한 효의 변화를 말하니, 건괘(乾卦)의 "잠겨 있는 용이니 쓰지 말라"[105]와 같이 아래에 있는 첫 번째 양효의 변화로 효사를 삼은 것이 이것이다. 선(善)을 다함을 '얻음'이라 하고, 크게 선하지 못함을 '잃음'이라 하고, 조금 선하지 못함을 '하자'라고 하는데, 그 선하지 못함을 깨달아 마음을 움직여 고치려 하는 것이 '뉘우침'이 되고, 그 선하지 못함을 알지만 곧바로 고치지 못하는 것이 '인색함'이 된다. 과실은 조금 선하지 못함을 일컫는데, 고칠 수 있는

---

105) 『周易·乾卦』: 初九, 潛龍, 勿用.

자는 과실을 보충하여 허물이 없게 된다. 그러므로 '허물이 없음'을 '과실을 잘 보충한 것'이라고 하였다. 이 구절은 단사·효사의 이름과 의미 및 단사·효사에 있는 길흉회린과 허물 없음의 이름과 의미를 말하였다.

이진상(李震相)『역학관규(易學管窺)』

第三章, 无咎者, 善補過.
제 3장의 허물이 없음은 과실을 잘 보충한 것이다.

於此特言无咎, 蓋化匈爲吉之機也, 易之示人渙矣.
여기에서 특별히 '허물이 없음'을 말함은 대체로 흉함이 바뀌어 길함이 되는 기틀이기 때문이니, 역(易)이 사람에게 보임이 찬란하다.

是故, 列貴賤者, 存乎位, 齊小大者, 存乎卦, 辨吉凶者, 存乎辭,

그러므로 귀천을 벌여놓음은 위(位)에 있고, 대소를 정함은 괘(卦)에 있고, 길흉을 분변함은 새[괘사
(卦辭), 효사(爻辭)]에 있고,

‖中國大全‖

本義

位, 謂六爻之位. 齊猶定也. 小謂陰, 大謂陽.

위(位)는 육효(六爻)의 자리를 이른다. 제(齊)는 정(定)과 같다. 소(小)는 음(陰)을 이르고 대(大)
는 양(陽)을 이른다.

小註

或問, 上下貴賤之位, 何也. 朱子曰, 二四則四貴而二賤, 五三則五貴而三賤, 上初則上
貴而初賤. 上雖无位然本是貴重. 所謂貴而无位, 高而无民, 在人君則爲天子父爲天子
師, 在他人則淸高而在物外不與事者, 此所以爲貴也.

어떤 이가 물었다: 상하 귀천의 자리는 어떠합니까?

주자가 답하였다: 이효와 사효라면 사효는 귀하고 이효는 천하며, 오효와 삼효라면 오효는
귀하고 삼효는 천하며, 초효와 상효라면 상효는 귀하며 초효는 천합니다. 상효가 비록 자리
는 없지만 본래 귀중합니다. 이른바 "귀한데 자리가 없고 높은데 백성이 없음"이니, 임금에
게는 천자의 아비나 천자의 사부이고, 다른 사람들에게는 청렴하고 고상하여 일에 관여하지
않는 자이기 때문에 귀한 것입니다.

○ 問, 齊小大者存乎卦, 龜山曰, 陽大陰小如何. 曰, 齊如分辯之義, 泰卦爲大否卦爲
小. 又曰, 齊又不是整齊, 如恊字, 如分辯字.

물었다: "작고 큼을 정함[齊]은 괘에 있다"에 대해 구산이 "양은 크고 음은 작다"고 한 것이
어떻습니까?

답하였다: 제(齊)는 분변의 뜻이니, 태괘는 크고 비괘는 작습니다.
또 답하였다: 제(齊)는 가지런히 한다는 의미가 아니고, 부합이나 분변이라는 글자와 같습니다.

○ 龜山楊氏曰, 天道貴陽而賤陰, 陰陽有貴賤之理, 而列貴賤者, 必托六位而後明. 陽大而陰小, 陰陽有小大之理, 而齊小大者, 必假卦象而後顯. 貴賤者, 如以貴下賤大得民之辭, 皆爻位之所列也. 小大者, 如小往大來大往小來之辭, 皆卦象之所齊也.
구산양씨가 말하였다: 천도는 양이 귀하고 음은 천하여 음양에 귀천의 이치가 있는데 귀천을 벌려놓음은 반드시 여섯 자리를 의지한 뒤에 밝다. 양은 크고 음은 작아서 음양에 소대의 이치가 있는데 소대의 분변은 반드시 괘상을 빌린 뒤에 드러난다. 귀천은 "귀함으로 천함의 아래에 있으니 크게 백성을 얻는다"는 말과 같으니 효의 자리가 진열됨이다. '소대'는 "작은 것이 가고 큰 것이 온다"거나 "큰 것이 가고 작은 것이 온다"는 말과 같으니 괘의 단사로 분변함이다.

‖韓國大全‖

조호익(曺好益) 『역상설(易象說)』

列者, 人列之也, 蓋謂欲辨列貴賤, 則觀六位而可知云, 下同.
벌여놓음은 사람이 벌여놓는 것이니, 대체로 귀천을 분별하여 벌여놓으려면 여섯 자리를 보아서 알 수 있다고 이른 것이다. 아래의 것도 동일하다.

○ 自此以下, 言用易也.
여기서부터는 역을 쓰는 것을 말했다.

박치화(朴致和) 「설계수록(雪溪隨錄)」

齊整齊, 言小大各得整齊.
'정함[齊]'은 정리하여 가지런히 함이니, 소와 대가 각각 정리되어 가지런해짐을 말한다.

유정원(柳正源) 『역해참고(易解參攷)』

列貴 [至] 乎辭.

귀천을 벌여놓음은 … 효사에 있고.

龜山楊氏曰, 陽大而陰小, 陽卦多陰, 則陽爲之主, 陰卦多陽, 則陰爲之主. 雖小大不齊, 而剛柔得位, 爲一卦之主, 則均.
구산양씨가 말하였다: 양(陽)은 크고 음(陰)은 작은데, 양괘는 음이 많으니 양이 주인이 되고, 음괘는 양이 많으니 음이 주인이 된다. 비록 작음과 큼이 가지런하지 않지만, 강과 유가 자리를 얻어서 한 괘의 주인이 되면 균등하다.

○ 融堂錢氏曰, 存字與上文言字, 正相應, 言易中皆已具而可求也.
융당전씨가 말하였다: '있다[存]'는 말은 윗글의 '말함이다[言]'라는 말과 곧바로 호응하니, 『역(易)』 가운데 이미 갖추어져 있어서 구할 수 있음을 말한다.

○ 雙湖胡氏曰, 自乾坤外, 雖皆陰陽之雜, 然生於陽儀者, 三十二, 生於陰儀者, 三十二, 陰陽均齊, 意其以此齊之也.
쌍호호씨가 말하였다: 건괘와 곤괘 이외에는 비록 모두 음과 양이 섞여있지만, 양의 법식에서 나온 것이 32개이고, 음의 법식에서 나온 것이 32개여서 음양이 균등하니, 아마도 이것으로 가지런히 함이다.

○ 案, 六位之貴賤列, 而爻辭之吉凶分焉, 各卦之小大定, 而卦辭之吉凶見焉.
내가 살펴보았다: 여섯 자리의 귀함과 천함이 벌려져서 효사의 길함과 흉함이 나누어지고, 각각의 괘의 작음과 큼이 정해져서 괘사의 길함과 흉함이 나타난다.

김상악(金相岳) 『산천역설(山天易說)』

凡卦上體爲貴, 下體爲賤, 陰爲小, 陽爲大.
무릇 괘는 위의 몸체가 귀함이 되고, 아래의 몸체가 천함이 되며, 음(陰)이 작음이 되고, 양(陽)이 큼이 된다.

박윤원(朴胤源) 『경의(經義) · 역경차략(易經箚略) · 역계차의(易繫箚疑)』

齊小大者, 存乎卦, 其義未甚分曉. 本義曰, 齊猶定也, 定與乾坤定矣之定, 同歟. 語類曰, 齊是分辨字, 分辨與定, 同一義歟. 若作分辨看, 則是分辨大卦小卦之謂歟. 或曰, 齊本合同之義, 物有不齊, 而後齊之. 如六十四卦, 有陽卦陰卦大小不齊, 而合同爲一部易, 故謂之齊. 此說, 何如耶.

"대소를 정함은 괘에 있다"는 그 뜻이 매우 분명하지 않다. 『본의』에서 "제(齊)는 정함과 같다"고 했는데, '정함[定]'은 "건과 곤이 정해진다"[106]의 '정해짐'과 같은 것인가? 『주자어류』에서 "제는 분별한다는 뜻이다"라고 했는데, '분별함'과 '정함'은 동일한 뜻인가? 만약 분별함으로 본다면, 대괘(大卦)와 소괘(小卦)를 분별함을 말하는 것인가? 어떤 사람이 "제(齊)는 본래 합쳐 하나로 한다는 뜻이니, 사물에 가지런하지 않음이 있어서 뒤에 가지런히 함이다. 예컨대 64괘에는 양괘와 음괘, 큼과 작음의 같지 않음이 있는데, 합쳐 한 편의 역으로 만들었기 때문에 '제(齊)'라고 하였다"고 하는데, 이 설명은 어떠한가?

박제가(朴齊家) 『주역(周易)』[107]

齊小大者, 存乎卦.

대소를 정함은 괘에 있고.

小謂陰, 大謂陽.

[『본의』에서 말하였다:] 소(小)는 음(陰)을 말하고, 대(大)는 양(陽)을 말한다.

案, 小大, 恐是卦中之小大, 如所謂相雜[108]之文者. 下文卦有小大, 亦言卦中有小大, 非本卦之小大也. 本卦則本陰本陽而已, 何齊之有. 下曰小險大易, 恐未然. 如泰所謂好底卦, 否所謂不好底卦, 否辭未必險於泰. 如坤是陰卦, 則坤之辭, 何嘗險于乾耶. 經意蓋云六爻之內, 辭有險有易也. 然則何不曰爻有小大, 曰, 小大固不出乎爻, 然而爻則專以貴賤之位而言之矣, 且貴賤雖定, 而賤亦有大事, 貴亦有小事, 故不得不統稱卦矣. 且辭險未必指凶, 辭易未必指吉, 如誠齋楊氏說謙復遯剝, 非此之各指所之之云也. 各指所之者, 遇之者有險易, 隨其時而指之而已. 朱子亦曰, 這般處依約看者, 爲是.

내가 살펴보았다: 대소는 괘의 가운데 있는 대소인 듯하니, 이른바 "서로 섞여있어서 문(文)이라 한다"[109]는 것과 같다. 아래 글의 "괘에 대소가 있다"도 괘의 가운데 있는 대소를 말하지, 본괘(本卦)의 대소를 말하는 것은 아니다. 본괘는 본래 음(陰)이거나 본래 양(陽)일뿐이니, 어찌 정함이 있겠는가? 아래에서 "작은 것은 험하고 큰 것은 평이하다"고 한 것도 그렇지 않은 듯하다. 이를테면 태괘(泰卦☷☰)는 이른바 좋은 괘이고, 비괘(否卦☰☷)는 이른바 좋지

---

106) 『周易·繫辭傳』.
107) 경학자료집성DB에서는 「계사상전」 '2장'에 해당하는 것으로 분류했으나, 내용에 따라 이 자리로 옮겼다.
108) 雜: 경학자료집성DB와 영인본에는 '襍'으로 되어 있으나, 『周易』 원전과 문맥을 살펴 '雜'으로 바로잡았다.
109) 『周易, 繫辭傳』: 物相雜, 故曰文

않은 괘인데, 비괘의 말이 반드시 태괘보다 험한 것은 아니다. 만약 곤괘(坤卦)가 음괘라면, 곤괘의 말이 어찌 일찍이 건괘(乾卦)보다 험하단 말인가? 경전의 뜻은 대체로 "육효의 안에는 말이 험한 것도 있고, 평이한 것도 있다"고 한 것이다. 그렇다면 어째서 "효에 대소가 있다"고 하지 않은 것인가? 말하자면, 대소는 참으로 효에서 벗어나지 않지만 효는 오로지 귀천의 자리로 말하였기 때문이고, 또한 귀천이 비록 정해졌어도 천한 것에도 큰 일이 있고 귀한 것에도 작은 일이 있으므로 할 수없이 괘(卦)라고 통칭하였던 것이다. 또한 말의 험함이 반드시 흉함을 가리키는 것도 아니고, 말의 평이함이 반드시 길함을 가리키는 것도 아니니, 성재양씨가 "겸괘·복괘·돈괘·박괘는 이것이 각각 나아갈 바를 가리키는 것은 아니다"라고 한 것과 같다. "각각 나아갈 바를 가리킨다"는 것은 이를 마주한 것에 험함과 평이함이 있으면 때를 따라서 이를 가리킨다는 것일 뿐이다. 주자가 또한 "그런 곳에 의거하여 본다"고 한 것도 이 때문이다.

憂悔吝者, 存乎介, 震无咎者, 存乎悔,

회린을 근심함은 경계[介]에 있고, 움직여 허물이 없게 함은 뉘우침에 있으니,

中國大全

本義

介, 謂辨別之端, 蓋善惡已動而未形之時也, 於此憂之, 則不至於悔吝矣. 震, 動也, 知悔, 則有以動其補過之心而可以无咎矣.

'개(介)'는 변별(辨別)의 단서를 이르니 선악이 이미 움직였지만 아직 나타나지 않은 때이니, 이때에 근심하면 회린에 이르지 않는다. 진(震)은 움직임이니, 뉘우칠 줄을 알면 과실을 보충하려는 마음을 움직여 허물이 없게 할 수 있다.

小註

或問, 憂悔吝者存乎介. 悔吝未至於吉凶, 是乃初萌動, 可以向吉凶之微處. 介, 又是悔吝之微處, 介字如界至界限之界, 是善惡初分界處, 於此憂之則不至悔吝矣. 朱子曰, 然.

어떤이가 물었다: "회린을 근심함은 경계에 있다"는 회린은 아직 길흉에 이르지 않아 싹이 처음 움직이는 것으로 길흉을 향할 수 있는 미미한 단계입니다. '개(介)'는 회린의 미미한 단계인데 개(介)자는 계지나 계한의 경계로 선악이 처음 갈라지는 경계이니 이곳에서 근심하면 회린에 이르지 않는 것입니까?

주자가 답하였다: 그렇습니다.

○ 无咎者本是有咎, 善補過則爲无咎. 震, 動也, 欲動而无咎, 當存乎悔爾.

허물없음은 본래는 허물이 있었지만 과실을 잘 보충하여 허물이 없게 된 것이다. 진(震)은 움직임이니 움직여서 허물이 없게 하려면 뉘우침을 두어야 할 뿐이다.

○ 南軒張氏曰, 易三百八十四爻, 憂悔吝而存乎介者多矣, 唯豫之六二介于石不終日

貞吉, 在豫之時, 能介而自守者乎. 震无咎而存乎悔者多矣, 唯復之初九不遠復无祇悔元吉, 在復之初, 能悔而改過者乎.

남헌장씨가 말하였다: 역의 384효에서 "회린(悔吝)을 근심함은 경계에 있다"는 경우가 많은데 오직 예괘 "절개가 돌이라, 날을 마치지 않아 정고해서 길하다"110)의 육이(六二)만이 변별하여 스스로를 지키는 자이다. "움직여 허물이 없음은 뉘우침에 있다"는 경우가 많은데 오직 복괘의 "머지않아 회복한다, 뉘우침에 이르지 않으니 크게 길하다"111)의 초구(初九)만이 회복하는 초기에 있어서 뉘우쳐 과실을 고치는 자이다.

○ 丹陽都氏曰, 憂其悔吝者, 必思患豫防而防禍于其始. 震而无咎者, 必恐懼修省而省過於其終.

단양도씨가 말하였다: 회린을 근심하는 자는 반드시 환란을 생각하니 처음부터 미리 화를 막는다. 움직여 허물이 없는 자는 반드시 두려워하여 닦고 살피니 끝까지 과실을 살핀다.

○ 雲峯胡氏曰, 前曰悔吝者言乎其小疵, 此曰憂悔吝者存乎介, 蓋謂當謹於其微, 不可以小疵而自恕也. 前言无咎者善補過, 此曰震无咎者存乎悔, 蓋謂欲動其補過之心者, 必自悔中來也. 悔者, 天理萌動之機, 不悔則人欲沉痼而不自知也.

운봉호씨가 말하였다: 앞에서 "회린은 작은 하자를 말한다"고 하고 여기서는 "회린을 근심함은 경계에 있다"고 하였으니, 은미한 것을 근심하고 작은 하자라고 해서 스스로 용서하면 안 된다는 말이다. 앞에서 "허물 없음은 과실을 잘 보충함이다"라 하고 여기서는 "움직여 허물 없음은 뉘우침에 있다"고 하였으니 움직여 과실을 보충하려는 마음은 반드시 스스로 뉘우치는 가운데 나온다는 말이다. 뉘우침은 천리의 싹이 움직이는 기틀이니 뉘우치지 않으면 사람의 욕심이 고질이 되도 스스로 알지 못한다.

▌韓國大全▌

박치화(朴致和) 「설계수록(雪溪隨錄)」

震無咎者, 動於無咎也.

---

110) 『周易·豫卦』: 六二, 介于石. 不終日, 貞吉.
111) 『周易·復卦』: 初九, 不遠復, 无祇悔, 元吉.

움직여 허물이 없게 함은 허물이 없는 데로 움직임이다.

○ 震, 動也.〈本義〉動猶動作也, 言立於無咎之地也.
진(震)은 움직임이다.〈『본의』〉움직임은 동작함과 같으니, 허물이 없는 곳에 서있음을 말한다.

○ 憂悔吝者, 以心言, 震無咎者, 以身言.
'회린을 근심함'은 마음으로 말한 것이고, '움직여 허물이 없게 함'은 몸으로 말한 것이다.

유정원(柳正源) 『역해참고(易解參攷)』

憂悔 [至] 乎悔.
회린을 근심함은 … 뉘우침에 있으니.

龜山楊氏曰, 介者, 始萬物之時, 震者, 動之將形, 憂悔吝者, 當在交物之初, 而善補過者, 當悔於將動之際. 過此則无及矣.
구산양씨가 말하였다: '개(介)'는 만물이 시작되는 때이고, '진(震)'은 움직임이 형성됨이니, '회린을 근심함'은 사물이 사귀는 처음에 있어야 하고, 과실을 잘 보충하는 것은 막 움직이려는 때에 뉘우쳐야 한다. 이를 지나치면 미칠 수 없다.

○ 祈氏〈寬〉曰, 寬讀繫辭憂悔吝者存乎介, 因書以銘座右. 先生曰〈和靖尹氏〉, 汝謂介何也. 寬曰, 至纖至細處也. 先生曰, 柳下惠不以三公易其介, 諸儒說異同, 吾謂介者謂細微, 不以三公易其介, 是毫毛无動其心也.
기씨〈이름이 관이다〉가 말하였다: 내가 「계사전」의 "회린을 근심함은 경계에 있다"를 읽고는 책에 의거하여 좌우(座右)에 명을 새겼습니다.
선생〈화정윤씨이다〉이 말하였다: 당신은 '개(介)'가 무슨 뜻이라고 생각합니까?
내가 답하였다: 지극히 섬세한 곳입니다.
선생이 말하였다: "유하혜는 삼공으로도 그 절개를 바꾸지 않았다"[112]에 대한 여러 유자의 설명이 같지 않은데, 나는 '개(介)는 미세함을 말한다'고 했으니, '삼공으로도 그 절개를 바꾸지 않았다'는 털끝만큼도 그 마음을 움직임이 없다는 것이다.
〈雙湖胡氏曰, 祈氏之說, 可與煇錄互相發.
쌍호호씨가 말하였다: 기씨의 설명은 휘의 기록과 서로 발명된다.

---

112) 『孟子·盡心』.

○ 案, 錄卽本註界至界限之說, 是也.
내가 살펴보았다: 기록은 바로 본문 주석의 '경계나 한계와 같다'는 설명이 이것이다.〉

○ 盧陵龍氏曰, 震動也, 不能察於其介, 事旣震動, 咎將及之. 欲使轉而无咎, 又當致力於悔時, 所謂補過也.
여릉용씨가 말하였다: '진(震)'은 움직임이니, 그 경계에서 살필 수 없어서 일이 이미 진동하였다면 허물이 장차 이를 것이다. 바꾸어 허물이 없게 하려 한다면 다시 뉘우치는 때에 힘을 다해야 하니, 이른바 '과실을 보충한다'는 것이다.

○ 案, 悔者, 天理之萌也, 吝者, 人欲之萌也. 其幾在於毫釐, 於此分別其界限者, 是謂介也.
내가 살펴보았다: 뉘우침은 천리의 싹이고, 인색함은 인욕의 싹이다. 그 기미가 호리의 사이에 있으니, 여기에서 그 한계를 분별하는 것을 '개(介)'라고 한다.

김상악(金相岳) 『산천역설(山天易說)』

介分也, 悔吝居吉凶之間, 故曰存乎介, 震動也, 動心而補過, 故曰存乎悔.
'개(介)'는 나뉨으로 회린(悔吝)이 길과 흉의 사이에 있기 때문에 "경계에 있다"고 하였고, '진(震)'은 움직임으로 마음을 움직여 과실을 보충하기 때문에 "뉘우침에 있다"고 하였다.

윤행임(尹行恁) 『신호수필(薪湖隨筆)·계사전(繫辭傳)』

存乎介者, 察乎幾也, 幾者, 善惡之萌也. 方其萌也, 憂而存之, 則履霜之戒也, 不戒霜, 則氷將至矣. 存悔者, 亦審其幾而後, 動而无咎.
"경계에 있다"는 것은 기미를 살핌이니, 기미는 선악이 싹틈이다. 막 싹틀 때에 근심하여 보존함은 서리를 밟는 경계이니, 서리를 경계하지 않으면 얼음이 장차 이를 것이다. "뉘우침에 있다"는 것은 또한 그 기미를 살핀 뒤에 움직여 허물이 없게 함이다.

심대윤(沈大允) 『주역상의점법(周易象義占法)』

齊小大, 謂竝列陰陽, 而交錯致用也. 介, 操守也, 能有操守, 則无悔吝. 震, 恐懼遷動也, 能恐懼遷動, 則善補過.
'소대를 정함'은 음과 양을 같이 벌여놓고 섞어서 씀을 다함을 말한다. '개(介)'는 지조를 지킴이니, 지조를 지킬 수 있으면 회린이 없을 것이다. 진(震)은 두려워서 움직여 옮김이니,

두려워서 움직여 옮긴다면 과실을 잘 보충할 것이다.

이진상(李震相) 『역학관규(易學管窺)』

震无咎.

움직여 허물이 없게 함.

本義謂動其補過之心, 而小註作動而无咎. 竊意, 旣未能辨之於介, 則有咎而可悔者也, 苟其知悔, 則有以振起其无咎之端矣. 須如本義說, 方與上文憂字叶, 今之諺解非是.

『본의』에서는 "과실을 보충하려는 마음을 움직인다"고 하였는데, 소주에서는 "움직여서 허물이 없게 한다"고 하였다. 내가 생각하니, 이미 경계에서 분별할 수 없다면 허물이 있어서 후회할 만할 것이고, 참으로 뉘우칠 줄 안다면 허물을 없게 하는 단서를 떨쳐 일으킴이 있을 것이다. 모름지기 『본의』의 설명과 같아야 바야흐로 앞의 '근심한다'는 말과 합쳐질 것이니, 지금의 언해는 옳지 않다.

是故, 卦有小大, 辭有險易, 辭也者, 各指其所之.

그러므로 괘에는 대소가 있으며, 말에는 험하고 평이함이 있으니, 말은 각기 그 향하는 바를 가리킨 것이다.

‖中國大全‖

本義

小險大易, 各隨所向.

소(小)의 험함과 대(大)의 평이함이 각기 향하는 바를 따른다.

小註

朱子曰, 卦有小大, 看來只是好底卦便是大, 不好底卦便是小. 如復如泰如大有如夬之類, 盡是好底卦, 如睽如困如小過之類, 盡是不好底. 譬如人光明磊落底, 便是好人, 昏昧迷暗底, 便是不好人. 所以謂卦有小大辭有險易, 大卦辭易小卦辭險, 卽此可見.

주자가 말하였다: “괘에 대소가 있다”는 것은 좋은 괘는 크고 좋지 않은 괘는 작다는 것이다. 복괘・태괘・대유괘・쾌괘와 같은 종류는 정말 좋은 괘이고, 규괘・고괘・소과괘와 같은 종류는 정말 좋지 않은 괘이다. 사람이 광명하여 명량하면 좋은 사람이고, 혼매하여 어두우면 좋지 않은 사람인 것과 같다. 괘에 대소가 있어서 말에 험함과 평이함이 있다고 하였으니 큰 괘의 말은 평이하고 작은 괘의 말은 험함을 여기에서 알 수 있다.

○ 問, 卦有小大辭有險易. 陽爲大陰爲小, 觀其爻之所向而爲之辭, 如休復吉底辭, 自是平易, 如困于葛藟底辭, 自是險. 曰, 這般處依約看, 也是恁地, 自是不曾見得他底透, 只是依衆說. 如所謂吉凶者失得之象一段, 卻是徹底見得聖人當初作易時意, 似這處更移易一字不得. 只是其他處不能盡見得如此, 所以不能盡見得聖人之心.

물었다: “괘에는 대소가 있으며, 말에는 험하고 평이함이 있다”는 양은 대괘가 되고 음은 소괘가 되니 효의 지향을 보고 하였기 때문이니, 예컨대 “아름답게 회복함”과 같은 말은 평

이하고 "넝쿨 때문에 곤란하다"과 같은 말은 험한 것입니까?

답하였다: 그런 곳에 의거해보면 또한 그렇지만 이는 철저히 보지 못한 것으로 다만 중설(衆說)에 의거한 것입니다. "길흉은 잃고 얻음의 상"이라는 한 단락 같은 것은 성인이 처음에 역을 지을 때의 뜻을 철저히 본 것이니, 그런 곳은 한 글자도 옮기거나 바꿀 수 없습니다. 다른 곳도 이와 같이 볼 수 없기 때문에 성인의 마음을 철저히 볼 수 없는 것입니다.

○ 張子曰, 辭各指其所之, 聖人之情也. 指之使趨時順利, 順性命之理, 臻三極之道也, 能從則不陷于凶悔矣.

장자가 말하였다: 말이 각기 갈 바를 가리킨다는 것은 성인의 뜻이다. 가리킴은 때에 나아가 이로움을 따르게 하여 성명의 이치를 따르고 삼극의 도를 다하게 함이니 따를 수 있으면 흉이나 뉘우침에 빠지지 않는다.

○ 誠齋楊氏曰, 讀謙復之辭者, 如行夷塗, 如逢春陽, 如對堯舜周孔, 何其氣象之和樂也. 其辭夷易而指人 以所之之得且吉也. 讀遯剝之辭者, 如涉風濤, 如履雪霜, 如對桀紂盜跖, 何其氣象之凜栗也. 其辭艱險而指人以所之之失且凶也.

성재양씨가 말하였다: 겸괘와 복괘의 괘효사를 읽는 자는 평탄한 길을 걷는 것과 같고 따뜻한 봄을 맞이한 것과 같고 요순·주공과 공자를 대하는 것과 같으니 어찌 그렇게 기상이 화락할까! 그 말이 평이하여 사람에게 나갈 곳의 얻음과 길함을 가리켜주기 때문이다. 돈괘와 박괘의 괘효사를 읽는 자는 풍랑 속을 건너는 것과 같고 상설을 밟는 것과 같고 걸주나 도척을 대하는 것과 같으니 어찌 그렇게 기상이 늠름할까! 그 말의 어렵고 험하여 사람에게 나갈 곳의 잃음과 흉함을 가리켜주기 때문이다.

○ 潘氏曰, 卦有小有大, 隨其消長而分. 辭有險有易, 因其安危而別. 辭者各指其所向, 凶則指其可避之方, 吉則指其可趨之所, 以示乎人也.

반씨가 말하였다: 괘에는 작고 큼이 있으니 줄어들고 늘어남을 따라 나뉜다. 말에는 험하고 평이함이 있으니 편안하고 위태로움을 따라 구별된다. 말은 각기 향할 곳을 가리키니 흉하면 피할 수 있는 방향을 가리키고 길하면 나갈 수 있는 장소를 가리켜서 사람에게 보여준다.

○ 雲峯胡氏曰, 本凶而悔, 所之則吉, 本吉而吝, 所之則凶. 无咎者, 本有過而能悔過者也, 其所之, 之於善而不之於惡, 之於吉而不之於凶矣.

운봉호씨가 말하였다: 본래는 흉한데 뉘우치면 길로 가는 것이고 본래 길한데 인색하면 흉으로 가는 것이다. 허물 없음은 본래 과실이 있는데 과실을 뉘우치는 것으로 가는 바가 선으로 가고 악으로 가지 않고 길로 가고 흉으로 가지 않는다.

‖韓國大全‖

조호익(曺好益) 『역상설(易象說)』

各指所之之說, 如諸家說看, 則連上文義, 其理似優.

"각각 향하는 바를 가리킨다"는 설은 여러 학자의 설과 같이 본다면 윗글의 뜻과 이어지니, 그 이치가 더 나은 것 같다.

○ 註, 朱子, 云云.

주(註)에서 주자(朱子)가 말하였다. 운운.

朱子之意, 蓋謂大卦之辭易, 小卦之辭險者, 各隨卦之所向而異也. 諸家之說, 恐非朱子本意.

주자의 뜻은 대체로 "대괘(大卦)의 말[辭]이 평이하고 소괘(小卦)의 말이 험난한 것은 각각 괘가 향하는 바를 따라서 다르다"고 한 것이다. 제가의 설은 아마도 주자의 본뜻이 아닌 듯하다.

송시열(宋時烈) 『역설(易說)』

第三章卦有小大者, 卦有陰陽. 蓋言易有吉有凶, 當變其幾, 而避凶而就吉也. 震无咎之震字, 如震之震不于其躬, 未濟震用伐鬼方之震, 皆以動言也.

제 3장의 "괘에 대소가 있다"는 괘에 음양이 있어서이다. 대체로 역에는 길함도 있고 흉함도 있으니, 그 기미를 변화시켜 흉함을 피하고 길함으로 나아가야 한다고 말한 것이다. "움직여 허물이 없게 한다"의 '진(震)'자는 진괘(震卦)의 "우레의 침이 그 몸에 있지 않다"[113]와 미제괘(未濟卦)의 "진동하여 귀방을 정벌한다"[114]의 '진(震)'자와 같으니, 모두 움직임으로 말한 것이다.

박치화(朴致和) 「설계수록(雪溪隨錄)」

辭者, 占決之辭, 小險大易, 各指其所之, 所之者, 處卦之道也.

'말[辭]'은 점쳐 결단하는 말로 작은 것은 험하고 큰 것은 평이하며, "각기 그 향하는 바를

---

113) 『周易·震卦』: 上六, 震, 索索, 視, 矍矍, 征, 凶. 震不于其躬, 于其鄰, 无咎, 婚媾, 有言.
114) 『周易·未濟卦』: 九四, 貞, 吉, 悔亡, 震用伐鬼方, 三年, 有賞于大國.

가리킨다"에서 '향하는 바'는 괘에 대처하는 도이다.

○ 朱子, 以所之爲卦爻之所變向, 故辭亦因以有險易.
주자는 '향하는 바'를 괘효가 변하여 향하는 바로 간주하였으므로 말에도 이 때문에 험함과 평이함이 있게 되었다.

이익(李瀷) 『역경질서(易經疾書)』

貴賤小大吉凶以事言. 聖人欲等列貴賤, 則必於六位之卑高著之, 欲整齊小大, 則必於八卦之陰陽著之, 欲辨吉凶, 則必於所繫之辭著之. 故曰卦有小大, 辭有險易, 險易者, 卽之吉之凶之路也. 險則危, 易則安, 危近於凶, 安近於吉. 然戒愼則雖危亦可以之吉, 怠忽則雖安亦可以之凶. 故聖人但指其路, 而不判其吉凶.
귀천과 대소와 길흉은 일로써 말한 것이다. 성인은 귀와 천의 등급을 벌여놓으려 할 때는 반드시 여섯 자리의 낮고 높음에서 나타내었고, 대와 소를 정돈하여 가지런히 하려 할 때는 반드시 팔괘의 음양에서 나타내었고, 길과 흉을 판별하려 할 때는 반드시 매단 바의 말에서 나타내었다. 그러므로 "괘에는 대소가 있고, 말에는 험하고 평이함이 있다"고 하였으니, 험함과 평이함은 길로 가고 흉으로 가는 길이다. 험하면 위태하고 평이하면 편안한데, 위태함은 흉에 가깝고 편안함은 길에 가깝다. 그러나 경계하여 삼가면 비록 위태하여도 길함으로 나아갈 수 있고, 태만하여 소홀히 하면 비록 편안해도 흉함으로 나갈 수 있다. 그러므로 성인이 다만 그 길만을 가리키고, 그 흉함과 길함은 판별하지 않았다.

유정원(柳正源) 『역해참고(易解參攷)』

卦有 [至] 所之.
괘에는 … 향하는 바를 가리킨 것이다.

韓氏曰, 其道光明曰大, 君子道消曰小. 之泰則其辭易, 之否則其辭險.
한강백이 말하였다: 그 도가 빛나 밝음을 '대(大)'라고 하고, 군자의 도가 사라짐을 '소(小)'라고 한다. 태괘(泰卦)로 가면 그 말이 평이하고, 비괘(否卦)로 가면 그 말이 험난하다.

○ 漢上朱氏曰, 辭有易者, 之于吉也, 辭有險者, 之于凶也, 所謂能研諸慮. 有憂慮悔吝, 非險辭, 不足盡之.
한상주씨가 말하였다: 말에 평이함이 있는 것은 길함으로 나아가고, 말에 험난함이 있는 것

은 흉함으로 나아가니, 이른바 "생각에 궁구할 수 있다"[115]는 것이다. 회린을 근심함이 있을 때는, 험한 말이 아니라면 다하기에 부족하다.

○ 强恕齋柴氏曰, 卦之義, 雖无小大之用, 其辭可見, 辭有吉凶. 故險易以分. 險辭, 憂懼戒謹之辭也, 易辭, 安平休美之辭也. 之適也.

강서재시씨가 말하였다: 괘의 뜻에는 비록 작음과 큼의 작용이 없지만 그 말에서 알 수 있으니, 말에는 길과 흉이 있다. 그러므로 험난함과 평이함으로 구분하였다. 험난한 말은 두려워하고 근심하는 말이고, 평이한 말은 편안하고 아름다운 말이다. '지(之)'는 나감이다.

○ 盧陵龍氏曰, 卦有管得義理闊, 如乾坤坎離否泰剝復之類, 謂之大卦, 有主一事一物, 管得義理狹, 如家人歸妹困漸睽蹇之類, 謂之小卦. 辭之易, 凡平易可通者, 是也, 辭之險, 如見斗見沬·闃戶无人·輿曳牛掣·負塗載鬼之類, 是也. 上文齊小大, 與此義同.

여릉용씨가 말하였다: 괘에는 의리를 주관함이 광활한 것이 있으니, 건괘(乾卦)·곤괘(坤卦)·감괘(坎卦)·리괘(離卦)·비괘(否卦)·태괘(泰卦)·박괘(剝卦)·복괘(復卦)와 같은 부류는 '대괘'라 하고, 하나의 사물을 위주로 해서 의리를 주관함이 협소한 것이 있으니, 가인괘(家人卦)·귀매괘(歸妹卦)·곤괘(困卦)·점괘(漸卦)·규괘(睽卦)·건괘(蹇卦)와 같은 부류는 '소괘'라 한다. 말의 평이함은 모든 평이해서 소통할 수 있는 것이 이것이고, 말의 험난함은 '북극성을 봄'[116]과 '작은 별을 봄'[117]과 '문을 엿보니 사람이 없음'[118]과 '수레가 끌리고 소가 가로막음'[119]과 '흙을 짊어지고 귀신을 실음'[120]과 같은 부류가 이것이다. 윗글의 '대소를 정함'은 이것과 뜻이 같다.

○ 案, 統言之, 則卦大者辭易, 卦小者辭險, 細分之, 則卦大而辭或險, 卦小而辭或易. 所之者, 避凶趨吉之路, 遷善補過之門也, 學易者, 可不愼其所之哉.

내가 살펴보았다: 통합해서 말하면 괘가 큰 것은 말이 평이하고, 괘가 작은 것은 말이 험난하며, 자세하게 분석하면 괘는 커도 말이 혹 험난하고, 괘는 작아도 말이 혹 평이하다. '향하는 바'는 흉함을 피하고 길함으로 나아가는 길이며, 선으로 옮겨가고 과실을 보충하는 문이

---

115) 『周易·繫辭傳』: 能說諸心, 能硏諸侯之慮, 定天下之吉凶, 成天下之亹亹者.
116) 『周易·豐卦』: 六二, 豐其蔀, 日中見斗, 往, 得疑疾, 有孚發若, 吉.
117) 『周易·豐卦』: 九三, 豐其沛. 日中見沬, 折其右肱, 无咎.
118) 『周易·豐卦』: 上六, 豐其屋, 蔀其家. 闚其戶, 闃其无人, 三歲, 不覿, 凶.
119) 『周易·睽卦』: 六三, 見輿曳, 其牛掣, 其人天且劓, 无初有終.
120) 『周易·睽卦』: 上九, 睽孤, 見豕負塗, 載鬼一車. 先張之弧, 後說之弧, 匪寇, 婚媾, 往遇雨則吉.

니, 역을 배우는 자가 향하는 바를 삼가지 않을 수 있겠는가?

김상악(金相岳) 『산천역설(山天易說)』

小險大易, 各指其所之, 所以避凶而趨吉也.

작은 것은 험난하고 큰 것은 평이하여 각각 향하는 바를 가리키기에 흉함을 피하고 길함으로 나아가는 것이다.

윤행임(尹行恁) 『신호수필(薪湖隨筆)·계사전(繫辭傳)』

卦之大者, 其辭易, 小者, 其辭險. 險中有易, 易中有險, 亦不一其變, 而君子居易, 小人行險. 君子不幸而遇險, 則其身泰其心亨, 視險猶易, 文王之羑里, 孔子之陳蔡, 是也.

괘가 큰 것은 그 말이 평이하고, 작은 것은 그 말이 험난하다. 험난한 가운데 평이함이 있고, 평이한 가운데 험난함이 있어서 또한 그 변화가 한결같지 않지만, 군자는 평이함에 머무르고 소인은 험난함을 행한다. 군자는 불행하게 험난함을 만나더라도, 그 몸과 마음을 편안히 하여 험난함을 평이하게 보니, 문왕의 유리에 갇힘과 공자의 진(陳)나라와 채(蔡)나라 사이에서 곤액을 당한 일이 이것이다.

오치기(吳致箕) 「주역경전증해(周易經傳增解)」

列謂等列也, 位者, 六爻之位, 而上體爲貴, 下體爲賤也. 齊者, 定也, 大指陽, 小指陰, 而卦有以陽大爲主者, 復臨泰之類也, 以陰小爲主者, 姤遯否之類也. 介者, 分也, 言能憂小疵者, 在於善惡初分之時, 則不至於咎也. 震者, 動也, 言能動補過之心者, 必由於悔也. 險辭, 戒其凶者也, 易辭, 贊其吉者也, 言爻辭之險易, 各指吉凶悔吝所往之地而不同也. 上節旣言彖爻吉凶悔吝无咎之名義, 此節言卦爻之吉凶悔吝无咎, 爲學易之功用也.

'열(列)'은 동등하게 벌여놓음을 말하고, '자리[位]'는 여섯 효의 자리인데 위의 몸체는 귀하고 아래의 몸체는 천하다. '제(齊)'는 정함이고, '대(大)'는 양을 가리키고 '소(小)'는 음을 가리키는데, 괘에는 양의 큼으로 주인을 삼은 것이 있으니 복괘(復卦)·임괘(臨卦)·태괘(泰卦)의 부류이고, 음의 작음으로 주인을 삼은 것도 있으니 구괘(姤卦)·돈괘(遯卦)·비괘(否卦)의 부류이다. '개(介)'는 나뉨이니, 작은 하자를 근심할 수 있는 자가 선악이 처음 나뉘는 때에 있다면 허물에 이르지 않음을 말한다. '진(震)'은 움직임이니, 과실을 보충하려는 마음을 움직일 수 있는 자는 반드시 뉘우침을 말미암음을 말한다. 험난한 말은 그 흉함을 경계하는 것이고, 평이한 말은 그 길함을 기리는 것이니, 효사의 험난함과 평이함은 각각 길흉회린이 나아가는 땅을 가리켜서 같지 않음을 말한다. 위의 구절에서 이미 단(彖)과 효(爻)의 길흉회린과 허물 없음의 이름과 뜻을 말하였고, 이 구절에서는 괘효의 길흉회린과 허물 없음을 말하였으니, 역(易)을 배우는 공용이 된다.

박문호(朴文鎬) 「경설(經說)·주역(周易)」

小險大易, 於路之小者必險, 大者必易, 可見矣.

작은 것이 험하고 큰 것이 평이함은, 길의 작은 것은 반드시 험난하고 큰 것은 반드시 평탄함에서 알 수 있을 것이다.

이병헌(李炳憲) 『역경금문고통론(易經今文考通論)』

韓曰, 彖總一卦之義也, 爻各言其變也. 爻之所處曰位.

한강백이 말하였다: '단(彖)'은 한 괘의 뜻을 총괄하고, '효(爻)'는 각각 그 변화를 말한다. 효가 위치한 곳을 '자리'라고 한다.

虞曰, 得正言吉, 失位言凶. 辯別, 介纖也, 謂小疵. 震動也.

우번이 말하였다: 바름을 얻음을 '길(吉)'이라 하고, 자리를 잃음을 '흉(凶)'이라 한다. '변(辯)'은 분별함이며, '개(介)'는 섬세함이니 작은 하자를 말한다. '진(震)'은 움직임이다.

京曰, 險惡也, 易善也.

경방이 말하였다: 험난함은 악함이고, 평이함은 선함이다.

右, 第三章.

이상은 제3장이다.

‖中國大全‖

此章, 釋卦爻辭之通例.

이 장(章)은 괘사와 효사의 통례(通例)를 해석하였다.

雙湖胡氏曰, 第一章, 夫子論伏羲畫卦而有望於賢人之體易. 第二章, 論文王周公繫辭而有望於君子之體易. 至此三章, 專論象爻之辭, 泛示夫衆人之用易也. 意若曰, 象辭言象使人知卦之統體, 爻辭言變使人知爻之推遷. 吉凶之辭以明人事之得失, 悔吝之辭以明人事之小疵, 无咎之辭以明人事之補過. 此自是一節, 敎人知得失小疵補過之道也, 自是故以下, 又論夫位者, 使人知有貴賤也, 卦者, 使人知有小大也, 人知卽辭以辨吉凶, 則失得亦可免矣, 人知介然之頃憂悔吝, 則小疵亦可免矣, 人知萌動悔心自可无咎, 則亦自无過之可補矣. 此又自是一節, 敎人辨吉凶憂悔吝震无咎之道, 至此, 則失得小疵補過又不足言矣. 然後總結之以是故以下之辭, 謂卦所以有小大, 辭所以有險易, 无非各指夫人之所之也. 三章之意庶在此乎.

쌍호호씨가 말하였다: 제 1장은 공자가 복희씨가 괘를 그은 것을 논하고 현인이 역을 체득하기를 바랐다. 제 2장은 문왕과 주공이 말을 단 것을 논하고 군자가 역을 체득하기를 바랐다. 여기 3장에서는 오로지 괘효의 말을 논해 많은 이들이 역을 사용하기를 두루 보여주었다. 의미는 다음과 같다. 단사로 상(象)을 말하여 사람들이 괘의 대체를 알게 하고, 효사로 변(變)을 말하여 사람들이 효의 변화를 알게 하고, 길흉의 말로 인사(人事)의 실득을 밝히고, 회린의 말로 인사(人事)의 작은 하자를 밝히고, 허물 없다는 말로 인사(人事)에서 과실을 보충함을 밝혔다. 이 한 절은 사람이 득실과 작은 하자나 과실을 보충함의 도리를 알게 하였다. 시고(是故) 이하에서는 또 자리[位]는 사람들이 귀천을 알게 하고 괘는 사람들이 소대를 알게 함을 논하였으니 사람들이 알면 말로 길흉을 분변해서 실득을 면할 수 있고, 사람들이 분변하는 잠깐의 사이에 회린을 근심할 줄 알면 작은 하자도 면할 수 있고, 사람들이 뉘우치는 마음을 초기에 움직여야 허물이 없음을 알면 또한 보충할 만한 과실이 저절로 없게 된다. 여기의 또 한 절은 사람이 길흉을 분변하고 회린을 근심하고 움직여 허물이 없게 하는 도리를 가르쳤으니 여기에 이르면 실득이나 작은 하자나 과실을 보충하는 것도 말할

필요가 없다. 그런 뒤에 '시고(是故)' 이하의 말로 총괄하여 괘에 소대가 있어서 말에도 험함과 평이함이 있는 것은 모두 사람들이 갈 바를 각기 가리키기 위한 것임을 말하였다. 3장의 뜻은 거의 여기에 있다.

┃韓國大全┃

오희상(吳熙常) 「잡저(雜著)-역(易)」

第三章, 承上章申言象辭變占. 錯綜以盡其義, 而象辭變占四者, 變見於象, 占具[121]於辭. 前章四象字, 主象而言, 此章四言字, 主辭而言, 就其重者, 而備言之.

제 3장은 앞의 장을 이어서 거듭 상(象)과 사(辭)와 변(變)과 점(占)을 말하였다. 섞으며 모아서 그 뜻을 다하였는데, 상·사·변·점(象·辭·變·占), 네 가지에서 변은 상에 나타나고 점은 말에 갖추어진다. 앞장은 상(象)자가 네 번으로 상을 위주로 말하였고, 이 장은 언(言)자가 네 번으로 말[辭]를 위주로 말했으니, 그 중점을 따라서 갖추어 말한 것이다.

오치기(吳致箕) 「주역경전증해(周易經傳增解)」

右第三章. 此章言卦爻占決之義, 而終又敎人以用易之道也.

이상은 제 3장이다. 이 장은 괘효에서 점(占)을 결단하는 뜻을 말하였고, 끝에서 다시 사람들에게 역(易)을 쓰는 도리를 가르쳤다.

---

121) 具: 경학자료집성DB에는 '其'로 되어 있으나, 경학자료집성 영인본과 문맥을 살펴 '具'로 바로잡았다.

제4장第四章

易, 與天地準, 故, 能彌綸天地之道,

역은 천지를 준칙으로 삼았다. 그러므로 천지의 도를 미륜할 수 있다.

┃中國大全┃

小註

程子曰, 易與天地準, 止故君子之道鮮矣.

정자가 말하였다: "역은 천지를 준칙으로 삼았다" 단락은 "그러므로 군자의 도는 드물다"까지이다.

○ 聖人作易, 以準則天地之道, 易之義, 天地之道也, 故能彌綸天地之道, 彌徧也, 綸理也. 在事爲倫, 治絲爲綸, 彌綸徧理也. 徧理天地之道, 而復仰觀天文, 俯察地理, 驗之著見之跡, 故能知幽明之故. 在理爲幽, 成象爲明, 知幽明之故, 知理與物之所以然也.

성인이 역을 지을 때 천지의 도를 준칙으로 삼았으니 역의 뜻은 천지의 도이다. 그러므로 천지의 도를 미륜할 수 있다. 미(彌)는 두루함이고, 륜(綸)은 다스림이다. 일에 있어서는 '윤(倫)'이고, 실을 다루는데 있어서는 '륜(綸)'이니 미륜은 두루 다스림이다. 천지의 도를 두루 조리(條理)하고 위로 천문을 보고 아래로 지리를 살펴 드러난 자취에서 경험하였기 때문에 그윽하고 밝은 까닭을 알 수 있다. 이치로 있으면 그윽하고 상을 이루면 밝으니 그윽하고 밝은 까닭을 알고 이치와 사물의 소이연을 안다.

原究其始, 要考其終, 則可以見死生之理. 聚爲精氣, 散爲游魂, 聚則爲物, 散則爲變, 觀聚散則見鬼神之情狀, 萬物始終, 聚散而已, 鬼神造化之功也. 以幽明之故, 死生之

理, 鬼神之情狀, 觀之則可以見天地之道. 易之義, 與天地之道相似, 故无差違, 相似謂同也. 知周乎萬物而道濟天下, 故不過, 義之所包知也. 其義周盡萬物之理, 其道足以濟天下, 故无過差. 旁行而不流, 旁通遠及而不流失正理, 順乎理樂天也, 安其分知命也, 順理安分, 故无所憂.

처음을 찾아 연구하고 마침을 탐구하여 살피면 사생의 이치를 알 수 있다. 모이면 정미로운 기가 되고 흩어지면 떠도는 혼이 되며 모이면 물건이 되고 흩어지면 변하니 흩어지고 모이는 것을 보면 귀신의 실정과 상태를 아니 만물의 처음과 마침은 흩어지고 모음일 뿐이니 귀신의 조화로운 일이다. 그윽하고 밝은 까닭과 사생의 이치와 귀신의 실정과 상태를 본다면 천지의 도를 볼 수 있다. 역의 뜻은 천지의 도와 같기 때문에 어김이 없으니, 서로 유사함은 같음을 말한다. “지혜가 만물에 두루하고 도가 천하를 구제하기 때문에 지나치지 않는다”는 의리가 포함된 지혜이다. 그 의리가 만물의 이치를 두루 다하고, 그 도가 천하를 구제할 만하기 때문에 지나침이 없다. ‘곁으로 행해도 흐르지 않음’은 곁으로 통하여 멀리까지 미쳐도 바른 이치를 잃지 않음이고, 이치를 따르는 것이 ‘하늘을 즐김’이고 분수에 편안함이 ‘천명을 앎’이니, 이치를 따르고 분수에 편안하기 때문에 근심할 것이 없다.

安土安所止也, 敦乎仁存乎同也, 是以能愛. 範圍俗語謂之模量, 模量天地之運化而不過差, 委曲成就萬物之理而无遺失, 通晝夜闔闢屈伸之道而知其所以然. 如此則得天地之妙用, 知道德之本源, 所以見至神之妙无有方所, 而易之準道无有形體. 道者一陰一陽也. 動靜无端陰陽无始, 非知道者孰能識之. 動靜相因而成變化, 順繼此道則爲善也, 成之在人則謂之性也. 在衆人則不能識, 隨其所知, 故仁者謂之仁, 知者謂之知, 百姓則由之而不知, 故君子之道人鮮克知也.

‘자리에 편안함’은 그친 곳에 편안함이고 ‘인(仁)을 돈독히 함’은 함께 공존함이니, 이 때문에 사랑할 수 있다. 범위(範圍)는 속어에 모방이니 천지의 운화(運化)를 모방하여 지나침이 없고, 곡진하게 만물의 이치를 이루어 유실됨이 없다, 밤낮과 열고 닫음과 굽히고 폄의 도를 통해서 그 소이연을 안다. 이와 같이 하면 천지의 묘한 작용을 얻고 도덕의 본원을 알아 지극한 신의 묘함이 방소가 없고, 역의 도를 준칙으로 삼음이 형체가 없음을 알 것이다. 도는 한 번은 음이 되고 한 번은 양이 됨이다. 동정은 단서가 없고 음양은 시작이 없으니 도를 아는 자가 아니면 누가 알겠는가? 동정이 서로 원인으로 삼아 변화를 이루니 이 도를 따라서 잇게 되면 착함이 되고 사람에게 있어 이루면 성품이 된다. 중인들에게는 알 수 없는 것이어서 그 아는 수준에 따라 어진 자는 ‘어짊’이라 이르고 지혜로운 자는 ‘지혜’라 이르고 백성은 그것으로 말미암지만 알지 못하기 때문에 군자의 도를 알 수 있는 사람이 드물다.

本義

易書卦爻, 具有天地之道, 與之齊準. 彌, 如彌縫之彌, 有終竟聯合之意, 綸, 有選擇條理之意.

『주역』의 괘효는 천지의 도를 갖추고 있어 천지와 똑같다. '미(彌)'는 미봉(彌縫)의 미와 같으니 끝내고 연합하는 뜻이 있고, '윤(綸)'은 선택하고 조리하는 뜻이 있다.

小註

朱子曰, 易道本與天地齊準, 所以能彌綸之. 蓋天地有許多道理, 易上都有, 故易能彌綸天地之道而聖人用之也. 彌, 如封彌之彌, 糊合使无縫罅, 綸, 如絡絲之綸, 自有條理, 言雖是彌得外面无縫罅, 而中則事事物物各有條理. 彌如大德敦化, 綸如小德川流. 彌而非綸則空疏无物, 綸而非彌則判然不相干. 此二字, 見得聖人下字甚密也. 又曰, 天地有未至處, 易卻能彌綸得他. 又曰, 惟其封彌得无縫罅, 所以能徧滿也.

주자가 말하였다: 역의 도는 본래 천지와 똑같기 때문에 [천지를] 미륜할 수 있다. 천지에 있는 많은 도리가 역에 다 있기 때문에 역이 천지의 도를 미륜할 수 있어서 성인이 사용한다. '미(彌)'는 '봉미'의 뜻으로 봉합(縫合)하여 빈틈이 없게 함이고, '윤(綸)'은 실을 짠다는 뜻으로 저절로 조리가 있음이니, 비록 두루 외면에 빈틈이 없더라도 속의 사물이 각각 조리가 있음을 말한다. 미(彌)는 '큰 덕의 두터운 조화'와 같고, 윤(綸)은 '작은 덕이 내처럼 흐름'과 같다. 봉합만 하고 짜지 않으면 공허하고 성겨서 물건이 없고, 짜기만 하고 봉합하지 않으면 분열되어 서로 간섭하지 않는다. 이 두 글자에서 성인이 글자를 사용함에 매우 세밀함을 볼 수 있다.

또 말하였다: 천지가 아직 이르지 못한 곳도 역은 미륜할 수 있다.

또 말하였다: 오직 봉미하여 틈이 없기 때문에 두루 채울 수 있다.

○ 雲峯胡氏曰, 此易字指易書而言, 書之中具有天地之道, 本自與天地相等, 故於天地之道, 彌之則是合萬爲一, 渾然无欠, 綸之則一貫萬分, 粲然有倫. 此下三節, 皆聖人用易之書, 與此二句相應.

운봉호씨가 말하였다: 여기에서 역(易)자는 『주역』을 가리켜 말한다. 역서의 가운데에는 천지의 도가 갖추어져있어 본래 천지와 서로 같기 때문에 천지의 도에 있어서 봉합하면 만 가지를 합해서 하나로 만들어 섞어서 틈이 없고, 짜면 하나로 만 가지를 꿰어서 밝게 조리가 있다. 이 아래의 세 구절은 모두 성인이 역을 사용하는 글[내용]이니 이 두 구절과 서로 부응한다.

‖韓國大全‖

박치화(朴致和) 「설계수록(雪溪隨錄)」

曰與準, 曰能彌綸, 則聖人之作爲可知也.

"준칙으로 삼았다"고 하고 "미륜할 수 있다"고 하였으니, 성인이 하는 일을 알 수가 있다.

○ 彌縫綸理, 言裁輔參贊也.

'미(彌)'는 꿰맴이고 '륜(綸)'은 다스림이니, 마름질하고 도와서 참여함을 말한다.

○ 聖人作易, 與天地準, 故聖人用易, 能彌綸天地之道, 兩句分說, 以起一章之意也.

성인이 역(易)을 지음에 천지를 준칙으로 하였으므로 성인이 역을 씀에 천지의 도를 미륜할 수 있으니, 두 구절로 나누어 말하여서 한 장의 뜻을 일으켰다.

이익(李瀷) 『역경질서(易經疾書)』

大傳之言易始此, 易之道, 莫尙乎象, 象也者, 像也. 聖人像天地而作易, 故準天地而無差也. 綸者, 治絲之功, 縱以引之爲經, 彌以理之爲綸, 橫以合之爲緯, 闕一不可厥旣經矣. 不綸則紊, 故緯無所施, 綸者, 成布之準備也. 易之爲書, 整理天地之道, 以待人之施行. 至聖人則天而行者, 方是郵緯之全功, 互見屯. 〈大象〉

「계사전」에서 역(易)을 말한 것이 여기에서 시작된다. 역의 도는 상(象)보다 높이는 것이 없는데, 상이란 형상함이다. 성인이 천지를 형상하여 역을 지었으므로 천지를 준칙으로 삼아서 차이가 없다. 륜(綸)은 실을 다스리는 일인데, 세로로 이끄는 것이 경(經)이 되고, 두루 다스리는 것이 륜(綸)이 되고, 가로로 합하는 것이 위(緯)가 되니, 하나라도 빠지면 이미 '경(經)'이라고 할 수 없다. 다스리지 않으면 문란하므로 위(緯)를 펼칠 곳이 없으니, 다스림[綸]은 베를 만들기 위해서 미리 갖추어야 한다. 『역』이라는 책은 천지의 도를 정리하여 사람들이 시행하기를 기다린다. 성인에 이르러 하늘로서 행하는 사람이라야 바야흐로 구휼하여 다스리는 온전한 공효가 되니, 준괘(屯卦)와 참조하여 볼 수 있다. 〈대상전이다〉

유정원(柳正源) 『역해참고(易解參攷)』

易與, [至] 之道.

역은 천지를 … 도를 미륜할 수 있다.

廣平游氏曰, 彌之使不虧其體, 則覆燾者, 統元氣, 持載者, 統无形, 陽敷而能生, 陰肅
而能成. 綸之使无失其序, 則日月代明, 寒暑迭運, 將來者進, 成功者退.

광평유씨가 말하였다: 거두어서 그 몸체가 어그러지지 않게 한다면, 덮어 가린 것이 원기를
거느리고 지켜 싣는 것이 형체 없는 것을 거느리니, 양기가 펼쳐져 태어나게 하고 음기가
거두어 이루게 한다. 다스려서 그 질서를 잃음이 없게 한다면, 해와 달이 교대로 밝히고
추위와 더위가 번갈아 운행되니, 장차 올 것이 나아가고 공을 이룬 것이 물러난다.

○ 誠齋楊氏曰, 易之未作也, 法天地之道, 以爲易之道, 故曰準. 準法也, 如太玄準易
之準. 易之旣作也, 以易之道, 而理天地之道, 故曰彌綸. 綸經理也, 如君子經綸之
綸, 彌滿也, 唯準則乎天地, 故能彌綸乎天地. 非以易理天地也, 以天地理天地也.

성재양씨가 말하였다: 『주역』이 지어지지 않았을 때에는 천지의 도를 본받아 역도(易道)로
삼았기 때문에 "준칙으로 삼았다"고 했다. '준칙으로 삼음'은 본받음이니, 「태현경」의 "역을
본받았다"의 '본받음'과 같다. 『주역』이 이미 지어지면 역도로 천지의 도를 다스리기 때문에
"미륜한다"고 하였다. '륜(綸)'은 다스림이니 '군자가 경륜한다'[122]의 경륜함과 같고, '미(彌)'
는 가득 채움이니, 오직 천지를 준칙으로 삼았기 때문에 천지를 미륜할 수 있는 것이다.
역으로 천지를 다스리는 것이 아니라, 천지로 천지를 다스리는 것이다.

○ 案, 彌者, 統言其全體也, 萬殊之所以一本也, 綸者, 細分其條理也, 一本之所以萬
殊也.

내가 살펴보았다: '미(彌)'는 그 전체를 합쳐 말한 것이니 만 가지로 다른 것이 하나의 근본
인 것이고, '륜(綸)'은 그 조리를 자세히 나눈 것이니 하나의 근본이 만 가지로 다른 것이다.

김상악(金相岳) 『산천역설(山天易說)』

準齊準也, 彌如彌縫之彌, 綸如絲綸之綸. 彌之則合萬爲一, 渾然无欠, 綸之則析一爲
萬, 燦然有倫. 易之書與天地準, 故能彌綸天地之道.

'준(準)'은 가지런함이며, '미(彌)'는 합쳐 꿰맴의 합침과 같고, '륜(綸)'은 실타래의 갈래와
같다. 합치면 만 가지가 하나로 합쳐져 혼연히 결함이 없고, 가르면 하나가 만 가지로 분석
되어 찬란하게 차례가 있다. 『주역』이라는 책은 천지를 준칙으로 하기 때문에 천지의 도를
미륜할 수 있다.

---

122) 『周易 · 屯卦』: 象曰, 雲雷屯, 君子以, 經綸.

윤행임(尹行恁) 『신호수필(薪湖隨筆)·역(易)』

準者, 無過不及之謂, 易之爲道, 準乎天地. 此聖人所以彌而合之, 綸而理之, 以贊化育之功, 天地與聖人一也.

'준칙으로 삼음'은 지나침과 미치지 못함이 없음을 말하니, 역의 도는 천지를 준칙으로 삼았다. 이것이 성인이 미봉하여 합치고 갈래 잡아 다스려서 화육의 일을 도운 까닭이니, 천지와 성인은 하나이다.

심대윤(沈大允) 『주역상의점법(周易象義占法)』

彌連亘也, 綸交織也.

'미(彌)'는 잇달아 이음이고, '륜(綸)'은 섞어 짬이다.

오치기(吳致箕) 「주역경전증해(周易經傳增解)」

易道, 卽天地之道, 故與天地齊等, 而合萬爲一, 渾然无欠, 故曰彌, 析一爲萬, 燦然有倫, 故曰綸也. 章首言此, 以起下節聖人用易之道也.

역(易)의 도(道)는 천지의 도이기 때문에 천지와 더불어 가지런한데, 만 가지를 하나로 합쳐서 혼연하게 빠뜨림이 없으므로 '두루한다[彌]'고 하고, 하나를 만 가지로 분석하여 찬란하게 질서가 있으므로 '다스린다[綸]'고 한다. 장의 첫머리에 이를 말하여서 다음 구절의 성인이 역(易)을 쓰는 도를 일으켰다.

仰以觀於天文, 俯以察於地理, 是故, 知幽明之故, 原始反終, 故, 知死生之說, 精氣爲物, 游魂爲變, 是故, 知鬼神之情狀.

우러러 천문(天文)을 관찰하고 구부려 지리(地理)를 살핀다. 그러므로 유명의 원인을 알며, 처음을 궁구하여 마침을 돌이킨다. 그러므로 사생의 설을 알며, 정기가 물건이 되고, 혼(魂)이 돌아다녀 변하게 된다. 이 때문에 귀신의 정상(情狀)을 안다.

中國大全

小註

程子曰, 原始反終, 故知死生之說. 但窮得則自知死生之說, 不須將死生便做一個道理求.
정자가 말하였다: 처음을 궁구하여 마침을 돌이키기 때문에 사생의 설을 안다. 궁구해서 얻으면 스스로 사생의 설을 아는 것이지 반드시 사생을 가지고 하나의 도리를 구할 필요는 없다.

○ 人能原始, 知得生理, 便能要終, 知得死理. 若不明得, 便雖千萬般安排著, 亦不濟事.
사람이 처음을 궁구할 수 있으면 나오는 이치를 알 수 있고 마침을 탐구할 수 있으면 죽는 이치를 알 수 있다. 만약 분명하지 못하다면 천만 번을 안배해 나타내더라도 일을 이루지 못할 것이다.

○ 原始則足以知其終, 反終則足以知其始, 死生之說如是而已矣. 故以春爲始而原之, 其必有冬, 以冬爲終而反之, 其必有春, 死生者其與是類也.
처음을 궁구하면 마침을 알 수 있고 마침을 돌이키면 처음을 알 수 있으니 사생의 설은 이와 같을 뿐이다. 그러므로 봄을 처음으로 삼아서 궁구하면 반드시 겨울이 있고 겨울을 마침으로 삼아서 돌이키면 반드시 봄이 있으니 사생은 이와 같은 종류이다.

○ 魂謂精, 魂其死也, 歸乎天消散之意.
혼은 정을 이르니 혼이 죽을 때 하늘로 돌아가 사라지고 흩어지는 뜻이다.

○ 鬼, 是往而不反之義.

귀는 가서 돌아오지 않는 뜻이다.

○ 問, 易言知鬼神情狀, 果有情狀否. 曰, 有之. 又問, 既有情狀, 必有鬼神矣. 曰, 易說鬼神, 便是造化也.

물었다: 『역』에서 귀신의 정상을 안다고 하였는데 과연 정상이 있습니까?

답하였다: 있습니다.

또 물었다: 이미 정상이 있다면 반드시 귀신이 있겠습니다.

답하였다: 역에서 말하는 귀신이란 곧 조화입니다.

○ 問, 鬼神之事, 如何, 可以曉悟其理. 曰, 理會得精氣爲物游魂爲變與原始反終之說, 便能知也. 須是於原字上用工夫. 或曰游魂爲變, 是變化之變否. 曰既是變則存者亡, 堅者腐, 更无物也. 鬼神之道, 只恁說與賢, 雖會得, 亦信不過, 須是自得也.

물었다: 귀신의 일은 어찌해야 그 이치를 알 수 있는 것인가요?

답하였다: "정기가 만물이 되고 혼이 돌아다녀 변한다"와 "처음을 궁구하여 마침을 돌이킨다"는 말을 이해하면 알 수 있습니다. 반드시 원(原)이란 글자에 힘을 들여야 합니다.

어떤 이가 물었다: "혼이 놀아 변하게 된다"에서의 변은 변화의 변입니까?

답하였다: 이미 변하면 있던 것은 없어지고 단단했던 것은 부패하여 아무것도 없어집니다. 귀신의 도리는 이와 같이 여러분에게 말해서 이해하더라도 또한 믿지 못할 것이니, 반드시 스스로 알아야 합니다.

本義

此, 窮理之事. 以者, 聖人以易之書也. 易者, 陰陽而已, 幽明死生鬼神, 皆陰陽之變, 天地之道也. 天文則有晝夜上下, 地理則有南北高深. 原者, 推之於前, 反者, 要之於後. 陰精陽氣, 聚而成物, 神之伸也, 魂游魄降, 散而爲變, 鬼之歸也.

이는 이치를 궁구하는 일이다. '이(以)'는 성인(聖人)이 『주역(周易)』을 사용하는 것이다. 역(易)은 음양일 뿐이니, 유명, 사생, 귀신은 모두 음양의 변화이고 천지의 도(道)이다. 천문(天文)은 주야와 상하가 있고, 지리는 남북과 높고 깊음이 있다. '원(原)'은 앞으로 추구함이고 '반(反)'은 뒤로 탐구해보는 것이다. 음(陰)의 정(精)과 양(陽)의 기(氣)가 모여서 물건을 이룸은 신(神)의 펴짐이고, 혼(魂)이 놀고 백(魄)이 내려와서 흩어져 변함이 귀(鬼)의 돌아감이다.

小註

朱子曰, 觀文察變, 以至知鬼神之情狀, 皆是言窮理之事, 直是要知得許多然後, 謂之窮理.

주자가 말하였다: 천문을 보고 변화를 살피는 것으로부터 귀신의 정상을 안다는 것에 이르기까지 이는 모두 궁리의 일이니 곧 많은 것을 알 수 있은 뒤에야 궁리라고 한다.

○ 仰觀天, 俯察地, 只是一個陰陽. 聖人看許多般物事, 都不出陰陽兩字, 便做河圖洛書, 也只是陰陽.

우러러 보는 하늘과 구부려 살피는 땅은 단지 하나의 음양이다. 성인이 많은 종류의 사물이 모두 음양 두 글자를 벗어나지 않음을 보았으니, 하도·낙서 또한 단지 음양이라고 여겼다.

○ 問, 仰以觀於天文, 俯以察於地理, 是故知幽明之故. 本義云, 天文則有晝夜上下, 地理則有南北高深, 如何. 曰, 故, 是幽明之所以然者. 晝明夜幽, 上明下幽, 觀晝夜之運日月星辰之上下, 日出地上便明, 日入地下便是幽. 天文有半邊在上面, 須有半邊在下面, 可見天文幽明之所以然也. 南明北幽, 高明深幽, 觀南北高深, 可見地理幽明之所以然也. 又曰, 天是陽地是陰, 然天地又自各有陰陽. 天之晝是陽, 夜是陰, 日是陽, 月是陰. 地如高屬陽, 下屬陰, 平坦屬陽, 險阻屬陰, 東南屬陽, 西北屬陰. 幽明便是陰陽.

물었다: "우러러 천문을 보고 구부려 지리를 살피기 때문에 유명의 까닭을 안다"에 대하여 『본의』에서 "천문에는 주야와 상하가 있고 지리에는 남북과 높고 깊음이 있다"고 하였는데 무슨 뜻입니까?

답하였다: 고(故)는 유명의 까닭입니다. 낮은 밝고 밤은 어둡고 위는 밝고 아래는 어두운데, 주야의 운행과 일월성신의 상해[오르내림]를 보면 해가 땅위로 나오면 밝고 해가 땅 아래로 들어가면 어둡습니다. 천문에 반은 윗부분에 있고 반은 아랫부분에 있으니 천문의 어둡고 밝은 까닭을 알 수 있습니다. 남쪽은 밝고 북쪽은 어둡고 높은 곳은 밝고 깊은 곳은 어두운데, 남북과 높고 깊음을 보면 지리의 어둡고 밝은 까닭을 알 수 있습니다.

또 말하였다: 하늘은 양이고 땅은 음이지만 하늘과 땅에 저절로 각각 음양이 있습니다. 하늘의 낮은 양이고 밤은 음이며 해는 양이고 달은 음입니다. 땅은 높은 곳은 양에 속하고 아래는 음에 속하며 평평하고 넓은 곳은 양에 속하고 험하고 막힌 곳은 음에 속하며, 동남은 양에 속하고 서북은 음에 속합니다. 어둡고 밝음이 곧 음양입니다.

○ 問, 原始反終. 曰, 反只如折轉來, 謂推原其始. 摺轉來看其終, 如回頭之義, 是反回來觀其終也.

물었다: "처음을 궁구하여 마침을 돌이킨다"는 무슨 뜻입니까?

답하였다: '반(反)'은 다만 회전(回轉)함이니 그 처음의 근원을 추구함입니다. 회전(回轉)하여 그 마침을 보는 것이 돌이키는 뜻과 같으니 이는 돌이켜서 그 마침을 봄입니다.

○ 精魄也, 耳目之精爲魄, 氣魂也, 口鼻之噓吸爲魂, 二者合而成物. 精虛魄降, 則氣散魂游而无不之矣. 魄爲鬼, 魂爲神, 禮記, 有孔子答宰我問, 正說此理甚詳. 禮記宰我曰, 吾聞鬼神之名, 不知其所謂. 子曰, 氣也者, 神之盛也, 魄也者, 鬼之盛也, 合鬼與神, 敎之至也. 註, 氣謂噓吸出入者也, 耳目之聰明爲魄, 雜書云, 魂人陽神也, 魄人陰神也, 亦可取.

정(精)은 백(魄)이니 이목의 정이 백이 되고, 기(氣)는 혼(魂)이니 구비의 호흡이 혼이 되어 두 가지가 합하여 사물을 이룬다. 정(精)이 허하고 백(魄)이 내리면 기가 흩어지고 혼이 놀아 가지 않는 곳이 없다. 백(魄)이 귀(鬼)가 되고 혼(魂)이 신(神)이 되니 『예기』에 공자의 재아의 질문에 대한 답에서 이 이치를 바르게 설명한 것이 매우 상세하다. 『예기』에서 재아가 묻기를 "제가 귀신의 이름을 들었는데 무얼 말하는지 모르겠습니다"라고 하였다. 공자가 답하기를 "기(氣)는 신(神)의 성함이고 백(魄)은 귀(鬼)의 성함이니 귀와 신을 합함은 가르침의 지극함이다"라고 하였다. 주에 "기는 호흡의 출입을 이르고 이목의 총명함이 백이다" 하였고, 잡서에 이르길 "혼은 사람의 양신이며 백은 사람의 음신이다"하였으니 취할 만하다.

○ 問, 精氣爲物游魂爲變, 曰, 此是兩個合一個離, 精氣合則魂魄合而凝結爲物, 離則陽已散而陰无所歸故爲變. 又曰, 變是魂魄相離, 雖獨說游魂而不言魄, 而離魄之意, 自可見矣. 又曰, 此只是聚散, 聚而爲物神也, 散而爲變鬼也, 神屬陽鬼屬陰. 又錯綜而橫看之, 則精爲陰氣爲陽. 就人身而言, 雖是屬陽, 然體魄已屬陰, 蓋生之中已帶了個死底道理. 變雖屬陽, 然魂氣上游, 體魄下降, 亦自具陰陽. 如言殂落, 升也便是魂之游, 落卽魄之降. 古之祭祀求諸陽, 所以求其魂, 求諸陰, 所以求其魄. 橫渠說, 精氣自无而有, 游魂自有而无, 其說亦分曉. 又曰, 精氣爲物游魂爲變, 此卻知鬼神之情狀. 魂氣升於天, 體魄歸於土, 神氣上升, 鬼魄下降, 不特人也, 凡物之枯敗, 其香氣騰上, 物則腐於下, 推此可見.

물었다: "정기가 물건이 되고 혼이 놀아 변하게 된다"는 무슨 뜻입니까?

답하였다: 이것은 두 가지가 합하고 한 가지가 분리된 것으로 정기가 합하면 혼백이 합하여 응결되어 물건이 되고 분리되면 양은 이미 흩어지고 음은 돌아갈 곳이 없어 변하게 됩니다.

또 답하였다: 변함은 혼백이 서로 분리됨이니, 비록 '노는 혼'만 말하고 '백'은 말하지 않았더

라도 분리된 백(魄)의 뜻은 자연히 볼 수 있습니다.

또 답하였다: 이는 단지 모이고 흩어짐일 뿐이니, 모이면 물건의 신(神)이 되고 흩어지면 변하여 귀(鬼)가 되는데, 신은 양에 속하고 귀는 음에 속합니다. 또 뒤섞어서 나누어 보면 [橫看] 정은 음이고 기는 양입니다. 사람의 몸으로 말하면 [몸은 양이지만 체백은 이미 음에 속하니 나오는 가운데 이미 죽는 도리를 지니고 있습니다. 변함이 비록 양에 속하지만 영혼의 기가 위로 놀면 육체의 백은 아래로 내리니 역시 저절로 음양을 갖춥니다. 마치 '죽었다'고 말하는 것과 같으니 올라감은 혼이 노는 것이고 떨어짐은 백이 내리는 것입니다. 옛날 제사에서 모든 양을 구할 때에는 그 영혼을 청했고 모든 음을 구할 때에는 그 체백을 청했습니다. 장횡거가 말한 "정기는 없음에서 있게 됨이고 유혼은 있음에서 없게 됨이다"란 설도 분명합니다.

또 답하였다: "정기가 물건이 되고 혼이 놀아 변하게 된다"는 것에서 귀신의 정상을 알 수 있습니다. 영혼의 기는 하늘로 오르고 육체의 백은 흙으로 돌아가며 신의 기는 위로 오르고 귀의 백은 아래로 내리니, 사람뿐만이 아니라 모든 물건이 마르고 퇴패해지면 그 향기는 위로 오르고 물건은 아래에서 썩으니 이것으로 미루어 알 수 있습니다.

○ 死則謂之魂魄, 生則謂之精氣, 天地公共底謂之鬼神.

죽었을 때는 혼백이라 하고 살아서는 정기라 하고, 천지의 공통으로 말할 때는 귀신이라 한다.

○ 始終死生, 是以循環言, 精氣鬼神, 是以聚散言. 其實不過陰陽兩端而已.

시종과 사생은 순환으로 말했고, 정기와 귀신은 취산으로 말했지만, 실제는 음양의 두 끝일 뿐이다.

○ 問, 天地之化, 雖生生不窮, 然而有聚必有散, 有生必有死, 能原始而知其聚而生, 則必知其後必散而死, 能知其生也得於氣化之日, 初无精神寄寓於太虛之中, 則知其死也與氣而俱散, 无復更有形象尙留於冥漠之內. 曰, 死便是都散无了. 問, 游魂爲變, 間有爲妖孼者, 是如何得未散. 曰, 游字是漸漸散, 若是爲妖孼者, 多是不得其死, 其氣未散, 故鬱結而成妖孼. 若尫嬴病死底人, 這氣消耗盡了方死, 豈得更鬱結成妖孼, 然不得其死者久之亦散. 又如其取精多, 其用物弘, 如伯有者, 亦是卒未散也.

물었다: 천지의 조화가 비록 낳고 낳아 다함이 없지만 모이면 반드시 흩어지고 나면 반드시 죽으니, 처음을 궁구하여 모여서 나오는 것을 알면 그 뒤에는 반드시 흩어져 죽는 것을 확실히 알고, 나옴에 기운으로 화생되는 때 애초에는 태허(太虛)에 깃들어있는 정신이 없었음을 알면 죽을 때 기와 더불어 함께 흩어져 다시는 어둡고 아득한 속에 남아있는 형상(形象)이

있지 않음을 아는 것입니까?

답하였다: 죽으면 곧 모두 흩어져 없어집니다.

물었다: "혼이 놀아 변하게 되었다"고 하는데 간간이 요얼(妖孽)이 되는 것이 있는데 이것은 왜 흩어지지 않습니까?

답하였다: '유(游)'자는 점점 흩어짐이니 그런 요얼같은 것들은 대부분 제대로 죽지 못해서 그 기가 흩어지지 않기 때문에 꽉 맺혀서 요얼이 됩니다. 등이 굽어지며 말라서 병에 걸려 죽는 사람이 기운이 소진되어 버려 죽는 마당에 어떻게 꽉 맺혀서 요얼이 되겠습니까? 설사 제대로 죽지 못했다 하더라도 오래되면 역시 흩어집니다. 또 만약 정을 취함이 많고 물건을 사용함이 넓으면 백유[123]처럼 끝내 흩어지지 못합니다.

○ 問, 精氣爲物, 陰精陽氣, 聚而成物, 此總言神, 游魂爲變, 魂游魄降, 散而成變, 此總言鬼, 疑錯綜而言. 曰, 然, 此所謂人者, 鬼神之會也.

물었다: "정기가 물건이 된다"는 음정과 양기가 모여서 물건을 이루는데 이를 모두 신이라 하였고, "혼이 놀아 변하게 된다"는 혼이 놀고 백은 내려서 흩어져 변함을 이루는데 이를 모두 귀라 하였으니, 섞어서 말한 듯합니다.

답하였다: 그렇습니다. 이것이 이른바 '사람은 귀와 신의 모임'이라는 것입니다.

○ 張子曰, 精氣者自无而有, 游魂者自有而无. 自无而有神之情也, 自有而无鬼之情也. 自无而有, 故顯而爲物, 神之狀也, 自有而无, 故隱而爲變, 鬼之狀也.

장자가 말하였다: 정기는 없음에서 있게 되는 것이고 유혼(游魂)은 있음에서 없게 되는 것이다. 없음에서 있게 됨은 신(神)의 정상(情狀)이고 있음에서 없게 됨은 것은 귀(鬼)의 정상이다. 없음에서 있게 되어 드러나 물건이 되니 신의 정상(情狀)이고 있음에서 없게 되어 숨어서 변하게 되니 귀의 정상이다.

○ 漢上朱氏曰, 陰陽之精五行之氣, 氣聚爲精, 精聚爲物, 及其散也, 五行陰陽各還其本, 故魂陽反於天, 魄陰歸於地.

한상주씨가 말하였다: 음양의 정과 오행의 기운은 기가 모여 정(精)이 되고 정이 모여 물(物)이 되며, 흩어질 때에는 오행과 음양이 각기 그 근본으로 돌아가기 때문에 영혼의 양은 하늘로 돌아가고 체백의 음은 땅으로 돌아간다.

○ 誠齋楊氏曰, 鬼神无聲无臭, 何爲而有狀, 狀且无也, 何爲而有情. 曰, 物者具是形

---

123) 백유(伯有): 『춘추좌씨전』 소공 7년 조에 나오는 인물로 상경백유(相驚伯有) 고사의 주인공임.

者也, 魂者使是形者也. 魂止則物存, 魂游則物亡, 游者止之變也, 亡者存之變也, 觀其聚散則鬼神之情狀可知矣. 記曰, 鬼神之德其盛矣乎, 視之不見, 聽之不聞, 體物而不可遺, 洋洋乎如在其上, 如在其左右, 此其狀也. 易曰, 與鬼神合其吉凶, 又曰鬼神害盈而福謙, 此其情也.

성재양씨가 말하였다: 귀신은 소리도 없고 냄새도 없는데 어떻게 형상이 있겠으며 형상도 없는데 어떻게 실정이 있을까? 말하자면, 물건은 형체이고 혼은 이 형체를 부리는 것이다. 혼이 그쳐있으면 물건이 존재하고 혼이 놀면 물건은 없어지는데, 노는 것은 그쳐있음의 변함이고 없어짐은 존재함의 변함이니, 모이고 흩어짐을 보면 귀신의 정상을 알 수 있다. 『예기』에서 "귀신의 덕은 성대하구나! 보아도 보이지 않고 들어도 들리지 않지만 만물의 몸체가 되어 남김이 없다. 가득 찬 듯이 위에 있는 듯하고 좌우에 있는 듯하다"고 하였으니 이것이 그 형상이다. 『주역』에서 "귀신과 더불어 길흉을 합한다"고 하고, 또 "귀신은 가득참을 해쳐서 겸손한 데 복을 준다"고 하였으니 이것이 그 실정이다.

○ 建安丘氏曰, 天文謂氣之所成, 日月星辰之類, 以其在上, 仰觀則見. 地理謂形之所成, 高下流峙之類, 以其在下, 俯察則知. 察者觀之詳, 此曰觀而彼曰察者, 天文屬陽, 陽明也, 明者易見故可觀, 地理屬陰, 陰幽也, 幽者難知故當察. 故, 所以然也, 人於仰觀俯察之中而求天地所以然之故, 則幽明之理可識矣. 夫有死必有生, 有生必有死, 晝夜之常耳. 人能推原其始於未生之前, 而反觀其終於已死之後, 則始何爲而生, 終何爲而死, 而死生之理可得而見矣. 說, 謂原其理也.

건안구씨가 말하였다: 천문은 기운으로 이루어진 일월성신의 종류로 위에 있기 때문에 우러러 보면 보인다. 지리는 형체로 이루어진 높고 낮은 물과 산의 종류로 아래에 있기 때문에 구부려 살피면 안다. 살핌은 보는 것의 상세함인데 여기에서는 '본다'고 하고 저기에서는 '살핀다'고 한 것은, 천문은 양에 속하고 양은 밝아서 밝은 것은 보기 쉽기 때문에 볼 수 있는데, 지리는 음에 속하고 음은 어두워서 알기 어렵기 때문에 살펴야 한다. '까닭'은 소이연(所以然)이니 사람이 우러러보고 구부려 살피는 가운데 천지가 그렇게 된 까닭을 알기에 어둡고 밝은 이치를 알 수 있다. 죽음이 있으면 반드시 나옴이 있고 나옴이 있으면 반드시 죽음이 있으니 낮과 밤의 일정함일 뿐이다. 사람이 낳기 전의 처음을 미루어 궁구하고 이미 죽은 뒤의 마침을 돌이켜보면 처음에는 어떻게 해서 낳고 마침에는 어떻게 해서 죽는지 사생의 이치를 볼 수 있다. '설(說)'은 그 이치를 궁구한 것이다.

○ 雲峯胡氏曰, 上文言易具陰陽之理, 此言聖人用易以窮陰陽之理. 易不曰陽陰而曰陰陽, 此所謂幽明死生鬼神卽陰陽之謂也. 卽天地而知幽明之故, 卽始終而知死生之說, 卽散聚而知鬼神之情狀, 皆聖人窮理之事.

운봉호씨가 말하였다: 윗 글에서 역이 음양의 이치를 갖춤을 말했는데 여기서는 성인이 역을 사용하여 음양의 이치를 궁리함을 말했다. 역에서 양음이라 하지 않고 음양이라 하니 여기의 이른바 유명·사생·귀신이 음양을 말한다. 천지에 나아가 유명의 원인을 알고 시종에 나아가 사생의 이론을 알고 취산에 나아가 귀신의 정상을 앎은 모두 성인이 궁리하는 일이다.

‖韓國大全‖

조호익(曺好益)『역상설(易象說)』

仰以觀於天文, 俯以察於地理, 是故, 知幽明之故.

우러러 천문을 관찰하고 구부려 지리를 살핀다. 그러므로 유명의 원인을 안다.

天陽故明, 地陰故幽, 謂觀天地而知幽明之所以然. 至於本義, 晝夜南北之說, 則謂天地又各有陰陽也.

하늘은 양(陽)이므로 밝고, 땅은 음(陰)이므로 어두우니, 하늘과 땅을 살펴서 어둠과 밝음의 원인을 아는 것을 이른 것이다. 『본의(本義)』의 주야(晝夜)와 남북(南北)의 설은, 하늘과 땅에는 다시 각각 음양이 있음을 말한다.

이현익(李顯益)「주역설(周易說)」

漢上朱氏, 以精氣分陰陽五行, 又謂氣聚爲精, 精聚爲物, 殊不知精是陰, 氣是陽, 而五行亦各有精氣矣. 精與氣, 旣是陰陽, 則又不當以氣聚爲精言也. 且謂及其散也, 五行陰陽, 各還其本, 此又是歸根返原之說也.

한상주씨가 정(精)과 기(氣)를 음양과 오행으로 구분하고, 또 "기(氣)가 모여 정(精)이 되고 정이 모여 기가 된다"고 한 것은 정(精)이 음이고 기(氣)가 양이며, 오행에도 각각 정과 기가 있음을 절대로 모르는 것이다. 정과 기가 이미 음과 양이라면, 다시 '기가 모여 정이 된다'고 말해서는 안 된다. 또한 "흩어질 때에는 오행과 음양이 각각 그 근본으로 돌아간다"고 한 이것이 바로 근원으로 돌아간다는 설이다.

박치화(朴致和) 「설계수록(雪溪隨錄)」

仰以觀於一節, 承上文與天地準言, 聖人法天地作易之故也. 聖人作易, 觀於天文, 察
於地理, 故易之爲書, 可知幽明之故也, 察於天地四時之始終, 故易之爲書, 可知死生
之說也, 察於天地萬物之變化, 故易之爲書, 可知鬼神之情狀也. 一承一謂[124]胃, 以說
易與天地準之義也.

"우러러 관찰한다"는 한 구절은 "천지를 준칙으로 삼았다"는 위의 글을 이어서 말한 것이니,
성인이 천지를 본받아 역(易)을 지은 까닭이다. 성인은 역을 지음에 천문을 관찰하고 지리
를 살폈기 때문에 『주역』이라는 책은 어둠과 밝음의 원인을 알 수 있으며, 천지와 사시(四
時)의 시종을 살폈기 때문에 『주역』이라는 책은 죽음과 삶의 설을 알 수 있으며, 천지의
만물의 변화를 살폈기 때문에 『주역』이라는 책은 귀신의 정상을 알 수 있다. 한번은 잇고
한번은 말하면서 '역은 천지를 준칙으로 삼았다'는 뜻을 설명하였다.

○ 易則陰陽也, 故知幽明死生鬼神之事也.
역은 음과 양이기 때문에 어둠과 밝음, 죽음과 삶, 귀와 신의 일을 알 수 있다.

○ 游魂爲變者, 漸漸消散而變滅也.
"혼이 돌아다녀 변하게 된다"는 점차 흩어져서 변해 사라짐이다.

○ 游者, 氣散, 飄揚之意也. 變者, 變其本體也, 變對物而言也.
'유(游)'는 기의 흩어짐이니, 휘날린다는 뜻이다. '변(變)'은 그 본체가 변함이니, 변함은 사물
에 상대하여 말한 것이다.

○ 魄降小註, 非魄之降也. 魂升於天, 則體魄自墜於地, 故謂之降也.
'백(魄)의 내려옴'에 대한 소주는 백(魄)이 내려온다는 것이 아니다. 정신의 혼(魂)이 하늘로
올라가면 육체의 백이 저절로 땅에 떨어지기 때문에 '내려온다'고 한 것이다.

○ 死則謂之魂魄 生則謂之精神
죽었으면 '혼백(魂魄)'이라 하고, 살아 있으면 '정신(精神)'이라 한다.

---

124) 謂: 경학자료집성DB와 영인본에는 '胃'로 되어 있으나, 문맥을 살펴 '謂'로 바로잡았다.

이익(李瀷) 『역경질서(易經疾書)』

日月星辰, 一往一來, 天文之幽明也, 山川草木, 一盛一衰, 地理之幽明也. 其故何也. 天道至健, 斡旋無息. 故萬物莫不往復不窮, 是不獨知其幽明, 必須推究其所以然之故矣. 物有盛衰, 從其盛時推原, 而得其所以始, 則又將旋反, 而得其所以終, 是卽死生之說也. 氣之精者爲物, 則精氣者, 以其始而言也, 物生則有魂, 魂者氣之靈也, 遊[125]者散之端也, 散則有終. 其端兆於極盛, 遊魂者, 攄盛極復衰而言也. 當物之始, 只有氣, 物旣生則魂爲主. 故改氣言魂, 而遊則必至於終, 所謂變也. 自物始之精氣至於盛, 爲神之伸, 自盛極之遊魂至於終, 爲鬼之歸. 情者, 理之妙, 狀者, 氣之體. 從天地而知幽明, 從幽明而知死生, 從死生而知鬼神.

일월성신(日月星辰)이 한번 가고 한번 옴이 하늘 문장의 어둠과 밝음이고, 산천초목이 한번 흥성하고 한번 쇠퇴함이 땅 이치의 어둠과 밝음이다. 그 까닭은 어째서인가? 천도는 지극히 강건하여 순환함이 그침이 없다. 그러므로 만물이 끝없이 왕복하지 않음이 없으니, 다만 그 어둠과 밝음을 알 뿐만이 아니라, 반드시 그것이 그러한 연고를 미루어 궁구해야 한다는 것이다. 사물에는 흥성함과 쇠퇴함이 있는데, 흥성한 때로부터 근원을 미루어 그것이 시작된 까닭을 터득한다면 다시 장차 돌이켜서 그것이 마치는 까닭을 터득할 것이니, 이것이 바로 죽음과 삶의 설이다. 기운의 정밀한 것이 사물이 되니, '정기(精氣)'는 그 시작을 말하며, 사물의 태어나면 혼이 있는데 '혼(魂)'은 기운의 신령함이고, '유(遊)'[126]는 흩어짐의 단서인데 흩어지면 마침이 있다. [흩어짐의] 단서는 지극히 흥성할 때에 나타나니, '혼이 흩어짐[遊魂]'은 흥성함이 지극하면 다시 쇠퇴한다는 측면에서 말한 것이다. 사물이 시작될 때에는 기운만 있을 뿐이지만, 사물이 이미 태어나면 혼이 주인이 된다. 그러므로 기운을 고쳐서 혼이라 하는데, 흩어지면 반드시 마침에 이르니 이른바 '변함'이다. 사물이 시작되는 정밀한 기운으로부터 성대함에 이르기까지는 '신(神)'의 펼쳐짐이 되고, 성대함이 지극하여 혼이 흩어질 때부터 마침에 이르기까지는 '귀(鬼)'의 돌아감이 된다. '정(情)'이란 이치의 오묘함이고, '상(狀)'이란 기운의 몸체이다. 천지를 따라서 어둠과 밝음을 알고, 어둠과 밝음을 따라서 죽음과 삶을 알고, 죽음과 삶을 따라서 귀와 신을 안다.

유정원(柳正源) 『역해참고(易解參攷)』

仰以 [至] 情狀.

---

125) 遊: 이익의 글에 나오는 '遊'를 경학자료집성DB에는 '逰'로 입력했는데, 경학자료집성 영인본을 참조하여 모두 '遊'로 바로잡았다.

126) 遊: 「계사전」 경문은 '유(游)'자로 되어 있는데, 이익은 항상 '유(遊)'자를 사용함.

우러러 … 정상을 안다.

正義, 天有懸象, 而成文章, 故稱文, 地有山川原濕, 各有條理, 故稱理.
『주역정의』에서 말하였다: 하늘에는 영상이 걸려 있어 문장을 이루므로 '무늬[文]'라고 하였고, 땅에는 산·내·언덕·습지가 있어 각각 조리가 있으므로 '이치[理]'라고 하였다.

○ 張子曰, 動物本乎天, 以呼吸, 爲聚散之漸, 植物本諸地, 以陰陽升降, 爲聚散之漸.
장자가 말하였다: 동물은 하늘에 근본하면서 내쉼과 들이쉼으로 모임과 흩어짐의 진행을 삼고, 식물은 땅에 근본하면서 음과 양의 오름과 내림으로 모임과 흩어짐의 진행을 삼는다.

○ 陰陽之氣, 散則萬殊, 人莫知其一也, 合則渾然, 人莫知其殊也. 形聚爲物, 形潰反原, 反原者, 其游魂爲變歟. 所謂變者, 對聚散存亡爲文, 非如螢雀之化, 指前後身而爲說也. 知晝夜陰陽, 則能知性命, 能知性命, 則能知鬼神. 〈案, 形潰反原之說, 中庸或問, 辨其非, 讀者詳之〉
음양의 기운은 흩어지면 만 가지로 달라져서 사람들이 그것이 하나임을 알지 못하고, 합쳐지면 혼연하여 사람들이 그것이 다름을 알지 못한다. 형체가 모이면 사물이 되고 형체가 흩어지면 근원으로 돌아가는데, 근원으로 돌아간다는 것이 그 "혼이 돌아다녀 변하게 된다"는 것인 듯하다. 이른바 '변함'은 모임과 흩어짐, 존재함과 없어짐에 상대하는 글이니, 형작(螢雀)의 변화와 같이 앞뒤의 몸을 가리켜 말하는 것이 아니다. 낮과 밤, 음과 양을 알면 성명(性命)을 알 수 있고, 성명을 알 수 있으면 귀신을 알 수 있다. 〈내가 살펴보았다: '형체가 흩어지면 근원으로 돌아간다'는 설은 『중용혹문』에서 그릇됨을 변별하였으니, 읽는 자는 자세히 보아야 한다〉

○ 漢上朱氏曰, 形始化曰魄, 氣始動曰魂, 傳曰心之精爽, 是謂魂魄, 子產曰, 人生始化曰魄, 旣生魄陽曰魂. 及其散也, 形散而魄降, 故季札曰, 魂氣无不之也. 神伸也, 其氣息〈疑聚〉而日息, 鬼歸也, 其氣散而日消. 物其形也, 散其情也. 然則氣何從而生乎. 曰太虛, 氣之本體. 人之形也, 動則聚而爲氣, 靜則散而爲太虛, 動靜聚散, 有形无形, 其鬼神之情狀乎.
한상주씨가 말하였다: 형체가 처음으로 이루어지면 '백(魄)'이라 하고, 기운이 처음으로 움직이면 '혼(魂)'이라 하니, 「좌전」에서는 "마음의 정상(精爽)을 혼백이라 한다"[127]고 하고, 자산[128]은 "사람이 태어나 처음으로 이루어지면 백(魄)이라 하고, 이미 태어나면 백(魄)의

---

127) 이러한 기사는 『춘추좌씨전·소공(昭公)』 25년에 보인다.

양기(陽氣)를 혼(魂)이라 한다"[129]고 하였다. 흩어지게 되면 형체가 흩어지고 백(魄)이 내려가므로 계찰[130]은 "혼의 기운은 가지 않음이 없다"고 하였다. '신(神)'은 펼쳐짐이니 기운이 자라고〈'자라고[息]'는 '모여서[聚]'로 의심됨〉날로 자라남이며, '귀(鬼)'는 돌아감이니 기운이 흩어져 날로 사라짐이다. 물(物)은 그것의 형체이고, 흩어짐은 그것의 실정이다. 그렇다면 기운은 어디로부터 나오는가? 말하자면 태허(太虛)이니, 기운의 본체이다. 사람의 형체는 움직이면 모여서 기운이 되고, 고요하면 흩어져서 태허가 되니, 움직임과 고요함, 모임과 흩어짐, 형체 있음과 형체 없음은 귀신의 정상이로다!

○ 思誠齋鄭氏曰, 原者, 推究其本也, 反猶覆也, 謂以其始者, 而覆觀之也. 生者, 物之始, 死者, 物之終, 推究其始, 而知所以生, 則反觀其終, 而知所以死矣.
사성재정씨가 말하였다: '원(原)'은 그 근본을 추구함이고, '반(反)'은 뒤집음과 같으니 그것이 시작된 것으로 뒤집어서 살핌을 말한다. '생(生)'은 사물의 시작이고, '사(死)'는 사물의 마침이니, 그 시작을 추구하여 태어나는 까닭을 안다면, 그 마침을 돌이켜 살펴서 죽는 까닭을 알 수 있을 것이다.

○ 案, 朱子曰, 以二氣言, 則鬼者陰之靈也, 神者陽之靈也. 以一氣言, 則至而伸者爲神, 反而歸者爲鬼, 本義所謂陰精陽氣, 魂游魄降, 以二氣言也, 聚而成物, 散而爲變, 以一氣言也. 蓋天地間, 都是陰陽之屈伸, 而萬物各是氣中之許多形色. 其陽氣爲魂, 卽是神也, 陰精爲魄, 卽是鬼也. 魂聚氣凝而有生, 魂升魄降而有死. 凡百物之生也, 氣萌而形滋, 其枯敗也, 氣上而形腐, 卽是二氣之合散也. 氣之滋長, 卽是神也, 氣之衰謝, 卽是鬼也. 凡百物之生死呼吸榮悴開落, 與夫雨露風霆動靜闔闢晝夜寒暑, 都是一氣之往來也.
내가 살펴보았다: 주자가 "두 기운으로 말하면 귀(鬼)는 음(陰)의 신령함이고 신(神)은 양(陽)의 신령함이다. 한 기운으로 말하면 지극하여 펼쳐진 것은 신(神)이 되고, 돌이켜 돌아가는 것은 귀(鬼)가 된다"[131]고 하였으니, 『본의』의 이른바 '음의 정수'와 '양의 기운', '혼의 떠돌아다님'과 '백의 내려옴'은 두 기운으로 말한 것이고, '모여서 물건을 이루고 흩어져 변하

---

128) 자산(子産, 기원전 585년경~기원전 522년): 춘추시대(春秋時代) 정(鄭)나라의 재상으로 성은 희(姬), 이름은 교(僑)며, 자산(子産)은 자이다.

129) 이러한 기사는 『춘추좌씨전·소공(昭公)』 7년에 보인다.

130) 계찰(季札, ?~?): 춘추 시대 오(吳)나라 사람으로 공자찰(公子札) 또는 연릉(延陵)에 봉해져 연릉계자(延陵季子)라고도 한다. 나중에 또 주래(州來)에 봉해져 연주래계자(延州來季子)라고도 한다. 오왕(吳王) 수몽(壽夢)의 넷째 아들이다.

131) 『中庸章句』.

게 됨'은 한 기운으로 말한 것이다. 대체로 천지의 사이는 모든 것이 음양의 굽힘과 폄이니, 만물은 각각 기(氣) 속의 허다한 형색인 것이다. 그 양의 기운은 혼(魂)이 되니 바로 '신(神)' 이고, 음의 정수는 백(魄)이 되니 바로 '귀(鬼)'이다. 혼이 모이고 기운이 응결되면 삶이 있고, 혼이 올라가고 백이 내려가면 죽음이 있다. 온갖 사물의 삶은 기운이 싹터서 형체가 자라남이고, 그것이 시들어 없어지면 기운이 올라가고 형체가 부패하니, 바로 두 기운의 합침과 흩어짐이다. 기운이 자라남이 바로 신이고, 기운의 쇠락함이 바로 귀이다. 온갖 사물의 삶과 죽음, 들이쉼과 내쉼, 영화와 초췌, 열림과 떨어짐이나 비·이슬·바람·우레의 움직임과 고요함, 닫힘과 열림, 낮과 밤, 추위와 더위는 모두 한 기운의 왕래인 것이다.

송능상(宋能相) 「계사전질의(繫辭傳質疑)」

仰以觀於天文, 俯以察於地理, 本義以爲以者聖人以易之書也, 可疑也. 此以字, 旣係於仰俯之下, 固是泛然承起之辭也. 況原始以下, 竟不引擧, 有與前後諸章, 其例不同焉. 蓋此下三段, 皆所以發明易書與天地準者, 而易書功用, 必待聖人而後可見. 故其所論, 只皆聖人之事, 而易之廣大, 因以著明, 聖人與易, 豈有二哉. 一章文義, 固自圓足, 似不必實此孤單二以字之意, 而後始成連合矣.

"우러러 [이로써] 천문을 관찰하고, 구부려 [이로써] 지리를 살핀다"의 '이로써[以]'에 대해 『본의』는 '성인이 『역』이라는 책을 쓰는 것'으로 간주하였는데, 의심할 만하다. 여기의 '이로써[以]'는 이미 우러름과 구부림의 아래에 연계되어 있으니, 범범하여 이어가는 말이다. 하물며 "처음을 궁구한다"부터는 다시 거론하지 않고 있으니, 앞뒤의 여러 장과는 그 범례가 같지 않다. 대체로 이 아래의 세 단락은 모두 역서와 천지가 같음을 발명한 것인데, 역서의 공용은 반드시 성인을 기다린 뒤에야 알 수 있다. 그러므로 논의가 모두 성인의 일일 뿐이고, 역의 광대함도 이를 의거하여 드러나니, 성인과 역이 어찌 둘이겠는가? 한 장의 글의 뜻이 참으로 본래 원만하여 실제로 단편적인 두 번의 '이로써[以]'의 뜻이 필요치 않은 듯하니, 이런 뒤에야 비로소 합쳐지게 될 것이다.

김상악(金相岳) 『산천역설(山天易說)』

天文氣之所成, 地理形之所成. 故仰觀俯察而知幽明之故. 原始反終, 謂推之於前, 要之於後也. 精氣聚而爲物, 神之伸也, 魂魄散而爲變, 鬼之歸也.

천문(天文)은 기운이 이룬 것이고, 지리(地理)는 형체가 이룬 것이다. 그러므로 우러러 관찰하고 구부려 살펴서 어둠과 밝음의 원인을 아는 것이다. "처음을 궁구하여 마침을 돌이킨다"는 앞으로 미루어서 뒤에서 요약함을 말한다. 정기가 모여서 사물이 됨은 신(神)이 펼쳐짐이고, 혼백이 흩어져 변하게 됨은 귀(鬼)의 돌아감이다.

박윤원(朴胤源) 『경의(經義)·역경차략(易經箚略)·역계차의(易繫箚疑)』

此章第二節, 卽言窮理之事. 知幽明之故, 則以觀察言工夫, 知死生之說, 則以原反言工夫, 知鬼神之情狀, 則獨不言工夫, 何歟. 精氣爲物, 游魂爲變, 是鬼神之體段, 則知之工夫, 果在何處歟. 語鬼神, 不曰性情, 而曰情狀, 何歟. 情狀字與中庸鬼神之德之德字, 無少異同歟.

이 장의 두 번째 구절은 궁리(窮理)의 일을 말하였다. 유명(幽明)의 원인을 아는 것은 관찰로써 공부를 말했고, 생사(生死)의 설을 아는 것은 추원함과 돌이킴으로 공부를 말했는데, 귀신의 정상을 아는 것은 홀로 공부를 말하지 않았으니 어째서인가? 정기(精氣)가 사물이 되고 혼(魂)이 돌아다녀 변하게 됨은 귀신의 본 모습이니, 아는 공부가 과연 어디에 있단 말인가? 귀신을 말하면서 '성정(性情)'이라 하지 않고, '정상(情狀)'이라 한 것은 어째서인가? '정상'이라는 말과 『중용』에 나오는 '귀신의 덕'의 '덕(德)'이라는 말은 조금의 차이도 없는 것인가?

윤행임(尹行恁) 『신호수필(薪湖隨筆)·역(易)』

天之文, 顯然也, 地之理, 窅然也, 知天之所以顯然, 地之所以窅然, 則幽明之故在於此. 所謂故者, 迹也, 因其迹, 溯其始, 要其終, 則陰陽聚而成形者物也, 魂魄散而爲變者鬼也. 故精氣爲始, 遊魂爲終, 物爲始, 變爲終. 始則由乎天, 終則歸乎地, 魂則上升, 魄則下降, 魂則陽也, 魄則陰也.

하늘의 무늬는 분명하고 땅의 이치는 아득한데, 하늘이 분명하고 땅이 아득한 까닭을 안다면 어둠과 밝음의 원인이 여기에 있다. 이른바 '원인[故]'은 자취인데, 그 자취에 의거하여 그 시작을 찾아내고 그 마침을 요약한다면, 음양이 모여서 형체를 이룬 것은 사물이고, 혼백이 흩어져 변하게 된 것이 귀신이다. 그러므로 정기(精氣)는 시작이 되고, 유혼(遊魂)은 마침이 되며, 사물은 시작이 되고, 변함은 마침이 된다. 시작은 하늘에 연유하고 마침은 땅으로 돌아가기에 혼(魂)은 상승하고 백(魄)은 하강하니, 혼은 양이고 백은 음이다.

심대윤(沈大允) 『주역상의점법(周易象義占法)』

鬼神者, 陰陽之屈信, 相感而生者也, 故曰鬼神. 陰陽之氣, 相感而神生, 陰陽之形, 相接而精生, 天地之神精者, 造化之謂也. 以言天之禍福, 則曰鬼神, 鬼神者, 禍福之主也. 凡人之爲善, 天地之吉氣, 應之而爲福, 爲不善, 天地之邪氣, 應之而爲禍. 人與天地, 相感而爲禍福, 此之謂天地鬼神也. 人稟天地之氣, 以爲神精, 心與事物接, 而精氣生焉, 曰魄. 形籠氣而不散, 則明而爲人, 魄籠魂而不散, 則幽而爲鬼神, 形殘則死, 魄消則散. 稟氣實則魂盛, 用物多則魄强, 魂盛則魄亦强, 魄强則魂久而不散. 氣爲神, 神爲魂, 形生精, 精生魄. 魂随稟而異, 魄随行而殊, 爲明神爲厲鬼爲怪物.

'귀신(鬼神)'은 음양의 굴신(屈伸)이 서로 감응하여 나오는 것이므로 '귀신'이라고 한다. 음양의 기운이 서로 감응하면 신(神)이 나오고, 음양의 형체가 서로 접촉하면 정(精)이 나오니, 천지의 신(神)과 정(精)은 조화를 말한다. 이것으로 하늘의 화복(禍福)을 말하면 '귀신'이라 하니, 귀신은 화복의 주체이다. 무릇 인간이 선하면 천지의 길(吉)한 기운이 감응하여 복(福)이 되고, 선하지 못하면 천지의 나쁜 기운이 감응하여 화(禍)가 된다. 사람과 천지가 서로 감응하여 복과 화가 되는데, 이것을 '천지의 귀신'이라고 한다. 사람이 천지의 기운을 받아서 신(神)과 정(精)이 되는데, 마음이 사물과 접촉하여 정기(精氣)가 나온 것을 '백(魄)'이라 한다. 형체가 기운을 싸고서 흩어지지 않으면 밝아서 사람이 되고, 백(魄)이 혼(魂)을 싸고서 흩어지지 않으면 어두워 귀신이 되는데, 형체가 잔멸하면 죽고, 백(魄)이 사라지면 흩어진다. 기운을 받음이 실하면 혼(魂)이 성대하고, 사물에 씀이 많으면 백(魄)이 강대하며, 혼이 성대하면 백도 강성하고, 백이 강대하면 혼이 오래도록 흩어지지 않는다. 기운은 신(神)이 되고 신은 혼(魂)이 되며, 형체는 정(精)을 낳고 정은 백(魄)을 낳는다. 혼은 받은 것을 따라서 달라지고, 백은 운행을 따라서 달라지니, 밝은 신(神)이 되기도 하고, 사나운 귀(鬼)가 되기도 하고, 괴기한 사물이 되기도 한다.

人者, 氣之形也, 鬼者, 形之氣也, 人者, 有形之氣也, 鬼者, 无形之人也. 凡人之爲善, 吉神應之而爲祥, 爲不善, 凶神應之而爲孽, 能助天之鬼神而行禍福, 是故通謂之鬼神, 在天曰造化, 在人曰精神, 在幽曰魂魄, 其理一也. 氣生形, 形生精, 精生魄, 故曰精氣爲物, 精氣者, 陰氣也, 用物之所生也. 邵子曰, 鬼有形, 以其有形而非形, 故曰物. 百物之精, 凝而爲魄, 以成鬼物, 故曰物. 人稟天地之氣以生形, 氣随形而異, 氣之清者爲神, 神随精而異, 神之靈者爲魂, 魂随魄而異. 是以明有萬物, 幽有百物. 故曰遊魂爲變, 游魂者, 陽氣也. 陽氣一而不斷, 陰氣滅而復生, 氣也神也魂也者, 一而不斷而變化者也, 形也精也魄也者, 滅而復生而本於一者也. 變者, 非陽氣之有變易也, 随形與精與魄而異焉也. 是故鬼神之情, 聰明正直, 而誠一矣, 鬼神之狀, 随其精魄, 而不同矣. 飮食之滋養, 能益形補精, 故人頼以生, 鬼神頼以久. 是以先王重祭祀之禮, 中庸以廟享, 爲鬼神之福, 子孫之孝者, 是也. 此章以言易之與鬼神, 合其吉凶也.

사람은 기운의 형체이고, 귀(鬼)는 형체의 기운이니, 사람은 형체가 있는 기운이고, 귀는 형체가 없는 사람이다. 무릇 사람이 선하면 길한 신(神)이 호응하여 상서롭고, 선하지 못하면 흉한 신이 호응하여 재앙이 되어 하늘의 귀신을 도와서 화복을 행할 수 있으므로 함께 '귀신'이라고 하는데, 하늘에 있어서는 '조화'라고 하고, 사람에 있어서는 '정신'이라 하고, 어둠에 있어서는 '혼백'이라 하니, 그 이치는 하나이다. 기운은 형체를 낳고 형체는 정(精)을 낳고 정은 백을 낳기 때문에 "정기가 사물이 된다"고 하였는데, 정기는 음기로 사물에 써서 나오는 것이다. 소자는 "귀(鬼)는 형체가 있다'고 하였는데, 그것은 형체가 있으면서 형체가 아니기 때문에 '물(物)'이라고 한다. 온갖 사물의 정(精)은 응결되어 백(魄)이 되어서 귀물을 이루기 때문에 '물'이라고 한다. 사람은 천지의 기운을 받아서 형체가 나오는데 기운은 형체를 따라서 달라지며, 기운의 맑은 것이 신(神)이 되는데 신은 정(精)을 따라서 달라지며, 신의 신령한 것이 혼이 되는데 혼은 백에 따라서 달라진다. 이 때문에 밝은 데에도 만물이 있고 어두운 데에도 백물이 있다. 그러므로 "떠도는 혼[游魂]이 변하게 된다"고 하였는데, 유혼은 양기이다. 양기는 한결같아 끊임없고, 음기는 소멸했다가 다시 나오니, 기운·신(神)·혼(魂)은 한결같아 끊임없이 변하는 것이고, 형체·정(精)·백(魄)은 소멸했다가 다시 나오며 하나에 근본하는 것이다. 변하는 것은 양기의 변역이 아니라, 형체나 정(精)이나 백(魄)에 따라서 달라지는 것이다. 이 때문에 귀신의 실정은 총명하고 정직하며 참으로 한결같지만, 귀신의 정상은 그 정(精)과 백(魄)을 따라서 같지 않다. 음식의 양분이 형체에 유익하고 정(精)에 보탬이 되기 때문에 사람이 자뢰하여 태어나고, 귀신이 자뢰하여 오래간다. 이 때문에 선왕이 제사의 예절을 중히 하고, 『중용』에서 종묘의 제사를 귀신의 복이고 자손의 효로 여긴 것이 이것이다. 이 장은 역(易)이 귀신과 더불어 그 길흉을 합하였음을 말하였다.

오치기(吳致箕) 「주역경전증해(周易經傳增解)」

天有日月星辰之文章, 地有山嶽江川之條理. 至於一幽一明一死一生一鬼一神, 莫不有理, 而聖人無不知之也, 此言聖人之窮理也.

하늘에는 일월성신(日月星辰)의 문장이 있고, 땅에는 산악강천(山嶽江川)의 조리가 있다. 하나의 어둠과 밝음, 하나의 죽음과 삶, 하나의 귀와 신에까지 이치가 있지 않음이 없는데, 성인이 알지 못함이 없으니 이는 성인의 궁리를 말한 것이다.

與天地相似, 故, 不違, 知(智)周乎萬物而道濟天下, 故, 不過, 旁行而不流, 樂天知命, 故, 不憂, 安土, 敦乎仁, 故, 能愛.

천지와 더불어 서로 같으므로 어기지 않으니, 지혜가 만물(萬物)에 두루하고 도(道)가 천하를 구제하기 때문에 지나치지 않으며, 사방으로 행하되 흐르지 아니하여 천리(天理)를 즐거워하고 천명(天命)을 알기 때문에 근심하지 않으며, 자리에 편안하여 인(仁)을 돈독히 하기 때문에 사랑할 수 있다.

‖ 中國大全 ‖

小註

程子曰, 樂天知命, 通上下之言也. 聖人樂天則不須言知命, 知命者, 知有命而信之者爾. 不知命无以爲君子, 是已. 命者, 所以輔義, 一循於義則何庸斷之以命哉. 若夫聖人之知天命則異如此.

정자가 말하였다: 천리를 즐기고 천명을 안다는 것은 상하를 통하여 말하였다. 성인이 천리를 즐기면 천명을 아는 것은 말할 필요가 없으니 천명을 안다는 것은 천명이 있음을 알아서 믿는 것이다. “천명을 알지 못하면 군자가 될 수 없다”[132]는 말이 이것이다. 명은 의리를 돕는 것이니, 한결같이 의리를 따른다면 명으로 판단할 것이 무엇이겠는가? 성인이 천명을 아는 것은 이와는 다르다.

○ 仁者不憂, 樂天者也.
어진 자는 근심하지 않으니,[133] 천리를 즐기는 자이다.

○ 仁者在己, 何憂之有. 凡不在已, 逐物在外, 皆憂也. 樂天知命故不憂, 此之謂也. 若顔子簞瓢, 在他人則憂而顔子獨樂者, 仁而已.
인(仁)이 자기에게 있으니 어찌 근심이 있겠는가? 자기에게 있지 않고 사물을 따라 밖에

---

132) 『論語・堯曰』: 子曰, 不知命, 無以爲君子也.
133) 『論語・憲問』: 子曰, 君子道者三, 我無能焉, 仁者不憂, 知者不惑, 勇者不懼.

있으면 모두 근심이다. "천리를 즐기고 천명을 알기에 근심하지 않음"은 이를 이른다. 마치 안자의 밥그릇과 표주박과 같으니 다른 사람이라면 근심했겠지만 안자만이 홀로 즐긴 것은 인(仁)일 따름이다.

本義

此, 聖人盡性之事也. 天地之道, 知(智)仁而已. 知周萬物者, 天也, 道濟天下者, 地也, 知且仁, 則知而不過矣. 旁行者, 行權之知也, 不流者, 守正之仁也. 旣樂天理而又知天命, 故能无憂而其知益深, 隨處皆安而无一息之不仁, 故能不忘其濟物之心而仁益篤, 蓋仁者, 愛之理, 愛者, 仁之用. 故其相爲表裏如此.

이는 성인(聖人)이 성(性)을 다하는 일이다. 천지의 도(道)는 지와 인일 뿐이니, 지가 만물에 두루함은 하늘이요, 도가 천하를 구제함은 땅이니, 지혜로우면서도 인(仁)하면 지혜롭되 지나치지 않은 것이다. 사방으로 행함은 권도(權道)를 행하는 지(智)이고, 흐르지 않음은 바름을 지키는 인(仁)이다. 이미 천리(天理)를 즐거워하고 또 천명(天命)을 알기 때문에 근심이 없어 그 지혜가 더욱 깊고, 있는 곳에 따라 모두 편안하여 한번 숨 쉴 때라도 인(仁)하지 않음이 없기 때문에 물건을 구제하려는 마음을 잊지 않아 인(仁)이 더욱 돈독하니, 인(仁)은 사랑의 이치이고 사랑은 인(仁)의 용(用)이다. 그러므로 서로 표리가 됨이 이와 같다.

小註

朱子曰, 上文言易之道與天地準, 此言聖人之道與天地相似也.
주자가 말하였다: 윗글에서는 역의 도가 천지와 같음을 말했고 여기에서는 성인의 도가 천지와 더불어 같음을 말했다.

○ 與天地相似故不違下數句, 是說與天地相似之事, 上文易與天地準下數句, 是說易與天地準之事.
"천지와 더불어 같기 때문에 어김이 없다" 아래의 몇 구절은 천지와 더불어 같은 일을[相似] 말했고, 윗 글의 "역이 천지와 더불어 같다" 아래의 몇 구절은 역이 천지와 더불어 같은 일[準]을 말했다.

○ 與天地相似, 是說聖人, 第一句泛說. 知周乎萬物, 至道濟天下, 是細密底工夫, 知便直要周乎萬物无一物之遺, 道直要盡濟天下.
"천지와 더불어 서로 같다"는 성인을 말하였고, 제 일구는 범범히 말하였다. "지혜는 만물을 두루하고"에서 "천하를 구제한다" 까지는 세밀한 공부이니, 지혜는 만물을 두루해서 한 물건도 남김이 없어야 하고 도는 천하를 다 구제하여야 한다.

○ 知周乎萬物, 便只是知幽明死生鬼神之理.
지혜가 만물을 두루한다는 것은 곧 유명·사생·귀신의 이치를 아는 것이다.

○ 問, 程子知周乎萬物而道濟天下故不過, 釋之曰, 義之所包知也, 文意如何. 曰, 程子說易字, 皆謂易之書而言, 故其說如此似覺未安. 蓋易與天地準故能彌綸天地之道, 此固指書而言. 自仰觀俯察以下, 須是有人始得, 蓋聖人因易之書而窮理盡性之事也.
물었다: 정자가 "지혜는 만물을 두루하고 천하를 구제한다"를 풀어서 "의리가 포함된 지혜이다"라고 하였는데 글의 뜻은 무엇입니까?
답하였다: 정자가 말한 '역'자는 모두 역서의 글을 말하기 때문에 그 설명이 이처럼 알기가 쉽지 않습니다. "역은 천지의 도를 준칙으로 삼았으므로 천지의 도를 미륜할 수 있다"는 본래 역서를 가리켜 말하였습니다. "우러러 보고 구부려 살폈다" 이하부터 사람이 얻기 시작함이 있으니, 생각건대 성인이 역의 글을 통해 이치를 궁구하고 성품을 다하는 일입니다.

○ 問, 本義云知周萬物者天也, 道濟天下者地也, 是如何. 曰, 此, 與後段仁者見謂之仁知者見謂之知, 又自不同. 此以淸濁言, 彼以動靜言. 知是先知得較虛, 故屬之天. 道濟天下則普濟萬物實惠及民, 故屬之地. 又言, 旁行而不流, 樂天知命故不憂, 此兩句本皆是知之事. 蓋不流便是貞也, 不流是本, 旁行是應變處. 无本則不能應變, 能應變而无其本則流而入變詐矣. 細分之, 則旁行是知, 不流屬仁, 其實皆是知之事, 對下文安土敦乎仁故能愛一句, 專說仁也.
물었다: 『본의』에서 "지혜가 만물을 두루함은 하늘이고 도가 천하를 구제함은 땅이다"라 한 것은 어떠합니까?
답하였다: 이는 후단의 "어진 자는 이를 보고 인(仁)이라 하고 지혜로운 자는 이를 보고 지(知)라 이른다"라는 것과는 다릅니다. 이것은 청탁으로 말한 것이고 저것은 동정으로 말하였습니다. 지(知)는 먼저 아는 것으로 비교적 추상적이기 때문에 하늘에 속합니다. 천하를 구제함은 널리 만물을 구제하여 백성에게 실제로 혜택이 미치는 것이기 때문에 땅에 속합니다. 또 "곁으로 행해도 흐르지 않아서 천리를 즐기고 천명을 알기에 근심하지 않는다"고 한 두 구절은 본래 지(知)의 일입니다. 아마도 '흐르지 않음'은 곧 정고함이니, 흐르지 않음이 근본이고 '곁으로 행함'은 응응하여 변화하는 곳입니다. 근본이 없으면 응응하여 변화할 수 없고, 응용하여 변화할 수 있지만 근본이 없으면 흘러서 속이는 상태로 들어가 변하게 됩니다. 세분하면 곁으로 행함은 지(知)이고 흐르지 않음은 인(仁)이니 실제로는 모두 지

(知)의 일로 아랫 글의 "처지에 편안해서 인을 돈독하게 하기에 사랑할 수 있다"는 한 구절이 전적으로 인(仁)을 말한 것과 대비됩니다.

○ 知周萬物是體, 旁行是可與權, 乃推行處, 樂天知命, 是自處. 三節各說一理.
지혜가 만물을 두루함은 본체이고, 곁으로 행함은 함께 권도를 행할 수 있음이니[134] 미루어 행하는 곳이며, 천리를 즐기고 천명을 앎은 스스로 거처함이다. 세 구절은 각각 하나의 이치를 말하였다.

○ 旁行而不流, 此小變而不失其大常. 然前後卻有故字又相對, 此一句突然. 易中自時有恁地處煩難曉.
곁으로 행해도 흐르지 않음이란 작게 변화를 주지만 크게 일정함은 잃지 않음이다. 그런데 앞뒤에 '고(故)'자가 있어 상대되는데 이 한 구절은 뜬금없다. 『주역』 가운데는 때로 이런 곳이 있는데 알기가 어렵다.

○ 問, 安土敦乎仁故能愛. 曰, 此是與上文樂天知命對說. 樂天知命是知崇, 安土敦仁是禮卑. 安是隨所居而安, 在在處處皆安, 若自家不安, 何以能愛. 敦只是篤厚去盡已私, 純是天理更无夾雜. 充足盈滿, 方有個敦厚之意, 只是仁而又仁. 敦厚於仁故能愛, 惟安土敦仁則其要自廣. 又曰, 樂天知命主知言, 是崇德事. 安土敦仁主禮言, 是廣業事. 又曰, 敦是仁體, 能愛是及物處.
물었다: "처지에 편안해서 인(仁)을 돈독히 하기 때문에 사랑할 수 있다"는 무슨 뜻입니까? 답하였다: 이는 윗글의 천리를 즐기고 천명을 안다는 것과 상대해서 말한 것입니다. 천리를 즐기도 천명을 앎은 '지혜가 높음'이고 처지에 편안해서 인(仁)을 돈독하게 함은 '예(禮)가 낮음'입니다. '편안함'은 거처에 따라 편안하여 있는 곳마다 늘 편안함이니, 만약 스스로 편안하지 못하면 어떻게 사랑할 수 있겠습니까? '돈독히 함'은 독실하고 후덕하게 하여 자기의 사사로움을 다 제거하여 순전한 천리로 다시는 협잡이 없음입니다. 충족하게 꽉 차야만 돈후한 뜻이 있게 되니, 이는 다만 인(仁)하고 또 인함입니다. 인(仁)을 돈독히 하기 때문에 사랑할 수 있으니, 처지에 편안하여 인(仁)을 돈독히 함은 그 요점이 스스로 넓힘에 있습니다. 또 말하였다: 천리를 즐기고 천명을 앎은 지를 위주로 말하였으니 덕을 높이는 일이고, 처지에 편안해서 인을 돈독하게 함은 예를 위주로 말하였으니 사업을 넓히는 일입니다. 또 말하였다: 돈독함은 인(仁)의 체(體)이고 사랑할 수 있음은 타물에 영향을 미치는 것입니다.

---

134) 『論語·子罕』: 子曰, 可與共學, 未可與適道, 可與適道, 未可與立, 可與立, 未可與權.

○ 安土者, 隨寓而安也, 敦乎仁者, 不失其天地生物之心也. 安土而敦乎仁, 則无適而 非仁矣, 所以能愛也, 仁者樂山之意, 於此可見. 又曰, 安土者, 隨所寓而安, 若自擇安 處, 便只知有已, 不知有物也. 此厚於仁者之事, 故能愛也. 又曰, 安土敦乎仁故能愛, 聖人說仁, 是恁地說, 此語說仁最密.

처지에 편안함은 머무르는 곳을 따라 편안함이고 인을 돈독히 함은 천지가 만물을 낳는 마음을 잃지 않음이다. 처지에 편안하고 인을 돈독히 하면 가는 곳마다 인이 아님이 없는 까닭에 사랑할 수 있으니 어진 자는 산을 좋아한다는 뜻을 여기에서 볼 수 있다.

또 말하였다: 처지에 편안함은 머무르는 곳을 따라 편안함이니, 만약 스스로 편안한 곳을 택한다면 자기 있음만을 알고 다른 것이 있음을 알지 못함이다. 이것은 인에 돈후한 자의 일이기 때문에 사랑할 수 있다.

또 말하였다: "처지에 편안하여 인을 돈독히 하기 때문에 사랑할 수 있다"는 성인이 인을 말씀함에 이처럼 말하시니 이 글이 인을 말함에 가장 정밀하다.

○ 龜山楊氏曰, 天地之功大矣, 準之者易也, 似之者聖人也. 易本无體, 其準於天地, 則如平準之準, 均一而无間. 聖涉有爲, 其似於天地, 則如形似之似, 惟順適乎自然.

구산양씨가 말하였다: 천지의 공이 크니 기준으로 삼은 것은 역이고 같게 한 것은 성인이다. 역은 본래 몸체가 없지만 천지를 기준으로 삼았다는 것은 평준(平準)의 준(準)이니 균일해서 틈이 없음이다. 성인은 유위와 간섭하지만 천지와 같다는 것은 형사(形似)의 사(似)이니 오직 자연을 따라 합함이다.

○ 天地與聖人无二道也, 列而爲三則相似而已. 惟相似故先後天而不違也.

천지는 성인과 더불어 두 가지 도가 없으니 진열하여 셋이 되어도 서로 같을 뿐이다. 오직 서로 같기 때문에 하늘보다 먼저 하거나 뒤에 해도 어김이 없다.

○ 雙湖胡氏曰, 與天地相似故不違, 此統論聖人之體段. 知周萬物道濟天下故不過, 此指知仁與天地相似之實處. 不過對不違而言. 惟其相似則配合无間, 所以不違. 惟其 周萬物濟天下則廣大无外, 所以不過. 旁行而不流樂天知命故不憂, 卽周萬物之知而 似乎天也. 安土敦乎仁故能愛, 卽道濟天下之仁而似乎地也. 不憂對能愛而言. 惟知與 天相似, 則極其高明矣, 隨其所行, 泛應曲當. 此動而樂天之事也, 何憂之有. 惟仁與地 相似, 則極其博厚矣, 隨其所處, 厚重不遷. 此靜而安土之事也, 何所不愛之有. 此聖人 仁知盡性之學, 而上下與天地同流者, 蓋如此.

쌍호호씨가 말하였다: "천지와 더불어 같으므로 어기지 않음"은 성인의 체단을 통틀어 논한 것이다. "지혜가 만물을 두루하고 도가 천하를 구제하기 때문에 지나치지 않음"은 지와 인이

천지와 서로 같은 실제를 가리켰다. '지나치지 않음'은 '어기지 않음'과 대비하여 말하였다. 오로지 같으면 배합하여 틈이 없기 때문에 어기지 않는다. 오로지 만물을 두루해서 천하를 구제하면 광대하여 바깥이 없기 때문에 지나치지 않는다. "곁으로 행해도 흐르지 않아 천리를 즐기고 천명을 알기에 근심하지 않는다"는 만물을 두루하는 지(知)가 하늘과 같음이다. "처지에 편안해서 인(仁)을 돈독히 하기 때문에 사랑할 줄 안다"는 도로 천하를 구제하는 인(仁)이 땅과 같음이다. '근심하지 않음'은 '사랑할 수 있음'과 대비하여 말하였다. 오로지 지(知)는 하늘과 서로 같아서 그 높고 밝음을 지극히 하여 행하는 것마다 넓게 응하고 곡진히 대한다. 이것은 움직임에 천리를 즐기는 일이니 어찌 근심이 있겠는가? 오로지 인(仁)은 땅과 서로 같으니 그 넓고 두터움을 지극히 하여 처하는 곳마다 후덕하고 신중하여 옮기지 않는다. 이것은 고요함에 처지를 편안히 하는 일이니 어찌 사랑하지 않음이 있겠는가? 이상은 성인의 인지(仁知)와 진성(盡性)[성품을 극진히 하는]의 학으로 "위아래로 천지와 더불어 함께 흐른다"는 말이 이와 같다.

○ 雲峯胡氏曰, 上文言易與天地準, 此言聖人與天地相似, 似卽準也. 聖人知似天仁似地, 有周物之知而實諸濟物之仁, 則其知不過. 有行權之知而本諸守正之仁, 則其知不流. 至於樂天知命而知之迹已泯, 安土敦仁而仁之心益著. 此其知仁所以與天地相似而不違, 盡性之事也.
운봉호씨가 말하였다: 윗 글에서 말한 "역은 천지와 더불어 같다"는 성인이 천지와 더불어 같다는 말이니 '사(似)'는 곧 '준(準)'이다. 성인의 지(知)는 하늘과 같고 인(仁)은 땅과 같으니 만물을 두루하는 지가 있어 만물을 구제하는 인(仁)으로 실현하면 그 지(知)는 지나치지 않는다. 권도를 행하는 지(知)가 있어 바름을 지키는 인(仁)으로 근본을 삼으면 그 지(知)는 흐르지 않는다. 천리를 즐기고 천명을 알면 지혜[知]의 자취는 이미 없고, 처지에 편안하고 인을 돈독히 하면 인심(仁心)은 더욱 드러난다. 이는 지와 인으로 천지와 더불어 서로 같아 어기지 않음이니 성품을 극진히 하는 일이다.

韓國大全

박치화(朴致和) 「설계수록(雪溪隨錄)」

與天地相似一節, 承上文作易之意, 言聖人用易彌綸之道. 知周[135]萬物, 敦仁能愛, 皆言聖人事, 而聖人之事, 則易之事也. 蓋易無爲, 而聖人有爲, 故易必待聖人, 而彌綸天地也.

"천지와 더불어 서로 같다"는 한 구절은 역을 지은 뜻을 말한 위의 글을 이어서 성인이 역을 쓰는 미륜의 도를 말하였다. '지혜가 만물에 두루하고 인을 돈독히 하여 사랑함'은 모두 성인의 일을 말한 것인데, 성인의 일은 역의 일이다. 역은 함이 없고 성인은 함이 있기 때문에 역은 반드시 성인을 기다려야 천지를 미륜할 수 있다.

○ 與天地相似, 言易也, 又聖人與天地相似, 故能體易而不違也.
"천지와 더불어 서로 같다"는 역을 말하는데, 또 성인도 천지와 더불어 서로 같기 때문에 역을 체득하여 어긋나지 않을 수 있다.

○ 乾知大始, 故知周萬物者, 天也, 坤作成物, 故道濟天下者, 地也.
건은 큰 시작을 주관하므로 '지혜가 만물에 두루한다'는 것은 하늘이고, 곤은 물건을 이루므로 '도가 천하를 구제한다'는 것은 땅이다.

○ 知周萬物, 而道濟天下, 則非過知也, 旁行不流, 而樂天知命, 則非過行也, 安土敦乎仁, 則非過分也. 安分而知行不過者, 惟聖人也, 不過, 無過差也.
지혜가 만물에 두루하며 도가 천하를 구제하니 지(知)에 지나친 것이 아니고, 사방으로 행하되 흐르지 않으며 천리를 즐거워하고 천명을 아니 행(行)에 지나친 것이 아니고, 자리에 편안하여 인을 돈독히 하니 분수에 지나친 것이 아니다. 분수를 편안히 여기고 지와 행에 지나치지 않는 자는 성인일 뿐이다. '지나치지 않음'은 지나쳐 어긋남이 없음이다.

○ 樂天知命, 故旁行而不流, 湯武之征伐, 是也.
천리를 즐거워하고 천명을 알기 때문에 사방으로 행하되 흐르지 않는데, 탕왕과 무왕의 정벌이 이것이다.

이익(李瀷) 『역경질서(易經疾書)』

相似不違, 乃準字之註脚, 知周萬物, 揔上三知而言, 是不獨知其理, 亦能盡濟天下之萬物. 所謂財成輔相, 是也. 道則以人言, 人事之於天地, 或不能沕合, 則患在於過差, 故曰不過. 旁行以下, 承道濟而言. 天地之化, 始終一定, 至於人道, 宜有旁推而行, 不

---

135) 周: 경학자료집성DB와 영인본에 모두 '用'으로 되어 있으나, 문맥을 살펴 '周'로 바로잡았다.

過只是合同而已, 不流則無出入汎濫也. 樂以心言, 安以身言, 土者地之質. 人物, 非天不生, 非地不養. 天道周流, 究其所以生, 則心樂乎天也, 地道常静, 養各異方, 則身安乎土也, 土者, 所居之區也. 天理好生, 旣知其命, 則貧賤憂慽, 隨遇而不憂, 土形載物, 載物莫大於仁, 故旣敦乎仁, 則推己而能愛也.

"서로 같아 어기지 않는다"는 '준(準)'자의 각주이며, "지혜가 만물에 두루한다"는 위에 나오는 세번의 '안다[知]'를 총괄하여 말한 것이니, 다만 그 이치만을 알 뿐만이 아니라, 또한 천하의 만물을 끝까지 구제할 수 있어야 한다는 것이다. 이른바 '마름질하여 이루고 보좌하여 도움'[136]이 이것이다. '도(道)'는 사람으로 말한 것이니, 사람의 일이 천지에 있어서 혹 아득하게 합치할 수 없다면 근심이 지나쳐서 어긋남에 있으므로 "지나치지 않는다"고 하였다. '사방으로 행하되'부터는 '도가 천하를 구제함'을 이어서 말한 것이다. 천지의 조화는 처음과 끝이 일정하지만 인도에 이르면 마땅히 곁으로 미루어 감이 있으니, '지나치지 않음'은 합쳐서 같게 하는 것일 뿐이며, '흐르지 않음'은 출입함에 넘침이 없는 것이다. 즐거워함은 마음으로 말한 것이고, 편안함은 몸으로 말한 것이며, 자리는 땅의 바탕이다. 사람과 사물은 하늘이 아니면 태어나지 못하고, 땅이 아니면 자라나지 못한다. 천도가 두루 유행함에 그 태어나는 까닭을 궁구한다면 마음이 천리를 즐거워하고, 지도가 항상 고요한데 기름에 각각 방소를 달리하면 몸이 자리를 편안히 하니, '자리[土]'는 거처하는 구역이다. 천리는 삶을 좋아하는데 이미 천명을 안다면 빈천과 근심은 만나더라도 근심하지 않고, 땅의 형체는 사물을 싣고 있는데 사물을 실음은 인(仁)보다 큰 것이 없으므로 이미 인을 돈독히 하였다면 자기를 미루어 사랑할 수 있을 것이다.

유정원(柳正源)『역해참고(易解參攷)』

與天 [至] 能愛.

천지와 더불어 … 사랑할 수 있다.

龜山楊氏曰, 知周乎萬物, 而道不足以濟天下, 則過矣, 道不足以濟天下, 則知亦有不周者, 若佛老之徒, 則過之者也. 從心之所爲, 而各當於道, 則不流矣. 莫之爲而爲者天也, 莫之致而致者命也, 苟能樂之安之, 則事變之來, 猶風雨寒暑之序, 夫何憂之有. 富貴貧賤夷狄患難, 隨所遇而安之, 則无惡於物矣, 又能敦乎仁, 則天下无一物之非我也, 尙何不憂〈疑愛〉之有.

구산양씨가 말하였다: 지혜가 만물에 두루해도 도가 천하를 구제하기에 부족하다면 지나친

---

136) 『周易·泰卦』: 象曰, 天地交, 泰, 后以, 財成天地之道, 輔相天地之宜, 以左右民.

것이며, 도가 천하를 구제하기에 부족하다면 지혜도 두루하지 못하는 것이 있을 것이니, 노불(老佛)과 같은 무리라면 이를 지나친 자들이다. 마음이 하는 바를 따라 각각 도에 마땅하다면 흐르지 않을 것이다. '함이 없이도 하는 것이 하늘이고, 이름이 없이도 이르는 것이 천명'인 것이니,[137] 참으로 즐거워하고 편안해 한다면 일의 변화가 도래함이 바람과 비나 더위와 추위의 차례와 같을 것이니, 어찌 근심함이 있겠는가? 부귀와 빈천, 이적과 환난을 만남에 따라서 편안히 한다면 사물을 미워함이 없을 것이며, 다시 인(仁)을 돈독히 할 수 있다면 천하의 어떤 사물도 내가 아닌 것이 없을 것이니, 어찌 근심하지〈'근심하지[憂]'는 '사랑하지[愛]'로 의심됨〉 않음이 있겠는가?

김근행(金謹行) 「주역차의(周易箚疑)·역학계몽차의(易學啓蒙箚疑)·독역범례(讀易凡例)·주역의목(周易疑目)」

第四章綸字, 註訓以選擇條理, 有條理則燦然不紊, 故有可選而可擇者也. 安土敦仁, 仁有踐履不易之義, 故曰安土.

제 4장의 '륜(綸)'자를 주석에서 '가닥을 선택하는 것'으로 해석하였는데, 가닥이 있으면 찬란하게 문란하지 않으므로 가려서 택할 수 있는 것이다. '자리에 편안하고 인(仁)을 돈독히 함'은 인(仁)에는 밟아서 바꾸지 않는다는 뜻이 있으므로 "자리에 편안하다"고 하였다.

김상악(金相岳) 『산천역설(山天易說)』

與天地準者易也, 與天地相似者聖人也, 故能不違. 周萬物者知也, 濟天下者仁也, 故能不過而不流. 樂天知命, 所以知之行也, 安土敦仁, 所以仁之守也.

천지를 준칙으로 삼는 것은 역(易)이고, 천지와 서로 같은 것은 성인이므로 어기지 않을 수 있다. 만물에 두루하는 것은 지혜이고, 천하를 구제하는 것은 어짊이므로 지나치지 않고 흘러가지 않을 수 있다. '천리를 즐거워하고 천명을 앎'은 지혜가 행하는 것이고, '자리에 편안하여 인을 돈독히 함'은 어짊이 지키는 것이다.

심취제(沈就濟) 『독역의의(讀易疑義)』

第四章易與天地相準, 夫此易字易之書也. 伏羲則體天地而作易也, 文王則因義易而繫辭也. 伏羲畫之, 而文王周公繫之, 則易之書於是乎成矣. 後之聖人, 以義文之易書,

---

137) 『孟子·萬章』: 莫之爲而爲者, 天也, 莫之致而至者, 命也.

準之于天地, 則易之爲書也, 與天地相準也. 未畫之前, 自天地而觀之, 則易爲未[138]然
之故也, 首章是也. 易書旣成之後, 自易書而觀之, 則天地爲已然之故也, 此章是也. 前
後作易學易, 通乎己未之故也.

제4장의 "역은 천지와 서로 같다"에서의 '역(易)'은 『역』이라는 책이다. 복희는 천지를 체득
하여 『역』을 지었고, 문왕은 복희의 『역』에 의거하여 말을 달았다. 복희가 긋고 문왕과 주
공이 달았으니, 『역』이라는 책은 이에 이루어졌다. 뒤의 성인이 복희와 문왕의 『역』이 천지
를 준칙으로 한다고 했으니, 『역』이라는 책이 천지와 서로 같아졌다. 획을 긋기 이전에 천지
에 의거하여 살폈다면 역은 아직 그렇지 않은 연고가 되니, 첫 장이 이것이다. 『역』이 이미
이루어진 뒤에 『역』에 의거하여 살폈다면 천지는 이미 그러한 연고가 되니, 이 장이 이것이
다. 앞뒤의 역을 짓고 역을 배움이 이미 그러함과 아직 그렇지 않음의 연고로 통한다.

幽明者, 陰陽也, 情狀者, 剛柔也, 鬼神之情狀, 卽剛柔也.
유명(幽明)은 음양이며, 정상(情狀)은 강유이니, 귀신의 정상은 곧 강유이다.

與天地相似之似字, 比觀於上文之準字, 則準字如人之有形也, 似字如人之有影也, 準
似兩字, 形影之分也. 準字之上, 無相字, 則易與天地同一體也. 似字之上, 加相字者,
學易之君子, 以幽明死[139]生鬼神之理推之, 則易果與天地相似也.
"천지와 더불어 서로 같다"에서 '같다'는 말을 위의 "준칙으로 삼았다"는 말과 비교해 보면,
'준칙으로 삼음'은 사람에게 형체가 있음이 같은 것이고, '같다'는 사람에게 그림자가 있음이
같은 것이니, '준칙으로 삼음'과 '같음'은 형체와 그림자로 구분된다. '준칙으로 삼았다'의 앞
에는 '서로[相]'라는 말이 없으니, 역과 천지는 같은 몸체인 것이다. '같다'의 앞에는 '서로'라
는 말을 더했으니, 역을 배우는 군자가 유명(幽明)・사생(死生)・귀신(鬼神)의 이치로 유
추하면, 역은 과연 천지와 서로 같다는 것이다.

윤행임(尹行恁) 『신호수필(薪湖隨筆)・역(易)』

相似故不違者, 承上文準字而言也. 知周乎萬物, 明德也, 道濟天下, 新民也, 安土, 止
至善也. 天地之大德曰生, 生生之理曰仁, 仁無不體乎物. 旁行而不流, 樂天而知命, 皆
仁也.
"서로 같으므로 어기지 않는다"는 윗글의 '준칙으로 삼는다'를 이어서 말한 것이다. '지혜가

---

138) 未: 경학자료집성DB에는 '末'로 되어 있으나, 경학자료집성 영인본과 문맥을 살펴 '未'로 바로잡았다.
139) 死: 경학자료집성DB에는 '宛'으로 되어 있으나, 경학자료집성 영인본과 문맥을 살펴 '死'로 바로잡았다.

만물에 두루함'은 명덕(明德)이고, '도가 천하를 구제함'은 신민(新民)이고, '자리에 편안함'은 지선(至善)에 그침이다. 천지의 큰 덕을 '생(生)'이라 하고, 낳고 낳는 이치를 '인(仁)'이라 하니, 인은 사물을 몸으로 하지 않음이 없다. "사방으로 흐르되 흐르지 아니하여 천리를 즐거워하고 천명을 안다"는 모두 인(仁)이다.

심대윤(沈大允)『주역상의점법(周易象義占法)』

朱子曰, 旁行, 行權之知也, 不流, 守正之仁也. 命者, 才與位與時也, 樂道而知命, 則夫何憂何惑. 安土, 安分也, 艮之敦艮, 是也. 愛者, 人物親附也.

주자(朱子)는 "사방으로 행함은 권도(權道)를 행하는 지혜이고, 흐르지 않음은 바름을 지키는 어짊이다"라고 하였다. '천명'은 재질과 자리와 시기이니, 천도를 즐거워하고 천명을 안다면, 무엇을 근심하고 무엇에 의혹되겠는가? '자리에 편안함'은 분수를 편안히 함이니, 간괘(艮卦)에서 '돈독하게 그침'[140]이 이것이다. '사랑'은 사람과 사물이 친애하여 따르는 것이다.

오치기(吳致箕)「주역경전증해(周易經傳增解)」

知周萬物, 言聰明睿知, 足以有臨也, 不過, 猶言無以過也. 旁行者, 行之溥廣也, 不流, 言不橫流也. 樂天理, 則內重而外輕也, 知天命, 則修身以俟時也. 不憂者, 不改其樂也. 蓋聖人與天地相似者也. 天地至大无外, 卽不過者, 而聖人知周萬物, 道濟天下, 故與天地同其不過也. 天地无心而成化, 皷萬物而不與聖人同憂, 卽不憂者, 而聖人旁行不流, 樂天知命, 故與天地同其不憂也. 天地以生物爲心, 卽能愛者, 而聖人隨處而安乎土, 隨處而篤乎仁, 無非立人達人之事, 故與天地同其能愛也. 是三者, 皆與天地相似者也, 此言聖人之盡性也.

'지혜가 만물에 두루함'은 총명예지하여 두루 임할 수 있음을 말하고, '지나치지 않음'은 지나칠 수 없다고 말함과 같다. '사방으로 행함'은 널리 행함이고, '흐르지 않음'은 횡으로 흐르지 않음을 말한다. '천리를 즐거워함'은 안을 무겁게 하고 밖을 가볍게 함이며, '천명을 앎'은 몸을 닦아서 때를 기다림이다. '근심하지 않음'은 그 즐거움을 고치지 않음이다. 대체로 성인은 천지와 서로 같다. 천지가 지극히 크고 밖이 없음이 '지나치지 않음'인데, 성인은 지혜가 만물에 두루하고 도가 천하를 구제하기 때문에 천지와 더불어 그 '지나치지 않음'을 함께한다. 천지가 무심하게 조화를 이루고, 만물을 고무시키지만 성인과 더불어 근심을 함께하지 않음이 '근심하지 않음'인데, 성인은 사방으로 행해도 흐르지 않으며 천리를 즐거워하고 천명을 알기 때문에 천지와 더불어 그 '근심하지 않음'을 함께 한다. 천지가 사물을 낳는

---

140)『周易·艮卦』: 上九, 敦艮, 吉.

것으로 마음을 삼음이 '사랑할 수 있음'인데, 성인은 곳에 따라서 자리에 편안히 하고, 곳에 따라서 인을 돈독히 하여 사람을 세우고 사람을 통달하게 하는 일이 아님이 없기 때문에 천지와 더불어 그 '사랑할 수 있음'을 함께 한다. 이 세 가지는 모두 천지와 더불어 서로 같은 것이니, 이는 성인의 진성(盡性)을 말한 것이다.

채종식(蔡鍾植) 「주역전의동귀해(周易傳義同歸解)」

繫辭與天地相似, 程子曰, 易之義與天地之道相似, 朱子曰, 聖人之道與天地相似. 蓋易者卽有書之天地, 而天地卽旡書之易也, 聖人卽有心之易, 而易卽無心之聖人也. 易之書, 只是印出來天地之道, 而聖人之心, 因易之書, 亦窮天地之理, 盡天地之性, 則卦爻之辭, 所謂竹易也, 聖人之心, 所謂人易也, 天地之道, 所謂天易也. 三易只是一理而已.

「계사전」의 "천지와 서로 같다"에 대해 정자는 "역의 뜻은 천지의 도(道)와 서로 같다"고 하고, 주자는 "성인의 도는 천지와 서로 같다"고 하였다. 대체로 역(易)은 책에 있는 천지이고, 천지는 책에 없는 역이며, 성인은 마음이 있는 역이고, 역은 마음이 없는 성인이다. 『역』이라는 책은 다만 천지의 도를 새겨 내었을 뿐이고, 성인의 마음은 『역』이라는 책에 의거하여 천지의 이치를 궁구하고 천지의 성품을 다하였으니, 괘사와 효사는 이른바 죽간의 역이고, 성인의 마음은 이른바 사람의 역이고, 천지의 도는 이른바 하늘의 역이다. 세 가지의 역은 단지 하나의 이치일 뿐이다.

範圍天地之化而不過, 曲成萬物而不遺, 通乎晝夜之道而知, 故, 神无方而易无體.

천지의 조화를 범위(範圍)하여 지나치지 않으며, 만물을 곡진히 이루어 빠뜨리지 않으며, 주야의 도를 겸하여 안다. 그러므로 신(神)은 일정한 방소가 없고 역(易)은 일정한 몸체가 없다.

‖中國大全‖

小註

程子曰, 範圍天地之化而不過者, 模範出一天地爾, 非在外也. 如此曲成萬物, 豈有遺哉.
정자가 말하였다: 천지의 조화를 범위하여 지나침이 없다는 것은 하나의 천지를 모방해냈다는 것일 뿐 밖에 있는 것이 아니다. 이처럼 만물을 곡진하게 이룬다면 어떻게 남김이 있겠는가?

○ 範圍天地之化, 天本廓然无窮, 但人以目力所及, 見其寒暑之序, 日月之行, 立此規模, 以窺測他天地之化. 不是天地之化, 其體有如城郭之類, 都盛其氣. 假使, 言日升降於三萬里, 不可道三萬里外更无物, 又如言天地升降於八萬里中, 不可道八萬里外天地盡, 學者要體天地之化. 如此言之, 甚與天地不相似, 其卒必有窒礙.
천지의 조화를 범위했다는 것은, 하늘은 본래 넓어서 끝이 없지만 단지 사람이 시력이 미치는 범위에서 계절[寒暑]의 질서와 일월의 운행을 보아 이런 모범을 만들어 천지의 조화를 추측할 수 있는 것이다. 천지의 조화는 그 몸체가 성곽의 종류처럼 있어서 그 기운을 모두 담아놓은 것이 아니다. 예를 들어 해가 3만리를 오르내린다고 말한다고 해서 3만리 밖에는 아무 물건도 없다고 해서는 안 되고, 천지가 8만리를 오르내린다고 말한다고 해서 8만리 밖에는 천지가 없다고 해서는 안 되니 배우는 자가 천지의 조화를 체득해야 한다. 이와 같이 말하면 심지어 천지와 더불어 같지 않으니 마침내 막힘이 있게 된다.

○ 通乎晝夜之道而知, 晝夜死生之道也.
주야의 도를 겸해서 아니 주야는 사생의 도이다.

○ 晝夜死生之道. 知生之道則知死之道, 盡事人之道則盡事鬼之道, 死生人鬼, 一而二二而一者也.

주야는 사생의 도이다. 낳는 도리를 알면 죽은 도리를 알고 사람 섬기는 도리를 알면 귀신 섬기는 도리를 아니, 사생과 인귀(人鬼)는 하나이면서 둘이고 둘이면서 하나이다.

○ 冬寒夏暑陰陽也. 所以運動變化者神也, 神无方故易无體.

겨울에 춥고 여름에 더움이 음양이다. 운동과 변화를 하게 하는 것이 신이니 신은 방소가 없기 때문에 역도 형체[體]가 없다.

本義

此, 聖人至命之事也. 範, 如鑄金之有模範, 圍, 匡郭也. 天地之化无窮, 而聖人爲之範圍, 不使過於中道, 所謂裁成者也. 通, 猶兼也, 晝夜, 卽幽明生死鬼神之謂. 如此然後, 可見至神之妙无有方所, 易之變化无有形體也.

이는 성인(聖人)이 천명에 이르는 일이다. '범(範)'은 금(金)을 주조(鑄造)할 때에 모범(模範)[원형]이 있는 것과 같고, '위(圍)'는 광곽(匡郭)[틀]이다. 천지의 조화가 무궁한데 성인(聖人)이 이것을 범위(範圍)하여 중도(中道)에 지나치지 않게 하니, 이른바 재성(裁成)한다는 것이다. '통(通)'은 겸함[兼]과 같고, 주야는 곧 유명과 생사와 귀신을 이른 것이다. 이와 같이 한 뒤에야 지극한 신의 묘함이 일정한 방소가 없고, 역(易)의 변화가 형체가 없음을 볼 수 있는 것이다.

小註

朱子曰, 天地之化滔滔无窮, 如一爐金汁, 鎔化不息. 聖人則爲之鑄瀉成器, 使入模範匡郭, 不使過於中道也. 曲成萬物而不遺, 此又就事物之分量形質, 隨其大小闊狹, 長短方圓无不各成就此物之理, 无有遺闕. 範圍天地是極其大而言, 曲成萬物是極其小而言. 範圍如大德敦化, 曲成如小德川流. 又曰, 範圍天地之化, 範是鑄金作範, 圍是圍裹. 如天地之化都没個遮欄. 聖人便將天地之道, 一如用範來範成個物, 包裹了. 試擧一端, 如一歲分四時節候之類, 以此做個塗轍, 更无過差, 此特其一耳.

주자가 말하였다: 천지의 조화는 도도해서 끝이 없으니 마치 한 용광로에 금속의 액체가 녹아내리는 것이 끝이 없음과 같다. 성인이 주조하고 모사하여 그릇을 만들어 모범과 틀에 넣게 하여 중도를 지나치지 않게 하였다. "만물을 곡진히 이루어 빠뜨리지 않음"은 사물의 분량과 형질에 나아가 그 크고 작거나 넓고 좁음에 따라 길고 장단과 방원이 각기 그 사물의

도리를 이루어주지 않음이 없어 남기거나 빠뜨림이 없다는 것이다. '천지를 범위함'은 지극히 크게 말한 것이고 '만물을 곡진히 이룸'은 지극히 작게 말한 것이다. '범위(範圍)'는 큰 덕의 두터운 조화와 같고, '곡성(曲成)'은 작은 덕이 내처럼 흐름과 같다.

또 말하였다: "천지의 조화를 범위함"에서 범(範)은 쇠를 주조함에 모형을 만드는 것이고 위(圍)는 둘러싸는 것이다. 천지의 조화는 모두 가림막이 없다. 성인이 천지의 도를 가지고 모형을 사용하여 모형으로 물건을 이루고 둘러 쌓았다. 예로 한 가지 단서를 들자면, 1년을 4시와 절후의 종류로 구분하여 이로써 궤적을 만들면 다시는 지나치거나 어긋남이 없는 것과 같으니, 이는 한 가지 예일 뿐이다.

○ 問, 範圍天地之化而不過, 如天之生物至秋而成, 聖人則爲之歛藏, 人之生也欲動情勝, 聖人則爲之裁化防範, 此皆是範圍而使之不過之事否. 曰, 範圍之事闊大, 此亦其一事也. 今且就身上看如何, 或曰, 如視聽言動, 皆當存養, 使不過差, 此便是否. 曰, 事事物物, 无非天地之化, 皆當有以範圍之. 就喜怒哀樂而言, 喜其所當喜, 怒其所當怒, 哀其所當哀, 樂其所當樂, 皆範圍也. 又曰, 能範圍之而不過, 曲成之而不遺, 方始見得這神无方易无體. 若範圍有不盡, 曲成有所遺, 神便有方易便有體矣.

물었다: "천지의 조화를 범위하여 지나치지 않음"은 하늘이 만물을 낳아 가을에 이르러 이룸에 성인이 본받아 거두어 감춤과 같고, 사람이 나옴에 욕망이 움직이고 정욕이 이김에 성인이 재단하고 방비함과 같으니, 이런 것들이 모두 천지의 조화를 범위하여 지나치지 않게 하는 일입니까?

답하였다: 범위의 일은 넓고 크니 이것은 또한 그 중에 한 가지일 뿐입니다. 이제 우선 몸에 나아가 어떠한지 보아야 합니다. 어떤 이가 물었다: 예컨대 보고 듣고 말하고 움직임에 모두 보존하여 길러서 지나치거나 어긋남이 없어야 한다는 것이 바로 이것입니까?

답하였다: 사물마다 천지의 조화가 아님이 없으니 모두 범위할 수 있습니다. 희노애락으로 말하면 기쁠 때 기뻐하고, 성낼 때 성내고 슬플 때 슬퍼하고 즐거울 때 즐거워함이 모두 범위하는 것입니다.

또 말하였다: 범위하여 지나치지 않고 곡진히 이루어 빠뜨리지 않아야만 '신은 방소가 없고 역은 형체가 없음'을 알 수 있습니다. 만약 범위에 극진하지 못하고 곡성(曲成)에 남김이 있으면 신은 곧 방소가 있게 되고 역은 곧 형체가 있게 됩니다.

○ 通乎晝夜之道而知, 旣曰通又曰知, 似不可曉. 通是兼, 通乎晝夜之道. 若通晝不通夜, 通生不通死, 便是不知, 便是神有方易有體了. 又曰, 兼通乎晝夜之道, 是知其所以然.

"주야의 도를 겸해서 안다"에서 이미 통한다 해놓고 또 안다고 했으니 비슷해서 알기 어렵다. 통은 겸함으로 주야의 도를 겸함이다. 만약 낮만 통하고 밤을 통하지 못하거나 생(生)만

통하고 사(死)를 통하지 못하면 이는 곧 알지 못함이고, 신은 방소가 있고 역은 형체가 있음이다.

또 말하였다: 주야의 도를 겸하여 통해야 그러한 까닭을 안다.

○ 神无方而易无體, 神便是在陰底, 又忽然在陽, 在陽底, 又忽然在陰. 易便是或爲陽或爲陰, 如爲春又爲夏爲秋又爲冬, 交錯代換而不可以形體拘也. 又曰, 无體與那其體則謂之易不同, 各自是一個道理. 其體則謂之易, 這只說個陰陽動靜闔闢剛柔消長, 不著這七八個字, 說不了. 若喚做易, 只是一字便了. 又曰, 此體是個骨子.

"신은 방소가 없고 역은 형체가 없다"에서 '신은 음에 있었는데 또 홀연히 양에 있고, 양에 있었는데 또 홀연히 음에 있는 것이다. '역'은 양이 되기도 하고 음이 되기도 하는 것으로 마치 봄이 되고 여름이 되고 가을이 되고 겨울이 되어 서로 계속해서 바뀌어 형체로 구속할 수 없는 것과 같다.

또 말하였다: '체가 없다'와 '그 체를 역이라 한다'는 같지 않으니 각자 하나의 도리가 있다. '그 체를 역이라 한다'는 단지 음양·동정·합벽·강유·소장을 말한 것이니, 저 일곱 여덟 글자를 사용하지 않고는 말할 수 없다. 만약 '역'이라고 부른다면 다만 이 한 글자로 마친다.

또 말하였다: 여기에서의 체는 골자[뼈대]이다.

○ 窮理是知字上說, 盡性是仁字上說, 言能造其極也. 至於範圍天地是至命, 言與造化一般.

'궁리[窮理]'는 지(知)자에 근거해 말했고 '진성[盡性]'은 인(仁)자에 근거해 말했으니 표준을 지을 수 있음을 말한 것이다. 천지를 범위함에 이르면 이는 '천명에 이름[至命]'이니 조화와 더불어 매한가지임을 말한 것이다.

○ 南軒張氏曰, 天地之化陰陽之氣也, 萬物陰陽之形也, 晝夜陰陽之理也, 此三者不外乎陰陽. 唯易則能陰能陽故无體, 神則陰陽不測故无方. 聖人盡神易之道, 故於天地之化能範圍之, 萬物能曲成之, 晝夜之道能通之.

남헌장씨가 말하였다: 천지의 조화는 음양의 기이고 만물은 음양의 형체이고 주야는 음양의 이치이니 이 셋은 음양을 벗어나지 않는다. 오직 역은 음으로도 양으로도 될 수 있어 형체가 없고 신은 음양을 헤아릴 수 없어 방소가 없다. 성인은 신과 역의 도를 다했기 때문에 천지의 조화를 범위하고 만물을 곡성하고 주야의 도를 통할 수 있다.

○ 節齋蔡氏曰, 天地之化雨暘寒燠之類. 常雨常暘化之過也, 聖人則能範圍之而使之不過. 一動一植不得其遂, 則爲有遺矣, 聖人則能委曲成就而使之不遺.

절재채씨가 말하였다: 천지의 조화는 비오고 볕이 나고 춥고 더운 종류이다. 늘 비오고 늘 볕이 남은 조화의 지나침이니 성인은 범위하여 지나침이 없게 할 수 있다. 하나라도 동물과 식물이 그 성취를 얻지 못하여 남겨짐이 있게 되면 성인은 곡진히 성취하게 하여 남겨짐이 없게 한다.

○ 誠齋楊氏曰, 大哉天地之運. 日往月來而爲夜, 月往日來而爲晝, 孰測其所以然哉. 聖人乃能通而知之者. 蓋往者屈也, 來者信也, 晝夜者一日之屈信也, 寒暑者一歲之屈信也, 死生者一世之屈信也, 古今者萬世之屈信也. 聖人何以通而知之, 用易而已.
성재양씨가 말하였다: 크구나, 천지의 운화여! 해가 지고 달이 뜨면 밤이 되고 달이 지고 해가 뜨면 낮이 되는데 누가 그러한 까닭을 헤아릴 수 있겠는가? 성인이라야 겸하여 알 수 있다. 왕이란 굴굽힘]이며 래란 신[펴]인데, 주야는 하루의 굴신이고, 한서는 한 해의 굴신이고, 사생은 일세의 굴신이고, 고금은 만세의 굴신이다. 성인은 무엇으로 겸하여 알았을까? 역을 사용하였을 뿐이다.

○ 龜山楊氏曰, 神者妙萬物而爲言, 易者生生之謂. 天高地下, 必有方矣, 神則无方. 天圓地方, 必有體矣, 易則无體. 无在而无乎不在, 无爲而无所不爲也.
구산양씨가 말하였다: 신은 만물을 묘하게 함을 이름이고 역은 낳고 낳음을 이름이다. 하늘은 높고 땅은 낮아 반드시 방소가 있지만 신은 방소가 없다. 하늘은 둥글고 땅은 모나서 반드시 형체가 있지만 역은 형체가 없다. 있지 않으면서 있지 않음이 없고, 함이 없으면서 하지 않음이 없다.

○ 雲峯胡氏曰, 上文言彌綸天地之道, 此曰範圍曲成. 範圍如大德敦化卽所謂彌也, 曲成如小德川流卽所謂綸也. 上文言聖人之知不過, 此則聖人能使天地之化皆不過. 上文知幽明知死生知鬼神知命, 此則通晝夜之道而知. 是豈聞見之知云乎哉. 前所謂知者知有其故, 知有其說, 知有其情狀也, 此所知者, 則神无方所易无形體矣, 嗚呼深哉.
운봉호씨가 말하였다: 윗 글에서 '천지의 도를 미륜함'을 말했고 여기서는 '범위'와 '곡성'을 말했다. 범위는 "큰 덕의 두터운 조화"와 같으니 이른바 얽음[彌]이고, 곡성은 "작은 덕이 내처럼 흐름"과 같으니 이른바 짜는 것[綸]이다. 윗글에서는 성인의 지(知)가 지나침이 없음을 말했고, 여기는 성인이 천지의 조화가 모두 지나침이 없게 할 수 있음을 말했다. 윗글에서는 유명을 알고 사생을 알고 귀신을 알고 천명을 아는 것을 말했고, 여기에서는 주야의 도를 겸해서 아는 것을 말했다. 이것이 어찌 듣고 보아 아는 지(知)를 말한 것이겠는가? 앞에서의 이른바 지(知)는 그러한 연고가 있음을 알고 그러한 설이 있음을 알고 그러한 정상이 있음을 아는 것이고, 여기의 지(知)는 신은 방소가 없고 역은 몸체가 없다는 의미이니, 아, 깊구나!

‖ 韓國大全 ‖

권근(權近) 『주역천견록(周易淺見錄)』

易與天地準. [止] 易无體.

역은 천지를 준칙으로 삼았다. … 역은 몸체[體]가 없다.

朱子曰, 上言易與天地準, 是言易之道, 下言與天地相似, 是言聖人之德. 彌綸天地之道, 此指書而言, 仰觀俯察以下, 是言聖人因易之書, 而窮理盡性之事也.

주자가 말하였다: 위에서 "역이 천지를 준칙으로 삼았다"고 한 것은 역의 도를 말한 것이고, 아래에서 "천지와 더불어 서로 같다"고 한 것은 성인의 덕을 말한 것이니, "천지의 도를 미륜한다"는 『주역』을 가리켜 말한 것이고, "우러러 관찰하고 구부려 살핀다"부터는 성인이 『주역』에 의거하여 이치를 궁구하고 성품을 다한 일을 말한 것이다.

愚謂, 易之道與天地齊準, 故易之書能彌綸天地之道. 聖人仰則觀於天文, 俯則察於地理, 能知天地所以有幽明之故. 旣知幽明之故, 則推原其始, 反究其終, 能知萬物所以有死生之說. 旣知死生之說, 則精氣爲物, 所以爲生之始, 游魂爲變, 所以爲死之終, 故能知鬼神之所以有情狀. 此三者, 皆相因, 而知幽明之故, 卽死生之說, 死生之說, 卽鬼神之情狀. 故旣知其一, 則可相因而皆通也. 然幽明之故, 汎言天地之理, 死生之說, 專言萬物之事, 此二句由大以入細也. 又因萬物以知鬼神, 萬物之死生易知, 而鬼神之情狀難知, 此二句由粗以入精也. 旣能知此三者, 則其德與天地相似矣. 此以上, 聖人以易之書, 而能知, 故上三節, 專以知言. 此以下, 易之道在聖人, 而聖人能彌綸天地之道, 故下文皆兼知行而言. 知周萬物知也, 道濟天下, 旁行不流行也. 樂天知命知也, 安土敦仁行也. 範圍天地, 由成萬物, 又以行言, 通乎晝夜之道, 又以知言. 範圍天地, 極於至大而无外, 曲成萬物, 入於至小而無內也. 晝夜之道, 卽幽明死生鬼神之謂, 是又要其終始而總言之也. 神無方而易無體者, 合天地聖人與易而爲一也.

내가 살펴보았다: 역(易)의 도는 천지와 가지런하므로 『역』이라는 책이 천지의 도를 미륜할 수 있다. 성인은 우러러 천문을 관찰하고 구부려 지리를 살펴서 천지에 유명(幽明)이 있게 된 이유를 알 수 있다. 이미 유명의 이유를 안다면, 그 처음을 미루어 살피고 그 마침을 돌이켜 궁구하여 만물에게 죽음과 삶이 있는 이유를 알 수 있다. 이미 죽음과 삶에 관한 설을 안다면, "정기(精氣)가 물건이 된다"는 생의 시작이 되고, "혼이 돌아다녀 변하게 된다"는 죽음의 끝이 되므로 귀신에게 정상(情狀)이 있는 까닭을 알 수 있다. 이 세 가지는 모두

서로를 원인으로 하므로 '유명의 원인'이 바로 '죽음과 삶에 관한 설'이고, '죽음과 삶에 관한 설'이 바로 '귀신의 정상'임을 알게 된다. 그러므로 그 가운데 하나를 이미 안다면 서로 근거하여 모두에 통할 수 있다. 그러나 '유명의 원인'은 천지의 이치를 범범하게 언급한 것이고, '죽음과 삶에 관한 설'이란 만물의 일만을 말한 것이니, 이 두 구는 큰 것으로부터 세밀한 것으로 들어간 것이다. 또 만물을 통해 귀신을 아는데, 만물의 사생(死生)은 알기 쉽고, 귀신의 정상은 알기 어려우니, 이 두 구는 거친 것에서 정밀한 것으로 들어간 것이다. 이미 이 세 가지를 알 수 있다면 그 덕이 천지와 더불어 서로 같다. 이로부터 위로는 성인이 『역』이라는 책을 통해서 알 수 있으므로 위의 세 구절은 오로지 지(知)로써 말하였다. 이로부터 아래로는 역의 도가 성인에게 있고 성인은 천지의 도를 미륜할 수 있으므로 아래의 글은 모두 지행(知行)을 겸해서 말했다. "지혜가 만물에 두루한다"는 지(知)이고, "도가 천하를 구제한다"와 "사방으로 행하되 흐르지 않는다"는 행(行)이다. "천리를 즐거워하고 천명을 안다"는 지이고, "자리에 편안하여 인을 돈독히 한다"는 행이다. "하늘과 땅을 범위한다"와 "만물을 곡진히 이룬다"는 또 행으로 말한 것이고, "낮과 밤의 도를 겸한다"는 또 지로써 말한 것이다. "하늘과 땅을 범위한다"는 지극히 커서 밖이 없는 곳까지 미루어 간 것이며, "만물을 곡진히 이룬다"는 지극히 작아서 안이 없는 지경까지 들어간 것이다. '낮과 밤의 도'는 바로 유명(幽明)과 사생(死生)과 귀신(鬼神)을 가리키니, 이는 또 끝과 처음을 요약해서 총괄적으로 말한 것이다. "신은 일정한 장소가 없고, 역은 일정한 몸체가 없다"는 천지와 성인과 역을 합하여 하나로 한 것이다.

송시열(宋時烈) 『역설(易說)』

第四章, 極言易之道, 無大不包, 無物不具, 以至於無方無軆, 則怳惚不可名狀, 而其無方軆之理, 不過一與兩之神化也.

제 4장에서 '역(易)'의 도는 큰 것도 포함하지 못함이 없으며 사물마다 갖추지 않음이 없으면서 방소도 없고 몸체도 없음에 이른다'고 지극히 말하였으니 아득하여 이름붙이고 형용할 수는 없겠지만, 그 방소와 몸체가 없는 이치는 하나와 둘의 신묘함과 조화로움에 지나지 않는다.

박치화(朴致和) 「설계수록(雪溪隨錄)」

範圍天地一節, 承上文而言彌綸之極功, 以贊聖人軆易爲一之妙也.

"천지의 조화를 범위한다"는 한 구절은 위의 글을 이어서 미륜의 지극한 공효를 말하여 성인이 역을 체득하여 하나가 되는 신묘함을 찬양하였다.

○ 自首節至末節, 皆合聖人與易而言, 言易則聖人在其中, 言聖人則易在其中. 然易爲主, 故末言易無體, 以應上文易與天地準也.

처음 구절로부터 끝의 구절에 이르기까지 모두 성인과 역을 합하여 말하였으니, 역을 말하면 성인이 그 가운데 있고, 성인을 말하면 역이 그 가운데 있다. 그러나 역을 위주로 하였기 때문에 끝에서 '역이 일정한 몸체가 없음'을 말하여 "역은 천지를 준칙으로 삼았다"는 위의 문장과 호응시켰다.

○ 易無體者, 或陽或陰, 而無定體, 言變化也.

"역은 일정한 몸체가 없다"는 양이기도 하고 음이기도 하여 정해진 몸체가 없다는 것이니, 변화를 말한다.

○ 天地萬物, 陰陽屈伸而已. 故神無方而易無體也.

천지의 만물은 음양의 굴신일 뿐이다. 그러므로 신(神)은 일정한 방소가 없고, 역(易)은 일정한 몸체가 없는 것이다.

○ 若如朱子訓解, 則第一節專言易, 第二節言聖人體易窮理之事, 第三節言聖人體易盡性之事, 第四節言聖人體易知命之事.

만약 주자의 해석과 같다면, 제1절은 오로지 역(易)을 말한 것이고, 제2절은 성인이 역을 체득하고 이치를 궁구하는 일을 말한 것이고, 제3절은 성인이 역을 체득하여 본성을 다하는 일을 말한 것이고, 제4절은 성인이 역을 체득하여 천명을 아는 일을 말한 것이다.

○ 此章程子訓解亦好. 知周萬物, 雖似碍滯, 而易中有仁知之事, 則亦無所碍滯也.

이 장에 대한 정자의 해석도 좋다. '지혜가 만물에 두루함'이 비록 막힘이 있는 것 같지만, 역(易)에는 인(仁)과 지(知)의 일이 있으니 또한 막히는 바가 없다.

이익(李瀷) 『역경질서(易經疾書)』

易包天地之化在範圍之內, 天地化生萬物, 故易道亦曲成萬物. 天有陰陽晝夜, 故易道, 亦通知其理, 天妙萬物而無方所, 故易道, 亦濟萬物而無定體. 神者, 造化之用.

역(易)은 천지의 조화를 범위의 안에 포괄하고, 천지는 만물을 변화 생성하므로 역의 도(道)도 만물을 곡진히 이룬다. 하늘에는 음과 양, 낮과 밤이 있으므로 역의 도도 그 이치를 함께 알며, 하늘이 만물을 신묘하게 하며 일정한 방소가 없으므로 역의 도도 만물을 구제하며 일정한 몸체가 없다. '신(神)'은 조화의 작용이다.

유정원(柳正源) 『역해참고(易解参攷)』

範圍 [至] 无體.

(천지의 조화를) 범위하여 … 일정한 몸체가 없다.

張子曰, 體不偏滯, 乃所謂无方无體, 偏滯於陰陽晝夜者, 物也. 若道則兼體而无累也, 以其兼體也, 故曰一陰一陽, 又曰陰陽不測, 又曰一闔一闢, 又曰通乎晝夜. 語其推行, 故曰道, 語其不測, 故曰神, 語其生生, 故曰易.

장자가 말하였다: 몸체가 치우쳐 막히지 않아야 이른바 '일정한 방소가 없고 일정한 몸체가 없음'이고, 음양이나 주야에 치우쳐 막힌 것은 사물이다. 도(道)라면 몸체를 겸비하여 남김이 없으니, 그 몸체를 겸하였기 때문에 "한 번은 음이 되고 한 번은 양이 된다"[141]고 하고, 또 "음양을 헤아릴 수 없다"[142]고 하고, 또 "한 번은 닫고 한 번은 열린다"[143]고 하고, 또 "낮과 밤을 겸한다"[144]고 하였다. 그 미루어 행함을 말하므로 '도(道)'라고 하고, 그 헤아리지 못함을 말하므로 '신(神)'이라 하고, 그 낳고 낳음을 말하므로 '역(易)'이라 한다.

○ 平庵項氏曰, 易與天地準, 故能彌綸天地之道, 此二句者, 一章之主意也. 自仰以觀於天文, 至鬼神之情狀, 此三知者, 言易之所知與天地準也. 伏羲觀天地陰陽之情, 皆以類從, 而天文地理, 遂與人事物情, 相通爲一, 而幽明之故, 可得而知矣. 原畫之所由, 始二分四揲之變, 皆起於至一无眹之中, 要畫之所以終, 三變六揲之餘, 復歸於至一无眹之始, 而死生之說, 可得以知矣. 氣聚而爲物, 奇偶之畫, 所以爲有象, 魂遊而爲變, 九六之化, 所以爲无迹, 而鬼神之情狀, 可得以知矣.

평암항씨가 말하였다: "역(易)은 천지를 준칙으로 삼았다. 그러므로 천지의 도를 미륜할 수 있다"는 두 구절은 한 장의 주제이다. "우러러 천문을 관찰하고"부터 "귀신의 정상을 안다"까지에서 세 번의 '안대[知]'는 역(易)이 아는 것이 천지와 같음을 말하였다. 복희가 천지와 음양의 실정을 살핌에 모두 부류대로 따랐기에 천문(天文)과 지리(地理)가 드디어 인사(人事)나 물정(物情)과 서로 통하여 하나가 되었으니, 유명의 원인을 알 수 있게 되었다. 획이 연유한 바를 추원해 보면 처음의 둘로 나누고 넷씩 세는 변화가 모두 조짐이 없는 중심인 지극한 하나에서 일어나고, 획이 끝마치는 까닭을 요약해 보면 세 번의 변화를 여섯 번 헤아린 뒤에 다시 조짐이 없는 시초인 지극한 하나로 돌아가니, 생사(生死)의 설을 알 수 있게

---

141) 『周易·繫辭傳』.

142) 『周易·繫辭傳』.

143) 『周易·繫辭傳』.

144) 『周易·繫辭傳』.

되었다. 기운이 모여서 사물이 되기에 홀과 짝의 획에 상(象)이 있게 되었고, 혼(魂)이 돌아다녀 변하게 되기에 구(九)와 육(六)의 변화에 자취가 없게 되었으니, 귀신의 정상을 알 수 있게 되었다.

自與天地相似, 至故能愛, 此四故者, 言易之所能與天地準也. 奇偶之象, 正與天地相似, 故能於天下之理无所違, 奇偶之變, 通於萬物之情, 故知雖崇而不失之於過, 當於萬物之用, 故道雖廣而不失之於流. 樂時位之推移, 而知其卒歸於有數, 故能乘化而不憂, 隨時位之險夷, 而常遂其濟物之心, 故能无往而不用其愛. 夫能具其理, 故通其變, 能通其變, 故能極其數, 能極其數, 故能用其利. 凡易之所能, 備於此四者也.

"천지와 더불어 서로 같다"로부터 "그러므로 사랑할 수 있다"까지에서 네 번의 '그러므로[故]'는 역(易)이 능한 것이 천지와 같음을 말하였다. 홀과 짝의 상이 바로 천지와 서로 같기 때문에 천하의 이치에 어긋나지 않을 수 있으며, 홀과 짝의 변화가 만물의 실정에 통하기 때문에 지혜가 비록 높아도 지나침에 빠지지 않고, 만물의 작용에 해당되기 때문에 도가 비록 넓어도 흘러감에 빠지지 않는다. 때와 자리가 옮겨감을 즐거워하고 끝내는 분수대로 돌아감을 알기 때문에 조화를 타고서 근심하지 않으며, 때와 자리의 험함과 쉬움에 따라서 항상 사물을 구제하려는 마음을 이루기 때문에 어디서나 사랑을 쓰지 않음이 없다. 그 이치를 갖출 수 있기 때문에 그 변화에 통하고, 그 변화에 통할 수 있기 때문에 그 셈을 지극히 할 수 있으며, 그 셈을 지극히 할 수 있기 때문에 그 이로움을 쓸 수 있으니, 모든 역의 능한 점은 이 네 가지에 갖추어져 있다.

自範圍天地, 至易无體, 此三而者, 總結一章之義, 以見彌綸之功也. 蓋易有奇偶二畫, 所以匡括天地之變化, 而天地不能越乎其外, 所謂彌也, 曲成萬物之始終, 而无一物之或遺, 此所謂綸也, 此卽上文四故之所能也. 通乎幽明死生鬼神之道, 而知无所不至, 此所謂道也, 此卽上文三知之所知也. 是故天地之神, 无陰陽之定方, 而奇偶之變, 亦與之周流, 无定體, 此所謂易與天地準也. 此一節, 正以明始初之意而極言之也.

"천지를 범위한다"로부터 "역은 일정한 몸체가 없다"까지에서 세 번의 '하면서[而]'는 한 장의 뜻을 총결하여 '미륜(彌綸)'의 공효를 나타내었다. 대체로 역에 홀과 짝의 두 획이 있어서 천지의 변화를 바르게 포괄하면서[而] 천지가 밖으로 벗어날 수 없는 것이 이른바 '두루함[彌]'이며, 만물의 시작과 마침을 곡진히 이루면서[而] 하나의 사물도 버려둠이 없는 것이 이른바 '다스림[綸]'이니, 이것은 바로 앞에 글의 네 번의 '그러므로[故]'가 능히 하는 일이다. 유명(幽明)과 사생(死生)과 귀신의 도리에 통하면서[而] 이르지 못하는 곳이 없음을 아는 것이 이른바 '도(道)'이니, 이것이 바로 앞에 글의 세 번의 '안다[知]'가 아는 일이다. 이 때문에 천지의 신(神)은 음양의 정해진 방소가 없고, 홀과 짝의 변화도 더불어 두루 흘러서 정해진 몸체가 없으니, 이것이 이른바 '역이 천지를 준칙으로 삼았다'는 것이다. 이 구절은 바로 처음의 뜻을 밝혀서 지극히 말한 것이다.

○ 案, 程子嘗以此章所論, 專爲易之書而言, 而朱子謂未安. 項氏說本於程子, 而與本義不同, 然亦自爲一說. 範圍天地, 道之極於至大而旡外也, 曲成萬物, 道之入於至小而旡間也. 剩些子不得, 故曰不過, 欠些子不得, 故曰不遺. 範圍不過者, 裁成也, 曲成不遺者, 輔相也.

내가 살펴보았다: 정자는 일찍이 이 장(章)의 논의는 오로지 『역』이라는 책을 위하여 말한 것이라고 여겼는데, 주자는 그렇지 않다고 하였다. 항씨의 설명은 정자에 근본해서 『본의』와는 같지 않지만, 또한 자연히 하나의 설명이 된다. "천지를 범위한다"는 도가 지극히 큼을 다하여 밖이 없음이고, "만물을 곡진히 이룬다"는 도가 지극히 작음에 들어가서 틈이 없음이다. 조금도 남기지 않으므로 "지나치지 않는다"고 하였고, 조금도 모자라지 않으므로 "빠뜨리지 않는다"고 하였다. '범위하여 지나치지 않음'은 마름질하여 이룸이고, '곡진히 이루어 빠뜨리지 않음'은 보좌하여 도움이다.

小註, 程子說升降三萬里.

소주에서 정자가 "삼만리를 오르내린다"고 하였다.

〈考靈曜, 地蓋厚三萬里, 春分之時, 地正當天之中. 自此地漸漸而下, 至夏至時, 地下游萬五千里, 地之上畔與天中平. 夏至之後, 漸漸向上, 至秋分, 正當天之中. 自此漸漸而上, 至冬至時, 上游萬五千里, 地之下畔與天中平, 至冬至後, 漸漸向下, 此是地之升降於三萬里之中. 又旁行四表之中, 冬南夏北春西秋東, 皆薄四表而止.

『고령요』에서 말하였다: 땅은 두터움이 삼만리인데, 춘분(春分)의 때에 땅은 바로 하늘의 중앙에 위치한다. 이로부터 땅은 점차로 내려가서 하지(夏至)의 때에 이르면 땅은 일만 오천리의 아래에서 떠돌아 땅의 위쪽 반이 하늘의 중앙과 수평이 된다. 하지의 뒤에 점차로 위로 올라가서 추분(秋分)에 이르면 바로 하늘의 중앙에 위치한다. 이로부터 점차로 올라가 동지(冬至)의 때에 이르면 일만 오천리의 위에서 떠돌아 땅의 아래쪽 반이 하늘의 중앙과 수평이 되며, 동지에 이른 뒤에는 점차로 아래로 내려가니, 이것이 땅이 삼만리의 가운데를 오르내린다는 것이다. 또 (하늘이) 사방으로 사표(四表)의 가운데를 운행하여 겨울에는 남쪽, 여름에는 북쪽, 봄에는 서쪽, 가을에는 동쪽에 있으니, 모두 사표를 가까이 하여 그친 것이다〉

升降八萬里.

팔만리를 오르내린다.

〈考靈曜, 正月假上八萬里, 假下一十萬四千里, 所以有假上假下也.

『고령요』에서 말하였다: 정월에는 (해가) 위로 (하늘에서) 떨어짐이 팔만리이고, 아래로 (땅에서) 떨어짐이 일십만 사천리이기에 위와 떨어지고 아래와 떨어짐이 있는 것이다.

○ 鄭氏曰, 天去地十九萬三千五百里, 正月雨水時, 日在上假於八萬里, 下至地一十一萬三千五百里. 夏至時, 日上極與天表平, 後日漸向下, 冬至時, 日下至於地八萬里, 上至於天十一萬三千五百里.

정현이 말하였다: 하늘과 땅의 거리가 십구만 삼천 오백리인데, 정월의 우수의 때에는 해가 위로 팔만리를 떨어져 있고, 아래로 땅에서 일십만 삼천 오백리에 이른다. 하지의 때에는 해가 올라감이 지극하여 천표와 수평이지만 뒷날 점차로 아래로 향하니, 동지의 때에는 해가 내려와 땅의 팔만리에 이르고, 올라가 일십만 삼천오백리에 이른다〉

案, 四遊升降之說, 始見於考靈曜, 而周禮註月令疏爾雅疏, 俱有是說. 正蒙亦取之, 朱子亦云, 恐有此理. 然陽主動, 運行不息, 陰主靜, 一定不易. 故邵子嘗謂地直方而靜, 豈得如圓動之天乎. 今以渾天說觀之, 晝夜長短, 由日道之有高下, 則不須說地之升降而日之冬短夏永, 分明易見, 此與四游升降之說, 欲通融而不可得矣. 朱子嘗云, 所謂升降一萬五千里, 謂冬夏日行南陸北陸之間, 相去一萬五千里, 又云, 日月升降三萬里之中, 此指黃道相去遠近而言. 晩來集書傳, 以渾天說爲主, 而刊落諸家說, 則朱子定論, 槪可知矣.

내가 살펴보았다: 사방으로 떠돌며 오르내린다는 설명은 처음에는 『고령요』에 나타나는데, 『주례』의 주석과 『월령』의 주소와 『이아』의 주소에도 모두 이 설명이 있다. 『정몽』에서도 취하였으며, 주자도 "이러한 이치가 있는 듯하다"고 하였다. 그러나 양(陽)은 움직임을 주로 하여 운행이 그치지 않고, 음(陰)은 고요함을 주로 하여 일정하게 바뀌지 않는다. 그러므로 소자가 일찍이 '땅은 곧바르며 고요하다'고 하였으니, 어찌 둥글고 움직이는 하늘과 같을 수 있겠는가? 지금 혼천설로 본다면, 낮과 밤의 길고 짧음은 황도에 높고 낮음이 있음에 연유한다. 그렇다면 '땅이 오르내려서 해가 겨울에는 짧고 낮에는 길다'고 말할 수 없는 것임을 분명하고 쉽게 알 수 있으니, 이것과 사방으로 떠돌며 오르내린다는 설은 회통하려 해도 할 수 없을 것이다. 주자는 일찍이 "이른바 '일만 오천리를 오르내린다'는 것은 겨울과 여름의 해의 운행에서 남쪽 궤도와 북쪽 궤도의 사이가 서로 일만 오천리 떨어져 있음을 말한다"고 하였고, 다시 "해와 달이 삼만리의 가운데서 오르내림은 황도가 서로 떨어진 원근(遠近)을 가리켜 말한 것이다"라고 하였다. 만년에 『서전』을 편집함에 혼천설을 위주로 하고 여러 학자의 설명을 없애버렸으니, 주자의 정론을 대체로 알 수 있을 것이다.

本義匡郭.

『본의』의 광곽.

〈參同契, 坎離匡郭, 朱子註垣郭.

『참동계』의 '감리(坎離)는 광곽이다'를 주자는 '담장의 둘레'라고 주석하였다.〉

김상악(金相岳)『산천역설(山天易說)』

上文言彌綸天地之道, 故此曰範圍曲成, 不過不遺, 卽裁成之意也. 晝夜, 卽幽明死生鬼神之謂也. 神則陰陽不測, 故无方, 易則能陰能陽, 故无體.

위의 글에서 천지의 도를 미륜함을 말하였으므로 여기에서 '범위하고 곡진히 이룸'과 '지나치지 않고 빠뜨리지 않음'을 말하였으니, 바로 마름질하여 이룬다는 뜻이다. 낮과 밤은 어둠과 밝음, 죽음과 삶, 귀와 신을 말한다. '신(神)'은 음과 양에서 헤아릴 수 없으므로 일정한 방소가 없고, '역(易)'은 음이 되고 양이 되므로 일정한 몸체가 없다.

박윤원(朴胤源)『경의(經義)・역경차략(易經箚略)・역계차의(易繫箚疑)』

神無方而易無體, 此神字, 本義以至神之妙釋之, 卽說卦神也者妙萬物而爲言者也. 固當如是看, 而來氏引孟子聖而不可知之謂神, 以爲聖無方而易無體, 此說何如. 此章本以易與聖人竝言之, 則其結之也, 似亦宜然. 然則來說不可斥棄歟.

"신은 일정한 방소가 없고, 역은 일정한 몸체가 없다"의 '신(神)'자를『본의』에서 '지극히 신묘함'으로 해석한 것은 바로「설괘전」의 "신(神)이란 만물을 신묘하게 함을 말한다"는 것이다. 참으로 이와 같이 보는 것이 당연한데, 래씨는『맹자』의 "성(聖)스러워 알 수 없는 것을 신(神)이라 한다"[145]는 말을 인용하고는 '성인은 일정한 방소가 없고, 역은 일정한 몸체가 없다'로 간주하였으니, 이 설명은 어떠한가? 이 장은 본래 역(易)과 성인을 아울러 말하였으니, 그 끝맺음도 마땅히 그래야 할 듯하다. 그렇다면 래씨의 설명도 폐기할 수 없는 것인가?

심취제(沈就濟)『독역의의(讀易疑義)』

陰陽剛柔, 天地之用也, 仁知, 人之道也. 首章, 以陰陽剛柔爲頭尾, 以易簡置中, 至此章, 始言仁知, 而仁知者, 自易簡中來也. 彼以天地言也, 此以人事言也, 知者易也, 仁者簡也.

---

145)『孟子・盡心』.

음양과 강유는 천지의 작용이고, 어짊[仁]과 지혜[知]는 사람의 도이다. 첫 장에서는 음과 양, 강과 유로 처음과 끝을 삼고, 평이함과 간략함을 중간에 두었으며, 이 장에 이르러 처음으로 어짊과 지혜를 말했는데, 어짊과 지혜는 평이함과 간략함으로부터 왔다. 저기서는 천지로 말했고, 여기서는 사람의 일로 말했으니, 지혜는 평이함이고 어짊은 간략함이다.

首章之尊卑, 不過分一字也, 章章都是分也.
첫 장의 높고 낮음은 '나눈다[分]'는 말에 불과하니, 장마다 모두 나눈 것이다.

至命之命, 卽天之命也. 天包神而神著於命也, 人包神而神著於辭也, 人之辭, 卽天之命也.
'명(命)에 이른다'의 '명(命)'은 곧 하늘의 명령이다. 하늘이 신묘함을 갖춤에 신묘함이 명령에 나타나고, 사람이 신묘함을 갖춤에 신묘함이 말에 나타나니, 사람의 말이 곧 하늘의 명령이다.

仁者天也, 知者地也, 天而體地之知, 故曰天之知也, 地而體天之仁, 故曰地之仁也. 及其用也, 則天仁而地知也, 此猶地天泰之爲天地否也.
어짊은 하늘이고 지혜는 땅인데, 하늘이면서 땅의 지혜를 몸으로 하기 때문에 '하늘의 지혜'라 하고, 땅이면서 하늘의 어짊을 몸으로 하기 때문에 '땅의 어짊'이라 하였다. 작용에 미쳐서는 하늘은 어짊이고 땅은 지혜이니, 이는 지천태(䷊)가 천지비(䷋)가 되는 것과 같다.

此章知仁, 言學故也, 窮理盡性至命, 都是學也. 知仁之中, 包陰陽剛柔也.
이 장의 지혜와 어짊은 학문을 말하기 때문에 궁리(窮理)와 진성(盡性)과 지명(至命)이 모두 학문이다. 지혜와 어짊의 가운데에 음양과 강유를 포괄한다.

窮神知化, 學之極功, 則此章之首言幽明死生魂魄者, 窮理之時, 含窮神之妙也.
신묘함을 궁구하고 조화를 앎은 학문의 지극한 공효이니, 이 장의 처음에서 유명(幽明) · 사생(死生) · 혼백(魂魄)을 말한 것은 궁리의 때에 신묘함을 궁구하는 오묘함이 포함되어 있기 때문이다.

天地者, 方圓而已, 變化者, 陰陽而已, 動靜者, 剛柔而已, 易簡者, 知仁而已.
천지는 모와 원일뿐이고, 변화는 음과 양일뿐이고, 동정은 강과 유일뿐이고, 이간은 지혜와 어짊일 뿐이다.

윤행임(尹行恁) 『신호수필(薪湖隨筆)·역(易)』

範圍者, 儀式也, 曲成者, 化理也. 不過者, 位焉也, 不遺者, 育焉也. 易之道陰陽是已, 將以陰陽之道, 極本而言也. 故先言晝夜之道.

'범위한다'는 의례의 법식이고, '곡진히 이룸'은 변화의 이치이다. '지나치지 않음'은 자리 하게 함이고, '빠뜨리지 않음'은 육성함이다. 역의 도는 음양일 뿐이니, 음양의 도를 가지고 근본을 지극히 하여 말한 것이다. 그러므로 먼저 낮과 밤의 도를 말하였다.

神者, 妙而不測, 故於上於下於左於右, 不知其所在. 易者, 變而不常, 故其進其退其靜其動, 未見其所形.

'신(神)'은 오묘하여 헤아릴 수 없으므로 위와 아래, 좌와 우에서 소재를 알지 못한다. '역(易)'은 변하여 일정하지 않으므로 나아감과 물러남, 고요함과 움직임에 형체가 나타나지 않는다.

오희상(吳熙常) 「잡저(雜著)-역(易)」

第四章, 承上章卦爻辭之後, 言體易聖人窮理盡性知命之事, 末節言神無方易無體, 復起下章易道之體用也.

제 4장은 앞장의 괘사와 효사의 뒤를 이어서 역(易)을 체득한 성인의 궁리(窮理)·진성(盡性)·지명(知命)의 일을 말하고, 끝의 구절에서 "신은 일정한 방소가 없고, 역은 일정한 몸체가 없다"고 하여 다시 다음 장의 '역도의 체용'을 일으켰다.

윤종섭(尹鍾燮) 『경(經)-역(易)』146)

四章彌綸, 易所以法象天地, 而括盡人物. 用是易, 而明於死生幽明鬼神之故, 盡其性, 盡人物之性, 則與天地立. 是以曰知周萬物, 曰樂天知命, 終之以神無方, 所謂至誠如神也.

4장의 '미륜(彌綸)'은 역(易)이 천지를 본받아 그려내고 인물을 포괄하여 다하는 까닭이다. 이러한 역을 써서 삶과 죽음, 어둠과 밝음, 귀와 신의 연고를 밝혔으니, 그 성품을 다하여 사람과 사물의 성품을 다하면 천지와 함께 서게 된다. 이 때문에 "지혜가 만물에 두루한다"고 하고, "천리를 즐거워하고 천명을 안다"고 하였으며, "신은 일정한 방소가 없다"는 것으로 마쳤으니, 이른바 "지성(至誠)은 신(神)과 같다"147)는 것이다.

---

146) 경학자료집성DB에서는 「계사상전」 '1장'에 해당하는 것으로 분류했으나, 내용에 따라 이 자리로 옮겼다.

심대윤(沈大允) 『주역상의점법(周易象義占法)』

卽中庸鬼神, 體物而不遺者也.

바로 『중용』 귀신장의 "사물의 몸체가 되어 빠뜨리지 않는다"[148]는 것이다.

오치기(吳致箕) 「주역경전증해(周易經傳增解)」

範如鑄器之有模範也, 圍如城郭之作外圍也. 天地之化无窮, 而聖人爲之範圍, 不使過於中道, 所謂裁成者也. 曲成萬物, 如大以成大, 小以成小, 无物不成也. 通謂達也, 晝夜之道, 卽幽明死生鬼神也. 神无方, 言聖人之神明不測, 无有方所也, 易无體, 言易道之變化不窮, 无有形體也, 此言聖人之至命也.

'범(範)'은 그릇을 주물하는 모범과 같고, '위(圍)'는 성곽에 겉 둘레를 만든 것과 같다. 천지의 조화는 다함이 없는데, 성인이 이를 범위하여 중도(中道)에 지나치지 않게 하니, 이른바 '마름질하여 이룬다'는 것이다. "만물을 곡진히 이룬다"는 큰 것은 크게 이루고 작은 것은 작게 이루어 사물마다 이루지 않음이 없음이다. '통(通)'은 통달함이고, 주야(晝夜)의 도는 유명과 사생과 귀신이다. "신(神)은 일정한 방소가 없다"는 성인의 헤아릴 수 없는 신명함이 방소가 없음을 말하고, "역(易)은 일정한 몸체가 없다"는 역도의 다함이 없는 변화가 형체가 없음을 말하니, 이는 성인의 '천명을 다함[至命]'을 말한 것이다.

이진상(李震相) 『역학관규(易學管窺)』

第四章註 升降三萬里.

제 4장 주석의 "삼만리를 오르내린다".

地道本静, 一定不易, 而但包在天中, 天依於形, 地附於氣. 天氣之有升降, 而地亦與之升降. 夏至地下游萬五千里, 而上畔與天中平, 則黃道高, 而日極長矣, 冬至地上游萬五千里, 而下畔與天中平, 則黃道低, 而日極短矣. 春秋分地正當天中, 故日亦中也. 四游升降之說, 自古相傳, 朱子亦曰, 恐有是理, 或疑晝夜長短, 由日道之高下, 不須說地之升降. 然日道之有高下, 果不由於黃進之低昂耶. 當更詳之.

땅의 도는 본래 고요하여 일정하게 바뀌지 않지만 하늘의 가운데 쌓여있으니, 하늘은 형체에 의지하고 땅은 기운에 붙어 있다. 하늘의 기운에는 오르내림이 있어서 땅도 더불어 오르내린다. 하지에는 땅이 일만 오천리 아래에 떠 있어서 윗부분이 하늘의 중앙과 수평이 되니

---

147) 『中庸』: 至誠之道, 可以前知, … 禍福將至, 善必先知之, 不善必先知之. 故至誠如神.

148) 『中庸』: 視之而弗見, 聽之而弗聞, 體物而不可遺.

황도가 높아져 해가 지극히 길며, 동지에는 땅이 일만 오천리 위에 떠 있어서 아래 부분이 하늘의 중앙과 수평이 되니 황도가 낮아져 해가 지극히 짧다. 춘분과 추분에는 땅이 바로 하늘의 중앙에 해당하므로 해가 또한 중앙이다. 사방으로 돌아다녀 오르내린다는 설은 예로부터 서로 전해졌고, 주자도 "이러한 이치가 있는 듯하다"고 하였는데, 어떤 사람은 "낮과 밤의 길고 짧음은 황도의 높고 낮음에 기인하는 것이기에 땅의 오르내림은 말할 필요가 없다"고 의심하였다. 그러나 황도에 높고 낮음이 있는 것은 결국 황도의 나아감이 낮아졌다 높아졌다 하기 때문이 아니겠는가? 당연히 다시 살펴야 할 것이다.

○ 神旡方而易旡體.
신은 일정한 방소가 없고 역은 일정한 몸체가 없다.
神與易, 不爭多了. 在陰在陽至妙, 故謂之神, 能陰能陽至變, 故謂之易. 無方所, 無形體, 畢竟是太極之所爲, 故下文便說一陰一陽之謂道.
신과 역은 많음을 다투지 않는다. 음에도 있고 양에도 있어서 지극히 신묘하므로 '신(神)'이라 하고, 음이 될 수 있고 양이 될 수 있어서 지극히 변화하므로 '역(易)'이라 한다. 일정한 방소가 없고 일정한 몸체가 없음은 필경 태극(太極)이 하는 것이기 때문에 아래 글에서 다시 "한 번은 음이 되고 한 번은 양이 됨을 도(道)라 한다"[149]고 하였다.

이병헌(李炳憲)『역경금문고통론(易經今文考通論)』

京曰, 準等也, 彌遍, 綸知也.
경방이 말하였다: '준(準)'은 동등함이며, '미(彌)'는 두루함이고 '륜(綸)'은 주관함이다.

虞曰, 準同也. 綸絡, 謂包綸萬物. 以言乎天地之間, 則備矣.
우번이 말하였다: '준(準)'은 같음이다. '륜(綸)'은 잡아맴이니, 만물을 포괄하여 잡아맴을 말한다. 이를 천지의 사이에서 말한다면 갖추어질 것이다.

荀曰, 陰升之陽, 則成天之文, 陽降之陰, 則成地之理.
순상이 말하였다: 음이 상승한 양이니 하늘의 문장을 이루고, 양이 하강한 음이니 땅의 이치를 이룬다.

宋曰, 說始銳反, 舍也. 緯筮類.

송충이 말하였다: '세(說)'는 시(始)와 예(銳)의 반절이니, 음이 '사(舍)'이다. '위(緯)'는 점의 류이다.

謀150)曰, 精氣謂七八, 遊魂謂九六.
정현이 말하였다: 정기(精氣)는 칠(七)과 팔(八)을 말하고, 유혼(遊魂)은 구(九)와 육(六)을 말한다.

鄭曰, 遊魂, 謂之鬼物終所歸, 精氣, 謂之神物生所信也.
정현이 말하였다: 유혼은 귀물(鬼物)이 끝마침에 돌아가는 바를 말하고, 정기는 신물(神物)이 태어남에 의지하는 바를 말한다.

本義謂, 安土, 隨處皆安.
『본의』에서 말하였다: '자리에 편안함'은 곳마다 모두 편안함이다.

鄭曰, 範法也.
정현이 말하였다: '범(範)'은 본받음이다.

荀九家曰, 圍者周也.
순상이 『구가역』에서 말하였다: '위(圍)'는 두루함이다.

干151)曰, 言神之鼓萬物, 無常方, 易之應變化, 無定體也.
간보가 말하였다: 신(神)이 만물을 고무시킴이 일정한 방소가 없고, 역(易)이 변화에 호응함이 일정한 몸체가 없음을 말한다.

右, 第四章.
이상은 제4장이다.

---

150) '모(謀)'는 정현임.
151) 干: 경학자료집성DB와 영인본에는 '于'로 되어 있으나, 문맥을 살펴 '干'으로 바로잡았다.

‖中國大全‖

本義

此章, 言易道之大, 聖人用之如此.

이 장(章)은 역(易)의 도(道)가 큼과 성인(聖人)이 사용하기를 이와 같이 함을 말하였다.

‖韓國大全‖

오치기(吳致箕)「주역경전증해(周易經傳增解)」

右第四章. 此章, 言易道之大與天地準, 而聖人用易, 亦與天地同也.

이상은 제 4장이다. 이 장은 역도가 커서 천지와 나란하고, 성인이 역을 쓰는 것도 천지와 같음을 말하였다.

이병헌(李炳憲)『역경금문고통론(易經今文考通論)』

此章言易之道, 而繼言聖人體易之道又如此. 後章倣此.

이 장은 역(易)의 도를 말하고, 이어서 성인이 역의 도를 체득함이 또한 이와 같음을 말했다. 뒤의 장도 이와 마찬가지이다.

제5장第五章

一陰一陽之謂道,

한 번은 음이 되고 한 번은 양이 됨을 도(道)라 하니,

┃中國大全┃

小註

程子曰, 一陰一陽之謂道. 此理固深, 說則无可說. 所以陰陽者道, 旣曰氣則便有二. 言開闔便是感, 旣二則便有感. 所以開闔者道, 開闔便是陰陽. 老氏言虛而生氣非也. 陰陽開闔, 本无先後, 不可道今日有陰明日有陽. 如人言形影, 蓋形影一時, 不可言今日有形, 明日有影, 有便齊有.

정자가 말하였다: 한 번은 음이 되고 한 번은 양이 됨을 도라 한다. 이 이치는 확고하고 깊어서 말하려 해도 말할 수 없다. 음양의 원인이 도이니 이미 기라고 하면 곧 둘이 있게 된다. 개합을 말하면 곧 감응이니 이미 둘이 되면 곧 감응이 있다. 개합하게 하는 것이 도이고 개합은 곧 음양이다. 노자가 말한 "비었으면서 기를 낳는다"는 것은 그르다. 음양과 개합은 본래 선후가 없어서 오늘은 음이 있고 내일은 양이 있다고 말할 수 없다. 마치 사람들이 형체와 그림자를 말하는 것과 같으니, 형체와 그림자는 때를 같이 해서 오늘 형체가 있고 내일 그림자가 있다고 할 수 없으니 있으면 같이 있다.

○ 離了陰陽便无道, 所以陰陽者是道也, 陰陽氣也. 氣是形而下者, 道是形而上者, 形而上者則是密也.

음양을 떠나서는 도가 없으니 음양의 원인이 도이고 음양은 기이다. 기는 형이하자이고 도는 형이상자인데 형이상자는 은밀하다.

○ 一陰一陽之謂道, 道非陰陽也, 所以一陰一陽者道也, 如一闔一闢謂之變.

"한 번은 음이 되고 한 번은 양이 됨을 도라 한다"에서 도는 음양이 아니라 한 번은 음으로 하고 한 번은 양으로 하게 하는 것이 도이니, 한 번은 닫고 한 번은 여는 것을 변(變)이라 함과 같다.

本義

陰陽迭運者, 氣也, 其理則所謂道.

음양이 번갈아 움직임은 기(氣)이고, 그 이치는 이른바 도(道)이다.

小註

朱子曰, 一陰一陽之謂道, 陰陽何以謂之道, 當離合看.

주자가 말하였다: "한 번은 음이 되고 한 번은 양이 됨을 도라 한다"에서 음양을 어찌 도라 할 수 있는가? 분리하고 합일하여 보아야 한다.

○ 一陰一陽之謂道, 則陰陽是氣不是道, 所以爲陰陽者乃道也. 若只言陰陽之謂道, 則陰陽是道, 今曰一陰一陽, 則是所以循環者乃道也. 一闔一闢謂之變亦然. 又曰, 理則一而其形者則謂之器, 其不形者則謂之道. 然而道非器不形, 器非道不立. 蓋陰陽亦器也而所以陰陽者道也. 是以一陰一陽往來不息, 而聖人指是, 以明道之全體也. 此一陰一陽之謂道之說也.

"한 번은 음이 되고 한 번은 양이 됨을 도라 한다"에서 음양은 기이지 도가 아니고, 음양으로 작용하게 하는 것이 도이다. 만약 다만 음양을 일러 도라고만 하면 음양이 곧 도이겠지만, 여기서 "한번은 음이 되고 한번은 양이 된다"고 하였으니, 이는 순환하게 하는 것이 도이다. "한 번은 닫고 한 번은 여는 것이 변이다"라는 것 또한 그러하다.

또 말하였다: 리(理)는 하나인데 형체화된 것을 기(器)라 하고 형체화되지 않은 것을 도(道)라 한다. 그렇지만 도는 기가 아니면 드러날 수 없고 기는 도가 아니면 정립할 수 없다. 음양 역시 기이며 음양의 원인이 도이다. 이로써 한 번은 음으로 작용하고 한번은 양으로 작용하여 왕래가 끊임없으니 성인이 이를 가리켜 도의 전체를 밝혔다. 이것이 "한 번은 음이 되고 한 번은 양이 됨을 도라 한다"의 설명이다.

○ 問, 一陰一陽之謂道, 便是太極否. 曰, 陰陽只是陰陽, 道便是太極. 程子說所以一陰一陽者道也.

물었다: "한 번은 음이 되고 한 번은 양이 됨을 도라 한다"가 곧 태극입니까?

답하였다: 음양은 단지 음양이고 도가 곧 태극입니다. 정자가 "한 번은 음으로 작용하고 한 번은 양으로 작용하게 함이 도이다"라고 하였습니다.

○ 問, 一陰一陽之謂道, 曰, 以一日言之則晝陽而夜陰, 以一月言之則望前爲陽望後爲陰, 以一歲言之則春夏爲陽秋冬爲陰, 從古至今, 恁地衮將去, 只是這個陰陽. 是孰使之然哉, 乃道也. 從此句下文, 分兩脚. 此氣之動爲人爲物, 渾是一個道理, 故人未生以前, 此理本善, 所以謂繼之者善, 此則屬陽. 氣質旣定, 爲人爲物, 所以謂成之者性, 此則屬陰. 又曰, 一陰一陽, 此是天地之理, 如大哉乾元萬物資始, 乃繼之者善也, 乾道變化各正性命, 此成之者性也. 這一段, 是說天地生成萬物之意, 不是說人性上事.

물었다: "한 번은 음이 되고 한 번은 양이 됨을 도라 한다"는 무슨 뜻입니까?

답하였다: 하루로 말하면 낮은 양이고 밤은 음이며, 한 달로 말하면 보름 이전은 양이고 보름 이후는 음이며, 일 년으로 말하면 춘하는 양이고 추동은 음이니, 옛날부터 지금까지 흘러온 것은 단지 이 음양입니다. 이것은 누가 시키는 것일까? 도입니다. 이 구절 아래의 글은 두 부분으로 나눕니다. 음양의 기가 움직이면 사람이 되고 물건이 되는데 합해보면 하나의 도리입니다. 그러므로 사람이 태어나기 이전에도 이 리(理)는 본래 선하기에 "이은 것이 선이다"라고 하였으니 이것은 양에 속합니다. 기질이 이미 정해져서 사람이 되고 물건이 되기에 "이룬 것이 성품이다"라고 하였으니 이것은 음에 속합니다. 또 답하였다: 일음일양(一陰一陽)은 천지의 리이니, "위대하구나 건원(乾元)이여 만물이 의뢰하여 나온다"[152]와 같은 것으로 "이은 것이 선이다"이고, "건도가 변화함에 각각 성명을 바르게 한다"[153]는 "이룬 것이 성품이다"입니다. 이 한 단락은 천지가 만물을 낳는 뜻을 말하였지 인성(人性)의 일을 말하지 않았습니다.

---

152) 『周易·乾卦』: 彖曰, 大哉乾元, 萬物資始, 乃統天.
153) 『周易·乾卦』: 彖曰, … 乾道變化, 各正性命, 保合大和, 乃利貞.

∥韓國大全∥

유정원(柳正源) 『역해참고(易解參攷)』

一陰 [至] 謂道,

한 번은 음이 되고 … 도(道)라 하니,

案, 陰變爲陽, 陽化爲陰, 陰前是陽, 陽前是陰. 其妙无窮, 孰使之然哉. 道也.

내가 살펴보았다: 음이 변(變)하여 양이 되고 양이 화(化)하여 음이 되니, 음의 이전에는 양이고 양의 이전에는 음이다. 그 신묘함이 다함이 없으니 누가 그렇게 시키는 것인가? 도(道)이다.

小註, 程子說虛生氣.

소주에서 정자가 '비어있으면서 기가 나옴'을 거론하였다.

〈案, 道德經, 无此一句, 第五章言虛而不屈, 動而愈出, 註虛无不測, 神化无窮, 此虛而生氣之意也.

내가 살펴보았다: 『도덕경』에는 이러한 구절은 없고, 제5장에서 "비어서 굽혀짐이 없고, 움직일 수로 더욱 나온다"고 한 것을 주석에서 "비어서 헤아릴 수 없고, 신묘한 조화가 다함이 없다"고 하였는데, 이것이 '비어있으면서 기가 나온다'는 뜻이다〉

김상악(金相岳) 『산천역설(山天易說)』

程子曰 一陰一陽之謂道 道非陰陽也 所以一陰一陽者道也

정자가 말하였다: 한 번은 음이 되고 한 번은 양이 됨을 도(道)라 하는데, 도가 음양이 아니라, 한 번은 음이 되고 한 번은 양이 되는 까닭이 도이다.

박윤원(朴胤源) 『경의(經義)·역경차략(易經箚略)·역계차의(易繫箚疑)』

一陰一陽之謂道, 程子器亦道之云, 正指此歟. 朱子以爲若只言陰陽之謂道, 則陰陽是道, 今曰一陰一陽, 則所以循環者道也. 然則名之謂道之義, 當於兩一字上看得歟. 然說卦曰, 立天之道曰陰與陽, 此只言陰陽, 而不言一字矣. 然則一字, 亦不足以見其爲道, 未知如何. 大抵循環者氣機, 而道卽所以循環者也. 一陰一陽, 而所以一陰一陽者道也, 則當着所以字看, 方爲分明. 本文無所以字, 則所以之義, 當於言外得之歟.

"한 번은 음이 되고 한 번은 양이 됨을 도(道)라 한다"고 하는데, 정자가 "기(器)도 도(道)이다"라고 한 것은 바로 이것을 가리키는 것인가? 주자는, 만약 단지 "음양을 도라 한다"고 하였다면 음양이 도인 것인데, 지금은 "한 번은 음이 되고 한 번은 양이 된다"고 하였으니, 순환하는 까닭이 도가 된다고 여겼다. 그렇다면 도(道)라고 이름하는 뜻은 마땅히 두 개의 '한 번은'에서 볼 수 있는 것인가? 그러나 「설괘전」에서는 "하늘의 도를 세우는 것을 '음과 양이라 한다"고 하였으니, 이는 다만 음양만을 말하고 '한 번은'을 말하지 않은 것이다. 그렇다면 '한 번은'이라는 말도 도가 됨을 나타내지 못하는 듯한데, 어떤지 알지 못하겠다. 대체로 순환하는 것은 기운의 기틀이고, 도는 곧 순환하는 까닭[所以]인 것이다. 한 번은 음이 되고 한 번은 양이 되는데, 한 번은 음이 되고 한 번은 양이 되는 까닭이 도이니, 마땅히 까닭이라는 말을 붙여 보아야 바야흐로 분명하게 된다. 본문에는 까닭이라는 말이 없으니, 까닭이라는 뜻은 마땅히 말의 밖에서 얻어야 하는가?

심취제(沈就濟) 『독역의의(讀易疑義)』

此章以前, 則含道字, 而提言易簡及仁知而已, 至此章, 道字始立, 此道字自首章之天字也.

이 장 이전에는 '도(道)'자를 머금고서 평이함과 간략함, 어짊과 지혜에 대한 생각을 제출하였고, 이 장에 이르러서 '도'자가 확립되기 시작했는데, 이 '도'자는 첫 장의 '천(天)'자에서 유래하였다.

윤행임(尹行恁) 『신호수필(薪湖隨筆)·계사전(繫辭傳)』

无方无體者, 道也, 道不可以言語形容也. 故曰一陰一陽之謂道, 陰陽之所以爲陰陽, 一往一來, 循環而不已者, 道也.

일정한 방소가 없고 일정한 몸체가 없는 것이 도이니, 도(道)는 언어로 형용할 수 없다. 그러므로 "한 번은 음이 되고 한 번을 양이 됨을 도라 한다"고 하였으니, 음양이 음양이 되어서 한번은 가고 한번은 와서 그침 없이 순환하는 까닭이 도이다.

오치기(吳致箕) 「주역경전증해(周易經傳增解)」

陽一陰一, 卽二氣對待之體也, 一變而爲陰, 一變而爲陽, 卽二氣流行之機也. 所以爲陰陽者, 卽太極之理, 故謂之道.

양(陽)도 하나이고 음(陰)도 하나이니 두 기운은 상대하는 몸체이고, 한번은 변하여 음이 되고 한번은 변하여 양이 되니 두 기운은 유행하는 기틀이다. 음양이 되는 까닭이 바로 태극의 이치이기 때문에 '도(道)'라고 하였다.

이진상(李震相) 『역학관규(易學管窺)』

第五章, 一陰一陽.

제 5장의 한번은 음이 되고 한번은 양이 된다.

陰只是陰, 陽只是陽, 物則不通者也. 若其一陰了又一陽者, 道也, 道無不在. 或謂這之字有力, 陰之陽之, 便是道, 此非夫子本意, 而反涉於理有作用之病. 看小註, 朱子曰, 若只言陰陽之謂道, 則陰陽是道, 今日一陰一陽, 則是所以循環者, 乃道也, 於此可知.

음(陰)은 다만 음이고 양(陽)은 다만 양이니, 물건에서는 상통하지 못하는 것이다. 한 번은 음이 되었다가 다시 한 번은 양이 되는 것이라면 도(道)이니, 도는 있지 않는 곳이 없다. 어떤 이는 '지(之)'자에 힘이 있어서 '음이 되게 하고 양이 되게 하는 것[陰之陽之]'이 바로 도(道)라고 하는데, 이는 주자의 본래의 뜻이 아니고, 도리어 이치가 작용이 있게 되는 병폐에 들어선 것이다. 소주(小註)를 보면, 주자가 "만약 단지 '음양을 도라고 한다'고 하였다면 음양이 도(道)이겠지만, 지금은 '한번은 음이 되고 한번은 양이 된다'고 하였으니 이는 순환하는 까닭이 바로 도인 것이다"라고 하였으니, 여기에서 알 수 있을 것이다.

○ 程子說虛生氣.

정자의 '비어있으면서 기가 나옴'에 대한 설명.

道德經無此句, 而有曰虛而不詘, 動而愈出, 宗老氏者, 因此而有是說.

『도덕경』에는 이러한 구절은 없고, "비어서 굽혀짐이 없고, 움직일수록 더욱 나온다"고 한 것이 있는데, 노자를 종주로 하는 자들이 이에 의거하여 이렇게 말함이 있다.

박문호(朴文鎬) 「경설(經說)·주역(周易)」

一陰一陽者氣也, 所以一陰而一陽者理也. 之字有所以之義, 而道卽理也. 此蓋以流行之理言也.

한 번은 음(陰)이 되고 한 번은 양(陽)이 되는 것은 기운이고, 한 번은 음이 되고 한 번은 양이 되는 까닭이 이치이다. ['一陰一陽之謂道'의] '지(之)'자에는 까닭의 뜻이 있으며, 도(道)는 바로 이치이다. 이것은 대체로 유행하는 이치로 말한 것이다.

繼之者善也, 成之者性也.

이은 것이 선(善)이고, 이룬 것이 성(性)이다.

▎中國大全▎

小註

程子曰, 止於至善, 不明乎善, 此言善者, 義理之精微, 无可得名, 且以至善目之. 繼之者善, 此言善, 卻言得輕, 但謂繼斯道者, 莫非善也, 不可謂之惡.

정자가 말하였다: "지극한 선에 그친다"[154]나 "선에 밝지 못하다"[155]란 말의 선(善)은 의리의 정미로운 것으로 이름붙일 수 없기 때문에 "지극한 선"으로 지목했다. "이은 것이 선이다"란 말의 선은 오히려 가볍게 말했으니, 다만 이 도를 이은 것이 선이 아님이 없어 악이라 이를 수 없음을 말한다.

○ 生生之謂易, 是天之所以爲道也. 天只是以生爲道, 繼此生理者卽是善也. 善便有一個元底意思, 元者善之長. 萬物皆有春意, 便是繼之者善也. 成之者性也, 成卻待萬物自成其性須得.

"낳고 낳음을 역이라 한다" 이것은 하늘이 도로 삼는 바이다. 하늘은 단지 '낳음'으로 도를 삼으니, 이 낳는 도리를 이은 것이 선이다. 선(善)은 곧 '원(元)'의 의미이니 '원(元)'은 선(善)의 으뜸이다. 만물이 모두 봄[春]의 뜻을 가지면 곧 이것이 "이은 것이 선이다"인 것이다. "이룬 것이 성이다"에서 '이룸[成]'은 만물이 각자 자기의 성품을 이루어내야 하는 것이다.

---

154) 『大學』: 大學之道, 在明明德, 在新民, 在止於至善.
155) 『中庸』: 誠身有道, 不明乎善, 不誠乎身矣.

本義

道具於陰而行乎陽, 繼, 言其發也, 善謂化育之功, 陽之事也, 成, 言其具也, 性,
謂物之所受, 言物生則有性而各具是道也, 陰之事也. 周子程子之書言之備矣.

도(道)는 음(陰)에 갖추어져 있고 양(陽)에 행해지니, '이음[繼]'은 그 발함을 말한 것이고, '선(善)'
은 화육(化育)의 공(功)을 이르니 이는 양(陽)의 일이다. '이룸[成]'은 갖추고 있음을 말한 것이고,
'성(性)'은 물건이 받은 것을 이르니, 물건이 나면 성(性)을 간직하고 있어 각기 이 도(道)를 갖춤을
말한 것이니, 이는 음(陰)의 일이다. 주자(周子)와 정자(程子)의 책에 말씀한 것이 자세하다.

小註

或問, 繼之者善, 繼則是此理之流行, 未賦與在萬物. 朱子曰, 如兩個輪只管轉流動不
已, 萬化皆從此出來. 某嘗喩之, 如兩片磨中間, 一個磨心, 只管推轉不已, 穀米四散撒
出來, 所以爲繼之者善.

어떤 이가 물었다: "이은 것이 선"에서 '이음'은 도리가 유행하여 만물에 부여되기 전입니까?
주자가 답하였다: 두 바퀴가 다만 끊임없이 돌면서 움직임에 온갖 조화가 여기를 따라 나오는
것과 같습니다. 제가 이전에 비유하였듯이 두 쪽의 맷돌 중간에 있는 하나의 맷돌 중심이 다만
밀치고 돌면서 그치지 않음에 곡식이 사방으로 흩어져 나옴이 "이은 것이 선"이 되는 것입니다.

○ 程子言, 動靜无端陰陽无始, 蓋此亦且從那動處說起. 若論那動以前, 又有靜, 靜以
前, 又有動. 如云一陰一陽之謂道繼之者善也, 這繼字, 便是動之頭. 若只一闢一闔而
无繼, 便是合殺了. 問, 繼是動靜之間否. 曰, 是靜之終動之始也.

정자가 "동정은 단서가 없고 음양은 시작이 없다"고 한 것은 아마 이 또한 움직임의 관점에
서 말한 것이다. 만약 움직임 이전을 논하면 또 고요함이 있고, 고요함 이전은 또 움직임이
있다. "한 번은 음이 되고 한 번은 양이 됨을 일러 도라 하며 이은 것이 선이고 이룬 것이
성이다"에서 '계(繼)'자는 움직임의 머리[시작]이다. 만약 한번 닫고 한번 여는데 '계(繼)'가
없으면 모두 다 끝장이다.

물었다: '계(繼)'란 동정의 사이입니까?

답하였다: 이것은 정(靜)의 마침이고 동(動)의 시작입니다.

○ 化育流行, 未有定質者, 爲陽, 此繼之者善. 附著成形, 不可變易者, 爲陰, 此成之者
性. 大凡已成形後, 卽漸衰息以至於盡, 所以屬陰. 又曰, 繼是接續不息之意, 成是凝成
有主之意. 繼之者善也, 元亨, 是氣之方行而未著於物也, 是上一截事. 成之者性也, 利

貞, 是氣之結成一物也, 是下一截事. 又曰, 繼之者氣之方出而未有所成之謂也, 善則理之方行而未有所立之名也, 陽之屬也. 成則物之已成, 性則理之已立者也, 陰之屬也.

화육하고 유행하지만 질을 정하지 않음이 양이니, 이것이 "이은 것이 선"이라는 것이다. 부착해 형질을 이루어 바꿀 수 없음이 음이니, 이것은 "이룬 것이 성"이라는 것이다. 대체로 이미 형질이 이루어진 뒤에는 점점 쇠퇴해져 사라지는데 이르니 음에 속한다.

또 말하였다: '이음[繼]'은 접속해서 쉬지 않는 뜻이고, '이룸[成]'은 엉겨 이루어져 주인이 있는 뜻이다. "이은 것이 선이다"는 원형(元亨)으로 기가 유행하지만 물건에 부착하지 않은 것으로 윗부분의 일이다. "이룬 것이 성이다"는 이정(利貞)으로 기가 모여 한 물건을 이룬 것으로 아랫부분의 일이다.

또 말하였다: 이은 것[繼之]은 기가 막 나와서 아직 이루지 않음을 말하고 '선(善)'은 리(理)가 막 유행하여 아직 정립되지 않음을 말하니 양(陽)에 속한다. '이룸[成]'은 물건이 이미 이루어짐이고 '성(性)'은 이치가 이미 정립된 것으로 음(陰)에 속한다.

問, 妙合之始, 便是繼, 乾道成男坤道成女, 便是成. 曰, 動而生陽之時, 便有繼底意, 至靜而成陰, 方是成. 又曰, 繼之者善, 便是公共底, 成之者性, 便是自家得底. 又曰, 繼之者善, 如水之流行, 成之者性, 如水之止而成潭.

물었다: '묘하게 합하는' 처음이156) 곧 '계(繼)'이고 "건의 도는 남자를 이루고 곤의 도는 여자를 이룬다"는 곧 '성(成)'입니까?

답하였다: 움직여 양을 생할 때 곧 '이음[繼]'의 뜻이 있고, 지극히 고요해 음을 이룰 때가 바로 '이룸[成]'입니다.

또 말하였다: "이은 것이 선이다"는 공통적인 것이고 "이룬 것이 성이다"는 개별적인 것이다.

또 말하였다: "이은 것이 선이다"는 물이 유행하는 것과 같고, "이룬 것이 성이다"는 물이 그쳐서 못을 이룬 것과 같다.

○ 問, 繼之成之, 是道是器. 曰, 繼之成之是器, 善與性是道. 又問, 孟子只言性善. 易卻云一陰一陽之謂道, 繼之者善也, 成之者性也. 如此則性與善卻是二事. 曰一陰一陽是總名道, 繼之者善, 是二氣五行之事, 成之者性, 是氣化以後事.

물었다: 잇고 이룸은 도(道)입니까 기(器)입니까?

답하였다: 잇고 이룸은 기(器)이고 선(善)과 성(性)은 도입니다.

또 물었다: 맹자는 다만 성선(性善)을 말했습니다. 『주역』에서는 도리어 "한 번은 음이 되고 한 번을 양이 됨을 도라 하고, 이은 것이 선이고 이룬 것이 성이다"라고 하였으니, 이와 같다

---

156) 「太極圖說」 註.

면 성(性)과 선(善)은 오히려 두 가지 일입니까?

답하였다: '일음일양(一陰一陽)'은 도를 총칭한 것이고, '이은 것이 선이다'는 음양 이기와 오행의 일이고, '이룬 것이 성이다'는 기화(氣化) 이후의 일입니다.

○ 問, 性固是理, 然性之得名, 是就人生禀得言之否. 曰, 繼之者善也, 成之者性也. 這個理, 在天地間時, 只是善, 无有不善者, 生物得來, 方始名曰性. 只是這個, 在天則曰命, 在人則曰性.

물었다: 성(性)은 본디 리(理)이지만 성이란 이름은 사람이 날 때 부여받은 관점에서 말한 것 아닌가요?

답하였다: "이은 것이 선이고 이룬 것이 성이다"에서 리(理)는 천지에 있을 때로 단지 선(善)일 뿐이어서 선하지 않음이 없다가 만물이 나올 때에 비로소 성(性)이라 이름합니다. 이 리(理)가 하늘에 있어서는 명(命)이라 하고, 사람에 있어서는 성(性)이라 합니다.

○ 問, 孔子已說繼善成性, 如何人尙未知性, 到得孟子方說出. 曰, 孔子說得細膩, 孟子說得疏略. 蓋不曾推原源頭, 不曾說上面一截, 只是說成之者性也.

물었다: 공자가 이미 '이은 것이 선'이고 '이룬 것이 성'임을 말했는데 어찌 사람들은 오히려 성(性)을 알지 못하다가 맹자에 이르러서야 말하였습니까?

답하였다: 공자의 말은 세밀하며 맹자의 말은 성기고 간략합니다. 아마도 일찍이 근원[源頭]을 끝까지 미루지 않아, 일찍이 상면의 부분을 말하지 않았고 다만 '이룬 것이 성이다'를 말한 것입니다.

○ 節初齊氏曰, 道太極也, 陰陽所乘之機也. 動而生陽, 靜而生陰, 今不先言陽而先言陰, 將就所繼而言也. 朱子曰, 繼者靜之後而動之端也, 若靜極之後不繼之以動, 造化便從此合殺了. 豈道也哉, 一陰一陽, 此生生之機, 所謂道也.

절초제씨가 말하였다: 도는 태극이고 음양은 [도가] 타는 바의 기틀이다. 동하여 양을 낳고 정하여 음을 낳는데, 여기에서는 양을 먼저 말하지 않고 음을 먼저 말한 것은 잇는[繼] 바에 나아가 말한 것이다. 주자가 "이음[繼]은 정의 뒤이며 동의 처음이다. 만약 정이 다한 뒤에 동으로 잇지 않으면 조화는 이를 따라 모두 끝장이다"라고 하였으니, 어찌 도란 것이 '일음일양(一陰一陽)'이겠는가? 이것[일음일양]을 낳고 낳는 기틀이 이른바 도이다.

○ 龜山楊氏曰, 繼之者善, 无間也, 成之者性, 无虧也.

구산양씨가 말하였다: "이은 것이 선이다"는 간격이 없음이고, "이룬 것이 성이다"는 결손이 없음이다.

○ 節齋蔡氏曰, 繼善陽也, 成性陰也, 此以天命之序而言陰陽也. 仁者陰也, 知者陽也, 此以物受之性而言陰陽也. 然陽之所以爲陽者, 皆動而无體也, 陰之所以爲陰者, 皆靜而有體也.

절재채씨가 말하였다: '이은 것이 선'은 양이고 '이룬 것이 성'은 음이라는 것은 천명의 차례로 음양을 말하였다. 인(仁)은 음이고 지(知)는 양이라는 것은 물건이 품수한 성으로 음양을 말하였다. 그렇지만 양이 양이 되는 까닭은 모두 동하여 몸체가 없고, 음이 음이 되는 까닭은 모두 정하여 몸체가 있기 때문이다.

○ 建安丘氏曰, 一陰一陽之謂道, 是就造化流行上說, 成之者性, 是就人心稟受上說, 繼之者善, 是就天所賦人所受中間過接上說. 如書帝降之衷, 中庸天命之性, 所謂降所謂命, 卽繼之之義也.

건안구씨가 말하였다: "한 번은 음이 되고 한 번은 양이 됨을 도라 한다"는 조화가 유행하는 것으로 말하였고, "이룬 것이 성이다"는 사람의 마음에 품수받은 것으로 말하였고, "이은 것이 선이다"는 하늘이 주고 사람이 받는 중간의 접속하는 것으로 말하였다. 『서경』의 상제가 내린 속[157]과 『중용』의 하늘이 명한 성[158]에서 이른바 '내림[降]'이라 하고 '명함[命]'이라 하는 것이 바로 잇는대[繼之]는 뜻이다.

┃韓國大全┃

이현익(李顯益) 「주역설(周易說)」

繼善成性, 朱子分以陰陽, 而又曰, 繼善是二氣五行之事, 成性是氣化以後事, 蓋氣化亦是二氣五行中事. 然曰二氣五行, 則是以造化之方流行者言, 曰氣化, 則是以造化之已成形者言. 然則分以陰陽, 與分以二五氣化, 各是一義, 而不相妨也.

'이은 것이 선이고 이룬 것이 성이다'를 주자는 음과 양으로 구분하였고, 다시 "'이은 것이 선이다'는 이기(二氣)・오행의 일이고, '이룬 것이 성이다'는 기화(氣化) 이후의 일이다"라고 하였는데, 기화(氣化)는 또한 이기・오행의 일이다. 그러나 '이기・오행'이라 하면 조화

---

157) 『書經』: 惟皇上帝, 降衷于下民.
158) 『中庸』: 天命之謂性.

의 막 유행하는 것을 말하고, '기화'라고 하면 조화가 이미 형체를 이룬 것을 말한다. 그렇다면 음과 양으로 [상대적 측면에서] 구분한 것과 이기·오행과 기화로 [유행적 측면에서] 구분한 것이 각각 하나의 뜻이 있어서 서로 장애되지 않는다.

語類曰, 道須是合理與氣看, 此非以道直爲合理與氣之物. 蓋曰一陰一陽之謂道, 故兼陰陽看則如此也云耳. 朱子又曰, 一陰一陽之謂道, 太極也, 又曰, 陰陽非道, 所以陰陽者道也, 當以此爲正.
『어류』에서 "도는 반드시 리와 기를 합쳐서 보아야 한다"고 하였는데, 이것은 도가 바로 '리와 기를 합친 물건이 된다'는 것은 아니다. 대체로 "한 번은 음이 되고 한 번은 양이 됨을 도라 한다"고 하였기 때문에 음과 양을 겸하여 본다면 이와 같다고 한 것일 뿐이다. 주자는 다시 "'한 번은 음이 되고 한 번을 양이 됨을 도라 한다'는 태극(太極)이다"라고 하고, 또 "음양이 도(道)가 아니다, 음하고 양하는 까닭이 도이다"라고 하였으니, 마땅히 이것으로 정론을 삼아야 한다.

박치화(朴致和) 「설계수록(雪溪隨錄)」

一陰一陽之道, 就一元總會處統說, 繼之者善, 就造化流行處說, 成之者性, 就萬物成形處說. 道善性, 皆單指理而言也.
"한 번은 음이 되고 한 번은 양이 됨을 도라 한다"는 모두 집결하는 원두처에서 통설한 것이고, "이은 것이 선이다"는 조화가 유행하는 곳에서 말한 것이고, "이룬 것이 성이다"는 만물이 형체를 이룬 곳에서 말한 것이다. 도(道)와 선(善)과 성(性)은 모두 이치만을 가리켜 말한 것이다.

○ 道非虛空底物事, 一陰一陽之所以然者, 道也. 無陰陽則道不可見, 無道則陰陽無所根柢.
도(道)는 공허한 사물이 아니라, 한 번은 음이 되고 한 번은 양이 되는 까닭이 도이다. 음양이 없으면 도는 알 수가 없고, 도가 없으면 음양의 근거하는 바가 없다.

○ 道者, 不離乎陰陽, 而亦不雜乎陰陽也.
도는 음양을 떠나지 않지만, 또한 음양과 섞이지도 않는다.

○ 太虛動静之中, 聖人推其所以爲動静者, 以爲一源而名之, 曰道, 爲萬化萬事之主宰. 聖人之憂患後世, 可謂至矣.

태허가 움직이고 고요한 가운데 성인이 그 움직이고 고요하게 되는 까닭을 유추하여 하나의 근원을 삼아 이름을 지어서 '도(道)'라고 하였으니, 온갖 변화와 온갖 일의 주재가 된다. 성인이 후세를 근심한 것이 지극하다고 할 것이다.

○ 禮樂刑政, 皆是這道.
예악(禮樂)과 형정(刑政)이 모두 도인 것이다.

○ 惟道無限量生生之理也.
오직 도(道)만이 한량없이 낳고 낳는 이치이다.

○ 静而陰則道之體立, 動而陽則道之用行, 故曰道之體用, 不外乎陰陽也. 陰陽非道, 陰陽之所以然是道, 故曰其所以然者, 則未嘗倚於陰陽也.
고요하여 음이 되면 도(道)의 본체가 서고, 움직여서 양이 되면 도의 작용이 유행하기 때문에 "도의 본체와 작용이 음양을 벗어나지 않는다"고 한다. 음양이 도(道)가 아니라, 음이 되고 양이 되는 까닭이 도이기 때문에 "그 까닭이 되는 것은 일찍이 음양에 깃들여 있지는 않은 것이다"라고 하였다.

○ 块然生物之意, 故不曰理, 而曰善也.
가득하게 사물을 낳으려는 뜻이므로 '이치'라고 하지 않고, '선(善)'이라고 하였다.

○ 言性道而中言善, 則性道之純善, 可知也.
성(性)과 도(道)를 말하면서 중간에 선(善)을 말했으니, 성과 도의 순선함을 알 수 있다.

유정원(柳正源) 『역해참고(易解參攷)』

繼之 [至] 性也.
이은 것이 … 성이다.

朱子曰, 繼善是動處, 成性是靜處. 繼善是流行來, 成性則各自成箇物事, 繼善便是元亨, 成性便是利貞. 及至成之者性, 各自成箇物事, 恰似造化都无可做了, 及至春來, 又流行出來, 又是繼善. 譬如禾穀一般, 到秋斂冬藏, 千條萬穟, 各自成一箇物事了, 及至春, 又各自發生出. 以至人物, 以至禽獸, 皆是如此, 善之與性, 固不謂有二物也. 然繼之者善, 自其陰陽變化而言也, 成之者性, 自夫人物稟受而言也. 陰陽變化流行, 而未有窮陽之動也, 人物稟受一定, 而不可復易陰之靜也, 以此辨之, 亦安得旡二者之分哉.

주자가 말하였다: '이은 것이 선'은 움직이는 곳이고, '이룬 것이 성'은 고요한 곳이다. '이은 것이 선'은 유행하여 오는 것이고, '이룬 것이 성'은 각각 스스로 사물을 이룬 것이니, '이은 것이 선'은 바로 원형(元亨)이고, '이룬 것이 성'은 바로 이정(利貞)이다. '이룬 것이 성이다' 에 이르면 각각 스스로 하나의 사물을 이루어 조화가 모두 작위할 수 없을 것 같지만, 봄이 오게 되면 다시 유행하여 나오니, 다시 '이은 것이 선'인 것이다. 비유하면 벼의 성장과 동일하니, 가을에 거두고 겨울에 저장하면 천 줄기의 만 개의 이삭이 각각 스스로 하나의 사물을 이루었다가, 봄에 이르면 다시 각각 스스로 발생하여 나옴과 같다. 인물이나 금수까지도 모두 이와 같은 것이니, 선(善)과 성(成)은 참으로 두 개의 것이라고 할 수 없다. 그러나 "이은 것이 선이다"는 음양의 변화로 말한 것이고, "이룬 것이 성이다"는 인물이 품수 받음으로 말한 것이다. 음양의 변화는 흘러가서 양의 움직임을 다하는 적이 없고, 인물이 품수 받음은 한결같아서 다시 음의 고요함을 바꿀 수가 없으니, 이렇게 분별한다면 또한 어찌 둘로 나뉨이 없다고 할 수 있겠는가?

○ 問, 明道曰, 凡人說性, 只是說繼之者善也, 孟子言人性善, 是也. 繼之者善, 猶水流 而就下也.

曰, 此繼之者善也, 指發處而言之也. 性之在人, 猶水之在山, 其淸不可得而見也, 流出 而見其淸 然後, 知其本淸也. 所以孟子只就見孺子入井, 皆怵惕惻隱之心處, 指以示 人, 使知性之本善也. 易所謂繼之者善也, 在性之先, 此所引繼之者善也, 在性之後, 蓋 易以天道之流行者言, 此以人性之發見者言. 唯天道流行如此, 所以人性發見亦如此.

물었다: 명도가 "사람들은 성(性)이 단지 '이은 것이 선(善)이다'를 말할 뿐이라고 하니, 맹자 가 '인성이 선하다'고 한 것이 이것입니다. '이은 것이 선이다'는 물이 흘러서 아래로 내려감 과 같다"고 한 것은 무슨 뜻입니까?

[주자가] 답하였다: 여기의 "이은 것이 선이다"는 발동한 곳을 가리켜 말한 것입니다. 성(性) 이 사람에게 있음은 물이 산에 있음과 같으니, 그 맑음은 얻어 볼 수가 없고, 흘러 나와서 그 맑음을 본 뒤에야 그것이 본래 맑음을 알 수 있습니다. 그래서 맹자가 다만 '어린 아이가 우물에 빠지는 것을 보고는 모두 두려워하고 불쌍히 여기는 마음이 있다'는 점에 나아가 사람들에게 가리켜 보여서 성(性)의 본래 선함을 알게 하였던 것입니다. 『주역』의 이른바 "이은 것이 선이다"는 성의 앞에 있는 것이고, 여기서 인용한 "이은 것이 선이다"는 성의 뒤에 있는 것이니, 대체로 『주역』에서는 천도의 유행으로 말하였고, 여기서는 인성의 발현 으로 말하였습니다. 천도의 유행이 이와 같기 때문에, 그래서 인성의 발현도 이와 같다는 것입니다.

○ 案, 繼之者善, 如豆泡方磨轉出來時節, 成之者性, 是待他凝定了時節. 今觀一粒粟, 合下生意, 接續不絶, 方初萌芽, 有發生之端, 而形色未著者, 是繼之者善[159]也, 及其生出來, 形色一定, 移易不得, 而其性各具者, 是成之者性也.

내가 살펴보았다: "이은 것이 선이다"는 두부가 막 갈려져 나오는 때와 같고, "이룬 것이 성이다"는 그것이 응결되어 정해진 때이다. 지금 한 알의 좁쌀을 보니, 애초부터 살려는 뜻이 끊임없이 이어져야 바야흐로 싹이 나오는데, 발생하는 단서는 있지만 형색이 나타나지 않은 것이 "이은 것이 선이다"이고, 그것이 살아 나와서 형색이 일정해지고 바뀌지 않아 성이 각각 갖추어진 것이 "이룬 것이 성이다"이다.

本義, 道具, [至] 乎陽.

『본의』에서 말하였다: 도는 …에 갖추어지고, 양에 … .

案, 此卽周子主靜之意, 繼是靜極復動底, 成是動極而靜底.

내가 살펴보았다: 이것은 주렴계의 '고요함을 위주로 한다'는 뜻이니, '이음[繼]'은 고요함이 지극하여 다시 움직이는 것이고, '이룸[成]'은 움직임이 지극하여 고요한 것이다.

김근행(金謹行) 「주역차의(周易箚疑)·역학계몽차의(易學啓蒙箚疑)·독역범례(讀易凡例)·주역의목(周易疑目)」

第五章首一節, 有從原頭言者, 有從流行言者, 有理氣不相離之義. 一陰一陽, 一字是指理而言者, 而先言一後言陰陽, 是從原頭言者, 一陰一陽之謂道, 則是從流行而言者也, 之謂二字, 又可見理氣不離之妙矣. 繼善成性, 有三層說出者, 以天對物而言者, 一說也. 只就天言之, 則理之具於陰者, 卽成性也, 行於陽者, 卽繼善也, 此一說也. 又就人而言之, 則性之具於寂者, 卽成性也, 行於感者, 卽繼善也. 然則從稟賦處言, 則繼善爲體, 而成性爲用, 從發用處言, 則成性爲體, 繼善爲用矣, 縱橫推說, 不可泥滯.

제 5장의 첫 구절에는 근원의 첫머리에서 말한 것이 있고, 유행하는 곳에서 말한 것이 있으며, 리기가 서로 떨어지지 않는다는 뜻이 있다. "한 번은 음이 되고 한 번은 양이 된다"에서 '한 번'이라는 말은 이치를 가리켜 말한 것인데, 먼저 '한 번'을 말하고 뒤에 '음양'을 말했으니, 이는 근원의 첫머리에서 말한 것이다. "한 번은 음이 되고 한 번은 양이 됨을 도(道)라 한다"는 유행하는 곳에서 말한 것이고, '―라 한대[之謂]'에서 또한 리기가 서로 떨어지지 않는 묘함을 알 수 있다. "이은 것이 선이고, 이룬 것이 성이다"에는 세 단계의 설명이 있으니, 하늘을 사물과 상대하여 말하는 것이 하나의 설명이다. 단지 하늘에 나아가 말한다면 이치

---

159) 善: 경학자료집성DB와 영인본에는 '性'으로 되어 있으나, 문맥을 살펴 '善'으로 바로잡았다.

가 음(陰)에 갖추어진 것은 곧 "이룬 것이 성이다"이고, 양(陽)에서 유행하는 것은 곧 "이은 것이 선이다"이니, 이것이 또 하나의 설명이다. 다시 사람에게 나아가 말한다면 성(性)이 고요함에 갖추어진 것이 곧 "이룬 것이 성이다"이고, 감응함에 유행하는 것이 곧 "이은 것이 선이다"이다. 그렇다면 품부 받은 곳에서 말한다면 "이은 것이 선이다"는 본체가 되고, "이룬 것이 성이다"는 작용이 되며, 펼쳐지는 곳에서 말한다면 "이룬 것이 성이다"는 본체가 되고, "이은 것이 선이다"는 작용이 되니, 이리저리 미루어 설명하여도 막히지 않을 것이다.

김상악(金相岳) 『산천역설(山天易說)』

繼是接續不息之意, 成是凝成有主之意. 繼善者, 陽也, 成性者, 陰也.

'이음[繼]'은 붙어 이어져서 그치지 않는다는 뜻이고, '이룸[成]'은 엉켜 이루어져 주인이 있다는 뜻이다. "이은 것이 선이다"는 양(陽)이고, "이룬 것이 성이다"는 음(陰)이다.

심취제(沈就濟) 『독역의의(讀易疑義)』

以善性爲陰陽, 而自道中流出也. 旣言性善, 則氣質之性, 不言而在其中, 本義氣字之論, 深有意也.

'선(善)'과 '성(性)'을 음양으로 여겼는데, 도(道)로부터 흘러나온다. 이미 성의 선함을 말하면, 기질지성(氣質之性)은 말하지 않아도 그 가운데 있으니, 『본의』의 기운에 대한 논의는 깊이 뜻이 있다.

윤행임(尹行恁) 『신호수필(薪湖隨筆)·계사전(繫辭傳)』

目之開闔, 手之屈信, 陰陽之所使然也, 求其故則道也, 近取諸身而其道也如此. 鳶之飛魚之躍, 陰陽之所使然也, 求其故則道也, 遠取諸物而其道也如此. 繼之者理也, 成之者氣也. 朱子曰, 物生則有性, 而各具是道, 物生云者氣也, 有性云者理也, 各具則人與人性之謂也, 物與物性之謂也.

눈이 열리고 닫히며 손이 굽히고 펴짐은 음양이 그렇게 시킨 것이고, 그 연고를 찾아낸 것이 도(道)이니, 가까이 몸에서 취하면 그 도가 또한 이와 같다. 솔개가 날고 물고기가 뜀은 음양이 그렇게 시킨 것이고, 그 연고를 찾아낸 것이 도이니, 멀리 사물에서 취하면 그 도가 또한 이와 같다. 잇는 것은 이치이고, 이루는 것은 기운이다. 주자는 "사물이 태어나면 성품이 있어서 각각 이 도를 갖춘다"고 하였는데, '사물이 태어난다'고 한 것은 기운이고, '성품이 있다'고 한 것은 이치이고, '각각 갖춤'은 사람과 사람의 성품을 말하고, 사물과 사물의 성품을 말한다.

繼則在乎天, 成則賦乎物. 善也性也, 竝謂之道, 繼也成也, 竝謂之器.

'이음[繼]'은 하늘에 있고, '이룸[成]'은 사물에 부여된다. 선(善)과 성(性)은 모두 도(道)를 말하고, 이음과 이룸은 모두 기(器)를 말한다.

심대윤(沈大允) 『주역상의점법(周易象義占法)』

此以言易之與人同道也. 陰陽迭運, 而利害生焉, 人能繼之, 以就利去害, 謂之善也. 全其利, 盡其性, 善之成也, 善以成性, 而至於命. 故曰成之者性也, 性者, 材木也, 成之者, 工力也. 各因其材木, 而成其器, 其器之小大廣狹, 随其材木. 故曰成之者性也. 在天爲命, 在人爲性, 其實一也. 材木不同, 而各其成器, 一也, 器用不同, 而各其成功, 一也, 功績不同, 而其爲不可无, 一也.

이것으로 역(易)과 사람이 도(道)를 같이함을 말하였다. 음양이 번갈아 운행되어 이해(利害)가 발생하는데, 사람이 이를 계승하여 이익에 나아가고 손해를 제거할 수 있다면, 선(善)이라고 한다. 이익을 온전히 하고, 성(性)을 극진히 하여 선(善)이 이루어지고, 선으로 성을 이루어 천명에 이른다. 그러므로 "이룬 것이 성이다"라고 하였으니, 성(性)은 재목이고, 이루는 것은 힘씀이다. 각각 재목에 따라서 그 그릇을 이루니, 그릇의 작음과 큼, 넓음과 좁음은 재목을 따른다. 그러므로 "이룬 것이 성이다"라고 하였다. 하늘에 있어서는 천명이 되고, 사람에 있어서는 본성이 되는데, 실제로는 하나이다. 재목은 같지 않지만 각각 그릇을 이룸은 동일하고, 그릇의 쓰임은 같지 않지만 각각 공적을 이룸은 동일하고, 공적은 같지 않지만 함이 없을 수 없음은 동일하다.

오치기(吳致箕) 「주역경전증해(周易經傳增解)」

繼謂接續也. 動極而靜, 靜極復動, 陰陽動靜, 无一息間斷. 是以靜之貞, 復繼以動之元, 而元氣之流行, 理无不善, 故謂之善, 卽陽之事也. 成謂凝成也. 物生成形, 各賦天理, 而完具是性, 故謂之性, 卽陰之事也. 周程及朱子說, 已備矣.

'이음[繼]'은 붙어서 이어짐을 말한다. 움직임이 지극하면 고요하고, 고요함이 지극하면 다시 움직이니, 음양의 움직임과 고요함은 잠시도 끊어짐이 없다. 이 때문에 정(貞)의 고요함을 다시 원(元)의 움직임으로 계승하는데, 원기(元氣)가 유행함에 이치가 선(善)하지 않음이 없기 때문에 '선(善)'이라고 하니, 곧 양(陽)의 일이다. '이룸[成]'은 응결되어 이룸을 말한다. 사물이 나서 형체를 이룸에 각각 천리가 부여되어 이 '성(性)'을 온전히 갖추기 때문에 '성'이라고 하였으니, 곧 음(陰)의 일이다. 주자(周子)와 정자(程子) 및 주자(朱子)의 설명에 이미 갖추어져 있다.

이진상(李震相) 『역학관규(易學管窺)』

繼之者善.

이은 것이 선이다.

繼之成之是氣, 善性是理. 此言氣所發之者理之善, 氣所具之者性之理, 從氣說入理. 小註元亨利貞, 亦卽氣而言理, 非以四德爲氣也.

잇는 것과 이루는 것은 기운이고, 선(善)과 성(性)은 이치이다. 이는 기운이 발현하는 것은 이치의 선(善)이고, 기운이 갖추고 있는 것은 성(性)의 이치임을 말한 것이니, 기운으로부터 이치로 설명해 들어간 것이다. 소주(小註)의 원형이정(元亨利貞)도 기운에서 이치를 말한 것이지, 사덕(四德)을 기운으로 여긴 것은 아니다.

○ 小註陰陽所乘之機.

[절초제씨] 소주(小註)의 음양은 타는 바의 기틀이다.

以動静對陰陽, 則動静爲機, 而陰陽爲器, 以陰陽對道, 則道搭在陰陽上, 而陰陽爲所乘之機. 但不可以此認動静爲陰陽也.

동정으로 음양을 상대하면 동정은 기틀이 되고, 음양은 그릇이 되며, 음양으로 도(道)를 상대하면 도는 음양의 위에 걸려 있고, 음양은 타는 바의 기틀이 된다. 다만 이 때문에 동정이 음양이 된다고 할 수는 없다.

박문호(朴文鎬) 「경설(經說)・주역(周易)」

先以道之具陰行陽總提, 然後乃釋本文, 以證此義, 本義之精切如此.

먼저 '도(道)가 음에 갖추어지고 양에 행해진다'는 것을 총괄하여 제시하고, 그런 뒤에야 본문을 해석하여 이 뜻을 증명하였으니, 『본의』의 아주 정밀함이 이와 같다.

仁者見之, 謂之仁, 知者見之, 謂之知, 百姓, 日用而不知, 故
君子之道鮮矣.

인자(仁者)는 이를 보고 인(仁)이라 이르고, 지자(知者)는 이를 보고 지(知)라 이르며, 백성들은 날마
다 쓰면서도 알지 못한다. 그러므로 군자(君子)의 도(道)가 드물다.

┃中國大全┃

小註

程子曰, 一陰一陽之謂道, 自然之道也. 繼之者善也, 出道則有用, 元者善之長也. 成之
者卻只是性, 各正性命者也. 故曰, 仁者見之謂之仁, 知者見之謂之知, 百姓日用而不
知, 故君子之道鮮矣. 如此則, 亦无始, 亦无終, 亦无因甚有, 亦无因甚无, 亦无有處有,
亦无无處无.

정자가 말하였다: "한 번은 음이 되고 한 번은 양이 됨을 일러 도라 한다"는 자연의 도이다.
"이은 것이 선이다"는 도가 유출하면 쓰임이 있으니 "원은 선의 으뜸"이라는 것이다. "이룬
것이 곧 성이다"는 "각기 그 성명을 바르게 한다"는 것이다. 그러므로 "인자는 이를 보고
인이라 하고 지자는 이를 보고 지라 하며 백성은 날마다 사용하면서도 알지 못하니 군자의
도가 드물다"고 하였다. 이와 같으니 시작도 없고 마침도 없으며, 어떤 것 때문에 있음도
없고 어떤 것 때문에 없음도 없으며, 있는 곳이 있지도 않고 없는 곳이 없지도 않다.

○ 這個義理, 仁者又看做仁了也, 知者又看做知了也, 百姓日用而不知, 此所以君子
之道鮮矣. 此個義理, 亦不少, 亦不剩, 只是人看他不見也.

이런 의리는 인자가 보면 인(仁)이라 간주하고, 지자가 보면 지(知)라 간주하고 백성은 날마
다 사용하면서도 모르기 때문에 군자의 도가 드물다. 이 의리는 적지도 않고 남지도 않는데
단지 사람들이 보지 못하는 것이다.

本義

仁陽知陰, 各得是道之一隅. 故隨其所見而目爲全體也. 日用不知, 則莫不飮食, 鮮能知味者, 又其每下者也. 然亦莫不有是道焉. 或曰, 上章以知屬乎天, 仁屬乎地, 與此不同, 何也. 曰, 彼以淸濁言, 此以動靜言.

인(仁)의 양(陽)과 지(智)의 음(陰)은 각각 이 도(道)의 한 쪽만을 얻었다. 그러므로 그 보는 바에 따라 전체라고 지목하는 것이다. 날마다 쓰면서도 알지 못한다는 것은 음식을 먹고 마시지 않는 이가 없으나 맛을 아는 자가 적음이니, 또 매번 낮은 것이다. 그러나 또한 이 도(道)가 있지 않음이 없다. 혹자는 말하기를 "상장(上章)에서는 지(智)를 하늘에 소속시키고 인(仁)을 땅에 소속시켜서 여기와 같지 않음은 어째서인가?"하기에 다음과 같이 대답하였다. "저것은 청탁으로 말하였고 이것은 동정으로 말한 것이다."

小註

朱子曰, 此章自易與天地準以下, 只是言個陰陽. 至仁者見之謂之仁, 知者見之謂之知, 謂各隨人氣稟偏處見. 仁亦屬陽, 知亦屬陰, 此又分著陰陽. 如繼之者善, 成之者性, 便是於造化流行處分陰陽, 此是指人氣稟有偏處, 分屬陰陽耳.

주자가 말하였다: 이 장은 "역은 천지를 준칙으로 삼았다"의 뒤에서 단지 음양을 말했을 뿐이다. "인자는 이를 보고 인이라 하고 지자는 이를 보고 지라 한다"는 각각 사람의 기품이 치우침을 따라 봄을 말했다. 인은 또한 양에 속하고 지는 또한 음에 속하니, 이것 또한 음양으로 나누었다. "이은 것이 선이고 이룬 것이 성이다"는 조화가 유행하는 곳에서 음양을 구분하였는데, 여기서는 사람의 기품이 치우친 곳을 가리켜 음양을 분속했을 뿐이다.

○ 萬物各具是性, 但氣稟不同, 各以其性之所近者窺之. 故仁者只見得他發生流動處, 便以爲仁, 知者只見得他貞靜處, 便以爲知, 下此一等百姓, 日用之間習矣而不察, 所以君子之道鮮矣.

만물이 각기 이 성을 갖추었지만 다만 기품이 다르기 때문에 각각 그 성품과 가까운 것으로 엿본다. 그러므로 인자(仁者)는 단지 발생하고 유동하는 곳을 보고 곧 인이라 여기고, 지자(知者)는 단지 정고하고 고요한 곳을 보고 지라 여기며, 이보다 낮은 백성은 날마다 쓰고 익숙하면서도 살피지 못하기 때문에 군자의 도가 드물다.

○ 節初齊氏曰, 仁者見之於已動之後, 而識其動而及物之機, 故曰仁. 知者見之於未動之先, 而識其復而幹事之體, 故曰知. 百姓, 則又行不著習不察, 而全未有見者也. 百

姓固未見道, 仁者知者, 亦未見道之全, 故曰君子之道鮮矣. 君子何道也. 一陰一陽之
道也, 上文所謂天地之道也. 故必有知幽明之故, 知死生之說, 知鬼神之情狀, 與天地
相似之聖人而後可以成位乎其中矣. 不然, 仁者知者之知, 其視百姓之日用而不知, 亦
何以大相遠哉.

절초제씨가 말하였다: 인자는 이미 동한 후를 보고 그 동함이 물건에 미치는 기틀임을 알기
때문에 인이라 한다. 지자는 아직 움직이기 전을 보고 그 회복함이 일을 주간하는 본체임을
알기 때문에 지라 한다. 백성은 행하면서도 드러내지 못하고 익숙하면서도 살피지 못하니
온전히 보지 못한다. 백성은 정말 도를 보지 못하고 인자와 지자도 도의 전체를 보지 못하기
때문에 군자의 도가 드물다고 하였다. 군자의 어떠한 도인가? '일음일양의 도'이고 윗글에서
말한 '천지의 도'이다. 그렇기 때문에 반드시 유명의 연고와 사생의 설명과 귀신의 정상을
알아서 천지와 더불어 같은 성인이 된 뒤라야 천지의 가운데 자리를 이룰 수 있다. 그렇지
않으면 인자와 지자의 지란 것도 백성이 날마다 사용하면서도 모르는 것과 [비교해] 볼 때
또한 어찌 큰 차이가 있겠는가?

○ 建安丘氏曰, 此言性成之後, 人稟陽之動者爲仁, 稟陰之靜者爲知, 唯其所稟之各
異, 是以所見之各偏. 仁者見仁而不見知, 故謂其道止於仁, 知者見知而不見仁, 故謂
其道止於知, 至於百姓日用飲食, 囿於斯道之中而不知有斯道焉, 此君子之道所以鮮
也.

건안구씨가 말하였다: 여기에서는 성품을 이룬 뒤에 사람이 양의 동(動)을 품부 받은 것은
인(仁)이 되고, 음의 정(靜)을 품부받은 것은 지(知)가 되어 품부 받은 것이 각각 다르기
때문에 소견이 각각 치우침을 말하였다. 인자는 인을 보지만 지를 보지 못하기 때문에 그
도가 인에 그친다고 하였고, 지자는 지를 보지만 인을 보지 못하기 때문에 그 도가 지에
그친다고 하였으며, 백성이 날마다 사용하고 마시고 먹는 것에 이르면 이 도의 가운데에
있으면서도 이런 도가 있음을 알지 못하니, 이래서 군자의 도가 드문 것이다.

○ 雲峯胡氏曰, 首三句正是夫子言性與天道處. 陰陽非道也, 一陰又一陽所以循環而
不已者道也. 繼者靜之終動之始, 最可見一陰又一陽之妙. 本義曰, 繼言其發, 成言其
具. 蓋在造化者, 方發而賦於物, 其理无有不善, 在人物者, 各具是理以有生則謂之性.
其發者是天命之性, 其具者天命已不能不麗於氣質矣. 仁者知者百姓, 指氣質而言也.
上章說聖人之知仁, 知與仁合而爲一. 此說仁者知者, 仁與知者分而爲二. 道无陰陽本
自无滯, 仁者之見滯於陽, 知者之見滯於陰, 百姓則又日由乎陰陽之道而不知, 故君子
之道鮮. 道无二道, 君子之道, 卽能深會乎陰陽之道者也.

운봉호씨가 말하였다. 처음의 세 구절은 바로 공자가 성과 천도에 대해 말하였다. 음양이

도가 아니라 한번은 음으로 한번은 양으로 작용하며 순환하여 끊임이 없음이 도이다. 이음[繼]은 정(靜)의 마침이자 동(動)의 시작이라는 말에서 일음일양의 묘함을 가장 잘 볼 수 있다. 『본의』에서는 "이음[繼]은 그 발함을 말하고 이룸[成]은 그 갖춤을 말한다"고 하였다. 조화에 있어서는 막 발하여 물건에 부여하니 그 리가 선하지 않음이 없고, 인물에 있어서는 각각 이 리를 갖추어서 나옴을 성(性)이라 한다. 그 발한 것은 천명의 성이고 그 갖춘 것은 천명이 이미 기질에 붙지 않을 수 없다. 인자와 지자와 백성은 기질을 가리켜 말하였다. 윗 장에서 말한 성인의 지와 인은 지와 인을 합해 하나로 하였고, 여기에서 말한 인자와 지자는 인과 지를 나누어 둘로 하였다. 도는 음양이 없어 본래 막힘이 없지만 인자의 소견은 양에 막혀있고 지자의 견해는 음에 막혀있고 백성은 또 날마다 음양의 도를 쓰면서도 모르기 때문에 군자의 도가 드물다. 도에는 두 가지 도가 없으니 군자의 도란 음양의 도를 깊이 체득함이다.

‖ 韓國大全 ‖

조호익(曺好益)『역상설(易象說)』

朱子曰 仁者見之謂之仁 只是見那發生處 知者見之謂之知 只是見那收斂處
주자가 말하였다: '인자는 이를 보고 인이라 이른다'는 단지 발생(發生)하는 곳만을 본 것이고, '지자가 이를 보고 지라고 이른다'는 단지 수렴(收斂)하는 곳만을 본 것이다.

박치화(朴致和)「설계수록(雪溪隨錄)」

性道全具, 而體道有偏全者, 氣稟之異也.
성(性)과 도(道)를 온전히 갖추었으나, 도를 체득함에 치우침과 온전함이 있는 것은 기품이 다르기 때문이다.

○ 堯舜性之, 湯武反之, 五伯假之, 百姓日用而不知也.
요순(堯舜)은 성품대로 하고 탕무(湯武)는 돌이켜서 하였으며, 오패(五霸)는 빌려서 하고 백성은 날마다 쓰면서도 알지 못한다.

○ 孔子雖不言氣質之性, 而首言道與陰陽, 中則單指善性全體, 而末[160]言仁者知者, 是成性後發見者, 乃氣質之性也. 雖不明言氣質之性, 而氣質之性, 自在其中.

공자가 비록 기질지성을 말하지 않았지만, 처음에 도(道)와 음양을 말하고, 중간에 선(善)과 성(性)의 전체만을 가리키고, 끝에서 인자(仁者)와 지자(知者)를 말했으니, 이는 성품을 이룬 뒤에 발현한 것으로 바로 기질지성이다. 비록 분명하게 기질지성을 말하지는 않았지만, 기질지성은 본래 그 가운데 있다.

○ 言道則無所不包也, 言善則無所不善也, 言性則無所不備也. 末有仁知之偏者, 言陰陽氣質之拘也.

도(道)를 말하면 포함되지 않는 것이 없고, 선(善)을 말하면 선하지 않은 것이 없고, 성(性)을 말하면 갖추지 않은 것이 없다. 끝에 인자(仁者)와 지자(知者)의 치우침이 있는 것은 음양과 기질의 구속을 말한 것이다.

○ 元亨動也, 利貞靜也, 仁屬元, 知屬貞, 故以動靜言也.

원형(元亨)은 움직임이고 이정(利貞)은 고요함이니, 인(仁)은 원(元)에 속하고 지(知)는 정(貞)에 속하므로 움직임과 고요함으로 말하였다.

○ 本義, 每下之每字, 可疑.

『본의』의 "매번 아래이다"의 '매번'은 의심할 만하다.

이익(李瀷) 『역경질서(易經疾書)』

此章, 陰陽爲首尾, 一道字, 貫過陰陽. 自陰陽, 所謂陰之陽之者道也, 而繼之成之, 亦一般語脉, 則皆帖道字看. 非道, 無繼無成也. 陽生於陰, 故先陰而後陽. 物生於一陰一陽之際, 而精氣之聚, 必於陽動處兆朕也. 道者, 形而上, 物者, 形而下, 以器稱下, 則其所盛者道也. 器盛其道者, 卽天命以後事. 繼猶承也, 天命而物承, 在道與性之間. 天以道命之, 物承而爲性, 當命與繼之際, 豈容有不善. 此主性言, 故言繼而不言命, 若主天言, 則雖謂命之者善可也. 繼者, 繼天命, 非繼陰陽也, 在精氣爲物之始, 未有性之可論. 物者, 道之軀殼, 性者, 物之骨子, 善者, 性之行實, 命者, 善之所由出, 道則包之矣. 是以陰陽屬氣, 凝聚則爲物, 道屬理, 命令而繼承則爲性. 善卽命與繼之實事, 此乃性善之說所祖也. 仁者見之一節, 以道之全體言. 天地之化, 無所不包, 人惟不能該知,

---

160) 末: 경학자료집성DB와 영인본에는 '未'로 되어 있으나, 문맥을 살펴 '末'로 바로잡았다.

故見仁謂仁, 見知謂知, 只見得一面底道理, 不識全體之渾全. 又其下, 則或日用而不知, 故孔孟所以推本以明之也.

이 장은 음양이 처음과 끝이 되고, 하나의 '도(道)'자가 음양을 관통해 간다. 음양으로부터 보면, 이른바 음이 되게 하고[陰之] 양이 되게 하는[陽之] 것이 도인데, '이음[繼之]'과 '이룸[成之]'도 같은 맥락의 말이니, 모두 '도(道)'자를 붙여 보아야 한다. 도가 아니면 이음도 없고, 이룸도 없는 것이다. 양은 음에서 나오므로 음을 먼저 하고, 양을 뒤에 하였다. 사물은 한 번은 음이 되고 한 번은 양이 되는 즈음에서 나오는데, 정기(精氣)의 모임은 반드시 양이 움직이는 곳에서 기미가 나타난다. 도(道)는 형이상(形而上)의 것이고, 사물은 형이하(形而下)의 것인데, 기물[器]이며 아래라고 하였으니 담고 있는 것이 도이다. 기물이 도(道)를 담는 것은 하늘이 분부한 뒤의 일이다. '계(繼)'는 계승함과 같으니, 하늘이 명령하여 사물이 계승함은 도와 성의 사이에 있다. 하늘이 도로써 명령하고 사물이 계승하여 성을 삼는 것이니, 명령하고 계승하는 즈음에 어찌 선하지 않음이 있겠는가? 이는 성(性)을 위주로 말하였으므로 계승함을 말하고 명령함을 말하지 않았지만, 만약 하늘을 위주로 말한다면 비록 '명령하는 것이 선(善)이다'라고 해도 좋다. 계승함은 하늘의 분부를 계승함이지, 음양을 계승하는 것이 아니며, 정기(精氣)가 사물이 되는 처음에 있어서는 논의할 만한 성(性)이 있지 않다. 사물은 도(道)의 몸뚱이이고, 성(性)은 사물의 골자이며, 선(善)은 성의 행실이고, 명(命)은 선이 연유하여 나오는 것이며, 도(道)는 그것을 포괄한다. 이 때문에 음양은 기(氣)에 속하며 응결되어 모이면 사물이 되고, 도는 리(理)에 속하며 명령하여 계승하면 성이 된다. 선(善)은 곧 명령하고 계승하는 실제의 일이니, 이것이 바로 성선설(性善說)의 시조이다. "인자가 이를 보고 …"의 구절은 도의 전체를 말하였다. 천지의 조화는 포함하지 못하는 것이 없지만, 사람이 오직 모두 알 수는 없기 때문에 인(仁)을 보고는 인이라 하고 지(知)를 보고는 지라고 하니, 단지 도리의 일면만을 보고 전체의 혼연함을 알지 못하는 것이다. 또 그 아래로는 날마다 쓰더라도 알지 못하기 때문에 공자와 맹자가 근본을 미루어서 밝혔던 것이다.

김상악(金相岳) 『산천역설(山天易說)』

仁陽, 知陰, 仁者謂仁, 知者謂知, 是得其陰陽之偏也. 日用而不知, 又其每下者也. 知仁與上章不同, 本義彼以淸濁言, 此以動靜言也.

'인(仁)'은 양(陽)이고, '지(知)'는 음(陰)인데, 인자(仁者)는 인이라 하고, 지자(知者)는 지라고 하니, 이는 음양의 한편만을 얻은 것이다. '날마다 쓰면서도 알지 못함'은 또한 언제나 아래인 자들이다. 지와 인은 앞의 장과는 [의미가] 같지 않은데, 『본의』에서는 '저기서는 맑음과 탁함으로 말했고, 여기서는 움직임과 고요함으로 말했다'고 했다.

심취제(沈就濟) 『독역의의(讀易疑義)』

上章言知仁, 則知陽而仁陰也, 此章言仁知, 則仁陽而知陰也. 知仁者, 言其體也, 仁知者, 言其用也. 本義言淸濁動靜, 則氣質之論, 亦可推矣.

앞의 장에서는 '지인(知仁)'이라고 말했으니 지(知)가 양이고 인(仁)이 음이며, 이 장에서는 인지(仁知)라고 말했으니 인(仁)이 양이고 지(知)가 음이다. 지인(知仁)은 그 본체를 말하고, 인지(仁知)는 그 작용을 말한다. 『본의』에서는 '맑음·탁함'과 '움직임·고요함'을 말했으니 기질(氣質)에 관한 논의도 유추할 수 있을 것이다.

윤행임(尹行恁) 『신호수필(薪湖隨筆)·계사전(繫辭傳)』

仁知之見不同者, 成性以後也, 如山水之樂, 各因其質, 而異其見也. 百姓由之而不知也, 故知其道者無多. 然道則一而已, 堯舜與凡人, 未始不同, 豈可須臾離哉. 禮曰, 耳目口鼻, 心知百體, 皆由順正, 以行其義.

인자(仁者)와 지자(知者)의 견해가 같지 않은 것은 성(性)이 이루어진 이후이니, 산과 물을 좋아함이 각각 기질에 의거하여 견해를 달리함과 같다.[161] 백성은 이를 말미암아도 알지 못하므로 그 도(道)를 아는 자가 많지 않다. 그러나 도는 하나일 뿐이어서 요순(堯舜)과 보통 사람이 애초에 다른 것이 아니니, 어찌 잠시라도 떠날 수 있겠는가?[162] 『예기』에서는 "이목구비와 마음의 지혜와 몸의 온갖 것은 모두 바름을 따라서 그 의리를 행한다"고 하였다.

오치기(吳致箕) 「주역경전증해(周易經傳增解)」

承上文陰陽動靜而言. 仁屬于陽, 知屬于陰, 對立而不偏. 然知道者鮮, 故或有偏主乎仁者, 謂之仁, 或有偏主乎知者, 謂之知. 至于百姓, 則雖日用而不知其理, 蓋言惟聖人, 深會乎陰陽之道也.

앞글의 음양의 움직임과 고요함을 이어서 말하였다. '인(仁)'은 양에 속하고, '지(知)'는 음에 속하여 상대해 있으면서 치우지지 않는다. 그러나 도(道)를 아는 자가 드물기 때문에 혹 인(仁)을 주로 함에 치우친 자는 '인'이라고 하고, 혹 지(知)를 주로 함에 치우친 자는 '지'라고 한다. 백성에 이르면 비록 날마다 쓰더라도 그 이치를 알지 못하니, 대체로 성인만이 음양의 도를 깊게 이해할 수 있음을 말한 것이다.

---

161) 『論語·雍也』: 子曰, 知者樂水, 仁者樂山, 知者動, 仁者靜, 知者樂, 仁者壽.
162) 『中庸』: 道也者, 不可須臾離也, 可離, 非道也.

顯諸仁, 藏諸用, 鼓萬物而不與聖人同憂, 盛德大業, 至矣哉.

인(仁)에 드러나며 용(用)에 감춰져 만물(萬物)을 고동(鼓動)시키되 성인(聖人)과 함께 근심하지 않으니, 성대한 덕(德)과 큰 업(業)이 지극하다.

中國大全

小註

程子曰, 顯諸仁, 止陰陽不測之謂神.
정자가 말하였다: "인(仁)에 드러남" 단락은 "음양을 헤아릴 수 없다"까지이다.

○ 運行之跡, 生育之功, 顯諸仁也. 神妙无方, 變化无迹, 藏諸用也. 天地不與聖人同憂, 天地不宰, 聖人有心也. 天地无心而成化, 聖人有心而无爲, 天地聖人之盛德大業可謂至矣. 富有薄博也, 日新无窮也, 生生相續變易而不窮也. 乾始物而有象, 坤成物而體備, 法象著矣. 推數可以知來物, 通變不窮, 事之理也. 天下之有, 不離乎陰陽, 唯神也, 莫知其鄉, 不測其爲剛柔動靜也.
운행의 자취와 생육의 공업이 '인(仁)에 드러남'이다. 신묘해서 방소가 없음과 변화에 자취가 없음이 '용(用)에 감춰짐'이다. "천지가 성인과 함께 근심하지 않음"은 천지는 주재하지 않고 성인은 마음이 있음이다. 천지는 마음이 없지만 조화를 이루고 성인은 마음이 있지만 함이 없으니 천지와 성인의 성대한 덕과 큰 업이 지극하다. '부유(富有)'는 넓게 퍼짐이고 '일신(日新)'은 끝이 없음이고 '생생(生生)'은 서로 이어 변역하여 끝이 없음이다. '건(乾)'은 만물을 시작하여 상이 있고 '곤(坤)'은 만물을 이루어 형체를 갖추니 법과 상이 드러난다. '수(數)'를 미루면 올 것을 알고 변화에 통하여 막히지 않음이 일의 도리이다. 천하의 존재는 음양을 떠날 수 없는데, 오직 신(神)은 그 향함을 알 수 없어 강유와 동정이 됨을 헤아릴 수 없다.

○ 天地之大德曰生, 其生可見也, 所以生之者, 用也. 故曰顯諸仁, 藏諸用.
천지의 큰 덕을 일러 생(生)이라 하는데 그 생함은 볼 수 있으니 그 생함의 원인은 용이다.

그러므로 "인에 드러나고 용에 감춰진다"고 하였다.

○ 鼓萬物而不與聖人同憂, 聖人人也, 故不得无憂, 天則不爲堯存, 不爲桀亡者也.
"만물을 고동시키되 성인과 함께 근심하지 않는다"는, 성인은 사람이라 근심이 없을 수 없지만, 하늘은 요임금이라 하여 보존하지 않고 걸임금이라 하여 없애지 않는다.

○ 天地鼓萬物如此, 聖人循天理而欲萬物同之, 所以有憂患.
천지가 만물을 고동시킴이 이와 같은데 성인은 천리를 따라 만물과 함께 하고자 하기 때문에 근심한다.

○ 天地以无心, 故不憂, 聖人致有爲之事, 故憂.
천지는 무심하기 때문에 근심이 없고 성인은 유위(有爲)의 일을 이루기 때문에 근심한다.

○ 聖人有爲之功, 天地不宰之功.
성인의 공업은 함이 있는 것이고, 천지의 공업은 주재하지 않는 것이다.

○ 此, 天地與人異處, 聖人有不能爲天之所爲處.
이는 천지가 사람과 다른 곳이니, 성인은 하늘이 하는 바를 할 수 없는 곳이 있다.

○ 鼓動萬物, 聖人之神知則不可名.
만물을 고동시키니 성인의 신묘한 지혜는 이름붙일 수 없다.

本義

顯, 自內而外也, 仁, 謂造化之功, 德之發也. 藏, 自外而內也, 用, 謂機緘之妙, 業之本也. 程子曰, 天地无心而成化, 聖人有心而无爲.

'드러남[顯]'은 안으로부터 밖에 나옴이요, 인(仁)은 조화의 공(功)을 이르니 덕(德)의 발로이다. '감춰짐[藏]'은 밖으로부터 안으로 들어감이요, 용(用)은 기함(機緘)의 묘(妙)를 이르니, 업(業)의 근본이다. 정자(程子)가 "천지(天地)는 마음이 없으나 조화(造化)를 이루고, 성인(聖人)은 마음이 있으나 함이 없다"고 하였다.

小註

朱子曰, 顯諸仁是元亨誠之通, 藏諸用是利貞誠之復. 又曰, 顯諸仁是用底跡, 藏諸用是仁底心. 顯諸仁是流行發見處, 藏諸用是流行發見底物. 顯諸仁千頭萬緒, 藏諸用只是一個物事, 作顯諸仁底骨子. 顯諸仁是繼之者善也, 藏諸用是成之者性也. 天下萬物萬事, 其粲然發見處, 皆是顯然者, 然一事自是一事, 一物自成一物, 便是用藏在這裏. 如元亨利貞, 元亨是流行處, 利貞是流行底骨子. 流行個甚麼, 只是流行這貞而已. 此顯諸仁藏諸用之謂也. 又曰, 顯諸仁似恕, 藏諸用似忠. 顯諸仁似貫, 藏諸用似一. 顯諸仁如惻隱, 藏諸用似仁也. 惻隱羞惡辭遜是非顯諸仁也, 仁義禮智藏諸用也. 只是這一個惻隱, 隨事發見, 及至成那事時, 一事各成一仁, 此便是藏諸用. 其發用時, 在這道理中發去, 及至成這事時, 又只是這個道理, 此便是業, 業是事之已成處. 鼓萬物而不與聖人同憂, 此正是顯諸仁藏諸用底時節, 盛德大業便是顯諸仁藏諸用成就處. 又曰, 顯諸仁似隱而費, 藏諸用似費而隱. 又曰, 顯諸仁易說, 藏諸用極微難說. 這用字如橫渠說一故神, 神字用字一樣. 顯諸仁如春生夏長, 發生彰露可見者, 藏諸用是所以生長者, 藏在裏面而不可見. 又這個有作先後說處, 如元亨利貞之類, 有作表裏說處, 便是這裏.

주자가 말하였다: '인에 드러남'은 원형(元亨)이니 성(誠)의 통함이고 '용에 감춰짐'은 이정(利貞)이니 성(誠)의 회복이다.

또 말하였다: '인에 드러남'은 '용'의 자취이고, '용에 감춰짐'은 '인'의 마음이다. '인에 드러남'은 유행하여 발현하는 곳이고, '용에 감춰짐'은 유행하여 발현하는 물건이다. '인에 드러남'은 천만가지 조리이고 '용에 감춰짐'은 단지 하나의 사물이지만 '인에 드러남'을 일으키는 골자이다. '인에 드러남'은 '이은 것이 선이다'이고 '용에 감춰짐'은 '이룬 것이 성이다'이다. 천하의 만 가지 물건과 만 가지 일은, 환히 발현한 곳은 다 '드러남'이지만, 한 가지 일과 한 가지 물건이 각자 하나의 사물을 이룸은 곧 '용'이 그 속에 감추어진 것이다. 원형이정을 예로 들면 원형은 유행하는 것이고 이정은 유행의 골자이다. 유행하는 것은 무엇인가? 단지 유행하는 그것은 '정(貞)'일 뿐이다. 이것이 '인에 드러남'과 '용에 감춰짐'을 이름이다.

또 말하였다: '인에 드러남'은 서(恕)와 같고 '용에 감춰짐'은 충(忠)과 같다. '인에 드러남'은 관(貫)과 같고 '용에 감춰짐'은 일(一)과 같다. '인에 드러남'은 측은(惻隱)과 같고 '용에 감춰짐'은 인(仁)과 같다. 측은(惻隱)· 수오(羞惡)·사손(辭遜)·시비(是非)는 '인에 드러남'이고 인의예지는 '용에 감춰짐'이다. 측은(惻隱)한 마음이 일을 따라 발현되다가 그 일을 이루게 되면 하나의 일마다 각각 하나의 인을 이루니 이것이 곧 '용에 감춰짐'이다. 발용할 때에는 그 도리 가운데 있다가 발용하며 그 일을 이룰 때에도 또한 그 도리일 뿐으로 이것이 곧 업이니 업은 일이 이미 이루어진 것이다. '만물을 고동하면서 성인과 함께 근심하지 않음'

은 바로 '인에 드러남'과 '용에 감춰짐'의 시절이고 성대한 덕과 큰 업은 곧 '인에 드러남'과 '용에 감춰짐'이 이루어진 곳이다.

또 말하였다: '인에 드러남'은 '은미하지만 사용됨'과 같고 '용에 감춰짐'은 '사용되지만 은미함'과 같다.

또 말하였다: '인에 드러남'은 평이한 말이고 '용에 감춰짐'은 지극히 어려운 말이다. 여기의 '용(用)'자는 장횡거가 말한 "하나이기 때문에 신이다"라는 말과 같으니 '신(神)'자는 '용(用)'자와 한 가지이다. '인에 드러남'은 봄에 나고 여름에 자라는 것과 같으니 발생하여 드러나 볼 수 있고, '용에 감춰짐'은 낳고 자라게 하는 원인이니 그 속에 있어서 볼 수 없다. 이것을 선후로 말할 때가 있으니 원형이정과 같은 종류이고 표리로 말할 때가 있으니 이때에는 곧 리(裏)이다.

○ 顯諸仁, 德之所以盛, 藏諸用, 業之所以成. 譬如一樹一根生許多枝葉花實, 此是顯諸仁處. 及至結實一枝成一個種子, 此是藏諸用處. 生生不已, 所謂日新也, 萬物无不具此理, 所謂富有也. 又曰, 如此一穗禾, 其始只用一個母子, 少間成穀, 一個各自成得一個. 將去種植, 一個又自成一穗, 又開枝開葉去, 所以下文謂富有之謂大業.

'인에 드러남'은 덕이 성대한 까닭이며 '용에 감춰짐'은 업을 이루는 까닭이다. 예컨대 하나의 나무와 하나의 뿌리가 많은 가지와 잎새와 꽃과 열매를 낳는 것이 '인에 드러남'이다. 열매를 맺음에 하나의 가지마다 하나의 종자를 이룸이 '용에 감춰짐'이다. 낳고 낳아서 끊임이 없음이 '날로 새로워짐[日新]'이다. 만물이 이 이치를 갖추지 않음이 없음이 '풍부히 소유함[富有]'이다.

또 말하였다: 예컨대 하나의 벼이삭은 처음엔 단지 하나의 본원으로 쓰일 뿐이지만, 얼마 후에 곡식이 열리면 한 개마다 저절로 하나씩 열린다. 씨 뿌려 심게 되면 하나에서 벼이삭이 다시 나와 또 가지가 나오고 열매가 열리니, 아랫 글에서 "풍부하게 소유함을 대업이라 한다"고 한 것이다.

○ 天地造化是自然, 聖人雖生知安行, 然畢竟是有心去做, 所以說不與聖人同憂. 明道二語最好, 天地无心而成化, 聖人有心而无爲. 无心便是不憂, 成化便是鼓萬物, 天地鼓萬物, 亦何嘗有心來.

천지의 조화는 자연이니 성인이 비록 나면서부터 알고 편안히 행하지만[163] 결국은 마음을 써서 하기 때문에 '성인과 함께 근심하지 않는다'고 하였다. 명도의 두 어구가 가장 좋은데, "천지는 마음이 없지만 조화를 이루고 성인은 마음이 있지만 함이 없다"에서 마음이 없음은

---

163) 『中庸』: 安而行之.

곧 근심하지 않음이고 조화를 이룸은 곧 만물을 고동시킴이니 천지가 만물을 고동시킴에 어찌 마음을 먹은 적이 있었겠는가?

○ 盛德大業至矣哉, 是贊歎上面顯諸仁藏諸用. 又曰, 盛德大業至矣哉, 只是說易之理, 非指聖人而言.
"성대한 덕과 큰 업이 지극하다"는 위의 '인에 드러남'과 '용에 감춰짐'을 드러냄이다. 또 말하였다: "성대한 덕과 큰 업이 지극하다"는 역의 이치를 말한 것이지 성인을 가리켜 말한 것은 아니다.

○ 誠齋楊氏曰, 聖人之與天地可同者, 顯仁藏用之德業也, 不可同者, 天地无心聖人有心也. 聖人仁萬物而獨任其憂, 天地鼓萬物而不與聖人同其憂. 蓋聖人有心則有憂, 天地无心則无憂也.
성재양씨가 말하였다: 성인이 천지와 함께 할 수 있는 것은 인에 드러나고 용에 감춰지는 덕(德)과 업(業)이고, 함께 할 수 없는 것은 천지는 마음이 없고 성인은 마음이 있음이다. 성인은 만물을 사랑하여 홀로 근심을 떠맡고 천지는 만물을 고동시켜 성인과 함께 근심하지 않는다. 성인은 마음이 있으니 근심이 있고 천지는 마음이 없으니 근심이 없다.

○ 或問勉齋黃氏曰, 本義云, 顯自內而外, 藏自外而內, 竊疑, 造化之功, 固有自內而外, 機緘之妙, 何以見其自外而內. 曰, 仁本是在內以其發出在外, 故謂之自內而外, 用本是在外以其收藏歸內, 故謂之自外而內. 如春夏之生長萬物便是顯諸仁, 至秋冬則收斂成實便是藏諸用. 春夏是顯秋冬所藏之仁, 秋冬是藏春夏所顯之用也.
어떤 이가 면재황씨에게 물었다: "『본의』에서 드러남은 안에서 밖으로 나옴이고, 감춤은 밖에서 안으로 들어감이다"라고 하였는데, 아마도 조화의 공은 본래 안에서 밖으로 나오지만 기함(機緘)의 묘는 어떻게 밖에서 안으로 들어감을 볼 수 있습니까?
답하였다: 인(仁)은 본래 안에 있는 것으로 나오면 밖에 있기 때문에 "안에서 밖으로 나온다"고 하였고, 용(用)은 본래 밖에 있는 것으로 거두어 감추면 안으로 돌아오기 때문에 "밖에서 안으로 들어감"이라고 하였습니다. 마치 봄·여름에 만물이 생장함이 '인에 드러남'이고 가을·겨울에 수렴하여 열매를 이룸이 '용에 감춰짐'입니다. 봄·여름은 가을·겨울에 감춘 인을 드러냄이고, 가을·겨울은 봄·여름의 드러난 용을 감춤입니다.

○ 雲峯胡氏曰, 顯藏二字與中庸費隱相似. 隱在費中, 費之外他无所謂隱, 藏在顯中, 顯之外他无所謂藏. 蓋顯諸仁, 是用之迹而盛德之所以行, 藏諸用, 卽仁之心而大業之所以立. 顯諸仁, 是發生可見者, 藏諸用, 是所以發生者, 卽藏於中而不可見. 本義上文曰, 善謂化育之功, 此則曰, 仁謂造化之功, 見得繼之者善, 卽是造化顯諸仁處. 善者天地賦予萬物之理, 仁者天地生生萬物之心. 人得天地之心以爲心, 卽謂之仁而善之本也. 上章言在聖人者則曰仁與智, 此言在造化者則曰仁與用. 發於造化者爲仁, 而所以發者爲用, 發於聖人者爲仁, 而所以發者爲智. 用者, 造化機緘之妙, 鼓萬物而无心. 知者, 聖人密用之妙, 不能不運天下以心. 此造化之所以不與聖人同憂而爲盛德大業之至也.

운봉호씨가 말하였다: 현장(顯藏) 두 글자는 『중용』의 비은(費隱)과 비슷하다. 은미함[隱]은 쓰임[費] 가운데 있으니 쓰임의 밖에 따로 은미하다고 할 것이 없고, 감춤[藏]은 드러남[顯] 가운데 있으니 드러남 밖에 따로 감춘다고 할 것이 없다. '인에 드러남'은 쓰임의 자취로 성대한 덕이 행해지게 되고, '용에 감춰짐'은 인(仁)의 마음으로 대업이 서게 된다. '인에 드러남'은 발생을 볼 수 있고 '용에 감춰짐'은 발생하는 원인으로 속에 감추어져 볼 수 없다. 『본의』윗글에 대해 "선은 화육의 공이다"라 하고, 여기에서는 "인은 조화의 공이다"라 했으니, "이은 것이 선이다"가 곧 조화가 인에서 드러나는 곳임을 알 수 있다. 선(善)은 천지가 만물에 부여한 리이고 인(仁)은 천지가 만물을 생하고 생하는 마음이다. 사람은 천지의 마음을 얻어 마음으로 삼았기에 그것을 인이라 이르니 선의 근본이다. 윗 장에서는 성인에 있어서 말했으니 인과 지라 했고, 여기서는 조화에 있어서 말했으니 인과 용이다. 조화에 발현되는 것은 인이고 발현되는 원인이 용이다. 성인에 있어 발현됨은 인이고 발현되는 원인이 지이다. 용은 조화로운 기함[機緘]의 묘함으로 만물을 고동시키지만 마음이 없음이고, 지는 성인이 은밀하게 사용하는 묘함으로 마음을 가지고 천하를 움직이지 않을 수 없다. 이것이 조화가 성인과 함께 근심하지 않으면서 성대한 덕과 큰 업의 지극함이 되는 까닭이다.

▌韓國大全▌

권근(權近) 『주역천견록(周易淺見錄)』[164]

顯諸仁, 藏諸用, 止 盛德大業, 至矣哉.

인(仁)에 드러나며 용(用)에 감춰져, … 성대한 덕과 큰 업이 지극하다.

---

164) 경학자료집성DB에서는 「계사상전」 '4장'에 해당하는 것으로 분류했으나, 내용에 따라 이 자리로 옮겼다.

顯諸仁, 卽元亨之通也, 藏諸用, 卽利貞之復也. 不與當爲句, 與有天下而不與同, 言天地之無心也. 聖人同憂, 言聖人以天地萬物爲一體, 裁成輔相, 唯恐有一物之失所, 是其心之所憂. 雖曰有心, 同於天地無心之大也. 天地無心而化成, 聖人有心而能同者, 以其無私也, 無私則猶無心矣. 盛德大業, 是指聖人而言, 天地不得贊也.

"인에 드러난다"는 바로 원형(元亨)의 통함이고, "용에 감춰진다"는 바로 이정(利貞)의 돌아옴이다, "함께 하지 않는다[不與]"에서 구절이 끝나야 하니, '더불어 천하를 소유하나 더불어 함께하지 않는다'는 것으로 천지의 무심함을 말한다. "성인이 함께 근심한다"는 성인이 천지 만물과 하나의 몸체가 되어 마름질하여 도움을 말하니, 하나의 사물이라도 자기 자리를 잃음이 있을까 두려워하는 것이 그 마음의 근심인 것이다. 비록 '마음이 있다[有心]'고 하더라도 천지의 거대한 무심함과 같다. 천지가 무심함으로 조화를 이루는데, 성인이 유심(有心)함으로 같을 수 있는 것은 사사로움이 없기 때문이니, 사사로움이 없다면 무심한 것과 같다. '성대한 덕과 큰 업'은 성인을 가리켜 말하니, 천지는 칭찬할 수 없다.

박치화(朴致和) 「설계수록(雪溪隨錄)」

用, 所以顯諸仁者.
작용은 인(仁)에 드러나는 까닭인 것이다.

○ 藏諸用, 知也. 言仁知, 則義禮在其中也.
'용(用)에 감춰짐'은 지혜이다. 어짊과 지혜를 말하면 의리와 예절은 그 가운데 있다.

○ 天地聖人之事爲, 莫非生意, 故曰顯諸仁, 其所以爲此者, 則神妙不測, 故曰藏諸用也.
천지와 성인이 하는 일은 낳으려는 뜻이 아님이 없으므로 "인(仁)에 드러난다"고 하였고, 이렇게 되는 까닭은 신묘하여 헤아릴 수 없으므로 "용(用)에 감춰진다"고 하였다.

○ 繼上三者而言. 體道者惟天地聖人, 而天地聖人之所以異者, 惟在憂字, 聖人事業, 莫非憂世之意也.
위의 세 가지를 이어서 말한 것이다. 도를 체득한 것은 천지와 성인일 뿐인데, 천지와 성인이 달라지는 것은 오직 근심함에 있으니, 성인의 사업은 세상을 근심하는 뜻이 아님이 없다.

이익(李瀷) 『역경질서(易經疾書)』

顯仁藏用, 亦以道言, 承上節而發也. 仁者用之體, 用者仁之施. 其見識之不該者, 當其

仁之静, 謂之不顯, 至其用之施, 謂之不藏, 殊不知當其仁之静, 道未嘗不昭昭然顯, 至
其用之施, 道未嘗不汲汲然藏. 比如人有一箇光明寶珠, 居則呈露於箱篋, 行則收齎於
槖袋也. 苟使人皆識道, 聖人亦不道此句矣. 其顯仁藏用之道, 爲之機緘, 皷動萬物, 萬
物各正性命. 理一而氣殊, 故其所以然, 則在道而至, 所能然者, 道非與焉, 所謂物各付
物也. 比如一掬泥土, 撒在籠中, 斡轉不住, 則其踈密燥濕輕重大小, 各成形質箇箇不
同. 是謂不與, 不與爲句也. 聖人範圍天地之化, 而以身體之, 其財成輔相之功, 都付身
上. 天地以生物爲心, 故聖人以博施爲病. 是謂同憂, 於是作爲易書, 使天下萬物, 各遂
其生. 故曰盛德大業.

'인에 드러나며 용에 감춰짐'도 도(道)로써 말하였으니, 위의 구절을 이어서 펼친 것이다.
어짊은 작용의 몸체이고, 작용은 어짊의 시행이다. 그것을 모두 알아보지 못하는 자는 그
어짊이 고요할 때에는 드러나지 않는다고 하고, 그 작용이 시행될 때에는 감춰지지 않는다
고 하는데, 그 어짊이 고요할 때에도 도는 일찍이 밝게 드러나지 않음이 없고, 그 작용이
시행될 때에도 도는 일찍이 아득하게 감춰지지 않음이 없음을 결코 알지 못하는 것이다.
비유하면 사람이 하나의 빛나는 보주(寶珠)가 있음과 같으니, 집에 있어도 상자에서 드러나
고, 돌아 다녀도 전대에 감춰져 있다. 참으로 사람들이 모두 도를 알았다면 성인도 이 구절
을 말하지 않았을 것이다. 인에 드러나며 용에 감춰지는 도가 기함(機緘)이 되어 만물을
고동시키니, 만물은 각각 성명을 바르게 한다. 이치는 동일하지만 기운은 다르므로 그 소이
연은 도에 있어서 지극하고, 소능연의 것은 도가 함께 하는 것이 아니니, 이른바 '사물을
각각 사물에 맡긴다'[165]는 것이다. 비유하면 한 움큼의 진흙이 새장 안에 뿌려져서 이리저리
흔들리고 머물지 않음과 같으니, 그 성글고 조밀하며, 마르고 습하며, 가볍고 무거우며, 크
고 작은 것이 각각 형질을 이루어 하나하나가 같지 않다. 이를 '함께하지 않음'이라 하니,
'함께하지 않음'이 구절이 된다. 성인은 천지의 조화를 범위하여 몸으로 체득하니, 그 마름질
하여 이루고 보좌하여 돕는 공용이 모두 몸에 붙어 있다. 천지는 사물을 낳음으로 마음을
삼기 때문에 성인은 널리 베푸는 것으로 병을 삼는다.[166] 이를 '함께 근심함'이라 하니, 이에
『주역』이라는 책을 지어서 천하의 만물로 하여금 각각 그 삶을 이루게 하였다. 그러므로
"성대한 덕과 거대한 업이다"라고 하였다.

---

165) 『近思錄・存養類』: 人不止於事, 只是攬他事, 不能使物各付物. 物各付物, 則是役物, 爲物所役, 則是
役於物.
166) 『論語・雍也』: 子貢曰, 如有博施於民而能濟衆, 何如, 可謂仁乎. 子曰, 何事於仁, 必也聖乎. 堯舜,
其猶病諸.

유정원(柳正源) 『역해참고(易解參攷)』

顯諸 [至] 矣哉.

인에 드러나며 … 지극하다.

邵子曰, 日月照臨, 四時成歲, 顯諸仁也, 不知其所以然而然, 藏諸用也.

소자가 말하였다: 해와 달이 빛으로 임하고 사시가 해를 이루는 것이 인(仁)에 드러남이고,
그 소이연을 알지 못하지만 그러한 것이 용(用)에 감춰짐이다.

○ 節齋蔡氏曰, 用者, 神運无迹, 仁者, 庶物露生. 故在天則生者爲仁, 而所以生者爲
用, 在聖人則發者爲仁, 而所以發者爲知. 天不可以知言也, 知不離乎心, 有心則有憂,
此天人之道所以分也. 故曰鼓萬物而不與聖人同憂. 仁與用, 天地之德業, 而其盛大,
又有非聖人所能至者. 故曰至矣哉.

절재채씨가 말하였다: '용(用)'은 신묘한 움직임의 자취가 없음이고, '인(仁)'은 여러 사물이
삶에 드러남이다. 그러므로 하늘에 있어서는 삶이 인(仁)이 되고, 삶의 근거가 용(用)이 되
며, 성인에 있어서는 펼침이 인이 되고, 펼치는 근거가 지(知)가 된다. 하늘은 지(知)로 말할
수가 없고 지(知)는 마음에서 떨어지지 않으며, 마음이 있으면 근심이 있으니, 이것이 하늘
과 사람의 도(道)가 나뉘는 까닭이다. 그러므로 "만물을 고동시키되 성인과 함께 근심하지
않는다"고 하였다. 인(仁)과 용(用)은 천지의 덕(德)과 업(業)인데, 그것의 성대함은 또한
성인도 지극히 할 수 없는 점이 있다. 그러므로 "지극하다"고 하였다.

김상악(金相岳) 『산천역설(山天易說)』

仁者, 造化之心, 用者, 造化之功, 顯者, 自內而外也, 藏者, 自外而內也. 天地无心而
成化, 聖人有心而无爲. 故鼓萬物而不與聖人同憂. 德業以顯藏而言也.

'인(仁)'은 조화의 마음이고 '용(用)'은 조화의 용공이며, '현(顯)'은 안으로부터 나옴이고 '장
(藏)'은 밖으로부터 들어옴이다. 천지는 마음이 없어도 조화를 이루고, 성인은 마음이 있어
도 작위함이 없다. 그러므로 만물을 고동시키되 성인과 함께 근심하지 않는다. '덕(德)'과
'업(業)'은 드러남과 감춰짐으로 말한 것이다.

박윤원(朴胤源) 『경의(經義)·역경차략(易經箚略)·역계차의(易繫箚疑)』

仁本在內, 而謂之顯, 用本在外, 而謂之藏, 是互言也歟. 若交互言之者, 則仁之顯便是
用, 用之藏便是仁歟. 朱子以顯諸仁爲元亨, 藏諸用爲利貞, 恐似可疑. 統元亨利貞, 而

指其發見昭著於外者, 曰顯諸仁, 原其主張造作於外者, 曰藏諸用, 不必以顯藏分屬四德, 未知如何.

'인(仁)'은 본래 안에 있는데 드러난다고 하고, '용(用)'은 본래 밖에 있는데 감춰진다고 하였으니, 바꾸어 말한 것인가? 만약 서로 바꾸어 말한 것이라면, 인의 드러남이 바로 용(用)이고, 용의 감춰짐이 바로 인(仁)인가? 주자가 '인에 드러남'을 원형(元亨)이라 하고, '용에 감춰짐'을 이정(利貞)이라 한 것은 의심스러운 듯하다. 원형이정을 총괄하여 밖으로 분명하게 발현된 것을 가리켜서 "인에 드러난다"고 하고, 밖에서 주장하고 조작하는 것의 근원을 캐서 "용에 감춰진다"고 한 것이니, 드러남과 감춰짐을 사덕(四德)에 나누어 배치할 필요는 없는 듯한데, 어떤지 모르겠다.

심취제(沈就濟) 『독역의의(讀易疑義)』

藏諸用, 不曰知而言用者, 此用字, 仁知皆爲用也, 猶中庸之勇字也.

"용에 감춰진다"는 '지(知)'라 하지 않고 '용(用)'을 말한 것인데, 여기의 '용'자는 지(知)와 인(仁)이 모두 용이 되기 때문이니, 『중용』의 '용(勇)'자와 같다.

윤행임(尹行恁) 『신호수필(薪湖隨筆) · 계사전(繫辭傳)』

鼓以雷霆, 潤以風雨, 顯其迹也, 昭其功也, 至誠至神, 無聲無臭, 含其妙也, 藏其費也. 化育萬物, 天地之德也, 體天地之德, 而苃萬物者, 聖人之憂也.

'우레와 번개로써 고동하며, 바람과 비로써 적셔줌'은 그 자취를 드러냄이고 그 공용을 나타냄이며, 지극히 참되고 지극히 신묘하여 소리도 없고 냄새도 없음은 그 묘리를 감쌈이고 그 넓음을 감춤이다. 만물을 변화시켜 육성함은 천지의 덕(德)이고, 천지의 덕을 체득하여 만물이 자리 잡게 함은 성인의 근심이다.

심대윤(沈大允) 『주역상의점법(周易象義占法)』

人莫不飮食, 而鮮能知味, 莫不由是道, 而鮮能得其中. 不可入[167]堯舜而戶周孔, 故君子藏用以隨時, 時中之謂也. 无斬斬之行, 无赫赫之名, 无昭昭之迹, 故能皷萬物, 而萬物不能與之同憂, 以其无異於人, 故人不能窺其際也. 藏於不藏, 爲於无爲, 是以能成德業, 合乎天地, 而同乎鬼神矣.

---

167) 入: 경학자료집성DB와 영인본에는 '人'으로 되어 있으나, 문맥을 살펴 '入'으로 바로잡았다.

사람이 먹고 마시지 않음이 없지만 맛을 알기가 드물고, 이 도를 말미암지 않음이 없지만 핵심을 얻기가 드물다. 요순에 들어가려 함에 주공과 공자를 거치지 않을 수 없기 때문에 군자가 용(用)을 감추고서 때를 따르니, 때에 맞춤을 말한다. 베어버릴 행실도 없고, 혁혁한 이름도 없고, 소소한 자취도 없기 때문에 만물을 고동시켜도 만물이 그와 더불어 근심을 함께하지 않을 수 있으며, 그것이 사람과 다름이 없기 때문에 사람이 그 경계를 살필 수 없다. 감출 수 없는데 감추고 함이 없는데서 행하니, 이 때문에 덕업을 이루고 천지와 화합하여 귀신과 같아지는 것이다.

오치기(吳致箕) 「주역경전증해(周易經傳增解)」

仁謂造化之心, 用謂造化之功. 顯者, 自內而外也, 如春夏之生長, 乃以秋冬所藏之仁而外顯者也. 藏者, 自外而內也, 如秋冬之收斂, 乃以春夏所顯之用而內藏者也. 天地无心而成化, 聖人有心而成化, 故曰不與同憂, 天地以生物爲德, 以成物爲業, 故曰盛德大業.

'인(仁)'은 조화의 마음을 말하고, '용(用)'은 조화의 공용을 말한다. '드러남[顯]'은 안으로부터 나오는 것이니, 봄과 여름에 나서 자람이 바로 가을과 겨울에 감춰졌던 인이 밖으로 드러나는 것임과 같다. '감춰짐[藏]'은 밖에서부터 들어오는 것이니, 가을과 겨울에 거둬들임이 바로 봄과 여름에 드러났던 작용을 안으로 저장하는 것임과 같다. 천지는 마음이 없어도 조화를 이루고, 성인은 마음이 있으면서 조화를 이루기 때문에 "함께 근심하지 않는다"고 하였고, 천지는 사물을 낳음으로 덕(德)을 삼고 사물을 이룸으로 업(業)을 삼기 때문에 '성대한 덕과 큰 업'이라고 하였다.

이진상(李震相) 『역학관규(易學管窺)』

顯諸仁, 藏諸用.
인에 드러나고, 용에 감춰진다.

於仁言顯, 故曰德之發, 於用言藏, 故曰業之本, 而其實則仁是體, 用是用. 顯諸仁者, 靜而動也, 藏諸用者, 動而靜也.

'인(仁)'에 있어서 드러남을 말했으므로 '덕의 펼쳐짐'이라 하고, '용(用)'에 있어서 감춰짐을 말했으므로 '업의 근본'이라 하지만, 실제로는 인은 본체이고, 용은 작용이다. '인에 드러남'은 고요하면서 움직임이고, '용에 감춰짐'은 움직이면서 고요함이다.

富有之謂大業, 日新之謂盛德,

풍부히 소유함을 대업(大業)이라 하고, 날로 새로워짐을 성덕(盛德)이라 하고,

┃中國大全┃

本義

張子曰, 富有者, 大而无外, 日新者, 久而无窮.

장자(張子)가 말하였다: '풍부히 소유함'은 커서 밖이 없는 것이요, '날로 새로워짐'은 오래하여 무궁한 것이다.

小註

朱子曰, 先說個富有, 方始說日新. 此與說宇宙相似, 先是有這物事了, 方始相連相續去.

주자가 말하였다: 먼저 풍부하게 소유함을 말해야 비로소 날로 새로움을 말하게 된다. 이것은 '우주(宇宙)'라 말하는 것과 비슷하니, 먼저 어떤 사물이 있어야만 비로소 서로 이어서 계속해간다.

○ 富有之謂大業, 言萬物萬事, 无非得此理, 所謂富有也, 日新, 是只管運用流行, 生生不已. 富有之謂大業, 以人言之, 須是天下事, 无不理會, 方得. 若纔工夫不到, 業无由大, 少間措置事業, 便有欠闕, 此便有病.

"풍부히 소유함을 대업이라 한다"는 만물 만사가 이 이치를 얻지 않음이 없음을 말하니 이른바 '풍부히 소유함'인 것이고, '날로 새로워짐'은 단지 운행하고 유행하며 낳고 낳아 끝이 없음이다. "풍부히 소유함을 대업이라 한다"는 사람으로 말한 것이니, 반드시 천하의 일에서 알지 못함이 없어야만 된다. 만약 공부가 이르지 못하여 사업(業)이 크게 될 수 없다고 잠시 사업을 방치한다면 곧 결함이 있으니 이는 병이 있는 것이다.

○ 節齋蔡氏曰, 富有廣大不禦, 日新悠久无疆, 天高地下, 萬物散殊, 其富有之謂歟. 陰陽升降, 變化无窮, 其日新之謂歟.

절재채씨가 말하였다: '풍부히 소유함'은 광대해서 막지 못함이고, '날로 새로워짐'은 유구해서 끝이 없음이니, 하늘은 높고 땅은 낮아 만물이 여러 가지로 흩어짐이 '풍부히 소유함'을 이르는 것이고, 음양이 오르내려 변화가 끝이 없음이 '날로 새로워짐'을 이르는 것이로다!

○ 西山眞氏曰, 此雖言易之理, 然易也, 天地也, 聖人也, 一而已矣. 生物无窮, 天地之大業也, 運行不息, 天地之盛德也, 功及萬世, 聖人之大業也, 終始日新, 聖人之盛德也. 學者, 有志於進德修業者, 亦必以天地聖人爲法, 蓋非富有, 不可以言大業, 非日新, 不可以言盛德也.

서산진씨가 말하였다: 이는 비록 역의 이치를 말하였지만 역과 천지와 성인은 한 가지일 뿐이다. 만물을 낳음이 끝없음이 천지의 대업이고, 운행이 다함없음이 천지의 성대한 덕이고, 공이 만세에 파급됨이 성인의 대업이고, 마치고 시작함에 날로 새워짐이 성인의 성대한 덕이다. 학자가 진덕과 수업에 뜻을 둔 자라면 또한 반드시 천지와 성인으로 법을 삼아, '풍부히 소유함'이 아니면 대업을 말해서는 안 되고, '날로 새로워짐'이 아니면 성덕을 말해서는 안 된다.

‖ 韓國大全 ‖

이익(李瀷) 『역경질서(易經疾書)』

富有日新, 亦以道言. 道積於身, 則爲盛德, 道廣於天下, 則爲大業, 沿流究源, 故先業後德. 繳上第一章第六節, 通下第七節看.

'풍부히 소유함'과 '날로 새로워짐'도 도(道)로써 말한 것이다. 도(道)를 몸에 쌓으면 성대한 덕(德)이 되고, 도를 천하에 퍼뜨리면 큰 업(業)이 되는데, 흐름을 따르며 원류를 궁구하기 때문에 업을 먼저하고 덕을 뒤에 하였다. 앞의 제1장의 제6절과 얽어매고 뒤의 제7절과 회통하여 보라.

김상악(金相岳) 『산천역설(山天易說)』

富有者, 无物不有也, 日新者, 无時不新也.

'풍부히 소유함'은 어떤 사물도 지니지 않음이 없는 것이고, '날로 새로워짐'은 어느 때도
새로워지지 않음이 없는 것이다.

윤행임(尹行恁) 『신호수필(薪湖隨筆)·계사전(繫辭傳)』

富有日新, 自易簡而始. 富有者, 物物皆得, 日新者, 生生不息, 易之火天, 湯之盤銘,
其斯之歟.

'풍부히 소유함'과 '날로 새로워짐'은 이간으로부터 시작되었다. '풍부히 소유함'은 사물마다
모두 얻음이고, '날로 새로워짐'은 낳고 낳아 그치지 않음이니, 『주역』의 화천(火天) 대유괘
(大有卦)와 탕왕이 쟁반에 새긴 명(銘)이 이러할 것이다.

오치기(吳致箕) 「주역경전증해(周易經傳增解)」

富有者, 大而无外, 日新者, 久而无窮, 此陰陽之道在天地者也.

'풍부히 소유함'은 커서 밖이 없음이고, '날로 새로워짐'은 오래도록 다함이 없음이니, 이는
음양의 도(道)가 천지(天地)에 있는 것이다.

生生之謂易,

낳고 낳음을 역(易)이라 하고,

‖中國大全‖

小註

程子曰, 所以謂萬物一體者, 皆有此理, 只爲從那裏來. 生生之謂易, 生則一時生, 皆完此理. 人則能推, 物則氣昏推不得, 不可謂他物不與有也.

정자가 말하였다: 만물과 한 몸체라는 까닭은 다 이 이치를 가지고 있어서 단지 이 속에서 나오기 때문이다. 낳고 낳음을 역이라 할 때 낳음은 동시에 낳음이니 다 이 이치를 완성함이다. 사람은 미룰 수 있지만 타물은 기가 어두워 미룰 수 없는 것이니, 타물에는 같이 있지 않다고 해서는 안 된다.

○ 生生之謂易, 生生之用則神也.

낳고 낳음을 역이라 하고, 낳고 낳는 쓰임은 신이다.

○ 天地陰陽, 其勢高下甚相背, 然必相須而爲用也. 有陰便有陽, 有一便有二, 纔有一二便有三, 一二之間便是三, 已往便无窮. 老子亦言三生萬物, 此是生生之謂易. 理自然如此, 維天之命於穆不已, 自是理自相續不已, 非是人爲之. 如便可爲, 雖使百萬般, 安排也, 須是有息時. 只爲无爲, 故不息, 中庸言, 不見而章, 不動而變, 无爲而成, 天地之道, 可一言而盡也.

천지의 음양은 그 형세의 높고 낮음이 심히 서로 등지지만 반드시 서로 쓰임이 된다. 음이 있으면 곧 양이 있고 하나가 있으면 곧 둘이 있고 하나와 둘이 있으면 곧 셋이 있으니 하나와 둘의 사이가 곧 셋이니 마치고 [계속해] 가면 끝이 없다. 노자도 말하길 "셋이 만물을 낳는다"[168]고 했으니 이것이 "낳고 낳음을 역이라 함"이다. 이치는 자연히 이와 같아서 "천명은 심원하여 그침이 없음"[169]이니 원래 이치가 저절로 이어져 그침이 없음이니 사람이 하는 것이

---

168) 『老子』: 三生萬物.

아니다. 만약 할 수 있다면 백만 가지라도 안배해야 하는데 반드시 쉬는 때가 있게 된다. 단지 함이 없기 때문에 쉼이 없으니 『중용』에서 말한 "드러나지 않으면서 빛이 나고, 움직이지 않으면서 변화하고, 함이 없으면서 이루니 천지의 도는 한마디로 다할 수 있다"는 것이다.[170]

本義

陰生陽, 陽生陰, 其變无窮, 理與書皆然也.

음은 양을 낳고 양은 음을 낳아 그 변화가 무궁하니, 이치와 책이 모두 그러하다.

小註

程氏鉅夫曰, 生生之謂易, 剝初盡而復已生, 生生不息, 靡有間絶. 象辭變占, 雖其別有四, 生生之理則一而已. 外此二字不足以知易.

정거부가 말하였다: "낳고 낳음을 역이라 함"은 박(剝)이 시작하여 다하면 돌아와[復] 이미 생하여, 낳고 낳아 중간에 단절이 없다. 상과 사와 변과 점이 비록 구별되어 넷이 있지만 낳고 낳는 이치는 하나일 뿐이다. 이 두 글자[生生]가 아니면 역을 깊이 알 수 없다.

○ 雲峯胡氏曰, 富有者, 无物不有而无一毫之虧欠. 日新者, 无時不然而无一息之間斷. 藏而愈有則顯而愈新, 此卽所以爲生生之易.

운봉호씨가 말하였다: '풍부히 소유함'은 어떤 물건이든 한 터럭의 흠결도 없음이다. '날로 새로워짐'은 어느 때이건 한 호흡의 단절도 없음이다. 감출수록 더욱 있게 되고 드러날수록 더욱 새롭기에 낳고 낳는 역이 된 것이다.

‖韓國大全‖

조호익(曺好益)『역상설(易象說)』

以下說書.

여기부터는 책을 말하였다.

---

169) 『中庸』: 時云 維天之命, 於穆不已.
170) 『中庸』: 天地之道, 可一言而盡也.

김장생(金長生) 『경서변의(經書辨疑)-주역(周易)』

本義, 理與書.
『본의』에서 말하였다: 이치와 책이.

書字未詳.
책이라는 말은 자세하지 않다.

박치화(朴致和) 「설계수록(雪溪隨錄)」

生生之謂易, 就一元處說.
"낳고 낳음을 역이라 한다"는 근원처에 나아가 말한 것이다.

○ 書謂易書卦畫, 自生生之易以下, 揷入易書. 故朱子於此節下, 兼釋理與書也.
책은 역서(易書)의 괘획을 말하는데, "낳고 낳음을 역이라 한다"로 부터는 역서를 삽입하였다. 그러므로 주자가 이 구절의 아래에서 이치와 책으로 함께 해석하였다.

○ 理謂陰陽之易.
이치는 음양의 역(易)을 말한다.

이익(李瀷) 『역경질서(易經疾書)』

上云德業, 下云占事, 皆屬人, 不應中間數句, 屬天道也. 自第二章言, 易皆指書名也. 聖人之作易也, 法天地生物之心, 故變動周流, 道濟天下, 曲成萬物, 是謂生生之易.
앞에서 '덕(德)'과 '업(業)'을 말하고 뒤에서 '점(占)'과 '일[事]'을 말했는데 모두 사람에게 속하고, 중간의 여러 구절과는 호응하지 않으니, 천도(天道)에 속하기 때문이다. 제2장으로부터 말하면 역(易)은 모두 책 이름을 가리킨다. 성인이 『역』을 지음에 천지가 사물을 낳는 마음을 본받았기 때문에 변동하고 두루 흘러서 도가 천하를 구제하며 만물을 곡진히 이루는 것이니, 이것이 '낳고 낳는 역'을 말한다.

유정원(柳正源) 『역해참고(易解参攷)』

漢上朱氏曰, 陽生陰, 陰生陽, 陽復生陰, 陰復生陽, 生生不窮, 如環无端, 此之謂易.
한상주씨가 말하였다: 양이 음을 낳고 음이 양을 낳고, 양이 다시 음을 낳고 음이 다시 양을

낳아서 낳고 낳아 다함이 없음이 고리와 같이 끝이 없으니, 이것을 역(易)이라 한다.

김상악(金相岳) 『산천역설(山天易說)』

陰生陽, 陽生陰, 生生不盡, 有交易變易之義.

음이 양을 낳고 양이 음을 낳으면서 낳고 낳아 다하지 않으니, 사귐과 변함의 뜻이 있다.

심취제(沈就濟) 『독역의의(讀易疑義)』

生生之謂易, 生之謂易, 伏羲之易也, 生生之謂易, 文王之易也. 然則一陰一陽之謂道, 伏羲當之, 生生之謂易, 文王當之, 生生二字, 非生生極耶.

"낳고 낳음을 역이라 한다"에서 '낳음을 역이라 한다'는 복희의 역(易)이고, "낳고 낳음을 역이라 한다"는 문왕의 역이다. 그렇다면 "한번은 음이 되고 한번은 양이 됨을 도라 한다"는 복희에게 해당되고, "낳고 낳음을 역이라 한다"는 문왕에게 해당되니, '낳고 낳음[生生]'은 낳고 낳음의 지극함이 아니겠는가?

윤행임(尹行恁) 『신호수필(薪湖隨筆)·계사전(繫辭傳)』

一而二, 二而四, 四而八, 八而十六, 十六而三十二, 三十二而六十四, 六六而三十六, 四六而二十四, 而爲三百八十四爻. 陽生於陰, 陰生於陽, 故曰生生之謂易, 爲人君者, 觀易之一字, 而知生生之爲德, 則德不可勝用矣, 觀生之一字, 而知惻隱之由仁, 則仁不可勝用矣. 豈徒君也. 通上下而看.

하나가 둘이 되고, 둘이 넷이 되고, 넷이 여덟이 되고, 여덟이 16이 되고, 16이 32가 되고, 32가 64가 되며, 여섯에 여섯이 36이 되고, 넷에 여섯이 24가 되어 384효가 된다. 양이 음에서 나오고 음이 양에서 나오므로 "낳고 낳음을 역이라 한다"고 하였는데, 임금된 사람이 '역(易)'이라는 한 글자를 보고서 낳고 낳음이 덕이 됨을 안다면 덕을 다 쓸 수 없을 것이며, '낳다[生]'라는 말을 보고 측은한 마음이 인(仁)에 연유함을 안다면 인을 다 쓸 수 없을 것이다. 어찌 다만 임금만이겠는가? 위와 아래에 통용하여 보아야 한다.

오치기(吳致箕) 「주역경전증해(周易經傳增解)」

陰生陽, 陽生陰, 變化无窮, 此陰陽之道在易者也.

음(陰)이 양을 낳고 양(陽)이 음을 낳아 변화가 다함이 없으니, 이는 음양의 도(道)가 역(易)에 있는 것이다.

成象之謂乾, 效法之謂坤,

상(象)을 이룸을 건(乾)이라 하고, 법(法)을 드러냄을 곤(坤)이라 하고,

‖中國大全‖

本義

效, 呈也, 法, 謂造化之詳密而可見者.

효(效)는 드러냄이요, 법(法)은 조화(造化)가 상세하고 치밀하여 볼 수 있음을 이른다.

小註

朱子曰, 旣說盛德大業, 又說他只管恁地生去, 所以接之以生生之謂易, 是漸說入易上去. 乾只略成一個形象, 坤便都呈見出許多法來, 到坤處都細了, 萬法一齊出見. 成象之謂乾, 此造化方有些顯露處, 效法之謂坤, 以法言之, 則大段詳密矣. 效字難看, 如效順效忠效力之效, 有陳獻底意思. 乾坤只是理, 理本无心, 自人而觀猶必待乾之成象而後坤能效法. 然理自如此, 本无相待. 且如四時亦只是 自然迭運, 春夏生物, 初不道要秋冬成之, 秋冬成物, 又不道成就春夏之所生, 皆是理之所必然者爾. 又曰, 凡屬陽底便是只有個象而已, 象是方做未成形之意, 已成形便屬陰. 成象謂如日月星辰在天, 亦无個實形, 只是個懸象. 如此乾便略, 坤便詳. 法是有一成已定之物, 可以形狀見者, 如條法亦是實有已成之法.

주자가 말하였다: 이미 ‘성대한 덕’과 ‘큰 업’을 말해놓고 또 다만 이처럼 ‘낳음’을 말하기 위해 “낳고 낳음을 역이라 한다”로 이었으니, 이는 점점 역의 관점으로 말하는 것이다. 건은 단지 하나의 형상을 간략히 이루고 곤은 많은 법칙을 드러내놓으니, 곤에 이르면 모두 자세해져 온갖 법칙이 한꺼번에 출현한다. “상을 이룸을 건이라 한다”는 조화가 조금 드러나는 때이며, “법을 드러냄을 곤이라 한다”는 법칙으로 말하자면 대단히 상세하고 정밀함이다. ‘효(效)’자는 알기 어려우니 효순(效順)·효충(效忠)·효력(效力)의 효로 펼쳐서 바치는 뜻

이 있다. 건곤은 단지 리(理)이니, 리는 본래 마음이 없지만 사람이 볼 때는 반드시 건으로 형상을 이룬 뒤에 곤이 법칙을 드러낼 수 있다. 그렇지만 리는 저절로 이와 같을 뿐 본래 서로 기다림이 없다. 또한 사계절이 이처럼 자연히 갈마듦과 같아서 봄·여름에 만물을 냄에 애초부터 가을·겨울에 거둘 것을 헤아리지 않았고, 가을·겨울에 만물을 이룰 때도 봄·여름에 나는 바를 성취할 것을 헤아리지도 않았다. 이런 것은 다 리가 반드시 그러하기 때문일 뿐이다.

또 말하였다: 대체로 양에 속하는 것은 상(象)이 있는데, 상은 막 만드는데 형체가 이루어지지 않은 뜻이니 이미 이루어지면 곧 음에 속한다. '상을 이룸'은 일월성신이 하늘에 있지만 실제의 형체랄 것도 없으니 단지 매달린 상이다. 이처럼 건은 간략하고 곤은 상세하다. 법(法)은 하나의 완성되어 정해진 물건이 있을 때 형상을 볼 수 있는 것으로 조례와 법규에 실제로 이루어진 법이 있는 것과 같다.

○ 節齋蔡氏曰, 易者, 變易而不窮, 故曰生生. 象者, 法之未定, 法者, 象之已形. 乾主氣故曰成象, 坤主形故曰效法. 乾坤成而易則肇乎先者也.

절재채씨가 말하였다: 역은 변역하여 끝이 없기 때문에 '생생(生生)'이라 하였다. '상(象)'은 법이 아직 정해지지 않음이고, '법(法)'은 상이 이미 드러남이다. 건은 기운을 위주로 하기 때문에 상을 이룬다고 하였고, 곤은 형체를 위주로 하기 때문에 법을 드러낸다 하였다. 건곤이 이루어짐에 역이 앞에서 시작하는 것이다.

▎韓國大全▎

이익(李瀷) 『역경질서(易經疾書)』

易中有成象者, 皆乾道也, 有效法者, 皆坤道也, 下文云崇效天, 卑法地.

『주역』에서 '상(象)'을 이룸'이 있는 것은 모두 건(乾)의 도이고, '법(法)'을 드러냄'이 있는 것은 모두 곤(坤)의 도이니, 아래 글에서는 "높음은 하늘을 본받고, 낮음은 땅을 본받은 것이다"[171]라고 하였다.

---

171) 『周易·繫辭傳』.

유정원(柳正源) 『역해참고(易解參攷)』

成象 [至] 謂坤.

상을 이룸을 … 곤(坤)이라 하고.

朱子曰, 象謂風霆雨露日星只是箇象, 效法則效其形法而可見也.

주자가 말하였다: '상(象)'은 바람과 우레, 비와 이슬, 해와 별이 단지 상(象)임을 말하고, '법을 드러냄'은 형성된 모범을 본받아서 볼 수 있는 것이다.

○ 强恕齋柴氏曰, 眹兆之可見者, 皆成象, 所以爲乾, 感而遂通, 成法著見, 所以爲坤.

강서재시씨가 말하였다: 조짐을 볼 수 있는 것은 모두 상을 이루기에 건(乾)이 되는 것이고, 감응하여 드디어 통하면 모범을 이루어 드러내기에 곤(坤)이 되는 것이다.

김상악(金相岳) 『산천역설(山天易說)』

氣以成象, 形以效法.

기운으로 상(象)을 이루고, 형체로 법(法)을 드러낸다.

심취제(沈就濟) 『독역의의(讀易疑義)』

成象者, 乾而成天之象也, 效法者, 坤而效法地之形也, 此乾坤, 非兩儀之乾坤耶. 此爲易經乾坤也.

'상을 이룸'은 건(乾)이면서 하늘의 상을 이룸이고, '법(法)을 드러냄'은 곤(坤)이면서 땅의 형체를 본받아 드러냄이니, 여기의 건곤(乾坤)은 양의의 건곤이 아니겠는가? 이것은 『역경』의 건곤이 된다.

윤행임(尹行恁) 『신호수필(薪湖隨筆)·계사전(繫辭傳)』

象則儀之, 法則按之, 儀乎象而日月星辰, 按乎法而山河草木. 成之則氣也, 所以成則理也.

'상(象)'이라면 헤아리고, '법(法)'이라면 살펴야 하는데, 상을 헤아림은 일월성신(日月星辰)이고, 법을 살핌은 산하초목(山河草木)이다. 이루는 것은 기운이고, 이루어진 까닭은 이치이다.

오치기(吳致箕) 「주역경전증해(周易經傳增解)」

象謂未成形而法之未定也, 法謂已成形而象之已定也. 效者呈也, 此陰陽之道在卦爻
者也.

'상(象)'은 형체가 아직 이루어지지 않아서 법(法)이 정해지지 않았음을 말하고, '법(法)'은
이미 형체가 이루어져 상(象)이 이미 확정되었음을 말한다. '효(效)'는 드러냄이다. 이는 음
양의 도가 괘효(卦爻)에 있는 것이다.

極數知來之謂占, 通變之謂事,

수(數)를 지극히 하여 미래를 앎을 점(占)이라 하고, 변(變)을 통함을 일이라 하고,

‖ 中國大全 ‖

本義

占, 筮也. 事之未定者, 屬乎陽也, 事, 行事也, 占之已決者, 屬乎陰也. 極數知來, 所以通事之變. 張忠定公, 言公事有陰陽, 意蓋如此.

점(占)은 시초점(蓍草占)이다. 일이 아직 결정되지 않은 것은 양(陽)에 속하며, 일은 행하는 일이니 점(占)이 이미 결단된 것은 음(陰)에 속한다. 수(數)를 지극히 하여 미래를 앎은 일의 변(變)을 통하는 것이다. 장충정공(張忠定公)이 "공사(公事)에도 음양(陰陽)이 있다"고 하였으니, 뜻이 이와 같은 것이다.

小註

朱子曰, 占出這事, 人便依他這個做, 便是通變之謂事. 看來聖人說到至處, 便說在占上去, 則此書分明是要做占用矣.

주자가 말하였다: 어떤 일을 점치면 사람이 그것을 의지해 일을 하니, 이것이 곧 "변을 통함을 일이라 함"이다. 성인이 지극한 곳을 말한 곳을 보면 곧 점의 관점에서 말해나갔으니, 이 책은 분명 점을 쳐서 써야 한다.

○ 張乖崖說, 公事未判時屬陽, 已判後屬陰, 便是此意. 公事未判, 生殺輕重都未定, 今已判了, 更不可易.

장괴애가 말하길 "공사를 판단하기 전은 양에 속하고 이미 판단하면 음에 속한다"는 것이 곧 이 뜻이다. 공사를 판단하기 전은 살리고 죽임과 가볍고 무거움이 아직 정해지지 않았지만 이미 판단되면 바꿀 수 없다.

○ 自富有至效法, 是說其理如此, 用處, 卻在那極數知來與通變謂事上面, 蓋說上面許多道理, 要做這般用.

'풍부히 소유함'에서 '법을 드러냄'까지는 그 이치가 이와 같음을 말하였고, 쓰이는 곳은 "수를 극진히 해서 올 것을 앎"과 "변화를 통함을 일이라 함"의 위에 있으니, 위의 많은 도리는 단지 그 쓰임임을 말한 것이다.

○ 漢上朱氏曰, 天數二十有五, 地數三十, 極天地之數而吉凶可以前知, 此之謂占.

한상주씨가 말하였다: 천수는 25이고 지수는 30이니, 천지의 수를 지극하게 해서 길흉을 미리 아는 것을 점이라 한다.

○ 建安丘氏曰, 數蓍數也, 變卦變也. 物莫选乎數, 故極. 占, 數可以知來物, 事, 行事也, 卽所占卦變而通之也.

건안구씨가 말하였다: '수(數)'는 시책의 수이고 '변(變)'은 괘변이다. 사물은 수보다 먼저가 없으므로 지극히 한다. 점은 수로 올 것을 아는 것이고, 일은 일을 함이니 점쳐서 괘의 변화로 통함이다.

‖韓國大全‖

조호익(曹好益) 『역상설(易象說)』

註丘氏變字義, 與朱子不同.

주석에서 구씨의 '변(變)'자에 대한 해석은 주자와는 같지 않다.

이익(李瀷) 『역경질서(易經疾書)』

參天兩地, 數之始也, 四營十八變, 數之極也. 知來屬知, 通變屬行.

삼(參)이 하늘이고 둘이 땅임은 수(數)의 시작이고, 네 번 경영하여 18번 변함은 수의 지극함이다. 미래를 앎은 지(知)에 속하고, 변(變)을 통함은 행(行)에 속한다.

유정원(柳正源) 『역해참고(易解参攷)』

通變之謂事.

변을 통함을 일이라 하고.

韓氏曰, 物窮則變, 變而通之, 事之所由生也.

한강백이 말하였다: 사물은 궁(窮)하면 변하고 변하면 통하니, 일이 말미암아 나오는 것이다.

○ 節初齊氏曰, 下文一闔一闢謂之變, 往來不窮謂之通, 彼言其自通也, 故曰變通, 此言聖人通之也, 故曰通變.

절초제씨가 말하였다: 아래 글의 "한 번 닫고 한 번 여는 것을 변(變)이라 하고, 오가면서 다하지 않음을 통(通)이라 한다"[172]는 스스로 통함을 말하였기 때문에 '변통(變通)'이라 하였고, 여기서는 성인이 통하게 함을 말하였기 때문에 '통변(通變)'이라 하였다.

김상악(金相岳) 『산천역설(山天易說)』

數者, 七八九六之數, 變者, 陰陽老少之變.

'수(數)'는 칠(七)·팔(八)·구(九)·육(六)의 수이고, '변(變)'은 음양의 노소(老少)의 변화이다.

심취제(沈就濟) 『독역의의(讀易疑義)』

不曰推往知來, 而言極數知來, 何也. 乾坤言策數也, 極其自一至萬之數, 而知其來也. 通者, 通達之謂也, 變者, 變化之謂也, 通變者, 通其千變萬化之事也.

"과거를 미루어 미래를 안다"고 하지 않고, "수(數)를 지극히 하여 미래를 안다"고 한 것은 어째서인가? 건곤(乾坤)은 책수(策數)를 말하니, 하나로부터 만(萬)에 이르는 수를 지극히 한다면 그 미래를 안다. '통(通)'은 통달을 말하고, '변(變)'은 변화를 말하니, '변을 통함'은 천만가지의 변화에 통달하는 일이다.

오치기(吳致箕) 「주역경전증해(周易經傳增解)」

極數者, 究極陰陽老少之數, 以定卦爻也, 通變者, 詳通陰陽老少之變, 吉則趨之, 凶則避之, 以定天下之業也. 事猶業也. 此陰陽之道在占事者也.

'수(數)를 지극히 함'은 음양의 노소(老少)의 수(數)를 끝까지 궁구하여 괘효를 결정함이고, '변(變)을 통함'은 음양의 노소의 변화에 자세히 통하여 길하면 나아가고 흉하면 회피하여 천하의 사업을 결정함이다. '사(事)'는 업(業)과 같다. 이는 음양의 도가 점(占)과 사(事)에 있는 것이다.

---

172) 一闔一闢, 謂之變, 往來不窮, 謂之通,

陰陽不測之謂神.

음양을 헤아릴 수 없음을 신(神)이라 한다.

▌中國大全▌

小註

程子曰,日新之謂盛德, 生生之謂易, 陰陽不測之謂神, 要思而得之.
정자가 말하였다: "날로 새로워짐을 성대한 덕이라 한다"나 "낳고 낳음을 역이라 한다"나 "음양을 헤아릴 수 없음을 신이라 한다"는 것들은 생각해서 알아야 한다.

○ 問, 明道提此三句是如何. 朱子曰, 此三句也是緊要, 須是看本文方得.
물었다: 명도가 이 세 구절을 제출한 것은 어떻습니까?
주자가 답하였다: 이 세 구절은 긴요하니 반드시 본문을 보고 알아야 한다.

本義

張子曰, 兩在, 故不測.

장자(張子)가 말하였다: 두 군데 있으므로 헤아릴 수 없는 것이다.

小註

朱子曰, 陰陽不測之謂神, 是總結這一段. 不測者, 是在這裏, 又在那裏, 便是這一個物事, 走來走去, 无處不在. 六十四卦, 都說了這, 又說三百八十四爻許多變化, 都只是這一個物事周流其間.
주자가 말하였다: "음양을 헤아릴 수 없음을 신이라 한다"는 이 한 문단을 총괄하였다. 헤아

릴 수 없음은 이곳에 있다가 또 저곳에 있어서 하나의 물건이 오고가며 있지 않음이 없는 것이다. 64괘는 모두 이것을 말한 것이고 384효의 많은 변화를 말한 것도 모두 단지 이 한 물건이 그 사이를 두루 유행함이다.

○ 問, 德是得於已底, 業是發出來底, 德便是本. 生生之謂易, 便是體, 成象謂乾, 效法謂坤, 便只是裏面交錯底. 曰, 乾坤其易之縕, 易是一塊, 乾坤是裏面往來底. 聖人作易便是如此. 又問, 陰陽不測之謂神, 便是妙用處. 曰, 便是包括許多道理, 橫渠說得極好, 一故神. 橫渠親註云, 兩在故不測. 只是這一物卻周行事物之間, 如所謂陰陽屈信往來, 上下以至行乎什百千萬之中, 无非這一個物事, 所謂兩在故不測.

물었다: 덕은 나에게 얻어진 것이고 업은 발현되어 나온 것으로 덕이 근본입니다. "낳고 낳음이 역"은 체이고 "상을 이룸은 건이라 하고 법칙을 드러냄은 곤이라 함"은 속에서 서로 뒤섞이는 것입니까?

답하였다: "건곤은 역의 쌓임"이라는 것은 역은 하나의 덩어리이니 건곤은 그 속을 왕래하는 것입니다. 성인이 역을 지음은 단지 이와 같을 뿐입니다.

또 물었다: "음양을 헤아릴 수 없음을 신이라 한다"는 신묘하게 작용하는 곳입니까?

답하였다: 이는 많은 도리를 포괄하고 있는데 횡거의 말이 아주 좋습니다. "하나이기 때문에 신이다"에 횡거는 친히 주를 달아 말하길, "두 군데 있기에 헤아릴 수 없다"고 하였습니다. 단지 이것은 한 물건이 사물의 사이를 다니는 것으로 마치 음양이 굴신 왕래하여 상하로부터 십백천만의 가운데 까지 이 한 물건이 아님이 없다고 말하는 것과 같으니, 이른바 "두 군데 있기 때문에 헤아릴 수 없다"는 것입니다.

○ 建安丘氏曰, 上章言易无體, 此言生生之謂易, 唯其生生所以无體. 上章言神无方, 此言陰陽不測之謂神, 唯其不測所以无方. 言易而以乾坤繼之, 乾坤毁則无以見易也. 言神而以占事先之, 占事則神所託而顯者也. 神易用而變化无窮, 其實則不越乎陰陽兩端而已.

건안구씨가 말하였다: 윗 장에서는 "역에는 일정한 몸체가 없다"고 하고, 여기서는 "낳고 낳음을 역이라 한다"고 하였으니 오직 낳고 낳기 때문에 체가 없다. 윗 장에서는 "신이 일정한 방소가 없다"고 하고, 여기서는 "음양을 헤아릴 수 없음을 신이라 한다"고 하였으니, 오직 헤아릴 수 없기 때문에 방소가 없다. 역을 말하고 건곤으로 이었으니 건곤이 무너지면 역을 볼 수 없다. 신을 말하고 점사로 이었으니 점사는 신이 의탁하여 드러난 것이다. 신묘한 역의 쓰임은 변화가 무궁하지만 실제는 음양의 두 끝을 넘지 않는다.

┃韓國大全┃

조호익(曺好益) 『역상설(易象說)』

註朱子曰, 橫渠說得極好, 一故神云云, 一是一箇道理.

주석에서 주자가 "횡거의 말이 아주 좋다. 하나이기 때문에 신묘하다"고 운운하였는데, '하나'는 하나의 도리이다.

송시열(宋時烈) 『역설(易說)』

一陰一陽之謂道以下.

"한 번은 음이 되고 한 번은 양이 됨을 도라 이르니"로 부터.

復原本說來. 自太極陰陽氣與理而言象, 人不知, 惟君子, 能兼仁智, 包費隱, 大無外, 久無窮. 皆自極數知來, 以至通變, 不測然後, 可謂聖而不可知謂神也.

본원을 돌이켜서 올 것을 설명하였다. 태극과 음양의 리와 기로부터 상(象)을 말하였으니, 사람들은 알지 못하고, 오직 군자라야 어짊과 지혜를 겸비하고, 넓음과 은미함을 포괄하기에 커서 밖이 없고 오래도록 다할 수 있다. 모두 수(數)를 지극히 하여 올 것을 아는 것으로부터 변통함에 이른 것이니, 헤아릴 수 없는 뒤에야 '성(聖)스러워 알 수 없음을 신(神)이라 한다'[173]고 할 수 있다.

박치화(朴致和) 「설계수록(雪溪隨錄)」

神者, 是陰陽之妙處.

신(神)은 음양의 신묘한 곳이다.

○ 陰陽萬物之靈處, 便是神靈. 故妙而神.

음양은 만물의 영명(靈明)한 곳으로 바로 신령이다. 그러므로 오묘하고 신령하다.

○ 或爲陽, 或爲陰, 不測處, 便是神.

혹은 양이 되고, 혹은 음이 되어 헤아릴 수 없는 곳이 바로 신(神)이다.

---

173) 『孟子・盡心』

○ 或爲陽而在此, 或爲陰而在彼, 故曰兩在,〈本義〉非陰陽之外, 別有神在此在彼也.
혹은 양이 되어 여기에 있고, 혹은 음이 되어 저기에 있으므로 〈『본의』에서〉 "양쪽에 있다"
고 하였는데, 음양의 이외에 별도로 신(神)이 여기에 있고 저기에 있는 것이 아니다.

이익(李瀷) 『역경질서(易經疾書)』

易中言神甚多. 曰顯道神德, 曰鼓舞盡神, 曰神以明之, 其所以神者, 陰陽相推, 變動不
居, 不可以淺心測度也. 下文云陰陽之義, 配日月.
『주역』에는 '신묘함[神]'을 말한 것이 매우 많다. "도를 드러내고 덕을 신묘하게 한다"[174]고
하고, "부추기고 춤추게 하여 신묘함을 다하였다"[175]고 하고, "신묘하여서 밝힌다"[176]고 하
였는데, 신묘하게 되는 까닭은 음양이 서로 밀어서 변동하고 머물지 않아서 얕은 마음으로
헤아릴 수 없기 때문이다. 아래 글에서는 "음양의 뜻은 일월에 배합한다"[177]고 하였다.

유의건(柳宜健) 「독역의의(讀易疑義)·독역해조(讀易解嘲)·독역관규(讀易管窺)」

上傳第五章, 陰陽不測之謂神, 本義張子曰, 兩在故不測. 兩在者, 言一物或在此或在
彼, 莫測其所在. 如門之一闔一闢, 爲乾爲坤, 而其實一門也.
「계사상전」 제5장의 "음양을 헤아릴 수 없음을 신(神)이라 한다"에 대해, 『본의』에서는 "장
자는 '양쪽에 있으므로 헤아릴 수 없다'고 하였다"고 하였다. '양쪽에 있다'는 것은 하나의
사물이 이쪽에도 있고 저쪽에도 있어서 그 소재를 헤아릴 수 없음을 말한다. 마치 문이 한
번 닫힘과 한 번 열림이 건(乾)이 되고 곤(坤)이 되는데, 실제로는 하나의 문인 것과 같다.

유정원(柳正源) 『역해참고(易解參攷)』

陰陽 [至] 謂神.
음과 양을 … 신(神)이라 한다.

張子曰, 氣有陰陽, 推行有漸爲化, 合一不測爲神.
장자가 말하였다: 기운에는 음양이 있는데, 점차로 미루어 감이 '화(化)'가 되고, 하나로 합
쳐져 헤아리지 못함이 '신(神)'이 된다.

174) 『周易·繫辭傳』: 顯道, 神德行. 是故, 可與酬酢, 可與祐神矣.
175) 『周易·繫辭傳』: 鼓之舞之, 以盡神.
176) 『周易·繫辭傳』: 神而明之, 存乎其人
177) 『周易·繫辭傳』

김상악(金相岳) 『산천역설(山天易說)』

陰陽之變, 莫測其所以也.

음양의 변화는 그 까닭을 헤아릴 수 없다.

심취제(沈就濟) 『독역의의(讀易疑義)』

神在何也, 在於變化之故也, 故有已然之故, 故有未然之故. 兩故之間, 又[178]有自然之故, 其故難爲形容, 則神耶人耶. 胡然而神也, 胡然而人也. 不敢强求.

'신(神)'은 어디에 있는가? 변화의 연고에 있다. 연고는 이미 그러한 연고도 있고, 아직 그렇지 않은 연고도 있다. 두 연고의 사이에는 다시 자연한 연고가 있는데, 그 연고는 형용하기 어려우니, 신인가? 사람인가? 어째서 신이며, 어째서 사람인가? 감히 억지로 구할 수 없구나.

陰陽盈虛也, 剛柔虛實也.

음양은 참과 기욺이고, 강유는 허함과 실함이다.

윤행임(尹行恁) 『신호수필(薪湖隨筆)·계사전(繫辭傳)』

占起於數, 數起於象, 象起於理, 知理則知象, 知象則知數, 知數則知占. 知占則知來, 知來則通變, 通變則不窮, 不窮則神, 神者不測.

'점(占)'은 '수(數)'에서 일어나고, '수'는 '상(象)'에서 일어나고, 상은 이치에서 일어나니, 이치를 알면 상을 알고, 상을 알면 수를 알고, 수를 알면 점을 안다. 점을 알면 미래를 알고, 미래를 알면 변화에 통달하고, 변화에 통달하면 다하지 않고, 다하지 않으면 신묘하니, 신묘한 것은 헤아리지 못한다.

오희상(吳熙常) 「잡저(雜著)-역(易)」

第五章, 自一陰一陽之謂道, 至富有之大業, 以天道而言, 其曰繼善顯仁盛德, 陽也, 其曰成性藏用大業, 陰也. 自生生之謂易, 至陰陽不側之謂神, 以易道而言, 其曰成象極數知來, 陽也, 其曰效法通變, 陰也. 天道主理言, 故首揭以一陰一陽之謂道, 易道主用言, 故結之以陰陽不測之謂神. 然則道爲體, 而神爲用矣, 本義所謂道之體用, 不外於陰陽者, 其以斯歟.

---

178) 又: 경학자료집성DB에는 '文'으로 되어 있으나, 경학자료집성 영인본과 문맥을 살펴 '又'로 바로잡았다.

제5장의 "한번은 음이 되고 한번은 양이 됨을 도라 한다"로부터 '풍부히 소유하는 대업'까지는 천도(天道)로 말했으니, '이은 것이 선이다'·'인에 드러난다'·'성대한 덕'이라고 한 것은 양(陽)이고, '이룬 것이 성이다'·'용에 감춰진다'·'큰 업'이라고 한 것은 음(陰)이다. "낳고 낳음을 역이라 한다"로부터 "음양을 헤아릴 수 없음을 신이라 한다"까지는 역도(易道)로 말했으니, '상을 이룬다'·'수를 지극히 한다'·'미래를 안다'고 한 것은 양이고, '법을 드러낸다'·'변을 통한다'고 한 것은 음이다. 천도는 이치를 위주로 말했으므로 "한번은 음이 되고 한번은 양이 됨을 도라 한다"를 먼저 내걸었고, 역도는 작용을 위주로 말했으므로 "음양을 헤아릴 수 없음을 신이라 한다"로 결론지었다. 그렇다면 도(道)는 본체가 되고 신(神)은 작용이 되는 것이니, 『본의』의 이른바 '도의 체용이 음양을 벗어나지 않는다'는 것이 이 때문일 것이다.

윤종섭(尹鍾燮) 『경(經)-역(易)』

五章, 承彌綸而首明道之大原, 承神無方而終言不測之神, 道者太極, 神者兩儀也. 旣有是道, 斯有是陰陽, 主宰之謂道, 合散之謂神. 道以立天地之大本, 神以行陰陽之能事.
5장은 '미륜(彌綸)'을 이어서 먼저 도(道)의 큰 근원을 밝히고, '신은 일정한 방소가 없음'을 이어서 헤아리지 못하는 신(神)을 끝으로 말했는데, 도는 태극(太極)이고 신은 양의(兩儀)이다. 이미 도가 있다면 이에 음양이 있는데, 주재하는 것을 도라 하고 합치고 흩어지는 것을 신이라 한다. 도(道)로써 천지의 큰 본원을 세우고, 신(神)으로써 음양의 능한 일을 실행하는 것이다.

道者, 非形象可擬, 每於神之妙上, 窮其所以然之故. 以是四五兩章, 先言道而終之以神, 又曰知變化之道者, 其知神之所爲, 以至說卦傳每每發揮神字, 所以明變化之道也. 然則中庸十六章鬼神, 豈止而已. 將明至誠之道, 故先言鬼神之爲德.
도(道)는 헤아릴 만한 형상이 있는 것이 아니니, 항상 신묘한 데에서 그 소이연(所以然)의 연고를 궁구해야 한다. 그래서 4장과 5장에서 먼저 도(道)를 말하고 신(神)으로 끝맺었으며, 또 "변화의 도를 아는 자는 신(神)이 하는 바를 안다"[179]고 한 것부터 「설괘전」에서 매번 '신(神)'자를 발휘함에 변화의 도를 밝힌 것이다. 그렇다면 『중용』 16장의 '귀신(鬼神)'이 어찌 머물러 있을 뿐이겠는가? 장차 지극히 참된 도(道)를 밝히려 하기 때문에 먼저 귀신의 덕을 말한 것이다.

---

179) 『周易·繫辭傳』: 子曰, 知變化之道者, 其知神之所爲乎.

繼之者善, 首章乾知大始之義也. 指其方動而氣未用事, 主理而言曰善. 成之者性, 坤作成物之義也. 指其已動而墮在氣中, 和氣而言曰性. 善者一原, 而性是分殊也.

"이은 것이 선이다"는 첫 장의 "건(乾)은 큰 시작을 주관한다"는 뜻이다. 막 움직여서 기운이 아직 일에 작용하지 않은 것을 가리키니, 이치를 위주로 말하여 '선(善)'이라고 하였다. "이룬 것이 성이다"는 "곤(坤)은 물건을 이룬다"는 뜻이다. 이미 움직여서 기운의 가운데 떨어진 것을 가리키니, 기운을 화합하여 말하여 '성(性)'이라고 하였다. 선(善)은 하나의 근원이고, 성(性)은 나뉘어 달라진 것이다.

朱子曰, 繼者氣之方出而未有所成之謂, 善則理之方行而未有所立之名, 陽之屬也. 成者物之已成, 而性則理之已立者, 陰之屬也. 就人物而語其動靜, 則其未發也, 萬理咸俱而知覺不昧者, 靜中之動, 而陽也, 其已發也, 四端各出而面貌不同者, 動中之靜, 而陰也.

주자가 말하였다: '이음[繼]'은 기운이 막 나와서 아직 이루어지지 못한 것을 말하고, '선(善)'은 이치가 막 유행하여 아직 서지 못한 것의 이름이니, 양(陽)에 속한다. '이룸[成]'은 사물이 이미 이루어진 것이고, 성(性)은 이치가 이미 선 것이니, 음(陰)에 속한다. 인물에 있어서 움직임과 고요함을 말한다면, 아직 발동하지 않았을 때에 온갖 이치가 모두 갖춰지고 지각이 어둡지 않은 것은 고요한 가운데의 움직임으로 양이며, 이미 발동하였을 때에 사단(四端)이 각각 나와서 모습이 같지 않은 것은 움직이는 가운데의 고요함으로 음이다.

張子曰, 一故神, 一者, 一陰一陽之一也, 一以之陽一以之陰者, 神之妙也. 又曰, 兩在故不測, 兩者, 陽變爲陰, 陰變爲陽, 不可闕一者, 神之用也. 陰陽雖兩端, 其實一氣也.

장자가 "하나이기 때문에 신묘하다"고 하였는데, '하나[一]'는 "한번은 음이 되고 한번은 양이 된다[一陰一陽]"의 '한번은[一]'이니, '하나'가 양에도 나가고 음에도 나가는 것이 신묘함의 묘리이다. 또 "양쪽에 있으므로 헤아릴 수 없다"고 하였는데, '양쪽[兩]'은 양이 변하여 음이 되고, 음이 변하여 양이 되어 하나를 뺄 수 없는 것이니, 신묘함의 작용이다. 음양이 비록 두 단서가 있지만, 실제로는 하나의 기운이다.

심대윤(沈大允) 『주역상의점법(周易象義占法)』

不測, 變化无窮也.
'헤아릴 수 없음'은 변화가 다함이 없기 때문이다.

오치기(吳致箕) 「주역경전증해(周易經傳增解)」

此總結而言. 陰中未嘗无陽, 陽中未嘗无陰. 惟其兩在故不測, 非天下之至神, 豈能與于此乎.

이는 총결하여 말한 것이다. 음(陰)에는 일찍이 양이 없을 수 없고, 양(陽)에도 일찍이 음이 없을 수 없다. 오직 양쪽에 있기 때문에 헤아릴 수 없으니, 천하의 지극한 신묘함이 아니라면 어찌 여기에 참여할 수 있겠는가?

이진상(李震相) 『역학관규(易學管窺)』

陰陽不測之謂神.

음양을 헤아릴 수 없음을 신(神)이라 한다.

道是體, 神是用, 皆指理而言.

'도(道)'는 본체이고 '신(神)'은 작용인데, 모두 이치를 가리켜 말하였다.

이병헌(李炳憲) 『역경금문고통론(易經今文考通論)』

乾鑿度曰, 陽以七, 陰以八爲象, 易一陰一陽合, 而爲十五之謂道. 陽變七而九, 陰變八而六, 亦合於十五, 則象變之數若一.

『건착도』에서 말하였다: 양은 칠(七)로, 음은 팔(八)로 단수(象數)를 삼기에, 『주역』의 '한번은 음이 되고 한번은 양이 됨'이 합쳐져 15가 되는 것을 도(道)라고 한 것이다. 양은 칠(七)이 변하여 구(九)가 되고, 음은 팔(八)이 변하여 육(六)이 되어 또한 15에서 합쳐지니, 단수(象數)와 변수(變數)가 한결같다.

穀梁傳曰, 獨陰不生, 獨陽不生.

『곡량전』에서 말하였다: 음(陰) 홀로는 낳지 못하고, 양(陽) 홀로는 낳지 못한다.

白虎通曰, 陽之道極, 則陰道受, 陰之道極, 則陽道受, 明二陰二陽, 不能相繼也.

『백호통』에서 말하였다: 양(陽)의 도가 지극하면 음의 도가 받고, 음(陰)의 도가 지극하면 양의 도가 받으니, 음만 둘이거나 양만 둘이라면 서로 이어갈 수 없음을 밝힌 것이다.

姚曰 繼續也 顯明也

요신이 말하였다: '계(繼)'는 이어감이고, '현(顯)'은 밝힘이다.

表記曰, 仁者天下之表, 易卦爻明以示人, 人之喪也, 百姓日用而不知, 故藏諸用. 鼓動也, 易无不在, 故鼓萬物, 易无思无爲, 故不與聖人同憂.

「표기」에서 말하였다: 인(仁)은 천하의 표본으로 역의 괘효에서 밝혀서 사람들에게 보였으나, 사람들이 잃어버려서 백성들은 날마다 쓰면서도 알지 못하므로 용에 감춰진 것이다. '고(鼓)'는 고동시킴이니, 역(易)은 있지 않은 곳이 없으므로 만물을 고동시키며, 역은 생각함도 없고 작위함도 없으므로 성인과 함께 근심하지 않는다.

荀曰 盛德者天, 大業者地也. 陰陽相易轉相生也.

순상이 말하였다: 성대한 덕은 하늘이고 큰 업은 땅이다. 음양은 서로 바뀌고 전환하여 서로 낳는다.

按, 陰陽相生, 所以形容易道, 而及其至也, 謂之神, 其生物不測之謂歟.

내가 살펴보았다: 음양은 서로 낳기에 역도(易道)로 형용한 것인데, 그 지극함에 미치면 신(神)이라 하니, 사물을 낳음이 헤아릴 수 없음을 말함일 것이다.

右, 第五章.

이상은 제 5장이다.

┃中國大全┃

本義

此章, 言道之體用, 不外乎陰陽, 而其所以然者, 則未嘗倚於陰陽也.

이 장(章)은 도(道)의 체(體)·용(用)은 음(陰)·양(陽)에서 벗어나지 않으나, 그 소이연(所以然)은 일찍이 음(陰)·양(陽)에 의지하지 않음을 말하였다.

小註

雙湖胡氏曰, 此章專論陰陽之道在造化與易書. 其在造化者, 生而爲人, 則自繼善成性之後而有仁知百姓之分, 生而爲物, 則自顯仁藏用之後而有鼓萬物之妙. 君子之道鮮, 聖人所憂也, 造化不預焉, 而白極其德業, 富有日新之全. 其在易書者, 自生儀象以至生卦, 成象而爲乾, 陽之爲也, 效法而爲坤, 陰之爲也, 此陰陽之在卦者. 極七八九六之數而占以知來, 通陰陽老少之變而因以作事, 此陰陽之在著者. 故首之以一陰一陽之謂道, 終之以陰陽不測之謂神, 其體則謂之道, 其用則謂之神. 在造化以體言也, 在易書以用言也. 聖人其殆假易書, 陰陽以洗其憂世之心, 望天下, 爲君子之歸而成造化所不及之能者歟.

쌍호호씨가 말하였다: 이 장은 오로지 음양의 도가 조화와 역서에 있음을 말하였다. 조화에 있는 것은, 나와서 사람이 되면 스스로 선을 잇고 성품을 이룬 뒤에 인자·지자와 백성의 구분이 있게 되고, 나와 물건이 되면 스스로 인에 드러나고 용에 감춰진 뒤에 만물을 고동시키는 묘함이 있게 된다. 군자의 도가 드문 것이 성인의 근심하는 바인데, 조화는 간여하지 않고 스스로 그 덕업을 지극히 하여 풍부하게 소유함과 날로 새로워짐이 지극하게 한다. 역서에 있는 것은, 스스로 양의와 사상을 생하여 팔괘를 냄에 이르기까지 형상을 이루어 건이 됨은 양이 하는 것이고, 법칙을 드러내어 곤이 됨은 음이 하는 것이니, 이것은 음양이 괘에 있는 것이다. 칠과 팔과 구와 육의 수를 지극하게 하여 점쳐서 올 것을 알고 음양 노소의 변화를 통해 근거하여 일을 하니, 이것은 음양이 시책에 있는 것이다. 그러므로 앞에서 "한번 음하고 한번 양함을 도라 한다"고 하고, 끝에서 "음양을 헤아릴 수 없음을 신이라 한다"고 하였으니, 본체를 도라 하고 작용을 신이라 한다. 조화에 있어서는 본체로 말하였고 역서에 있어서는 신으로 말하였다. 성인은 아마도 역서를 빌려서 음양으로 세상을 근심하는 마음을 씻고 천하에 군자가 모여서 조화가 미치지 않는 곳을 능하게 하길 희망하였을 것이다.

○ 雲峯胡氏曰, 此章當分作三截看. 第一節, 繼善屬陽, 成性屬陰, 仁屬陽, 知屬陰. 第三節, 成象微而略可見屬陽, 效法詳密而皆可見屬陰. 占者事之未定屬陽, 事者占之已決屬陰. 皆分說陰陽, 故始之以一陰一陽之謂道, 結之以陰陽不測之謂神. 本義引張子之言, 曰兩在故不測, 一陰而又一陽卽所謂兩在也. 第二節, 顯諸仁藏諸用, 總說一陰一陽不測之妙. 蓋天以一陰一陽化生萬物, 故謂之顯諸仁. 所以一陰一陽化生萬物者, 卽藏於其中, 故謂之藏諸用. 道之用不可窮, 用之神不可測, 聖人拈出一用字, 見得造化有造化之用, 人事有人事之用, 百姓用而不知, 學易者當知之以有用也.

운봉호씨가 말하였다: 이 장은 세 부분으로 나누어 보아야 한다. 제 일절에서는 "이은 것이 선이다"는 양에 속하고 "이룬 것이 성이다"는 음에 속하며, 인은 양에 속하고 지는 음에 속한다. 제 삼절에서는 "형상을 이룸"은 은미하여 간략히 볼 수 있으니 양에 속하고, "법칙을 드러냄"은 자세하고 세밀해서 다 볼 수 있으니 음에 속한다. 점은 일이 정해지지 않아 양에 속하고 일은 점이 이미 결정되어 음에 속한다. 모두 음양으로 나누어 말했기 때문에 "한번 음하고 한번 양함을 도라 한다"로 시작해서, "음양을 헤아릴 수 없음을 신이라 한다"로 마쳤다. 『본의』에서는 장자의 말을 인용해서 말하길 "두 군데 있기 때문에 헤아릴 수 없다"고 하였으니 한 번은 음하고 한 번은 양함이 이른바 두 군데 있음이다. 제 이절에서는 "인에

드러나고 용에 감춰짐"은 한번 음하고 한번 양하여 헤아릴 수 없는 신묘함을 총설한 것이다. 하늘이 한번 음하고 한번 양하여 만물을 화생하기 때문에 "인에 드러난다"고 하였다. 한번 음하고 한번 양하여 만물을 화생하는 까닭은 그 속에 감추어있기 때문에 "용에 감춰진다"고 하였다. 도의 용(用)은 다함이 없고 용의 신(神)은 헤아릴 수 없으니 성인이 하나의 '용(用)' 자를 가지고 조화에는 조화의 쓰임이 있고 인사에는 인사의 쓰임이 있고 백성은 쓰면서도 알지 못함을 알았으니 학자는 알아서 쓸 줄 알아야 한다.

▌韓國大全▐

오치기(吳致箕) 「주역경전증해(周易經傳增解)」

右第五章. 此章道之體用, 不外乎陰陽, 故以天地聖人及卦爻占事, 極言其道, 而終贊其神也.

이상은 제 5장이다. 이 장에서는 도(道)의 체용이 음양을 벗어나지 않기 때문에 천지와 성인과 괘효와 점사(占事)로 그 도리를 지극히 말하였고, 끝에서 그 신묘함을 기렸다.

박문호(朴文鎬) 「경설(經說)・주역(周易)」

道之體用, 不外乎陰陽, 此言理氣之不相離也, 所以然者, 未嘗倚於陰陽, 此言理氣之不相雜也. 知其不離不雜然後, 可以語理氣之妙矣.

[『본의』의] '도(道)의 체용이 음양을 벗어나지 않는다'는 것은 이치와 기운이 서로 떨어지지 않음을 말한 것이고, '그 소이연(所以然)은 일찍이 음양에 의지하지 않는다'는 것은 이치와 기운이 서로 섞이지 않음을 말한 것이다. 떨어지지 않음과 섞이지 않음을 안 뒤에야 이치와 기운의 오묘함을 말할 수 있을 것이다.

제6장第六章

夫易, 廣矣大矣. 以言乎遠則不禦, 以言乎邇則靜而正, 以言乎天地之間則備矣.

역(易)이 넓고 크다. 멂을 말하면 다함이 없고, 가까움을 말하면 고요하여 바르고, 천지의 사이를 말하면 갖추어져있다.

║中國大全║

小註

程子曰, 夫易廣矣大矣, 止易簡之善配至德.

정자가 말하였다: "역은 넓고 크다" 단락은 "이간한 덕은 지극한 덕과 배합한다"까지이다.

○ 易道廣大, 推遠則无窮, 近言則安靜而正, 天地之間, 萬物之理, 无有不同. 乾靜也專, 動也直, 專, 專一也, 直, 直易也. 唯其專直, 故其生物之功大. 坤靜翕動闢, 坤體動則開, 應乾開闢而廣生萬物. 廣大, 天地之功也, 變通, 四時之運也, 一陰一陽, 日月之行也, 乾坤易簡之功, 乃至善之德也.

역의 도가 넓고 커서 멀리 미루면 끝이 없고 가까이 말하면 편안하고 고요해서 바르니, 천지의 사이의 만물의 이치가 같지 않음이 없다. "건은 고요할 때는 전일하고 움직일 때는 곧다"에서 '전일함'은 오로지하여 한결같음이고 곧음은 정직하고 평이함이다. 오직 오로지하고 정직하기 때문에 만물을 낳는 공이 크다. 곤은 고요할 때는 닫히고 움직일 때는 열리기에 건의 개벽과 상응하여 만물을 널리 생한다. 광대는 천지의 공이고 변통은 사시의 움직임이고, 일음일양은 일월의 운행이고 건곤의 평이하고 간략한 공은 지극히 선한 덕이다.

本義

不禦, 言无盡. 靜而正, 言卽物而理存. 備, 言无所不有.

'불어(不禦)'는 다함이 없음을 말한다. 고요하여 바름은 사물에 나아감에 이치가 있음을 말한 것이다. 비(備)는 있지 않은 바가 없음을 말한다.

小註

朱子曰, 以言乎遠則不禦, 以言乎邇則靜而正, 是无大无小, 无物不包, 然當體便各具此道理, 所謂靜而正者, 須著工夫, 看未動時, 便都有此道理, 都是眞實, 所以下個正字. 靜而正, 謂觸處皆見有此道, 不待安排措置, 雖至小至近至鄙至陋之事, 无不見有, 隨處皆見足, 无所欠闕, 只觀之人身便見.

주자가 말하였다: "멂을 말하면 다함이 없고 가까움을 말하면 고요해서 바르다"는 크거나 작거나 간에 어느 사물이든 포함하지 않음이 없지만, 해당 몸체는 각각 이 도리를 갖추고 있다. 이른바 "고요해서 바르다"는 것은 공부를 해봐야 하니 움직이지 않을 때에도 모두 이 도리를 지니고 있는 것이 진실이어서 '정(正)'자를 쓴 것이다. "고요해서 바르다"는 닿는 곳마다 이 도리가 있음을 봄을 이르니, 안배나 조치를 하지 않아도 지극히 작고 가깝거나 지극히 비루한 일이라도 있지 않음이 없고 어느 곳이나 충족하여 흠궐이 없으니 단지 사람의 몸만 보더라도 보인다.

○ 節齋蔡氏曰, 正不偏, 備徧也. 言乎遠, 其理不以遠而窮, 言乎邇, 其理不以邇而偏, 言乎天地之間, 不以事物之多而不備.

절재채씨가 말하였다: '바름'은 치우치지 않음이고 '갖춤'은 두루 미침이다. '멂을 말함'은 이치가 멀다고 해서 끝나지 않고, '가까움을 말함'은 이치가 가깝다고 해서 치우치지 않고, '천지의 사이를 말함'은 사물이 많다고 해서 갖추지 않는 것은 아니다.

○ 雲峯胡氏曰, 前章易與天地準, 讚易之書也, 此章廣矣大矣, 讚易之理也. 以言乎遠則不禦, 語大天下莫能載也, 以言乎邇則靜而正, 語小天下莫能破也. 本義以爲卽物而理存者, 蓋言此理非特動時可見, 卽眼前事物觀之, 未動時亦无非此眞實之理也. 以言乎天地之間備矣, 盈天地之間唯萬物, 此理无物不有也.

운봉호씨가 말하였다: 앞 장에서 "역이 천지와 같다"는 역의 글을 찬탄한 것이고, 여기의 "넓고 크다"는 역의 이치를 찬탄한 것이다. "멂을 말하면 다할 수 없다"는 "큼을 말하면 천하가 실을 수 없음"이고, "가까움을 말하면 고요해서 바르다"는 "작음을 말하면 천하가 깨뜨릴

계사상전(繫辭上傳) 267

수 없음"이다.180)『본의』에서 "사물에 나아감에 이치가 있다"는 이 이치가 다만 움직일 때만 볼 수 있는 것이 아니고 눈 앞의 사물을 보면 움직이지 않을 때에도 또한 진실한 이치가 아님이 없다는 말이다. "천지의 사이를 말하면 갖추어져있다"는 천지의 사이에 가득 찬 것은 오직 만물로 이 이치가 없는 물건이 없음이다.

‖韓國大全‖

박치화(朴致和)「설계수록(雪溪隨錄)」

流行無際, 故不禦, 在此不汎濫, 故静.
유행하여 끝이 없으므로 다함이 없고, 여기에서 범람하지 않으므로 고요하다.

○ 有限則可禦, 不禦則無限也.
한계가 있으면 다할 수 있으며, 다할 수 없으면 한계가 없다.

○ 静者, 物物各得其分充足, 而無踰越之意. 無踰越則有限, 有限則邇也.
'고요함[静]'은 사물마다 각각 분수를 얻음이 충분하여 넘침이 없다는 뜻이다. 넘음이 없으면 한계가 있고, 한계가 있으면 가깝게 된다.

○ 正者, 界限分明也, 亦言邇也.
'바름[正]'은 한계가 분명함이니, 또한 가까움을 말한다.

이익(李瀷)『역경질서(易經疾書)』

乾道主於元亨, 坤道主於利貞. 廣屬坤, 大屬乾, 先廣後大, 如陰陽云爾. 遠配於大, 邇配於廣, 遠而大者, 天也, 邇而廣者, 地也. 不禦者, 通也, 不禦静正, 只是亨貞之註脚. 遠且大而不禦, 元亨之義也, 邇且廣而静正, 利貞之義也, 合而言天地之間, 則三百八十四爻, 無物不備, 其邇處静而正, 則其遠處動而通, 可知.

---

180)『中庸』: 君子語大, 天下莫能載焉, 語小, 天下莫能破焉.

건(乾)의 도는 원형(元亨)을 주로 하고, 곤(坤)의 도는 이정(利貞)을 주로 한다. '넓음[廣]'은 곤에 속하고 '큼[大]'은 건에 속하는데, 넓음을 앞세우고 큼을 뒤에 둠은 '음양'이라 하는 것과 같다. '멂[遠]'은 큼과 짝하고 '가까움[邇]'은 넓음과 짝하니, 멀고도 큰 것은 하늘이고 가까우며 넓은 것은 땅이다. '다함이 없음[不禦]'은 통함이니, 다함이 없으면 고요하여 바르다는 형(亨)과 정(貞)에 대한 각주일 뿐이다. 멀고도 커서 다함이 없음은 원형(元亨)의 뜻이고, 가깝고도 넓어서 고요하여 바름은 이정(利貞)의 뜻이다. 합쳐서 천지의 사이를 말하면 384효에 어떤 사물도 갖추지 않음이 없으며, 그 가까운 곳이 고요하여 바르다면, 그 먼 곳은 움직여서 통함을 알 수 있다.

김상악(金相岳) 『산천역설(山天易說)』

不禦, 謂无遠不到而莫之止也, 靜而正, 謂不待安排而无所偏倚也, 備, 謂无所不有也.

'다함이 없음'은 멀어도 이르지 못함이 없어서 막지 못함을 말하며, '고요하여 바름'은 안배를 기다리지 않고도 치우쳐 의지하는 것이 없음을 말하며, '갖추어짐'은 소유하지 않는 것이 없음을 말한다.

박윤원(朴胤源) 『경의(經義)·역경차략(易經箚略)·역계차의(易繫箚疑)』

遠邇, 是泛言易道之遠近, 則不禦與靜而正, 卽總稱易之道也, 而來氏以遠而不禦屬之天, 近而靜正屬之地, 此說何如. 下文兼言動靜, 而此節獨言靜, 何歟. 不禦, 亦可以動看歟.

'멂과 가까움'은 역도의 멀고 가까움을 범범하게 말한 것이니, '다함이 없음'과 '고요하여 바름'은 역도를 총괄적으로 일컬은 것이다. 그런데 래씨는 멀어서 다함이 없는 것을 하늘에 배속시키고, 가까워 고요하여 바른 것을 땅에 배속시켰으니, 이 설명은 어떠한가? 아래 글에서는 움직임과 고요함을 겸하여 말했는데, 이 구절에서 고요함만 말한 것은 어째서인가? '다함이 없음'은 또한 움직임으로 볼 수 있는가?

심취제(沈就濟) 『독역의의(讀易疑義)』

第六章夫易廣矣大矣, 夫字有連上接下之義. 廣大者陰陽也, 不曰大廣, 而廣大者, 陽而陰, 陰而陽者也. 夫易云者, 立言易也, 夫乾夫坤云者, 立言乾坤也. 乾動而直, 故坤之闢廣矣.

제 6장의 "역[夫易]이 넓고 크다"에서 '부(夫)'자는 위와 아래를 접속한다는 뜻이 있다. '광대'는 음양이니, '대광(大廣)'이라 하지 않고 '광대'한 것이니, 양이면서 음이고 음이면서 양인

것이다. '역[夫易]'이라 한 것은 역을 세워서 말한 것이고, '건[夫乾]'과 '곤[夫坤]'이라 한 것은 건곤(乾坤)을 세워서 말한 것이다. 건(乾)이 움직여서 곧기 때문에 곤(坤)이 열려서 넓은 것이다.

윤행임(尹行恁) 『신호수필(薪湖隨筆)·계사전(繫辭傳)』

靜而正者, 周子中正主靜之所由原也, 靜而能正, 所以動亦定靜亦定.

'고요하여 바름'은 주자(周子)의 '중정하며 고요함을 위주로 한다'가 연유한 것인데, 고요하여 바를 수 있기에 움직임도 안정되고, 고요함도 안정되는 것이다.

심대윤(沈大允) 『주역상의점법(周易象義占法)』

內靜而專, 正而直, 故流達乎外而不關.

안으로 고요하고 전일하며 바르고 곧기 때문에 흘러서 밖에 이르러도 연관되지 않는다.

오치기(吳致箕) 「주역경전증해(周易經傳增解)」

廣以坤而言, 大以乾而言. 不禦者, 無遠不到而莫之止也, 靜而正者, 至靜有常而旡所偏也, 備者, 旡不有也. 此言易道廣大, 以遠而言其理, 則天高而莫禦, 以邇而言其理, 則地靜而不偏, 以天地之間而言, 則萬事萬物之理, 旡不備矣.

'넓음[廣]'은 곤(坤)으로 말하였고, '큼[大]'은 건(乾)으로 말하였다. '다함이 없음'은 멀어도 이르지 못함이 없어서 막지 못한다는 것이고, '고요하여 바름'은 지극히 고요함에 상도가 있어서 치우친 바가 없다는 것이고, '갖추어짐'은 소유하지 않음이 없다는 것이다. 이는 역도(易道)의 광대함을 말했으니, 먼 것으로 그 이치를 말하면 하늘은 높아서 막지 못하고, 가까운 것으로 그 이치를 말하면 땅은 고요하며 치우치지 않고, 천지의 사이에서 말하면 온갖 사물의 이치가 갖추어지지 않은 것이 없다.

夫乾, 其靜也專, 其動也直, 是以大生焉. 夫坤, 其靜也翕, 其
動也闢, 是以廣生焉.

건(乾)은 고요할 때는 전일(專一)하고 움직일 때는 곧으니, 이 때문에 큼이 생긴다. 곤(坤)은 고요할
때는 닫히고 움직일 때는 열리니, 이 때문에 넓음이 생긴다.

中國大全

小註

程子曰, 乾陽也, 不動則不剛. 其靜也專, 其動也直, 不專一, 則不能直遂. 坤陰也, 不
靜則不柔. 其靜也翕, 其動也闢, 不翕聚則不能發散.

정자가 말하였다: 건은 양으로 움직이지 않으면 강건하지 않다. 고요할 때는 전일하고 움직
일 때는 곧으니 전일하지 않으면 곧바로 이룰 수 없다. 곤은 음으로 고요하지 않으면 유순할
수 없다. 고요할 때는 닫히고 움직일 때는 열리니 닫아 모으지 않으면 발산할 수 없다.

本義

乾坤, 各有動靜, 於其四德見之, 靜體而動用, 靜別而動交也. 乾, 一而實, 故以
質言而曰大, 坤, 二而虛, 故以量言而曰廣. 蓋天之形, 雖包於地之外, 而其氣,
常行乎地之中也, 易之所以廣大者, 以此.

건곤이 각기 움직이고 고요함이 있으니, 사덕(四德)에서 보면 고요함은 체(體)이고 움직임은 용(用)
이며, 고요하면 떨어져 있고 움직이면 서로 사귄다. 건(乾)은 일(一)이어서 실(實)하므로 질(質)로
말하여 대(大)라 하였고, 곤(坤)은 이(二)여서 허(虛)하므로 양(量)으로 말하여 광(廣)이라 한 것이
다. 하늘의 형체가 비록 땅의 밖을 포함하고 있으나 그 기(氣)는 항상 땅의 가운데에 행하니, 역(易)
이 광대(廣大)한 까닭은 이 때문이다.

小註

朱子曰, 乾靜專動直而大生, 坤靜翕動闢而廣生. 這說陰陽體性如此, 卦畫也髣髴似恁地. 又曰, 以乾坤二卦觀之亦可見, 乾畫奇, 便見得其靜也專其動也直, 坤畫耦, 便見得其靜也翕其動也闢.

주자가 말하였다: 건은 고요할 때 전일하고 움직일 때 곧아서 큼이 생하고 곤은 고요할 때 닫히고 움직일 때 열려서 넓음이 생긴다. 이 말은 음양 본체의 성질이 이와 같음을 말한 것인데 괘획도 이와 비슷하다.

또 말하였다: 건곤 두 괘를 보아도 알 수 있으니, 건의 획이 홀수인 것에서 곧 고요할 때 전일하고 움직일 때 곧음을 볼 수 있고, 곤의 획이 짝수인 것에서 곧 고요할 때 닫히고 움직일 때 열림을 볼 수 있다.

○ 健者, 乾之性情, 如剛強底人, 便靜時亦有個立作做事底意思, 故曰其靜也專. 順者, 坤之性情, 如柔順底人, 靜時只有個收斂而已, 故曰其靜也翕.

강건함은 건의 성정이니 마치 굳세고 강한 사람은 고요할 때에도 일을 하려는 뜻은 있기 때문에 "고요할 때는 전일하다"고 하였다. 유순함은 곤의 성정이니 마치 유순한 사람은 고요할 때에는 단지 수렴할 뿐이기 때문에 "고요할 때는 닫는다"고 하였다.

○ 問, 本義云, 乾一而實故以質言而曰大, 坤二而虛故以量言而曰廣. 曰, 此兩句解得極分曉. 蓋曰以形言之, 則天包地外地在天之中, 所以說天之質大. 以理與氣言之, 則天之氣卻盡在地之中, 地盡承受得那天之氣, 所以說其量廣. 天只是一個物事, 一故實. 從裏面便實, 出來流行發生, 只是一個物事, 所以說乾一而實. 地形雖是堅實, 然卻虛. 天之氣, 流行乎地之中, 皆從地裏面發出來, 所以說坤二而虛. 天以其包得地, 所以說其質之大, 地以其容得天之氣, 所以說其量之廣. 非是說地之形有盡故以量言, 也只是說地盡容得天之氣, 所以就其量之廣耳.

물었다: 『본의』에서 "건은 하나로 실하기 때문에 질로 말하여 큼이라 했고 곤은 둘로 허하기 때문에 양으로 말하여 넓음이라 하였다"고 한 것은 무슨 뜻입니까?

답하였다: 이 두 구절의 풀이는 매우 분명합니다. 형체로 말하면 하늘이 땅을 밖에서 싸고 땅은 하늘의 가운데 있기 때문에 "하늘은 질로 [말하여] 크다"고 하였습니다. 리와 기로 말하면 하늘의 기는 다 땅의 가운데 있고 땅은 하늘의 기를 다 이어 받았기 때문에 "땅은 양으로 [말하여] 넓다"고 하였습니다. 하늘은 단지 하나의 물건으로 하나이기 때문에 실합니다. 속에서부터 실하여 그것이 밖으로 나와 유행하며 발생하는데 이는 단지 하나의 물건이기 때문에 "건은 하나로 실하다"고 하였습니다. 땅은 형체가 비록 견고하지만 도리어 허합니다. 하늘의

기가 땅의 가운데 유행하여 땅 속에서부터 나오기 때문에 "곤은 둘로 허하다"고 하였습니다. 하늘은 땅을 포함하기 때문에 그 질이 크다고 하였고 땅은 하늘의 기를 수용하기 때문에 그 양이 넓다고 하였습니다. 땅의 형체가 다함이[한계개] 있어서 양으로 말한 것이 아니고, 단지 땅이 하늘의 기를 다 수용하기 때문에 그 양적인 넓음에 나아가 그런 것일 뿐입니다.

問, 乾一畫坤兩畫如何. 曰, 觀乾一而實, 坤二而虛之說, 可見. 乾只是一個物事, 充實徧滿. 坤便有開闔, 乾氣上來時, 坤便開從兩邊去, 如兩扇門相似, 正如扇之運風, 甑之蒸飯, 扇甑是坤, 風與蒸, 乾之氣也. 問, 陽奇陰偶, 就天地之實形上看, 如何見得. 曰, 大生, 是渾淪无所不包, 廣生, 是廣闊能容受得那天之氣. 專直, 則只是一物直去, 翕闢, 則是兩個, 翕則合, 闢則開, 此奇偶之形也. 又曰, 地到冬間都翕聚不開, 至春則天氣入地, 地氣開以迎之. 又曰, 大抵陰是兩件, 如陰爻兩畫, 闢是兩開去, 翕是兩合. 如地皮上生出物來, 地皮須開. 今天固包著地, 然天之氣卻貫在地中, 地卻虛有以受天之氣, 下文大生廣生云者, 大是一個大底物事, 廣便容受得許多物事, 大字實廣字虛. 又曰, 地卻是有空闕處, 天卻四方上下, 都周匝无空闕, 偪塞滿皆是天. 地之四向底下, 卻靠著那天. 天包地其氣无不通. 恁地看來, 渾只是天了. 氣卻從地中迸出, 又見地廣處. 橫渠云地對天不過.

물었다: "건은 한 획이고 곤은 두 획이다"는 무슨 뜻입니까?

답하였다: 건은 하나로 실하고 곤은 둘로 허하다는 말을 보면 알 수 있습니다. 건은 단지 하나의 물건으로 충실하게 두루 차있습니다. 곤에는 열고 닫힘이 있으니 건의 기가 위에서 올 때 곤은 곧 두 부분으로 열려서 나오는 것이 두 짝문과 비슷한데, 바로 문이 바람을 움직이고 솥이 밥을 찌는 것과 같으니 문과 솥은 곤이고 바람과 증기는 건의 기운인 것과 같습니다.

물었다: 양은 홀이고 음은 짝이라는 것을 천지의 실형이라는 관점에서 보면 어떻게 볼 수 있습니까?

답하였다: "큼이 생함"은 섞여서 포함하지 않음이 없음이고 "넓음이 생함"은 광할하여 저 하늘의 기를 수용할 수 있음입니다. "전일하고 곧음"은 단지 이 한 물건이 곧은 것이고, "닫히고 열림"은 닫히면 합하고 열리면 열리니 이는 홀짝의 형체입니다.

또 답하였다: 땅은 겨울철에 계속 닫아 모으며 열지 않다가 봄이 되면 하늘의 기가 땅으로 들어가서 땅의 기가 열려서 맞이합니다.

또 답하였다: 음이 두 개의 일인 것은 음효가 두 획인 것과 같으니 열림은 두 개가 열리는 것이고 닫힘은 두 개 합하는 것입니다. 마치 땅의 표면으로 생물이 나오면 땅의 표면이 따라서 열리는 것과 같습니다. 하늘이 땅을 포함하지만 하늘의 기는 도리어 땅 속을 뚫고 땅은 도리어 허하여 하늘의 기운을 받으니, 아래 글에 "큼이 생하고 넓음이 생함"에서 큼은 하나의 큰 물건이고 넓음은 많은 물건을 수용하는 것으로 '대(大)'자는 실하고 '광(廣)'자는 허합니다.

또 답하였다: 땅은 오히려 빈 곳이 있지만 하늘은 상하사방을 모두 에워싸서 꽉 찬 것이 모두 하늘입니다. 땅의 네 방향의 아래는 저 하늘을 의지합니다. 하늘은 땅을 포용하여 그 기가 관통하지 않음이 없습니다. 이와 같이 볼 때 섞으면 모두 하늘입니다. 기는 또 땅 속에서부터 나오니 또한 땅이 넓다는 것을 압니다. 장횡거가 "땅은 하늘의 상대[적 존재]에 불과하다"하였습니다.

○ 潛室陳氏曰, 專直翕闢, 此當以卦畫論. 卦畫始生, 唯乾之一奇, 未有他物. 此其體也, 其專也, 已而纔動, 則直邃而生生不已. 卦畫旣生, 乾之諸卦, 以次呈露, 獨坤居後, 包在乾諸卦之裏而猶未露. 此其體也, 其翕也, 至其動也則坤之諸卦, 始從乾諸卦裏, 開闢出來, 邃分了乾之一半.

잠실진씨가 말하였다: '전일함'과 '곧음' 및 '닫힘'과 '열림'은 괘획으로 논해야 한다. 괘획이 처음 생길 때는 오직 건의 일기(一奇)뿐 다른 것이 없었다. 그 본체는 전일[專]한데 이미 움직이기 시작하면 곧아져[直] 낳고 낳아 끝이 없다. 괘획이 이미 생기면 건의 모든 괘가 차례로 드러나고 유독 곤괘만이 건의 모든 괘의 속에 포함되어 드러나지 않는다. 이것이 그 본체로 닫혀 있다가 움직이게 되면 곤의 모든 괘가 건의 모든 괘의 속으로부터 열려서 나와 드디어 건의 반분(半分)을 이룬다.

○ 雲峯胡氏曰, 本義云, 乾坤各有動靜, 於其四德見之, 蓋元亨者, 動而乾坤之用以行, 利貞者, 靜而乾坤之體以立. 靜而別, 乾以剛健爲貞, 坤以柔順爲貞也. 動而交, 乾元爲氣之始, 而坤元則承之以爲形之始也. 乾唯健故一以施, 坤唯順故兩而承. 靜, 專一者之存, 動, 直一者之達. 靜翕, 兩者之合, 動闢, 兩者之分. 一之達所以行乎坤之兩, 故以質言而曰大, 兩之分所以承乎乾之一, 故以量言而曰廣.

운봉호씨가 말하였다:『본의』에서 "건곤에 각각 동정이 있는데 사덕으로 본다"고 한 것은 원형은 움직임이자 건곤의 작용으로 운행하고 이정은 고요함이자 건곤의 본체로 정립함이다. "고요할 때는 떨어져 있음"는 것은 건은 강건함으로써 정고함을 삼고 곤은 유순함으로써 정고함을 삼는 것이고, "움직일 때는 사귄다"는 것은 건의 원은 기운의 시작이 되고 곤의 원은 그것을 받들어 형체의 시작이 됨이다. 건은 오직 강건하기 때문에 하나로써 베풀고 곤은 오직 유순하기 때문에 둘로서 받는다. 고요함은 오로지 한결같은 것이 보존됨이고 움직임은 한결같이 곧은 것이 통달함이다. 고요할 때 닫힘은 둘이 합하는 것이고 움직일 때 열림은 둘이 나뉘는 것이다. 하나가 통달함으로써 곤의 둘에 행해지기 때문에 질로 말하여 '크다'고 하였고, 둘로 나뉨으로써 건의 하나를 계승하기 때문에 양으로 말하여 '넓다'고 하였다.

▐ 韓國大全 ▐

조호익(曺好益) 『역상설(易象說)』

註陳氏說, 雖非朱子意, 甚奇亦一說.

주석의 잠실진씨(潛室陳氏)의 설은 비록 주자의 뜻은 아니지만, 몹시 기이하여 또한 하나의 설이 된다.

박치화(朴致和) 「설계수록(雪溪隨錄)」

翕合也. 諺解言大ㅣ生焉, 廣이生焉, 以易之廣大解也, 南軒所謂大生資始, 廣生流形, 以乾坤生物之德言也. 二說皆通, 而從南軒說似是, 大生廣生, 則易之廣大, 自在其中.

'닫힘[翕]'은 합침이다. 언해에서 "큼이 생기며 넓음이 생긴다"고 한 것은 역(易)의 넓고 큼으로 해석한 것이고, 남헌의 이른바 '큼이 생겨서 자뢰하여 시작하고, 넓음이 생겨서 형체를 유행시킨다'는 것은 건곤(乾坤)이 만물을 낳는 덕으로 말한 것이다. 두 설명이 모두 통하지만 남헌의 설명을 따르는 것이 옳은 듯하니, 큼이 생기고 넓음이 생기면 역의 광대함은 저절로 그 가운데 있다.

○ 靜別而動交〈本義〉者, 靜時有別, 而動時相交, 男女之義也. 春夏交而生物, 秋冬別而成物.

'고요하면 떨어지고 움직이면 사귄다'〈『본의』의 말이다〉는 고요할 때는 떨어지고 움직일 때는 서로 사귐이니, 남녀의 뜻이다. 봄과 여름에는 사귀어 만물을 낳고, 가을과 겨울에는 떨어져서 만물을 이룬다.

○ 專翕則別而不交, 直闢則交而無別.

전일하고 닫히면 떨어져 사귀지 않고, 곧고 열리면 사귀어 떨어짐이 없다.

이익(李瀷) 『역경질서(易經疾書)』

朱子曰, 專直翕闢, 這說陰陽體性如此, 卦畫也髣髴似恁地, 此引而不發也. 今易書卦畫, 只有乾專坤翕之靜, 七八是也, 六象之辭, 乃著乾直坤闢之動, 九六是也. 按古之筮法, 兩多一少爲少陽, 其畫爲單錢, 兩少一多爲少陰, 其畫爲坼錢, 卽易中七八之畫也.

三多爲老陽, 其畫爲重錢, 三少爲老陰, 其畫爲交錢, 今易中無此畫, 而九六是也. 乾爲陽而實, 故其静也專, 專者無間也. 少陽之單錢是也, 筮得少陽者, 只是單畫矣. 其動也直, 直者無曲也. 老陽之重錢是也, 筮得老陽者, 兩單畫相疊合成大, 而不容委曲, 故曰直矣. 坤爲陰而虛, 故其静也翕, 翕者內向也. 少陰之坼錢是也, 筮得少陰者, 虛中而兩頭, 從外內向矣. 其動也闢, 闢者外向也. 老陰之交錢是也, 筮得老陰者, 兩坼畫相交合成廣, 皆中虛而從內向外矣. 今俗轉譌重錢接連兩頭, 坼錢左翕右闢, 交錢不坼而下闢上翕, 皆失之矣.

주자가 "전일함[專]과 곧음[直], 닫힘[翕]과 열림[闢]은 음양의 성격이 이와 같음을 말한 것인데, 괘의 획에도 유사함이 이와 같다"고 하였는데, 이는 끌어들이고 설명하지 않은 것이다. 지금 『역서』의 괘획(卦畫)에 단지 건(乾)의 전일하며 곤(坤)의 닫히는 고요함만 있다면 칠팔(七八)이 이것이며, 여섯의 상사(象辭)에 건의 곧으며 곤의 열리는 움직임을 드러난다면 구육(九六)이 이것이다. 살펴보니 옛날의 점치는 법은, 둘이 많고 하나가 적으면 소양(少陽)이 되어 그 획이 단전(單錢)이 되며, 둘이 적고 하나가 많으면 소음(少陰)이 되어 그 획이 탁전(坼錢)이 되니, 역 가운데의 칠팔(七八)의 획이다. 셋이 많으면 노양(老陽)이 되어 그 획이 중전(重錢)이 되고, 셋이 적으면 노음(老陰)이 되어 그 획이 교전(交錢)이 되는데, 지금의 역에는 이러한 획은 없고 구육(九六)이 이것이다. 건(乾)은 양이어서 차게 되므로 고요할 때에 전일한데, 전일한 것은 사이가 없다. 소양(少陽)의 단전(單錢)이 이것이니, 점쳐서 소양을 얻은 자는 단지 단획일 뿐이다. 그 움직일 때에 곧은데, 곧은 것은 굽음이 없다. 노양(老陽)의 중전(重錢)이 이것이니, 점쳐서 노양을 얻은 자는 두개의 단획이 서로 포개어 합쳐져 '큼[大]'을 이루어 굽음을 용납하지 않으므로 '곧다'고 하였다. 곤은 음이어서 비게 되므로 그 고요한 때는 닫히는데, 닫히는 것은 안으로 향한다. 소음(少陰)의 탁전(坼錢)이 이것이니, 점쳐서 소음을 얻은 자는 두개의 가운데가 비고 머리가 둘이면서 밖에서부터 안을 향한다. 그 움직일 때는 열리는데, 열리는 것은 밖으로 향한다. 노양의 교전이 이것이니, 점쳐서 노음을 얻은 자는 두개의 터진 획이 서로 교합하여 '넓음[廣]'을 이루어 모두 가운데를 비우고 안에서 밖으로 향할 것이다. 지금 세속에서는 중전(重錢)은 두 머리가 접속해 이어지며, 탁전(坼錢)은 좌측은 닫히고 우측은 열리며, 교전(交錢)은 터지지 않고서 아래가 열리고 위가 닫힌다고 와전됐으니, 모두 잘못된 것이다.

유정원(柳正源) 『역해참고(易解參攷)』

夫乾 [至] 生焉.
건은 고요할 … 넓음이 생긴다.

龜山楊氏曰, 乾君道也, 故其靜而專, 專故能直, 直猶所謂方正於天下也. 故大生焉, 大則无外. 坤承順乎乾者也, 故其靜也翕, 翕受乾之施也. 故其動也闢. 受而施生也, 故廣生焉, 廣則有方也.

구산양씨가 말하였다: 건(乾)은 임금의 도이기 때문에 고요할 때에 전일하고, 전일하기 때문에 곧을 수 있으니, ‘곧음[直]’은 이른바 ‘천하를 방정하게 한다’는 것과 같다. 그러므로 ‘큼[大]’이 생기는데, 크면 밖이 없다. 곤(坤)은 건을 계승하여 따르는 것이기 때문에 그 고요할 때에 닫히는데, ‘닫힘[翕]’은 건의 펼침을 받아들임이다. 그러므로 그 움직일 때에 열린다. 받아서 펼침이 생기기 때문에 ‘넓음[廣]’이 생기는데, 넓으면 방정함이 있다.

○ 案, 四德, 雖分配陰陽, 然乾坤又各具四德, 坤之四德, 卽是承乾之四德. 元亨乾坤之動也, 利貞乾坤之靜也. 夫天包地外, 氣行於地中, 充實徧滿, 无處不在, 故曰一而實. 地在天中, 容受天之氣, 通透貫徹, 未嘗壅滯, 故曰二而虛. 方其靜也, 陽不交陰, 天地間物物上天氣, 專主乎其中, 而發生之理, 藏在這裏. 所謂專也, 乾之畫所以爲奇. 陰不交陽, 地氣閉塞, 未受陽氣之發散, 而開通之理, 藏在這裏. 所謂翕也, 坤之畫所以爲偶. 及其動也, 陽交於陰, 其一而專者, 直遂而上, 貫澈乎地中, 所謂直也, 陰交於陽, 洞開而受他陽氣之敷施, 所謂闢也.

내가 살펴보았다: 사덕(四德)은 비록 음양에 분배되지만, 건곤(乾坤)도 다시 각각 사덕을 갖추고 있으니, 곤의 사덕은 바로 건의 사덕을 이은 것이다. 원형(元亨)은 건곤의 움직임이고, 이정(利貞)은 건곤의 고요함이다. 하늘은 땅의 밖을 감싸면서 기운이 땅의 가운데에서 유행하는데, 꽉 차있고 두루 충만하여 어느 곳이든 있지 않음이 없으므로 ‘하나여서 차있다’고 한다. 땅은 하늘의 가운데 있으면서 하늘의 기운을 받아들이는데, 꿰뚫으며 관통하여 일찍이 막혀서 걸림이 없으므로 ‘둘이어서 비어있다’고 한다. 막 고요할 때는 양(陽)이 음(陰)과 사귀지 않으니, 천지 사이에서 물건들과 하늘의 기운이 속에서 전일함을 주로 하고, 발생하는 이치는 그 안에 숨어있다. 이른바 ‘전일함[專]’이니, 건(乾)의 획이 홀이 되는 까닭이다. 음이 양과 사귀지 않으니, 땅의 기운이 막혀서 양기의 발산을 받아들이지 못하고, 개통하는 이치는 그 안에 숨어있다. 이른바 ‘닫힘[翕]’이니, 곤(坤)의 획이 짝이 되는 까닭이다. 움직이게 되어서는, 양이 음과 사귀어 그 하나이면서 전일한 것이 곧게 뚫고 올라가 땅의 가운데를 관통하니 이른바 ‘곧음[直]’이며, 음이 양과 사귀어 환하게 열려서 저 양기의 펼침을 받아들이니 이른바 ‘열림[闢]’이다.

陽實交於陰虛, 故老陽之畫, 直而反虛, 陰虛交於陽實, 故老陰之畫, 闢而反實. 陽實之體, 无所不該, 故大, 陰虛之體, 无所不容, 故廣. 今觀一箇果子植在地底, 方其未生之時, 天之生意, 專主在裏面, 乾之靜專, 於此可見. 及其天地相交之時, 帶得陽氣, 其萌芽直立向上, 透地出來, 乾之動而直, 坤之動而闢, 亦於此可見. 蓋陽氣貫澈地中, 其專與直, 无一物不包, 而渾成一箇物事, 豈不大矣乎. 地之容受天氣, 其翕與闢, 非一處可指, 而容得許多物事, 豈不廣矣乎.

양의 꽉 참이 음의 텅 빔과 사귀기 때문에 노양(老陽)의 획은 곧으면서 도리어 비고, 음의 텅 빔이 양의 꽉 참과 사귀기 때문에 노음(老陰)의 획은 열리면서 도리어 찬다. 양의 꽉 찬 실체는 갖추지 못하는 것이 없으므로 '큼'이며, 음의 텅 빈 실체는 포용하지 못하는 것이 없으므로 '넓음'이다. 지금 하나의 열매를 땅에 심은 것을 보면, 아직 발생하지 않았을 때에는 하늘의 생의(生意)가 오로지 안에서 주로 하니, 건이 고요할 때에 '전일함'을 여기에서 알 수 있다. 천지가 서로 교감하는 때에는 양기를 지니기에 그 싹이 직립하여 위로 올라가 땅을 뚫고 나오니, 건이 움직일 때에 '곧음'과 곤이 움직일 때에 '열림'을 또한 여기에서 알 수 있다. 대체로 양기가 땅 속을 관통할 때는 전일함과 곧음이 어떤 사물도 포함하지 않음이 없어서 하나의 사물을 혼연히 이루니, 어찌 크지 않겠는가? 땅이 하늘의 기운을 수용할 때는 닫힘과 열림이 한 곳을 가리키는 것이 아니어서 허다한 사물을 수용하니, 어찌 넓지 않겠는가?

김상악(金相岳) 『산천역설(山天易說)』

乾坤各有動靜, 靜其體也, 動其用也. 乾惟一而實, 故以質言而曰大, 坤惟二而虛, 故以量言而曰廣, 大則能包乎地之形, 廣則能容乎天之氣也.

건곤에는 각각 움직임과 고요함이 있으니, 고요함은 본체이고, 움직임은 작용이다. 건은 하나여서 찼으므로 질적으로 말하여 '크다[大]'고 하였고, 곤은 둘이어서 비었으므로 양적으로 말하여 '넓다[廣]'고 하였는데, 크면 땅의 형질을 포함할 수 있고, 넓으면 하늘의 기운을 허용할 수 있다.

윤행임(尹行恁) 『신호수필(薪湖隨筆)·계사전(繫辭傳)』

老子曰, 天得一而淸, 地得一而寧, 淸故專而直, 寧故翕而闢. 專故專於生物, 而直故物無不遂, 翕故翕於群生, 而闢故物無不容. 直而大, 闢而廣, 皆於動處見. 首章言天尊地卑, 易知簡能, 至六章, 以易之廣大, 配之天地, 以天地之易簡, 配易之至德, 至德者, 至善也, 聖人之配天, 以至善也.

노자가 "하늘은 하나를 얻어서 맑고 땅은 하나를 얻어서 편안하다"[181]고 하였는데, 맑기 때문

---

181) 『老子』: 昔之得一者, 天得一以淸, 地得一以寧, 神得一以靈, 谷得一以盈, 萬物得一以生, 侯王得一以爲天下貞, 其致之.

에 전일하여 곧고, 편안하기 때문에 닫히고 열린다. 전일하기 때문에 만물을 낳음에 전일하고, 곧기 때문에 사물을 이루지 못함이 없으며, 닫히기 때문에 뭇 생명을 닫고, 열리기 때문에 사물을 용납하지 못함이 없다. 곧아서 크고, 열려서 넓음은 모두 움직이는 곳에서 나타난다. 첫 장에서 '하늘은 높고 땅은 낮음'과 '평이함으로 주관하고 간략함으로 능함'을 말하고, 6장에 이르러 역의 광대함을 천지에 배합하고, 천지의 이간(易簡)을 역의 지덕(至德)에 배합하였는데, '지덕'은 지극한 선이니 성인이 하늘에 배합함은 지극히 선하기 때문이다.

심대윤(沈大允) 『주역상의점법(周易象義占法)』

乾氣无静, 歛則專, 而發則直, 是之謂動静也, 坤形无動, 其翕闢随氣之斂發, 謂之動静也. 大以包貫, 而廣以分張, 大層數之所自生也, 廣分數之所自生也. 不言高而言大者, 統分數也.

건(乾)의 기운은 고요함이 없지만 거두면 전일하고 펼치면 곧으니, 이를 동정이라고 하며, 곤(坤)의 형체는 움직임이 없지만 그 닫힘과 열림이 기운의 거둠과 펼침을 따르니, 이를 동정이라고 한다. 큼으로 포괄하여 꿰뚫고, 넓음으로 나누어 벌리니, 큼은 겹친 수가 나오는 근원이고, 넓음은 나뉜 수가 나오는 근원이다. 높음을 말하지 않고 큼을 말한 것은 나뉜 수를 총괄하기 때문이다.

오치기(吳致箕) 「주역경전증해(周易經傳增解)」

專者, 專一而不他也, 直者, 直邃而不撓也, 翕者, 收歛于內也, 闢者, 發散于外也. 乾性健而實, 故以質言而曰大, 坤性順而虛, 故以量言而曰廣也. 動者, 乾坤之相交也. 此言易道之廣大, 本乎乾坤而得之也.

'전일함[專]'은 전일하여 다른 것이 아님이고, '곧음[直]'은 곧바로 이루어 흔들리지 않음이며, '닫힘[翕]'은 안으로 수렴함이고, '열림[闢]'은 밖으로 발산함이다. 건(乾)의 특성은 강건하며 꽉 찼으므로 질(質)로 말하여 '크다'고 하였고, 곤(坤)의 특성은 유순하며 텅 비었으므로 양(量)으로 말하여 '넓다'고 하였다. 움직임은 건과 곤이 서로 사귐이다. 이것은 역도(易道)의 광대함이 건곤에 근본하여 얻었음을 말한 것이다.

박문호(朴文鎬) 「경설(經說)·주역(周易)」

於其四德見之, 言元亨屬陽是動也, 利貞屬陰是静也.

사덕(四德)으로 본다면, 원형(元亨)은 양(陽)에 속하니 움직임이고, 이정(利貞)은 음에 속하니 고요함이라고 말한 것이다.

包於地之外, 以天之質大言也, 行乎地之中, 以天之氣大言也.
땅의 밖을 감쌈은 하늘의 체질이 큼을 말한 것이고, 땅의 가운데서 유행함은 하늘의 기운이
큼을 말한 것이다.

廣大, 配天地, 變通, 配四時, 陰陽之義, 配日月, 易簡之善,
配至德.

광대는 천지에 배합하고, 변통은 사시에 배합하고, 음양의 뜻은 일월에 배합하고, 이간(易簡)의 선(善)은 지덕(至德)에 배합한다.

| 中國大全 |

本義

易之廣大變通, 與其所言陰陽之說, 易簡之德, 配之天道人事, 則如此.

역(易)의 넓고 크며 변하고 통함과 그 말한 바의 음양(陰陽)의 설과 이간(易簡)의 덕(德)을 천도(天道)와 인사(人事)에 배합하면 이와 같다.

小註

朱子曰, 大概上面幾句, 是虛說底. 這個配天地四時日月至德, 是說他實處.

주자가 말하였다: 위 부분의 몇 구절은 추상적인 말이다. 여기의 천지·사시·일월·지덕과 배합한다는 이 말은 실질적인 것을 말하였다.

○ 廣大配天地, 變通配四時, 陰陽之義配日月, 以易配天. 易簡之善配至德, 以易配人之至德. 此是以易中之理, 取外面一事來, 對謂易之廣大, 故可配天地, 易之變通, 如老陽變陰, 老陰變陽, 往來變化, 故可配四時, 陰陽之義, 便是日月相似, 易簡之善 便如在人之至德.

"광대는 천지에 배합하고 변통은 사시에 배합하고 음양의 뜻은 일월에 배합한다"는 역으로 하늘에 배합한 것이다. "이간(易簡)의 선은 지덕에 배합한다"는 역으로 사람의 지극한 덕에 배합한 것이다. 이는 역의 이치를 가지고 밖의 한 일을 취하여 역이 광대함을 상대하여 말하였기 내문에 천지와 배합할 수 있고, 역의 변통은 노양이 음으로 변하고 노음이 양으로 변하는 것처럼 왕래하며 변화하기 때문에 사시와 배합할 수 있다. 음양의 뜻은 곧 일월과 서로 같고, 이간의 선은 곧 사람에게 있는 지덕(至德)과 같다.

○ 問, 這配字, 莫是配合否. 曰, 配只是相似之意. 且如變通配四時, 四時如何配合. 四時, 自是流行不息, 所謂變通者, 如此. 易簡之善配至德, 至德亦如何配合. 易簡, 是當行之理, 至德是自家所得者. 又曰, 也是易上有這道理, 如人心之至德也. 又曰, 欲見其廣大, 則於天地乎觀之, 欲見其變通, 則於四時乎觀之, 欲知其陰陽之義, 則觀於日月可見, 欲知簡易, 則觀於聖人之至德可見.

물었다: 이 배(配)자는 배합이 아닙니까?

답하였다: 배(配)는 단지 서로 같다는 뜻입니다. 만약 변통은 사시와 배합한다고 한다면 사시를 어떻게 배합합니까? 사시는 스스로 유행하며 쉬지 않는데 이른바 변통도 이와 같습니다. 이간의 선은 지극한 덕과 배합한다고 하면 지극한 덕은 또 어떻게 배합합니까? 이간은 마땅히 행할 이치이니 지극한 덕으로 스스로 얻는 것입니다.

또 답하였다: 또 역에 이런 도리가 있는 것은 인심의 지극한 덕과 같은 것입니다.

또 답하였다: 그 광대함을 보고 싶으면 천지에서 보고, 그 변통을 보고 싶으면 사시에서 보고, 그 음양의 뜻을 알고 싶으면 일월을 보면 알 수 있고, 이간을 알고 싶으면 성인의 덕을 보면 알 수 있습니다.

○ 南軒張氏曰, 乾之大生以資其始, 坤之廣生以流其形, 此廣大配天地也. 闔闢往來, 終則有始, 此變通配四時也. 復言七日以陽生爲義, 臨言八月以陰長爲戒, 此陰陽之義配日月也. 中庸之德, 中人以上, 可俯而就, 此易知也, 中人以下, 可跂而及, 此易從也, 故曰易簡之善配至德.

남헌장씨가 말하였다: 건의 크게 낳음으로 그 시작을 의뢰하고, 곤의 넓게 낳음으로 그 형체를 유행하니, 이것이 광대함이 천지와 배합함이다. 닫히고 열리며 오고 가며 마치면 곧 시작함이 변통이 사시와 배합함이다. 복괘(復卦)에서는 칠일(七日)을 말해 양이 생하는 뜻으로 삼았고[182] 림괘(臨卦)에 팔월을 말해 음이 자라는 경계로 삼았으니[183] 이것이 음양의 뜻이 일월에 배합함이다. 중용의 덕은 중인 이상에게는 굽혀서 나아가게 하니 이것이 '이지(易知)'이고, 중인 이하에게는 발돋움하여 나가게 하니 이것이 '이종(易從)'이니, 이간의 덕은 지극한 덕과 배합한다고 하였다.

---

182) 『周易·復卦』: 七日來復.
183) 『周易·臨卦』: 八月有凶.

‖韓國大全‖

조호익(曺好益) 『역상설(易象說)』

註項氏說, 第一節通論易之理, 廣大无遠不包, 无近不具, 第二節分乾坤而言, 所以廣 所以大者, 乾无不包, 坤无不容, 而无一物不有乾坤之理者. 恐非朱子意.

주석의 평암항씨(平庵項氏)의 설에 의하면, 제1절은 역(易)의 이치가 광대하여 멀어도 포괄하지 않음이 없고, 가까워도 갖추어지지 않음이 없음을 통론한 것이고, 제2절은 건곤(乾坤)을 나누어서 말하였으니, 광대한 이유는 건(乾)이 포함하지 않음이 없고 곤(坤)이 받아들이지 않음이 없어서, 한 사물도 건곤의 이치를 소유하지 않음이 없기 때문이다. 그러나 주자의 뜻은 아닌 듯하다.

송시열(宋時烈) 『역설(易說)』

第六章始言易道, 終言易之配合于天地四時日月, 而結之以配至德. 至德者聖之事, 蓋言天地日月 亦皆爲配聖人, 而設象也.

제 6장은 처음에는 역(易)의 도를 말했으며, 끝에서는 역이 천지・사시・일월과 배합함을 말하고, 지덕(至德)과 배합하는 것으로 끝을 맺었다. 지덕은 성인의 일이니, 대체로 천지와 일월도 모두 성인과 짝이 되면서 상을 펼침을 말한 것이다.

박치화(朴致和) 「설계수록(雪溪隨錄)」

天地亦有至德, 而以聖人之德解之者, 三才之道, 易無所不取, 而以見易與天地聖人同德也.

천지에도 지덕(至德)이 있는데 성인의 덕으로 풀이한 것은 삼재의 도에서 역(易)이 취하지 못하는 것이 없어서이니, 이것으로 역이 천지와 성인과 덕이 같음을 나타내었다.

○ 言至德, 以起下章也.

지덕을 말하여 다음 장을 일으켰다.

이익(李瀷) 『역경질서(易經疾書)』

天地廣大, 而易之廣大, 可以配矣. 易之道, 變則通, 故專而直, 則陽變爲陰, 翕而闢,則陰變爲陽, 自春而夏, 則陽極而變陰, 自秋而冬, 則陰極而變陽, 可以相配矣. 陽專而直, 可以配日, 陰翕而闢, 可以配月. 善者德之實, 卦畫旣成, 乾健而坤順, 故乾之實以易而知, 坤之實以簡而能, 可以配天地之至德.

천지는 넓고 큰데, 역(易)의 넓고 큼이 짝이 될 수 있다. 역의 도는 변하면 통하므로 전일하며 곧으면 양이 변하여 음이 되고, 닫히며 열리면 음이 변하여 양이 되는데, 봄에서 여름이 되면 양이 지극하여 음으로 변하고, 가을에서 겨울이 되면 음이 지극하여 양으로 변하니, 서로 짝이 될 수 있을 것이다. 양의 전일하며 곧음은 해와 짝이 될 수 있고, 음의 닫히며 열림은 달과 짝이 될 수 있다. '선(善)'은 덕(德)의 실질이니, 괘의 획이 이미 이루어지면 건(乾)은 강건하고 곤(坤)은 유순하므로 건의 실질은 평이함으로 주관하고, 곤의 실질은 간략함으로 능히 하니, 천지의 지극한 덕과 짝이 될 수 있다.

송능상(宋能相) 「계사전질의(繫辭傳質疑)」

廣大配天地, 變通配四時, 陰陽之義配日月, 易簡之善配至德, 此是一般話, 言一般義理. 所謂廣大則備者也, 而本義截作兩項, 一屬之易道, 一屬之易辭, 窃不能無惑焉. 且於經中, 何嘗有直言陰陽易簡之說者乎.

"광대는 천지에 배합하고 변통은 사시에 배합하고 음양의 뜻은 일월에 배합하고 이간의 선은 지덕에 배합한다"는 것은 일반적 설명이니, 일반적인 뜻을 말한 것이다. 이른바 '광대'는 갖추어진 것인데, 『본의』에서는 두 항목으로 나누어 보아 하나는 역도(易道)에 배속하고, 하나는 역사(易辭)에 배속하였으니, 가만히 보면 의혹이 없을 수 없다. 또한 경전에 어찌 음양(陰陽)과 이간(易簡)을 직접 말한 설명이 있단 말인가?

김상악(金相岳) 『산천역설(山天易說)』

配, 相等也.

'배(配)'는 서로 동등함이다.

박윤원(朴胤源) 『경의(經義) · 역경차략(易經箚略) · 역계차의(易繫箚疑)』

至德, 卽人之德也. 易似人德, 人德似易, 故先儒以爲一部易在吾心中矣. 以人身言之, 則何如爲廣大配天地, 何如爲變通配四時, 何如爲陰陽之義配日月歟.

'지덕(至德)'은 곧 사람의 덕이다. 역(易)이 사람의 덕과 유사하고 사람의 덕이 역과 유사하므로 선유들이 한 편의 『주역』이 나의 마음 가운데 있다고 여긴 것이다. 사람의 몸으로 말하면 어떻게 광대(廣大)가 천지에 배합하겠으며, 어떻게 변통(變通)이 사시(四時)에 배합하겠으며, 어떻게 음양의 뜻이 일월(日月)에 배합하겠는가?

심취제(沈就濟) 『독역의의(讀易疑義)』

坤當闔也, 而謂之闢者, 此乾坤卽子午開闢之坤也. 德謂至德者, 以陰而言也.

곤(坤)은 닫혀야 하는데 '열린다[闢]'고 한 것은 여기의 건곤(乾坤)이 자시와 오시에 열리는 곤(坤)이기 때문이다. '덕(德)'은 지극한 덕을 말한 것이니, 음(陰)으로 말하였다.

윤종섭(尹鍾燮) 『경(經)-역(易)』

易之陰陽, 象天之日月. 大傳曰, 陰陽之義配日月, 易所以取象, 象莫大乎日月. 是以坎离爲六十卦之機軸, 上經終以坎离, 下經又終以旣未濟.

역(易)의 음양은 하늘의 해와 달을 형상하였다. 「대전」에서 "음양의 뜻은 일월에 배합한다"고 하고, 『역』에서 상을 취한 것에서 '상(象)'이 일월보다 큰 것이 없다. 이 때문에 감괘(坎卦)와 리괘(離卦)는 64괘의 축대가 되며, 『상경』은 감괘와 리괘로 끝마쳤고, 하경도 다시 기제괘(旣濟卦)와 미제괘(未濟卦)로 끝마쳤다.

오치기(吳致箕) 「주역경전증해(周易經傳增解)」

配者, 相似也. 天地以形體言也, 變通, 言陰變陽陽變陰, 而流行不滯也. 義者, 剛稱陽柔稱陰之名義也. 易簡者, 健順也, 至德, 謂乾坤之德也, 此言易本乎乾坤. 故廣大則似天地之覆燾, 變通則似四時之流行, 陰陽之義則似日月之象, 易簡之善則似乾坤之德, 此乃遠而不禦, 邇而靜正, 天地之間悉備者也.

'배합[配]'은 서로 유사함이다. '천지'는 형체로 말하였고, '변통(變通)'은 음이 양으로 변하고 양이 음으로 변하여 막히지 않고 흘러감을 말한다. '뜻[義]'은 강(剛)을 양이라 칭하고 유(柔)를 음이라 칭하는 이름의 뜻이다. '이간(易簡)'은 강건함과 유순함이며, '지덕(至德)'은 건곤의 덕을 말하니, 이는 역(易)이 건곤에 근본함을 말한 것이다. 그러므로 광대는 천지의 덮어가림과 유사하고, 변통은 사시의 흘러감과 유사하며, 음양의 뜻은 일월의 상(象)과 유사하고, 이간(易簡)의 선(善)은 건곤의 덕과 유사하니, 이것이 바로 멀게는 다함이 없으며, 가까이는 고요하여 바르며, 천지의 사이에는 모두 갖추어진 것이다.

박문호(朴文鎬) 「경설(經說)·주역(周易)」

天地四時日月是天道也, 至德是人道也.

천지와 사시(四時)와 일월(日月)은 하늘의 도(道)이고, 지덕(至德)은 사람의 도이다.

이병헌(李炳憲) 『역경금문고통론(易經今文考通論)』

虞曰, 禦止也. 易廣大悉備, 有天地人道焉.

우번이 말하였다: '어(禦)'는 막음이다. 역(易)은 광대하여 모두 갖추니, 천지인의 도가 있다.

右, 第六章.

이상은 제 6장이다.

中國大全

小註

誠齋楊氏曰, 此章聖人所以贊易之道, 其極至於廣大之二言, 其原生於乾坤之二卦也.

성재양씨가 말하였다: 이 장은 성인이 역의 도를 찬미한 것이니, 그 지극함은 광대 두 마디에 이르고 그 근원은 건곤 두 괘에서 나온다.

○ 平菴項氏曰, 夫易廣矣大矣, 此章之總目也. 遠而不禦, 卽直與闢也. 邇而靜正, 卽專與翕也. 天地之間備矣, 卽大生廣生也. 易之爲道, 一與兩而已. 乾卽一也, 靜而守一, 則其事專而无不閉, 動而用一, 則其行直而无不開, 此乾所以爲萬物之父. 坤卽兩也, 兩閉者爲翕, 言與乾俱閉也, 兩開者爲闢, 言與乾俱開也, 此坤所以爲萬物之母. 大者无不統也, 廣者无不承也. 自廣大而至易簡, 其言之序, 自博而趨約也. 天地之間, 至大者天地, 至變者四時, 至精者日月, 至善者至德, 易之書, 具此四者, 豈不謂之備乎.

평암항씨가 말하였다: "역이 넓고 크다"는 이 장의 주제이다. '멀게는 다함이 없음'은 곧음과 열림이다. '가깝게는 고요해서 바름'은 전일함과 닫힘이다. "천지 사이에 갖추어졌다"는 큼이 생기고 넓음이 생김이다. 역의 도는 하나와 둘일 뿐이다. 건은 하나이니 고요할 때는 하나를 지켜 그 일이 전일해서 닫히지 않음이 없고, 움직일 때는 하나를 써서 그 행동이 곧아서 열지 않음이 없으니, 이는 건이 만물의 아버지가 되는 까닭이다. 곤은 둘인데 둘이 닫힌 것이 흡(翕)이 되니 건과 함께 닫힘을 말하며, 둘이 열리는 것이 벽(闢)이 되니 건과 함께 열림을 말한다. 이는 곤이 만물의 어머니가 되는 까닭이다. 크면 거느리지 않음이 없고 넓으면 계승하지 않음이 없다. '광대'에서 '이간'까지 그 말의 순서가 넓은 곳에서부터 간략한 곳으로 나간다. 천지의 사이에 지극히 큰 것은 천지이고, 지극히 변하는 것은 사시이고, 지극히 정밀한 것은 일월이고, 지극히 선한 것은 지극한 덕이니, 역의 글이 이 네 가지를 구비

하니 어찌 '갖추었다'고 하지 않겠는가?

○ 雲峯胡氏曰, 首章論乾坤之尊卑, 結之以易簡而理得, 此章論乾坤之廣大, 結之以易簡配至德. 然則易固不徒在乾坤, 而自在於吾之心中矣.

운봉호씨가 말하였다: 머리 장에서는 건(乾)과 곤(坤)의 높고 낮음을 논하고서 이간으로 이치를 얻음으로 맺었고, 이 장에서는 건과 곤의 넓고 큼을 논하고서 이간으로 지극한 덕과 배합함으로 맺었다. 그렇다면 역은 진실로 건곤에 있지 않고 나의 마음속에 자재(自在)한다.

‖韓國大全‖

유정원(柳正源) 『역해참고(易解參攷)』

雙湖胡氏曰, 此章以廣大贊易, 而其所謂廣大者, 乃生於乾坤, 則夫所謂贊易者, 乃所以贊乾坤也. 然及於變通, 陰陽之義, 易簡之善, 則非特廣大, 不淪於空虛无用, 且可以見乾坤有至精至粹之實者矣.

쌍호호씨가 말하였다: 이 장은 넓고 큼으로 역(易)을 찬미하였는데, 이른바 '넓고 큼'은 바로 건곤(乾坤)에서 나오니, '역을 찬미했다'고 한 것은 바로 건곤을 찬미한 것이다. 그러나 변통에 미치면 음양의 뜻과 이간(易簡)의 선(善)은 다만 넓고 클 뿐만이 아니라, 쓰임이 없이 공허한 데 빠지지 않으니, 또한 건곤에는 지극히 정미하고 지극히 순수한 실질이 있음을 알 수 있을 것이다.

오희상(吳熙常) 「잡저(雜著)-역(易)」

第六章, 承上章生生之謂易, 極言易道之廣大.

제 6장은 앞장의 "낳고 낳음을 역(易)이라 한다"를 이어서 역도(易道)의 광대함을 지극히 말하였다.

오치기(吳致箕) 「주역경전증해(周易經傳增解)」

右第六章. 此章言易道之廣大也.

이상은 제 6장이다. 이 장은 역도(易道)의 광대함을 말하였다.

제7장第七章

子曰 易, 其至矣乎. 夫易, 聖人所以崇德而廣業也, 知(智)崇,
禮卑, 崇, 效天, 卑, 法地.

공자(孔子)가 말하였다: 역(易)은 지극하구나! 역(易)은 성인(聖人)이 덕(德)을 높이고 업(業)을 넓히
는 것이니, 지(智)는 높고 예(禮)는 낮으니, 높음은 하늘을 본받고 낮음은 땅을 본받은 것이다.

▌中國大全▌

小註

程子曰, 子曰, 易其至矣乎, 止道義之門.
정자가 말하였다: "공자가 말하였다: 역은 지극하구나" 단락은 "도의의 문"까지이다.

○ 易之道其至矣乎. 聖人以易之道, 崇大其德業也. 知則崇高禮則卑下, 高卑, 順理合
天地之道也. 高卑之位設則易在其中矣. 斯理也成之在人則爲性, 成之者性也. 人心存
乎此理之所存, 乃道義之門也.
역의 도가 지극하다. 성인이 역의 도를 써서 덕과 업을 높고 크게 하였다. 지(知)는 높고
예(禮)는 낮으니, 높고 낮음은 이치를 따라 천지의 도에 배합함이다. 높고 낮은 자리가 베풀
어지면 역은 그 가운데 있다. 이 이치가 사람에게 있어 이루어지면 성(性)이 되니 "이룬
것이 성"이다. 사람의 마음에 이 이치가 보존되어 있음이 "도의의 문"이다.

本義

十翼, 皆夫子所作, 不應自著子曰字, 疑皆後人所加也. 窮理則知崇如天而德崇,

循理則禮卑如地而業廣. 此其取類, 又以淸濁言也.

십익(十翼)은 모두 부자(夫子)가 지은 것이니, 스스로 '자왈(子曰)'이라는 글자를 놓을 수 없으니, 의심컨대 모두 후인(後人)이 붙인 것인 듯하다. 이치를 궁구하면 지혜의 높음이 하늘과 같아 덕(德)이 높아지고, 이치를 따르면 예(禮)로 낮춤이 땅과 같아 업(業)이 넓어진다. 여기에 유(類)를 취함은 또 청탁으로 말한 것이다.

小註

朱子曰, 知崇禮卑, 這是兩截, 知崇, 是知識要超邁, 禮卑, 是須就切實處行. 若知不高則識見淺陋, 若履不切則所行不實. 知識高, 便是象天, 所行實, 便是法地. 識見高於上, 所行實於下, 中間, 便生生而不窮, 故說易行乎其中, 成性存存, 道義之門. 大學所說格物致知, 是知崇之事, 所說誠正心修身, 是禮卑之事. 又曰, 知識貴乎高明, 踐履貴乎著實. 知旣高明, 須是放低著實去做. 又曰, 學只是知與禮, 他這意思卻好. 禮便細密, 中庸致廣大盡精微等語, 皆只是說知禮. 又曰, 知是知處, 禮是行處. 知儘要高, 行卻自近起.

주자가 말하였다: "지(知)는 높고 예(禮)는 낮다"의 두 구절에서 "지(知)는 높고"는 지식이 높음이고 "예(禮)는 낮다"는 행실이 절실함이다. 만약 지가 높지 못하면 식견이 낮고 이행함에 절실하지 못하면 행동이 성실하지 못하다. 지식이 높음은 하늘을 상징하였고 행동이 절실함은 땅을 본받았다. 식견은 위로 높고 행동은 아래로 절실하면 중간에 곧 낳고 낳아 끝이 없다. 그렇기 때문에 역이 중간에서 행해지니 "이루어진 성품을 존하고 존함이 도의의 문이다"라고 하였다. 『대학』에서 말한 '격물·치지'는 지가 높아지는 일이고 '성의·정심·수신'은 예가 낮아지는 일이다.

또 말하였다: 지식은 고명함을 귀하게 여기고 행동은 착실함을 귀하게 여긴다. 지가 이미 고명하다면 반드시 낮추어서 착실하게 해나가야 한다.

또 말하였다: 배움은 다만 지와 예일 뿐이라는 이 뜻은 좋다. 예는 세밀함이니 『중용』의 "광대함을 지극히 하고 정미함을 다한다"[184]는 등의 말은 모두 지와 예를 말한 것이다.

또 말하였다: 지는 아는 곳이고 예는 행하는 곳이다. 지는 가능한 높아야 하고 행은 가까운 곳으로부터 행해야 한다.

又曰, 知崇天也, 是致知事, 要得高明. 禮卑地也, 是事事都要踐履過, 卑便業廣. 又曰, 知崇者, 德之所以崇, 禮卑者, 業之所以廣. 禮纔有些子不到處, 這業便有欠闕, 便不廣

---

184) 『中庸』: 致廣大而盡精微, 極高明而道中庸.

了. 地雖極卑, 无所欠闕, 故廣. 又曰, 知識日多則知益高. 又曰, 這事也合禮, 那事也合禮, 積累多, 業便廣. 又曰, 所謂德言盛禮言恭, 禮便是要極卑. 故无物事无個禮, 雖於至微至細底事, 皆當畏謹戒懼, 唯恐失之, 這便是禮之卑處. 禮儀三百, 威儀三千, 无非卑底事. 然, 又不是强安排, 皆是天理合如此. 又曰, 禮卑是卑順之意, 卑便廣. 地卑便廣, 高則狹了. 人若只揀取高底做便狹, 如何會廣. 地卑便會廣, 世上更无物卑似地底. 又曰, 禮卑是從貼底謹細微做去, 所以能廣.

또 말하였다: 지(知)가 하늘처럼 높음은 지를 이루는 일이니 고명해야 한다. 예(禮)가 땅처럼 낮음은 일마다 모두 실천해 가는 것이니 낮아야 업이 넓어진다.

또 말하였다: 지가 높음으로써 덕이 높아지고 예가 낮음으로써 업이 넓어진다. 예에 조금이라도 이르지 못하는 곳이 있으면 업은 곧 흠결이 있게 되어 넓지 못하다. 땅이 비록 지극히 낮지만 흠결이 없기 때문에 넓다.

또 말하였다: 지식이 날로 많아지면 지는 더욱 높아진다.

또 말하였다: 이 일도 예에 맞고 저 일도 예에 맞아서 많이 쌓이면 업이 넓어진다.

또 말하였다: 이른바 "덕은 성대함을 말하고 예는 공손함을 말한다"에서[185] 예는 지극히 낮아야 한다. 그러므로 어떤 사물도 예가 없음이 없으니 비록 지극히 미세한 일일지라도 두려워하고 조심하며 오직 잘못될까 두려워해야 하니 이것이 곧 예의 낮은 곳이다. '예의삼백'과 '위의삼천'이 낮추는 일이 아님이 없다. 그렇긴 하지만 이는 억지로 안배함이 아니니 천리와 부합함이 이와 같다.

또 말하였다: '예는 낮다'는 낮추고 따르는 뜻이니 낮으면 넓어진다. 땅이 낮기에 넓으니, 높으면 좁아진다. 사람이 만약 높은 일만을 가려서 취한다면 좁아지니, 어떻게 넓어질 수 있겠는가? 땅처럼 낮으면 넓어지니 세상에 땅처럼 낮은 물건은 없다.

또 말하였다: '예는 낮다'는 조심하면서 자세하게 해나가기 때문에 넓어질 수 있다.

○ 建安丘氏曰, 聖人之知如天之崇, 故所知日進於高明而德以崇, 禮如地之卑, 故所行日就於平實而業以廣.

건안구씨가 말하였다: 성인의 지는 하늘처럼 높기 때문에 아는 바가 날로 고명함에 나아가 덕이 이로써 높아지고, 예는 땅처럼 낮기 때문에 행하는 바가 날로 진실함에 나아가 업이 이로써 넓어진다.

○ 潛室陳氏曰, 易言知崇, 卽中庸尊德性致廣大極高明底事, 易言禮卑, 卽中庸道問學盡精微道中庸底事. 知欲高明, 故崇如天, 禮欲執守, 故卑如地. 若一向務高明而不

---

185) 『周易·繫辭傳』: 德言盛, 禮言恭.

事著實, 則窮積索幽流於淸虛, 而无執守依憑之實地, 須是約之以禮. 知以虛明爲用, 屬陽屬天, 皆言其輕淸也. 禮以形氣爲質, 屬陰屬地, 皆言其重濁也.

잠실진씨가 말하였다: 『주역』에서 말한 "지는 높다"는 『중용』의 덕성을 높이고 광대함을 이루고 고명을 지극히 하는 일이고, 『주역』에서 말한 "예는 낮다"는 『중용』의 묻고 배우고 정미로움을 다하고 중용을 따르는 일이다. 지(知)는 고명하고자 하니 하늘처럼 높이고, 예는 잡아 지키고자 하니 땅처럼 낮춘다. 만약 고명만을 지향하여 착실함을 일삼지 않으면 궁해지고 어두워져 텅 빈 데로 흘러 잡아 지켜서 의지할 실지가 없게 되니, 반드시 예로써 요약해야 한다. 지는 밝게 빈 것을 용으로 삼아 양에 속하고 하늘에 속하니 그 가볍고 맑음을 말하였다. 예는 형기를 질로 삼아 음에 속하고 땅에 속하니 무겁고 탁함을 말하였다.

‖韓國大全‖

박치회(朴致和) 「설계수록(雪溪隨錄)」

德在心, 故知崇則德崇.

덕(德)이 마음에 있으므로 지(知)가 높아지면 덕이 높아진다.

○ 不曰行而曰禮者, 以見萬事萬物, 禮無所不包, 而不由乎禮, 則非所謂行之意也.

‘행(行)’이라 하지 않고 ‘예(禮)’라고 하여 온갖 사물을 예가 포함하지 않음이 없음을 드러냈으니, 예(禮)를 말미암지 않으면 이른바 행(行)의 뜻이 아니다.

이익(李瀷) 『역경질서(易經疾書)』

崇莫如天, 故無所不覆, 卑莫如地, 故無所不載. 易之道, 其大配天, 其廣配地, 故聖人用易之道, 其知效天, 其禮法地. 知不崇則或有不覆, 故欲崇其德, 先須致知, 禮不卑則或有不載, 故欲廣其業, 先須致禮. 凡三言德業可久可大, 猶未至於極, 故以賢人爲言, 至富有之大業, 日新之盛德, 方無餘蘊, 故以聖人爲言. 今又云崇德廣業, 則明其所以然者, 謂德之崇由知, 業之廣由禮, 末又申效法之有在, 可謂盡之矣.

‘높음[崇]’은 하늘만 한 것이 없기 때문에 덮지 못하는 것이 없고, ‘낮음[卑]’은 땅만 한 것이 없기 때문에 싣지 못하는 것이 없다. 역의 도는 큼이 하늘과 짝하고, 넓음이 땅과 짝하므로 성인이 역을 쓰는 도(道)가 지혜는 하늘을 본받고, 예절은 땅을 본받는다. 지혜가 높지 못하면 혹 덮지 못하는 것이 있기 때문에 그 덕을 높이려면 먼저 반드시 지혜를 지극히 해야 하고, 예절이 낮지 못하면 혹 싣지 못하는 것이 있기 때문에 그 업을 넓히려면 먼저 반드시 예절을 지극히 해야 한다. 모두 세 번 덕과 업을 오래할 수 있고 크게 할 수 있음을 말했지만 여전히 지극함에 이르지는 못하였으므로 현인으로 말하였고, 풍부히 소유하는 대업(大業)과 날로 새로워지는 성덕(盛德)에 이르러야 바야흐로 남아 있는 것이 없으므로 성인으로 말하였다. 지금 다시 "덕을 높이고 업을 넓힌다"고 한 것은 소이연(所以然)을 밝힌 것이니, '덕의 높음은 지혜를 말미암고, 업을 넓힘은 예절을 말미암는다'고 한 것이며, 끝에 다시 본받음이 있음을 되풀이했으니, 극진하다고 할 만하다.

유정원(柳正源) 『역해참고(易解參攷)』

子曰, 易 [至] 法地.
공자가 말하였다: 역은 … 땅을 본받은 것이다.

朱子曰, 卑只是卑約意, 須常本卑約之意, 方可行禮, 若知則超越流通, 无往不可也.
주자가 말하였다: '낮음[卑]'은 낮고 검소하다는 뜻일 뿐이니, 반드시 항상 낮고 검소하다는 뜻을 근본으로 해야만 바야흐로 예(禮)를 행할 수 있다. 지혜로우면 뛰어 넘고 흘러 통하여 어디서도 불가(不可)함이 없다.

○ 節初齊氏曰, 就天地言, 曰盛德大業, 就聖人言, 曰崇德廣業, 崇欲其盛, 廣欲其大也. 知屬水, 內陽而外陰, 故欲崇, 禮屬火, 內陰而外陽, 故欲卑. 天下莫有崇於天者, 故欲效天, 天下莫有卑於地者, 故欲法地.
절초제씨가 말하였다: 천지에서 말하면 '성덕(盛德)과 대업(大業)'이라 하고, 성인에게서 말하면 '덕을 높이고 업을 넓힌다'고 하니, '높임[崇]'은 융성하고자 함이고, '넓힘[廣]'은 크고자 함이다. '지혜[知]'는 물에 속하여 안은 양이고 밖은 음이므로 높이고자 하고, '예절[禮]'은 불에 속하여 안은 음이고 밖은 양이므로 낮추고자 한다. 천하에 하늘보다 높은 것이 없기 때문에 하늘을 본받고자 하고, 천하에 땅보다 낮은 것이 없이 때문에 땅을 본받고자 한다.

김상악(金相岳) 『산천역설(山天易說)』

此言聖人體乾坤之道, 以崇廣其德業也. 知識貴乎高明, 踐履貴乎平實. 故曰崇效天, 卑法地.

이것은 성인이 건곤의 도(道)를 체득하여 그 덕과 업을 높이고 넓힘을 말하였다. 지식은 고명함을 귀하게 여기고, 실천은 평평한 자취를 귀하게 여긴다. 그러므로 "높임은 하늘을 본받고, 낮춤은 땅을 본받는다"고 하였다.

심취제(沈就濟) 『독역의의(讀易疑義)』

第七章, 知禮不謂知仁, 而言知禮者, 彼以用言也, 此以體言也. 崇卑二字, 與首章尊卑同也. 首章之乾坤, 定之以尊卑, 此章之乾坤, 立于知禮也. 知禮南北也, 乾南坤北而泰東否西之意, 明矣.

제7장에서 '지례(知禮)'를 '지인(知仁)'이라 하지 않고 '지례'라고 한 것은 저것은 작용으로 말한 것이고, 이것은 본체로서 말한 것이다. '높고 낮음[崇卑]'은 첫 장의 '높고 낮음[尊卑]'과 같다. 첫 장의 건곤은 높고 낮음으로 정해지는데, 이 장의 건곤은 지(知)와 예(禮)에서 확립된다. '지(知)'와 '예(禮)'는 남(南)과 북(北)이니, 건(乾)이 남쪽이고 곤(坤)이 북쪽이며 태(泰)가 동쪽이고 비(否)가 서쪽이라는 뜻이 분명하다.

首章則定乾坤而已, 此章則又定其四德之位也.

첫 장은 건과 곤을 정했을 뿐이고, 이 장에서 다시 사덕의 자리를 정하였다.

윤행임(尹行恁) 『신호수필(薪湖隨筆)·계사전(繫辭傳)』

聖人, 觀雷出地奮之象而崇德, 觀上天下澤之象而制禮, 以德崇而禮卑也.

성인이 우레가 땅에서 솟아 나오는 상을 보고서 덕을 높이고, 위가 하늘이고 아래가 못인 상을 보고서 예(禮)를 제정하여 덕을 높이고 예를 낮추었다.

高明效天, 遜讓效地, 皆是知之事. 致知在格物, 格物則理窮, 理窮則知天之爲乾, 地之爲坤.

고명함은 하늘을 본받고, 겸손함은 땅을 본받았으니, 모두 '지(知)'의 일이다. 지(知)를 지극히 함은 '격물(格物)'에 달려있는데 격물은 이치를 궁구함이니, 이치를 궁구하면 하늘이 건(乾)이 되고, 땅이 곤(坤)이 됨을 안다.

심대윤(沈大允) 『주역상의점법(周易象義占法)』

知崇而能成廣業, 禮卑而可以崇德. 崇生于卑, 卑生于崇, 大在于廣, 而廣因于大, 交須而不可分異也.

지혜가 높으면 업(業)을 넓힐 수 있고, 예절이 낮으면 덕(德)을 높일 수 있다. 높음은 낮음에서 나오고 낮음은 높음에서 나오며, 큰 것은 넓음에서 나오고 넓은 것은 큼에 기인하니, 서로가 나누어서 달리할 수 없다.

이진상(李震相) 『역학관규(易學管窺)』

第七章, 知崇禮卑.

제 7장의 지는 높고 예는 낮다.

知屬水, 易於滯下, 故欲其崇, 禮屬火, 易於揚上, 故欲其卑, 皆就發處說.

'지혜[知]'는 물에 속하여 아래로 정체되기 쉽기 때문에 높이려 하며, '예절[禮]'은 불에 속하여 위로 타오르기 쉽기 때문에 낮추려 하니, 모두 펼쳐지는 곳에 나아가 말하였다.

天地設位, 而易, 行乎其中矣, 成性存存, 道義之門.

천지가 자리를 베풀면 역(易)이 그 가운데 행하니, 이루어진 성품을 보존하고 보존함이 도의(道義)의 문(門)이다.

║中國大全║

小註

程子曰, 天地設位而易行其中, 何不言人行其中. 蓋人亦物也, 若言神行乎其中, 則人只於鬼神上求矣. 若言理言誠, 亦可也, 而特言易者, 欲使人默識而自得之也.

정자가 말하였다: "천지가 자리를 베풀면 역이 그 가운데 행한다"에서 왜 "사람이 그 가운데 행한다"고 하지 않았을까? 사람도 물건이니 만약 "신이 그 가운데 행한다"고 하면 사람은 단지 귀신의 관점에서 구해야 한다. 만약 '리(理)'라 하고 '성(誠)'이라 해도 괜찮지만 특별히 '역'이라 한 것은 사람이 속으로 생각해 스스로 터득하도록 한 것이다.

○ 天地只是設位, 易行乎其中者神也.

천지는 다만 자리를 베풀고 역이 그 가운데 행함은 신(神)이다.

○ 天地設位而易行乎其中矣. 乾坤毀則无以見易, 易不可見則乾坤或幾乎息矣, 易是個甚. 易又不只是這一部書, 是易之道也, 不要將易, 又是一個事. 只是盡天理, 便是易也.

"천지가 자리를 베풀면 역이 그 가운데 행한다"와 "건곤이 훼손되면 역을 볼 수 없고, 역을 볼 수 없으면 건곤이 혹 거의 그칠 것이다"에서의 '역'은 무엇인가? 역은 한 권의 책일 뿐이 아니라 역의 도리이니 역을 또한 하나의 일로 보아서는 안 된다. 단지 일에서 천리를 다하면 이것이 곧 역일뿐이다.

○ 成性存存, 便是道義之門.

이루어진 성품을 보존하고 보존함이 곧 도의의 문이다.

○ 成性存存, 道義之門, 亦是萬物各有成性存存, 亦是生生不已之意, 天只是以生爲道. 成性存存道義之門, 道无體, 義有方也.

"이루어진 성품을 보존하고 보존함이 도의의 문이다"는 만물마다 이루어진 성품을 보존하고 보존함이 있음이기도 하고 "낳고 낳아 끝이 없는" 뜻이기도 하니, 하늘은 다만 '낳음'을 도로 삼는다. "이루어진 성품을 보존하고 보존함이 도의의 문이다"에서 도는 체가 없고 의는 방소가 있다.

本義

天地設位而變化行, 猶知禮存性而道義出也. 成性, 本成之性也, 存存, 謂存而又存, 不已之意也.

천지(天地)가 자리를 베풀면 변화가 행함은 지(智)와 예(禮)가 성(性)에 보존되어 도의(道義)가 나오는 것과 같은 것이다. '성성(成性)'은 본래 이루어진 성(性)이요 '존존(存存)'은 보존하고 또 보존함을 이르니, 그치지 않는 뜻이다.

小註

朱子曰, 天地設位而易行乎其中. 陰陽升降, 便是易, 易者陰陽, 是也.

주자가 말하였다: "천지가 자리를 베풀면 역이 그 가운데 행한다"에서 음양의 승강이 곧 역이니 "역은 음양이다"가 이것이다.

○ 問, 天地設位而易行乎其中矣, 成性存存道義之門. 曰, 上文言, 知崇禮卑崇效天卑法地, 人崇其智, 須是如天之高, 卑其禮, 須如地之下. 天地設位一句, 只是引起要說, 知崇禮卑, 人之知禮, 能如天地, 便能成性存存, 道義, 便自此出, 所謂道義, 便是易也. 成性存存, 不必專主聖人而言.

물었다: "천지가 자리를 베풀면 역이 그 가운데 행해지니 이루어진 성품을 보존하고 보존함이 도의의 문이다"는 무슨 뜻입니까?

답하였다: 윗 글에서 말한 "지(知)는 높고 예(禮)는 낮으니 높음은 하늘을 본받고 낮음은 땅을 본받는 것이다"는 사람이 지혜를 높게 함을 하늘이 높은 것처럼 하고, 예를 낮게 함을 땅이 아래 있는 것처럼 해야 한다는 것입니다. "천지가 자리를 베풀면"이라는 구절은 단지 이끌기 위한 말이고 "지(知)는 높고 예(禮)는 낮음"은 사람의 지와 예가 천지처럼 되면 곧 "이루어진 성품을 보존하고 보존함"이 가능하게 되며, 도의는 이로부터 나오니 이른바 도의

란 곧 역입니다. "이루어진 성품을 보존하고 보존함"을 반드시 성인을 위주로 해서 말할 필요는 없습니다.

○ 成性, 猶言見成底性. 這性元自好了, 但知崇禮卑, 則成性便存存. 又曰, 成性, 是不曾作壞底, 存, 謂常在, 這裏存之又存. 又曰, 成性, 成之者性, 字義同而用異. 成性, 是已成之性, 如言成德成說之類, 成之者性, 是成就之意, 如言成己成物之類. 問, 成性存存, 是不忘其所存. 曰, 衆人多是說到聖人處, 方是性之成, 看來不如此. 成性, 只是一個渾淪之性存而不失, 便是道義之門, 便是生生不已處. 又曰, 存存是生生不已之意. 當以伊川說爲是. 又曰, 堯舜性之, 是其性本渾成. 學者學之, 須是以知禮做也到得他成性處. 道義出, 謂這裏流出, 道體也, 義用也. 又曰, 性是自家所以得於天底, 道義是衆人公共底.

'성성(成性)'은 이루어진 성품이라고 하는 것과 같다. 이 성은 원래 스스로 좋지만 지가 높고 예가 낮으면 이루어진 성품을 보존하고 또 보존한다.

또 말하였다: 성성(成性)은 일찍이 무너지지 않는 것이고, 존(存)은 늘 보존함이니, 이곳에 보존하고 또 보존함이다.

또 말하였다: '성성(成性)'과 '성지자성(成之者性)'은 문자의 뜻은 같지만 용법이 다르다. '성성(成性)'은 이미 이루어진 성품으로 '이루어진 덕'과 '이루어진 말'이라고 하는 종류이고, '성지자성(成之者性)'은 성취의 뜻으로 '자기를 이루고 물건을 이룬다'고 하는 종류이다.

물었다: "이루어진 성품을 보존하고 보존함"은 존재하는 것을 잊지 않음입니까?

답하였다: 많은 이들이 성인의 경지에 이르러야 성을 이룬다고 말하는데 살펴보면 이와 같지 않다. '성성(成性)'은 단지 하나의 섞인 성품을 보존하여 잃어버리지 않음으로, 곧 도의의 문이며 낳고 낳아 끝이 없는 것입니다.

또 말하였다: '존존(存存)'은 낳고 낳아 그침이 없는 뜻이니, 이천의 설이 옳다고 해야 한다.

또 말하였다: "요순은 본성대로 하였다"[186]는 성품이 본래부터 혼연히 이루어진 것이고 학자의 배움은 지와 예를 가지고 해나가서 '성성(成性)'의 경지에 도달하는 것이다. "도의(道義)가 나온다"는 그 속에서부터 흘러나옴이니, 도는 본체이고 의는 작용이다.

또 말하였다: 성(性)은 각자 하늘로부터 얻은 것이고, 도의는 많은 사람에게 공통적인 것이다.

○ 節齋蔡氏曰, 道義之在造化則謂之易, 易之在人則謂之道義. 位謂有位可居, 門謂有門可出. 存存謂存之又存, 使之有體如天地也. 故有天地之位而後易行, 有知禮之門而後道義出.

절재채씨가 말하였다: 도의가 조화에 있음을 역이라 하고, 역이 사람에게 있음을 도의라 한

---

186) 『孟子·盡心』: 孟子曰, 堯舜, 性之也, 湯武, 身之也, 五覇, 假之也.

다. 자리는 거처할 자리가 있음을 말하고, 문은 나갈 문이 있음을 말한다. 존존(存存)은 보존하고 또 보존하여 천지와 같은 몸체가 있음을 말한다. 그러므로 하늘과 땅의 자리가 있은 뒤에 역이 행해지고, 지와 예의 문이 있은 뒤에 도의가 나온다.

‖韓國大全‖

권근(權近)『주역천견록(周易淺見錄)』

天地設位, [止] 道義之門.
천지가 자리를 베풀면 … 도의(道義)의 문이다.

此言易之道, 在天地則有自然之妙, 流行不息, 在人則必待修爲而後行也.
이는 역(易)의 도가 천지에 있어서는 자연한 오묘함이 있어 끊임없이 유행하지만, 사람에게 있어서는 반드시 닦는 행위를 거친 뒤에야 실행됨을 말하였다.

송시열(宋時烈)『역설(易說)』

第七章, 言聖人用易之道, 始自博約之工, 存存而至於極也.
제 7장은 성인이 역을 쓰는 도리를 말했으니, 널리 요약하는 공부로부터 시작하여 보존하고 보존해서 지극함에 이르는 것이다.

박치화(朴致和)「설계수록(雪溪隨錄)」

存存之功, 在知禮, 知以別之, 禮以行之也.
보존하고 보존하는 공부는 지(知)·예(禮)에 있으니, 지(知)로 분별하고 예(禮)로 행한다.

○ 性者, 統合天地之德, 故單言成性, 以配天地.
'성(性)'은 천지의 덕을 통합하므로 단지 이루어진 성(性)을 말하여 천지와 짝을 지었다.

○ 言性則知禮在其中, 知禮則性也.
'성(性)'을 말하면 지(知)와 예(禮)는 그 안에 있으니, 지와 예는 성이다.

이익(李瀷) 『역경질서(易經疾書)』

天地設位, 仰而蒼蒼, 俯而茫茫者, 是也. 惟易自伏羲卦畫, 行乎兩間, 其廣大易簡, 與
天地相參. 微此幾乎人, 不能人矣. 是以聖人有假年學易之歎, 況衆人乎. 自繼善成性,
苟闕存存之功, 終非入道義之門, 存存者, 至健不息也. 此其總要, 而吾夫子學易用力
之破的也, 非此一節, 後人終不知學易之爲何事也. 夫子贊乾之道曰, 乾道變化, 各正
性命, 保合大化, 乃利貞, 各正性命, 非成性乎, 保合大化, 非存存乎. 其存存節, 度六
十四卦大象, 及上傳八章, 下傳五章, 見其槪矣.

천지가 자리를 배풂은 우러르면 창창하고, 굽어보면 망망한 것이 이것이다. 역(易)은 복희
의 괘획으로부터 천지의 사이에서 유행하니, 그 넓고 크며 평이하고 간략함이 천지와 더불
어 나란하다. 이 기미가 사람에게 어둡다면 사람일 수 없다. 이 때문에 성인이 몇 해를 빌려
서라도 배웠으면 하는 탄식이 있었던 것이니, 하물며 보통 사람이겠는가? "이은 것이 선이고
이룬 것이 성이다"로부터 보존하고 보존하는 공부를 빠뜨린다면, 끝내는 도의에 들어가는
문이 아니니, '보존하고 보존함'은 지극히 강건하여 그치지 않음이다. 이것은 총괄적인 요점
으로 공자가 역을 배우고 힘을 씀에 정곡을 찌른 것이니, 이 구절이 아니라면 뒷사람들이
역을 배우는 것이 어떤 일인지를 끝까지 알지 못했을 것이다. 부자가 건도(乾道)를 찬양하
여 "건의 도가 변화하여 각각 성명을 바르게 하여 큰 조화를 보전하여 화합하니, 이에 바름
이 이롭다"[187]고 하였는데, '각각 성명을 바르게 함'이 '이룬 성[成性]'이 아니겠으며, '큰 조화
를 보전하여 화합함'이 '보존하고 보존함[存存]'이 아니겠는가? 그 '보존하고 보존한다'는 구
절은 64괘의 「대상전」 및 상전8장과 하전5장을 헤아리면 그 대개를 알 것이다.

유정원(柳正源) 『역해참고(易解參攷)』

天地 [至] 之門.
천지가 자리를 … 도의의 문이다.

程子曰, 天地設位, 而易行乎其中, 只是敬也, 敬則无間斷.
정자가 말하였다: '천지가 자리를 베풀면 역이 그 가운데 행함'은 단지 경(敬)일 뿐이니, 경
하면 끊어짐이 없다.

○ 朱子曰, 易是自然造化, 聖人本意只說自然造化流行, 程子是將來就人身上說. 敬
則是這道理流行, 不敬便斷了. 前輩引經文, 多是借來說己意.

---

187) 『周易·乾卦』: 乾道變化, 各正性命, 保合大和, 乃利貞.

주자가 말하였다: 역(易)은 자연한 조화이니, 성인의 본의는 단지 자연한 조화의 유행을 말한 것이고, 정자는 앞으로 닥칠 사람의 몸에 나아가 말한 것이다. 경(敬)은 바로 저 도리가 유행하는 것이니, 공경하지 않으면 바로 끊어진다. 선배들은 경문을 인용함에 빌려다가 자기의 뜻을 말한 것이 많다.

○ 天地也似有簡主宰, 方是恁地變易, 便是天地之敬.
천지(天地)에도 주재(主宰)가 있어야 비로소 이와 같이 변역할 것 같으니, 바로 천지의 경(敬)이다.
〈案, 敬固是人分上用工底道理, 然天地之道流行充塞, 无一息停无一毫差, 自其一理无雜而言, 則便是不容一物也, 自其萬化各正而言, 則便是整齊嚴肅也. 這便是天地底敬, 猶言於穆不已忠也, 各正性命恕也.
내가 살펴보았다: 경(敬)은 참으로 사람에게 있어서 노력을 기울이는 도리이지만, 천지의 도(道)도 유행하여 꽉 차서 잠시도 멈춤이 없고 조금도 어긋남이 없으니, 한 이치의 섞임이 없는 것으로 말하자면 한 사물도 용납하지 않는 것이고, 온갖 변화의 각각 바른 것으로 말하자면 가지런하고 엄숙한 것이다. 이것이 바로 천지의 경(敬)이니, "그윽하여 그치지 않음은 충(忠)이고, 각각 성명을 바르게 함은 서(恕)이다"[188]라고 말함과 같다.〉

○ 天地設位, 而易行乎其中, 以造化言也, 乾坤成列, 而易立乎其中, 以卦位言也.
"천지가 자리를 베풀면 역이 그 가운데 행한다"는 조화로 말한 것이고, "건과 곤이 줄을 이룸에 역이 그 가운데 선다"[189]는 괘의 자리로 말한 것이다.

김상악(金相岳) 『산천역설(山天易說)』

有天地之位, 而後易行, 有知禮之門, 而後道義出. 存存卽不已之意也.
천지의 자리가 있은 뒤에야 역이 유행하고, 지(知)와 예(禮)의 문이 있은 뒤에야 도의(道義)가 나온다. '보존하고 보존함'은 그치지 않는다는 뜻이다.

박윤원(朴胤源) 『경의(經義)・역경차략(易經箚略)・역계차의(易繫箚疑)』

聖人, 生而知之, 安而行之, 何必待於易, 而始崇廣其德業歟. 此聖人, 卽作易之聖人,

188) 『論語集註・里仁』: 又曰, 維天之命, 於穆不已, 忠也, 乾道變化, 各正性命, 恕也.
189) 『周易・繫辭傳』: 乾坤, 其易之縕耶. 乾坤成列, 而易立乎其中矣, 乾坤毀則无以見易, 易不可見, 則乾坤或幾乎息矣.

則聖人未作易之前, 德猶有未崇, 業猶有未廣者歟. 文王之緝熙, 必待羑里演易之後, 周公之制禮, 必待作爲爻辭之後歟. 知崇禮卑, 以知行分言者也. 知非從知從日之智, 則是屬心也, 知覺之知歟, 知識之知歟. 禮是仁義禮智之一, 則居仁由義, 皆行也, 而此 於說行處, 獨言禮, 何歟. 效天法地云者, 非鑿鑿摸擬之謂, 而自然如之者歟. 天地設 位, 而易行于其中, 此言易之道行也. 以陰陽造化言, 而或云易是上文所云知禮者之 道, 此說何如. 成性存存, 程子以存存爲生生不已之謂, 存而又存, 是生而又生之謂歟. 存是存在之義, 而作生字義看, 何歟. 朱子以伊川說爲是, 而本義只曰不已之意, 不用 生生字, 是特省文歟, 抑有其意義歟.

성인은 나면서 알고 편안히 행하는데, 어찌 반드시 역(易)을 기다려야 비로소 덕과 업을 높이고 넓힌단 말인가? 여기의 성인이 『역』을 지은 성인이라면, 성인이 『역』을 짓기 이전에 는 덕(德)에 여전히 높이지 못함이 있고, 업(業)에 여전히 넓히지 못함이 있는 것인가? 문왕 의 밝게 빛남은 반드시 유리옥에서 역을 부연한 뒤이고, 주공의 제례(制禮)는 반드시 효사 를 제작한 뒤란 말인가? '지혜는 높고 예절은 낮음'은 지와 행으로 나누어 말한 것이다. '지 (知)'가 '지(知)'자와 '일(日)'자로 이루어진 '지(智)'가 아니라면 마음에 속하는 것이니, 지각 의 지인가? 지식의 지인가? '예(禮)'는 인의예지(仁義禮智)의 하나이며 인(仁)에 거처함과 의(義)를 말미암음이 모두 행(行)인데, 행을 말하는 이곳에서 홀로 예만을 말한 것은 어째서 인가? "하늘을 본받고 땅을 본받는다"고 하는 것은 집요하게 파헤쳐서 모의함을 말하는 것이 아니라, 자연스럽게 이와 같다는 것인가? "천지가 자리를 베풀면 역이 그 가운데 행한다"는 것은 역도의 행함을 말한다. 음양의 조화로 말한 것인데, 어떤 사람은 "역(易)은 앞글에서 말한 '지혜롭고 예절이 있는 사람의 도'이다"라고 하니, 이 설명은 어떠한가? "이루어진 성품 을 보존하고 보존한다"에 대해, 정자는 '보존하고 보존함은 낳고 낳아 그치지 않음을 말한다' 고 하였으니, 보존하고 또 보존함은 낳고 또 낳음을 말하는 것인가? '보존'은 보존하고 있다 는 뜻인데, '낳다'는 뜻으로 간주한 것은 어째서인가? 주자는 이천의 설명을 옳다고 하고 『본의』에서 다만 "그치지 않는다는 뜻이다"라고 하였는데, 낳고 낳음을 말하지 않은 것은 다만 문장을 간추린 것인가? 아니면 어떤 뜻이 있는 것인가?

심취제(沈就濟) 『독역의의(讀易疑義)』

知禮之體, 猶天地之設位, 而易之行, 卽道義出也.
지혜롭고 예절이 있는 몸체는 천지가 자리를 베풂과 같으니, 역이 행함은 바로 도의가 나옴이다.

易不過天地之變化, 而爲天地之中也.
역은 천지의 변화에 불과하니, 천지의 가운데가 된다.

以易言之, 則易包乾坤也, 以乾坤言之, 則乾坤包六子也, 以天言之, 則天又包易也.
역(易)으로 말하면 역이 건곤을 포함하고, 건곤으로 말하면 건곤이 여섯 자식을 포함하고,
하늘로 말하면 하늘이 다시 역을 포함한다.

易出於天而體天, 易者伏羲之易也. 易首乾坤, 而此章以前, 都是發明來乾坤中事也.
역(易)은 하늘에서 나와서 하늘을 몸으로 하는데, '역'은 복희의 역이다. 역은 건곤(乾坤)을
머리로 하니, 앞의 장들은 모두 건곤 가운데의 일을 발명한 것이다.

知崇禮卑天地, 謂成性存存者, 定其卦爻之體也, 易行道義, 以開卦爻之用也.
'지가 높고 예가 낮음'은 천지이니, '이루어진 성품을 보존하고 보존함'은 괘효의 몸체를 정함
이고, 역이 도의(道義)를 행함은 괘효의 작용을 여는 것임을 말한다.

윤행임(尹行恁) 『신호수필(薪湖隨筆)·계사전(繫辭傳)』

上而天, 下而地, 易之道, 不言而自行. 道義一也, 道屬於天, 義屬於地. 門者, 人之所
出入也, 具有其性者, 存其所存, 不離於道義, 如人之出入於門. 道義之門, 卽易之門
也, 易之門, 乾坤是也, 孔子曰, 人孰出不由戶, 蓋此之謂歟. 孟子所謂禮門者, 善用易
也, 老子所謂倚伏無門者, 吉凶之分也.
올라가면 하늘이고, 내려가면 땅이어서 역(易)의 도는 말하지 않아도 스스로 운행된다. 도
의(道義)도 동일하니, 도(道)는 하늘에 속하고, 의(義)는 땅에 속한다. '문(門)'은 사람이 출
입하는 곳이니, 성품을 갖추고 있는 자가 보존된 것을 보존하여 도의에서 떠나지 않음이
사람들이 문에서 출입하는 것과 같다. 도의(道義)의 문은 곧 역(易)의 문이고, 역의 문은
건곤이 이것이니, 공자가 "사람이 누가 문을 말미암지 않고서 나갈 수 있겠는가"[190]라고 한
것이 이를 말한 듯하다. 맹자의 이른바 '예(禮)는 문이다'[191]는 역을 잘 쓴 것이고, 노자의
이른바 '기대있는 것과 숨어 있는 것이 문이 없다'는 것은 길과 흉의 나뉨이다.

윤종섭(尹鍾燮) 『경(經)-역(易)』

七章易行乎其中, 立人之道曰仁與義也, 道與義, 皆從此出曰門. 成性, 承上成之者性,
而存存, 存其心[192]而養其性也.

---

190) 『論語』: 子曰 誰能出不由戶, 何莫由斯道也.
191) 『孟子』: 夫義路也, 禮門也, 惟君子, 能由是路, 出入是門也.
192) 心: 경학자료집성DB에는 '必'로 되어 있으나, 경학자료집성 영인본을 참조하여 '心'으로 바로잡았다.

7장의 "역(易)이 그 가운데 행한다"는, "사람의 도를 세우는 것을 인(仁)과 의(義)라 한다"[193]고 하고, 도의(道義)가 모두 여기에서 나오므로 '문'이라고 하였다. '이루어진 성품'은 위의 "이룬 것이 성이다"를 계승하였고, '보존하고 보존함'은 그 마음을 보존하여 그 성품을 기름이다.

심대윤(沈大允) 『주역상의점법(周易象義占法)』

成性存存, 卽盡性至命也, 道義之所自出也, 故曰門. 成性者, 盡其材而成其器, 得其至善也, 存存者, 各隨其材而異其器, 順其稟賦也. 賢愚不同才, 貴賤不同位, 古今不同時.

"이루어진 성품을 보존하고 보존함"은 성품을 극진히 하고 천명에 이르는 것인데, 도의가 자래하여 나오는 것이므로 '문(門)'이라고 하였다. '이루어진 성품'은 재질을 극진히 하여 그릇을 이룸이니, 지선(至善)을 이룬 것이고, '보존하고 보존함'은 각각 그 재질을 따라서 그릇을 달리함이니, 그 품부 받은 것을 따른 것이다. 어짊과 어리석음은 재질이 같지 않고, 귀함과 천함은 자리가 같지 않고, 옛날과 지금은 시절이 같지 않다.

오치기(吳致箕) 「주역경전증해(周易經傳增解)」

子曰二字, 後人所加也. 窮理則知崇如天, 而德至于崇, 循理則禮卑如地, 而業至于廣. 蓋知識貴乎高明, 踐履貴乎著實也. 天淸地濁, 知陽禮陰. 故言天地設位, 而知陽禮陰之道, 卽行乎其中矣. 知禮在人爲本成之性, 而所發則道義也. 存存, 謂存而又存, 存之不已也, 門者, 言道義從此出也.

'자왈(子曰)' 두 글자는 후인이 더한 것이다. 이치를 궁구하면 지식이 하늘처럼 높아져서 덕(德)이 높아지게 되며, 이치를 따르면 예절이 땅처럼 낮아져서 업(業)이 넓어지게 된다. 지식은 고명함을 귀하게 여기고, 실천은 착실함을 귀하게 여긴다. 하늘은 맑고 땅은 탁하며, 지식은 양이고 예절은 음이다. 그러므로 '천지가 자리를 베풀면 지식인 양(陽)과 예절인 음(陰)의 도가 그 가운데서 유행한다'고 말했다. 지식과 예절은 사람에게 있어서 본래 이루어진 성품이 되는데, 펼쳐진 것이 도의(道義)이다. '보존하고 보존함'은 보존하고 다시 보존하여 보존하기를 그치지 않음을 말하고, '문(門)'은 도의가 이로부터 나옴을 말한다.

右, 第七章.

이상은 제7장이다.

---

193) 『周易 · 說卦傳』

▌中國大全▌

雙湖故氏曰, 此章贊易道之至. 聖人所以崇廣其德業而參天地也切意. 聖人之稱非泛, 蓋指作易聖人也. 崇德, 乾之事, 廣業, 坤之事. 知崇, 效天而乾畫成矣, 禮卑, 法地而坤畫成矣. 天地設位而易行乎其中, 卽天尊地卑乾坤定矣之義. 成性存存道義之門, 聖人畫易, 亦无非所以敎民卜筮決嫌疑定猶豫, 俾得以存存其已成之性, 而由乎道義之門耳. 夫子之意, 或者在此乎.

쌍호호씨가 말하였다: 이 장은 역도의 지극함을 찬미하였다. 성인이 덕업(德業)을 높이고 넓혀 천지에 참여하는 절실한 뜻이다. 성인이라는 호칭은 범범한 것이 아니고 『역』을 지은 성인을 가리킨다. 덕을 높임은 건(乾)의 일이고 업을 넓힘은 곤(坤)의 일이다. 지가 높음은 하늘을 본받아 건괘의 획을 이룸이고, 예가 낮음은 땅을 본받아 곤의 획을 이룸이다. "천지가 자리를 베풀어 역이 그 가운데 행한다"는 "하늘은 높고 땅은 낮으니 건곤이 정해졌다"는 뜻이다. "이루어진 성품을 보존하고 보존함이 도의 문이다"는 성인이 역을 지은 것 또한 백성에게 복서를 가르쳐 의심하여 남겨둔 것을 결정하게 하여, 이루어진 성품을 보존하고 보존하여 도의의 문을 말미암게 할 수 있도록 하려 함이 아닌 것이 없다. 공자의 뜻이 아마도 여기에 있을 것이다.

○ 雲峯胡氏曰, 上文言至德, 此章因而讚之曰易其至矣乎. 蓋可久可大賢人之德業, 未足爲至, 至矣哉富有日新. 造化之德業也至矣乎. 知崇禮卑聖人之德業也. 崇德在於知崇, 廣業在於禮卑. 窮理而其崇如天, 乃爲崇之至, 循理而其卑如地, 乃爲卑之至. 天地之位設而變化行, 猶知禮之性存而道義出. 知禮之中自有天地, 道義之外他无所謂易也.

운봉호씨가 말하였다: 윗 글에서 지극한 덕을 말하고 이 장에서는 이어서 찬미하길 "역이 지극하다"고 하였다. 오래할 수 있고 크게 할 수 있는 현인의 덕과 업도 지극함이 못되는데, 지극하도다, '풍부히 소유함'과 '날로 새로워짐'이여! 조화의 덕과 업도 지극하구나. 지는 높고 예는 낮음은 성인의 덕과 업이다. 덕을 높임은 지가 높음에 있고 업을 넓힘은 예가 낮음에 있다. 이치를 연구하여 하늘처럼 높아야 높음의 지극함이고, 이치를 따라서 땅처럼 낮아야 낮음의 지극함이다. 천지가 자리를 베풀면 변화가 진행됨은 지례(知禮)의 성품이 보존되어 도의가 나옴과 같다. 지례(知禮)의 안에 저절로 천지가 있으니, 도의 밖에 달리 역이라 이를 것이 없다.

▮韓國大全▮

오희상(吳熙常) 「잡저(雜著)-역(易)」

第七章, 承上章易簡之善配至德, 言聖人體易之極功也.

제 7장은 앞장의 "이간(易簡)의 선(善)은 지덕(至德)에 배합한다"를 이어서 역(易)을 체득한 성인의 지극한 공효를 말하였다.

오치기(吳致箕) 「주역경전증해(周易經傳增解)」

右第七章. 此章言聖人以易而崇德廣業, 卽易之所以爲至也. 蓋聖人於易, 以其理而窮之, 則識見超邁, 日進于高明. 故其知也崇. 循是理而行之, 則踐履敦篤, 日就于平實. 故其禮也卑. 崇效乎天, 則崇之至矣, 卑法乎地, 則廣之至矣. 所以然者, 非聖人之勉强乎效法也, 乃天地設位, 而知陽禮陰之道, 已行乎其中矣. 其在人也, 卽其本來天成之性, 非有所造作而然也. 聖人特於成性, 能存而又存之, 是以道義得于心而爲德, 見于事而爲業. 日新月盛, 不期崇而自崇, 不期廣而自廣, 此易道之所以爲至也.

이상은 제 7장이다. 이 장은 성인이 역으로 덕을 높이고 업을 넓힘을 말했으니, 바로 역이 지극하게 된 까닭이다. 대체로 성인은 역에 있어서 이치대로 궁구하니, 식견이 고매하여 날로 고명함에 나아간다. 그러므로 그 지식도 높아진다. 이치를 따라서 행동하니, 실천이 독실하여 날로 착실함으로 나아간다. 그러므로 그 예절도 낮아진다. 높음은 하늘을 본받으니 높음이 지극해지고, 낮음은 땅을 본받으니 넓음이 지극해진다. 그러한 까닭은 성인이 본받음에 억지로 힘써서가 아니라, 바로 천지가 자리를 베풀면 지식인 양(陽)과 예절인 음(陰)의 도가 이미 그 가운데 행해지기 때문이다. 사람에게 있는 것은 본래의 하늘이 이룬 성품이니, 조작하는 바가 있어서 그러한 것이 아니다. 성인은 특별히 이루어진 성품에 보존하고 또 보존할 수 있으니, 이 때문에 도의가 마음에 얻어져서 덕(德)이 되고, 일에 드러나서 업(業)이 된다. 날로 새롭고 달로 성대하여 높음을 기약하지 않아도 스스로 높아지고, 넓음을 기약하지 않아도 스스로 넓어지니, 이것이 역도(易道)가 지극하게 되는 까닭이다.

제8장第八章

聖人, 有以見天下之賾, 而擬諸其形容, 象其物宜, 是故謂之象.

성인(聖人)이 천하의 잡란함을 보고서 그 형용을 견주고 그 물건의 마땅함을 형상하였다. 이러므로 상(象)이라 일렀다.

‖ 中國大全 ‖

小註

程子曰, 聖人有以見天下之賾, 止擬議以成其變化.

정자가 말하였다: “성인이 천하의 잡란함을 보고서” 단락은 “의논한 뒤에 변화를 이룬다”까지이다.

○ 賾, 深遠也. 聖人見天下深遠之事, 而比擬其形容, 體象其事類, 故謂之象. 天下之動, 无窮也, 故觀其會通, 會通, 綱要也. 乃以行其典禮, 典禮, 法度也, 物之則也. 繫之辭以斷其吉凶者, 爻也. 言天下之深遠難知也, 而理之所有不可厭也. 言天下之動无窮也, 而物有其方不可紊也. 擬度而設其辭, 商議以察其動, 擬議以成其變化也. 變化, 爻之時義, 擬議, 議而言之也. 擧鳴鶴在陰以下七爻, 擬議而言者也, 餘爻皆然也.

‘색(賾)’은 심원함이다. 성인이 천하의 심원한 일을 보고 그 형용을 비교하여 견주고 그 일의 종류의 몸체를 만들어 상징하였기 때문에 ‘상’이라 이른다. 천하의 움직임은 끝이 없기 때문에 그 회통함을 보았으니 ‘회통(會通)’이란 요강(綱要)이다. 이것으로 그 전례를 만들었으니 ‘전례(典禮)’란 법도이자 사물의 법칙이다. 말을 달아서 길흉을 판단한 것이 효이다. 천하의 알기 어려운 심원함을 말하지만 이치가 있어 싫지 않고, 끝이 없는 천하의 움직임을 말하지만 사물에 방향이 있어 어지럽지 않다. 견주고 추측한 뒤에 그 말을 베풀었고 헤아리고 의논한 뒤에 그 움직임을 살폈으니 견주고 의논한 뒤에 그 변화를 이룬다. 변화는 효의 시의(時

義)이고 견주어 의논함은 의논해보고 말함이다. "우는 학이 그늘에 있음" 이하의 일곱 효는 견주어 의논한 것이니 나머지 효도 그렇다.

賾, 雜亂也. 象, 卦之象, 如說卦所列者.

색(賾)는 잡란(雜亂)함이다. 상(象)은 괘의 상이니, 「설괘전(說卦傳)」에 나열한 것과 같은 것이다.

朱子曰, 聖人有以見天下之賾, 止是故謂之爻, 象言卦也, 下截言爻也. 賾, 說文曰, 賾, 雜亂也. 古无此字, 只是嘖字. 今從臣, 亦是口之義, 與左傳嘖有煩言之嘖同. 是口裏說話多雜亂底意思, 所以下文說不可惡. 先儒多以賾字爲至妙之意, 若如此說, 何以謂之不可惡. 賾只是一個雜亂宂鬧底意思言之, 而不可惡者, 精粗本末无不盡也. 又曰, 三百八十四爻, 是多少雜亂. 又曰, 言天下之至賾而不可惡者, 言雖是雜亂, 聖人卻於雜亂中, 見其不雜亂之理. 便與下句言天下之至動而不可亂之義, 一般.

주자가 말하였다: "성인이 천하의 잡란함을 보고"부터 "이런 까닭에 효라 이른다"까지에서 '상(象)'은 괘를 말하고 아랫부분은 효(爻)를 말한다. '색(賾)'은 『설문』에 "색(賾)'은 잡란이다"라 하였다. 옛날엔 이 글자가 없었고 단지 '책(嘖)'자였다. 지금은 '신(臣)'를 따랐으니,[194] 이것도 입[口]의 의미이다. 『좌전』에 "분쟁하여 시끄러운 소리"의 '책(嘖)'과 같다. 이는 입에서 나오는 말이 잡다하고 어지럽다는 뜻이니, 그래서 이어지는 글에서 '싫어할 수 없음'을 말했다. 선배 학자들이 대부분 색(賾)자가 지극히 묘한 뜻이라고 여겼지만, 만약 이와 같이 말한다면 왜 '싫어할 수 없음'을 말했겠는가? '색(賾)'은 다만 잡란하고 시끄러운 뜻으로 말한 것이고, "싫어할 수 없음"은 정조(精粗)와 본말(本末)을 다하지 않음이 없기 때문이다.

또 말하였다: 384효는 꽤 잡란하다.

또 말하였다: "천하의 지극히 잡란함을 말하되 싫어할 수 없음"은 비록 잡란하지만 성인이 잡란한 가운데 잡란하지 않은 이치를 보았음을 말한다. 아래 구절의 "천하의 지극히 움직임을 말하되 어지럽힐 수 없다"는 뜻과 같다.

---

194) 색(賾)의 원편.

○ 聖人有以見天下之賾, 正是說畫卦之初, 聖人見陰陽變化. 便畫出一畫一畫, 便有一個象. 只管生去自不同, 六十四卦, 各自一樣. 問, 擬諸形容者, 比度陰陽之形容, 蓋聖人見陰陽變化雜亂, 於是比度其形容而象其物宜, 是故謂之象. 曰, 也是如此. 嘗得郭子和書云, 其先人云, 不獨是天地風雷水火山澤謂之象. 只是畫卦便是象也, 說得好.

"성인이 천하의 지극히 잡란함을 보고"는 바로 괘를 그은 처음에 성인이 음양의 변화를 봄을 말한 것이다. 한 획 한 획을 그을 때마다 곧 하나의 상이 있다. 나오면 각자 다르니 64괘도 그렇다.

물었다: 형용을 견주었다는 것은 음양의 형용을 비교해서 헤아린 것이니, 성인이 음양변화의 잡란함을 보고 이에 그 형용을 견주어 헤아리고 사물의 마땅함을 상징하였기 때문에 상이라 한 것입니까?

답하였다: 그렇습니다. 일찍이 곽자화의 글에서 "선인이 이르길 천지·풍뢰·수화·산택을 상이라 할뿐만이 아니라 이 괘를 그으면 곧 이것이 상이다"라 한 말이 좋습니다.

○ 擬諸其形容, 未便是說那水火雷風之形容. 方擬這卦看是甚形容始去, 象那物之宜而名之. 一陽在二陰之下, 則象以雷, 一陰在二陽之下, 則象以風. 擬是比度之意.

그 형용을 견주어본다는 것은 수화뢰풍의 형용을 말한 것이 아니다. 이런 괘를 견주어 이것이 어떤 형용인가를 보고 사물의 마땅함을 상징하여 이름 지었다. 하나의 양이 두 음의 아래에 있으면 우레로 상징하고, 하나의 음이 두 양의 아래에 있으면 바람으로 상징한다. '의(擬)'는 비교해서 헤아리는 뜻이다.

○ 龜山楊氏曰, 形容者乾爲圜, 坤爲大輿之類是也. 物宜者, 乾稱龍, 坤稱牝馬之類是也. 非聖人有以見天下之賾, 其孰能擬象之乎.

구산양씨가 말하였다: '형용'이란 건은 원이 되고 곤은 큰 수레가 된다는 종류가 이것이고, '물건의 마땅함'이란 건을 용이라 부르고 곤을 암말이라 부르는 종류가 이것이다. 성인이 천하의 잡란함을 보지 않았다면 누가 비겨서 상징할 수 있을까?

○ 雲峯胡氏曰, 賾字諸家多以爲隱奧之義, 本義獨依說文曰, 賾雜亂也. 蓋傳有曰, 探賾索隱, 則賾自賾, 隱自隱, 蓋於陰陽雜亂之中, 而求其隱奧之理耳. 聖人見天地之間, 陰陽相雜, 於是擬之而爲六十四卦, 其象亦如此之雜也. 擬者, 象之未成, 象者, 擬之已定. 姑以乾坤二卦言之, 未畫則擬陰陽之形容, 而象乾坤之宜, 於是爲奇偶之畫, 畫則象也已畫. 又擬乾坤之形容而取象, 天地首腹牛馬, 以至於爲金爲玉爲釜爲布之類, 皆象也.

운봉호씨가 말하였다: '색(賾)'자는 모든 학자들이 심오함의 뜻으로 여겼는데, 『본의』에서만 유독 『설문』에 의거해 "'색(賾)'은 잡란이다"라 하였다. 『대전』에 말한 "잡다한 것을 뽑아내며 은미한 것을 찾아낸다[探賾索隱]"에서 '잡다한 것[賾]'은 잡다한 것이고 '은미한 것[隱]'는 은미한 것이니, 음양의 잡다한 가운데 그 심오한 이치를 구할 따름이다. 성인이 천지의 사이에 음양이 서로 섞여있는 것을 보고 이에 견주어 64괘를 만들었으니, 그 상 또한 이처럼 섞여있다. '의(擬)'는 상이 아직 이루어지지 않음이고 '상(象)'은 '의(擬)'가 이미 정해짐이다. 건괘와 곤괘를 가지고 말하자면 획을 긋기 전에는 음양의 형용을 견주어 건곤의 마땅함을 상징하니 이에 기우의 획이 된다. 그으면 상도 이미 그어진 것이다. 또 건곤의 형용을 견주어 상을 취하니 하늘과 땅, 머리와 배, 소와 말 등으로부터 금이 되고 옥이 되고 솥이 되고 베가 되는 종류가 다 상이다.

韓國大全

박치화(朴致和) 「설계수록(雪溪隨錄)」

見天下之賾者, 見陰陽錯綜之象也, 擬諸其形容者, 擬陰陽之形容而畫卦爻也, 象其物宜者, 以畫卦象萬物之宜也. 如見純陽純陰之象, 而畫純陰純陽之卦, 以純陽之卦象天而爲乾, 以純陰之卦象地而爲坤之類也. 若以卦畫之形容, 擬度去象那物, 則與見天地之賾, 文理不相連接也.

"천하의 잡란함을 본다"는 음양이 뒤섞인 상(象)을 보는 것이고, "그 형용을 견준다"는 음양의 형용을 헤아려서 괘효를 긋는 것이고, "그 물건의 마땅함을 형상하였다"는 괘를 그려서 만물의 마땅함을 형상하는 것이다. 순양과 순음의 상을 보고서 순음과 순양의 괘를 그림에 순양의 괘로써 하늘을 형상하여 건괘(乾卦)를 삼고, 순음의 괘로써 땅을 형상하여 곤괘(坤卦)를 삼는 것과 같은 것이다. 만약 괘획의 형용으로 헤아려서 물건을 형상한다면, '천하의 잡란함을 본다'는 것과 글의 이치가 서로 이어지지 않는다.

○ 易只是陰陽而已, 畫陰陽錯綜看卦, 而始象萬物.
역은 단지 음양일 뿐이니, 획에 음양이 뒤섞인 것으로 괘를 보아야 비로소 만물을 형상한다.

유정원(柳正源) 『역해참고(易解參攷)』

聖人, [至] 之象.

성인이 … 상이라 일렀다.

〈案, 此章首二節, 復見第十二章. 擧正以在此爲誤.

내가 살펴보았다: 이 장 처음의 두 구절은 제 12장에 다시 나온다. 거정은 여기에 있는 것을 오류로 보았다〉

節初齊氏曰, 朱子云, 探賾索隱, 謂如聽人說話. 須聽他雜亂說出來底, 方可索他幽隱底, 最於程子說有發明. 蓋聖人於諸卦諸爻, 各擬度其物, 以形容之, 而象其所宜, 蓋所謂唯其時物也.

절초제씨가 말하였다: 주자가 "잡란한 것을 탐구하고 은미한 것을 찾아냄은 사람들의 말을 듣는 것과 같음을 말한다. 반드시 그가 잡다하게 말한 것을 들을 수 있어야만, 그의 은미한 속내를 탐색할 수 있다"고 한 것은 가장 정자의 설명을 발명함이 있다. 대체로 성인은 여러 괘와 여러 효에서 각각 그 물건을 헤아려서 형용하고 그 마땅한 바를 형상하였으니, 이른바 '오직 그 때와 사물이다'[195]라는 것이다.

○ 案, 形容者, 遠取近取之謂也, 物者, 馬牛鷄豕之類, 宜者, 健順動入之類.

내가 살펴보았다: '형용(形容)'은 멀리서 취하고 가까이서 취한 것을 말하고, '물건[物]'은 말·소·닭·돼지 따위이고, '마땅함[宜]'은 강건함과 유순함이 움직이고 들어오는 따위이다.

김상악(金相岳) 『산천역설(山天易說)』

賾雜亂也. 擬者象之未成, 象者擬之已定, 以乾坤二卦言之, 未畫則擬陰陽之形容, 而爲奇偶之象, 已畫則擬乾坤之形容, 而爲天地之象.

'색(賾)'은 잡란함이다. '견줌'은 상(象)이 아직 이루어지지 않은 것이고, '형상함'은 견줌이 이미 정해진 것이니, 건곤 두 괘로 말하면 획이 그어지지 않았을 때는 음양의 형용을 견주어서 홀[奇]과 짝[偶]의 상을 만드는 것이고, 획이 그어졌을 때는 건곤의 형용을 견주어서 천지의 상을 만드는 것이다.

심취제(沈就濟) 『독역의의(讀易疑義)』

第八章. 自此章以下七爻, 皆上章道義之用也.

---

195) 『周易·繫辭傳』: 六爻相雜, 唯其時物也.

제 8장이다. 이 장부터 아래의 일곱 효는 모두 앞 장의 도의(道義)의 작용이다.

聖人云者, 義文也. 賾字釋之以雜亂, 而以賾字置雜亂二字之間, 則會其雜通其亂之義也.
성인이라 한 것은 복희의 글이다. '색(賾)'자를 잡란으로 해석하였는데, '색(賾)'자를 잡란(雜亂)의 두 글자의 사이에 둔다면, 그 '섞인 것[雜]'을 모으고 그 '어지러운 것[亂]'을 통한다는 뜻이다.

見天下之賾, 而擬諸其形容者, 擬其賾亂之形容, 物者, 卦爻也. 模象於彼此之中, 則象在中也, 此象字, 言其爻下之象也.
"천하의 잡란함을 보고서 그 형용을 견준다"는 그 잡란한 것의 형용을 견준고, '물건[物]'은 괘효이다. 피차의 가운데서 본떠서 형상하였으니 상이 가운데에 있는데, 여기의 '상(象)'자는 효의 아래에 있는 상을 말한다.

윤행임(尹行恁)『신호수필(薪湖隨筆)・계사전(繫辭傳)』

擬諸形容者, 山雷爲頤, 火風爲鼎之類也. 說卦之取象, 余未之信焉.
"그 형용을 견준다"는 산과 우레가 이괘(頤卦☶☳)가 되고 불과 바람이 정괘(鼎卦☴☲)가 되는 부류이다. 설괘에서 상을 취했다는 것은 나는 믿지 못하겠다.

오치기(吳致箕)「주역경전증해(周易經傳增解)」

賾者雜也. 擬謂比也, 象謂像也. 擬其形容, 如乾爲圜坤爲大輿之類. 象其物宜, 如乾健而不測故稱龍, 坤順而從乾故稱牝馬之類也.
'색(賾)'은 잡란함이다. '의(擬)'는 견줌을 말하고, '상(象)'은 형상함을 말한다. '그 형용을 견줌'은 건괘(乾卦)가 원형이 되고, 곤괘(坤卦)가 큰 수레가 되는 따위이다. '그 물건의 마땅함을 형상함'은 건(乾)이 강건하여 헤아릴 수 없으므로 용(龍)이라 하고, 곤(坤)이 유순하게 건을 따르므로 암말[牝馬]이라고 하는 따위이다.

聖人, 有以見天下之動, 而觀其會通, 以行其典禮, 繫辭焉,
以斷其吉凶. 是故謂之爻.

성인(聖人)이 천하(天下)의 동함을 보고 그 회통(會通)함을 관찰(觀察)하여 떳떳한 예(禮)를 행하며,
말을 달아 길(吉)·흉(凶)을 결단하였다. 이 때문에 효(爻)라 일렀다.

中國大全

本義

會, 謂理之所聚而不可遺處, 通, 謂理之可行而无所礙處, 如庖丁解牛, 會則其
族而通則其虛也.

'회(會)'는 이치가 모여 있어 빠뜨릴 수 없는 부분을 이르고, '통(通)'은 이치가 행할 수 있어 막힘이
없는 부분을 이르니, 포정(庖丁)이 소를 해체(解體)할 때에 '회(會)'는 힘줄과 뼈가 모인 곳이요,
'통(通)'은 그 빈 곳인 것과 같다.

小註

朱子曰, 觀會通, 是就事上看理之所聚與其所當行處. 又曰, 通, 便是空處, 行得去便是
通. 會, 便是四邊合湊來處. 又曰, 會以物之所聚而言, 通以事之所宜而言. 會是衆理
聚處, 雖覺得有許多難易窒礙, 必於其中卻得個通底道理, 乃可行爾. 謂如庖丁解牛,
於族處, 批大郤導大窾, 此是於其筋骨叢聚之所, 得其可通之理, 故十九年而刃發於
硎. 且如事理間, 若不於會處理會, 卻只見得一偏, 便如何行得通. 須是於會處都理會,
其間卻自有個通處, 便如脉理相似, 到得多處, 自然貫通得, 所以可行其典禮. 蓋會而
不通, 便窒塞而不可行, 通而不會, 便不知許多曲直錯雜處.

주자가 말하였다: "회통함을 본다"는 사물에서 이치가 모인 것과 마땅히 행해야 할 것을 보
는 것이다.

또 말하였다: '통(通)'은 빈 곳이니 행하면 곧 '통(通)'이다. '회(會)'는 사방에서 모여드는 곳

이다.

또 말하였다: '회(會)'는 물건이 모여 있는 곳을 말하고 '통(通)'은 일의 마땅한 바를 말한다. '회(會)'는 많은 이치가 모여 있는 곳이니, 비록 수많은 쉽고 어려운 막힘이 있다고 하더라도 그 가운데는 반드시 통할 수 있는 도리를 얻어야 행할 수 있다. 포정이 소를 분해할 때 모여 있는 곳의 큰 틈새에 칼을 넣고 커다란 구멍으로 인도함과 같음을 말하니, 이는 힘줄과 뼈가 모두 모이는 곳에서 통할 수 있는 이치를 얻음이다. 그러므로 19년이 지나도 칼이 방금 숫돌에 간 것 같다. 또 일의 조리 가운데 모여 있는 곳에서 이해하지 못하면 한 쪽 만을 알 뿐이니 그러면 어떻게 통할 수 있겠는가? 반드시 모여 있는 곳에서 이해하여야 그 사이에 자연히 통하는 곳이 있는 것이 마치 맥의 이치와 비슷하니, 많은 곳에 다다르면 자연히 꿰뚫어서 그 전례를 행할 수 있다. 모여 있는데 통하지 못하면 막혀서 행할 수 없고, 통하는데 모여 있지 않으면 수많은 시비가 뒤섞여있는 곳을 알 수 없다.

又曰, 會是觀衆理之會, 通是擇其通者而行. 且如有一事, 關著許多道理, 也有父子之倫, 也有君臣之倫, 也有夫婦之倫. 若父子之思重, 則便得身體髮膚, 受之父母, 不敢毀傷之義, 而委致其身之說不可行. 若君臣之義重, 則當委致其身, 而不敢毀傷之說不暇顧. 此之謂觀會通. 又曰, 一卦之中自有會通, 六爻又自各有會通. 且如屯卦初九, 在卦之下, 未可以進爲, 此屯之義, 乾坤始交而遇險陷, 亦屯之義, 似草穿地而未伸, 亦屯之義, 凡此數義, 皆屯之會聚處. 若磐桓利居貞, 便是亦個合行處, 卻是他通處也. 典禮, 猶常禮常法. 又曰, 禮便是節文也, 升降揖遜, 是禮之節文. 這禮字, 又說得闊凡事物之常理, 皆是. 問, 觀會通以行典禮. 曰, 如堯舜揖遜湯武征伐, 皆是典禮處, 典禮, 只是常事.

또 말하였다: '회(會)'는 많은 이치를 모으는 것이고 '통(通)'은 통할 것을 선택하여 행하는 것이다. 예컨대 하나의 일에는 많은 도리가 관련되어 나타나니 부자의 윤리도 있고, 군신의 윤리도 있고, 부부의 윤리도 있다. 만약 부자의 생각을 중요시하면 신체와 터럭 등은 부모에게 받은 것으로 훼상하지 않아야 한다는 뜻은 얻지만, 그 몸을 바쳐서 버린다는 말을 행할 수 없다. 만약 군신의 의를 중요시하면 마땅히 그 몸을 바치고는 감히 상하지 않게 한다는 말은 돌볼 겨를이 없게 된다. 이를 일러 '회통(會通)함을 관찰한다'고 한다.

또 말하였다: 한 괘에서도 회통이 있고 여섯 효에도 각자 회통이 있다. 준괘(屯卦䷂)의 초구의 경우는 괘의 아래에 있어서 나아가 할 수가 없으니 이것이 준의 뜻이고, 건곤이 처음 사귀어 험함을 만남도 준의 뜻이고, 풀이 땅을 뚫고 나오지 못함도 준의 뜻이다. 이 몇 가지 뜻은 다 준괘에서 모이는 곳이다. 만약 "머뭇거리니 바름에 거처함이 이롭다"[196]는 이것 역시 행에 합하는 곳이며 이것이 통하는 곳이다. '전례(典禮)'는 상례나 상법과 같다.

---

196) 『周易·屯卦』: 初九 磐桓利居貞.

또 말하였다: 예(禮)는 절문이니, 오르고 내리며 읍하고 사양함이 예의 절문이다. 이 '예'자
는 넓게 말하면 사물의 일정한 이치가 다 예이다.
물었다: "모이고 통함을 관찰하여 떳떳한 예를 행한다"는 무슨 뜻입니까?
답하였다: 요순이 읍하고 사양함과 탕무가 정벌함과 같은 것이 다 전례의 경우이니 '전례(典
禮)'는 다만 일정한 일입니다.

○ 辭, 謂卦爻之辭.
말은 괘효의 말이다.

○ 龜山楊氏曰, 爻者陰陽之交也.
구산양씨가 말하였다: 효는 음양의 사귐이다.

○ 柴氏中行曰, 聖人默識天下之動, 觀其事理之會合通行處, 欲常行法度, 不廢於天
下, 則繫辭以明其爻而斷之曰, 如此則爲吉, 如此則爲凶, 人知避凶趨吉, 則常法不廢
之矣. 此易所以有爻也.
시중행이 말하였다: 성인이 천하의 움직임을 묵묵히 알고 사리가 회합하여 통행하는 곳
을 보아 법도가 늘 행해져서 천하에 없어지지 않게 하고자 하였기에, 말을 달아 그 효를
밝혀 결단하여 말하길, "이렇게 하면 길하고 이렇게 하면 흉하다"고 하였으니 사람들이
흉을 피하고 길로 나갈 줄 안다면 떳떳한 법이 없어지지 않는다. 이것이 역에 효가 있는
까닭이다.

○ 雲峯胡氏曰, 天下之動, 非特陰陽之運動. 凡人之動而行事, 與夫一念之動, 皆是
也. 觀會通以行典禮, 不會則於理有遺缺, 如之何可通. 不通則於理有窒礙如之何可
行. 通是時中, 典常是庸. 如此而行則吉, 背此而行則凶, 繫辭以明之, 故謂之爻.
운봉호씨가 말하였다: 천하의 움직임은 음양의 운동만이 아니다. 사람의 움직여 일을 행할
때와 한 생각의 움직이는 것도 다 이것이다. 회통함을 관찰하여서 전례를 행하니, 모으지
않으면 이치에 빠트림이 있으니 어떻게 통할 수 있겠는가? 통하지 못하면 이치에 막힘이
있으니 어떻게 행할 수 있겠는가? '통(通)'은 시중(時中)이고 전상은 떳떳함이다. 이렇게 하
면 길하고 이렇게 하면 흉함을 말로 달아 밝혔기 때문에 효라 한다.

‖韓國大全‖

권근(權近)『주역천견록(周易淺見錄)』

聖人, 有以見 [止] 謂之爻.

성인이 천하의 잡란함을 보고서 …… 효(爻)라 일렀다.

此一節, 言聖人設卦觀象繫辭之事也. 形容, 指在卦上者言, 如震有陽動於下之形容, 坎有陽陷於中之形容之類, 是也. 物宜, 指在物上者言, 如震陽動於下, 而於物象之, 則宜以爲雷, 如坎陽陷於中, 而於物象之, 則宜以爲水之類, 是也. 先觀卦上之形容, 而擬議之, 以象其物之相宜者, 而後名之, 故謂之象. 會如六陽會聚而爲統乾之類, 通如六爻變動而有潛見飛躍之類, 典禮如潛則勿用見則利見之類. 時有變易, 而典禮无乎不在. 聖人隨時而以行, 故六位時成聚. 人不知而妄行, 則或有合而得吉, 或有違而致凶. 故聖人繫辭以示之, 使人有所效法而超吉避凶. 故謂之爻也.

이 구절은 성인이 괘를 베풀어 상을 보고 말을 단 일을 말하였다. ‘형용(形容)’은 괘에 있는 것을 가리켜 말하였으니, 진괘(震卦)에 양이 아래에서 움직이는 모습이 있고, 감괘(坎卦)에 양이 가운데 빠진 모습이 있음과 같은 부류이다. ‘물건의 마땅함’은 사물에 있는 것을 가리켜 말하였으니, 진괘의 양이 아래에서 움직여서 물건으로 상징하면 마땅히 우레로 간주되고, 감괘의 양이 가운데 빠져 있어서 물건으로 상징하면 마땅히 물[水]로 간주됨과 같은 부류이다. 먼저 괘에 있는 모습을 살펴서 견주고 의론하여 그 물건과 서로 마땅한 것으로 상징하고, 뒤에 이름을 붙였으므로 ‘상(象)’이라고 하였다. ‘회(會)’는 여섯 양이 모여서 순수한 건괘(乾卦)가 됨과 같은 종류이고, ‘통(通)’은 여섯 효가 변동하여 잠기고 드러나며 날고 도약함과 같은 종류이다. ‘떳떳한 예[典禮]’는 ‘잠기면 쓰지 말라’나 ‘드러나면 봄이 이롭다’와 같은 종류이다. 상황은 변하여 바뀜이 있지만, 전례는 있지 않은 곳이 없다. 성인은 때에 맞추어 행동하므로 육위(六位)가 때에 따라 이루어진다. 중인은 그것을 알지 못하여 망령되이 행동하니, 합치하여 길하게 되는 경우도 있고, 어긋나 흉하게 될 경우도 있다. 그러므로 성인이 말을 달아 보여주어 사람들에게 본받아 길(吉)로 나아가고 흉(凶)을 피하게 하였다. 그러므로 효(爻)라고 한다.

조호익(曺好益)『역상설(易象說)』

聖人, 有以見天下之動, 而觀其會通, 以行其典禮.

성인이 천하의 동함을 보고 그 회통함을 관찰하여 떳떳한 예(禮)를 행하며.

註, 批大郤導大窾, 批擊也, 大郤骨肉交際之處也, 導順而解之也, 窾空也. 骨節之間, 自有大空缺處.
주석에서 (주자가) '비대각도대관(批大郤導大窾)'이라 하였는데, '비(批)'는 치는 것이고, '대각(大郤)'은 뼈와 살이 서로 만나는 부분이고, '도(導)'는 결에 따라서 헤치는 것이고, '관(窾)'은 텅 빈 것이다. 뼈마디 사이에는 자연 큰 빈틈이 생긴 곳이 있다.

박치화(朴致和) 「설계수록(雪溪隨錄)」

會通, 以理言之, 則猶一源萬殊也, 以卦言之, 則卦會處也, 六爻通處也, 以父子言之, 則父子之倫是會處, 而父子之事是通處. 萬事萬理, 莫不如此, 而其所以行之者, 不過典禮也.
'회통(會通)'은 이치로써 말하면 하나의 근원이 만 가지로 달라짐과 같고, 괘로써 말하면 괘가 모이는 곳이며 여섯 효가 통하는 곳이며, 부자(父子)로써 말하면 부자의 인륜은 모이는 곳이고, 부자의 일은 통하는 곳이다. 온갖 사물이 이와 같지 않음이 없는데, 이것이 행해지는 까닭은 떳떳한 예(禮)에 불과하다.

○ 觀事理之會通, 以象六爻而斷其吉凶也, 此畫卦後, 觀爻之動, 以定事物之吉凶也.
사리가 회통함을 관찰하여 육효로 형상하고 길흉을 결단하였으니, 이것이 괘를 그린 뒤에 효의 움직임을 관찰하여 사물의 길흉을 결정한 것이다.

○ 天下事物之動, 典禮以行之, 爻辭以斷之.
천하의 사물의 움직임을 떳떳한 예로서 행하고 효사로써 결단하였다.

○ 聖人見天下之賾以畫卦, 見天下之動以觀爻, 故吉凶專在乎變爻也.
성인이 천하의 잡란함을 보고서 괘를 긋고, 천하의 움직임을 보고서 효를 관찰하였기 때문에 길흉은 오로지 변하는 효에 있다.

이익(李瀷) 『역경질서(易經疾書)』

賾諸聲也. 責從竹爲簀, 從絲爲績, 從石爲磧, 皆繁密之義. 朱子解經, 亦多此例, 如釋綸云, 選擇條理之意. 選擇從掄推, 條理從倫推, 可以爲法也. 賾對動言, 則體之靜也,動對賾言, 則用之費也. 天地之道理, 其體之靜也, 至爲繁密而難著者. 聖人以易比擬其形容, 象其物之襯切而不差, 是謂之象, 其對爻言象者, 下傳云, 易者象也, 象也者像也, 象者材也, 爻也者效天下之動者也. 然則未及象爻之辭, 易只是象也. 故上文云, 象者言乎象者也, 此以卦像天地萬物也, 伏羲爲之也. 然後文王有象辭, 象之爲材, 如室之有衆材, 而橡最居上包, 蓋一室者也. 橡從木象聲, 如緣之從絲象聲, 周包一衣者也. 其辭亦不過卦象之義, 此所謂象, 卽包象在中也.

'색(賾)'은 해성(諧聲)이다. '책(責)'이 '죽(竹)'을 부수로 하면 '책(簀)'이 되고, '사(絲)'를 부수로 하면 '적(績)'이 되고, '석(石)'을 부수로 하면 '적(磧)'이 되는데, 모두 긴밀하다는 뜻이다. 주자가 경전을 해석함에 또한 이러한 예가 많으니, '륜(綸)'을 해석함에 "조리를 선택한다는 뜻이다"라고 함과 같다. '선택'은 [가린다는] '륜(掄)'에서 추론한 것이고, '조리'는 [도리인] '윤(倫)'에서 추론한 것인데, 본보기를 삼을 만하다. '잡다함[賾]'은 '움직임[動]'을 상대하여 말했으니 몸체의 고요함이고, '움직임'은 '잡다함'을 상대하여 말했으니 작용의 널리 쓰임이다. 천지의 도리는 그 몸체가 고요하니, 지극히 긴밀하면서도 드러나기 어려운 것이다. 성인이 역(易)으로 그 형용을 견주고는 그 물건과 아주 적절하여 어긋나지 않는 것을 형상하였기에 이를 '상(象)'이라 하였는데, '효(爻)'에 상대하여 상을 말한 것이니, 「계사하전」에서는 "역(易)은 상(象)이니 상이란 모양이다. 단(彖)은 재질이고 효(爻)는 천하의 움직임을 본받는 것이다"라고 하였다. 그렇다면 아직 단사와 효사를 언급하지 않았을 때에는 역은 단지 상(象)일 뿐이다. 그러므로 위의 글에서 "단(彖)은 상(象)을 말함이다"라고 하였으니, 이는 괘(卦)로써 천지만물을 형상한 것으로 복희가 이를 해낸 것이다. 그런 뒤에 문왕의 단사(彖辭)가 있게 되는데, 단(彖)이 재질이 됨은 집에 많은 재료가 있음에 서까래가 가장 위에서 감쌈과 같으니, 하나의 집인 것이다. [서까래인] '연(橡)'이 '목(木)'을 부수로 하고 '단(彖)'이 소리인 것은 '연(緣)'이 '사(絲)'를 부수로 하고 단(彖)이 소리이면서 두루 감싸한 벌의 옷이 됨과 같다. 그 말도 괘상의 뜻에 불과하니, 여기의 이른바 '상(象)'은 단(彖)을 안으로 감싼 것이다.

至其用之動也, 周公有爻辭, 會者合其宜也, 通者開其路也. 聖人因其動而善觀, 則事事物物上, 必有合宜當行之路也. 何謂典禮, 書云天敍有典, 勑我五典, 五敦哉, 天秩有禮, 自我五祀, 五庸哉, 典與禮, 若是一事, 何必兩下說來. 天生斯民, 立之君師, 治而敎之, 治屬於典, 敎屬於禮, 典者政也, 禮者倫也, 典如六官, 禮如五倫. 天以是敍秩, 而聖人敦用也. 又如論語德禮以出治, 政刑以補治, 亦典禮竝行之一證也. 欲行其典禮, 須觀其會通, 如質文三正, 威儀三千是也. 然後修之則吉, 悖之則凶, 繫辭以斷之, 是之謂爻. 下七節, 乃繫辭斷吉凶之證案.

그 작용의 움직임에 이르면 주공의 효사가 있는데, '회(會)'는 그 마땅함에 합치함이고, '통

(通)'은 그 길을 여는 것이다. 성인이 그 움직임을 따라서 잘 관찰해보니, 모든 사물에게는 반드시 합당해서 마땅히 가야할 길이 있다. 무엇을 '전례(典禮)'라고 하는가? 『서경』에서 "하늘의 펼침에 법[典]이 있으니 우리의 다섯 법을 바로잡아 다섯 가지를 두텁게 하고, 하늘의 차례에 예(禮)가 있으니 우리 오례로부터 하여 다섯 가지를 떳떳하게 하도다"[197]라고 하니, 만약 법[典]과 예(禮)가 하나의 일이라면 어찌 반드시 둘로 말하였겠는가? 하늘이 이 백성을 내고는 군사를 세워서 다스리고 가르치는데, 다스림은 법[典]에 속하고 가르침은 예(禮)에 속하며, 법[典]은 정치이고 예(禮)는 윤리이니, 법[典]은 육관(六官)과 같고 예는 오륜(五倫)과 같다. 하늘은 이것으로 펼치며 차례하고 성인은 두텁게 쓰는 것이다. 또 『논어』에서 덕과 예로 다스림을 내고, 정치와 형벌로 다스림을 보충함이 또한 법[典]과 예(禮)를 함께 실행한 하나의 증거이다. 그 '전례'를 행하고자 하면 반드시 그것의 회통함을 관찰해야 하니, 문질(文質)에 따른 세 정월과 삼천 가지의 예의(禮儀) 같은 것이 이것이다. 그런 뒤에 닦으면 길하고 어기면 흉함을 말을 달아서 결단하니 이를 '효(爻)'라고 한다. 아래의 일곱 구절은 바로 말을 달아서 길흉을 결단하였음을 밝히는 것들이다.

유정원(柳正源) 『역해참고(易解參攷)』

聖人, [至] 典禮.
성인이 … 떳떳한 예를 행하며.

融堂錢氏曰, 人事百千萬變, 而莫不各有一定不易之則, 其所謂宜, 所謂典禮者歟.
융당전씨가 말하였다: 인사(人事)의 온갖 변화에는 각각 일정하여 바뀌지 않는 준칙이 있지 않음이 없으니, 이른바 '마땅함[宜]'이며, 이른바 '떳떳한 예[典禮]'일 것이다.

○ 强恕齋柴氏曰, 動非紛擾, 可見者也, 凡消息進退屈伸往來已然未然之謂也. 會通, 謂事與理合而通行處, 典禮, 猶典常法度也.
강서재시씨가 말하였다: '움직임'은 분란함이 아니고 볼 수 있는 것이니, 모든 사라짐과 자라남, 나아감과 물러남, 굽힘과 폄, 감과 옴의 이미 그러함과 아직 그렇지 않음을 말한다. '회통(會通)'은 일과 이치가 합하여 통행하는 곳이고, '떳떳한 예[典禮]'는 한결같은 법도와 같다.

本義庖丁解牛.〈見莊子養生篇.〉
『본의』의 포정이 소를 해체함.〈『장자』의「양생편」에 나온다.〉

---

197) 『書經・皐陶謨』.

김상악(金相岳) 『산천역설(山天易說)』

理之所聚謂會, 理之可行謂通, 不會則理无所湊合, 不通則理有所窒礙. 典常法也, 禮節文也.

이치가 모이는 것을 '회(會)'라 하고 이치가 유행할 수 있음을 '통(通)'이라 하는데, 모이지 않으면 이치는 모여 화합하는 바가 없고, 통하지 않으면 이치는 막혀 응결되는 바가 있다. '전(典)'은 떳떳한 법이고, '예(禮)'는 절차와 문채이다.

심취제(沈就濟) 『독역의의(讀易疑義)』

會通者, 會有聚會黙會理會, 而通在其中矣. 聚會者, 聚而會之也, 黙會者, 於其聚會之中, 以此擇彼, 而擬彼觀此也, 理會者, 此則此, 彼則彼, 以理會之也.

'회통(會通)'에서 '회(會)'에는 취회(聚會)와 묵회(黙會)와 이회(理會)가 있으며, '통(通)'은 그 가운데 있다. '취회'는 거두어서 모으는 것이고, '묵회'는 거두어 모은 가운데서 이것으로 저것을 해석하고, 저것을 견주어 이것을 보는 것이고, '이회'는 이것은 이것이고 저것은 저것으로 깨달아 아는 것이다.

典禮者, 分也. 智崇禮卑, 則典禮之體已定矣. 觀其會通, 而以行典禮者, 會而通之, 則以行其已定之典禮也.

'떳떳한 예[典禮]'는 구분된 것이다. 지혜는 높고 예절은 낮으니, 떳떳한 예의 몸체는 이미 정해져 있다. "그 회통함을 관찰하여 떳떳한 예를 행한다"는 것은 모아서 통하게 하여 이미 정해진 떳떳한 예를 행하는 것이다.

윤종섭(尹鍾燮) 『경(經)-역(易)』

八章觀其會通, 行其典禮, 玩三百八十爻, 以其吉凶悔吝, 動輒不同而禮生焉, 禮者節文也. 行其典禮, 所以執其中, 虞書天秩五禮, 天敍五典, 皆欲其過者抑而退之, 不及者勉而進之, 得中則得其典禮, 失中則失其典禮, 修之吉, 悖之凶, 是也.

8장의 "그 회통함을 관찰하여 그 떳떳한 예(禮)를 행한다"는 380효를 그 길흉회린으로 완미하면 움직임이 언제나 같지 않아 예절[禮]이 생기기 때문이니, 예절은 절차와 문채이다. "그 떳떳한 예를 행한다"는 그 중도(中道)를 잡는 것이니, 「우서(虞書)」의 "하늘이 다섯 예(禮)를 차례하고, 하늘이 다섯 법[典]을 펼침"이 모두 그 지나친 것을 억제하여 물러나게 하고, 미치지 못하는 것을 권면하여 나아가게 함이니, 중도를 얻으면 그 떳떳한 예를 얻고 중도를 잃으면 그 떳떳한 예를 잃으며, 닦으면 길하고 어기면 흉함이 이것이다.

오치기(吳致箕) 「주역경전증해(周易經傳增解)」

會者, 理之會合也, 通者, 理之通順也. 典禮者, 聖人之常法, 而典謂法度, 禮謂節文也.
'회(會)'는 이치가 모여 화합함이고, '통(通)'은 이치가 순하게 통함이다. '떳떳한 예[典禮]'는 성인의 떳떳한 법인데, '전(典)'은 법도를 말하고, '예(禮)'는 절차와 문채를 말한다.

言天下之至賾, 而不可惡也, 言天下之至動, 而不可亂也,

천하(天下)의 지극히 잡란(雜亂)함을 말하되 싫어할 수 없으며, 천하(天下)의 지극히 움직임을 말하되 어지럽힐 수 없다.

中國大全

本義

惡, 猶厭也.

'오(惡)'는 싫어함[厭]과 같다.

小註

朱子曰, 言天下之至賾而不可惡也. 蓋雜亂處, 人易得厭惡, 然這都是道理中合有底事, 自合理會, 故不可惡. 言天下之至動而不可亂也. 蓋動亦是合有底, 然上面各自有道理, 故自不可亂.

주자가 말하였다: "천하의 잡란함을 말하되 싫어할 수 없다"에서, 잡란한 것은 사람이 쉽게 싫어하지만 그것이 모두 도리와 부합하는 일이어서 자연히 이해되기 때문에 싫어할 수 없다. "천하의 지극히 움직임을 말하되 어지럽힐 수 없다"에서, 움직임 또한 그렇게 부합하는 일이지만 각각 그 위에 도리가 있기 때문에 어지럽힐 수 없다.

○ 天下之至動, 事若未動時, 不見得他那道理如何. 人平不語, 水平不流, 須是動, 方見得. 會通, 是會聚處, 典禮, 是借這般字來說. 只是說道觀他會通處後, 卻求個道理來區處. 他所謂卦爻之動, 便是法象這個. 故曰爻也者效天下之動者也. 動亦未便說事之動, 只是事到面前, 自家一念之動, 要求處置, 他便是動也.

'천하의 지극한 움직임'은 일이 움직이지 않을 때는 도리가 어떤지 볼 수 없다. 사람이 평안하면 말이 없고 물이 평평하면 흐르지 않다가 움직여야 비로소 볼 수 있다. '회통'은 모여

있는 곳이니 「곡례」에 그렇게 설명하였다. 단지 회통하는 곳을 본 뒤에야 그 도리를 구할
수 있다고 말하였다. 이른바 괘효의 움직임이 곧 그 도리를 본받아 상징한 것이다. 그러므로
"효는 천하의 움직임을 본받은 것이다"라 하였다. '움직임'은 일의 움직임을 말한 것이 아니
라, 일이 닥칠 때 자기의 한 생각이 움직여서 대처하려 하는 것이 곧 움직임이다.

○ 厚齋馮氏曰, 象之所言, 如牝馬牝牛匪人女壯棟橈瓶羸之類, 若可惡矣. 然天下之
至賾所在而不可惡也. 爻之所言, 如戶庭无咎而門庭則凶, 弗過遇之而弗遇過之, 先號
後笑而先笑後號, 若甚亂矣. 然天下之至動所關而不可亂也.
후재풍씨가 말하였다: 상으로 말한 암말·암소·사람이 아님·여자가 씩씩함·기둥이 흔들
림·병이 깨짐의 종류는 싫어할 만하다. 그렇지만 천하의 지극히 잡란함이 있는 것으로 싫
어할 수 없다. 효에서 말한 "뜰에 나가지 않으면 허물이 없다"[198]와 "뜰을 나가지 않아 흉하
다"[199]와 "지나치지 않아서 만난다"[200]와 "만나지 않고 지나친다"[201]와 "먼저는 울부짖다가
뒤에 웃는다"[202]와 "먼저는 웃다가 뒤에는 울부짖는다"[203] 등은 어지러운 것 같다. 그렇지만
천하의 지극한 움직임이 연관된 것으로 어지럽힐 수 없다.

‖韓國大全‖

유정원(柳正源) 『역해참고(易解參攷)』

言天 [至] 亂也.
천하의 … 을 말하되 … 어지럽힐 수 없다.
〈朱子曰, 烏故切, 於義近.
주자가 말하였다: [惡는] 오(烏)와 고(故)의 반절이어야 뜻에 가깝다.〉

---

198) 『周易·節卦』: 初九, 不出戶庭, 无咎.
199) 『周易·節卦』: 九二, 不出門庭, 凶.
200) 『周易·小過卦』: 九四, 无咎, 弗過, 遇之, 往, 厲, 必戒,勿用永貞.
201) 『周易·小過卦』: 上六, 弗遇, 過之, 飛鳥離之. 凶, 是謂災眚.
202) 『周易·同人卦』: 九五, 同人, 先號咷而後笑, 大師克, 相遇.
203) 『周易·旅卦』: 上九, 鳥焚其巢, 旅人, 先笑後號咷. 喪牛于易, 凶.

案, 蹟以事言, 動以心言.

내가 살펴보았다: '잡란함[蹟]'은 일로써 말하였고, '움직임[動]'은 마음으로써 말하였다.

김상악(金相岳) 『산천역설(山天易說)』

惡猶厭也. 事雖至蹟, 而理則至一, 故言之不可惡也, 事雖至動, 而理則至靜, 故言之不可亂也.

'오(惡)'는 싫어함과 같다. 일은 비록 지극히 잡란하지만 이치는 지극히 한결같으므로 미워할 수 없다고 하였고, 일은 비록 지극히 움직이지만 이치는 지극히 고요하므로 어지럽힐 수 없다고 하였다.

擬之而後言, 議之而後動, 擬議, 以成其變化.

견준 뒤에 말하고 의논한 뒤에 움직이니, 견주고 의논하여 그 변화를 이룬다.

┃中國大全┃

程子曰, 至誠則動, 動則變, 變則化. 故曰擬之而後言, 議之而後動, 擬議以成其變化也.

정자가 말하였다: 지극한 정성은 움직이고 움직이면 변하고 변하면 화(化)한다. 그렇기 때문에 "견준 뒤에 말하고 의논한 뒤에 움직이니 견주고 의논하여 그 변화를 이룬다"고 하였다.

本義

觀象玩辭, 觀變玩占而法行之, 此下七爻, 則其例也.

상(象)을 보고 말을 완미하며 변(變)을 보고 점(占)을 완미해서 본받아 행하니, 이 아래 일곱 효(爻)는 바로 그 예(例)이다.

小註

或問, 擬之而後言, 議之而後動, 凡一言一動, 皆卽易而擬議之否. 朱子曰, 然.

어떤 이가 물었다: "견준 뒤에 말하고 의논한 뒤에 움직인다"는 말 한마디 행동 하나에 모두 역(易)에 나아가 견주고 의논하는 것입니까?

주자가 답하였다: 그렇습니다.

○ 擬議以成其變化, 此變化, 只就人事說, 擬議, 只是裁度自家言動, 使合此理, 變易以從道之意. 如擬議得是便吉, 擬議未善則爲凶矣. 又曰, 這變化是就人動作處說, 如下所擧七爻皆變化也.

"견주고 의논하여 그 변화를 이룬다"에서 '변화'는 사람의 일에 나아가 말했고, '견주고 의논함'

은 다만 자신의 언행을 절제하여 이 도리에 합당하게 함이니, "변하고 바꾸어 도를 따른다"는 뜻이다.[204] '견주고 의논함'이 옳다면 길하고 '견주고 의논함'을 잘 하지 못하면 흉하게 된다. 또 말하였다: 여기의 변화는 사람의 동작으로 말하였으니, 아래에서 거론한 일곱 효와 같은 것이 다 변화이다.

○ 平菴項氏曰, 學易者, 擬其所立之象以出言, 則言之淺深詳略, 必各當其理, 議其所合之爻以制動, 則動之久速仕止, 必各當於時, 而易之變化成於吾身矣. 故曰, 以言者尙其辭, 以動者尙其變, 此之謂也.

평암항씨가 말하였다: 역을 배우는 자가 세워진 상을 견주어서 말을 하면 말의 깊고 얕음과 자세하고 간략함이 반드시 각각 그 도리에 합당하고, 부합된 효를 의논하여 행동을 절제하면 행동의 느리고 빠름과 벼슬하고 그만둠이[205] 반드시 각각 때에 합당하여 역의 변화가 내 몸에서 이루어진다. 그러므로 "[역을] 써서 말을 하는 자는 그 말을 숭상하고 [역을] 써서 행동하려는 자는 그 변화를 숭상한다"라고 했으니 이를 이름이다.

○ 雲峯胡氏曰, 聖人之於象, 擬之而後成, 學易者, 如之何不擬之而後言. 聖人之於爻, 必觀會通以行典禮, 學易者, 如之何不議之而後動. 前言變化, 易爻之變化也, 此言成其變化, 學易者之變化也.

운봉호씨가 말하였다: 성인도 상에 있어서 견준 뒤에 이루었는데, 역을 배우는 자가 어찌 견준 뒤에 말을 하지 않을 수 있겠는가? 성인도 효에 있어서 반드시 모이고 통함을 보아서 일정한 예를 행했는데, 역을 배우는 자가 어찌 의논한 뒤에 움직이지 않을 수 있겠는가? 앞에서 말한 '변화'는 『주역』 괘효의 변화이고, 여기에서 '그 변화를 이룬다'고 한 것은 역을 배우는 자의 변화이다.

‖韓國大全‖

권근(權近) 『주역천견록(周易淺見錄)』

擬之而後言, [止] 以成其變化.

---

204) 「易傳序」: 隨時變易以從道.
205) 『孟子』: 可以速而速, 可以久而久, 可以處而處, 可以仕而仕, 孔子也.

견준 뒤에 말하고 …… 변화를 이룬다.

擬者想度於心, 議者名言於口. 擬純陽於天而謂之乾之類, 是擬之而後言也, 議初九爲
潛龍, 九二爲見龍, 而有勿用利見之占之類, 是擬之而後動也. 此所以成剛柔變化之用
也, 占者亦當擬議其言動, 隨時變易而從道也.
'견줌'은 마음속으로 생각하는 것이고, '의논함'은 입으로 지칭하여 말하는 것이다. 순수한
양을 하늘에 견주어 건(乾)이라 하는 따위가 '견준 뒤에 말한다'는 것이고, 초구가 잠긴 용이
되고, 구이가 드러난 용이 됨을 의론하여 '쓰지 말라'나 '대인을 봄이 이롭다'는 점이 있게
된 것이 '의론한 뒤에 움직인다'는 것이다. 이 때문에 강유가 변화하는 작용이 이루어지는
것이니, 점을 치는 사람도 자신의 말과 행동을 견주고 의론해서 때에 따라 변역하여 도를
따라야 한다.

이익(李瀷) 『역경질서(易經疾書)』

静而其體至爲繁密. 然不可厭惡而不察, 動而其用至爲費廣. 然不可紊亂而不理, 皆森
然有條理之意夫. 然故聖人因以繫辭, 以斷其吉凶. 言天下之至賾至動, 與上文所謂繫
辭帖看, 言者辭也, 此擬諸形容以後事, 而通指象爻之辭. 故曰擬之而後言也. 然後設
蓍求卦, 動在其中, 其分二掛一揲四歸奇, 皆由商度以成. 故曰議之而後動也. 動以本
卦言, 變化以之卦言, 旣擬而復議, 以成此變化. 此所謂以動者尙其變, 下七節, 卽其節
度一說. 賾以物言, 動以事言, 物動則有事也. 萬物雖多, 皆宜涵育, 而不可惡其賾也,
萬事雖繁, 皆宜詳處, 而不可亂其條理也.
고요하면서 그 몸체가 지극히 긴밀하다. 그러나 싫증내고 미워하여 살피지 않을 수 없고,
움직이면서 그 작용이 지극히 쓰임이 넓다. 그러나 문란하고 어지럽다고 다스리지 않을 수
없으니, 모두 삼연하게 조리가 있다는 뜻이로다. 때문에 성인이 근거하여 말을 달아 길흉을
결단하였다. '천하의 지극히 잡란함과 지극히 움직임을 말하였다'를 윗글의 이른바 '말을 달
았다'와 겹쳐서 본다면 말한 것은 '말[辭]'이니, 이는 형용을 견준 뒤의 일이며 상사(象辭)와
효사(爻辭)를 통칭한다. 그러므로 "견준 뒤에 말한다"고 하였다. 그런 뒤에 시초를 펼쳐 괘를
구하는 움직임이 그 안에 있으니, 둘로 나눔과 하나를 걺과 넷씩 셈과 나머지를 끼움이 모두
헤아림을 따라서 이루어진다. 그러므로 "의논한 뒤에 움직인다"고 하였다. 움직임은 본괘(本
卦)로 말하였고, 변화는 지괘(之卦)로 말한 것인데, 이미 견주고서 다시 의논하여 이 변화를
이룬다. 이것이 이른바 '움직이는 자는 그 변화를 숭상한다'[206]는 것이니, 아래의 일곱 구절

---

206) 『周易·繫辭傳』: 易有聖人之道四焉. 以言者尙其辭, 以動者尙其變, 以制器者尙其象, 以卜筮者尙其占.

은 마디마다 하나의 설명이다. 잡란함은 물건으로 말하였고, 움직임은 일로 말하였는데, 물건이 움직이면 일이 있다. 만물이 비록 많지만 모두 양육해야 마땅하니 그 잡란함을 미워할 수 없으며, 만사가 비록 번잡하나 모두 다 처리해야 마땅하니 그 조리를 어지럽힐 수 없다.

유정원(柳正源) 『역해참고(易解參攷)』

擬之 [至] 變化.

견준 뒤에 … 변화를 이룬다.

雙湖胡氏曰, 聖人見天下之賾, 文王也, 聖人見天下之動, 周公也.

쌍호호씨가 말하였다: "성인이 천하의 잡란함을 보았다"는 문왕이고, "성인이 천하의 움직임을 보았다"는 주공이다.

김상악(金相岳) 『산천역설(山天易說)』

此變化, 就人事言. 鳴鶴以下七爻, 皆擬議之事.

여기의 변화는 인사(人事)에 나아가 말한 것이다. '우는 학'부터 일곱 효는 모두 견주어 의논하는 일이다.

심취제(沈就濟) 『독역의의(讀易疑義)』

擬之後言者, 擬此擬彼而後, 言其彼如斯此如斯也, 議之而後動者, 於其彼如斯此如斯之中, 詳議其彼此恰當之道, 然後動而行之也.

"견준 뒤에 말한다"는 이것과 저것을 견준 뒤에 '저것은 이러하고 이것은 이러함'을 말함이고, "의논한 뒤에 움직인다"는 저것이 이러하고 이것이 이러한 가운데, 저것과 이것의 합당한 도리를 자세히 의논하고 그런 뒤에야 움직여서 행한다는 것이다.

擬者, 上文之會也, 議者, 上文之通也. 擬議而會通, 則變化在其中, 方言變化之道也.

'견줌'은 윗글의 '회(會)'이고 '의논함'은 윗글의 '통(通)'이다. 견주고 의논하여 회통한다면 변화가 그 가운데 있을 것이니, 바야흐로 변화의 도를 말할 수 있다.

윤행임(尹行恁) 『신호수필(薪湖隨筆)·계사전(繫辭傳)』

天下之動者, 其屯蒙之時乎. 群動職職, 不可以無法度也, 故勑五典修五禮, 以維繫之,又設爻辭,以勸戒之, 誠以事理之至頤而無射也, 人物之至動而不紊也. 擬於形而始言其象, 議於易而始言其動, 擬與議合, 而觀其變化之迹.

천하의 움직임은 준괘(屯卦)와 몽괘(蒙卦)의 때로다. 뭇 움직임이 직분에 오로지 하여 법도가 없을 수 없으므로 오전(五典)을 바로 잡고 오례(五禮)를 닦아서 벼리로 매어두고, 또 효사를 시설하여 권면하였으니, 참으로 사리(事理)가 지극히 잡다하다고 미워할 수 없으며, 인물(人物)이 지극히 움직인다고 어지럽힐 수 없다. 형용에서 견주어 비로소 상(象)을 말하고, 역(易)에서 의논하여 비로소 움직임을 말했으니, 견줌과 의논함이 합쳐지면 그 변화하는 자취를 볼 것이다.

윤종섭(尹鍾燮) 『경(經)-역(易)』

擬其象然後言, 議其變然後動, 使合於中, 下引七卦, 皆明言動之得中, 而人道之成變化也.

그 상을 견준 뒤에 말하고 그 변화를 의논한 뒤에 움직여서 중도(中道)에 합치하게 하였으니, 아래에 인용한 일곱 괘는 모두 언동(言動)이 중도를 얻어서 인도(人道)가 변화를 이룬 것을 밝혔다.

심대윤(沈大允) 『주역상의점법(周易象義占法)』

言易之一言一字, 皆有移易不得之理, 非汎言而謾辭也.

『주역』의 한 마디나 한 글자에는 모두 바꿀 수 없는 이치가 있으니, 범범하거나 느슨한 말이 아님을 말하였다.

오치기(吳致箕) 「주역경전증해(周易經傳增解)」

雖其至賾如可惡, 而理則至一, 故犁然當于心, 而不可惡也, 雖其至動如可亂, 而理則至靜, 故井然有條貫, 而不可亂也. 是以學易者, 比擬其所立之象, 以出其言, 商議其所變之爻, 以制其動, 蓋在易則爲象辭變占, 在人則爲言行出處也. 此下七爻之辭, 皆擧擬議之事, 以見三百八十四爻之通例也.

비록 지극히 잡란하여 싫어할 만하지만 이치가 지극히 한결같기 때문에 분명하게 마음에 와 닿아 싫어할 수 없으며, 비록 지극히 움직여서 어지러울 수 있지만 이치가 지극히 고요하기 때문에 반듯하게 꿰는 조리가 있어서 어지러울 수 없다. 이 때문에 역(易)을 배우는 자들이 세워진 상(象)에 견주어서 그 말을 내고, 변하는 효(爻)를 의논하여 그 움직임을 제재하니, 대체로 역에 있어서는 상사(象辭)와 변점(變占)이 되고, 사람에게 있어서는 언행(言行)

과 출처(出處)가 된다. 이 아래의 일곱 효의 효사는 모두 견주고 의논하는 일을 들어서 384효의 통례를 나타낸 것이다.

박문호(朴文鎬) 「경설(經說) · 주역(周易)」

言天下之至賾, 擬之而後言二節, 各申言上二節之意者也.

"천하의 지극히 잡란함을 말하되 …"와 "견준 뒤에 말하고 …"의 두 구절은 각각 위의 두 구절의 뜻을 거듭 말한 것이다.

이병헌(李炳憲) 『역경금문고통론(易經今文考通論)』[207]

子曰, 易其至矣乎. 夫易, 聖人所以崇德而廣業也, 知崇禮卑, 崇效天, 卑法地. 天地設位, 而易行乎其中矣, 成性存存, 道義之門. 聖人, 有以見天下之賾, 而擬諸其形容, 象其物宜. 是故謂之象, 聖人, 有以見天下之動, 而觀其會通, 以行其典禮, 繫辭焉, 以斷其吉凶. 是故謂之爻, 言天下之至賾, 而不可惡也, 言天下之至動, 而不可亂也, 擬之而後言, 議之而後動, 擬議以成其變化.

공자(孔子)가 말하였다: 역(易)은 지극하구나! 역(易)은 성인(聖人)이 덕(德)을 높이고 업(業)을 넓히는 것이니, 지(智)는 높고 예(禮)는 낮으니, 높음은 하늘을 본받고 낮음은 땅을 본받은 것이다. 천지가 자리를 베풀면 역(易)이 그 가운데 행하니, 이루어진 성품을 보존하고 보존함이 도의(道義)의 문(門)이다. 성인(聖人)이 천하의 잡란함을 보고서 그 형용을 견주고 그 물건의 마땅함을 형상하였다. 이 때문에 상(象)이라 일렀다. 성인(聖人)이 천하(天下)의 동함을 보고 그 회통(會通)함을 관찰(觀察)하여 떳떳한 예(禮)를 행하며, 말을 달아 길(吉) · 흉(凶)을 결단하였다. 이 때문에 효(爻)라 일렀다. 천하(天下)의 지극히 잡란(雜亂)함을 말하되 싫어할 수 없으며, 천하(天下)의 지극히 움직임을 말하되 어지럽힐 수 없다. 견준 뒤에 말하고 의논한 뒤에 움직이니, 견주고 의논하여 그 변화를 이룬다.

述者至此, 始引孔子之言, 以贊易也.

기술한 것이 이에 이르니, 처음으로 공자의 말을 인용해서 역(易)을 기린 것이다.

姚曰, 陽剛明, 故知崇效天, 陰柔順, 故禮卑法地.

---

207) 경학자료집성DB에서는 「계사상전」 '제7장'에 해당하는 것으로 분류했으나, 내용에 따라 이 자리로 옮겼다. 이병헌은 8장의 네 번째 구절까지를 7장으로 간주하고 있음.

요신이 말하였다: 양(陽)의 강(剛)함이 밝기 때문에 지혜를 높임은 하늘을 본받고, 음(陰)의 유(柔)함이 순하기 때문에 예절을 낮춤은 땅을 본받는다.

按, 頤與密字韞字同義. 議諸本作儀, 訓度也. 或云爲儀象之儀.
내가 살펴보았다: '이(頤)'는 '숨김[密]'이나 '감춤[韞]'의 뜻이다. '의(議)'는 여러 판본에는 '의(儀)'로 되어있는데, 헤아린다는 뜻이다. 어떤 이는 "의상(儀象)의 '의(儀)'가 된다"고 하였다.

鳴鶴, 在陰, 其子和之. 我有好爵, 吾與爾靡之, 子曰, 君子居
其室, 出其言善, 則千里之外應之, 況其邇者乎. 居其室, 出
其言不善, 則千里之外違之, 況其邇者乎. 言出乎身, 加乎民,
行發乎邇, 見(현)乎遠, 言行, 君子之樞機, 樞機之發, 榮辱之
主也. 言行, 君子之所以動天地也, 可不愼乎.

"우는 학이 그늘에 있으니, 그 새끼가 화답한다. 내게 좋은 벼슬이 있으니, 나와 네가 함께 매여
있도다"하니, 공자(孔子)가 말하였다: 군자(君子)가 집에 거하여 말을 냄이 선(善)하면 천리(千里)의
밖에서도 응하니, 하물며 가까운 자에 있어서랴. 집에 거하여 말을 냄이 선(善)하지 못하면 천리(千
里) 밖에서도 어기니, 하물며 가까운 자에 있어서랴. 말은 몸에서 나와 백성에게 가(加)해지며, 행실
은 가까운 곳에서 발하여 먼 곳에 나타나니, 말과 행실은 군자(君子)의 추기(樞機)이니, 추기(樞機)의
발함이 영욕의 주체이다. 말과 행실은 군자(君子)가 천지(天地)를 동하는 것이니, 삼가지 않을 수
있겠는가.

中國大全

本義

釋中孚九二爻義.

중부괘(中孚卦䷼) 구이효(九二爻)의 뜻을 해석한 것이다.

小註

朱子曰, 鳴鶴在陰其子和之我有好爵吾與爾靡之, 此本是說誠信感通之理, 夫子卻專
以言行論之, 蓋誠信感通莫大於言行.

주자가 말하였다: "우는 학이 그늘에 있으니, 그 새끼가 화답한다. 내게 좋은 벼슬이 있으니,
나와 네가 함께 매여 있도다"는 원래 정성과 믿음으로 감응하여 통하는 이치를 말하였는데
공자는 오로지 언행으로 논했으니 정성과 믿음으로 감응하여 통함이 언행보다 큰 것은 없다.

○ 問, 言行君子之樞機, 是言所發者至近, 而所應者甚遠否. 曰, 樞機, 便是鳴鶴在陰. 下面大槪只說這意, 都不解著我有好爵二句.

물었다: "언행은 군자의 추기(樞機)"는 발한 것은 지극히 가까운데 응하는 것은 매우 멀다는 말입니까?

답하였다: 추기(樞機)는 "우는 학이 음지에 있다"는 것입니다. 아래 부분은 대체로 이 뜻만을 말하고 "내게 좋은 벼슬이 있다"의 두 구는 해석하지 못하였습니다.

○ 鳴鶴好爵, 皆卦中有此象. 諸爻立象, 聖人必有所據, 非是白撰, 但今不可考耳. 到孔子方不說象.

'우는 학'과 '좋은 벼슬'은 다 괘에 이런 상이 있다. 모든 효에 상을 세울 때는 성인은 반드시 근거한 바가 있으니, 근거 없는 말이 아니지만 지금은 상고할 수 없을 뿐이다. 공자에 이르러 상을 말하지 않았다.

○ 柴氏中行曰, 鳴鶴在陰而其子必和, 情之所同, 无隱顯之間也. 我有好爵而爾亦靡, 於此心之所欲, 无物我之間也. 言之善, 人皆以爲善, 故應. 言之不善, 天下亦皆以爲不善, 故違. 人心之於善惡, 豈異其所趨哉. 極言行之至, 可以動天地, 則三才一理, 又可見也.

시중행이 말하였다: "우는 학이 그늘에 있어서 그 새끼가 반드시 화답함"은 정(情)이 같은 것은 은미하고 드러남이 사이가 없기 때문이다. "내게 좋은 벼슬이 있어 나와 네가 함께 매여 있도다"는 이 마음이 욕구하는 것은 남과 나에 있어 차이가 없기 때문이다. 말이 착하면 사람들이 다 착하다고 여기기 때문에 응한다. 말이 착하지 못하면 천하 또한 착하지 못하다고 여기기 때문에 어긴다. 사람의 마음이 선악에 대하여 어찌 추구하는 바가 다르겠는가? 언행을 지극하게 다하여 천지를 움직일 수 있다면, 삼재가 하나의 이치임을 또한 알 수 있을 것이다.

○ 節齋蔡氏曰, 萬化不窮, 感應二端而已. 故夫子取中孚九二之辭而推廣其理也. 居其室卽在陰之義, 出其言卽鳴鶴之義, 千里之外應之卽其子和之義, 特主乎人而爲言耳. 感應者心也, 言者心之聲, 行者心之迹, 言行乃感應之樞機也. 善者至善之理也, 不善則悖理矣. 人以善而感應則感應同乎天矣, 故曰, 動天地也.

절재채씨가 말하였다: 만 가지 변화가 끝이 없지만 감응(感應)의 두 끝일뿐이다. 그러므로 공자가 중부괘(中孚卦) 구이효사를 취하여 그 이치를 확장하였다. "그 집에 거함"이 곧 "음지에 있는" 뜻이고, "그 말을 함"이 곧 "우는 학"의 뜻이고, "천리의 밖에서 응함"이 곧 "그

새끼가 화답함"의 뜻이니 다만 사람을 위주로 말했을 뿐이다. 감응하는 것은 마음인데 말은 마음의 소리이고 행동은 마음의 자취이니 말과 행동이 바로 감응의 추기이다. 선은 지극히 선한 이치이고 불선은 이치를 거스리는 것이다. 사람이 선으로 감응하면 감응이 하늘과 함께하기 때문에 "천지를 움직인다"라고 하였다.

‖韓國大全‖

김장생(金長生) 『경서변의(經書辨疑)-주역(周易)』

第八章, 言行, 君子之所以動天地.
제 8장의 말과 행실은 군자가 천지를 동하는 것이니.

君子言行, 善則和氣應之和之至, 則天地位萬物育, 乖則天地閉賢人隱. 故曰動天地也.
군자의 말과 행실은, 선(善)하면 화기가 호응하여 화기가 이르니, 천지가 자리 잡고 만물이 화육되지만, 어그러지면 천지가 막히고 현인이 은둔한다. 그러므로 '천지를 동한다'고 하였다.

○ 善惡皆動天地, 節齋言善之動天地, 不言惡之動天地, 失之矣.
선악이 모두 천지를 동하니, 절제가 선(善)이 천지를 동함만 말하고 악(惡)이 천지를 동함을 말하지 않은 것은 잘못이다.

이익(李瀷) 『역경질서(易經疾書)』

鶴與子以初二言, 我者指九五也, 詳在本卦. 陰指地之未顯見處, 以鶴鳴喩善言. 鳴或獨鳴, 言未有獨言, 故鶴鳴子和屬在言, 千里應之屬在我, 非以子屬我也. 千里尙然, 況其在邇之子乎. 崇高莫大乎富貴, 故善言之榮, 必擧好爵, 九五君也, 與九二剛明之臣, 孚信相及, 一言契合, 所以縻爵.
학과 자식은 초효와 이효로 말하였고, 나는 구오를 가리키니, 자세한 설명은 본괘에 있다. 음(陰)은 땅에서 아직 드러나지 않은 곳을 가리키고, 학의 울음으로 선한 말을 비유하였다. 우는 것은 혹 홀로 울지만, 말하는 것은 홀로 말함이 있지 않으므로 학의 울음과 자식의 화답은 말함에 속하고, 천리 밖에서 응하는 것은 나에게 속하니, 자식을 나에게 배속한 것이 아니다. 천리 밖에서도 오히려 그러하거늘, 하물며 가까이 있는 자식이겠는가? 숭고함은 부귀보다 큰 것이 없으므로 선한 말의 영예가 반드시 좋은 벼슬을 일으키는데, 구오의 임금이 구이의 강명(剛明)한 신하와 믿어 신뢰함이 서로 미치고 한 마디로 꼭 합치하기에 벼슬로 묶어지는 것이다.

유정원(柳正源) 『역해참고(易解參攷)』

鳴鶴 [至] 樞機.
우는 학이 … 군자의 추기이다.

正義, 樞謂戶樞, 機謂弩牙. 言戶樞之轉, 或明或闇, 弩牙之發, 或中或否, 猶言行之動, 隨身而發, 以及於物, 或是或非也.
『주역정의』에서 말하였다: '추(樞)'는 문의 지도리를 말하고, '기(機)'는 노궁의 방아쇠를 말한다. 문지도리의 전환이 혹은 밝고 혹은 어두움과 노궁 방아쇠의 격발이 혹은 맞고 혹은 맞지 않음이 언행의 움직임이 몸을 따라서 펼쳐져 사물에 미침에 혹은 옳고 혹은 그름과 같음을 말한다.

○ 晦齋先生曰, 鶴鳴在陰, 其子和之, 情之所同, 旡隱顯之間也. 人君苟能善其言行, 而倡之彼, 同有是心者, 安有不從而應乎. 極言行之善, 可以動天地, 景公一言而熒惑退舍, 太戊修德而桑穀自消, 成王感悟而天乃反風. 天地亦爲之感應, 況於人乎. 然必有孚於中, 乃能如是, 苟不能謹於宮庭屋漏之中, 則邇者且旡以感格, 而況於千里之外哉. 故曰不誠未有能動人者也, 謹言行之要, 在於孚信之在中. 故孔子取鶴鳴之義, 以垂訓戒, 其旨深哉.
회재선생이 말하였다: 우는 학이 그늘에 있는데 그 새끼가 화답하니, 정감이 같은 것은 은미함과 드러남의 사이가 없다. 임금이 참으로 그 언행을 선(善)하게 하여 저들을 인도한다면, 이 마음을 함께 하는 자가 어찌 따라서 호응하지 않겠는가? 언행의 선(善)함을 지극히 하면 천지를 움직일 수 있으니, 경공의 한 마디 말로 형혹성이 옮겨가고,[208] 태무가 덕(德)을 닦음에 상(桑)과 곡(穀)이 저절로 사라지고,[209] 성왕이 뉘우쳐 깨닫자 하늘이 이내 바람을 돌렸다.[210] 천지도 위하여 감응하는데, 하물며 사람이겠는가? 그러나 반드시 중심에 믿음이

---

[208] 춘추 시대 송(宋)나라 때에 재앙을 발생시킨다고 알려진 형혹성이 나타났을 때에, 경공이 잘못을 자신의 탓으로 돌려서 모든 재앙을 자신이 받겠다고 한 마디 하자 형혹성이 3도(度)를 옮겨 갔다는 일화.

[209] 상(商)나라 때에 하늘의 경고로 알려진 상(桑)·곡(穀)이 하루아침에 무성하게 뜰에서 자라는 이변이 일어났을 때에, 태무가 덕(德)을 닦으라는 신하의 말을 따르자 두 나무가 말라 죽었다는 일화.

있어야 이와 같을 수 있으니, 참으로 집 뜰과 집 구석에서 삼갈 수 없다면 가까운 자도 감격시킬 수 없거늘, 하물며 천리의 밖이겠는가? 그러므로 "참되지 않으면서 사람을 감동시킬 수 있는 자는 없다"고 하니, 언행을 삼가는 요점은 믿음을 중심에 두는데 있다. 그러므로 공자가 우는 학의 뜻을 취하여 가르침을 내렸으니, 그 뜻이 깊도다!

○ 案, 我有好爵二句, 孔子雖不說, 而好善之心, 人皆有之. 有善於此, 而千里相應, 此可見天爵之所同得也. 我有天爵, 而彼亦繫戀, 是亦言行相感之理也.
내가 살펴보았다: "내게 좋은 벼슬이 있다"는 두 구절은 공자가 비록 말하지 않았지만, 선을 좋아하는 마음은 사람들에게 모두 있는 것이다. 여기에 선함이 있음에 천리의 밖과 서로 호응하니, 여기에서 하늘이 내린 벼슬을 함께 얻었음을 알 수 있다. 나에게 하늘의 벼슬이 있고 저도 이어져 그리워하니, 또한 언행이 서로 감응하는 이치인 것이다.

김상악(金相岳) 『산천역설(山天易說)』

釋中孚九二爻義. 有誠信則必有感應, 感應之道, 莫大於言行也.
중부괘(中孚卦䷼) 구이효의 뜻을 해석하였다. 참된 믿음이 있으면 반드시 감응함이 있는데, 감응하는 도(道)는 언행보다 큰 것이 없다.

박윤원(朴胤源) 『경의(經義)·역경차략(易經箚略)·역계차의(易繫箚疑)』

子曰, 言行, 君子之所以動天地也, 夫一言一行之出乎人之口與身, 而其效, 何以至於動天地歟. 動之爲言感也, 感則天地俱感歟. 有感天者, 有感地者歟. 又有感神者感物者, 感神感物與天地, 當一串看來歟. 言之動天地, 如成湯責躬而大雨數千里, 宋景發語而熒惑徒一度之類, 是歟. 行之動天地, 如劉昆之德政而反風滅火, 庾公之至孝而瞿塘水退之類, 是歟. 若是者, 不可殫擧, 而亦有不言而感, 不行而感者, 殷高宗之恭黙思道而得傳說, 是也. 恭黙則不言也, 思道則未行也, 然而有帝賚良弼之應, 此又何理歟.
공자가 "언행은 군자가 천지를 움직이는 것이다"라고 하였는데, 하나의 언행이 사람의 입과 몸에서 나와서 그 효험이 어째서 천지를 움직임에 이르는 것인가? '동(動)'이란 말은 감동함인데, 감동한다면 천지가 함께 감동하는 것인가? 하늘을 감동시킴이 있는 것은 땅을 감동시킴이 있는 것인가? 또한 신(神)을 감동시키고 사물을 감동시키는 것도 있으니, 신을 감동시

---

210) 주공이 왕위를 찬탈하려 한다는 터무니없는 의심을 받고 있을 때에, 어린 성왕두 처음에는 진위 여부를 분산하지 못하고 자신을 보필하는 주공을 의심하였다. 그러나 뒤에 뉘우쳐서 주공을 맞이하자 하늘이 바람을 돌이켰다는 일화.

키고 사물을 감동시키는 것과 천지는 하나의 일로 보아야 하는가? 말이 천지를 감동시킴은 성탕(成湯)이 자신을 책망함에 수 천리에 크게 비가 내림과 송나라 경종이 말을 함에 형혹성이 일 도(度)를 옮겨 감과 같은 것들이 이것인가? 행동이 천지를 감동시킴은 유곤이 덕으로 다스려서 바람을 돌이키고 불을 소멸시킴과 유공이 효성이 지극하여 구당의 물이 물러나게 함과 같은 것들이 이것인가? 이와 같은 것은 일일이 거론할 수 없지만, 또한 말하지 않아도 감동시키고 행동하지 않아도 감동시키는 것이 있으니, 은나라 고종이 공손하고 침묵하며 도를 생각함에 부열을 얻은 것이 이것이다. 공경하고 침묵함은 말하지 않음이고, 도를 생각함은 행동하지 않음이지만, 상제가 어진 보필을 내려주는 호응이 있으니,211) 이것은 또한 어떤 이치인가?

서유신(徐有臣) 『역의의언(易義擬言)』212)

居其室,
집에 거하여,
二內卦, 故曰居其室.
이효는 내괘이기 때문에 "집에 거하여"라고 하였다.

千里之外.
천리의 밖.
五外卦, 故曰千里之外.
오효는 외괘이기 때문에 "천리의 밖"이라고 하였다.

況其邇者.
하물며 가까운 자에 있어서랴.
三近於二, 四近於五.
삼효는 이효에 가깝고, 사효는 오효에 가깝다.

言出乎身,
말은 몸에서 나와,

---

211) 『書經 · 商書』: 王庸作書以誥曰 以台, 正于四方, 台恐德弗類, 玆故, 弗言, 恭默思道, 夢, 帝賚予良弼, 其代予言.

212) 경학자료집성DB에서는 「계사상전」 '통론'으로 분류했으나, 내용에 따라 이 자리로 옮겼다.

言兌象.

말은 태괘(☱)의 상이다.

行發乎邇,

행실은 가까운 곳에서 발하여,

行互震象

행실은 호괘인 진괘(☳)의 상이다.

樞機.

추기.

震木而動, 樞機之象.

진괘가 나무이면서 움직이니 추기의 상이다.

심취제(沈就濟) 『독역의의(讀易疑義)』

鳴鶴相和, 是著變化之故, 而其故也可見於善惡也. 言行者, 庸言庸行也, 上文所謂典禮也. 言以典禮也, 行以典禮也, 言行亦有擬議會通之地也.

우는 학이 서로 화답함은 변화의 연고를 드러낸 것인데 그 연고에서도 선악(善惡)을 알 수 있다. 언행은 평소의 말과 평소의 행동이니, 앞글의 이른바 '떳떳한 예[典禮]'이다. 떳떳한 예로 말하고 떳떳한 예로 행동하니, 언행이 또한 견주고 의논하여 회통하는 지경에 있는 것이다.

윤행임(尹行恁) 『신호수필(薪湖隨筆)·계사전(繫辭傳)』

夫子以言行言者甚多矣, 未有如中孚九二之取喩者. 居其室者, 愼其獨也, 出乎身者, 反諸己也. 言顧行, 行顧言, 只是庸言庸行, 而其言也信, 其行也謹, 非誠而然乎哉. 惟誠也, 故天地亦感, 書曰至誠感神, 是也. 禹顏出處, 不相似也, 孔孟語黙, 不相似也, 其道則同, 其義則合, 異代金蘭之契也. 范張生死, 不相似也, 管鮑去就, 不相似也, 其志則一, 其情則密, 竝世金蘭之交也. 以君臣則大堯之於舜也, 湯之於伊尹也, 武王之於呂尙也, 武丁之於傅說也, 昭烈之於武安也, 以師弟則孔子之於顏淵也, 曾子之於子思也, 同心同德, 於乎盛哉. 於此余不覺惻然而疚懷, 怛焉而流涕也.

공자가 언행으로 말한 것은 매우 많지만, 중부괘(中孚卦) 구이효의 비유만한 것이 없다. '집에 거함'은 홀로를 삼감이며, '몸에서 나옴'은 자기에게 돌이킴이다. 말함에 행동을 돌아보고, 행동함에 말을 돌아보아 단지 일상의 말과 행동이라도 말함에 또한 믿음직하고, 행함에 또한 근엄하다면 참되지 않고서 그러할 수 있겠는가? 오직 참되기 때문에 천지도 감동하니, 『서경』에서 "지성(至誠)이면 신(神)을 감동시킨다"고 한 것이 이것이다. 우(禹)임금과 안연(顏淵)의 나감과 머무름이 서로 유사하지 않고, 공자와 맹자의 말함과 침묵함이 서로 유사하지 않지만 그 도리는 같고 그 의리는 합치하니, 시대를 달리하는 쇠와 난초가 계합함이다. 범식(范式)과 장소(張劭)의 삶과 죽음이 서로 유사하지 않고, 관중(管仲)과 포숙(鮑叔)의 거취가 서로 유사하지 않지만 그 뜻이 하나이고 그 정감이 친밀하니, 같은 시대의 쇠와 난초가 계합함이다. 군신의 경우에는 요(堯)임금의 순(舜)에 대한 것과 탕(湯)임금의 이윤에 대한 것과 무왕(武王)의 여상(呂尙)에 대한 것과 무정(武丁)의 부열(傅說)에 대한 것과 소열(昭烈)의 무안(武安)에 대한 것이, 사제의 경우에는 공자의 안연에 대한 것과 증자(曾子)의 자사(子思)에 대한 것이 마음을 함께하고 덕을 같이 함이니, 아! 성대하였구나. 여기에서 나는 알지 못하는 사이에 슬퍼져서 텅 빈 듯이 서운하고 애태우며 눈물이 흐른다.

박종영(朴宗永) 「경지몽해(經旨蒙解)・주역(周易)」

此釋中孚九二爻之義也. 中孚此義, 本是說誠信感通之理者, 而夫子專以言行論釋於繫辭者, 蓋誠信感通, 莫過於言行故也. 居其室, 卽在陰之義, 出其言, 卽鳴鶴之義. 千里之外應之, 卽其子和之之義, 特主乎人而言耳. 我有好爵, 吾與爾靡之, 心之所欲, 無物我之異, 我之好爵, 爾亦靡戀於此, 亦相應之義也. 言行出乎人, 而終至於動天地, 天人一理, 故其感應之理, 如是之高遠也. 居子庸言之信, 庸行之謹, 言顧行, 行顧言, 胡不慥慥爾.

이것은 중부괘(中孚卦䷼) 구이효의 뜻을 해석한 것이다. 중부괘의 이 [효의] 뜻은 본래 성신(誠信)으로 감통하는 이치를 말한 것인데, 공자가 「계사전」에서 오로지 언행(言行)으로 해석한 것은 성신으로 감통하는 것이 언행보다 지나친 것이 없기 때문이다. '집에 거함'은 "그 늘에 있다"는 뜻이고, '말을 냄'은 '우는 학'의 뜻이다. '천리의 밖에서도 응함'은 "그 새끼가 화답한다"는 뜻인데, 특별히 사람을 중심으로 말하였을 뿐이다. "내게 좋은 벼슬이 있어 나와 네가 함께 매여 있도다"는 마음이 하려는 것은 사물과 내가 다름이 없어서 나의 좋은 벼슬은 너도 여기에 얽혀 사모하니, 또한 서로 호응한다는 뜻이다. 언행이 사람에게 나와서 끝내는 천지를 동함에 이름은 하늘과 사람이 하나의 이치이기 때문에 감응하는 이치가 이와 같이 고원한 것이다. 거처하는 평소의 말이 신실하고 평소의 행동이 근엄하다면, 말함에 행동을 돌아보고 행동함에 말을 돌아보니, 어찌 독실하지 않겠는가?[213]

---

213) 『中庸』: 言顧行, 行顧言, 君子, 胡不慥慥爾.

오치기(吳致箕) 「주역경전증해(周易經傳增解)」

此釋中孚九二爻辭之義, 而擬議于君子之言行, 如乾坤之文言也. 居室象乎在陰, 出言象乎鳴鶴, 千里應之, 象乎好爵爾靡也. 動天地, 如景公發善言, 而熒惑退舍, 成王復周公, 而天乃反風之類, 亦言行之感召也.

이것은 중부괘(中孚卦䷼) 구이효의 뜻을 해석하여 군자의 언행을 견주고 의논한 것이니, 건괘(乾卦)와 곤괘(坤卦)의 「문언전」과 같다. '집에 거함'은 '그늘에 있음'을 형상하고, '말을 냄'은 '우는 학'을 형상하며, '천리에서도 응함'은 '좋은 벼슬이 있어 너와 매여 있음'을 형상한다. '천지를 감동함'은 경공이 좋은 말을 펼침에 형혹성이 자리에서 물러서고, 성왕이 주공을 복직시킴에 하늘이 바람을 돌리는 따위이니, 또한 언행이 감응하여 부른 것이다.

이진상(李震相) 『역학관규(易學管窺)』

第八章 我有好爵.

제 8장의 나에게 좋은 벼슬이 있다.

從天爵上說, 則善字當之, 從人爵上說, 則應字當之, 而朱子謂都不解著, 抑以無明白可據之實歟.

하늘이 준 벼슬로 말하면 선(善)함이 이에 해당되고, 사람이 준 벼슬로 말하면 응(應)함이 이에 해당되는데, 주자가 모두 해석하지 못하겠다고 한 것은 근거할 만한 명백한 사실이 없기 때문인가?

이병헌(李炳憲) 『역경금문고통론(易經今文考通論)』

主說苑引作本, 此節以下凡七節, 文體與文言略同. 然非據每卦逐爻而言, 則不可謂文言, 無乃史公所謂說卦歟. 鄭曰, 樞戶樞, 機弩牙也. 戶樞之發, 或明或闇, 弩牙之發, 或中或否, 以譬言行之發, 或榮或辱. 按, 學易之方當, 以言行爲始, 然後可以進德修業.

『설원』을 위주로 인용하여 만든 판본에는 이 구절의 아래가 모두 일곱 구절인데, 글체가 「문언전」과 대략 같다. 그러나 모든 괘에서 효를 따라서 말한 것이 아니니, 「문언전」이라 할 수는 없고, 아마도 사공이 말한 「설괘」가 아니겠는가? 정현은 "추(樞)는 문의 지도리이고, 기(機)는 노궁의 방아쇠이다. 문의 지도리가 펼쳐져서 밝기도 하고 어둡기도 하며, 노궁의 방아쇠를 당겨서 맞추기도 하고 못 맞추기도 하는 것으로 언행이 펼쳐져서 꽃피기도 하고 욕되기도 함을 비유하였다"라고 하였다. 내가 보기에 역(易)을 배우는 마땅한 방법은 언행(言行)으로 시작해야 하니, 그런 뒤에야 덕(德)에 나아가고 업(業)을 닦을 수 있다.

同人, 先號咷而後笑, 子曰, 君子之道, 或出或處或黙或語,
二人同心, 其利斷金. 同心之言, 其臭如蘭.

"사람들과 함께 하지만 먼저는 울부짖고 뒤에는 웃는다"하니, 공자(孔子)가 말하였다: 군자(君子)의
도(道)가 혹은 나아가고 혹은 처하며, 혹은 침묵하고 혹은 말하나 두 사람이 마음을 함께 하니,
그 날카로움이 금(金)을 절단한다. 마음을 함께 하는 말은 그 향기로움이 난초와 같다.

中國大全

本義

釋同人九五爻義. 言君子之道, 初若不同, 而後實无間. 斷金, 如蘭, 言物莫能間
而其言有味也.

동인괘(同人卦䷌) 구오효(九五爻)의 뜻을 해석한 것이다. 군자(君子)의 도(道)가 처음에는 같지 않
은 듯하나 뒤에는 실로 간격이 없음을 말한 것이다. '금(金)을 절단함'과 "난초와 같다"는 것은 다른
물건이 능히 끼지 못하여 그 말이 맛이 있음을 말한 것이다.

小註

朱子曰, 同心之利, 雖金石之堅亦被, 他斷決將去, 斷, 是斷做兩段. 又曰, 同人先號咷
而後笑, 聖人卻恁地解.

주자가 말하였다: 마음을 함께하는 날카로움은 비록 금석의 견고함도 깨뜨려 결단하니, '단
(斷)'은 두 부분으로 끊는 것이다.

또 말하였다: "사람들과 함께 하지만 먼저는 울부짖고 뒤에는 웃는다"를 성인은 이렇게도
풀었다.

○ 誠齋楊氏曰, 君子之道, 于其心, 不于其迹, 心同迹異. 君子不以迹間心, 心異迹同.
君子不以心混迹, 故同人之先悲後喜, 與君子之甲出乙處, 此黙彼語, 皆所不計也. 出
處同道, 則禹顯顏晦同一情, 語黙同道, 則史直蘧卷同一意, 心同故也. 金石至堅也, 然

不堅於人心, 故二人一心, 則石可裂金可折. 薰猶同器, 一童子能辨之, 臭味不同故也.
取南山之蘭雜北山之蘭, 十黃帝不能分, 臭味同故也.

성재양씨가 말하였다: 군자의 도는 마음을 취하고 자취를 취하지 않기에 마음은 같고 자취
는 다르다. 군자는 자취 때문에 마음을 이간하여 마음은 다르나 자취는 같게 하지는 않는다.
군자는 마음과 자취를 섞지 않기 때문에 남과 함께 함에 먼저는 슬프고 뒤에는 기뻐하니,
군자가 갑에서는 나오고 을에서는 들어가며 여기서는 침묵하고 저기서는 말하는 것은 다
계산하지 않는다. 나가고 거처함에 도를 같이 하니 우임금이 나타나고 안자가 숨은 것은
동일한 뜻이며, 말하고 침묵함에 도를 같이 하니 사어의 곧음과 거백옥의 변통은 동일한
의미이니, 마음이 같은 까닭이다. 금석은 지극히 견고하지만 사람의 마음보다는 견고하지
않기에 두 사람이 마음을 같이 하면 돌도 깨지고 금도 잘라진다. 향기로운 풀과 악취 나는
풀을 같은 그릇에 담으면 한 명의 아이라도 구별할 수 있음은 냄새와 맛이 같지 않은 까닭이
다. 남산의 난초를 취해서 북산의 난초와 섞으면 열 명의 황제(黃帝)라도 분별하지 못하니
냄새와 맛이 같은 까닭이다.

○ 龜山楊氏曰, 迹異而心同, 不害其爲同, 心異而迹同, 相望爲愈遠. 金至堅也而同心
者斷之, 蘭至馨也而同心之言如之.

구산양씨가 말하였다: 자취는 다른데 마음이 같으면 그 같음을 해치지 않고, 마음은 다른데
자취만 같으면 서로 바랄수록 더욱 멀어진다. 금이 지극히 견고하나 마음을 같이하는 자가
자를 수 있고, 난초가 지극히 향기로우나 마음을 같이 하는 말이 이와 같다.

○ 息齋余氏曰, 以出處語默, 發明號笑之義. 聖人讀易, 不滯於故而知其新, 有如此者.

식재서씨가 말하였다: 나가고 머무르며 말하고 침묵함으로 부르짖고 웃는 뜻을 밝혔다. 성
인이 『주역』을 읽음에 옛 것에 구애받지 않고 새로움을 알아 이와 같은 것이 있다.

○ 雙湖胡氏曰, 二人九五六二也. 先號後笑, 先隔後遇也. 不取君臣義者, 特借爻辭,
論同心之利耳.

쌍호호씨가 말하였다: 두 사람은 구오와 육이이다. 먼저는 부르짖고 뒤에는 웃음은 먼저는
떨어져있다 뒤에 만남이다. 군신의 뜻을 취하지 않고 다만 효사를 빌려서 마음을 함께 하는
이로움을 논했을 뿐이다.

∥韓國大全∥

이익(李瀷) 『역경질서(易經疾書)』

君子之道, 不合則處而嘿, 合則出而語. 同人者, 謂其道合, 道合由於心同, 心同則言無
不入, 雖先或悲愁, 後必嬉笑也. 利如利刃之利, 斷金如所謂至誠開金石. 金石雖堅, 利
刃則可斷, 同心之利, 捷於利刃, 謂無所不遂也. 言之入耳, 如臭之入鼻, 言之入耳, 善
惡難別, 故順逆或未定, 臭之入鼻, 美惡立判, 故好惡不迷. 所謂如惡惡臭是也, 以臭喩
言, 其意更切. 臭莫美於蘭香, 故未有聞蘭而不深受者, 心同言合如此也. 心與金爲韵,
言與蘭爲韵, 如章內臣身事器奪伐, 皆韵叶, 古語蓋有如此.

군자의 도(道)는 화합하지 않으면 머물러 침묵하고, 화합하면 나아가서 말한다. 사람들과
함께함은 그 도가 화합함을 말하고, 도가 화합함은 마음을 함께함을 말미암으니, 마음을 함
께한다면 말은 받아들이지 못할 것이 없어서 비록 먼저는 혹 슬퍼서 근심하더라도, 뒤에는
반드시 기뻐서 웃을 것이다. '날카로움'은 예리한 칼날의 날카로움이고, '쇠를 절단함'은 이른
바 지성(至誠)으로 금석(金石)을 가르는 것이다. 금석이 비록 견고하여도 날카로운 칼날이
결단할 수 있으며, 마음을 함께하는 날카로움은 예리한 칼날보다 빠르니, 이루지 못하는 것
이 없음을 말한다. 말이 귀에 들어감은 냄새가 코에 들어옴과 같은데, 말이 귀에 들어옴에는
선악을 분별하기 어렵기 때문에 따름과 거스름을 혹 정하지 못하지만, 냄새가 코에 들어옴
에는 아름다움과 추악함을 즉시 판별하기 때문에 좋음과 나쁨에 미혹되지 않는다. 이른바
'나쁜 냄새를 미워하는 것과 같다'가 이것인데, 냄새를 말에 비유하여서 그 의미가 더욱 친절
하다. 냄새는 난초의 향기보다 아름다운 것이 없으므로 난초임을 알고서 깊이 들이쉬지 않
는 자는 없으니, 마음을 함께함은 이와 같이 화합함을 말한다. 마음과 금(金)은 운이 되고,
말과 난초도 운이 된다. 8장의 신해[臣]와 몸[身], 일[事]과 기물[器], 빼앗음[奪]과 침[伐]과
같은 것은 모두 운을 맞추었으니, 옛말에는 대체로 이와 같음이 있다.

유정원(柳正源) 『역해참고(易解參攷)』

同人 [至] 如蘭.
사람들과 함께 하지만 … 난초와 같다.

正義, 初未知同, 故先號咷, 後得同類, 故後笑也.
『주역정의』에서 말하였다: 처음에는 같음을 알지 못하기 때문에 먼저는 울부짖지만, 뒤에는

부류가 같아지기 때문에 뒤에는 웃는 것이다.

○ 龜山楊氏曰, 君子之學, 求仁而已, 夷淸惠和伊尹之任, 皆聖人也. 其道不同, 而趨同者, 何. 曰仁而已. 故古之君子, 雖相去千里, 相望異世, 出處語默, 未嘗同及, 攷其所歸, 若合符契, 同歸於仁而止.

구산양씨가 말하였다: 군자의 학문은 인(仁)을 구할 따름이니, 백이의 청명함과 유하혜의 온화함과 이윤의 맡음이 모두 성인이다.[214] 그 도(道)가 같지 않은데, 같음으로 나아간 것은 어째서인가? '인(仁)'일 따름이다. 그러므로 옛날의 군자는 비록 서로 천리를 떨어지고 서로 다른 세상을 살아가서 나감·머무름·말함·침묵함이 일찍이 같지는 않았지만, 그 돌아간 바를 헤아리면 부절을 합치는 것과 같았으니, 함께 인(仁)으로 돌아가 머무른 것이다.

김상악(金相岳) 『산천역설(山天易說)』

釋同人九五爻義. 出處語默, 言其跡異也, 斷金如蘭, 言其心同也.

동인괘(同人卦䷌) 구오효의 뜻을 해석하였다. 나감과 거처함, 말함과 침묵함은 그 자취의 다름을 말하고, '금(金)'을 절단함'과 '난초와 같음'은 그 마음이 같음을 말한다.

서유신(徐有臣) 『역의의언(易義擬言)』[215]

或出或處,

혹은 나아가고 혹은 처하며,

五在外爲出, 二在內爲處.

오효는 외괘에 있으니 나아감이 되고, 이효는 내괘에 있으니 처함이 된다.

或默或語,

혹은 침묵하고 혹은 말하나,

二張離口爲語, 五塞兌口爲默.

이효가 리괘(離卦䷝)의 입을 펼치니 말함이 되고, 오효가 태괘의 입을 막으니 침묵함이 된다.

其利斷金.

그 날카로움이 금을 절단한다.

---

214) 『孟子 · 萬章』: 孟子曰, 伯夷, 聖之淸者也, 伊尹, 聖之任者也, 柳下惠, 聖之和者也, 孔子, 聖之時者也.
215) 경학자료집성DB에서는 「계사상전」 '통론'으로 분류했으나, 내용에 따라 이 자리로 옮겼다.

乾爲金, 離有中斷之象也.
건괘(☰)가 금이 되고, 리괘(☲)에는 가운데가 끊긴 상이 있다.

其臭如蘭.
그 향기로움이 난초와 같다.
互巽爲臭, 亦有蘭象.
호괘인 손괘(☴)는 향기가 되며, 또한 난초의 상이 있다.

심취제(沈就濟) 『독역의의(讀易疑義)』

同人之先號咷而後[216]笑者, 先塞後通也, 二人同心者, 旣通而相合也, 旣合而同心, 則言臭如蘭者, 歸一而無分別也, 會通亦在此中矣. 二人云者, 天人也.
"사람들과 함께 하지만 먼저는 울부짖고 뒤에는 웃는다"는 것은 먼저는 막혔다가 뒤에 통하기 때문이며, 두 사람이 마음을 함께 하는 것은 이미 통하여 서로 화합하기 때문이며, 이미 화합하여 마음을 함께 하면 말의 향기가 난초와 같은 것은 하나로 돌아가 분별이 없기 때문이니, 회통은 또한 이 가운데 있는 것이다. 두 사람이라고 한 것은 하늘과 사람이다.

自易準至道義之門, 申明首章之義, 自擬議至以下七爻, 申言第二章之義也.
"역이 [천지를] 준칙으로 삼는다"로부터 "도의의 문이다"에 이르기까지는 첫 장의 뜻을 거듭 밝혔고, 견주고 의논함부터 아래의 일곱 효에 이르기까지는 제 2장의 뜻을 거듭 말하였다.

오치기(吳致箕) 「주역경전증해(周易經傳增解)」

此釋同人九五爻辭之義, 而擬議于君子之同心相交也. 斷金, 言兩心无間, 如刃之利, 雖堅金, 亦可斷也, 如蘭, 言氣味符合, 言之相入, 如蘭之馨香也. 九五爻變, 則乾變爲離, 離爲心故, 與六二之離, 爲二人同心之象. 乾爲金, 互兌爲決, 故曰斷金, 互兌爲口言之象, 互巽爲臭爲草, 臭草之得正者, 莫如蘭也.
이것은 동인괘(同人卦☲) 구오효의 뜻을 해석하여 군자가 마음을 함께하며 서로 사귐을 견주고 의논한 것이다. '금을 절단함'은 두 마음의 틈이 없음이 칼날과 같이 예리하여 비록 단단한 쇠라도 끊을 수 있음을 말하고, "난초와 같다"는 기미(氣味)가 부합하여 말이 서로 들어감이 난초의 향내와 같음을 말한다. 구오효가 변하면 건괘(☰)가 리괘(☲)로 변하는데, 리괘는 마음이 되기 때문에 육이효의 리괘와 더불어 두 사람이 마음을 함께 하는 상이 된다.

---

216) 後: 경학자료집성DB와 영인본에는 '彼'로 되어 있으나, 문맥을 살펴 '後'으로 바로잡았다.

건괘는 금이 되고 호괘인 태괘는 결단함이 되기 때문에 '금을 절단한다'고 하였고, 호괘인 태괘는 입과 말의 상이 되고 호괘인 손괘는 냄새가 되고 풀이 되는데, 풀을 냄새 맡음에 바름을 얻는 것은 난초만 한 것이 없다.

이병헌(李炳憲) 『역경금문고통론(易經今文考通論)』

利可斷金, 則交入於神, 香比於蘭, 則德及於人.

예리함이 금을 절단할 수 있으니 사귐이 신묘함에 들어가고, 향기가 난초에 비견되니 덕이 사람에게 미친다.

初六, 藉用白茅, 无咎, 子曰, 苟錯諸地, 而可矣, 藉之用茅, 何咎之有, 愼之至也. 夫茅之爲物, 薄而用, 可重也, 愼斯術也, 以往, 其无所失矣.

"초육(初六)은 자리를 까는데 흰 띠풀을 사용하니 허물이 없다"하니, 공자(孔子)가 말하였다: 진실로 놓더라도 가(可)하거늘 까는데 띠풀을 사용하니 무슨 허물이 있겠는가. 삼감이 지극한 것이다. 띠풀이란 물건은 하찮으나 쓰임은 소중히 여길 만하니, 이 방법을 삼가서 가면 잘못되는 바가 없으리라.

‖中國大全‖

本義

釋大過初六爻義.

대과괘(大過卦䷛) 초육효(初六爻)의 뜻을 해석한 것이다.

小註

節齋蔡氏曰, 物之置於地也, 亦可安矣, 而又藉之茅, 過於愼也. 凡天下之事, 過則有失, 唯過於愼則无所失, 故无咎.

절재채씨가 말하였다: 물건을 땅에 놓더라도 안전하게 할 수 있는데, 게다가 띠풀을 깔았으니 삼감에 지나침이다. 천하의 일은 지나치면 잘못되는데, 오직 삼감에 지나치면 잃는 것이 없기 때문에 허물이 없다.

‖韓國大全‖

이익(李瀷)『역경질서(易經疾書)』

古人藉必用茅禮, 不忘本也. 不忘本, 則愼在中, 詳在本卦.

고인이 자리에 반드시 띠풀을 쓰는 예는 근본을 잊지 않았기 때문이다. 근본을 잊지 않으면 신중함이 그 안에 있으니, 자세한 것은 본괘에 있다.

유정원(柳正源)『역해참고(易解參攷)』

初六 [至] 失矣.

초육은 … 잘못되는 바가 없으리라.

案, 淸廟而茅屋, 包茅以縮酒, 茅之用重矣. 籍之以此, 愼莫甚焉, 愼者, 敬謹之意也. 君子之一動一靜, 一如籍茅之心, 則何咎之有.

내가 살펴보았다: 깨끗한 종묘에 띠풀로 집을 짓고, 띠풀을 엮어 놓고서 술을 따랐으니, 띠풀의 쓰임이 무거웠다. 이것으로 자리를 깐 것은 삼감이 이보다 심한 것이 없음인데, '삼감[愼]'은 공경하고 조심한다는 뜻이다. 군자가 움직임과 고요함에 띠풀을 까는 마음을 한결같이 할 수 있다면, 어떤 허물이 있겠는가?

김상악(金相岳)『산천역설(山天易說)』

釋大過初六爻義. 凡天下之事, 過則有失, 惟過於愼, 則无所失矣.

대과괘(大過卦䷛) 초육효의 뜻을 해석하였다. 모든 천하의 일은 지나치면 잘못이 있지만, 삼감에 지나칠 뿐이면 잘못하는 바가 없을 것이다.

심취제(沈就濟)『독역의의(讀易疑義)』

象辭陰陽也, 變占剛柔也, 會通陰陽也, 擬議剛柔也. 愼者心內欽也, 術者巧也, 巧者神也.

상(象)과 사(辭)는 음양이고 변(變)과 점(占)은 강유이며, '모음[會]'과 '통함[通]'은 음양이고 '견줌[擬]'과 '의논함[議]'은 강유이다. '삼감[愼]'은 마음이 안으로 조심함이며, '방법[術]'은 공교함이고, 공교함은 신묘함이다.

윤행임(尹行恁) 『신호수필(薪湖隨筆)·계사전(繫辭傳)』

既錯于地, 又藉于茅, 所以愼其術也. 人而不愼, 則危道也, 係之維之, 亨于西山, 愼之福也.

이미 땅에 놓고서도 다시 띠풀을 깔았으니, 그 방법을 삼가는 것이다. 사람이 삼가지 않으면 도가 위태로우니, '얽어매고 동여매어 서쪽 산에서 제사지냄'[217]은 삼가의 홍복이다.

오치기(吳致箕) 「주역경전증해(周易經傳增解)」

此釋大過初六爻辭之義, 而擬議于君子之愼行也. 茅雖薄物, 而用以敬愼之意, 故曰用可重也.

이것은 대과괘(大過卦☰) 초육효의 뜻을 해석하여 군자의 삼가 행함을 견주고 의논한 것이다. 띠풀은 비록 얇은 물건이지만 삼가는 뜻으로 쓰기 때문에 "쓰임이 소중히 여길 만하다"고 하였다.

박문호(朴文鎬) 「경설(經說)·주역(周易)」

用可重, 如祭天必藉茅是也.

"쓰임은 소중히 여길 만하다"는 하늘에 제사함에 반드시 띠풀을 까는 것과 같은 것이다.

이병헌(李炳憲) 『역경금문고통론(易經今文考通論)』

大過初六所藉, 有非常之精義, 其爲大過之主乎.

대과괘(大過卦☰) 초육효에서 까는 것은 비상시의 깊은 뜻이 있음이니, 대과괘의 주인이 되는 것인가?

---

217) 『周易·隨卦』: 上六, 拘係之, 乃從維之, 王用亨于西山.

勞謙, 君子有終, 吉, 子曰, 勞而不伐, 有功而不德, 厚之至也,
語以其功下人者也. 德言盛, 禮言恭, 謙也者, 致恭, 以存其
位者也.

"공로가 있으며 겸손하니, 군자가 끝마침이 있으면 길하다"하니, 공자(孔子)가 말하였다: 수고하여도
자랑하지 않으며 공(功)이 있어도 덕(德)으로 여기지 않음은 후함의 지극함이니, 공(功)이 있으면서
도 남에게 낮춤을 말한 것이다. 덕(德)으로 말하면 성대(盛大)하고 예(禮)로 말하면 공손하니, 겸(謙)
은 공손함을 지극히 하여 그 지위를 보존하는 것이다.

┃中國大全┃

本義

釋謙九三爻義. 德言盛, 禮言恭, 言德欲其盛, 禮欲其恭也.

겸괘(謙卦䷠) 구삼효(九三爻)의 뜻을 해석한 것이다. 덕(德)으로 말하면 성대(盛大)하고 예(禮)로
말하면 공손하다는 것은 덕(德)은 성하고자 하고 예(禮)는 공손하고자 함을 말한 것이다.

小註

南軒張氏曰, 大抵風之不厚, 不能負大翼, 水之不厚, 不能負大舟. 君子處心不厚, 則恃
勢而傲物, 耀功而忽人矣, 安能以其功而下人乎. 切觀地中有山之象, 夫德之盛而充實
如山焉, 禮之恭而接下如地焉. 夫內之德盛而外之禮恭, 所以處上而人不忌, 處前而人
不怨, 此謙所以長保其位也.

남헌장씨가 말하였다: 바람이 두텁지 않으면 큰 날개를 감당할 수 없고, 물이 깊지 않으면
큰 배를 띄울 수 없다. 군자의 마음가짐이 후중하지 않으면, 세력을 믿고 다른 이에게 오만
하고 공을 빛내고 사람을 소홀히 여기니, 어찌 그 공을 가지고 다른 사람에게 낮출 수 있겠
는가? 땅 속에 산이 있는 상을 절실하게 보면 덕이 성대하여 충실함이 산과 같고 예의 공손
함으로 아래에 닿음이 땅과 같다. 안으로는 덕이 성하고 밖으로는 예로 공손하여 위에 거처
해도 남이 꺼리지 않고 앞에 거처해도 남이 원망하지 않으니, 이것이 겸손함이 그 자리를

길이 보존하는 까닭이다.

○ 誠齋楊氏曰, 人之謙與傲, 係其德之厚與薄. 德厚者无盈色, 德薄者无卑辭. 如鐘磬焉, 愈厚者聲愈緩, 薄者反是. 故有勞有功而不伐不德, 唯至厚者能之. 其德愈盛則其禮愈恭矣.

성재양씨가 말하였다: 사람이 겸손하고 오만한 것은 그 덕의 후함과 박함에 달려있다. 덕이 후한 자는 가득찬 기색이 없고 덕이 박한 자는 자신을 낮추는 말이 없다. 마치 종경(鐘磬)과 같아서 두터울수록 느리게 퍼지고 박할수록 이와 반대인 것과 같다. 그러므로 수고스러움이 있어도 공으로 여기지 않고 자랑하지 않으며 덕으로 여기지도 않음은 오직 지극히 덕이 후한 자라야만 가능하다. 그 덕이 성할수록 그 예도 더욱 공순해진다.

韓國大全

김장생(金長生) 『경서변의(經書辨疑)-주역(周易)』

勞謙.

공로가 있으며 겸손함.

勞且謙也, 諺解云以勞爲謙, 非也.

공로가 있고 또 겸손함이니, 언해에서 "공로로 겸손을 삼는다"고 한 것은 틀렸다.

이익(李瀷) 『역경질서(易經疾書)』

上無德盛禮恭字, 則兩言字恐語辭. 謂德盛而禮恭, 所以爲謙.

앞에서 덕(德)이 성대하고 예(禮)가 공손함을 말함이 없으니, 두 번의 '말한대訂'는 말은 어조사인 듯하다. "덕이 성대하고 예가 공손하여서 겸손하게 된 것이다"라고 말한 것이다.

유정원(柳正源) 『역해참고(易解參攷)』

勞謙 [至] 者也.

공로가 있으며 겸손하니 … 보존하는 것이다.

節初齊氏曰, 三下卦之終也, 以九居三, 諸矦而有功者也. 六五方用侵伐, 以哀多益寡, 故謙, 則有終勞而不伐兩句, 正釋謙字. 存其位, 正釋有終字, 謙者, 致恭以存其位者也. 一不朝則貶, 再不朝則削, 吾未見其存矣.

절초제씨가 말하였다: 삼효는 하괘(下卦)의 끝이면서 구(九)로써 세 번째에 자리하니, 제후로 공이 있는 자이다. 육오는 바야흐로 침범을 써서 많은 것을 덜어 적은 것에 보태주므로 겸손하니, "마침이 있다"와 "수고하여도 자랑하지 않는다"는 두 구절은 바로 겸손함을 해석한 것이다. "그 지위를 보존한다"는 바로 "마침이 있다"는 말을 해석하니, 겸손한 사람은 공손함을 지극히 하여 그 지위를 보존하는 자이다. '한 번 조회하지 않으면 지위를 낮추고, 두 번 조회하지 않으면 땅을 떼어낸다'[218]고 하니, 나는 그 보존함을 보지 못할 것이다.

○ 案, 厚之至, 坤之德也, 以功下人, 艮之止也.

내가 살펴보았다: '두터움이 지극함'은 곤괘(坤卦)의 덕이고, '공이 있으면서 남에게 낮춤'은 간괘(艮卦)의 그침이다.

김상악(金相岳) 『산천역설(山天易說)』

釋謙九三爻義. 德則欲盛, 禮則欲恭, 謙之義也. 致恭所以勞謙, 存位所以有終.

겸괘(謙卦䷎) 구삼효의 뜻을 해석하였다. 덕(德)은 성대하려 하고 예(禮)는 공손하려 함이 겸손의 뜻이다. 공손함을 다함이 수고로우며 겸손한 까닭이고, 지위를 보존함이 마침이 있는 까닭이다.

심취제(沈就濟) 『독역의의(讀易疑義)』

勞謙之謙, 厚之至也.

"공로가 있으며 겸손하니"의 '겸손'은 두터움의 지극함이다.

윤행임(尹行恁) 『신호수필(薪湖隨筆)·계사전(繫辭傳)』

美利, 利天下而不言所利, 天之道也. 不矜不伐, 聖之訓也, 夏禹治九潦, 功及萬世, 而不自以爲功者, 德之盛而禮之恭也.

아름다운 이로움으로 천하를 이롭게 하고도 이롭게 한 것을 말하지 않음은 하늘의 도(道)이

---

218) 『孟子·告子』.

다.[219] 자랑하지 않음은 성인의 가르침이니, 하나라의 우임금이 구요(九燎)를 다스려서 공이 만세에 미쳤으나, 스스로 공적으로 여기지 않은 것은 덕(德)의 성대함이며 예(禮)의 공손함이다.

심대윤(沈大允) 『주역상의점법(周易象義占法)』

禮者, 中庸之器也, 以卑恭爲主, 而亦不失其尊敬也. 矜伐功能, 以求上人, 負恃才知, 以蔑人, 高峻言行, 以勝人, 非禮也.

예(禮)는 중용의 그릇이니, 낮추고 공손함을 위주로 하면 또한 존중하여 공경함을 잃지 않는다. 공적과 능력을 자랑하여 남들보다 위에 있기를 구하거나, 재주와 지식을 믿고서 남들을 업신여기거나, 언행을 고원하게 하여서 남들에게 이기려 함은 예(禮)가 아니다.

오치기(吳致箕) 「주역경전증해(周易經傳增解)」

此釋謙九三爻辭之義, 而擬議于君子之謙行也. 勞者, 功之未成, 功者, 勞之已成. 不伐者, 不以我有勞而自矜, 不德者, 不以我有功而爲德也, 以功下人, 卽不伐不德也. 德言盛者, 謂德欲及人常有餘而盛也, 禮言恭者, 謂禮欲卑躬常不足而恭也. 勞謙, 乃兼此二者也.

이것은 겸괘(謙卦☷☶) 구삼효의 뜻을 해석하여 군자의 겸손한 행실을 견주고 의논한 것이다. '수고로움[勞]'은 공이 아직 이루어지지 않은 것이고, '공(功)'은 수고로움이 이미 이루어진 것이다. '자랑하지 않음[不伐]'은 나에게 수고로움이 있다는 것으로 스스로 자부하지 않는 것이고, '덕으로 여기지 않음[不德]'은 나에게 공이 있다는 것으로 덕을 삼지 않는 것이니, '공이 있어도 남들에게 낮춤'은 자랑하지 않고 덕으로 여기지 않는 것이다. '덕으로 말하면 성대하다'는 덕에 있어서는 사람에게 미쳐서 항상 여유 있고 성대하고자 함을 말하고, '예로 말하면 공손하다'는 예에 있어서는 자신을 항상 부족하다고 낮추어 공손하고자 함을 말한다. '수고로운 겸[勞謙]'은 바로 이 두 가지를 겸비한 것이다.

이병헌(李炳憲) 『역경금문고통론(易經今文考通論)』

此爲先難後獲之義也.

이는 "먼저는 어렵다가 뒤에 얻는다"[220]는 뜻이 된다.

---

219) 『周易·乾卦·文言傳』: 乾始, 能以美利, 利天下, 不言所利, 大矣哉.
220) 『論語·雍也』: 問仁, 曰仁者, 先難而後獲, 可謂仁矣.

亢龍, 有悔, 子曰, 貴而无位, 高而无民, 賢人, 在下位而无輔.
是以動而有悔也.

"끝까지 올라간 용이니 후회가 있을 것이다"하니, 공자(孔子)가 말하였다: 귀하나 지위가 없고 높으나 백성이 없으며, 현인(賢人)이 하위(下位)에 있어 도와주는 이가 없다. 이 때문에 움직이면 후회가 있는 것이다.

║中國大全║

本義

釋乾上九爻義. 當屬文言, 此蓋重出.

건괘(乾卦䷀) 상구효(上九爻)의 뜻을 해석한 것이다. 마땅히 「문언전(文言傳)」에 속해야 하니, 이는 거듭 나온 것이다.

║韓國大全║

이익(李瀷)『역경질서(易經疾書)』

王宗傳曰, 知聖人深與乎謙之九三, 則知深戒乎乾之上九. 亢者, 謙之反, 九三致恭存位, 上九則貴而無位, 九三萬民服, 上九則高而無民, 九三能以功下人, 上九則賢人在下位而無輔. 此九三所以謙而有終, 上九所以亢而有悔也, 其說亦精, 故錄之.

왕종전이 "성인이 겸괘의 구삼효를 깊이 허여함을 안다면, 건괘의 상구효를 깊이 경계함을 알 것이다. '지나침'은 겸손함의 반대이니, 구삼은 공손함을 다하여 자리를 보존하지만 상구는 귀해도 자리가 없고, 구삼은 만민이 복종하지만 상구는 높아도 백성이 없고, 구삼은 공이 있어도 사람들보다 밑으로 할 수 있지만 상구는 현인이 아래에서 보좌함이 없다. 이것이 구삼이 겸손하여 마침이 있는 까닭이고, 상구가 지나쳐서 후회가 있는 까닭이다"라고 하였는데, 그 설명이 또한 정밀하기 때문에 기록하였다.

유정원(柳正源) 『역해참고(易解參攷)』

亢龍 [至] 悔也.
끝까지 올라간 용이니 … 후회가 있을 것이다.

正義, 上旣以謙德保位, 此明无謙則有悔. 故引乾之亢龍有悔, 證驕亢不謙也.
『주역정의』에서 말하였다: 위에서 이미 겸손한 덕으로 지위를 보존하였고, 여기에서 겸손함이 없으면 후회가 있음을 밝혔다. 그러므로 건괘(乾卦)의 "끝까지 올라간 용이니 후회가 있을 것이다"를 끌어다가 교만함이 지나쳐 겸손하지 않은 것을 증명하였다.

김상악(金相岳) 『산천역설(山天易說)』

釋乾上九爻義.
건괘(乾卦☰) 상구효의 뜻을 해석하였다.

심취제(沈就濟) 『독역의의(讀易疑義)』

亢悔者, 處亢而動則有悔也.
끝까지 올라가서 후회한다는 것은 끝에 처하여 움직이면 후회가 있다는 것이다.

오치기(吳致箕) 「주역경전증해(周易經傳增解)」

解見文言.
풀이가 「문언전」에 나온다.

不出戶庭, 无咎, 子曰, 亂之所生也, 則言語以爲階, 君不密
則失臣, 臣不密則失身, 幾事不密則害成, 是以君子愼密而不
出也.

"외짝문의 뜰을 벗어나지 않으면 허물이 없다"하니, 공자(孔子)가 말하였다: 난(亂)이 생기는 것은
언어(言語)가 계제(階梯)가 되니, 군주가 신밀(愼密)하지 않으면 신하를 잃고 신하가 신밀하지 않으
면 몸을 잃으며, 기미(幾微)의 일이 신밀(愼密)하지 않으면 해로움이 이루어지니, 이 때문에 군자(君
子)는 신밀(愼密)하여 말을 함부로 내지 않는 것이다.

‖中國大全‖

本義

釋節初九爻義.

절괘(節卦䷻) 초구효(初九爻)의 뜻을 해석한 것이다.

小註

節齋蔡氏曰, 不言則是非不形. 人之招禍唯言爲甚, 故言所當節也. 密於言語卽不出戶
庭之義. 兌有言象, 故於節之初爻, 重明之.

절재채씨가 말하였다: 말을 하지 않으면 시비가 생기지 않는다. 사람이 화를 불러들임은
오직 말이 가장 심하니 말을 절제해야 한다. 말을 신밀히 함은 "외짝문의 뜰을 벗어나지
않으면 허물이 없다"는 뜻이다. 태괘(兌卦☱)에는 말의 상이 있기 때문에 절괘(節卦)의 초
효에서 거듭 밝혔다.

○ 建安丘氏曰, 爻義主出處之節而言, 此兼及於言語之節者. 節下卦兌, 兌爲口舌, 亦
其象也. 蓋口舌, 乃人一身之門戶, 一語不謹, 則失人失身, 殃禍立至. 此尤君子之所重
也, 故夫子因明謹行而又推之謹言也.

건안구씨가 말하였다: 효의 뜻은 출처의 절도를 위주로 말한 것인데 여기에서 언어의 절도를 겸하여 언급함은 절괘의 아래는 태괘(兌卦☱)인데 태괘는 구설이니 역시 그런 상이다. 구설은 사람의 한 몸의 문호이니 한 마디를 조심하지 않으면 사람을 잃고 몸을 잃고 재앙이 찾아온다. 이는 군자가 중요하게 여기는 것이기 때문에 공자가 인하여 행실을 조심할 것을 밝혔고, 또 말을 조심하는 것까지 미루었다.

○ 誠齋楊氏曰, 唐高宗告武后, 以上官儀敎我廢汝, 此君不密而失臣也. 陳蕃乞宣臣章, 以示宦者, 此臣不密而失身也.
성재양씨가 말하였다: 당나라 고종이 무후에게 상관의가 당신을 폐하라고 하였음을 알려주었는데, 이것이 군주가 신밀하지 못하여 신하를 잃음이다. 진번이 신하들에게 발양할 것을 호소하는 글을 환관에게 보인 것은 이것은 신하가 신밀하지 못해서 몸을 잃음이다.

‖韓國大全‖

이익(李瀷) 『역경질서(易經疾書)』

不出戶庭, 非遁世括囊者也, 故以君臣爲言. 言者身之文, 身者言之質. 雖使君出而臨民, 臣出而任職, 言語不洩於戶庭之外, 此便是不出也. 其害成之, 階不繫於身, 而只繫於言語, 故以言爲解.
'외짝문의 뜰을 벗어나지 않음'은 은둔하며 입을 다문 것이 아니므로 군신(君臣)으로 말하였다. 말은 몸의 문채이고, 몸은 말의 본질이다. 비록 임금이 나아가 백성이 임하고, 신하가 나아가 관직을 맡더라도, 말이 호정의 밖으로 새어나가지 않았다면, 이는 바로 나가지 않은 것이다. 그것이 해를 이룸은 계제가 몸에 달려있지 않고, 단지 언어에 달려 있으므로 말로 풀이하였다.

유정원(柳正源) 『역해참고(易解參攷)』

不出 [至] 出也.
벗어나지 않으면 … 내지 않는 것이다.

案, 密者, 非陰密之謂也, 君臣同德用心, 嚴密處事. 愼[221]密, 如武矦之營壘軍伍, 密勿嚴整, 敵人不得間之者, 此愼密不出之道也.

내가 살펴보았다: '밀(密)'은 은밀함을 말하는 것이 아니라, 임금과 신하가 같은 덕으로 마음을 쓰고 엄밀하게 일을 처리함이다. '신밀(愼密)'은 무후가 군영의 보루와 군대의 대열에 부지런히 힘쓰고 엄밀하게 정돈하여 적들이 끼어 들 수 없었다는 것과 같으니, 이것이 신밀하여 함부로 내지 않는 도이다.

김상악(金相岳) 『산천역설(山天易說)』

釋節初九爻義. 害成謂害於成也.

절괘(節卦) 초구효의 뜻을 해석하였다. '해성(害成)'은 성공에 해가 됨을 말한다.

서유신(徐有臣) 『역의의언(易義擬言)』[222]

言語以爲階,

언어가 계제(階梯)가 되니,

兌口應坎險, 故懼其爲亂階也.

태괘(☱)의 입이 감괘(☵)의 험함을 만났으므로 환란의 계제가 될까 두려워함이다.

심취제(沈就濟) 『독역의의(讀易疑義)』

不出者, 愼於幾也.

벗어나지 않는 것은 기미에 신밀하기 때문이다.

윤행임(尹行恁) 『신호수필(薪湖隨筆)·계사전(繫辭傳)』

宋之句淵, 以忠亮許國, 高宗委心諮訪, 以片紙往復, 夜漏輒下, 數刻能有契乎. 失臣之戒也.

송나라 구연이 충량함으로 온 나라의 인정을 받아서 고종이 믿고 자문하여 편지를 주고받았는데, 한밤중이라도 바로 편지를 보냈으니 몇 시각 만에 제대로 답할 수 있었겠는가? 신하를 잃게 되는 경계인 것이다.

---

221) 愼: 경학자료집성DB와 영인본에 모두 '繽'으로 되어 있으니, 문맥을 살펴 '愼'으로 바로 잡았다.
222) 경학자료집성DB에서는 「계사상전」 '통론'으로 분류했으나, 내용에 따라 이 자리로 옮겼다.

박종영(朴宗永) 「경지몽해(經旨蒙解)·주역(周易)」

此釋節卦初九爻義也. 爻義本主出處之節, 而此兼及於言語之節者, 節下卦兌, 兌爲口舌, 口舌乃人一身之門戶. 一語不謹, 則失臣失身, 其禍立至此, 尤居子之所重也. 故夫子因明謹行, 而又推及於謹言也. 誠齋楊氏於小註, 釋之曰, 唐高宗告武后, 以上官儀敎我廢汝, 此君不密而失臣也, 陳蕃乞宣臣章, 以示宦者, 此臣不密而失身也, 嗚呼, 此善譬曉以示後人也, 可不愼哉, 可不戒哉.

이것은 절괘(節卦☵☱) 초구효의 뜻을 해석한 것이다. 효의 뜻은 본래 나가고 머무는 절도를 위주로 한 것인데, 여기에 언어의 절도를 겸하여 언급한 것은 절괘의 하괘(下卦)가 태괘(☱)이고, 태괘는 입과 혀가 되고, 입과 혀는 사람 몸의 문호(門戶)이기 때문이다. 한 마디라도 삼가지 않으면 신하를 잃고 몸을 잃어서 그 화가 성립됨이 이에 이르니, 더욱 거처함이 소중한 것이다. 그러므로 공자가 행동의 삼감을 밝힘에 의거하여 다시 말의 삼감을 미루어 언급하였다. 성재양씨가 소주에서 이를 해석하여 "당나라 고종이 무후에게 상관의가 당신을 폐하라 했다고 알려준 것은 이것은 군주가 신밀하지 못하여 신하를 잃음이다. 진번이 신하들에게 발양할 것을 호소하는 글을 환관에게 보인 것은 이것은 신하가 신밀하지 못해서 몸을 잃음이다"라고 하였는데, 아! 이는 좋은 비유로 깨우쳐서 후인에게 보인 것이니, 삼가지 않을 수 있겠으며, 경계하지 않을 수 있겠는가?

오치기(吳致箕) 「주역경전증해(周易經傳增解)」

此釋節初九爻辭之義, 而擬議于君子之愼言也. 亂者, 卽失臣失身害成也. 幾者事之始, 成者事之終也. 本爻主出處之節, 而夫子以愼言釋之, 取象於兌爲口舌, 而口舌, 亦爲一身之門戶也.

이것은 절괘(節卦☵☱) 초구효의 뜻을 해석하여 군자의 말을 삼감을 견주고 의논한 것이다. '난(亂)'은 신하를 잃음과 몸을 잃음과 해로움이 이루어짐이다. '기미[幾]'는 일의 시작이고 '이룸[成]'은 일의 마침이다. 본효는 나감과 거처함의 절차를 주로 하는데, 공자가 말을 삼감으로 해석한 것은 혀와 입이 되는 태괘(☱)에서 상을 취하였고, 입과 혀는 또한 한 몸의 문호가 되기 때문이다.

子曰, 作易者其知盜乎. 易曰, 負且乘, 致寇至, 負也者, 小人之事也, 乘也者, 君子之器也, 小人而乘君子之器. 盜思奪之矣, 上, 慢, 下, 暴. 盜思伐之矣, 慢藏, 誨盜, 冶容, 誨淫, 易曰 負且乘致寇至, 盜之招也.

공자(孔子)가 말하였다: 역(易)을 지은 자는 도적이 생기는 이유를 알았을 것이다. 역(易)에 이르기를 "짊어져야 하는데 또 올라탔기에 도적을 오게 한다" 하였으니, 지는 것은 소인(小人)의 일이요 타는 것은 군자(君子)의 기물(器物)이다. 소인(小人)으로서 군자(君子)의 기물(器物)을 타고 있으니, 이 때문에 도적이 빼앗을 것을 생각하는 것이다. 윗사람을 거만히 대하고 아랫사람을 사납게 대하니, 이 때문에 도적이 칠 것을 생각하는 것이다. 보관을 허술하게 함이 도적을 가르치며, 모양을 치장함이 간음을 가르치는 것이니, 역(易)에 "짊어져야 하는데 또 올라탔기에 도적을 오게 한다" 하였으니, 도적을 불러들이는 것이다.

▌中國大全▌

本義

釋解六三爻義.

해괘(解卦䷧) 육삼효(六三爻)의 뜻을 해석한 것이다.

小註

朱子曰, 六居三, 大率少有好底. 負且乘, 聖人這裏又見得有這個小人乘君子之器底象, 故又於此發出這個道理來.

주자가 말하였다: 육이 삼의 자리에 있으면 대체로 좋은 것이 적다. "짊어져야 하는데 또 올라탔다"는 성인이 여기에서 이렇게 소인이 군자의 기물을 타는 상을 보았기 때문에 여기에 그런 도리를 표출해낸 것이다.

○ 柴氏中行曰, 六三以不正, 小人據非其位, 故有此象. 人據非其義之所當有, 則啓謀利者攘奪之心. 作易者明義利之分, 故於六三之小人, 居有德之位, 知其必有盜乘其後而奪之. 天下之大盜, 未有不乘隙而動也.

시중행이 말하였다: 육삼은 바르지 못해 소인이 그 자리가 아닌데 의탁하였기 때문에 이런 상이 있다. 사람이 의리상 마땅히 소유할 것이 아닌데 의탁하면 이로움을 도모하는 자의 빼앗으려는 마음을 열어준다. 역을 지은 자가 의로움과 이로움의 구분에 밝기 때문에 육삼의 소인이 덕 있는 자리에 앉아있는 것에서 반드시 그 뒤를 도적이 타고 들어 빼앗음이 있을 것임을 안다. 천하의 큰 도적들이 틈을 타서 움직이지 않음이 없다.

○ 涑水司馬氏曰, 上慢下暴, 慢其上而暴其下也.

속수사마씨가 말하였다: '상만하폭(上慢下暴)'은 위를 거만하게 대하고 아래를 사납게 대하는 것이다.

○ 誠齋楊氏曰, 司馬氏安能盜魏, 曹操敎之也. 蕭衍安能盜齊, 蕭道成敎之也. 蓋盜非能盜小人之有也, 小人實敎盜以盜已之有也. 所謂知盜, 非知奪伐之盜也, 知敎奪伐者之盜也. 故又終之曰誨盜曰盜之招者, 以此.

성재양씨가 말하였다: 사마씨가 어떻게 위나라를 훔쳤을까? 조조가 가르쳤다. 소연이 어떻게 제나라를 훔쳤을까? 소도성이 가르쳤다. 도적이 소인이 가지고 있는 것을 도적질할 수 있는 것이 아니라, 소인이 실제 자기가 가지고 있는 것을 도적질 하도록 도적에게 가르치는 것이다. 이른바 "도적이 생기는 이유를 알았도다"라는 것은 빼앗고 치는 도적을 안다는 것이 아니라 빼앗고 치는 것을 가르치는 도적을 안다는 것이다. 그렇기 때문에 맺으며 말하길, "도적을 가르친다", "도적을 불러들인다" 한 것은 이 때문이다.

‖韓國大全‖

이익(李瀷) 『역경질서(易經疾書)』

亂莫大於寇盜, 甚者盜人之國, 其次盜人之爵, 其次盜人之女, 其次盜人之財. 其由只在政失於上, 故民亂於下. 人君豈有不欲平治其國者, 顧乃官人不審, 使宵小據位, 得肆其殘暴, 君不能禁抑也. 上慢, 如孟子上慢而殘下之義, 苟使視民如子, 豈有慢忽不覺之理. 非其器而乘者, 猶是國內之傾, 奪至慢暴, 則外寇入而社稷滅矣. 慢藏非欲誨盜, 冶容非欲誨淫, 而盜與淫者, 便皆生心. 如我誨而然也, 盜思奪伐, 何以異是. 藏以財言, 容以女言, 擧輕而見重也.

어지러움은 도둑보다 큰 것이 없는데, 심한 자는 남의 나라를 훔치고, 그 밑으로는 남의 작위를 훔치고, 그 밑으로는 남의 여인을 훔치고, 그 밑으로는 남의 재물을 훔친다. 이러한 연유는 단지 위에서 실정(失政)하므로 백성이 아래에서 혼란하기 때문이다. 임금이 어찌 그 나라를 고루 다스리려 하지 않음이 있겠는가? 참으로 벼슬에 있는 사람을 살피지 않아서 소인배가 자리에 의거하여 그 난폭함을 함부로 해도 임금이 금지하여 막을 수 없기 때문이다. '윗사람이 태만함[上慢]'은 맹자의 '윗사람이 태만해서 아랫사람을 잔해(殘害)한다'[223]는 뜻과 같으니, 참으로 백성을 자식과 같이 본다면 어찌 소홀히 하며 깨닫지 못할 리가 있겠는가? 자기 기물이 아닌데 탔다는 것은 나라가 기울어서 빼앗음이 지극하고 태만하며 난폭함과 같으니, 외적이 쳐들어와 사직이 멸망할 것이다. 보관을 태만히 함이 도적을 가르치려는 것은 아니고, 모양을 치장함이 간음을 가르치려는 것은 아니지만, 훔치고 간음하는 자가 모두 바로 마음을 일으킬 것이다. 내가 가르쳐서 그런 것과 같으니, 도적이 빼앗고 칠 것을 생각함이 이것과 무엇이 다르겠는가? 보관은 재물로 말하였고, 용모는 여인으로 말하였으니, 가벼운 것을 들어서 무거운 것을 나타냈다.

유정원(柳正源) 『역해참고(易解參攷)』

子曰 [至] 招也.
공자가 말하였다 … 불러들이는 것이다.

案, 僭於上而乘其器, 是謂上慢, 旡其德而有是器, 是謂下暴. 慢其上者, 必暴其下, 暴其下者, 必慢其上. 自我盜人之器, 而盜必盜我之器, 是我之盜, 所以敎人之盜也. 如三家私有魯國, 而僭八佾雍徹, 家臣陽貨, 又謀伐三桓, 而盜寶玉大弓, 是小人乘君子之器, 盜思奪之也.

내가 살펴보았다: 위에 함부로 하여 그 기물을 타는 것을 "윗사람을 거만히 대한다"고 하고, 그 덕이 없으면서 이 기물을 지니는 것을 "아랫사람에게 사납다"고 한다. 윗사람에게 거만히 대하는 자는 반드시 아랫사람에게 사납고, 아랫사람에게 사나운 자는 반드시 윗사람에게 거만히 대한다. 내가 남들의 기물을 훔치면 도적이 반드시 나의 기물을 훔치니, 나의 도적질이 남들에게 도적질을 가르친 것이다. 세 집안이 사사로이 노나라를 소유하여 주제넘게 8열

---

223) 『孟子·梁惠王』.

로 춤추고 천자의 음악[雍]으로 마치자, 가신(家臣)인 양화가 다시 세 대부를 쳐서 보옥과 대궁을 빼앗을 것을 생각하니, 소인이 군자의 기물을 타고 있기에 도적이 빼앗을 것을 생각하는 것이다.

김상악(金相岳) 『산천역설(山天易說)』

釋解六三爻義. 來註, 作易者不罪盜, 而歸罪于招盜者, 所以爲知盜.

해괘(解卦䷧) 육삼효의 뜻을 해석하였다. 래씨의 주석에서 "역을 지은 자가 도적에게 죄를 지우는 것이 아니라, 도적을 초래한 자에게 죄를 돌렸으니 그래서 도적을 아는 것이 된다"고 하였다.

박윤원(朴胤源) 『경의(經義)·역경차략(易經箚略)·역계차의(易繫箚疑)』

負且乘, 致寇至, 夫子引之者, 是戒小人, 使之避爵位, 而不居歟. 然則易亦爲小人謀歟. 此非但戒小人欲, 使在上者, 進賢退不肖, 勿令小人乘君子之器歟. 夫子之辭, 雖不及此, 而實包含於其中歟.

"짊어져야 하는데 또 올라탔기에 도적을 오게 한다"를 공자가 인용한 것은 소인(小人)을 경계하여 벼슬을 피하여 차지하지 못하게 한 것인가? 그렇다면 『주역』도 소인을 위하여 꾀한단 말인가? 이것은 다만 소인의 욕심을 경계할 뿐만이 아니라, 위에 있는 자들에게 어진 이를 등용하고 어리석은 이를 물리치게 하여 소인으로 하여금 군자의 기물을 타지 못하게 하려는 것인가? 공자의 말이 비록 이를 언급하지는 않았지만, 실제는 그 가운데 포함하고 있는 것인가?

심취제(沈就濟) 『독역의의(讀易疑義)』

盜之招者, 自招也.

도적을 불러들인 것은 스스로 불러들인 것이다.

以上七爻, 修身之學也, 人事也. 鶴鳴子和, 誠在中也, 二人而同心者, 誠相通也, 愼者, 愼然後存其誠也. 愼而存誠, 則動而能勞謙, 而存其位也, 愼而存誠, 則靜而處亢不爲妄動, 而能無悔也. 動靜之間, 愼而存其誠, 出入之際, 愼而存其誠, 不出戶庭, 則亂不生矣. 母子之相感, 朋友之相信, 以至動靜出入, 無非誠愼也. 末復言盜招, 則盜之來, 莫非自招也, 尤可不誠愼耶.

이상의 일곱 효는 몸을 닦는 학문이니, 인사(人事)이다. 우는 학과 새끼가 화답함은 참됨이 가운데 있기 때문이고, 두 사람이 마음을 함께 하는 것은 참됨이 서로 통하기 때문인데, 삼가는 자가 삼간 뒤에야 그 참됨을 보존한다. 삼가서 참됨을 보존하면 움직일 때는 공로가 있으면서도 겸손하여 그 지위를 보존할 수 있고, 삼가서 참됨을 보존하면 고요할 때는 지나쳐 있어도 함부로 움직이지 않아서 후회가 없을 수 있다. 움직이고 고요한 사이에 삼가서 참됨을 보존하고, 나가고 들어오는 즈음에 삼가서 참됨을 보존하여 뜰을 벗어나지 않으면 어지러움이 발생하지 않을 것이다. 모자(母子)가 서로 감동하고, 붕우(朋友)가 서로 신뢰함으로부터 움직이고 고요하며 나가고 들어옴에 이르기까지 참됨과 삼감이 아닌 것이 없다. 끝에서 다시 도적을 불러들임을 말했는데, 도적이 오는 것은 스스로 불러들이지 않은 것이 없으니, 더욱 참되고 삼가지 않을 수 있겠는가?

七爻不過形容其一身言行, 則言行爲人之樞機, 而愼之一字, 又爲言行之樞要也. 大矣言行也. 天地有天地之言行, 四時有四時之言行, 日月有日月之言行, 陰陽有陰陽之言行, 剛柔有剛柔之言行, 動靜有動靜之言行, 晝夜有晝夜之言行. 天地萬物, 莫不有言行, 則人之言行, 不亦重乎, 踐其言行, 而可不愼乎. 一身之進退遲速, 都是言行, 則捨言行而何以修身乎. 知其言行, 則可以知變化之道, 而變化者, 卽天地之言行也. 天地之中, 人以陰陽五行, 成其形體, 而以陰陽五行之理, 爲其健順五常之德, 是德也具於一心之內. 言者心之聲也, 行者心之跡也. 以此言行, 形容其仁義禮智之德, 則愼此言行而後, 可以讀易也.

일곱 효는 한 몸의 언행을 형용함에 불과하니, 언행은 사람의 추기가 되고, 삼간다는 말은 또한 언행의 핵심이 된다. 크도다! 언행이여. 천지(天地)에는 천지의 언행이 있고, 사시(四時)에는 사시의 언행이 있고, 일월(日月)에는 일월의 언행이 있고, 음양에는 음양의 언행이 있고, 강유에는 강유의 언행이 있고, 동정에는 동정의 언행이 있고, 주야에는 주야의 언행이 있다. 천지와 만물이 언행이 있지 않음이 없으니, 사람의 언행도 무겁지 않겠으며, 그 언행을 실천함에 삼가지 않을 수 있겠는가? 한 몸의 나아감과 물러섬, 느림과 신속함이 모두 언행이니, 언행을 버리고서 무엇으로 몸을 닦는단 말인가? 그 언행을 알면 변화의 도(道)를 알 수 있는데, 변화는 곧 천지의 언행이다. 천지의 가운데서 사람이 음양과 오행으로 그 형체를 이루고, 음양과 오행의 이치로 그 강건하고 유순함과 오상(五常)의 덕을 삼았는데, 이 덕은 또한 한 마음의 안에 갖추어져 있다. 말은 마음의 소리이고, 행동은 마음의 자취이다. 이러한 언행으로 인의예지의 덕을 형용하니, 이 언행을 삼간 뒤에 역(易)을 읽을 수 있을 것이다.

윤행임(尹行恁) 『신호수필(薪湖隨筆)·계사전(繫辭傳)』

曹之乘軒者三百, 而晉文公之師且至, 晉之績貂, 騰於民口, 而劉石之變未已, 此慢藏而誨盜也.

조나라에 초헌을 타는 벼슬아치가 삼백이여서 진문공의 군대가 다시 이르고, 진나라에 부족한 자질의 사람이 이어진다고 백성의 입에 비등하여서 유석(劉石)의 변란이 그치지 않았으니, 이는 보관을 허술하게 하여 도적질을 가르친 것이다.

오치기(吳致箕) 「주역경전증해(周易經傳增解)」

此釋解六三爻辭之義, 而擬議于小人之竊高位也. 上慢者, 言慢其上而不忠也, 下暴者, 言暴其下而不仁也. 慢藏誨盜, 冶容誨淫, 引喻, 言小人竊位, 而自慢自暴, 以致奪伐也. 其歸罪于招盜者, 乃所以知盜者也.

이것은 해괘(解卦☵☶) 육삼효의 뜻을 해석하여 소인이 높은 지위를 훔치는 것을 견주고 의논한 것이다. '윗사람을 거만히 대함'은 윗사람에게 함부로 하고 충성하지 않음을 말하고, '아랫사람을 사납게 대함'은 아랫사람에게 난폭하여 어질지 않음을 말한다. "보관을 허술하게 함이 도적을 가르치며, 모양의 치장함이 간음을 가르친다"는 비유를 들어서 소인이 지위를 훔쳐 스스로 함부로 하고 스스로 난폭하여서 빼앗고 침을 이르게 함을 말한 것이다. 도적을 초래함으로 죄가 돌아가는 것이니, 바로 도적이 생기는 이유를 아는 것이다.

이병헌(李炳憲) 『역경금문고통론(易經今文考通論)』

蕢子〈名誼〉曰, 反側爲野, 鄭曰, 飾其容而見於外曰野.

핵자〈이름이 의(誼)이다〉는 "뒤척임이 야(野)가 된다"고 하고, 정현은 "용모을 꾸며서 밖으로 나타냄을 '야(野)'라 한다"고 하였다.

右, 第八章.

이상은 제8장이다.

│中國大全│

本義

此章, 言卦爻之用.

이 장(章)은 괘효(卦爻)의 쓰임[用]을 말하였다.

小註

節齋蔡氏曰, 自中孚初爻至此, 乃夫子擬議之辭, 而爲三百八十四爻之凡例也. 爻之有義, 非辭不明, 而天下之事變化无窮, 又豈辭之所能備哉. 苟玩之者, 拘而不通則一爻不過一事而已. 擬議以成其變化, 其所以示人者詳矣. 然夫子之辭特發其端耳, 學易者當玩而有得也.

절재채씨가 말하였다: 중부괘(中孚卦) 초효에서 여기에 이르기까지는 공자가 견주어 의논한 말로 384효의 범례가 된다. 효에 있는 의미는 말이 아니면 분명해지지 않지만 천하의 일은 변화가 끝이 없는데 어떻게 말로 다 구비할 수 있겠는가? 진실로 완미하는 자가 구애되어 통하지 못하면 하나의 효는 하나의 일에 불과할 뿐이다. "견주어 의논하여 그 변화를 이룬다"는 사람들에게 보여주는 것이 자세하다. 그렇지만 공자의 말은 다만 그 단서만 표출했을 뿐이니 배우는 자가 완미해서 얻어야 한다.

○ 平庵項氏曰, 七爻皆欲人畏謹也. 鳴鶴言處隱之誠, 同人言同心之一, 白茅貴慎, 有終尙謙, 亢龍惡亢, 戶庭以敎密, 負乘以戒慢, 皆所以養人之敬心也.

평암항씨가 말하였다: 일곱 효는 다 사람들이 두려워하고 조심하게 하려는 것이다. '우는 학'은 은미한 곳에 처하는 정성을 말하고, '사람들과 함께 함'은 마음을 함께 해 하나로 함을 말하고, '흰 띠풀'은 삼감을 귀중히 여김이고, '마침이 있음'은 겸손을 숭상함이고, '끝까지 올라간 용'은 항극함을 미워함이고, '뜰'은 신밀함을 가르침이고, '짊어져야 하는데 올라탐'은 게으름을 경계함이니, 다 사람의 조심하는 마음을 기르는 것이다.

○ 雲峯胡氏曰, 夫子於乾坤皆有文言, 以申象傳象傳之意, 其餘象傳蓋亦有之, 如履與豫釋卦辭已畢, 復曰, 剛中正, 履帝位, 而不疚, 光明也, 天地以順動, 故日月不過, 而四時不忒, 聖人以順動, 則刑罰淸而民服, 豫之時義, 大矣哉, 此類皆是也. 然則繫辭此數卦, 卽象傳之文言也. 善學易者, 可以觸類而通其餘矣.

운봉호씨가 말하였다: 공자가 건괘와 곤괘에는 「문언전」을 두어 「단전」과 「상전」의 뜻을 거듭했다. 그 나머지 괘는 「단전」에 또한 두었으니, 리괘(履卦)와 예괘(豫卦)의 괘사를 이미 해석한 뒤 다시 "굳센 것이 중정하면서 임금의 자리를 밟아 하자가 없으니 빛나고 밝다"고 하고, "하늘과 땅은 순응하여 움직이므로 해와 달이 지나침이 없어 사시가 어긋나지 않고, 성인이 순응하여 움직이므로 형벌이 투명하여 백성이 복종한다. 예(豫)의 때의 의미가 크구나!"라고 한 것이 이런 종류이다. 그렇다면 「계사전」의 이 몇 괘는 「단전」의 문언에 해당한다. 역을 잘 배우는 자는 부류에 따라서 그 나머지를 통할 수 있을 것이다.

韓國大全

송시열(宋時烈) 『역설(易說)』

第八章, 言聖人見象爻而言動. 故錯擧爻辭以明之.

제 8장은 성인이 상과 효를 보고 말하고 움직임을 말하였다. 그러므로 효사를 섞어 거론하여 밝혔다.

오희상(吳熙常) 「잡저(雜著)-역(易)」

第八章, 承上章知禮成性, 又細言卦爻之用, 以發學者用易之例也.

제 8장은 앞장의 '지혜와 예절로 성품을 이룸'을 계승하고, 다시 괘효의 작용을 자세히 말하여 학자가 역(易)을 쓰는 사례를 밝혔다.

심대윤(沈大允) 『주역상의점법(周易象義占法)』

右第八章. 言德行之大節.

이상은 제 8장이다. 덕행의 큰 절도(節度)를 말하였다.

오치기(吳致箕) 「주역경전증해(周易經傳增解)」

右第八章. 此章言君子言動, 皆有所擬議也.

이상은 제 8장이다. 이 장에서는 군자의 언동에는 모두 견주어 의논한 바가 있음을 말하였다.

제9장第九章

天一地二天三地四天五地六天七地八天九地十,

천일(天一)이고 지이(地二)이며, 천삼(天三)이고 지사(地四)이며, 천오(天五)이고 지육(地六)이며, 천칠(天七)이고 지팔(地八)이며, 천구(天九)이고 지십(地十)이니,

---

‖中國大全‖

小註

程子曰, 自天一至地十, 合在天數五地數五上, 簡編失其次也. 天一生數地六成數, 纔有上五者, 便有下五者, 二五合而成陰陽之功, 萬物變化, 鬼神之用也.

정자가 말하였다: '천일(天一)'에서 '지십(地十)'까지는 "천수가 다섯이고 지수가 다섯이다"의 위에 있어야 합당하나, 책장이 그 차례를 잃었다. '천일의 생수와 지육의 성수'가 곧 위에 다섯이 있으면 바로 아래에 다섯이 있어 두 다섯이 합해 음양의 공을 이루니, 만물의 변화는 귀신의 작용이다.

本義

此簡, 本在第十章之首, 程子曰 宜在此, 今從之. 此, 言天地之數, 陽奇陰偶, 卽所謂河圖者也. 其位, 一六居下, 二七居上, 三八居左, 四九居右, 五十居中, 就此章而言之, 則中五爲衍母, 次十爲衍子, 次一二三四爲四象之位, 次六七八九爲四象之數. 二老, 位於西北, 二少, 位於東南, 其數則各以其類, 交錯於外也.

이 부분은 본래 제10장의 처음에 있었는데, 정자(程子)가 "마땅히 여기에 있어야 한다" 하였으니,

이제 그 말씀을 따른다. 이는 천지(天地)의 수(數)에 양(陽)의 기수(奇數)와 음(陰)의 우수(偶數)를 말한 것이니, 곧 이른바 「하도」(河圖)라는 것이다. 그 위치가 1·6은 아래에 있고 2·7은 위에 있고 3·8은 좌(左)에 있고 4·9는 우(右)에 있고 5·10은 중앙에 있으니, 이 장(章)을 가지고 말하면 중앙의 5는 대연(大衍)의 어머니가 되고 다음의 10은 대연(大衍)의 자식이 되며, 다음의 1·2·3·4는 사상(四象)의 자리가 되고 다음의 6·7·8·9는 사상(四象)의 수(數)가 된다. 노양과 노음은 서(西)·북(北)에 위치하고, 소양과 소음은 동(東)·남(南)에 위치하며, 그 수(數)는 각기 그 종류에 따라 밖에 교차한다.

小註

朱子曰, 自大衍之數五十至再扐而後掛, 便接乾之策二百一十有六至可以佑神矣, 爲一節, 是論大衍之數. 自天一至地十卻連天數五至而行鬼神也, 爲一節, 是論河圖五十五之數. 今其文間斷差錯不相連接, 舛誤甚明.

주자가 말하였다: '대연지수(大衍之數) 50'으로부터 '두 번 끼운 다음에 건다'까지에서 곧 이어지는 '건의 책수는 216'에서 "신을 도울 수 있다"까지가 하나의 절로 대연지수를 논하였다. '천일'에서 '지십'까지에서 이어지는 '천수는 다섯'에서 '귀신을 행한다'까지 하나의 절로 「하도」의 55수를 논하였다. 지금 그 문장의 사이가 끊어지고 섞여서 서로 이어지지 않으니 어긋나서 잘못된 것이 분명하다.

○ 卦雖八而數須十者, 八是陰陽數, 十是五行數. 一陰一陽, 便是二, 以二乘二便是四, 以四乘四便是八. 五行本只是五而有是十者, 蓋一個便包兩個, 如木便包甲乙, 火便包丙丁, 土便包戊巳, 金便包庚辛, 水便包壬癸, 所以爲十.

괘는 8이지만 수는 10인 것은 8은 음양의 수이고 10은 오행의 수이다. 일음일양(一陰一陽)이 곧 2이니 2에 2를 더하면 4이고 4에 4를 더하면 8이다. 오행은 단지 5인데 여기서 10인 것은 한 개가 두 개씩 포함함이니, 목(木)은 갑을을 포함하고 화(火)는 병정을 포함하며 토(土)는 무기를 포함하고 금(金)은 경신을 포함하며 수(水)는 임계(壬癸)를 포함하기 때문에 10이 된다.

○ 南軒張氏曰, 陽數奇, 一三五七九是也. 陰數偶, 二四六八十是也. 故生於天者, 成於地, 生於地者, 成於天, 而天地五十五之數, 所以成變化行鬼神.

남헌장씨가 말하였다: 양수는 홀수이니 1·3·5·7·9가 이것이다. 음수는 짝수이니 2·4·6·8·10이 이것이다. 그러므로 천(天)에서 생(生)한 것은 지(地)에서 성(成)하고 지에서 생한 것은 천에서 성하여 천지의 55수가 변화를 이루고 귀신을 행하는 것이다.

○ 東坡蘇氏曰, 水至陰也, 必待天一加之而後生者, 陰不得陽則終不得而成也. 火至陽也, 必待地二加之而後生者, 陽不得陰則无所得而見也. 五行皆然, 莫不生於陰陽之相加. 陽加陰則爲水爲木爲土, 陰加陽則爲火爲金. 苟不相加, 則雖有陰陽之資而无五行之用.

동파소씨가 말하였다: 수(水)는 지극한 음물이니 반드시 천일이 더해진 뒤에 생(生)하는 것이니, 음은 양을 얻지 못하면 끝내 성(成)하지 못한다. 화는 지극한 양물이니 반드시 지의 2가 더해진 뒤에 생(生)하는데 양은 음을 얻지 못하면 끝내 얻어서 나타나지 못한다. 오행이 다 그러하니 음양이 서로 더해져서 생하지 않음이 없다. 양이 음에 더해진 것은 수와 목과 토이고 음이 양에 더해진 것은 화와 금이다. 만약 서로 더해지지 않으면 비록 음양의 바탕이 있더라도 오행의 쓰임은 없다.

○ 節齋蔡氏曰, 天地者, 陰陽對待之定體也, 一至十者, 陰陽流行之次序也. 然對待非流行則不能變化, 流行非對待則不能自行, 而五十五者, 則流行之細分也.

절재채씨가 말하였다: 천지는 음양이 대대하는 정해진 본체이고 1에서 10까지는 음양이 유행하는 차례의 질서이다. 그렇지만 대대는 유행이 아니면 변화할 수 없고 유행은 대대가 아니면 스스로 행할 수 없으니 55는 유행을 세분한 것이다.

○ 平庵項氏曰, 姚大老云, 天一至地十, 班固律歷志, 及衞元嵩元包運蓍篇, 皆在天數五之上, 程朱皆用此說, 今從之爲是.

평암항씨가 말하였다: 요대로(姚大老)가 이르길 "'천일'에서 '지십'까지 반고의 율력지와 위나라 원숭의 원포 운시(運蓍)편에[224] 모두 '천수오'의 위에 있다"고 했는데 정자와 주자가 이 설을 사용하였으니 이제 따르는 것이 옳겠다.

‖韓國大全‖

권근(權近) 『주역천견록(周易淺見錄)』

此言河圖得天地生成之全數也. 天一生水而地六成之, 故河圖之數一與六共宗而居北.

---

[224] 『元包經傳·運蓍篇』.

地二生火而天七成之, 故二與七爲朋而居南. 天三生木而地八成之, 故三與八同道而居東. 地四生金而天九成之, 故四與九爲友而居西. 天五生土而地十成之, 故五與十相守而居中. 蓋天地之間, 本一氣之流行, 而屈伸消長, 自有對待, 故分而爲陰陽爻, 分而爲五行. 五行亦各有生成之合, 造化萬物之終始, 無不管於是焉. 故其爲數不過一陰一陽, 一奇一偶, 以兩其五行而已也. 一三五之奇天之生數, 七九之奇天之成數. 二四之偶地之生數, 六八十之偶地之成數也. 一三五七九天數之五也. 二四六八十地數之五也. 生數屬陽, 成數屬陰, 故生數天多而地少, 成數地多而天少也.

이것은 「하도」가 천지의 생성하는 전체의 수를 얻음을 말한 것이다. 천일(天一)로 수를 생하고 지육(地六)으로 그것을 이루기 때문에 「하도」의 수에서 1과 6이 함께 근본이 되어 북방에 거처한다. 지이(地二)가 화를 생하고 천칠(天七)이 그것을 이루기 때문에 2와 7이 벗이 되어 남방에 거처한다. 천삼(天三)이 목을 생하고 지팔(地八)이 그것을 이루기 때문에 3과 8이 길을 함께해 동방에 거처한다. 지사(地四)가 금을 생하고 천구(天九)가 그것을 이루기 때문에 4와 9가 친구가 되어 서방에 거처한다. 천오(天五)가 토를 생하고 지십(地十)이 그것을 이루기 때문에 5와 10이 서로를 지켜 가운데 거처한다.

천지에는 본래 동일한 기운이 유행하면서 굴신하고 소장함에 저절로 상대가 있기 때문에 나뉘어 음양의 효가 되고 나뉘어 오행이 된다. 오행에도 각각 생성의 합이 있어서 조화나 만물이 마치고 시작함이 그것에 주관되지 않음이 없다. 그렇기 때문에 수는 일음일양에 불과하니 홀수와 짝수로 오행을 양분할 뿐이다. 1·3·5의 홀수는 천의 생수이고 7·9의 홀수는 천의 성수이다. 2·4의 짝수는 지의 생수이고 6·8·10의 짝수는 지의 성수이다. 1·3·5·7·9는 천수로 다섯이고 2·4·6·8·10은 지수로 다섯이다. 생수는 양에 속하고 성수는 음에 속하기 때문에 생수는 천수가 많고 지수가 적으며 성수는 지수가 많고 천수가 적다.

박치화(朴致和) 「설계수록(雪溪隨錄)」

次十從中五而生, 故中五爲衍母, 次十爲衍子.〈本義〉

다음의 10은 가운데 5로부터 생겨났기 때문에 가운데 5는 대연(大衍)의 어머니가 되고 다음의 10은 대연(大衍)의 자식이 된다.〈『본의』〉

○ 次十爲衍子者, 次十含天一至地十之數, 爲中五之子, 故曰衍子.

다음의 10이 대연의 자식이 된다는 것은 다음의 10이 천1에서 지10까지의 수를 함유하여 가운데 5의 자식이 되기 때문에 대연의 자식이라고 하였다.

○ 次十爲衍子有二義. 有以中十言者, 有以自天一至地十言者.

다음의 10이 대연의 자식이 된다는 것은 두 가지 의미가 있다. 가운데 10으로 말한 것이 있고 천1에서 지10까지로 말한 것이 있다.

유정원(柳正源) 『역해참고(易解參攷)』

天一 [至] 地十.

천일(天一)이고 … 지십(地十)이니.

張子曰, 夫渾然一物, 无有終始首尾, 其中何數之有. 然此言特示有漸耳. 理須先數. 天一必須先言一次, 乃至於十也. 且天下之數止於十, 窮則自十而反一. 又當止於九, 其言十者九之偶也.

장자가 말하였다: 섞여있는 한 물건은 마침과 시작이나 머리와 꼬리가 없는데 그 속에 무슨 수가 있겠는가? 그러나 이는 다만 점점 그러함이 있음을 보여주는 것일 뿐이다. 이치에는 먼저 수가 따르는데 천1을 먼저 1차로 말하고 10에 이른다. 천하의 수는 10에서 그쳐서 다하면 10에서 1로 돌아온다. 또 마땅히 9에서 그쳐야 하는데 10을 말한 것은 9의 짝이기 때문이다.

○ 朱子答袁機仲曰, 來諭謂不當以大衍之數參乎河圖之數, 此亦有說矣. 數之爲數, 雖各主於一義, 然其參伍錯綜, 无所不通, 則有非人之所能爲者. 其所不合固不容以强合, 其所必合則縱橫反覆如合符契, 亦非人之所能强離也. 若於此見得自然契合不假安排底道理, 方知造化工夫神妙巧密, 直是好笑.

주자가 원기중에게 답하였다: 보내온 글에 대연지수를 「하도」의 수로 참조하면 안 된다고 하였습니다. 이 또한 설명이 있습니다. 수가 수가 되는 것은 비록 각각 한 뜻을 주로 하지만 서로 질서 있게 섞이면 통하지 못할 곳이 없어 사람이 인위적으로 할 수 없는 부분이 있습니다. 합하지 않은 곳은 억지로 합함을 용인할 수 없고, 반드시 합하는 곳은 가로세로로 반복해도 부절과 같이 합하니 사람이 억지로 떼놓을 수 있는 것이 아닙니다. 만약 이에 안배하지 않고 자연스럽게 부합하는 도리를 본다면 비로소 조화의 공부가 신묘하고 정밀함을 알 수 있으니 진실로 이래야 좋습니다.

本義, 此簡 [至] 之首.

『본의』에서 말하였다: 이 부분은 … 제10장의 처음까지

案, 周易註疏, 此節在第十章首. 本義似據此. 然會通載本義而十章作十一章. 東萊音

訓亦云, 今本在十一章首當攷.

내가 살펴보았다: 『주역주소』에서 이 절은 본래 제10장의 처음에 있으니 『본의』에서 이를 근거로 삼은 것 같다. 그렇지만 『주역회통』에 실린 『본의』에는 10장으로 11장을 만들었다. 『동래음훈』에서도 "지금의 판본은 11장의 처음에 있다"고 했으니 살펴봐야 할 것이다.

小註, 平庵說姚大老.

소주의 평암항씨의 요대로(姚大老)

○ 平庵項氏曰, 姚大老云, 天一至地十, 班固律歷志, 及衛元嵩元包運蓍篇, 皆在天數五之上, 程朱皆用此說, 今從之爲是.

평암항씨가 말하였다: 요대로(姚大老)가 이르길 "'천일'에서 '지십'까지 반고의 「율력지」와 위나라 원숭의 원포 운시(運蓍)편에[225] 모두 '천수 오'의 위에 있다"고 했는데 정자와 주자가 이 설을 사용하였으니 이제 따르는 것이 옳겠다.

〈案, 崇文文獻, 諸書書目, 唐宋易家諸儒, 不載姚大老而會通所載. 南宋時只有姚氏小彭, 亦不書字與號. 此大老或是小彭之表德歟.

내가 살펴보았다: 숭문문헌(崇文文獻)의 책 서목에 당송시대 주역연구학자들은 요대로(姚大老)를 싣지 않았는데 『주역회통』에는 실려 있다. 남송 때 다만 요씨 소팽이 있었지만 자나 호를 쓰지 않았다. 여기의 요대로(姚大老)는 혹 소팽을 표현한 것이 아닐까?〉

衛元嵩元包.

위나라 원숭의 원포.

〈崇文總目, 元包十卷, 唐衛元嵩撰, 蘋源明傳李江註. 包以坤爲首, 因八純之宮以生變極於六十四. 自繫其辭以爲易首乾尙文, 包首坤尙質, 夏連山商歸藏周易唐包其實一也.

숭문총목에 『원포』 10권은 당·위의 원숭이 짓고 소원명이 전하고 이강이 주를 달았다. 『원포』경전에서는 곤괘(坤卦)를 시작으로 삼아서 팔순괘의 궁에 따라 변화하여 64괘를 마친다. 스스로 그 괘사를 쓰고 주역은 건괘를 시작으로 삼아 문(文)을 숭상하였고 원포역은 곤괘를 시작으로 삼아 질(質)을 숭상하였는데 하나라의 연산과 은나라의 귀장과 주나라의 주역과 당의 원포역은 실제로 동일하다고 여겼다.〉

이익(李瀷) 『역경질서(易經疾書)』

天一至地十, 理數之淵源, 易道之根基. 易而易知, 簡而易從, 至經緯錯綜, 亦只是一

---

225) 『元包經傳·運蓍篇』.

般. 聖人窮究到底拈出爲造端之語, 可謂盡之矣. 此因河圖而推極之也. 有以奇偶者,
一三七九, 二四六八, 是也. 推之爲先天卦畫, 有以配合者, 一六二七三八四九, 是也.
推之爲後天卦畫, 有以生成者, 五以上爲生, 六以下爲成, 是也. 推之爲洛書也, 洪範
者, 本於洛書. 易本於先後天, 下文相得有合, 以易言者也. 三者皆於河圖上求之.

천일(天一)에서 지십(地十)은 수리의 연원이고 역도의 근본이다. 쉬우면 주장하기 쉽고 간
략하면 따르기 쉬우니 경위와 착종에 이르기까지 역시 마찬가지이다. 성인이 깊이 연구해내
어 단서로 삼은 말이니 다했다고 할 만하다. 이것은 「하도」를 통해서 끝까지 추리한 것이다.
기우로써 한 것이 있는데 1·3·7·9와 2·4·6·8이 그것이다. 추리하여 선천괘획을 만들
어 배합으로 한 것이 있는데 1·6, 2·7, 3·8, 4·9가 그것이다. 추리하여 후천괘획을 만들
어 생성으로 한 것이 있는데 5이상은 생(生)이 되고 6이하는 성(成)이 되는 것이 그것이다.
추리하여 「낙서」를 만든 것이 있는데 홍범은 「낙서」에 근본한다. 역은 선후천에 근본하는
데 아랫 문장에 '서로 얻음'과 '합함이 있음'은 역으로써 말한 것이다. 세 가지는 모두 「하도」
에서 구한 것이다.

김상악(金相岳) 『산천역설(山天易說)』

此言河圖之數, 天者陽也, 其數爲奇, 故一三五七九屬天. 地者陰也, 其數爲偶, 故二四
六八十屬地.

이것은 「하도」의 수를 말한 것이다. 하늘은 양으로 그 수는 홀수이기 때문에 1,3,5,7,9는
하늘에 속한다. 땅은 음으로 그 수는 짝수에 속하기 때문에 2,4,6,8,10은 땅에 속한다.

박윤원(朴胤源) 『경의(經義)·역경차략(易經箚略)·역계차의(易繫箚疑)』

此是夫子就河圖數明之者也. 朱子以此爲舊文, 而天數五以下爲夫子解之. 然來氏以爲
伏羲龍馬負圖, 有自一至十之數, 人知河圖之數, 而不知天地之數, 人知天地之數, 而不
知何者屬天何者屬地, 故夫子卽是圖而明之. 若然則下文非解舊文, 亦不過申明此數
者, 而但伏羲以後歷黃帝堯舜至文王周公, 宜無不著此數之理, 則其爲舊文無疑歟.

이것은 공자가 「하도」 수에 나아가 밝힌 것이다. 주자는 이것은 옛날 글이고 천수 오(天數
五) 이하를 공자가 해석한 것이라고 여겼다. 그렇지만 래씨는 복희씨의 용마가 지고 나온
그림에는 1에서 10수까지 있었는데 사람들이 「하도」의 수를 알아도 천지의 수임을 알지
못하고, 천지의 수임을 알아도 어떤 것이 하늘에 속하고 어떤 것이 땅에 속하는지를 몰랐기
때문에 공자가 이 그림에 나아가 밝힌 것이라고 여겼다. 그렇다면 아랫 문장은 옛날 글을
해석한 것이 아니고 이 수를 다시 밝힌 것에 불과하다. 다만 복희씨 이래로 황제·요순을

거쳐 문왕과 주공에 이르기까지 이 수의 이치를 드러내지 않음이 없다면 그것이 옛 글임을 의심할 것이 없으리라.

夫數始於一終於十. 天地之數只一與十而已. 百千萬億是十之積也. 自一至十是一之積也. 一之上更有何物歟. 十之後盡於何處歟. 夫子之易每多言義理, 而於此獨詳言數者何歟. 一與六二與七三與八四與九五與十相得有合, 卽五行生成之理歟. 易以道陰陽, 而此又兼言五行何歟.

수는 1에서 시작해서 10에서 마친다. 천지의 수는 단지 1에서 10까지일 뿐이다. 백천만억은 10의 쌓임이다. 1에서 10까지는 1의 쌓임이다. 1의 이전에는 또 어떤 물건이 있는가? 10의 뒤에는 어느 곳에서 끝이 나는가? 공자의 역에서는 매양 의리를 많이 말했는데, 이곳에서만큼은 수를 상세하게 말한 것은 어째서인가? 1·6, 2·7, 3·8, 4·9, 5·10이 서로 합함은 오행 생성의 이치인가? 역은 음양을 말하는데 여기에서 오행을 아울러 말한 것은 어째서인가?

後世言數學者, 皆朝宗于此, 而更無別法歟. 大抵數者, 氣之分限節度處, 包羅天下萬事, 其用無窮, 學者之不可不知也. 有理必有氣, 有氣必有象, 有象必有數, 數實不外乎理, 窮理則可以知數歟. 抑亦各用工夫歟.

후세에 수학을 말하는 사람들이 모두 이것을 조종으로 삼는데 다른 별도의 법은 없는가? 대체로 수란 기운이 나누어진 마디로 천하의 만사를 포괄하며 그 쓰임이 무궁하여 배우는 자가 꼭 알아야 한다. 이치가 있으면 반드시 기운이 있고 기운이 있으면 반드시 상이 있고 상이 있으면 반드시 수가 있어서 수는 실제로 이치를 벗어나지 않으니, 이치를 궁구하면 수를 알 수 있는가? 아니면 각각 공부를 해야 하는가?

四營, 本義以分二掛一揲四歸奇四者釋之, 而來氏則不然. 其說曰, 營者求也, 以四求之, 如老陽數九, 以四求之則其策三十有六. 陰陽老少六爻之本, 故曰四營而成易, 此說何如. 來氏以四象爲主, 則其說亦似有味, 然終不如本義說之平順渾厚歟.

네 번 경영한다는 것에 대해 『본의』에서는 둘로 나누고 하나를 걸고 4개씩 세고 나머지를 돌리는 네 가지로 해석하였지만 래씨는 그렇지 않다. 그 설에 말하길, "영(營)은 구함이니 4로 구함은 예컨대 노양수인 9를 4로 구하면 그 책이 36이 되는 것이니 음양노소는 육효의 근본이기 때문에 네 번 경영해서 역을 이룬다"고 하였다. 이 설명은 어떤가? 래씨는 사상을 주로 하였기 때문에 그 설이 의미가 있는 것 같지만 끝내는 『본의』에서 평이하고 순리적으로 섞어서 설명한 것만 같지 못하다.

심대윤(沈大允) 『주역상의점법(周易象義占法)』

一二三四五生數也, 六七八九十成數也.

1·2·3·4·5는 생수이고 6·7·8·9·10은 성수이다.

오치기(吳致箕) 「주역경전증해(周易經傳增解)」

此簡本在第十章之首. 程子曰宜在此, 而朱子從之. 此卽天地之數, 而詳見說卦傳解及圖書解.

이 부분은 10장의 처음에 있었는데 정자가 마땅히 이곳에 있어야 한다고 하였고 주자가 그것을 따랐다. 이것은 곧 천지의 수로 「설괘전」과 「하도」·「낙서」의 풀이에 자세히 보인다.

天數五, 地數五, 五位相得, 而各有合, 天數二十有五, 地數三十. 凡天地之數, 五十有五, 此所以成變化而行鬼神也.

천(天)의 수(數)가 다섯이고 지(地)의 수(數)가 다섯이니, 다섯의 자리가 서로 얻으며 각기 합함이 있으니, 천(天)의 수(數)가 25이고 지(地)의 수(數)가 30이다. 무릇 천지(天地)의 수(數)가 55이니, 이것이 변화(變化)를 이루며 귀신(鬼神)을 행하는 것이다.

‖中國大全‖

小註

程子曰, 有理則有氣, 有氣則有數, 行鬼神者數也, 數, 氣之用也. 大衍之數五十, 數始於一, 備於五, 小衍之而成十, 大衍之則爲五十, 五十數之成也. 成則不動, 故損一以爲用. 天地之數五十有五, 成變化而行鬼神者也. 變化言功, 鬼神言用.

정자가 말하였다: 리가 있으면 기가 있고 기가 있으면 리가 있으니 귀신을 행하는 것은 수이고, 수는 기의 작용이다. 대연지수 50은 수는 1에서 시작해서 5에서 갖추어지는데 작게 넓히면 10을 이루고 크게 넓히면 50이 되니 50은 수의 완성이다. 완성하면 움직이지 않기 때문에 하나를 덜고 사용한다. 천지의 수인 55는 변화를 이루고 귀신을 행한다. 변화는 공효(功效)를 말하고 귀신은 작용을 말한다.

小註

南軒張氏曰, 天地自然之數, 盈虛消息, 往來不停. 變化雖妙而數有以成之. 若月令所謂, 鳩化爲鷹, 雀化爲鴿, 草木乃茂, 草木黃落, 可以歷數推而迎之. 此天地之數有以成其變化也. 鬼神雖幽而數有以行之. 若其神勾芒, 其神祝融, 其神蓐收, 其神玄冥, 各司其時, 各治其職者, 此天地之數有以行乎鬼神也.

남헌장씨가 말하였다: 천지의 자연한 수는 차고 비며 줄고 늘며 왕래하여 머물지 않는다. 변화가 비록 묘하지만 수(數)로 이루어진다. 월령에서 이른바 "비둘기가 화하여 매가 되고",

"참새가 변하여 비둘기가 되고", "초목이 무성하고", "초목이 누렇게 떨어지고" 등은[226] 역수를 가지고 추산하여 맞이할 수 있다. 이것이 천지의 수로 변화를 이루는 것이다. 귀신이 비록 그윽하지만 수로 행한다. 구망(勾芒), 축융(祝融), 욕수(蓐收), 현명(玄冥)의 신이[227] 각각 그 시절을 맡고 각각 그 직분을 다스리는 것은 천지의 수로 귀신을 행하는 것이다.

本義

此簡, 本在大衍之後, 今按宜在此. 天數五者, 一三五七九皆奇也, 地數五者, 二四六八十, 皆偶也. 相得, 謂一與二, 三與四, 五與六, 七與八, 九與十, 各以奇偶爲類而自相得, 有合, 謂一與六, 二與七, 三與八, 四與九, 五與十, 皆兩相合. 二十有五者, 五奇之積也, 三十者, 五偶之積也. 變化, 謂一變生水而六化成之, 二化生火而七變成之, 三變生木而八化成之, 四化生金而九變成之, 五變生土而十化成之. 鬼神, 謂凡奇偶生成之屈伸往來者.

이 부분은 본래 '대연(大衍)'의 뒤에 있었는데 이제 살펴보건대 마땅히 여기에 있어야 한다. 천(天)의 수(數)가 다섯이라는 것은 1·3·5·7·9가 모두 기수(奇數)인 것이고, 지(地)의 수(數)가 다섯이라는 것은 2·4·6·8·10이 모두 우수(偶數)인 것이다. 서로 맞는다는 것은 1과 2, 3과 4, 5와 6, 7과 8, 9와 10이 각기 기수(奇數)와 우수(偶數)로서 유(類)가 되어 스스로 서로 맞음을 이르고, 합함이 있다는 것은 1과 6, 2와 7, 3과 8, 4와 9, 5와 10이 모두 서로 합함을 이른다. 25는 다섯 기수(奇數)를 모은 것이고 30은 다섯 우수(偶數)를 모은 것이다. 변화(變化)는 1이 변하여 수(水)를 낳으면 6이 화(化)하여 이루고, 2가 화(化)하여 화(火)를 낳으면 7이 변(變)하여 이루고, 3이 변(變)하여 목(木)을 낳으면 8이 화(化)하여 이루고, 4가 화(化)하여 금(金)을 낳으면 9가 변(變)하여 이루고, 5가 변(變)하여 토(土)를 낳으면 10이 화(化)하여 이룸을 이른다. 귀신(鬼神)은 모든 기우와 생성의 굴신과 왕래를 이른다.

小註

朱子曰, 五位相得而各有合, 是兩個意. 一與二三與四五與六七與八九與十, 是奇偶以類相得. 一與六合二與七合三與八合四與九合五與十合, 是各有合. 在十干, 甲乙木丙丁火戊己土庚辛金壬癸水, 便是相得. 甲與巳合乙與庚合丙與辛合丁與壬合戊與癸合, 是各有合.

---

226) 『예기』 월령.
227) 사계절을 맡은 신.

주자가 말하였다: "다섯 자리가 서로 얻으며 각기 합함이 있다"는 두 뜻이다. 1과 2, 3과 4, 5와 6, 7과 8, 9와 10은 홀짝으로 류가 되어 서로 얻음이다. 1과 6, 2와 7, 3과 8, 4와 9, 5와 10이 합하는 것은 각기 합함이 있음[有合]이다. 십간에 있어 갑을목, 병정화, 무기토, 경신금, 임계수는 서로 얻음[相得]이다. 갑이 기와, 을이 경과, 병이 신과, 정이 임과, 무가 계와 합하는 것은 각기 합함이 있음[有合]이다.

○ 所以成變化而行鬼神也. 程子曰, 變化言功鬼神言用. 張子曰, 成行鬼神之氣而已, 數只是氣, 變化鬼神, 亦只是氣. 天地之數五十有五, 變化鬼神, 皆不越於其間.
"이것으로 변화를 이루고 귀신을 행한다"에 대해, 정자는 "변화는 공효를 말하고 귀신은 작용을 말한다"고 했고, 장횡거는 "이루고 행함은 귀신의 기(氣)일뿐이니 수(數)는 기(氣)일 뿐이며 변화귀신도 기일 뿐이다. 천지의 수는 55인데 변화귀신이 모두 그 사이를 넘지 못한다."고 하였다.

○ 潘氏曰, 洛書之數, 天地自然之數也. 以天之一三五七九總之則爲二十五, 此天數二十有五也. 以地之二四六八十總之則爲三十, 此地數三十也. 又以天之二十五地之三十總之, 則爲五十有五, 成變化而行鬼神, 不逃乎此數也. 天數二十有五, 五其五也, 地數三十, 六其五也, 莫不自五數之.
반씨가 말하였다 :「낙서」의 수는 천지의 자연한 수이다. 천(天)의 1·3·5·7·9는 합하면 25인데 이것이 천수인 25이다. 지(地)의 2·4·6·8·10은 합하면 30인데 이것이 지수인 30이다. 천수인 25와 지수인 30을 합하면 55인데 변화를 이루고 귀신을 행하는 것이 이 수에서 달아날 수 없다. 천수인 25는 5를 5로 곱한 것이고 지수인 30은 6을 5로 곱한 것이니 5로 한 것이 아님이 없다.

○ 雲峯胡氏曰, 河圖有自然之數, 所以成大易之象. 天地有自然之象, 又所以成河圖之數. 奇圓圍三, 偶方圍四, 三用其全, 四用其半, 此天地間自然之象也. 本義以論乾坤之策, 愚謂卽此以論河圖之數可也. 一圓而三, 水生木也. 二方而四, 火克金也. 陽之一進而用三, 陰之四退而用二, 合二與三則爲五, 此河圖之生數也. 一生水而六成之, 三生木而八成之. 生數一進而用三, 成數則八退而用六. 二生火七成之, 四生金九成之. 生數四退而用二, 成數則七進而用九. 七八九六各爲十五, 陰陽進退, 互藏其宅, 進卽爲變, 退則爲化. 鬼神屈伸往來, 皆進退之妙用也.
운봉호씨가 말하였다 :「하도」에 자연한 수가 있어서 위대한 역(易)의 상을 이루었다. 천지에 자연한 상이 있어서 또「하도」의 수를 이루었다. 홀은 원으로 둘레가 3이고 짝은 방으로 둘레가 4인데 3은 그 전체를 쓰고 4는 그 반을 쓰니 이는 천지의 자연한 상이다.『본의』에서는 이것으로 건곤의 책수를 논하였는데 나는 이것으로 「하도」의 수를 논해도 가능하다고 말한다. 1은 원으로 3이 되니 수가 목을 생함이다. 2는 방으로 4가 되니 화가 금을 극함이다. 양의 1은 나아가 3을 쓰고 음의 4는 물러나 2를 쓰니 2와 3을 합하면 5가 되니 이것이 「하도」의 생수(生數)이다. 1이 수(水)를 생함에 6이 그것을 이루고 3이 목(木)을 생함에 8이 그것을 이룬다. 생수(生數)인 1은 나아가 3을 쓰고 성수(成數)인 8은 물러나 6을 쓴다. 2가 화(火)를 생함에 7이 그것을 이루고 4가 금(金)을 생함에 9가 그것을 이룬다. 생수(生數)인 4는 물러나 2를 쓰고 성수(成數)인 7은 나아가 9를 쓴다. 7·8, 9·6이 각기 15가 되니 음양이 진퇴하며 그 집을 서로 감추며 나아가면 변하고 물러나면 화한다. 귀신의 굴신과 왕래는 다 진퇴의 묘한 쓰임이다.

▎韓國大全▎

김장생(金長生) 『경서변의(經書辨疑)-주역(周易)』

第九章, 天一地二.
9장의 천일(天一)이고 지이(地二)이며.

本義, 其數則各以其類.
『본의』에서 말하였다: 그 수(數)는 각기 그 종류에 따라.

其數指生數成數, 各以類交錯於外, 下文云一與二各以奇偶爲類云云, 乃所謂其類也. 一與六二與七三與八四與九五與十, 乃其類也.
'그 수'는 생수와 성수를 가리키니 각기 종류에 따라 밖에서 교차한다. 아랫 글에 1과 2는 각기 홀짝으로 류가 된다는 것 등에서 그 종류란 1·6과 2·7과 3·8과 4·9와 5·10이 그 종류이다.

이익(李瀷) 『역경질서(易經疾書)』

天數五地數五, 只言天地之數如此. 五位以下, 方就河圖上求之. 相得謂生數一得三, 位於東北, 成數七得九, 位於西南, 五得一二三四, 位於其內, 生數二得四, 位於西南,成數六得八, 位於東北, 十得六七八九, 位於其內. 次第相連, 內外相維, 故曰得也. 有合謂一與六以水合, 二與七以火合, 三與八以木合, 四與九以金合, 五與十以土合也.

천수가 5이고 지수가 5인 것은 천지의 수가 그와 같음을 말한 것일 뿐이다. 오위(五位)의 아래부터는 「하도」를 보고 말한 것이다. '상득(相得)'은 생수인 1이 3을 얻어 동북에 위치하고, 성수인 7이 9를 얻어 서남에 위치하고, 5가 1,2,3,4를 얻어 안에 위치하고, 생수인 2가 4를 얻어 서남에 위치하고, 성수인 6이 8을 얻어 동북에 위치하고, 10이 6,7,8,9를 얻어 그 안에 위치함을 말한다. 차례로 이어져있으면서 내외로 섞여있기 때문에 '득(得)'이라 하였다. '유합(有合)'은 1과 6이 수(水)로 합하고 2와 7은 화(火)로 합하고 3과 8은 목(木)으로 합하고 4와 9는 금(金)으로 합하고 5와 10은 토(土)로 합함을 말한다.

成變化, 謂變於一而化於六則成水, 變於二而化於七則成火, 變於三而化於八則成木, 變於四而化於九則成金, 變於五而化於十則成土也. 行鬼神, 謂天數一三五七九, 始於北而終於西, 則神之行也, 地數二四六八十, 始於南而終於中, 則鬼之行也. 鬼者陰之靈, 神者陽之靈. 鬼行於二四六八十五位之間, 神行於一三五七九五位之間, 謂之行則變化在其中.

"변화를 이룬다"는 것은 1에서 변하고 6에서 화하면 수(水)를 이루고, 2에서 변하고 7에서 화하면 화(火)를 이루고, 3에서 변하고 8에서 화하면 목(木)을 이루고, 4에서 변하고 9에서 화하면 금을 이루고, 5에서 변하고 10에서 화하면 토(土)를 이룸을 말한다. '귀신을 행한다'는 것은 천수인 1,3,5,7,9는 북에서 시작해서 서에서 마치니 신이 행함이고, 지수인 2,4,6,8,10은 남에서 시작해서 가운데서 마치니 귀의 행함을 말한다. 귀는 음의 영(靈)이고 신은 양의 영(靈)인데 귀는 2,4,6,8,10의 5위의 사이에서 행하고 신은 1,3,5,7,9의 5위의 사이에서 행하니 '행(行)'이라고 하였으니 변화가 그 가운데 있다.

박치화(朴致和) 「설계수록(雪溪隨錄)」

河圖中五爲衍母. 其數與用, 已在於衍子. 五十中而自無所爲, 故虛之.

「하도」의 가운데 5가 대연(大衍)의 어머니이다. 그 수와 쓰임은 이미 대연의 자식에 들어있다. 5와 10은 가운데에서 할 일이 없기 때문에 비운다.

○ 中五水火金木土五行之象. 五行各成, 則五行用而象無所用.

가운데 5는 수화목금토(水火金木土) 오행의 상이다. 오행을 각각 이루면 오행은 쓰여지고 상은 쓰일 곳이 없다.

○ 次十, 中五外層, 十數位也. 故推而漸外至於八九外層位.
다음의 10은 가운데 5의 바깥층으로 10수의 자리이다. 그렇기 때문에 미루어서 점차 바깥에 8과 9의 바깥층에 이른다.

○ 東南始生之位, 故二少居焉. 西北終成之位, 故二老居焉.
동남은 처음 생하는 자리이기 때문에 소양과 소음이 거처하고 서북은 마쳐서 이루는 곳이기 때문에 노양과 노음이 거처한다.

○ 河圖四象位居內而數居外, 故曰各以其類交錯於外也. 〈本義〉
「하도」의 사상은 자리는 안에 있고 수는 바깥에 있기 때문에 "각기 종류에 따라 밖에 교차한다"고 하였다. 〈『본의』〉

○ 其類謂四象也.
그 종류는 사상을 말한다.

○ 變化分屬陰陽, 以陰陽本色言也. 蓋陽始陰終, 陽變陰化, 陽施陰受, 此陰陽之本情也. 故二火雖陰爲之始而亦以本色言之, 故曰二化生火, 七變成之. 〈本義〉

변과 화를 음과 양에 나뉘어 귀속한 것은 음과 양의 본색으로 말한 것이다. 양은 시작 음은 마침이고, 양은 변함이고 음은 화함이며, 양은 베풀고 음은 받는 것이니 이는 음양의 본래 실정이다. 그러므로 2의 화가 음으로 시작하지만 본색으로 말하였기 때문에 '2가 화(化)하여 화(火)를 낳으면 7이 변(變)하여 이룬다'고 하였다. 〈『본의』〉

○ 變者始之謂也, 化者成之謂也.
변은 시작을 말하고 화는 이룸을 말한다.

유정원(柳正源) 『역해참고(易解參攷)』

天數 [至] 神也
천(天)의 수(數)가 다섯이고 … 귀신(鬼神)을 행하는 것이다.

漢上朱氏曰, 大衍之數五十, 而策數六七八九何也. 曰六者一五也, 七者二五也, 八者三五也, 九者四五也. 擧六七八九, 則一二三四具, 所謂五與十者未始離也. 五與十中也, 中不可離也. 考之於歷, 四時迭王而土王四季, 凡七十有二日, 與金木水火等, 退藏於密是也. 故六七八九而五十之數具, 五十之數具而天地五十有五之數具. 奇偶相合也, 故能成變化相合而有升降也, 故能行鬼神變化. 鬼神者天地也, 行之成之者人也. 老者變, 少者不變, 變則成化, 變化則鬼神行矣. 管子曰, 流行於天地之間者, 謂之鬼神.

한상주씨가 말하였다: 대연지수가 50인데 책수가 6,7,8,9인 것은 어째서인가? 6은 1과 5이고, 7은 2와 5이고, 8은 3과 5이고, 9는 4와 5이다. 6,7,8,9를 거론하면 1,2,3,4가 갖추어지니 이른바 5와 10은 일찍이 떠난 적이 없다는 의미이다. 5와 10은 중앙인데 중앙은 떠날 수 없다. 역법에서 살펴보아도 사계절이 갈마들며 왕성한데 토(土)는 사계절의 말미에 왕성함이 72일이 되어 금목수화(金木水火)와 균등해지니 은밀한 데 물러난다는 것이 그것이다. 그러므로 6,7,8,9에 50의 수가 갖추어있고 50의 수가 갖추어짐에 천지의 55수도 갖추어진다. 기수와 우수가 서로 합하기 때문에 변화를 이룰 수 있고, 서로 합하여 오르내림이 있게 되기 때문에 귀신과 변화를 행한다. 귀신은 천지이고 행하고 이루는 것은 사람이다. 노양과 노음은 변하고 소양과 소음은 변하지 않는데 변하면 조화를 이루니 변하여 조화를 이루면 귀신이 행한다. 관자는 '천지를 유행하는 것을 귀신이라 한다'고 하였다.

本義, 一變 [至] 成之.
『본의』에서 말하였다: 1이 변하여 … 이룸을 이른다.
案, 此陽曰變, 陰曰化, 與陰變陽, 陽化爲陰之說, 似有不同何也. 陽極則化而爲陰, 陰極則變而爲陽. 然陽主變, 陰主化, 故一七三九言變, 六二八四言化, 其變化未嘗不同.
내가 살펴보았다: 여기에서 양을 변이라 하고 음을 화라 한 것은 음이 변해 양이 되고 양이 화해 음이 된다는 설명과 다름이 있는 것 같은데 어째서입니까? 양이 극하면 화해서 음이 되고 음이 극하면 변해서 양이 됩니다. 그러나 양은 변을 주관하고 음은 화를 주관하기 때문에 1·7·3·9를 변이라 하고, 6·2·8·4를 화라 하는 것이니 그 변화는 같지 않음이 없습니다.

小註, 潘氏說, 洛書 [至] 之數.
소주의 반씨의 설에 「낙서」의 수 … 자연의 수이다.
案, 此以五十五之數稱洛書, 蓋襲劉牧謬說.
내가 살펴보았다: 이것은 55의 수를 「낙서」라고 말하고 있는데 유목의 잘못된 설을 답습한 것이다.

김상악(金相岳) 『산천역설(山天易說)』

一三五七九皆天之數, 而其位有五. 二四六八十皆地之數, 而其位有五. 故曰天數五地數五. 位相得者, 一與二三與四五與六七與八九與十, 各以奇偶相得也. 有合者, 一與六二與七三與八四與九五與十, 皆以生成相合也. 天地之數多寡不齊, 故進退嬴縮而變化成焉, 鬼神行焉.

1・3・5・7・9는 하늘의 수이고 그 자리는 다섯이다. 2・4・6・8・10은 땅의 수이고 그 자리는 다섯이다. 그러므로 천수가 다섯이고 지수가 다섯이라고 하였다. 자리를 서로 얻는다는 것은 1과 2, 3과 4, 5와 6, 7과 8, 9와 10이 각각 기우로 서로 얻고 있음이다. 합함이 있다는 것은 1과 6, 2와 7, 3과 8, 4와 9, 5와 10이 모두 생성으로 서로 합하는 것이다. 천지의 수는 많고 적음이 일정치 않기 때문에 나가고 물러나며 차고 줄어들며 변화를 이루고 귀신을 행한다.

오치기(吳致箕) 「주역경전증해(周易經傳增解)」

此簡本在大衍之後, 而朱子考定在此. 相得言奇數偶數各以類而相得也. 有合言奇數與偶數同居而有合也. 餘見圖書解.

이 부분은 본래 대연지수의 뒤에 있었는데 주자가 살펴서 이곳에 놓았다. '서로 얻음'은 기수와 우수가 각각 종류로써 서로 얻는 것이고, '합함이 있음'은 기수와 우수가 함께 거하며 합함이 있는 것이다. 나머지는 「하도」와 「낙서」의 풀이에 보인다.

이진상(李震相) 『역학관규(易學管窺)』

五位相得.

다섯의 자리가 서로 얻으며.

此言一奇一偶爲類相得. 小註說亦然, 而啓蒙則曰, 天數地數, 各以類而相求, 或謂一三五七九爲類 而相得, 二四六八十爲類而相得. 以朱子說相得如兄弟, 有合如夫婦者, 證之. 夫陽與陽類陰與陰類, 方爲兄弟之象. 如此則當以啓蒙爲正, 而小註說是林學履已未所錄, 又恐非誤, 抑以類相求者, 不害爲奇耦之相爲次第耶.

이것은 1기 1우가 종류가 되어 서로 얻음을 말한다. 소주의 설명도 그러한데 『역학계몽』에서 이르길, "천수와 지수가 각각 종류로써 서로 구한다"고 하였고, 혹은 이르길, "1・3・5・7・9는 종류로써 서로 얻고 2・4・6・8・10은 종류로써 서로 얻는다"고 하였다. 주자가 '상득'은 형제와 같고 '상합'은 부부와 같다고 한 말로 증명하였다. 양은 양의 종류와, 음은 음의 종류와 형제의 상이 된다. 이와 같다면 『역학계몽』이 맞다고 해야 하지만 소주의 설은 임학리가 기미년에 기록한 것이니, 또한 그른 것이 아닌 것 같다. 아니면 종류로써 서로 구한다는 것이 기우가 서로 차례로 순서가 됨에 방해가 되지 않는다는 것인가?

○ 成變化.
변화(變化)를 이루며.
本義陽言變陰言化, 與上生變化註陰或變陽陽或化陰爲不同. 然陽主變陰主化者, 其本體也. 陰或變陽或化者, 妙用也. 大率陰或變陽, 變之者陽也, 陽或化陰, 化之者陰也. 其理則一, 但彼以生言, 此以成言, 故不同.
『본의』에서 양을 변이라 하고 음을 화라 한 것은 앞에서 "변화를 생한다"에 대한 소주에서 "음은 양으로 변하고 양은 음으로 화한다"는 것과 같지 않다. 그렇지만 양은 변을 주장하고 음은 화를 주장함은 그 본체이다. 음이 혹 변하고 양이 혹 화함은 그 묘용이다. 대체로 음은 혹 양으로 변한다고 할 때는 변하는 것은 양이고, 양이 혹 음으로 화한다고 할 때 화하는 것은 음이다. 그 도리는 하나이지만 저것은 생(生)으로 말하였고 이것은 성(成)으로 말하였기 때문에 다르다.

○ 小註番氏說.
소주의 반씨설.
此以五十五爲洛書數. 蓋襲劉牧謬說.
이것은 55를 「낙서」의 수로 여긴 것으로 유목의 오류를 답습한 것이다.

이병헌(李炳憲) 『역경금문고통론(易經今文考通論)』
虞曰, 此則大衍之數五十有五, 著龜所從生.
우번이 말하였다: 이것은 곧 대연지수인 55로 시초와 거북점이 나온 곳이다.

韓曰, 明易之道, 先擧天地之數.
한강백이 말하였다: 역의 도를 밝힘에 먼저 천지의 수를 거론하였다.

按, 如虞韓二氏之說, 則此節尤當在天數五地數五之上, 自爲天地之全數, 而包括大衍之數. 未知舊本爲何以隔在數節之後也. 〈韓伯本此一節在易有聖人之道四焉者此之謂也之下.〉
내가 살펴보았다: 만약 우씨와 한씨의 설과 같다면 이 절은 마땅히 '천수오(天數五) 지수오(地數五)'의 앞에 있어서 자연스럽게 천지의 온전한 수가 되어 대연지수를 포괄해야 한다.

구본에 어째서 몇 구절 뒤에 있게 되었는지 모르겠다. 〈한강백 본에서는 이 구절을 "『역』에 성인의 도(道)에 네 가지가 있음은 이를 말한다"는 구절 아래에 두었다.〉

天數五, 地數五, 五位相得, 而各有合, 天數二十有五, 地數三十. 凡天地之數, 五十有五, 此所以成變化而行鬼神也.
천(天)의 수(數)가 다섯이고 지(地)의 수(數)가 다섯이니, 다섯의 자리가 서로 얻으며 각기 합함이 있으니, 천(天)의 수(數)가 25이고 지(地)의 수(數)가 30이다. 무릇 천지(天地)의 수(數)가 55이니, 이것이 변화(變化)를 이루며 귀신(鬼神)을 행하는 것이다.

鄭曰, 天地之氣各有五. 五行之次, 一曰水天數也, 二曰火地數也, 三曰木天數也, 四曰金地數也, 五曰土天數也. 此五者, 陰无匹陽无耦, 故又合之. 地六爲天一匹也, 天七爲地二耦也, 地八爲天三匹也, 天九爲地四耦也, 地十爲天五匹也. 二五陰陽各有合然後氣相得施化行也.
정현이 말하였다: 천지의 기에는 각각 다섯이 있다. 오행의 순서는 첫 번째 수(水)는 천수이고 두 번째 화(火)는 지수이고 세 번째 목(木)은 천수이고 네 번째 금(金)은 지수이고 다섯 번째 토(土)는 천수이다. 이 다섯 가지는 음에는 짝이 없고 양에도 짝이 없다. 그러므로 다시 또 합한다. 지육은 천일의 짝이고 천칠은 지이의 짝이고 지팔은 천삼의 짝이고 천구는 지사의 짝이고 지십은 천오의 짝이다. 두 가지 오행이 음양으로 합한 뒤에 기가 서로 얻어져 베풀어지고 행해진다.

虞曰, 一三五七九故二十五也, 二四六八十故三十也. 天二十五地三十故五十有五.
우번이 말하였다: 1·3·5·7·9이기 때문에 25이고 2·4·6·8·10이기 때문에 30이다. 천의 25와 지의 30이기 때문에 55이다.

姚曰, 成變化謂七八九六, 行鬼神謂精氣以七八行, 遊魂以九六行.
요신이 말하였다: '변화를 이룸'은 6·7·8·9를 말하고 '귀신을 행함'은 정기는 7과 8로 행하고 유혼은 9와 6으로 행함을 말한다.

按, 鄭虞說此一節固已承上文而啓下節也. 易中五數乃參天兩地之所倚也. 康成專以五行解之, 恐非易之本意也.
내가 살펴보았다. 정씨와 우씨는 이 한 구절은 본래 윗글을 이어 아랫구절을 연 것이라고 하였다. 『주역』 가운데 5는 천을 3으로 지를 2로 하여 수를 의지한 것이다. 강절이 오로지 오행으로 해석한 것은 『주역』의 본 뜻이 아닌 것 같다.

大衍之數五十, 其用四十有九. 分而爲二, 以象兩, 掛一, 以
象三, 揲之以四, 以象四時, 歸奇於扐, 以象閏, 五歲再閏. 故,
再扐而後掛.

대연(大衍)의 수(數)가 50이니, 그 씀은 49이다. 이를 나누어 둘로 만들어 양의(兩儀)를 상징하고,
하나를 걸어서 삼재(三才)를 상징하고, 넷으로 세어 사시(四時)를 상징하고, 남는 것을 륵(扐)에
돌려 윤달을 상징하니, 5년에 윤달이 두 번이므로 두 번 륵(扐)한 뒤에 거는 것이다.

中國大全

本義

大衍之數五十, 蓋以河圖中宮天五, 乘地十而得之, 至用以筮, 則又止用四十有
九, 蓋皆出於理勢之自然而非人之知(智)力所能損益也. 兩, 謂天地也. 掛, 懸其
一於左手小指之間也. 三, 三才也. 揲, 間而數之也. 奇, 所揲四數之餘也. 扐, 勒
於左手中三指之兩間也. 閏, 積月之餘日而成月者也, 五歲之間, 再積日而再成
月. 故五歲之中, 凡有再閏然後別起積分, 如一掛之後, 左右各一揲而一扐. 故
五者之中, 凡有再扐然後別起一掛也.

대연(大衍)의 수(數)가 50이라는 것은 것은 「하도」(河圖)의 중궁(中宮)에 있는 천수(天數) 5를 가
지고 지수(地數) 10을 곱하여 얻은 것이요, 점(占)을 치는 데에 사용함에 이르러는 또 다만 49를
쓰니, 이는 모두 이치와 형세의 자연스러움에서 나온 것이요, 사람이 지혜와 힘으로 덜거나 더할 수
있는 것이 아니다. 양(兩)은 천지(天地)를 이른다. 괘(掛)는 그 시초 하나를 왼손의 작은 손가락 사
이에 다는 것이다. 삼(三)은 삼재(三才)이다. 설(揲)은 떼어내서 셈이다. 기(奇)는 넷으로 세고 남
은 것이다. 륵(扐)은 왼손의 가운데 셋째 손가락의 두 사이에 끼는 것이다. 윤(閏)은 달의 남은 날을
모아 달을 이룬 것이니, 5년 사이에 두 번 날을 모아 두 번 달을 이루므로 5년 가운데 무릇 두 번
윤달이 있은 뒤에야 별도로 남는 날짜를 일으키니, 이는 마치 한 번 건 뒤에 좌우의 시초를 각기
한 번씩 세고, 한 번 륵(扐)하는 것과 같다. 그러므로 다섯 번 가운데 무릇 두 번 륵(扐)함이 있은
뒤에 별도로 한 번 걺을 일으키는 것이다.

小註

朱子曰, 河圖洛書之中數皆五, 衍之而各極其數, 以至於十則合爲五十矣. 河圓積數五十五, 其五十者, 皆因五而後得, 獨五爲五十所因而自无所因, 故虛之則但爲五十. 又五十五之中, 其四十者, 分爲陰陽老少之數, 而其五與十者, 无所爲, 則又以五乘十乘五而亦皆爲五十矣. 洛書積數四十五, 其四十者, 散布於外而分陰陽老少之數, 唯五居中而无所爲, 則亦自含五數而竝爲五十矣. 中數五衍之而各極其數, 以至於十者, 一個衍成十個五個便是五十. 聖人說這個不只是說得一路. 他說出這個物事, 自然有許多樣通透去. 如五奇五偶, 成五十五, 又一說, 六七八九十, 因五得數也.

주자가 말하였다: 「하도」·「낙서」의 중앙수는 모두 5인데 넓혀서 각각 그 수를 지극하게 하여 10까지 이르면 합하여 50이 된다. 「하도」의 적수(積數)는 55인데 50은 다 5를 원인으로 한 뒤에 얻어졌고 유독 5만이 50의 원인이 되고 스스로는 원인한 바가 없기 때문에 그것[5]을 비우면 단지 50이 된다. 또 55 가운데 40은 나뉘어 음양노소(陰陽老少)의 수가 되고 5와 10은 할 일이 없으니 5에 10을 곱하거나 10에 5를 곱해도 역시 다 50이 된다. 「낙서」의 적수(積數)는 45인데 40은 밖으로 산포되어 음양노소(陰陽老少)의 수가 되고 오직 5만이 중앙에 거하여 할 일이 없으니 역시 스스로 5를 머금어 함께 50이 된다. 중수(中數) 5를 넓혀서 각기 그 수를 지극히 해서 10까지 이르면 1개를 넓혀서 10개를 이룬 것이 5개이면 곧 50이다. 성인이 이런 것을 말하는데 한 가지로만 말하지 않는다. 이런 것을 설명하는데 자연히 많은 방법으로 통해나갈 수 있다. 다섯 홀수와 다섯 짝수가 55를 이룬다는 것 또한 하나의 설이니 6·7·8·9·10은 5를 원인하여 얻어진 수이다.

○ 河圖五十五, 是天地自然之數. 大衍五十, 是聖人去這河圖裏面, 取那天五地十, 衍出這個數. 大概河圖是自然底, 大衍是用以揲蓍求卦底.

「하도」의 55는 천지의 자연한 수이다. 대연의 50은 성인이 「하도」의 속에서 천오와 지십을 취하여 넓혀서 낸 수이다. 대개 「하도」는 저절로 그러한 것이고 '대연'은 설시(揲蓍)하여 괘를 구하는 데 쓰인다.

○ 問, 大衍之義. 曰, 天地之數五十有五, 虛其中金木水火土五數, 便是五十, 又虛天一, 故用四十有九, 此一說也. 三天兩地, 便是虛去天一之數, 只用天三對地二耳, 又五爲生數之極, 十爲成數之極, 以五乘十, 以十乘五, 亦爲五十, 此一說也. 又數始於一成於五, 小衍之成十大衍之成五十, 此又一說也. 數家之說雖多不同, 某謂此說卻分曉.

물었다: 대연의 의미에 대해서.
답하였다: 천지의 수가 55인데 그 중앙의 금목수화토의 5를 비우면 곧 50이 되고 또 천일을

비우기 때문에 49를 쓴다고 하니 이것이 하나의 설이다. 천을 3으로 하고 지는 2로 하면 곧 천일을 비우고 다만 천삼이 지이와 상대할 뿐이며 또 5는 생수의 끝이고 10은 성수의 끝이니 5로 10을 곱하거나 10으로 5를 곱해도 역시 50이 된다 하니 이것도 하나의 설이다. 또 수는 1에서 시작해서 5에서 이루어지니 그것을 소연(小衍)하면 10이 되고 대연(大衍)하면 50이 된다 하니 이것도 하나의 설이다. 몇몇 연구가의 설이 비록 대부분 같지 않지만 내가 볼 때 이 설이 분명하다.

○ 問, 竊謂大衍之數不過五而已. 五者數之祖也, 河圖洛書皆五居中而爲數祖宗. 大衍之數五十者, 卽此五數衍而乘之, 各極其數而合爲五十也. 是五也, 於五行爲土, 於五常爲信. 水火木金, 不得土, 不能各成一器. 仁義禮智, 不實有之, 亦不能各成一德. 此五所以爲數之宗也. 不知是否. 曰, 此說是.

물었다: 제가 생각건대, 대연의 수는 5에 불과합니다. 5는 수의 조종이니 「하도」와 「낙서」는 모두 5가 중앙에 거하여 수의 조종이 됩니다. 대연의 수가 50이란 것은 이 5를 넓혀서 각기 그 수를 지극히 하여 합하면 50이 됩니다. 이 5는 오행에서는 토(土)가 되고 오상에서는 신(信)이 됩니다. 수화목금이 토를 얻지 못하면 각기 하나의 그릇을 이룰 수 없고, 인의예지도 실제로 [신(信)이] 있지 않으면 각기 하나의 덕을 이룰 수 없습니다. 이는 5가 수의 조종이 되는 까닭입니다. 그렇지 않습니까?
답하였다: 그렇습니다.

○ 奇者, 左右四揲之餘也. 扐, 指間也, 謂四揲左手之策而歸其餘於无名指間, 四揲右手之策而歸其餘於中指之間也.

'기(奇)'는 좌우의 4개씩 센 나머지이다. '륵(扐)'은 사이이니 왼 손의 책[댓가지]을 4개씩 세고 그 나머지를 무명지의 사이에 돌리고 오른 손의 책[댓가지]을 4개씩 세고 그 나머지를 중지의 사이에 돌림을 말한다.

○ 聖人下字皆有義. 掛者挂也, 扐者扐於二指之中也.

성인이 글자를 선택할 때는 다 의미가 있다. '괘(掛)'는 거는 것이고, '륵(扐)'은 두 손가락 사이에 끼우는 것이다.

○ 掛一一歲, 揲右二歲, 扐右三歲一閏, 揲左四歲, 扐左五歲再閏也.

하나를 거는 것이 1세이고 오른 손의 것을 세는 것이 2세이고 오른 손의 세고 난 나머지를 돌리는 것이 3세에 한번 윤달을 두는 것이고 왼 손의 것을 세는 것이 4세이고 왼 손의 세고 난 나머지를 끼우는 것이 5세에 윤달을 두 번 두는 것이다.

○ 一掛之間凡再扐, 卽五歲之間凡再閏之象也.

한 번 거는 사이에 두 번 끼우니 5세에 윤달을 두 번 두는 상이다.

○ 大衍之數五十其用四十有九者, 五十之內去其一, 但用四十九策, 合同未分是象太一也. 分而爲二者, 以四十九策分置左右兩手. 象兩者, 左手象天右手象地, 是象兩儀也. 掛一者, 掛猶懸也, 於右手之中, 取一策懸於左手小指之間. 象三者, 所掛之策所以象人而配天地, 是象三才. 揲之以四者, 揲數也, 謂先置右手之策於一處, 而以右手四四而數左手之策, 又置左手之策於一處, 而左手四四而數右手之策. 象四時者, 皆以四數, 是象四時也. 歸奇於扐者, 奇零也, 扐勒也, 謂旣四數兩手之策, 則其四四之後, 必有零數, 或一或二或三或四, 左手者歸之於第四第三指之間, 右手者歸之於第三第二指之間, 而扐之也. 象閏者, 積分而成閏月也. 五歲再閏故再扐而後掛者, 凡前後閏相去大略三十二月, 在五歲之中. 此掛一揲四歸奇之法, 亦一變之間, 凡一掛兩揲兩扐爲五歲之象. 其間凡兩扐以象閏. 是五歲之中凡有再閏然後, 置前掛扐之策. 復以見存之策, 分二掛一而爲第二變也.

"대연의 수가 50이니 그 씀은 49"라는 것은 50에서 1을 제거하고 다만 49책을 사용하니 합하여 나뉘지 않음은 태일[태극]을 상징함이다. "나누어서 둘로 만든다"는 것은 49책을 좌우 양손에 나누어 잡는 것이다. "둘을 상징한다"는 것은 왼 손은 천을 상징하고 오른 손은 지를 상징하니 이는 양의를 상징함이다. "하나를 건다"는 것은 건대[掛]는 '매단다'는 것과 같으니 오른 손에서 1책을 취하여 왼 손의 소지의 사이에 거는 것이다. "셋을 상징한다"는 것은 건 책[댓가지]이 사람을 상징하여 천지와 배합하니 이는 삼재를 상징함이다. "4개씩 센다"는 것은 책수를 세는 것으로 먼저 오른 손의 책을 일정한 곳에 놓고 오른 손으로 왼 손의 책을 4개씩 4개씩 세고 또 왼 손의 책을 일정한 곳에 놓고 왼 손으로 오른 손의 책을 4개씩 4개씩 셈이다. "사시를 상징한다"는 것은 4개씩 세었으니 이것이 사시를 상징함이다. "나머지를 손가락 사이에 끼운다"는 것은 '기(奇)'는 나머지이고 륵(扐)은 끼우는 것[勒]이니 이미 양손의 책을 4개씩 세면 네 개씩 세고 난 뒤에 반드시 남는 것이 있어 혹 1,2,3,4가 되니 왼손의 것은 4번째와 3번째 손가락 사이에 돌리고 오른 손의 것은 3번째와 2번째 손가락 사이에 돌려서 끼운다. "윤을 상징한다"는 나머지가 쌓여서 윤월을 이루는 것이다. "5세에 두 번 윤달을 두기 때문에 두 번 끼운 뒤에 건다"는 5세의 가운데 전후의 윤달의 사이가 대략 32월인 것이다. 이는 하나를 걸고 4개씩 세고 나머지를 돌리는 법 역시 일변(一變)의 사이에 하나를 걸고 두 번 세고 두 번 끼우는 5세의 상이다. 그 사이에 두 번 끼움으로서 윤달을 상징한다. 이는 5세 동안 두 번 윤달을 둔 뒤에 앞의 걸고 끼운 책을 놓아두는 것이다. 다시 현존하는 책수를 "둘로 나누고 하나를 걸고" 헤나가면 제 이변(二變)이 된다.

○ 大衍之數五十, 著之籌乃其策也. 策中乘除則直謂之數耳.

대연의 수가 50이고 시초의 산가지[籌]가 그 책이다. 책을 계산하면 곧바로 수이다.

○ 著卦當初聖人用之, 亦須有個見成圖算. 後自失其傳, 所僅存者, 只有這幾句. 其間已自是添入字去說他了. 想得古人无許多解, 須別有個全文說.

시초와 괘를 당초 성인이 사용할 때는 필시 완성된 셈법[圖算]이 있었을 것이다. 그 후에 전함을 잃어 겨우 남아있는 것은 단지 이 몇 구절이다. 그 사이에 이미 글자가 더해져서 설명이 붙었다. 생각해보면 옛사람들은 여러 풀이가 없었으니, 필시 완전한 설이 있었을 것이다.

○ 繫辭言著法, 大抵只是解其大略. 想別有文字, 今不可見. 但如天數五地數五, 此是舊文. 五位相得而各有合, 是孔子解文. 天數二十有五地數三十凡天地之數五十有五, 此是舊文. 此所以成變化而行鬼神, 此是孔子解文. 分而爲二, 是本文. 以象兩, 是解. 掛一揲之以四歸奇於扐, 皆是本文. 以象三以象四時以象閏之類, 皆是解文也. 乾之策二百一十有六坤之策百四十有四, 孔子則斷之以當期之日, 二篇之策萬有一千五百二十, 孔子則斷之以當萬物之數. 於此可見.

「계사전」의 설시법은 그 대략적인 것만 풀이하였다. 아마도 별도의 문구가 있었겠지만 지금은 볼 수 없다. 다만 "천수가 다섯이고 지수가 다섯이다"는 옛 글이다. "다섯 자리가 서로 얻고 각기 합함이 있다"는 공자의 풀이 글이다. "천수는 25이고 지수는 30이니 천지의 수는 55이다"는 옛 글이다. "이것으로 변화를 이루고 귀신을 행한다"는 공자의 풀이글이다. "나누어 둘로 만들고"는 원래 글[舊文]이다. "그것으로 둘을 상징한다"는 풀이 글이다. "하나를 걸고 4개씩 세고 나머지를 돌려 끼운다"는 원래 글이다. "그것으로 셋을 상징하고 사시를 상징하고 윤을 상징한다"의 류는 다 풀이 글이다. "건의 책수는 216이고 곤의 책수는 144이다"를 공자가 "일년의 날에 해당한다"고 단정했고, "두 편의 책수가 11520이다"를 공자가 "만물의 수에 해당한다"로 단정하였으니 여기에서 알 수 있다.

○ 看繫辭, 須先看自大衍之數以下皆是說卜筮. 若不是說卜筮, 卻是說一個无頭底物, 今人誠不知易.

「계사전」을 볼 때는 모름지기 먼저 '대연지수' 이하는 다 복서(卜筮)를 말한 것임을 알아야 한다. 만약 이것이 복서를 설명한 것이 아니라면 이 설은 하나의 핵심 없는 물건이 되어버리는데, 지금 사람들은 정말 역을 모른다.

○ 節齋蔡氏曰, 天參地兩合而爲五位. 每位各衍之爲十, 故曰大衍.

절재채씨가 말하였다: 천의 3과 지의 2가 합하여 다섯 자리[5]가 된다. 다섯 자리마다 각기 넓히면 10이 되기 때문에 '대연'이라고 하였다.

○ 丹陽都氏曰, 天地之數五十有五而大衍之數五十者, 蓋數備於五而五十所宗者五也. 大衍之數五十而其用四十有九者, 蓋數始於一而四十有九數之所宗者一也.
단양도씨가 말하였다: 천지의 수가 55인데 대연의 수가 50인 것은 수는 5에 구비되어 있으니 50의 조종(祖宗)은 5이다. 대연의 수가 50인데 그 씀이 49인 것은 수는 1에서 시작하니 49의 조종(祖宗)은 1이다.

○ 建安丘氏曰, 大衍之數五十者, 取河圖中五, 參天兩地之數, 以爲衍母也. 大衍之用止四十九者, 又就河圖五十數之在外者, 虛其天一之數而不用也. 蓋一者數之始, 天下之數无窮而一无爲, 故无爲之一以象太極.
건안구씨가 말하였다: 대연의 수가 50인 것은 「하도」의 중앙수 5인 삼천양지(參天兩地)의 수를 취하여 넓히는 모체(母體)로 삼은 것이다. 대연의 씀이 49에 그침은 또 「하도」의 바깥쪽에 있는 수인 50에서 천일(天一)을 비우고 쓰지 않는 것이다. 1은 수의 시작으로 천하의 수가 끝이 없지만 1은 함이 없기에 함이 없는 1로 태극을 상징한다.

○ 西山蔡氏曰, 五歲再閏者, 一變之中自有五節. 掛爲一節, 揲左爲二節, 歸左奇於扐爲三節, 揲右爲四節, 歸右奇於扐爲五節. 一節象一歲, 三節一歸奇象三歲一閏, 五節再歸奇象五歲再閏. 天地之數, 三百六十, 每歲氣盈六日朔虛六日, 一歲餘十二日, 三歲餘三十六日, 以三十日爲一月, 更餘六日. 又二歲餘二十四日, 合前所餘六日爲三十日, 爲再閏. 再扐而後掛者, 再扐之後, 復以所餘之蓍合而爲一, 爲第二變再分再掛再揲也. 不言分二不言揲四, 獨言掛一者, 明第二變不可不掛也. 或曰, 揲蓍之法, 虛一分二掛一揲四歸奇. 其第一揲不五則九, 第二揲不四則八, 計其奇數以定陰陽老少, 去其初掛之一何也. 曰, 虛一分二掛一揲四歸奇, 乃天地四時之生萬物也. 其奇數策數以定陰陽老少, 乃萬物正性命於天地也. 生蓍, 以分二掛一爲體, 揲四歸奇爲用. 立卦, 以奇數爲體, 策數爲用. 在天地則虛其一而用四十九, 在萬物則掛其一而用四十八. 此聖人所以知變化之道也. 又曰, 第一揲, 掛一, 以四十九其奇一也. 第二揲, 非四十四則四十, 第三揲, 非四十則三十六, 不復有奇矣, 其掛何也. 曰, 人與天地竝立爲三. 天地非人則无以財成輔相, 故分二必掛一也. 初掛者人極, 所以立天地因乎人也. 再揲三揲之掛者, 人因天地以爲用也.
서산채씨가 말하였다: "5세에 두 번 윤달을 둔다"는 일변(一變)의 가운데 자연히 5절이 있다. 거는 것이 1절이고, 왼 손의 책수를 세는 것이 2절이고, 왼 손의 나머지를 손가락에

돌리는 것이 3절이고 오른 손의 책수를 세는 것이 4절이고, 오른 손의 나머지를 손가락에 돌리는 것이 5절이다. 1절은 1세를 상징하고 3절은 나머지를 1번 돌리니 3년에 1윤을 상징하고 5절은 나머지를 두 번째 돌리니 5년 2윤을 상징한다. 천지의 수는 360인데 매 해마다 기영(氣盈)이 6일이고 삭허(朔虛)가 6일이어서 1년에 12일이 남고 3년에 36일이 남으니 30일을 1월로 삼고 다시 6일이 남는다. 또 2년이 가면 24일이 남아 앞에서 남은 6일과 합하여 30일이 되니 두 번 윤달을 둔다. "거듭 끼운 뒤에 건다"는 두 번째 끼운 뒤에 다시 남아있는 산가지를 하나로 합쳐 제 이변(二變)을 하니 다시 나누고 다시 걸고 다시 세나간다. "둘로 나누고"를 말하지 않고 "4개씩 센다"를 말하지 않고 "하나를 건다"만 말한 것은 이변(二變)을 할 때 걸지 않으면 안 됨을 분명히 한 것이다.

어떤 이가 물었다: 설시의 방법은 하나를 비우고 둘로 나누고 하나를 걸고 4개씩 세고 나머지를 돌립니다. 제 일변(一變)에서 셀 때는 5가 아니면 9가 나오고, 제 이변(二變)에서 셀 때에는 4가 아니면 8이 나오는데 나머지를 계산하여 음양의 노소(老少)를 정할 때 그 처음에 건 하나를 제거함은 어째서입니까?

답하였다: 하나를 비우고 둘로 나누고 하나를 걸고 4개씩 세고 나머지를 돌리는 것은 천지의 사시가 만물을 생하는 것입니다. 그 남은 수와 책수로 음양의 노소를 정함은 만물이 천지로부터 성명(性命)을 바르게 하는 것입니다. 시초를 냄은 둘로 나누고 하나를 거는 것을 본체로 삼고 4개씩 세고 나머지를 돌리는 것을 작용으로 삼습니다. 괘를 세움은 남은 수를 체로 삼고 책수를 작용으로 삼습니다. 천지에 있어서는 그 1을 비우고 49를 쓰고, 만물에 있어서는 그 1을 비우고 48을 씁니다. 이는 성인이 변화의 도를 아는 까닭입니다.

또 물었다: 제 일변(一變)에서 셀 때는 하나를 거니 49에서 1이 나머지입니다. 제 이변(二變)에서 셀 때에는 44가 아니면 40이고 제 삼변(二變)에서 셀 때에는 40이 아니면 36이어서 다시 나머지가 없음은 어째서입니까?

답하였다: 사람은 천지와 함께 서서 셋이 됩니다. 천지는 사람이 아니면 재단해서 이루고 보충해서 도울 수 없기 때문에[228] 둘로 나눔에 반드시 하나를 겁니다. 처음 거는 것은 인극으로 천지가 사람으로 인해 섭니다. 제 이변(二變)과 제 삼변(二變)에서 셀 때 거는 것은 사람이 천지로 인하여 작용할 수 있는 것입니다.

○ 雲峯胡氏曰, 歷法再閏之後, 又從積分而起, 則筮法再扐之後, 又必從掛一而起也.
운봉호씨가 말하였다: 역법에서 두 번 윤달을 둔 뒤에 또 나머지를 쌓아 일으키듯이 서법에서도 두 번 끼운 뒤에 또 반드시 하나를 걸어 일으킨다.

---

228) 『周易·泰卦』 大象傳.

┃韓國大全┃

김장생(金長生) 『경서변의(經書辨疑)-주역(周易)』

大衍, 揲, 扐.

대연, 설, 륵.

大衍敷演也. 揲閱持也, 扐筮者著著指間.

'대연'은 늘려서 펼친 것이다. '센다[揲]'는 것은 뽑아서 지니는 것이고 '손가락사이[扐]'는 점치는 자가 시초를 거는 손가락 사이이다.

이익(李瀷) 『역경질서(易經疾書)』

天地之數, 已滿五十有五, 何謂大衍五十也. 謂之大則必有小衍矣. 陰陽相交, 其數可衍. 從五位有合之中衍之, 則一乘六如六數不動無衍, 二乘七爲十四衍之始而數不滿亦不用, 三乘八爲二十四老陰之數也, 四乘九爲三十六老陽之數也, 與乾坤策數合, 然各專其一, 皆小衍之數也, 五之陽生數之極, 十之陰成數之極, 而五乘十爲五十, 方是大衍之數, 而小衍包在其中也.

천지의 수는 이미 55로 차있는데 왜 대연(大衍)을 50이라고 하였는가? '대(大)'라고 했으니 반드시 '소연(小衍)'이 있을 것이다. 음양이 서로 사귀면 그 수를 늘일 수 있다. 5위에서 합하는 가운데 늘려보면 1과 6을 곱하면 6으로 변동이 없어 늘려짐이 없고, 2와 7를 곱하면 14가 되어 늘려지는 시작이지만 수가 차지 않아 쓰지 않는다. 3과 8을 곱하면 24가 되어 노음의 수가 되고 4와 9를 곱하면 36으로 노양의 수가 되어 건과 곤의 책수와 부합한다. 그렇지만 각각 그 한 부분에만 오로지 하였으니 모두 '소연(小衍)'의 수이다. 5는 양으로 생수의 궁극이고 10은 음으로 성수의 궁극이니 5와 10을 곱하면 비로소 대연지수(大衍之數)가 되니 '소연(小衍)'은 그 가운데 포함되어 있다.

五者中央之數, 始亦一點, 合北一南一東一西一中一爲數也. 中爲四方之本, 故五與一爲六, 五與二爲七, 五與三爲八, 五與四爲九, 而一二三四合爲十, 十與五乘爲大衍, 然則六七八九之本在五, 五之本在一, 故大衍之中, 一者體也, 四十九者用也. 用者才也, 才有三, 天地人是也. 分二則天地也. 掛一則人也. 人者用其策而不與於數也. 謂之掛, 則必將不在天, 不在地, 而掛在人左手也, 然後右手揲之, 先揲左之四策, 置於盤上以象四時. 然後以四爲式□撰右撰, 撰盡而歸奇於扐, 扐者象閏. 閏是四時之餘奇, 故兩扐必合於四時之策然後, 方與一朞之數合也.

5는 중앙의 수로, 시작은 역시 1점에서 해서 북의 1과 남의 1과 동의 1과 서의 1과 중의 1을 합해서 된 수이다. 중(中)은 사방의 근본이기 때문에 5와 1은 6이 되고 5와 2는 7이 되고 5와 3은 8이 되고 5와 4는 9가 되고 1,2,3,4가 합해 10이 되고 10과 5는 곱해서 대연(大衍)이 되니 그렇다면 6,7,8,9의 근본은 5에 있고 5의 근본은 1에 있는 것이기 때문에 대연(大衍)의 가운데 1은 체가 되고 49는 용이 된다. 용(用)은 재질인데 재질엔 셋이 있으니 천지인이 그것이다. 둘로 나눔[分二]은 천지이다. 하나를 거는 것[掛一]은 사람이다. 사람은 그 책(策)을 사용하지만 수(數)에는 참여하지 않는다. 건대[掛]고 하였으니 하늘에 있지 않고 땅에도 있지 않으니 건대[掛]는 것은 사람의 왼손에 있다. 그 후에 오른손으로 세는데 먼저 왼손의 4책을 세어 책상 위에 놓아 사시(四時)를 상징한다. 그 후에 4를 법식으로 삼아 왼손과 오른손을 세고 세는 것을 마치면 나머지를 손가락 사이에 끼우니 손가락 사이에 끼우는 것은 윤달을 상징한다. 윤달은 사시의 나머지이기 때문에 두 번 끼운 것이 반드시 사시의 책(策)과 합해진 후에야 1년의 수와 부합한다.

蓋掛一象三之後, 只有四十八策. 故其扐左一則右三, 左二則右二, 左三則右一, 左四則右四, 然則或一四兩四而止也. 一四則與四時之策合成兩, 二四則與四時之策合成三, 三爲多兩爲少也.

하나를 걸어 삼재를 상징한 뒤에 48책만 남아있다. 그래서 왼손을 세고 남은 나머지가 1이면 오른 손을 세고 남은 나머지는 3이고, 왼손을 세고 남은 나머지가 2이면 오른 손을 세고 남은 나머지는 2이고, 왼손을 세고 남은 나머지가 3이면 오른 손을 세고 남은 나머지는 1이고, 왼손을 세고 남은 나머지가 4이면 오른 손을 세고 남은 나머지는 4이니, 그렇다면 하나의 4나 두 개의 4로 그친다. 하나의 4는 사시의 책과 합해 둘을 이루고 두 개의 4는 사시의 책과 합해 셋을 이루니 셋은 많고 둘은 적다.

如是而更以餘策與象三之一策合之, 又分二掛一撰四歸奇, 如例者三然後, 考其三撰六歸之策. 三多爲老陽其策三十六, 而四之則九也. 三少爲老陰其策爲二十四, 而四之則六也. 一多二少爲少陽其策爲二十八, 而四之則七也. 二多一少爲少陰其策爲三十二, 而四之則八也. 夫然後二老二少之策, 及九六七八之名, 無不脗合而聖人之意明矣.

그렇게 해서 다시 나머지 책과 삼재를 상징한 1책을 합해서 또 둘로 나누고[分二] 하나를 걸고[掛一] 넷씩 세고[撰四] 나머지를 손가락에 끼우는 것[歸奇]을 예시한 것처럼 세 번 반복한 뒤에 세 번 세고 여섯 번 끼운[三撰六歸] 책을 살펴본다. 삼다(三多)는 노양으로 책이

36이며 4로 나누면 9가 된다. 삼소(三少)는 노음으로 책이 24이며 4로 나누면 6가 된다. 일다이소(一多二少)는 소양으로 책이 28이며 4로 나누면 7이 된다. 이다일소(二多一少)는 소음으로 책이 32이며 4로 나누면 8이 된다. 그런 뒤에 노양노음과 소양소음의 책과 9,6,7,8 의 이름이 밝혀지지 않음이 없으니 성인의 뜻이 분명하다.

抑又有一說. 以中五遍乘於自一至九之數, 其多者止於四十五, 此皆小衍也. 合一二三四爲十而居中, 以五乘十, 是爲大衍也.

또 하나의 설이 있다. 가운데 5를 1에서 9까지 두루 곱하면 가장 많은 것이 45인데 이는 모두 소연(小衍)이다. 1,2,3,4를 합하면 10이 되어 가운데 있는데 5와 10을 곱하면 이것이 대연(大衍)이 된다.

前修之論, 非不詳備, 而有可疑者五. 初揲不用掛一, 再揲三揲則合數之, 參錯不齊, 一也. 掛一象人而與再扐之閏合數, 人與閏豈相干者耶, 二也. 只數再扐而無四時之數. 然而當期之日兩扐豈有成歲之理, 三也. 至於二老二少之策, 舍其揲扐, 而卻以過揲者當之, 雖謂此源彼委, 成卦在此, 照數在彼, 四也. 十二策而以四約之爲三, 又三分各得一, 一者奇, 奇象圓, 故圍而成三, 合三三爲九, 以當陽之數. 二十四策而以四約之爲六, 又三分各得二, 二者偶, 偶象方, 故圍而成四, 又用其半爲二, 合三二爲六, 以當陰之數.[229] 聖人立象示人惟簡易是務, 恐不若是, 艱險難曉, 五也.

앞에서 정리해놓은 이론이 자세하게 갖추어지지 않은 것은 아니지만 의심 나는 것이 다섯 가지이다. 처음 셀 때는 건 하나를 쓰지 않고 두 번 세고 세 번 셀 때 수를 합하는데 섞여서 일정하지 않음이 하나이다. 하나를 걸어 사람을 상징하고 거듭 끼운 윤의 수를 합하는데 사람이 윤달과 어떤 상관이 있는지가 둘이다. 거듭 끼우는 것만 헤아리고 사시의 수는 없다. 그렇다면 일 년의 날 수에 해당함에 거듭 끼우는 것에 어떻게 해를 이루는 이치가 있는지가 셋이다.

노양노음과 소양소음의 책에서 세고 끼운 것을 놔두고 세고 남은 것으로 해당시키는데, 이것은 근원이고 저것이 가지라고 하더라도 괘를 이룸은 여기에 있고 수를 조명함은 저기에 있음이 넷이다. 12책을 4로 묶으면 3이 되고 3으로 나누면 각각 1을 얻는데 1은 기이고 기는 원을 상징하기 때문에 둘레가 3이 되어 합하면 3×3=9로 양의 수에 해당한다. 24책을 4로 묶으면 6이 되고 다시 3으로 나누면 각각 2을 얻는데 2은 우이고 우는 방을 상징하기 때문에 둘레가 4이 되어 다시 그 반을 써서 2가 되니 합하면 3×2=6으로 음의 수에 해당한다. 성인이 상을 세워 사람들에게 보여줄 때 오직 간이하도록 힘쓰는데 그렇지 않고 깨우치

---

229) 以當陽之數와 대구를 이루는 '以當陰之數'를 보완함.

기 어려운 것 같은 것이 다섯이다.

愚之爲說, 其義至深, 而其事則至易. 假使文義或不然, 而愜義皆合, 則用此筮占, 亦恐無不可也.

내가 만든 설은 그 뜻은 아주 깊으면서도 그 일은 아주 쉽다. 문장의 뜻이 혹 그렇지 않다 해도 뜻은 모두 흡족하게 부합하니, 이 방법을 써서 점을 쳐도 불가할 것이 없다.

或曰, 揲之以四, 何以見得別置四時之策.

어떤 이가 물었다: 4개씩 세면 어떻게 사시의 책을 별도로 둘 수 있습니까?

曰, 將準期之日, 只計兩閏, 闕卻四時, 則不成道理. 又安知所謂揲之者, 非別置四時之象乎. 旣揲之後, 以是爲準, 一四二四, 雖不言可也. 學者拘於文而外其義, 吾以爲不然. 若但辭而已, 則五歲再閏, 亦大槪言之, 其實十九歲七閏也. 旣云五歲之閏, 而又以一歲三百六十之期當之可乎. 皆當以意逆志矣.

답하였다: 1년의 날을 기준으로 하여 두 번의 윤만 계산하고 사시를 빠트리면 도리를 이룰 수 없다. 또한 센다는 것이 별도로 사시의 상을 두는 것이 아님을 어찌 알겠는가? 이미 센 뒤에 이것을 기준으로 삼으니 하나의 4나 두 개의 4는 말하지 않아도 된다. 배우는 자가 글에 구애되어 뜻을 도외시하는데 그래서는 안 된다고 생각한다. 단지 말일 뿐이라면 5세에 2윤이라는 것도 대략 말한 것으로 실제는 19세에 7윤이다. 이미 5세의 윤달을 말하고서 또 1년인 360일에 해당시키는 것이 가능하단 말인가? 대개 뜻으로 뜻을 거스른 경우에 해당한다.

合分二掛一, 方成象三之義, 則二營而一變矣. 合揲四歸奇而成歲, 則亦二營而一變矣. 合之爲四營二變而易道始成也. 此以下不過以是爲例也. 如是三成而得一畫, 則十二營而六變. 積三畫成卦, 則三十六營而十有八變也.

둘로 나누고 하나를 거는 것을 합해야 삼재를 상징하는 뜻이 이루어진다면 2번 경영하고 1번 변한 것이다. 4씩 세고 나머지를 끼우는 것을 합하여 한 해를 이룬다면 또한 2번 경영하고 1번 변한 것이다. 합해서 4번 경영하고 2번 변하여 역의 도가 비로소 이루어진다. 이 아래부터는 이것을 예로 삼았다. 이와 같이 3번 이루어 1획을 얻는다면 12번 경영하여 6번 변한 것이고, 3획이 쌓여 괘를 이룬다면 36번 경영하여 18번 변한 것이다.

繼之云八卦而小成, 則非六畫明矣. 言八卦, 則六畫在其中, 不過用八卦之例, 更揲而得之. 象兩者兩儀也. 揲四者四象也. 老少陰陽象四時也. 非一時竝得此四者, 卽四外無物. 至八卦, 則亦非竝得八者, 卽八外無物也. 下卦旣定, 更揲之數如前, 引伸是也. 下卦旣定, 揲得他卦, 觸長是也. 引以伸之者, 謂引八卦而伸長之. 一卦重爲上下兩體, 卽八純卦是也. 觸類而長之者, 謂以類相觸益長而繁多也. 比如磨之上下盤相比, 上面周列八卦, 下面周列八卦, 卽成上乾下乾, 上坎下坎之類, 所謂引伸是也.

계속에서 8괘로 작게 이루어졌다고 하였으니 6획이 아님이 분명하다. 8괘를 말하면 6획은 그 가운데 있으니 8괘의 예를 사용하여 다시 세어서 얻는 것에 불과하다. 둘을 상징한다는 것은 양의이다. 4씩 센다는 것은 사상이다. 노양·노음·소양·소음은 사시를 상징한다. 동시에 이 넷을 얻는 것이 아니니 넷 밖에 다른 것이 없다. 8괘에 이르더라도 함께 8을 얻는 것이 아니니 8밖에 다른 것이 없다. 하괘가 이미 정해지면 다시 세는 수가 이전과 같으니 '이끌어 편다'는 것이 그것이다. 하괘가 이미 정해지면 설시하여 다른 괘를 얻으니 '종류에 따라 확장함'이 그것이다. '이끌어 편다'는 것은 8괘를 이끌어 펴서 확장하는 것이다. 1괘가 중복되어 상하의 두 몸체가 되니 '팔순괘(八純卦)'가 그것이다. '종류에 따라 확장함'은 종류로써 서로 확장하여 많아지는 것이다. 마치 맷돌의 상하 돌이 서로 따르듯이 윗면에 두루 8괘를 벌여놓고 아래에 두루 8괘를 벌여놓으면 곧 상괘의 건과 하괘의 건, 상괘의 감과 하괘의 감의 종류이니 이른바 '이끌어 편다'는 것이 그것이다.

於此只有八純卦轉動一位, 則得訟蹇頤恒家人晉臨夬八卦. 又轉動一位, 則得遯屯蠱豐觀睽泰困八卦. 又轉動一位則得无妄井賁豫中孚大有師咸八卦. 又轉動一位則得姤[230]旣濟剝歸妹小畜未濟謙隨八卦. 又轉動一位則得同人比損大壯[231]渙旅復大過八卦. 又轉動一位則得否節大畜解漸噬嗑升革八卦. 又轉動一位則得履需蒙小過益鼎明夷萃八卦. 凡一卦各觸八卦之類, 六十四卦於是大備. 天下之能事, 無外是者矣. 方位之序, 後天尤明, 故如此云爾.

이에 단지 8순괘가 한자리씩 굴러 움직이면 송(訟)·건(蹇)·이(頤)·항(恒)·가인(家人)·진(晉)·림(臨)·쾌(夬)의 8괘를 얻는다. 또 한자리씩 굴러 움직이면 돈(遯)·준(屯)·고(蠱)·풍(豐)·관(觀)·규(睽)·태(泰)·곤(困)의 8괘를 얻는다. 또 한자리씩 굴러 움직이면 무망(无妄)·정(井)·비(賁)·예(豫)·중부(中孚)·대유(大有)·사(師)·함(咸)의 8괘를 얻는다. 또 한자리씩 굴러 움직이면 구(姤)·기제(旣濟)·박(剝)·귀매(歸妹)·소축(小畜)·미제(未濟)·겸(謙)·수(隨)의 8괘를 얻는다. 또 한자리씩 굴러 움직이면 동인(同人)·비(比)·손(損)·대장(大壯)·환(渙)·려(旅)·복(復)·대과(大過)의 8괘를 얻는다. 또 한자리씩 굴러 움직이면 비(否)·절(節)·대축(大畜)·해(解)·점(漸)·서합(噬

---

230) 姤: 경학자료집성 DB에 '姑'로 되어있으나, 경학자료집성 영인본과 문맥을 살펴 '姤'로 바로잡았다.

231) 壯: 경학자료집성 DB에 '狀'으로 되어있으나, 경학자료집성 영인본과 문맥을 살펴 '壯'으로 바로잡았다.

嗑)·승(升)·혁(革)의 8괘를 얻는다. 또 한자리씩 굴러 움직이면 리(履)·수(需)·몽(蒙)·소과(小過)·익(益)·정(鼎)·명이(明夷)·취(萃)의 8괘를 얻는다. 1괘가 각각 8괘의 류로 확장되면 64괘가 크게 갖추어진다. 천하의 가능한 일이 여기에서 벗어나지 않는다. 방위의 차례는 후천이 더욱 분명하기 때문에 이와 같이 말했다.

道者一陰一陽之謂. 其理至微, 易書能使顯現之而易知. 德者繼善成性之實. 仁者謂仁, 智者謂智, 則德無不備行. 又德之實, 下傳四章, 陽爲君子之道, 陰爲小人之道者, 卽其註脚, 其理本自神明, 然百姓日用而不知, 故亦賴易書而效其能, 如所謂財成輔相是也. 德行屬道, 伸之屬易也. 酬酢者, 問答也, 問答則情或未孚, 言或未盡. 惟酒之禮可以酬酢, 殷勤導達誠衷而言無不竭, 故以爲比, 如所謂問焉而以言, 其受命如響, 是也. 神與上神字相帖, 祐與佑通用. 書云上天孚佑下民, 祐之通也. 屈原天問云, 驚女采薇鹿何祐, 佑之通也. 此亦謂易可以佑助其神道也. 聖人知變化之道, 故能知神之情狀如此. 於是作易以佑助之, 不然亦莽蕩無相交涉, 其道淺矣.

도는 한 번은 음이 되고 한 번은 양이 됨을 말한다. 그 이치가 지극히 은미하지만 역서로 드러내서 알기 쉽게 할 수 있다. 덕은 선을 잇고 성품을 이룬 실제이다. 인자는 인이라 이르고 지자는 지라 이르니 덕이 갖추어 행해지지 않음이 없다. 또한 덕의 실제는 「계사하전」의 4장에 '양이 군자의 도이고 음은 소인의 도'라는 각주에 "그 이치가 본래 저절로 신비하고 밝지만 백성은 날마다 쓰면서도 알지 못한다. 그렇기 때문에 역서를 의지하여 능함을 본받으니 이른바 재단해서 이루고 보충해서 돕는다"는 것이 그것이다. 덕행은 도에 속하고 거듭함은 역에 속한다. 수작은 묻고 답함이며 묻고 답함에 실정이 믿음이 없기도 하고 말이 미진하기도 하다. 오직 주례만이 수작할 수 있어 성대하고 부지런히 정성에 도달할 수 있고 말도 다하지 않음이 없기 때문에 이것[주례]으로 하였으니, 이른바 묻는데 말로 하면 그 명을 받음이 메아리와 같다는 것이 그것이다. 신(神)은 앞의 신과 같고 우(祐)는 우(佑)와 통용된다. 『서경』에 "상천이 진실로 하민을 돕는다"는 것에서는 우(祐)와 통한다. 굴원의 『천문』에서 "여인이 고사리 캐는 것조차 경고하니 사슴이 어떻게 그들을 도왔는가"에서의 우(佑)와 통한다. 이 또한 역이 신도(神道)를 도울 수 있음을 말한 것이다. 성인이 변화의 도를 알기 때문에 신의 실정이 이와 같음을 알았다. 이에 역을 지어 도운 것이니 그렇지 않았다면 어지럽게 서로 교섭함이 없어 그 도가 얕을 것이다.

朱子考變占, 推移錯互, 與焦貢六十四變者合. 然易只有七占, 則義變而占同, 旣涉可疑. 其四爻以上動者, 卻占不變者. 苑洛子韓邦奇辨其不然, 退溪從之, 學者宜有所商量.

주자의 「고변점」은 미루어 옮겨가면서 서로 섞임이 초씨역의 64변과 부합한다. 그러나 역은 단지 7가지 점이 있으니 뜻이 변함에도 점이 같다면 이미 연관됨은 의심할 만하다. 4효이상

동한 것은 도리어 변하지 않은 것으로 점을 치는데 원락자나 한방기는 그렇지 않음을 변론하였고 퇴계도 따랐으니 배우는 자가 헤아려봐야 한다.

朱子旣據春秋傳艮之八爲證, 而卻云當時史失對, 當云繫小子失丈夫也. 夫此例也, 朱子因此文而得之, 更無他考. 又何從而知此對之有誤耶.

주자가 이미 『춘추전』의 간지팔(艮之八)에 근거해서 증명하여 도리어 '당시의 점친 자가 잘못 응대했다'고 했지만 마땅히 '소자에 매이면 장부를 잃는다'고 했어야 한다. 이런 예는 주자가 이 글을 근거로 얻은 것일 뿐 다른 고찰은 없다. 그리고 무엇을 근거로 이것이 잘못 응대한 것임을 알겠는가?

余按左氏內外傳占者數十, 率多一爻動, 其亂動者不過數事. 夫[232]揲著老少相錯其勢, 疑若二者之相半, 是何二少之若是偏多乎. 此必亂動而無其義者, 都在不用之科矣. 其二爻三爻以上動者, 有本體純駁之別, 苟値本體之純而不駁者, 皆用之, 雖用之, 又舍其爻而占其象義, 固當然也. 何以明之. 易者七八爲體, 九六爲用. 惟乾坤純於七八之體, 故有用九用六, 他卦體旣七八相錯, 故無此例可以見矣.

좌씨의 내외전에 점을 친 기록이 수십 가지인데 대부분 한 효가 동한 경우이고 난동한 경우는 몇 가지에 불과하다. 설시에서 노소의 음양은 그 형세가 서로 섞여서 두 가지가 서로 반반인 것 같은데 어떻게 소양과 소음이 이렇게 많은가? 이는 필시 난동한 경우 그 뜻이 없음은 모두 쓰이지 않는 과정에 있다. 둘이나 셋 이상 효가 동한 경우 본체의 순수하고 섞인 구별이 있으니 본체가 순수하여 섞이지 않은 경우를 얻으면 모두 쓴다. 비록 쓰더라도 그 효는 놔두고 그 단사의 뜻으로 점치는 것이 진실로 합당하다. 어떻게 증명할 수 있는가? 역은 7과 8이 체가 되고 9와 6이 용이 된다. 오직 건괘와 곤괘만이 순전한 7과 8의 체이기 때문에 9를 쓰고 6을 쓰는 것이 있고, 다른 괘는 이미 7과 8이 서로 섞여있기 때문에 이런 예를 볼 수 없다.

說者謂二用包六十二卦者非矣. 其二爻三爻以上動者, 考其不動之畫, 苟得純於七八之體, 如乾坤之例, 則宜舍其爻而占其象, 內卦爲貞, 外卦爲悔. 其純體在貞者, 據本卦而占之卦之象. 其純體在悔者, 據之卦而占本卦之象, 貞內而悔外故也.

설명하는 이들이 두 괘가 62괘를 포괄한다고 하는 것은 그르다. 두 효나 세 효 이상 동한 경우 동하지 않은 획을 보아 건괘와 곤괘의 예처럼 7과 8의 체를 얻으면 그 효를 놔두고 그 단사로 점친다. 내괘가 정(貞)이 되고 외괘가 회(悔)가 된다. 그 순한 몸체가 정(貞)에

---

232) 夫: 경학자료집성 DB에 '天'으로 되어있으나, 경학자료집성 영인본과 문맥을 살펴 '夫'로 바로잡았다.

있는 경우 본괘에 의거하고 지괘의 단사로 점치고, 그 순한 몸체가 회(悔)에 있는 경우 지괘에 의거하고 본괘의 단사로 점치는데 정은 내괘이고 회는 외괘인 까닭이다.

襄公九年遇艮之八, 而史曰是謂艮之随, 占元亨利貞, 則随象也. 惟六二一爻不變, 而在內卦之貞, 則宜占之卦之象, 故不言之随則無以明也.
양공 9년에 간지팔(艮之八)을 얻었는데 점을 풀이하는 자가 '이것은 간지수(艮之随)'라고 하면서 원형이정으로 점쳤으니 수괘(随卦)의 단사이다. 오직 육이 한 효만이 변하지 않았고 내괘인 정(貞)에 있기 때문에 지괘의 단사로 점쳐야 한다. 그렇기 때문에 수괘가 되었다고 언급하지 않았다면 밝힐 수 없었을 것이다.

晉語遇泰之八, 而占小往大來, 則泰象也. 此必下三爻皆變, 而不變者在外卦之悔, 則宜占本卦之象, 故不言之卦而無不明. 故其之豫之比之剝之萃之觀之晉, 皆不計也.
『진어』에 태지팔(泰之八)을 얻었다고 하고 '작은 것이 가고 큰 것이 온다'는 것으로 점쳤으니 태괘의 단사이다. 이는 필시 아래 세 효가 모두 변하고 변하지 않은 것은 외괘인 회(悔)이니 마땅히 본괘의 단사로 점쳐야 한다. 그러므로 지괘(之卦)를 말하지 않았지만 분명하지 않음이 없다. 그러므로 예(豫)괘가 되고 비(比)괘가 되고 박(剝)괘가 되고 취(萃)괘가 되고 관(觀)괘가 되고 진(晉)괘가 됨을 모두 헤아리지 않았다.

又晉語貞屯悔豫皆八而占利建侯. 此両占本卦之卦之象而両象同辭也. 其不變在二三及上也. 二三在內卦之貞, 則宜占豫之利建侯. 上在外卦之之悔, 則宜占屯利建侯也. 故曰是在周易皆利建侯也. 人或攄此以本卦爲貞之卦爲悔者非也. 古人豈有設両般而惹後人之惑哉.
또 『진어』에 정(貞)은 준괘이고 회(悔)는 예괘인데 모두 8로 '제후를 세움이 이롭다'는 것으로 점쳤다. 이것은 본괘와 지괘의 두 단사로 점친 것인데 두 단사가 동일하다. 변하지 않은 효는 이효와 삼효와 상효이다. 이효와 삼효는 내괘의 정에 있으니 마땅히 예괘의 '제후를 세움이 이롭다'로 점쳐야 한다. 상효는 외괘인 회이니 마땅히 준괘의 '제후를 세움이 이롭다'로 점쳐야 한다. 그러므로 "주역에 모두 제후를 세움이 이롭다"라고 한 것이다. 사람들은 간혹 이것에 근거해서 본괘가 정이 되고 지괘가 회가 된다고 하는데 틀렸다. 옛 사람이 어찌 두 가지를 설치해 놓아 후인들을 의혹으로 이끌었겠는가?

三者皆擧八而更無擧七者, 是又可疑. 余考周語遇乾之否者, 以例推之, 卽乾之七也. 七在外卦之悔, 宜占元亨利貞, 而解者只言卦象不及象辭. 未可臆斷, 然此爲晉悼公, 竝而爲終爲晉君之吉占, 則與否象背馳, 其占本卦可知. 凡後人之所可追度者, 惟內外傳, 而其所見皆可據其文而無違誤. 恨不得質諸先師之座而得其駁正也. 此章專論筮占, 故竝論之.

세 가지는 모두 8을 거론하고 다시 7을 거론한 것이 없는데 이것은 의심할 만하다. 내가 『주어』의 건지비(乾之否)를 얻은 경우를 고찰하여 사례의 법칙대로 추론해보니 곧 건지칠(乾之七)이다. 7이 외괘의 회에 있으니 마땅히 원형이정으로 점쳐야 하는데 풀이한 자가 괘상만 말하고 단사는 언급하지 않았다. 억측할 수는 없지만 이것은 진나라 도공을 위한 것이고 아울러 마침에 진나라의 임금이 되는 길한 점이기 때문에 비괘(否卦)의 단사와 배치되니 본괘로 점쳐야 함을 알 수 있다. 후인들이 따라서 헤아린 것은 오직 내외 전 뿐으로 견해는 모두 그 문장에 근거해 어김이나 오류가 없다. 선사에게 질정하여 어긋남을 바르게 할 수 없음이 한스럽다. 이 장은 오로지 점서를 논하였기 때문에 함께 논했다.

박치화(朴致和) 「설계수록(雪溪隨錄)」

大衍者對小衍而言. 蓋河圖中十爲小衍, 五十爲大衍.

대연은 소연에 상대한 말이다. 「하도」의 가운데 10이 소연이고 50이 대연이다.

○ 大衍五十之內去其一者, 象太一合同未分之時, 不可以數言, 所謂一元也.

대연 50에서 하나를 제거하는 것은 태일로 합해있어 나누어지지 않은 때를 상징한 것으로, 수로 말할 수 없으니 이른바 일원(一元)이다.

○ 中五則五十之象數, 不可以太一比之, 故別去一數, 以象太一也.

가운데의 5는 50의 상수이어서 태일로 비유할 수 없기 때문에 별도로 하나를 제거하여 태일을 상징한다.

○ 去一象太極, 握而未分象合同.

하나를 제거하는 것은 태극을 상징하고 쥐고 나누지 않은 것은 함께 합해있음을 상징한다.

○ 天下之物, 皆統於一, 一者尊而不用.

천하의 물건은 하나에 통합되니 하나는 높여 쓰지 않는다.

○ 卜筮之法亦象易. 去一象太一, 分二掛一象天地人三才, 四揲象四時. 三才立四時行而萬物變化, 故卦爻之變化, 以象萬物之變化也.

복서하는 법은 또한 역을 상징한다. 하나를 제거하는 것은 태일을 상징하고, 둘로 나누고 하나를 거는 것은 천지인 삼재를 상징하고, 4씩 세는 것은 사시를 상징한다. 삼재가 정립되고 사시가 행해짐에 만물이 변화하기 때문에 괘효의 변화로 만물의 변화를 상징한다.

○ 掛一掛扐歸於左手者, 天無所不統之義也. 歸扐於掛一之下者, 閏生於天而成於人之義也. 〈統於天者, 統於尊之義也.〉

하나를 걸고 나머지를 왼 손에 끼는 것은 하늘이 거느리지 않음이 없는 뜻이다. 하나를 건 아래에 나머지를 끼는 것은 하늘에서 윤달이 생겨나 사람에서 이루어지는 뜻이다. 〈하늘에서 거느린다는 것은 높은 곳에서 거느린다는 뜻이다.〉

○ 掛扐始於小指間者, 左旋之義耶. 天道始於左.

나머지를 소지(小指)사이에 끼우기 시작하는 것은 좌선의 뜻인가! 천도는 좌측에서 시작한다.

○掛一象一歲, 揲右象二歲, 扐右象三歲一閏. 揲左象四歲, 扐左象五歲再閏也.

하나를 걸어서 1세를 상징하고, 오른 손으로 세어서 2세를 상징하고, 오른손으로 끼워서 3세1윤을 상징한다. 왼손으로 세어서 4세를 상징하고 왼손으로 끼워서 5세2윤을 상징한다.

○取右手之策, 懸於左手指間, 以象三才者, 天地交而人生乎其中之義也.

오른 손의 책을 취하여 왼손가락 사이에 걸어 삼재를 상징함은 천지가 사귀어 그 가운데서 생하는 뜻이다.

○右手揲左手之策, 左手揲右手之策, 天地交泰之象也. 三變成爻, 三候成一氣之義也.

오른 손으로 왼손의 책을 세고 왼손으로 오른손의 책을 세는 것은 천지가 사귀어 통하는 상이다. 3변으로 효를 이룸은 3후가 1기를 이루는 뜻이다.

○ 間而數之. 〈本義〉

떼어내서 셈이다. 〈『본의』〉

言以四爲間而數之也.

4씩 사이를 두고 셈을 말한다.

○ 三變之餘, 則掛扐之數, 去其初掛之一, 而統計三變掛扐之數, 亦以四數揲之也.

삼변의 나머지는 걸고 끼운 수에서 처음에 건 1을 빼고 걸고 끼운 수를 통틀어 계산하면 역시 4으로 센 것이다.

○ 四爲奇八爲偶者, 掛扐之數若單四則爲奇數, 二四則爲偶數. 二四則八也. 蓋揲蓍之法, 以四間而數之, 故單四爲奇, 二四爲偶, 餘倣此.

4는 기이고 8은 우인 것은 걸고 끼운 수가 4가 하나이면 기수이고 4가 둘이면 우수가 되어 2×4=8이다. 설시의 법은 4로 떼어내어 셈하기 때문에 4가 하나이면 기이고 4가 둘이면 우이니 나머지도 같다.

○ 奇圓圍三者, 圓者, 徑一圍三. 偶方圍四者, 方者, 徑一圍四. 三用其全者, 陽畫一而不縮, 故三用其全. 四用其半者, 陰畫二而縮, 故用其半, 其實則陰亦用四也, 一畫兼二故也.

'기(奇)는 둥근바 둘레가 3이다'는 원은 지름이 1일 때 둘레가 3이다. '우(偶)는 네모진바 둘레가 4이다'는 방은 직경이 1일 때 둘레가 4이다. '3은 그 완전한 수(數)를 사용한다'는 것은 양획은 하나로 줄어들지 않기 때문에 그 전체를 쓴다. '4는 그 반만 쓴다'는 것은 음획은 둘로 줄어들었기 때문에 그 반만 쓰지만 실제로는 음도 4를 쓰니 한 획이 둘을 겸하기 때문이다.

○ 揲數策數, 掛扐外所揲策數也.

센 수의 책수는 걸고 끼운 외의 센 책수이다.

○ 三變掛扐之策數, 第三變揲數之策數, 亦皆符會者, 若以太陽一象言之, 則掛扐之數三奇, 三三爲九, 而爲老陽揲數之策, 亦以四數之爲九而爲老陽. 分掛扐揲數之策, 而一一計之, 則三奇, 三四十二, 爲十二策, 四九三十六爲三十六策, 合而計之, 則爲四十八策, 不滿九者, 去初掛之一故也. 餘倣此.

삼변의 걸고 끼운 책수와 제 3변 센 수의 책수가 부합하는 것을 사상(四象) 중 태양 하나를 가지고 말해보면, 걸고 끼운 수가 기(奇)가 셋으로 3×3=9가 되고 노양의 세고 남은 책수도 4씩 세면 9가 되어 노양이 된다. 걸고 끼운 수와 세고 남은 책수를 나누어 하나하나 계산해보면 기(奇)가 셋으로 3×4=12가 되어 12책이 되고 4×9=36으로 36책이 되어 합하면 48책으로 49가 되지 못하는 것은 처음 건 1을 제거했기 때문이다. 나머지도 이와 같다.

○ 揲數之策, 以第三變爲用, 前二變不用.

세고 남은 책수는 제3변을 쓰고 앞의 2변은 쓰지 않는다.

○ 乾坤之策, 以掛扐之外, 揲數之策, 老陽老陰變者爲言. 如老陽爻揲數之策三十六, 六爻三六十八六六三十六爲二百一十六策. 餘倣此.

건곤의 책수는 걸고 끼운 외에 세고 남은 책수를 노양과 노음으로 말한 것이다. 노양효의 세고 남은 책수가 36인데 6효로 3×6=18, 6×6=36으로 216책이다. 나머지도 이와 같다.

○ 二奇一偶, 通三變而言. 一變或一奇, 二變或一奇, 三變或一偶. 每分三變而計之, 以見老少陰陽也.
기가 둘이고 우가 하나인 것은 3변을 통틀어 말한 것이다. 1변이 혹 기가 하나이고 2변이 혹 기가 하나이고 3변이 혹 우가 하나이다. 매번 3변을 구분하여 계산해 노소음양을 살펴본다.

○ 徑一圍三, 奇偶之法, 則參天兩地之數, 河圖之中五也. 中五虛而不用, 而實行乎五十之間也.
지름이 1일 때 둘레가 3인 것은 기우의 법칙이니 곧 삼천양지(參天兩地)의 수로 「하도」의 가운데 5이다. 가운데 5는 비우고 쓰지 않지만 실제로는 50의 사이에 행해진다.

○ 五十去其一者, 天地太一之象也. 四十九去其一者, 萬物君父之象也. 掛一旣象人, 則初掛人君之象也.
50에서 제거한 1은 천지 태일의 상이다. 49에서 제거한 1은 만물의 군부의 상이다. 하나를 걸어 이미 사람을 상징하였다면 처음으로 건 것이 인군의 상이다.

○ 去其初掛之一者, 數之宗也, 人君之象也. 父子夫婦皆然.
제거한 처음의 1은 수의 근원이므로 인군의 상이니 부자와 부부가 다 그렇다.

○ 卜筮之法, 必以三才配合者, 蓋天地能生萬物, 而所以裁成輔相者在人. 故必配合三才, 以爲萬物之主也.
복서의 방법이 반드시 삼재를 배합하는 것은 천지가 만물을 생할 수 있지만 마름질하여 이루고 보충해서 돕는 것은 사람에 달려있다. 그렇기 때문에 반드시 삼재를 배합하여 만물의 주관으로 삼는다.

○ 二篇之策, 亦以老陽老陰之數爲言. 〈爻別言一爻也.〉
두 편의 책수도 노양과 노음의 수로 말한다. 효는 한 효를 별도로 말한다.

○ 二篇之策, 皆以第三變過揲之數爲言者, 掛扐乃奇數, 非策數故也. 奇以觀變, 策以觀數.
두 편의 책수를 다 3변의 세고 남은 책수로 말한 것은 걸고 끼운 것은 나머지 수이지 책수가 아니기 때문이다. 나머지로는 변(變)을 보고 책(策)으로는 수를 본다.

○ 揲數以四計揲之數, 策數一箇計一箇之數, 策數亦符會. 本義者, 如老陽策數三十
六, 而以奇偶之法計之, 則一而圍三也, 故曰策數亦符會.
세는 수는 4씩 계산한 수이고 책수는 1개를 1개로 계산한 수인데 책수와 부합한다.『본의』
에서는 노양책수 36을 기우의 법으로 계산하면 1은 둘레가 3이기 때문에 '책수도 부합한다'
고 하였다.

○ 揲蓍所用奇偶之數, 不過四五八九. 蓋以四數之, 故一二三, 未滿四數而不用. 五六
七計四而餘數亦未滿四, 故五六七但計一四. 故不過四五八九也.
설시에서 쓰는 기우의 수는 4,5,8,9에 불과하다. 4로 세기 때문에 1,2,3은 4에 차지 않아
쓰지 않는다. 5,6,7은 4로 계산하면 남는 수가 4에 차지 않기 때문에 5,6,7은 다만 하나의
4로 계산한다. 그러므로 4,5,8,9에 불과하다.

○ 一五兩四謂之三少者, 三變皆單四, 故爲老陽. 一九兩八謂之三多者, 三變皆兩四,
故爲老陰. 一九一八一四, 一五二八, 謂之兩多一少者, 三變, 二變皆兩四一變單四, 故
爲少陽. 一九二四, 一五一四一八, 謂之兩少一多者, 三變, 二變皆單四, 一變兩四, 故
爲少陰.
5가 하나이고 4가 둘이면 삼소(三少)라 하고 3변이 모두 4가 하나씩이기 때문에 노양이
된다. 9가 하나이고 8이 둘이면 삼다(三多)라 하고 3변이 모두 4가 둘씩이기 때문에 노음이
된다. 9가 하나이고 8이 하나이고 4가 하나이거나, 5가 하나이고 8이 둘이면 양다일소(兩多
一少)라 하고 3변 중에 2변은 모두 4가 둘이고 1변은 4가 하나이기 때문에 소양이 된다.
9가 하나이고 4가 둘이거나 5가 하나이고 4가 하나이고 8이 하나이면 양소일다(兩少一多)
라 하고 3변 중에 2변은 모두 4가 하나이고 1변은 4가 둘이기 때문에 소음이 된다.

○ 四五爲少者, 一揲之數也. 八九爲多者, 兩揲之數也.
4와 5는 소(少)가 되니 한 번 센 수이다. 8과 9는 다(多)가 되니 두 번 센 수이다.

○ 揲蓍之法, 以一約四, 以奇爲少, 以偶爲多而已.
설시의 법은 한 묶음이 4로 기(奇)를 소(少)로 삼고 우(偶)를 다(多)로 삼을 뿐이다.[233]

---

233) 4가 한 묶음인 것이 1회(奇)이면 소(少)로 양이 되고, 2회(偶)이면 다(多)로 음이 된다는 뜻이다.

○ 天地之間, 陽進陰退, 進之極爲老陽, 退之極爲老陰, 故九爲老陽之數, 六爲老陰之數也.

천지의 사이에 양은 나가고 음은 물러나니 나아감이 궁극에 이르면 노양이고 물러남이 궁극에 이르면 노음이 되기 때문에 9가 노양의 수가 되고 6이 노음의 수가 된다.

○ 左數右策者, 左爲掛扐奇數, 右爲過揲策數, 故曰左右皆九. 左右皆策者, 以策數分左右, 左右皆圓, 故曰一而圍三也.〈右以老陽言.〉

좌측의 수와 우측의 책은 좌측은 걸고 끼운 나머지 수이고 우측은 세고 남은 책수이다. 그렇기 때문에 좌우가 다 9이다. 좌우가 다 책인 것은 책수로 좌우를 나누면 좌우가 다 원이기 때문에 "1일 때 둘레가 3이다"라고 하였다.〈이상은 노양에 대해 말한 것이다.〉

○ 右右皆策, 分左右之策而言. 如以少陽言之, 則少陽策數合爲二十八, 左右皆策, 則方二圓一. 方二謂兩八, 圓一謂一十二, 合爲二十八.

좌우가 다 책(策)이라는 것은 좌우의 책수를 나누어 말한 것이다. 소양을 가지고 말하면 소양의 책수는 합하여 28인데 좌우가 다 책인 것으로 하면 방(方)은 둘이고 원(圓)은 하나이다. 방이 둘이라는 것은 8이 둘인 것이고 원이 하나라는 것은 12가 하나라는 것이니 합하면 28이다.

○ 十二, 四四除之, 則爲三四. 除二四則爲單四, 則圓一也.

12를 4로 제해가면 3×4가 된다. 2×4를 제외하면 하나의 4가 되니 곧 원이 하나이다.

○ 策數左右分之者, 天地之義也.

책수를 좌우로 나눈 것은 천지의 뜻이다.

○ 掛扐之外, 策數亦有奇偶.

걸고 끼운 수 밖의 책수도 기우가 있다.

유정원(柳正源)『역해참고(易解參攷)』

大衍 [至] 後掛.

대연의 수 … 륵(扐)한 뒤에 거는 것이다.

漢上朱氏曰, 小衍之五參兩也, 大衍之五十則小衍在其中矣. 一者體也, 太極不動之數. 四十有九者用也, 兩儀四象分太極之數. 總之則一, 散之則四十有九, 非四十九之外, 復有一, 而其一不用也. 方其一也, 兩儀四象未始不具, 及其散也, 太極未始或亡, 體用不相離也.

한상주씨가 말하였다: 소연의 5는 3과 2이고 대연의 50에는 소연이 그 가운데 있다. 1은 본체로 태극의 움직이지 않는 수이다. 49는 작용이니 양의와 사상으로 태극의 수를 분산한다. 총합하면 1이고 분산하면 49이니 49 이외에 별도로 1이 있지 않고 그 1은 쓰이지 않는다. 그 1일 때에 양의와 사상은 갖추어지지 않음이 없고 분산할 때 태극은 없는 적이 없으니 체용은 서로 분리되지 않는다.

○ 平庵項氏曰, 大衍之數五十其用四十有九. 然而十與五常藏於七八九六之中, 九六合而爲十五, 七八合亦爲十五, 七八九六當一月之日數也.

평암항씨가 말하였다: 대연의 수 50에 그 씀은 49이다. 그러나 10과 5는 늘 7,8,9,6 가운데 감추어져 있으니 9,6이 합하면 15이고 7,8이 합해도 15인데 7,8,9,6은 한 달의 날수에 해당한다.

小註, 西山說氣盈 [至] 十二日.
소주에서 서산이 말한 기영은 ... 12일.
案, 一歲節氣, 於三百六十日, 復餘五日九百四十分日之二百三十五者爲氣盈. 一歲合朔, 於三百六十日, 不足五日九百四十分日之五百九十二者爲朔虛. 合之爲十日九百四十分日之八百二十七. 今言氣盈六日, 朔虛六日, 及一歲十二日者, 皆擧成數言之也.

내가 살펴보았다: 한 해의 절기는 360일에서 5일 940분일의 235가 남는 것이 기영이다. 한 해의 합삭은 360일에서 5일 940분일의 592가 부족한 것이 삭허이다. 합하면 10일 940분일의 827이 된다. 지금 기영을 6일로 삭허를 6일로 하여 한 해에 12일이라고 말한 것은 성수를 들어 말한 것이다.

유휘문(柳徽文) 『시괘고오해(蓍卦考誤解)』

朱子曰, 揲蓍之法見於大傳, 雖不甚詳, 然熟讀而徐究之, 使其前後反復互相發明, 則亦無難曉者. 但疏家, 小失其指, 而辨之者, 又大失焉. 是以說愈多而法愈亂也. 因讀郭氏辨疑爲考其誤云.

주자가 말하였다: 설시의 법이 「계사전」에 보이는데 상세하지 않더라도 숙독하며 천천히 연구하여 전후를 반복해서 서로 밝히면 알기 어려울 것이 없다. 다만 주소를 낸 연구가 중에 조금 그 본지를 잃었는데 변론한 자가 또 크게 잃은 자도 있다. 이로써 설명은 더욱 잡다해

지고 법은 더욱 어지러워졌다. 곽씨의 변의를 통해 그 잘못을 고찰한다.

按, 疏家指孔氏正義, 辨之者指郭氏說. 辨疑卽辨證釋疑等書.
내가 살펴보았다: 주소를 낸 연구가는 공씨의 『주역정의』를 가리키고 변론한 자는 곽씨의 설을 가리키니 변의는 곧 『변증석의』 등의 글이다.

大衍之數五十, 其用四十有九. 分而爲二, 以象兩, 掛一, 以象三, 揲之以四, 以象四時, 歸奇於扐, 以象閏, 五歲再閏. 故, 再扐而後掛.
대연(大衍)의 수(數)가 50이니, 그 씀은 49이다. 이를 나누어 둘로 만들어 양의(兩儀)를 상징하고, 하나를 걸어서 삼재(三才)를 상징하고, 넷으로 세어 사시(四時)를 상징하고, 남는 것을 륵(扐)에 돌려 윤달을 상징하니, 5년[歲]에 윤달이 두 번이므로 두 번 륵(扐)한 뒤에 거는 것이다.

正義, 推演天地之數, 唯用五十策. 就五十策中去其一, 餘所用者四十有九. 合同未分 是象太一也. 分而爲二以象兩者, 以四十九分而爲二, 以象兩儀也.[此以上繫節文] 掛一以象三者, 就兩儀之間, 於天數之中, 分掛其一, 而配兩儀, 以象三才也. 揲之以四以象四時者, 分揲其蓍, 皆以四四爲數以象四時也. 歸奇於扐以象閏者, 奇謂四揲之餘, 歸此殘奇於所扐之策而成數, 以法象天道歸殘聚餘分而成閏也. 五歲再閏者, 凡前閏後閏相去略三十二月, 在五歲之中, 故五歲再閏. 再扐而後掛者, 旣分天地, 天於左手, 地於右手, 乃四四揲天之數, 最末之餘, 歸之合於扐掛之一處, 是一揲也. 又以四四揲地之數, 最末之餘, 又合於前歸之扐而總掛之, 是再扐而後掛也.

正義, 推演天地之數, 唯用五十策. 就五十策中去其一, 餘所用者四十有九. 合同未分 是象太一也. 分而爲二以象兩者, 以四十九分而爲二, 以象兩儀也.[此以上繫節文] 掛一以象三者, 就兩儀之間, 於天數之中, 分掛其一, 而配兩儀, 以象三才也. 揲之以四以象四時者, 分揲其蓍, 皆以四四爲數以象四時也. 歸奇於扐以象閏者, 奇謂四揲之餘, 歸此殘奇於所扐之策而成數, 以法象天道歸殘聚餘分而成閏也. 五歲再閏者, 凡前閏後閏相去略三十二月, 在五歲之中, 故五歲再閏. 再扐而後掛者, 旣分天地, 天於左手, 地於右手, 乃四四揲天之數, 最末之餘, 歸之合於扐掛之一處, 是一揲也. 又以四四揲地之數, 最末之餘, 又合於前歸之扐而總掛之, 是再扐而後掛也.

『주역정의』에서 "천지의 수를 미루어 넓히는데 오직 50책을 쓴다. 50책 가운데 1을 제거하고 나머지 쓰는 것이 49이다. 함께 합해서 나누지 않음은 태일을 상징한다. 나누어서 둘로 만들어 양의를 상징한다는 것은 49를 나누어 둘로 만들어 양의를 상징하는 것이다.[이 이상은 계사전의 글이다] 하나를 걸어 삼재를 상징한다는 것은 양의의 사이에 나아가 하늘의 수 가운데서 하나를 분리해 걸어 양의와 배합함으로써 삼재를 상징한 것이다. '넷으로 세어 사시를 상징한다'는 것은 시초를 나누어 세는 것을 모두 4개씩 세어 사시를 상징하는 것이다. 남은 것을 륵에 돌려 윤달을 상징함에서 '기(奇)'는 4개씩 세고 난 나머지인데 이 나머지를 손가락의 책에 돌려 수를 이루어 천도(天道)가 나머지 여분을 돌려 윤달을 이루는 것을 상징한다. 앞의 윤달과 뒤의 윤달의 간격이 32개월인데 5년 내에 있기 때문에 5년에 윤달이 두 번이라고 하였다. 두 번 륵한 뒤에 건다는 것은 이미 천지를 나누고 하늘은 왼손에 땅은 오른손에 두고 4개씩 하늘의 수를 세면 가장 마지막 남는 것을 륵하고 건 것과 한 곳에 합해놓으니 이것이 한번 셈이다. 또 4개씩 땅의 수를 세어 가장 마지막 남는 것을 앞에서 륵에 돌린 것을 합해서 모두 거니 이것이 두 번 륵한 뒤에 거는 것이다"라고 하였다.

朱子曰, 今攷正義之說, 大槪不差. 但其文有闕略不備, 及顚倒失倫處, 致人難曉. 又解掛扐二字, 分別不明, 有以大起諍論, 而是一揲也之揲, 以傳文及下文攷之, 當作扐字. 恐傳寫之誤耳. 今頗正之, 其說如左云.

주자가 말하였다: 지금 『정의』의 설을 고찰해보니 크게는 착오가 없다. 다만 글에 빠지거나 생략되어 갖추어지지 않은 곳이 있어 거꾸로 되고 차례를 잃은 곳이 있으니 사람들이 알기 어렵게 만든다. 또 건대[掛]와 륵[扐]한다는 두 글자의 구분이 명확하지 않아 큰 논쟁을 일으킬 수 있으니 여기에서 한번 센대[一揲]는 '설(揲)'은 계사전이나 아래의 글을 상고해볼 때 마땅히 륵(扐)자가 되어야 한다. 아마도 전하여 베껴 쓸 때의 잘못일 것이다. 지금 바로잡아 보니 다음과 같다.

按, 正義所論, 五十虛一分二象兩掛一象三揲四象四時歸奇象閏等說, 比劉氏以掛一爲歸奇, 郭氏以扐爲數之餘, 及初變爲掛象閏, 後二變不掛爲再扐象再閏等說, 則此固大槪不差.

내가 살펴보았다: 『주역정의』에서 논한 50에서 1을 비우고 둘로 나누어 양의를 상징하고 1을 걸어 삼재를 상징하고 4개씩 세어 사시를 상징하고 나머지를 걸어 윤을 상징하는 등의 설명은 유씨가 괘일(掛一)을 귀기(歸奇)로 여긴 것이나 곽씨가 륵(扐)을 수의 나머지로 여기고 초변(初變)을 괘(掛)로 만들어 윤을 상징하고 뒤의 2변은 재륵(再扐)으로 만들어 재윤을 상징했다는 등의 설과 비교해보면 크게 어긋나지 않는다.

但, 分二不言分置左右兩手. 掛一不言取右手一策懸於某指, 而只云於天數之中分掛其一, 其天數亦當改作地數. 揲四不言以某手先揲某手之策. 歸奇不言零數或一或二或三或四, 及某手者歸諸某指. 五歲再閏不言一掛兩揲兩扐爲五歲, 而其間兩扐象再閏. 又不言而後掛者爲第二變掛一. 此所謂闕略不備也.

다만 둘로 나눔에 대해 좌우 양손에 나누어 놓는다는 것을 말하지 않았다. 하나를 거는 것에 대해 오른손의 1책을 취하여 어느 손가락에 건다는 것을 말하지 않고 단지 천수의 가운데에서 그 1책을 분리해서 건다고 했는데 천수도 마땅히 지수로 고쳐야 한다. 4개씩 세는 것에 대해 어느 손으로 어느 손의 책을 세는지 말하지 않았다. 나머지를 돌리는 것에 대해 남는 수가 1,2,3,4이고 어느 손으로 어느 손가락에 돌리는지 말하지 않았다. 5년에 두 번 윤이 든다는 것에 대해 1을 걸고 2번 세고 2번 륵에 돌리는 것이 5세이고 그 사이에 두 번 륵에 돌리는 것이 재윤을 상징하는 것은 말하지 않았다. 또 이후에 건다는 것이 제 2변에서 1을 거는 것임도 말하지 않았다. 이런 것이 이른바 소략해서 갖추지 못한 것이다.

其言象兩不言左手象天右手象地, 而只云兩儀. 言歸奇又只云歸此殘奇於所扐之策. 及下言再扐而後掛乃云, 天於左手地於右手, 四四揲天之數, 最末之餘歸之合於扐. 四四揲地之數最末之餘又合於前所歸之扐. 此所謂顚倒失倫也. 其所以致人難曉者以此也
양의를 상징함을 말하면서 왼손이 하늘을 상징하고 오른손이 땅을 상징한다고 하지 않고 단지 양의라고만 하였다. 나머지를 돌린다는 것에 대해 단지 륵한손가락에 끼운 책에 나머지를 돌린다고 하지 않았다. 아래에서 말한 거듭 륵한 뒤에 건다는 것에 대해 "하늘은 왼손에 땅은 오른손에 두고 4개씩 하늘의 수를 세면 가장 마지막 남는 것을 륵에 합해놓고, 4개씩 땅의 수를 세면 가장 마지막 남는 것을 앞에 돌린 륵에 합한다"고 하였다. 이런 것이 이른바 거꾸로 되고 차례를 잃었다는 것이다. 사람들이 알기 힘든 것은 이런 것 때문이다.

且旣言掛一而又言天數之餘合於扐, 則是以掛而爲扐也. 又言地數之餘合前所歸之扐, 則是掛與扐竝謂之扐也. 旣言歸此殘奇, 而又言揔掛之, 是以掛與扐竝謂之掛也. 此所謂解掛扐二字分別不明也.
그리고 이미 1을 건다고 하고 또 천수의 나머지를 륵에 합한다고 하였으니 이 때문에 '괘(掛)'를 가지고 륵(扐)으로 여긴 것이다. 또 말하길, 지수의 나머지를 앞서 돌린 륵에 합한다고 하였으니 이는 괘(掛)와 륵(扐)을 아울러 륵(扐)이라고 이른 것이다. 이미 나머지를 돌리는 것에 대해 말하고 또 모두 건다고 말했으니 이 때문에 괘(掛)와 륵(扐)를 함께 괘(掛)라고 한 것이다. 이런 것이 이른바 괘(掛)와 륵(扐) 두 글자를 해석하면서 구분이 분명치 않은 것이다.

蓋孔氏旣以而後掛之掛, 不作第二變掛一. 故以掛一與左右奇有合掛一處之誤, 其所以大起諍論以此也. 一揲之揲, 當作扐. 是將以明大傳再扐之文, 故此先言是一扐, 而下文乃言是再扐也. 今悉正之如左, 而大傳之意始爲明備也.
공씨는 이미 '이후에 건[掛]'의 '괘(掛)'를 제 2변에서 1책을 거는 것으로 보지 않았다. 그러므로 1책을 건 것과 좌우의 나머지를 1책을 건 곳에 합하는 오류가 있다. 크게 쟁론을 일으키는 까닭이라는 것은 이 때문이다. '한 번 세었다'는 '설(揲)'은 마땅히 륵(扐)으로 고쳐야 한다. 이것은 「계사전」의 재륵(再扐)이란 글을 밝히려 했기 때문인데, 그렇기 때문에 여기에서 먼저 일륵(一扐)을 말하고 아래 글에 재륵(再扐)을 말한 것이다. 지금 다음과 같이 바로잡으니 「계사전」의 뜻이 비로소 밝게 갖추어진다.

朱子曰, 大衍之數五十, 其用四十有九者, 五十之內去其一, 但用四十九策, 合同未分是象太一也. 分而爲二者, 以四十九策分置左右兩手. 象兩者, 左手象天右手象地, 是象兩儀也. 掛一者, 掛猶懸也, 於右手之中, 取一策懸於左手小指之間. 象三者, 所掛之策所以象人而配天地, 是象三才. 揲之以四者, 揲數之也, 謂先置右手之策於一處, 而以右手四四而數左手之策, 又置左手之策於一處, 而左手四四而數右手之策也. 象四時者, 皆以四數, 是象四時也. 歸奇於扐者, 奇零也, 扐勒也, 謂旣四數兩手之策, 則其四四之後, 必有零數, 或一或二或三或四, 左手者歸之於第四第三指之間, 右手者歸之於第三第二指之間, 而扐之也. 象閏者, 積分而成閏月也. 五歲再閏故再扐而後掛者, 凡前後閏相去大略三十二月, 在五歲之中. 此掛一揲四歸奇之法, 亦一變之間, 凡一掛兩揲兩扐爲五歲之象. 其間凡兩扐以象閏. 是五歲之中凡有再閏然後, 置前掛扐之策. 復以見存之策, 分二掛一而爲第二變也.

주자가 말하였다: "대연의 수가 50이니 그 씀은 49"라는 것은 50에서 1을 제거하고 다만 49책을 사용하니 합하여 나뉘지 않음은 태일[태극]을 상징함이다. "나누어서 둘로 만든다"는 것은 49책을 좌우 양 손에 나누어 잡는 것이다. "둘을 상징한다"는 것은 왼손은 천을 상징하고 오른손은 지를 상징하니 이는 양의를 상징함이다. "하나를 건다"의 '건다[掛]'는 매다는 것과 같으니 오른손에서 1책을 취하여 왼손의 소지의 사이에 거는 것이다. "셋을 상징한다"는 것은 건 책[댓가지]이 사람을 상징하여 천지와 배합하니 이는 삼재를 상징함이다. "4개씩 센다"는 것은 책수를 세는 것으로 먼저 우수의 책을 일정한 곳에 놓고 오른손으로 왼손의 책을 4개씩 4개씩 세고 또 왼손의 책을 일정한 곳에 놓고 왼손으로 오른손의 책을 4개씩 4개씩 세는 것이다. "사시를 상징한다"는 것은 4개씩 세었으니 이것이 사시를 상징함이다. "나머지를 손가락 사이에 끼운다"는 것은 '기(奇)'는 나머지이고 륵(扐)은 끼우는 것[勒]이니 이미 양 손의 책을 4개씩 세면 네 개씩 세고 난 뒤에 반드시 남는 것이 있어 혹 1,2,3,4가 되니 왼손의 것은 4번째와 3번째 손가락 사이에 돌리고 오른손의 것은 3번째와 2번째 손가락 사이에 돌려서 끼운다. "윤을 상징한다"는 나머지가 쌓여서 윤월을 이루는 것이다. "5세에 두 번 윤달을 두기 때문에 두 번 끼운 뒤에 건다"는 5세의 가운데 전후의 윤달의 사이가 대략 32월인 것이다. 이는 하나를 걸고 4개씩 세고 나머지를 돌리는 법 역시 일변(一變)의 사이에 하나를 걸고 두 번 세고 두 번 끼우는 5세의 상이다. 그 사이에 두 번 끼움으로서

윤달을 상징한다. 이는 5세 동안 두 번 윤달을 둔 뒤에 앞의 걸고 끼운 책을 놓아두는 것이다. 다시 현존하는 책수를 "둘로 나누고 하나를 걸고" 해나가면 제 이변(二變)이 된다.

김상악(金相岳) 『산천역설(山天易說)』

衍與演同, 猶曆家所謂大餘. 大衍之數五十者, 以河圖中宮之天五乘地十而得之者. 其用四十九者, 去其天一之數也. 方筮之始, 取其一策反于櫝中是也. 兩兩儀也. 分二者, 中分其蓍數之全, 置之左右, 故曰以象兩也. 三三才也. 掛一者, 懸其一於左手小指之間也. 左爲天右爲地, 所掛之策象人, 故曰以象三也. 四四時也. 揲之以四者, 間數之也. 以右手四四數左手之策, 以左手四四數右手之策, 所以象春夏秋冬也.

'연(衍)'은 부연한다는 것과 같으니 역법에서 말하는 대여(大餘)이다. '대연지수 50'은 「하도」 중궁의 천5를 지10에 곱한 것이다. '49를 쓴다'는 것은 천1의 수를 제거하는 것이다, 시초할 때 그 1책을 취해 통 속에 도로 넣는 것이다. '양'은 양의이다. '둘로 나눈다'는 것은 시수의 전부를 둘로 나누어 좌우에 두는 것이다. 그러므로 양의를 상징한다. '삼'은 삼재이다. '1을 건다'는 것은 좌수의 소지(小指) 사이에 1개를 거는 것이다. 좌는 하늘이고 우는 땅인데 건 책은 사람을 상징하기 때문에 삼재를 상징한다. '사'는 사시이다. '4개씩 세는 것'은 떼어내며 세는 것이다. 오른손으로 왼손의 책을 4개씩 세고 왼손으로 오른손의 책을 4개씩 세니 춘하추동을 상징한다.

奇者所揲四數之餘也. 扐者勒也. 四四之後, 必有零數左手者, 歸之于第四第三指之間. 右手者, 歸之于第三第二指之間, 而扐之也. 象閏者, 以其所歸之餘策, 而象日之餘也. 五歲再閏者, 天地之數三百六十, 每歲氣盈六日朔虛六日, 一歲餘十二日. 三年則餘三十六日, 以三十日爲一月更餘六日. 又二歲餘二十四日, 合前六日爲三十日, 是五歲再閏也. 蓋掛一當一歲, 揲左當二歲, 扐左當三歲, 而爲閏矣. 又揲右當四歲, 扐右當五歲而爲再閏矣. 再扐而後掛者, 再扐而後, 復以所餘之蓍合而爲一, 爲第二變, 而獨言掛者, 分二揲四, 皆在其中矣.

기(奇)는 4개씩 센 나머지이다. '륵'은 륵(勒)이다. 4개씩 센 뒤에 반드시 왼손에 있는 나머지를 제 4번째와 3번째 손가락 사이에 돌리고, 오른손에 있는 것은 3번째와 2번째 손가락 사이에 돌려서 끼운다. '윤을 상징한다'는 것은 돌린 나머지의 책으로 날수의 나머지를 상징한 것이다. '5년에 두 번 윤달을 둔다'는 것은 천지의 수는 360인데 매 해마다 기영이 6일이고 삭허가 6일로 1년에 12일이다. 3년에 나머지가 36일인데 30일을 1월로 삼으면 다시 6일이 남는다. 또 2년에 나머지가 24일인데 앞의 6일과 합하면 30일이 되니 이것이 5년에 두 번 윤을 둔다는 것이다. 대체로 1개를 거는 것은 1년에 해당하고 왼손의 책을 세는 것은

2년에 해당하고 왼손의 나머지를 륵하는 것은 3년에 해당하여 윤달이 된다. 또 오른손을 세는 것은 4년에 해당하고 오른손의 책을 륵하는 것은 5년에 해당하여 두 번 윤달이 된다. 다시 륵한 뒤에 건다는 것은 나머지 시초를 다시 합해 하나로 만들어 제 2변을 한다는 것이니 건다는 것만 말했지만 둘로 나누고 4개씩 센다는 것은 그 가운데 들어있다.

심취제(沈就濟) 『독역의의(讀易疑義)』

第九章. 大衍, 先求其生成配合克生也. 生成者天地也. 配合者 陰陽也. 克生者剛柔也. 三者之中成變化而行鬼神也. 自首章至此, 都是河洛, 而河洛又爲八章之影子也. 八章以前理含數也, 此章則數之顯也. 數具於理而理行於數也. 河之中宮十五者, 天五地五人五也. 洛之單五者人五也.

제 9장이다. 대연은 먼저 생성 배합 극생을 구한다. 생성은 천지이고 배합은 음양이며 극생은 강유이다. 세 가지 중에 변화를 이루고 귀신을 행한다. 머리 장에서부터 여기에 이르기까지 모두 「하도」와 「낙서」이다. 「하도」와 「낙서」는 또 8장의 그림자이다. 8장의 이전은 이치가 수를 포함한 것이고 이 장은 수가 드러난 것이다. 수는 이치에 갖추어지고 이치는 수에 드러난다. 「하도」의 중궁인 15는 천5와 지5와 인5이다. 「낙서」의 5는 인5이다.

○ 天數二十五之五, 卽中宮上五也. 地數二十五之五, 卽中宮下五也. 人五兼此天地之五, 則爲十五也. 此河圖之五十五也.

천수 25의 5는 중궁의 위 5이다. 지수 25의 5는 중궁의 아래 5이다. 인5는 이 천지의 5를 아우르니 즉 15이다. 이것이 「하도」의 55이다.

河則體洛, 故虛中而用陰陽也. 洛則體河, 故實中而用五行也. 實而虛者河也, 虛而實者洛也.

「하도」는 「낙서」의 체가 되기 때문에 가운데를 비우고 음양을 쓴다. 「낙서」는 「하도」를 체로 하기 때문에 가운데를 채우고 오행을 쓴다. 채우면서 비운 것은 「하도」이고 비우면서 채운 것은 「낙서」이다.

一含九爲十, 而五在其中而虛也. 實五則爲十五也. 五兼虛實也.

1이 9를 포함하여 10이 되고 5는 그 가운데 있으며 비어있다. 5를 채우면 15가 된다. 5는 비우고 채움을 겸한다.

河則虛中, 故卦之極居上. 洛則實中, 故疇之極居中也.

하도는 가운데를 비웠기 때문에 팔괘의 궁극이 위에 있다. 「낙서」는 가운데를 채웠기 때문에 구주의 궁극이 가운데 있다.

五十者大衍也. 六十者朞也. 五五二十五, 倍則五十也. 五六三十, 倍則六十也. 五則虛實於大衍, 六則盈虛於朞也.
50은 대연이다. 60은 주기이다. 5×5는 25이니 배수가 50이다. 5×6=30이니 배수가 60이다. 5는 대연에서의 비우고 채움이고 6은 주기에서의 채우고 비움이다.

○ 五者陽之中也, 六者陰之中也. 洛書陰也, 河圖陽也.
5는 양의 가운데이고 6은 음의 가운데이다. 「낙서」는 음이고 「하도」는 양이다.

河圖陰陽配也, 洛書陰自陰陽自陽也.
「하도」는 음양의 배합이고 「낙서」는 음은 음이고 양은 양이다.

河之乘五用十者, 一乘五而爲六, 二乘五而爲七, 三四亦然.
「하도」에서 5를 타고 10을 쓰는데 1이 5를 타면 6이 되고, 2가 5를 타면 7이 되고 3이나 4도 그렇다.

洛之一九相含爲十, 三七相含爲十, 其也亦然. 河之乘五者, 以賓主而言也, 洛之不敢乘者, 以君臣而言也.
「낙서」의 1과 9가 서로 포함하면 10이 되고, 3과 7이 서로 포함하면 10이 되는 것도 그렇다. 「하도」에서 5를 타는 것은 손님과 주인으로 말하였고 「낙서」에서 감히 타지 못하는 것은 임금과 신하로 말하였다.

天地者, 陰陽之體也, 自一至十者, 剛柔之用也. 天一地二以下, 本伏羲所定也, 言其位也, 天數五地數五以下, 言其數也.
천지는 음양의 체이다. 1에서 10까지는 강유의 쓰임이다. '천1지2' 이하는 본래 복희씨가 정한 것으로 그 자리를 말하였고, '천수가 다섯이고 지수가 다섯이다' 이하는 그 수를 말하였다.

河洛之中五, 皆人五也. 此五一定不易, 而虛實於所居之位, 而體此五虛實, 其非十之用耶.
「하도」와 「낙서」의 중앙 5는 모두 사람의 5이다. 이 5는 일정하여 바뀌지 않고 거처한 자리에서 허실이 있으니 5의 허실을 본체로 한 것은 10의 작용이 아닌가?

中五居三才之位, 兼陰陽五行, 則其數雖五而其體則一而已. 用其陰陽五行者, 非此一耶.

중앙의 5가 삼재의 자리에 있으며 음양과 오행을 겸하니 그 수는 5이지만 그 본체는 1이다. 음양오행을 쓰는 것은 1이 아니겠는가?

天地體也. 天地之氣, 始化於陰陽, 陰陽之體形於剛柔, 剛柔之質立於水火木金土五行也. 五行旣立於子午卯酉, 則以甲乙配木然後, 木有陰陽之木, 木居於中而用陰陽者明矣. 以陰陽爲體者五行, 而五行旣成, 則居中而復用陰陽者, 不亦明乎. 丙丁火戊己土庚辛金壬癸水皆然.

천지는 본체이다. 천지의 기는 음양에서 변화가 시작하고 음양의 본체는 강유에서 드러나고 강유의 질은 수화목금토 오행에서 정립된다. 오행이 이미 자오묘유(子午卯酉)에서 정립되면 갑을로 목에 배합한 뒤에 목에 음양의 목이 있으니, 목이 중앙에 있어 음양을 쓰는 것이 분명하다. 음양으로 본체를 삼은 것은 오행인데 오행이 이미 이루어지면 중앙에 있어 다시 음양을 쓰는 것이 분명하지 않은가? 병정(丙丁)의 화와 무기(戊己)의 토와 경신(庚辛)의 금과 임계(壬癸)의 수가 모두 그렇다.

五十而去一, 掛一而虛一者, 非謂不用也. 見其歸奇之奇, 則知其爲用, 而閏之自此而生也. 以乾坤爲策數之首者, 用老陰老陽而然也. 以朞對大衍, 則朞出於大衍, 而閏生於朞也.

50에서 1을 제거하고 1을 걸며 1을 비우는 것은 1을 쓰지 않는 것이 아니다. 나머지를 돌릴 때 나머지임을 보면 쓴다는 것을 알 수 있고 윤달이 여기에서부터 생긴다. 건곤으로 책수의 머리를 삼는 것은 노음과 노양을 쓰는 것이 그렇다. 주기를 대연과 상대하면 주기는 대연에서 나오고 윤은 주기에서 나온다.

衍之精神五也, 朞之精神六也. 以五字置中而四以合五, 則四五二十. 六以合五, 則五六三十. 計中五本數, 則五十五也. 天一地二以下, 言自一至十之數, 具於天地之中. 大衍五十以下, 言天地人四時朞閏萬物之數, 在大衍之中也. 太陰太陽者, 伏羲之四象也, 老陰老陽者文王之四象也. 是故乾坤策以老陰陽數之也.

대연의 정신은 5이고 주기의 정신은 6이다. 5를 중앙에 놓고 4를 5에 합치면 4×5=20이 되고 6을 5에 합치면 6×5=30이 된다. 중앙의 5본래수를 계산하면 55이다. 천1지2 이하는 1에서 10까지의 수가 천지의 가운데 갖추어져 있음을 말한다. 대연 50 이하는 천지인, 사시, 1년의 윤과 만물의 수가 대연의 가운데 있음을 말했다. 태음태양은 복희씨의 사상이고 노음노양은 문왕의 사상이다. 그러므로 건곤 책은 노음노양의 수를 쓴 것이다.

심대윤(沈大允) 『주역상의점법(周易象義占法)』

土爲太極而无專位. 故去其生數. 寄治于四時, 故留其成數, 而用五十, 天數二十, 地數三十也. 陰縮於陽, 故復去一而用四十九. 兩兩儀也, 三三才也. 掛一者象三極也. 四時四象也. 歲爲太極, 四時爲四象.

토는 태극으로 전일한 자리가 없기 때문에 생수에서 제거한다. 사시(四時)에 의지해 다스리기 때문에 성수는 남겨 50을 쓰니 천수는 20이고 지수는 30이다. 음은 양보다 줄어들기 때문에 다시 1을 제거하고 49를 쓴다. 양은 양의이고 삼은 삼재이다. 1을 건다는 것은 삼극을 상징한다. 사시(四時)는 사상이다. 1년은 태극이고 사시는 사상이다.

오치기(吳致箕) 「주역경전증해(周易經傳增解)」

虛一者象大極也. 兩謂天地, 三謂三才, 掛者一變也.

1을 비우는 것은 태극을 상징한다. 양은 천지를 말하고 3은 삼재를 말하고 건다는 것은 1변이다.

이진상(李震相) 『역학관규(易學管窺)』

五歲再閏.

5년에 윤달이 두 번이다.

三歲成閏尙餘六日有奇, 故五歲便成再閏.

3년에 윤을 이루는데 6일하고 좀 더 남는다. 그렇기 때문에 5년에는 두 번 윤달을 이룬다.

이병헌(李炳憲) 『역경금문고통론(易經今文考通論)』

〈卦, 古文作掛.

괘를 고문에서는 괘(掛)라고 하였다.〉

馬曰, 衍合也.

마융이 말하였다: 연(衍)은 합함이다.

鄭曰, 衍演也.

정현이 말하였다: 연(衍)은 부연함이다.

子夏傳〈此係古文家杜撰, 間有眞古文溷入.〉曰, 一不用者太極也.
『자하역전』에서〈이 책은 고문가들이 함부로 편찬한 것이지만, 간혹 참된 고문이 들어있다.〉 말하였다: 1이 쓰이지 않는 것은 태극이다.

孟曰, 揲閱持也.
맹희가 말하였다: 설(揲)은 뽑아서 세는 것이다.

虞曰, 奇所掛一策, 扐所揲之餘, 不一則二, 不三則四也. 取奇以歸扐, 扐竝合掛左手之小指爲一扐, 則以閏月定四時成歲, 故歸奇於扐以象閏也.
우번이 말하였다: 기(奇)는 건 1책이고 륵(扐)은 센 나머지이니 1이 아니면 2이고 3이 아니면 4이다. 기(奇)를 취하여 륵(扐)에 돌리고 륵에 건 것을 합해 왼손의 소지에 1륵이 되면 윤달이 사시를 정하고 한 해를 이룬다. 그러므로 륵에 기(奇)를 돌려 윤달을 상징하는 것이다.

京曰, 再扐而後成卦, 〈成一作布.〉 謂已二扐又加一爲三, 竝重合前二扐爲五歲.
경방이 말하였다: '두 번 륵한 뒤에 괘를 이룬다'는 것은 〈성(成)을 포(布)라고 한 판본도 있다.〉 '이미 2륵을 하고 또 1을 더해 3이 되면 거듭 앞의 2륵과 합해 5년이 된다'는 말이다.

按, 揲著之法始見於大傳. 此節仍據今文諸經師之訓而爲之說如左. 著本百莖爲五十者二, 以象天數五地數五, 留五而取五, 以成大衍之數. 故天地之數五十有五, 留五而可衍大衍之數矣. 此所以象天之極也. 五十而減一者所以象地之極也. 其用四十九而初掛之一, 不入于陰陽老少之數者, 所以象人之極也. 三極之道立而後, 掛扐之餘數整齊過揲之正策均全, 陰陽老少之位各得其所矣.
내가 살펴보았다 : 설시의 방법은 「계사전」에서 처음으로 보인다. 이 구절은 금문의 모든 경전의 주석에 근거하여 설을 만드니 다음과 같다. 시초는 본래 줄기가 100으로 두 개의 50으로 만들어 천수 5와 지수 5를 상징하는데 5를 남기고 5를 취하여 대연지수를 이룬다. 그러므로 천지의 수 55에서 5를 남기면 대연지수가 된다. 이것이 하늘의 극을 상징하는 것이다. 50에서 1을 빼는 것은 땅의 극을 상징하는 것이다. 그 쓰임이 49인데 처음 거는 1을 음양노소의 수에 넣지 않는 것은 사람의 극을 상징하는 것이다. 삼극의 도가 정립한 뒤에 괘륵의 남은 수가 정제되고 과설의 바른 책이 고르고 온전하며 음양노소의 자리가 각각 마땅함을 얻는다.

其掛揲之序, 則旣分之後, 先以右手於左手策中取其一, 而掛于小指, 或措諸地亦無害. 右手便於作事, 則次揲所執之策而置諸右, 歸扐于次小指, 又揲左手之策而置諸左, 歸扐于次三小指. 初變後復合其過揲之策, 又於左策中分其一而掛之, 仍揲扐如初. 三變亦如之, 至若五歲之義, 則在減一象兩象三揲四之後, 則其序自見, 應元初虛五之義. 旣象四時旣象閏而後, 終言歲字以括之, 不亦宜乎. 陰陽老少之位, 則不可於掛扐數中求之, 當於過揲後, 見存三十六, 或二十八, 或三十二, 或二十四策中, 定其位也.

걸고 설시하는 순서는 이미 나눈 뒤에 먼저 오른손으로 왼손 가운데 있는 1개를 취하여 소지에 걸고, 혹은 땅에 내려놓아도 방해되지 않는다. 오른손으로 설시하기에 편리하면 다음에 잡고 있는 책을 세어서 오른손에 놓고, 륵을 다음 소지에 돌리고, 또 왼손의 책을 세어 좌측에 놓고 륵을 다음 세 번째 소지에 돌린다. 1변한 뒤에 다시 과설한 책을 합하고 또 왼손의 책 가운데 1개를 분리하여 걸고 처음처럼 세고 륵한다. 3변도 이와 같으니, 5년의 뜻으로 말하자면 1을 빼고 둘을 상징하고 셋을 상징하고 4개씩 센 뒤에 있으니 그 차례가 자연스레 나타나 원래 처음부터 5를 비우는 뜻과 호응한다. 이미 사시를 상징하고 이미 윤달을 상징한 뒤에 마침내 1년으로 맺었으니 마땅하지 않은가? 음양노소의 자리는 괘륵의 수 가운데서 구하면 안 되니 마땅히 과설한 뒤에 현존하는 36·28·32·24책 가운데 그 자리를 정한다.

初掛之一旣象人極, 則不當溷八於其後合變之時也.

처음에 건 하나가 이미 인극을 상징한다면 그 뒤에 합하여 변화한 때에는 섞어 넣지 않아야만 한다.

大凡此節字義, 今古不同.

이 구절의 글자의 뜻은 금문과 고문이 다르다.

虞注或係孟喜所傳, 惟奇字扐字, 程張邵子之訓義, 不謀而同於虞, 不當爲韓注孔疏所述. 後卦之卦, 韓本作掛而今文〈今文實眞古文〉之義, 千古不彰. 然旣有乾鑿度及京虞之注當可信也.〈此節只具一變之義, 其後十七變倣此. 故曰後卦.〉

우번의 주에 간혹 맹희가 전한 것을 써놓았는데, 오직 '기(奇)'자와 '륵(扐)'자에 대해서만 정자(程子)와 장자(張子)와 소자(邵子)의 풀이는 우연히 우번과는 일치하고 한강백의 주와 공영달의 소에서 서술한 것으로 하지 않았다. '후괘(後卦)'의 '괘(卦)'를 한강백이 '괘(掛)'라고 써서 금문의 〈금문이 실로 참된 고문이다.〉 뜻이 오랜 세월 드러나지 않았다. 그렇지만 『건착도』와 경방이나 우번의 주가 있으니 믿어야 할 것이다. 〈이 절에서는 단지 1변의 뜻만 갖추어 놓았고, 그 뒤의 17변은 이것을 따른다. 그러므로 '후괘(後卦)'라고 하였다.〉

乾之策, 二百一十有六, 坤之策, 百四十有四. 凡三百有六十, 當期之日,

건(乾)의 책수(策數)가 216이요 곤(坤)의 책수(策數)가 144이다. 그러므로 모두 360이니, 1년의 일수(日數)에 해당하고,

┃中國大全┃

本義

凡此策數, 生於四象, 蓋河圖四面, 太陽居一而連九, 少陰居二而連八, 少陽居三而連七, 太陰居四而連六. 揲蓍之法, 則通計三變之餘, 去其初掛之一, 凡四爲奇, 凡八爲偶, 奇圓圍三, 偶方圍四, 三用其全, 四用其半, 積而數之, 則爲六七八九, 而第三變揲數策數, 亦皆符會. 蓋餘三奇則九而其揲亦九, 策亦四九三十六, 是爲居一之太陽, 餘二奇一偶則八而其揲亦八, 策亦四八三十二, 是爲居二之少陰, 二偶一奇則七而其揲亦七, 策亦四七二十八, 是爲居三之少陽, 三偶則六而其揲亦六, 策亦四六二十四, 是爲居四之老陰. 是其變化往來進退離合之妙, 皆出自然, 非人之所能爲也. 少陰, 退而未極乎虛, 少陽, 進而未極乎盈. 故此獨以老陽老陰, 計乾坤六爻之策數, 餘可推而知也. 期, 周一歲也, 凡三百六十五日四分日之一, 此特擧成數而槪言之耳.

무릇 이 책수(策數)는 사상(四象)에서 생겼으니,「하도」(河圖)의 사면(四面)에 태양(太陽)은 1에 거하여 9를 연하고 소음(少陰)은 2에 거하여 8을 연하고, 소양(少陽)은 3에 거하여 7을 연하고 태음(太陰)은 4에 거하여 6을 연한다. 시초(蓍草)를 세는 법은 세 번 변한 나머지를 통틀어 계산하되 처음 걸었던 1을 제거하여 무릇 4를 기(奇)라 하고 8을 우(偶)라 하니, 기(奇)는 둥근바 둘레가 3이요, 우(偶)는 네모진바 둘레가 4이니, 3은 그 완전한 수(數)를 사용하고 4는 그 반만 쓴다. 이것을 모아 세면 6·7·8·9가 되어 세 번 변한 설수(揲數)와 책수(策數)가 또한 모두 들어맞는다. 세 기수(奇數)가 남으면 3×3은 9인데 그 셈 또한 9이니 책수(策數) 또한 4×9는 36인바 이것이 1에 위치한 태양(太陽)이 되고, 두 기수(奇數)와 한 우수(偶數)가 남으면 8인데 그 셈 또한 8이니 책수(策數) 또한 4×8은 32인바 이것이 2에 위치한 소음(少陰)이 되며, 두 우수(偶數)와 한 기수(奇數)가 남으면

7인데 그 셈 또한 7이니 책수(策數) 또한 4×7은 28인바 이것이 3에 위치한 소양(少陽)이 되며, 세 우수(偶數)이면 6인데 그 셈 또한 6이니 책수(策數) 또한 4×6은 24인바 이것이 4에 위치한 노음(老陰)이 된다. 이는 변화하고 왕래하여 나아가고 물러가며 떠나고 합하는 묘리(妙理)가 모두 자연에서 나온 것이요, 사람이 할 수 있는 바가 아니다. 소음(少陰)은 물러가나 아직 허(虛)에 지극하지 않고, 소양(少陽)은 나아가나 가득참에 지극하지 않다. 그러므로 이는 홀로 노양(老陽)과 노음(老陰)으로 건(乾)·곤(坤) 여섯 효(爻)의 책수(策數)를 계산한 것이니, 나머지를 미루어 알 수 있다. 기(期)는 1년을 돈 것이니, 무릇 365일과 4분의 1일인데, 이는 다만 성수(成數)를 들어 대략 말했을 뿐이다.

小註

朱子曰, 策者著之莖數, 曲禮所謂策爲著者是也. 大傳所謂, 乾坤二篇之策者, 正以其掛扐之外, 見存著數爲言耳. 蓋揲著之法, 凡三揲掛扐通十三策而見存三十六策, 則爲老陽之爻. 三揲掛扐通十七策而見存三十二策, 則爲少陰之爻. 三揲掛扐通二十一策而見存二十八策, 則爲少陽之爻. 三揲掛扐通二十五策而見存二十四策, 則爲老陰之爻. 大傳專以六爻乘二老而言, 故曰乾之策二百一十有六坤之策百四十有四凡三百有六十. 其實六爻之爲陰陽者, 老少錯雜. 其積而爲乾者, 未必皆老陽, 其積而爲坤者, 未必皆老陰. 其爲六子諸卦者, 或陽或陰, 亦互有老少焉. 蓋老少之別, 本所以生爻而非所以名卦. 今但以乾有老陽之象, 坤有老陰之象, 六子有少陰陽之象, 且均其策數又偶合焉. 而因假此而明彼則可, 若便以乾六爻皆爲老陽, 坤六爻皆爲老陰, 六子皆爲少陽少陰, 則恐其未安也. 但三百六十者, 陰陽之合, 其數必齊. 若乾坤之爻而皆得於少陰陽也, 則乾之策六其二十八, 而爲百六十八, 坤之策六其三十二, 而爲百九十二, 其合亦爲三百六十, 此則不可易也.

주자가 말하였다: 책(策)은 시초 줄기의 수이니 「곡례」에 이른바 "책(策)이 시초"라는 것이 이것이다. 「계사전」에서 말한 '건곤 두 편의 책수'는 바로 걸고 끼운 것 외의 남아있는 시초의 수로 말한 것이다. 설시의 방법은 세 번 센 후 걸고 끼운 합계가 13책이고 남아있는 것이 36책이면 노양의 효이다. 세 번 센 후 걸고 끼운 합계가 17책이고 남아있는 것이 32책이면 소음의 효이다. 세 번 센 후 걸고 끼운 합계가 21책이고 남아있는 것이 28책이면 소양의 효이다. 세 번 센 후 걸고 끼운 합계가 25책이고 남아있는 것이 24책이면 노음의 효이다. 「계사전」에서는 오로지 6효에 노양과 노음[二老]을 곱해서 말했기 때문에 "건의 책수는 216이고 곤의 책수는 144로 합이 360이다"라고 하였다. [그렇지만] 실제는 6효의 음양이 됨은 노소가 뒤섞여 있다. 쌓여서 건이 된 것이 반드시 다 노양은 아니며 쌓여서 곤이 된 것은 반드시 다 노음이 아니다. 여섯 자녀가 되는 모든 괘도 혹 양이거나 혹 음이어서 역시 노소가 섞여있다. 노소(老少)의 구별은 본래 이것으로 효를 생하려고 한 것이지 괘의 명칭으로 삼으려고 한 것은 아니다. 지금 건에는 노양의 상이 있고 곤에는 노음의 상이 있고 여섯

자녀괘에는 소양과 소음의 상이 있으며, 또한 모두 그 책수와도 우연히 부합한다. 인하여 이런 것을 빌려서 저런 것을 밝히는 것은 괜찮지만 만약 곧 건의 6효는 다 노양이고 곤의 6효는 다 노음이며 여섯 자녀괘의 6효는 다 소양과 소음이라고 하면 안될 것 같다. 다만 360은 음양의 합수로 그 수가 반드시 일치한다. 만약 건곤의 효를 다 소양과 소음을 얻었다고 해도 건의 책수가 6×28=168이고 곤의 책수가 6×32=192어서 합이 역시 360이 되니 이것은 바뀌지 않는다.

○ 大凡, 易數皆六十. 三十六對二十四, 三十二對二十八, 皆六十也. 以十甲十二辰, 亦湊到六十也. 鐘律以五聲十二律, 亦積爲六十也. 以此知天地之數, 皆至六十爲節.
대체로 역수는 다 60이다. 36과 24를 상대하든 32와 28을 상대하든 다 60이다. 십간과 12지도 다 조합하면 60이다. 음률도 5성과 12율로 종합하면 60이다. 이로써 천지의 수가 다 60에 이르러서 마디가 됨을 안다.

○ 兼山郭氏曰, 或曰, 乾坤稱九六而六子不稱七八何也. 曰, 九六有象七八无象也. 以卦則六子之卦七八隱於其中而无象也. 以畫則雖六子亦皆乾坤之畫而六子无畫也. 唯乾坤有用九用六之道, 諸卦得奇者皆用乾之九, 得偶者皆用坤之六, 終无用七用八之道. 故曰九六有象七八无象也.
겸산곽씨가 말하였다: 어떤 이가 이르길, 건곤을 9와 6이라고 부르는데 여섯 자녀괘는 왜 7과 8이라 부르지 않습니까? 답하였다: 9와 6은 상이 있고 7과 8은 상이 없기 때문입니다. 괘로 보면 여섯 자녀 괘는 7과 8이 그 가운데 숨어있어 상이 없습니다. 획으로 보면 비록 여섯 자녀라 해도 모두 건곤의 획이지 여섯 자녀의 획은 없습니다. 오직 건곤에 용구(用九)와 용육(用六)의 도가 있으니 모든 괘에서 기획을 얻으면 다 건의 9를 쓰는 것이고 우획을 얻으면 다 곤의 6을 쓰는 것이어서 끝내 7과 8을 쓰는 도리는 없습니다. 그렇기 때문에 9와 6은 상이 있고 7과 8은 상이 없다고 하였습니다.

○ 節齋蔡氏曰, 天地之運, 大小皆極于三百六十大. 衍乾坤之策當期之日, 眞所謂與天地相似也.
절재채씨가 말하였다: 천지의 운동은 크거나 작거나 모두 360으로 기준을 삼는다. 건곤의 책을 넓혀서 일년의 날수에 해당하는 것은 진실로 이른바 "천지와 더불어 같다"이다.

○ 白雲郭氏曰, 天地謂之數, 乾坤謂之策, 則數者策之所宗, 而策爲已定之數也.
백운곽씨가 말하였다: 천지는 수라 이르고 건곤은 책이라 이르니 수는 책이 조종(祖宗)으로 삼는 바이고 책은 이미 정해진 수가 된다.

‖韓國大全‖

조호익(曺好益) 『역상설(易象說)』

乾之策二百一十有六, 坤之策百四十有四, 凡三百有六十當期之日.

건(乾)의 책수(策數)가 216이요 곤(坤)의 책수(策數)가 144이다. 그러므로 모두 360이니 1년의 날수에 해당한다.

老陽掛扐十二, 進一四則爲少陰掛扐十六. 過揲三十六, 退一四則爲少陰過揲三十二. 進者合也, 退者離也. 老陰掛扐二十四, 退一四則爲少陽掛扐二十. 過揲二十四, 進一四, 則爲少陽過揲二十八. 退者離也, 進者合也.

노양의 걸고 끼운 수는 12인데, 4 하나를 나아가면 소음의 걸고 끼운 수인 16이 된다. 세고 남은 수는 36인데 4 하나를 물러나면 소음의 세고 남은 수인 32가 된다. 나아가는 것은 합합이고 물러나는 것은 분리됨이다. 노음의 세고 남은 수인 24에서 4 하나를 물러나면 소양의 세고 남은 수인 20이 된다. 세고 남은 24에서 4 하나를 나아가면 소양의 세고 남은 28이다. 물러나는 것은 분리됨이고 나가는 것은 합합이다.

유정원(柳正源) 『역해참고(易解參攷)』

乾之策.

건의 책수.

小註, 節齋說天地 [至] 六十.

소주 절재의 설에 천지 ... 60.

〈案, 十二三十相乘則爲三百六十. 一元十二會爲三百六十運. 一會三十運爲三百六十世. 一運十二世爲三百六十年. 一世三十年爲三百六十月. 一年十二月爲三百六十日. 一月三十日爲三百六十時.

내가 살펴보았다: 12와 30을 서로 곱하면 360이 된다. 1원은 12회로 360운이다. 1회는 30운으로 360세이다. 1운은 12세로 360년이다. 1세는 30년으로 360월이다. 1년은 12월로 360일이다. 1월은 30일로 360시이다.〉

김상악(金相岳) 『산천역설(山天易說)』

策者, 乾坤老陽老陰過揲之策數也. 凡三揲掛扐通十三策, 而見存三十六策, 則爲老陽之爻. 三揲掛扐通二十五策, 而見存二十四策, 則爲老陰之爻. 故乾六爻之策, 合爲二百一十有六, 坤六爻之策合爲一百四十有四, 凡三百有六十, 當一年之數也. 若少陰之數爲三十二, 少陽之數爲二十八, 亦爲六十, 而只以乾坤之策數言之者, 九六有象, 七八无象也, 所以乾坤有用九用六之道. 諸卦之得奇者, 皆用乾之九, 得偶者, 皆用坤之六, 而无用七用八之道也.

책은 건곤의 노양과 노음의 과설책수이다. 3설한 괘륵이 모두 13책이면 현존하는 것은 36책으로 노양의 효가 된다. 3설한 괘륵이 모두 25책이면 현존하는 것은 24책으로 노음의 효가 된다. 그러므로 건괘 6효의 책을 합하면 216이 되고 곤괘 6효의 책을 합하면 144가 되어 모두 360으로 1년의 수에 해당한다.

소음의 수는 32이고 소양의 수는 28로 역시 60이 된다. 다만 건곤의 책수로 말한 것은 9와 6은 상이 있고, 7과 8은 상이 없어서이니, 그래서 건곤에 9를 쓰고 6을 쓰는 도가 있다. 모든 괘에서 기를 얻은 것은 다 건의 9를 쓰고 우를 얻은 것은 다 곤의 6을 쓰니, 7을 쓰고 8을 쓰는 도는 없다.

심대윤(沈大允) 『주역상의점법(周易象義占法)』

朱子曰, 此數生于四象. 河圖四面, 太陽居一而連九, 少陰居二而連八, 少陽居三而連七, 太陰居四而連六. 揲蓍之法, 通計三變之餘, 去其初掛之一, 凡四爲奇, 八爲偶. 奇圓圍三, 偶方圍四. 三用全而四用半, 積以數之則爲六七八九.

주자가 말하였다: 이 수는 사상에서 나왔다. 「하도」의 사방에 태양은 1에 거하며 9와 이어져있고, 소음은 2에 거하며 8과 이어져있고, 소양은 3에 거하며 7과 이어져있고, 태음은 4에 거하며 6과 이어져있다. 설시의 법은 삼변의 나머지를 통틀어 계산하는데 처음 건 1을 제거하면 4는 홀이 되고 8은 짝이 된다. 홀은 원으로 원의 둘레가 3이며 짝은 방으로 방의 둘레가 4이다. 3은 전부를 쓰고 4는 반을 쓰는데 쌓아서 계산하면 6,7,8,9이다.

此言九六之義, 而□□三□二□□三變之揲數與策數, 皆符會焉.
이것은 9와 6의 뜻을 말한 것인데 □□ 삼변의 설시수와 책수가 모두 부합한다.

蓋餘三奇, 則其數爲九, 而其揲亦九, 策亦四九三十六, 是爲居一之太陽.
나머지가 세 번 다 기(奇)이면 수는 9가 되고 센 것도 9가 되며 책도 4×9=36이 되는데 이것이 1에 거하는 태양이다.

餘二奇一偶則八, 而其揲亦八, 策亦四八三十二, 是爲居二之少陰.

나머지가 두 번은 기(奇)이고 한 번은 우(偶)이면 수는 8이 되고 센 것도 8이 되며 책도 4×8=32가 되는데 이것이 2에 거하는 소음이다.

二偶一奇則七, 而其揲亦七, 策亦四七二十八, 是爲居三之少陽.
나머지가 두 번은 '우(偶)'이고 한 번은 '기(奇)'이면 수는 7이 되고 센 것도 7이 되며 책도 4×7=28이 되는데 이것이 3에 거하는 소양이다.

三偶則六, 而其揲亦六, 策亦四六二十四, 是爲居四之老陰.
나머지가 삼우이면 수는 6이 되고 센 것도 6이 되며 책도 4×6=24가 되는데 이것이 4에 거하는 태음이다.

愚按, 此不過以九六乘四象耳. 九六者, 純陽純陰之三層數也, 以層數乘分數也. 晦庵之說, 以奇三偶二, 傅會河圖及揲蓍之策, 而有可觀者, 故姑記之云.
내가 살펴보았다: 이는 9와 6으로 사상에 곱한 것에 지나지 않는다. 9와 6은 순양 순음의 삼층수인데 층수를 분수에 곱한 것이다. 회암의 설은 홀은 3이고 짝은 2라는 것을 가지고 「하도」와 설시의 책에 부회한 것으로 볼 만한 것이 있어서 기록해 놓는다.

이진상(李震相) 『역학관규(易學管窺)』

乾坤之策.
건(乾)의 책수(策數)와 곤(坤)의 책수(策數).

六箇三十六爲二百十六, 六箇二十四爲百四十四, 此二老之數也. 六箇三十二爲一百九十二, 六箇二十八爲一百六十八, 此二少之數也. 在八卦而獨擧二純, 故在四象而亦擧二老, 欲其卽此而推之也.
6개의 36이 216이 되고 6개의 24가 144가 되니 이것은 두 노양·노음의 수이다. 6개의 32가 192가 되고 6개의 28이 168이 되니 이것은 두 소양·소음의 수이다. 팔괘에 있어서는 두 순양과 순음만 들었기 때문에 사상에 있어서도 두 노양과 노음만 들어 이것에 나아가 미루려고 한 것이다.

二篇之策, 萬有一千五百二十, 當萬物之數也,

상하 두 편(篇)의 책수(策數)가 11520이니, 만물(萬物)의 수(數)에 해당하니,

‖中國大全‖

本義

二篇, 謂上下經. 凡陽爻百九十二, 得六千九百一十二策, 陰爻百九十二, 得四千六百八策, 合之得此數.

두 편은 상경(上經)과 하경(下經)을 이른다. 무릇 양효(陽爻) 192에 6912을 얻고 음효(陰爻) 192에 4608을 얻어 합하면 이 수(數)를 얻게 된다.

小註

朱子曰, 二篇之策, 當萬物之數. 亦是取象之辭, 不是萬物恰有此數.

주자가 말하였다: 이편의 책수는 만물의 수에 해당한다. 이것도 상징으로 취한 말이지 만물이 꼭 이 수라는 것은 아니다.

○ 二篇之策, 當萬物之數, 不是萬物盡於此數. 只是取象, 自一而萬數, 萬數來當萬物之數耳.

"두 편의 책수가 만물의 수에 해당한다"는 것은 만물을 이 수로 다할 수 있다는 것은 아니다. 다만 이것은 상을 취한 것으로 일에서 만의 수까지 만의 수가 만물에 해당할 뿐이다.

○ 正義曰, 乾之策二百一十有六者, 以乾老陽一爻, 有三十六策, 六爻凡有二百一十有六策也, 乾之少陽一爻, 有二十八策, 六爻則有一百六十八策, 此經據乾之老陽之策也. 坤之策百四十有四者, 坤之老陰一爻, 有二十四策, 六爻故一百四十有四策也, 若

坤少陰一爻, 有三十二策, 六爻則有一百九十二, 此經據坤之老陰之策也. 凡三百有六十當期之日者, 擧合乾坤兩策. 有三百六十. 當期之數三百六十, 擧其大略, 不數五日四分日之一也. 二篇之策萬有一千五百二十當萬物之數者, 二篇之爻, 總有三百八十四爻, 陰陽各半, 陽爻一百九十二爻, 爻別三十六, 總有六千九百一十二也, 陰爻亦一百九十二爻, 爻別二十四, 總有四千六百八也, 陰陽總合萬有一千五百二十當萬物之數也. 今攷, 凡言策者卽謂蓍也. 禮曰, 龜爲卜, 策爲筮. 又曰, 到策側龜, 皆以策對龜而言則可知矣. 儀禮亦言筮人執筴尤爲明驗. 故此凡言策數, 雖指掛扐之外, 過揲見存之蓍數而言, 然不以掛扐之內所餘之蓍不爲策也, 疏義及其解說皆已得之. 且其竝以乾坤二少之爻爲言, 則固不專以乾坤爲老六子爲少矣. 但乾坤皆少而其合亦爲三百六十, 兩篇皆少而其合亦爲萬一千五百二十, 則數有未及而學者不可不知耳.

『주역정의』에서 말하였다: 건의 책 216은 건의 노양 1효가 36책이니 6효는 모두 216책이고, 건의 소양은 1효가 28책이니 6효는 모두 168책인데, 이 경문은 건의 노음 책수에 근거했다. 곤의 책 144는 곤의 노양 1효가 24책이니 6효는 모두 144책이고, 만약 곤의 소양으로 하면 1효가 32책이니 6효는 모두 192인데, 이 경문은 곤의 노양 책수에 근거했다. 360이 일년의 날수에 해당한다는 것은 건곤 두 책수의 합이 360인 것을 든 것이다. 일년의 날수 360은 대략만 거론하여 5일과 1/4일은 계산하지 않았다. 두 편의 책수가 11520으로 만물의 수에 해당한다는 것은 두 편의 모든 효인 384효 중에 음양이 각각 반으로 양효인 192효에 효별로 36책이니 총 6912이고 음효도 역시 192효에 효별로 24책이니 총 4608이 되어 음양총합이 11520으로 만물의 수에 해당한다. 이제 살펴보니, '책(策)'이라고 말한 것은 시초를 이른다. 『예기』에 이르길 "거북으로 하면 복(卜)이고 책(策)으로 하면 서(筮)이다" 하였다. 또 이르길 "시초를 전도하고 거북을 뒤집는다"라 하니 다 책(策)을 귀(龜)와 상대하여 말한 것임을 알 수 있다. 『의례』에도 이르길 "서인(筮人)이 책(筴)을 잡으면 더욱 증험이 밝다"고 하였다. 그러므로 여기서 책수라 할 때는 비록 걸고 끼운 밖의 세고 남은 시초의 수를 말하지만, 걸고 끼운 안의 시초를 책이라 하지 않는 것은 아니니 소(疏)의 뜻과 그 풀이에서 이미 밝혔다. 또 건곤의 이소(二少)[소양·소음]로도 함께 말했으니 오로지 건곤은 노(老)[노양·노음]이고 육자(六子)는 소(少)[소양·소음]로만 하지 않은 것이 확고하다. 다만 건곤이 다 소양·소음이라도 그 합이 역시 360이고 두 편이 다 소양·소음이라도 역시 그 합이 역시 11520이니 수에 미치지 않음이 있음을 배우는 자는 알아야 한다.

○ 雲峯胡氏曰, 前則掛扐之數, 象月之閏, 此則過揲之數, 象歲之周. 蓋揲之以四, 已合四時之象, 故總過揲之數, 又合四時成歲之象也. 獨曰乾坤之策者, 猶用九用六, 三百八十四爻之通例而獨於乾坤言之也.

운봉호씨가 말하였다: 앞에서는 걸고 끼운 수로 달의 윤을 상징했고 여기서는 세고 남은

수로 해의 주기를 상징했다. 4개씩 세어 이미 사시(四時)의 상과 부합하기 때문에 세고 남은 수를 합하였는데 사시가 해를 이루는 상과도 부합한다. 유독 건곤의 책수로만 말한 것은 용구(用九)와 용육(用六)이 384효의 통례인데 건곤에서만 말한 것과 같다.

○ 白雲胡氏曰, 聖人畫卦, 初未有以陰陽老少爲異. 然卜史之象欲取動爻之後卦, 故分別老少之象, 與聖人畫卦之意, 已不同矣.
백운호씨가 말하였다: 성인이 괘를 그을 때 애초에는 음양노소의 다름이 있지 않았다. 그런데 점치는 사람이 괘상을 볼 때 효가 동한 뒤의 괘를 취하고자 하였기 때문에 노소의 상을 분별하였으니, 성인이 괘를 그은 뜻과는 이미 같지 않다.

韓國大全

조호익(曺好益) 『역상설(易象說)』

二篇之策.
상하 두 편(篇)의 책수(策數).
註, 倒筴側龜.
주석의 "시초를 전도하고 거북을 뒤집는다".
按, 禮曰, 倒筴側龜於君前有誅. 註, 卜筮之官龜筴其所奉以周旋者, 於君前而有顚倒反側之狀, 此不敬其職業而慢上者, 故有誅罰. 方氏曰, 筴有本末, 故曰倒, 龜有背面, 故曰側.
내가 살펴보았다: 『예기』에 "임금 앞에서 시초를 전도하고 거북을 뒤집으면 주벌한다."고 하였다. 주석에 "복서를 하는 관리가 거북과 시초를 들고 임금 앞에서 한 바퀴 돌다가 전도하고 뒤집는 경우가 있는데 이것은 맡은 일에 조심하지 않고 임금을 모멸한 것이기 때문에 주벌을 당한다"고 하였다. 방씨가 말하였다: 시초는 뿌리와 가지가 있기 때문에 '거꾸로[倒]'라고 하였고 거북은 등과 배가 있기 때문에 '뒤집힘[側]'이라고 하였다.

引而伸之.
이끌어 펴며.

引伸之義, 恐只在占得一卦上.

이끌어 편다는 뜻은 아마도 점쳐서 얻은 한 괘 속에 있을 것이다.

引伸指六畫.

이끌어 펴는 것은 6획을 가리킨다.

第九章, 章下本義, 大卜筮人之官.

제 9장이니, 이 장 아래 『본의』에서 '태복 서인의 관직'에 대해 말하였다.

按周禮, 大卜通掌卜筮, 卜師筮人各掌龜策.

내가 살펴보았다: 『주례』에 살펴보면 태복이 복서를 관장하였는데 복사와 서인이 각각 거북과 시초를 관장하였다.

註, 雙湖說.

주석의 쌍호호씨 설명.

雖非朱子之意, 而要領所論亦好.

비록 주자의 뜻은 아니지만 요령 있게 논한 것은 좋다.

송시열(宋時烈) 『역설(易說)』

三其十二則爲三十六也, 加倍之得二百一十六. 乾則參倍, 坤則再加, 此參兩依數底常否.

12를 3배하면 36이고 다시 곱하면 216이다. 건은 3배하고 곤은 2배하니 이것이 3과 2로 수를 의지하는 일정함인가!

天一地二以下, 始言天地之數, 又見聖人極策蓍之數知變化之道.

천1지2 아래에서부터 천지의 수를 말했고 성인이 시초의 수를 극진히 해서 변화의 도를 앎을 알 수 있다.

乾之策凡奇者, 以四計之, 三奇之數, 卽三四十二也. 參倍十二之數, 乃三十六也. 此非過楪之數, 乃元策之數也. 爻凡六位, 故三十六上六加之, 定得二百一十有六也. 坤之策凡偶者, 以八計之, 三耦之數, 卽三八二十四也. 爻凡六位, 故六得二十四之數, 乃百四十有四也. 乾者陽故動, 動則變, 變則盈, 故參倍之. 坤者陰故靜, 靜則不變, 不變則虛, 故兩倍之.

건의 책수가 기수인 것은 4로 계산한 것으로 기수가 셋이면 3×4=12이다. 12를 3배한 수가

36이다. 이것은 세고 남은 수가 아닌 원래의 책수이다. 효는 6자리이기 때문에 36을 6번 더하면 216이 된다. 곤의 책수가 우수인 것은 8로 계산한 것으로 우수가 셋이면 3×8=24이다. 효는 6자리이기 때문에 24를 6번 더하면 144가 된다. 건은 양이기 때문에 움직이고, 움직이면 변하고, 변하면 차기 때문에 3배를 한다. 곤은 음이기 때문에 고요하고 고요하면 변하지 않고 변하지 않으면 비기 때문에 2배를 한다.

臆見如是, 及見正義曰, 乾之老陽合十三策, 則過楪三十六策也. 於三十六之上, 以六乘之, 乃二百一十有六. 坤之老陰合二十五, 則過楪二十四策也. 於二十四之上, 以六乘之, 乃百四十有四也云云.
내 생각은 이와 같은데『주역정의』에서는 다음과 같이 말하였다: 건의 노양은 합하면 13책인데 세고 남은 것은 36책이다. 36에 6을 곱하면 216이다. 곤의 노음은 합하면 25인데 세고 남은 것은 24책이다. 24에 6을 곱하면 144이다.

蓋愚見皆以元策之數計之, 正義則以過楪或元策數計之. 故所言不同. 然□非敢自是兩存之以備後. 考歐文九六說, 亦從正義, 未知如何.
나의 견해는 원래 책수로 계산한 것이고,『주역정의』에서는 세고 남은 것이나 원래 책수로 계산하였다. 그렇기 때문에 말한 것이 다르다. 감히 내가 옳다는 것은 아니고 이 둘을 보존하여 후일을 기다린다. 구문(歐文)의 구육설(九六說)도 살펴보니 역시『주역정의』를 따랐는데 어떨지 모르겠다.

유건(柳宜健)「독역의의(讀易疑義)·독역해조(讀易解嘲)·독역관규(讀易管窺)】

第九章, 乾之策. 云云.
제 9장에서 말하였다: 건괘의 책수. 운운.

本義曰, 少陰退而未極乎虛, 少陽進而未極乎盈, 故此獨以老陽老陰, 計乾坤六爻之策數.
『본의』에서 말하였다. "소음은 물러났지만 비움에는 끝까지 이르지 못했고, 소양은 나아갔지만 꽉 참에는 끝까지 나아가지 못했다. 그렇기 때문에 여기에서는 노양과 노음만 써서 건괘와 곤괘의 책수를 계산했다."

凡陽爻百九十二得六千九百一十二策, 陰爻百九十二得四千六百八策, 合爲萬有一千五百二十, 皆謂老陽老陰之數. 然按, 少陰少陽之策合之亦有此數. 蓋少陰之策六千一百四十四, 少陽之策五千三百七十六, 亦爲萬一千五百二十也.

양효 192개는 6912책을 얻고 음효 192개는 4608책을 얻어 합하면 11520이 되니 모두 노양과 노음의 수를 말한 것이다. 그렇지만 살펴보면 소음과 소양의 책수를 합해도 이 수가 된다. 소음의 책수는 6144이고 소양의 책수은 5376이니 역시 11520이 된다.

유휘문(柳徽文)234) 『시괘고오해(蓍卦考誤解)』

正義曰, 乾之策二百一十有六者, 以乾老陽一爻, 有三十六策, 六爻凡有二百一十有六策也, 乾之少陽一爻, 有二十八策, 六爻則有一百六十八策, 此經據乾之老陽之策也. 坤之策百四十有四者, 坤之老陰一爻, 有二十四策, 六爻故一百四十有四策也. 若坤少陰一爻, 有三十二策, 六爻則有一百九十二, 此經據坤之老陰之策也. 凡三百有六十當期之日者, 擧合乾坤兩策, 有三百六十. 當期之數三百六十, 擧其大略, 不數五日四分日之一也. 二篇之策萬有一千五百二十當萬物之數者, 二篇之爻, 總有三百八十四爻, 陰陽各半, 陽爻一百九十二爻, 爻別三十六, 總有六千九百一十二也, 陰爻亦一百九十二爻, 爻別二十四, 總有四千六百八也, 陰陽總合萬有一千五百二十當萬物之數也.

『주역정의』에서 말하였다: 건의 책 216은 건의 노양 1효가 36책이니 6효는 모두 216책이고, 건의 소양은 1효가 28책이니 6효는 모두 168책인데, 이 경문은 건의 노양 책수에 근거했다. 곤의 책 144는 곤의 노양 1효가 24책이니 6효이므로 모두 144책이고, 만약 곤의 소양으로 하면 1효가 32책이니 6효는 모두 192인데, 이 경문은 곤의 노양 책수에 근거했다. 360이 일 년의 날수에 해당한다는 것은 건곤 두 책수의 합이 360인 것을 든 것이다. 일년의 날수인 360은 대략만 거론한 것으로 5일과 1/4일은 계산하지 않았다. 두 편의 책수가 11520으로 만물의 수에 해당한다는 것은 두 편의 모든 효인 384효중에 음양이 각각 반으로 양효인 192효에 효별로 36책이니 총 6912이고 음효도 역시 192효에 효별로 24책이니 총 4608이 되어 총합이 11520으로 만물의 수에 해당한다.

朱子曰 今攷, 凡言策者卽謂蓍也. 禮曰, 龜爲卜, 策爲筮. 又曰, 到策側龜, 皆以策對龜而言則可知矣. 儀禮亦言筮人執筴尤爲明驗. 故此凡言策數, 雖指掛扐之外, 過揲見存之蓍數而言, 然不以掛扐之內所餘之蓍不爲策也, 疏義及其解說皆已得之. 且其竝以乾坤二少之爻爲言, 則固不專以乾坤爲老六子爲少矣. 但乾坤皆少而其合亦爲三百六十, 兩篇皆少而其合亦爲萬一千五百二十, 則疏有未及而學者不可不知爾.

주자가 말하였다: 이제 살펴보니, '책(策)'이라고 말한 것은 시초를 이른다. 『예기』에 이르길

---

234) 유희문은 유정원의 손자이다. 『시괘고오해(蓍卦考誤解)』가 경우에 따라 유정원의 해석과 같은 내용이 반복되는 것은 그가 조부의 글을 옮겨놓은 것으로 보인다. 특히 이 부분의 해석이 그러하다.

"거북으로 하면 복(卜)이고 책(策)으로 하면 서(筮)이다" 하였다. 또 이르길 "시초를 전도하고 거북을 뒤집는다"라 하니 다 책(策)을 귀(龜)와 상대하여 말한 것임을 알 수 있다. 『의례』에도 이르길 "서인(筮人)이 책(筴)을 잡으면 더욱 증험이 밝다"하였다. 그러므로 여기에서 책수라 할 때는 비록 걸고 끼운 밖의 세고 남은 시초의 수를 말하지만, 걸고 끼운 안의 시초를 책이라 하지 않는 것은 아니니 소(疏)의 뜻과 그 해설에서 이미 밝혔다. 또 건곤의 이소(二少)[소양·소음]로도 함께 말했으니 오로지 건곤은 노(老)[노양·노음]이고 육자(六子)는 소(少)[소양·소음]로만 하지 않은 것이 확고하다. 다만 건곤이 다 소양·소음이라도 그 합이 역시 360이고, 두 편이 다 소양·소음이라도 역시 그 합이 역시 11520이 됨은 주소에서 언급하지 않았지만 배우는 자는 알아야만 한다.

案. 著之一籌卽謂一策. 古人用字皆以著爲策. 故曲禮曰龜爲卜策爲筮. 又曰倒策側龜. 士冠禮言筮人執策. 少儀又云執龜策. 楚辭亦云端策拂龜, 則此皆指將筮之著爲策, 不但指過揲而言者, 尤分明易見.

내가 살펴보았다: 시초의 한 가지는 곧 1책이다. 옛 사람이 글자를 쓸 때 시(著)를 책(策)으로 삼았다. 그렇기 때문에 「곡례」에 거북은 복이고 시초는 서라고 하였다. 또 시초를 전도하고 거북을 뒤집는다고 하였다. 「사관례」에 서인은 책을 잡는다고 하였다. 「소의」에 또 이르길, '거북[龜]과 책을 잡는다'고 하였다. 『초사』에도 "점대를 바르게 하고 귀갑을 깨끗하게 닦는다"고 했으니 이는 모두 서법의 시초를 책이라고 여긴 것으로 세고 남은 것만을 가리켜 말한 것이 아님을 더욱 분명히 알 수 있다.

曲禮少儀又云執龜策. 楚辭卜居亦云詹尹端策拭龜, 則此皆指將筮之著爲策. 古人用字本皆如此,
故大傳雖言過揲之策, 亦不以掛扐不爲策也. 疏義及解說, 亦不言過揲爲策, 掛扐不爲策, 則在經義固已得之, 非如郭氏廢寘掛扐, 但用過揲爲正策之說也.

「곡례」소의에서 또 거북과 시책을 잡는다고 하였다. 『초사』복거에서도 점대를 바르게 하고 귀갑을 깨끗하게 닦는다고 하였다. 이것은 모두 서법의 시초를 책(策)이라고 여긴 것이다. 옛 사람이 글자를 쓴 것은 모두 이와 같다. 그러므로 「계사전」에서 세고 남은 책수[過揲]를 말했지만 역시 걸고 끼운[掛扐] 것을 '책(策)'이라고 여기지 않은 것은 아니다. 소의와 해설에서도 세고 남은[過揲] 것은 '책(策)'이고 걸고 끼운[掛扐] 것은 '책(策)'이 아니라고 하지도 않은 것 등은 진실로 경전의 뜻에 부합하여 곽씨가 걸고 끼운[掛扐] 것을 버려두고 세고 남은[過揲] 것만을 바른 책(策)으로 삼은 것과는 같지 않다.

且竝言乾少陽一爻二十八策, 坤少陰一爻三十二策, 則非如郭氏以九六爲乾坤七八爲

六子乾坤有象六子无象之說也.

또 함께 "건의 소양 1효는 28책이고 곤의 소음 1효는 32책이다"라고 하였으니 곽씨가 9와 6을 건곤으로 삼고 7과 8을 여섯 자녀[六子]로 삼아 건곤에는 상이 있지만 여섯 자녀[六子]에게는 상이 없다는 설과도 같지 않다.

但疏只言乾坤二老二少之策, 謂二百一十有六一百四十有四, 則經據乾坤二老之策, 至於二少之合亦爲三百六十, 而二篇之策皆用二少之合亦萬一千五百二十者, 則皆未及之. 學者不可不知. 詳見啓蒙.

다만 주소에서 단지 건곤의 이노(二老)와 이소(二少)의 책을 말하고 216과 144라 했으니 경문에서 건곤 이노(二老)의 책에 근거하고 이소(二少)의 합도 360이며 두 편의 책이 모두 이소(二少)의 합을 써도 11520이 된다는 것은 모두 언급하지 않았지만 학자가 알아야만 한다. 자세한 것은 『역학계몽』에 보인다.

朱子曰, 右揲蓍之法見於大傳者不過如此. 爲之說者, 雖或互有得失, 然亦不過如此. 愚已論之詳矣. 學者反復其言, 使各盡其曲折, 則後之爲說者, 其是非當否, 不能出乎此矣.

주자가 말하였다: 이상의 설시법은 「계사전」에 보이는 것으로 이와 같을 뿐이다. 설명하는 자가 혹 서로 잃고 얻음이 있지만 역시 이와 같을 뿐이다. 내가 이미 자세하게 논했다. 학자가 그 말을 반복해서 곡절을 다했으니 뒤에 설명하는 자의 시비와 마땅함 여부는 여기에서 벗어나지 못할 것이다.

康節先生曰, 歸奇合扐之數, 得五與四四, 則策數四九也. 〈餘倣此. 郭氏曰, 歸奇合扐之數, 謂不用之餘數也, 策數所得之正策數也. 去此不用之餘數, 正語歸奇合扐之餘數, 故有三多三少之言. 至康節然後, 策數復見於書, 餘數不復相亂矣.〉

강절선생이 말하였다: 나머지를 돌리고 륵에 합하는 수가 5,4,4를 얻으면 책수는 4×9이다. 〈나머지도 이를 따른다. 백운곽씨가 말하였다: 나머지를 돌리고 륵에 합하는 수는 쓰지 않는 나머지수를 말한 것이고, 책수는 얻어진 그대로의 책수를 말한 것이다. 쓰지 않는 나머지 수를 제거하고 바로 나머지를 돌리고 륵에 합한 나머지 수를 말하였기 때문에 삼다(三多)나 삼소(三少)의 말이 있게 되었다. 강절에 이른 뒤에 책수가 글에 다시 보이고 다시는 서로 어지럽게 되지 않았다.〉

朱子曰, 今按康節歸奇合扐四字, 本於正義所謂最末之餘歸之合於掛扐之一處. 蓋因其失而不暇正也. 然四九四六四七四八之數, 則正義已明言之, 安得謂唐初以來不論策數耶. 且康節又言得五與四四, 則亦未得爲去此不用之餘數矣. 大抵爲此辨者, 未知掛扐之中, 奇偶方圓參兩進退之妙. 是以必去掛扐之數, 而專用過揲之策. 其說愈多, 而其法愈偏也.

주자가 말하였다: 지금 살펴보니 강절의 귀기합륵(歸奇合扐) 네 글자는『주역정의』에서 말한 가장 끝에 나머지를 돌려 걸고 끼운[掛扐] 한 곳에 합한다는 것에 근거를 두었다. 잃어버린 문장에 근거했기 때문에 바로잡을 겨를이 없었다. 그렇지만 4×9, 4×6, 4×7, 4×8의 수는『주역정의』에서 이미 분명하게 말하였으니 어찌 당초(唐初) 이래로 책수를 논하지 않았다고 말하겠는가? 또 강절 또한 5・4・4를 얻음을 말했으니 또한 이 쓰지 않는 나머지 수를 제거하는 것이 될 수는 없다. 대체로 보아 이렇게 변론한 것은 걸고 끼운[掛扐] 가운데 기우(奇偶)와 방원(方圓)과 삼양(參兩)과 진퇴(進退)의 묘함이 있음을 알지 못하는 것이다. 그렇기 때문에 반드시 걸고 끼운[掛扐] 수를 제거하고 오로지 세고 남은 책수만 쓰게 되니 그 설명은 더욱 잡다해지고 그 법칙은 더욱 치우치게 된다.

案, 康節之說見啓蒙頗詳曰, 五與四四去掛一之數, 則四三十二也. 九與八八去掛一之數, 則四六二十四也. 五與八八九與四八去掛一之數, 則四五二十也. 九與四四五與四八去掛一之數, 則四四十六也. 故去其三四五六之數, 以成九八七六之策.

내가 살펴보았다: 강절의 설명은『역학계몽』에 자세히 보이는데 이르길, 5・4・4에서 건 1을 제거하면 4×3=12이다. 9・8・8에서 건 1을 제거하면 4×6=24이다. 5・8・8이나 9・4・8에서 건 1을 제거하면 4×5=20이다. 9・4・4나 5・4・8에서 건 1을 제거하면 4×4=16이다. 그렇기 때문에 3・4・5・6의 수를 제거하고 9・8・7・6의 책을 이룬다.

蓋所謂去掛一之數, 謂去初揲掛一也. 去三四五六之數, 以成九八七六之策, 謂去老陽三四少陰四四少陽四五老陰四六之數, 用奇偶方圓徑一圍三圍四用半之法, 以成九八七六之策也. 此五與四四等數卽所以成九八七六之數, 非謂去此掛扐以爲不用之餘數, 只用過揲以爲所得之正策也. 夫掛扐過揲不可无, 況掛扐爲原過揲爲委.

건 1을 제거한다는 것은 처음 셀 때의 건 1을 제거한다는 의미이다. 3・4・5・6의 수를 제거하여 9・8・7・6의 책을 이룬다는 것은 노양의 3×4=12, 소음의 4×4=16, 소양의 4×5=20, 노음의 4×6=24를 제거하고 기우(奇偶) 방원(方圓)의 직경이 1일 때 둘레가 3이고 둘레가 4일 때 그 반을 쓰는 법을 써서 9・8・7・6의 책을 이루는 것을 말한다. 이것은 5・4・4 등의 수가 곧 9・8・7・6의 수를 이루는 까닭임을 말한 것이지, 이 걸고 끼운[掛扐] 것을 제거하여 쓰이지 않는 나머지 수로 삼고 다만 세고 남은[過揲] 것만을 바른 책(策)으로 삼는다는 것을 말한 것은 아니다. 괘륵과 과설은 없을 수 없는데 하물며 괘륵이 근원이고 과설이 가지임에랴!

而郭氏之爲此辨, 未知掛扐之中, 奇偶方圓參兩進退, 以成九八七六之妙法. 故必去掛
扐之數, 專用過揲之策, 其說愈多, 而其法愈偏.

그리고 곽씨가 이렇게 변론한 것은 걸고 끼운(掛扐) 가운데 기우(奇偶)와 방원(方圓)과 삼
양(參兩)의 진퇴(進退)로써 9,8,7,6을 이루는 묘한 법이 있음을 알지 못한 것이다. 그렇기
때문에 반드시 걸고 끼운(掛扐) 수를 제거하고 오로지 세고 남은 책수만 쓰게 되니 그 설명
은 더욱 잡다해지고 그 법칙은 더욱 치우치게 된다.

朱子與郭冲晦書, 亦譏其歸奇以上皆棄不錄, 而獨以過揲四乘之數爲說之誤.

주자가 곽충회에게 쓴 편지에서도 나머지를 돌리는 것까지를 다 버리고 기록하지 않고 세고
남은 것을 4로 곱한 수로만 해서 설명한 것의 오류를 나무랐다.

橫渠先生曰, 奇, 所掛之一也, 扐, 左右手之餘也.〈郭氏曰, 自唐初以來, 以奇爲扐, 故
揲法多誤, 至橫渠而始分云〉再扐而後掛者, 每成一爻而後掛也, 謂第二第三揲不掛也.
閏常不及三歲而至, 故曰五歲再閏. 此歸奇必俟再扐者, 象閏之中間再歲也.

횡거선생이 말하였다: 기(奇)는 건 1이다. 륵(扐)은 좌우 손에 남아있는 것이다.〈곽씨가 말
하였다: 당나라 초기 이래로 기(奇)를 륵(扐)이라고 여겼기 때문에 설시법에 오류가 많았는
데 횡거에 이르러 비로소 구분되었다.〉두 번 륵한 뒤에 건다는 것은 매번 1효를 이룬 뒤에
건다는 것이니, 제2설과 3설은 걸지 않음을 말한다. 윤달은 늘 3년이 되지 않아 이르기 때문
에 5년에 두 번 윤달이 든다고 하였다. 기(奇)를 돌림은 반드시 두 번 륵(扐)함을 기다려야
하는 것은 윤달의 중간에 있는 두 번째 해를 상징한다.

朱子曰, 今按此說大誤, 恐非橫渠之言. 掛也奇也扐也, 大傳之文, 固各有所主矣. 奇者
殘零之謂, 方著象兩之時, 特掛其一, 不得便謂之奇. 此則自畢董劉氏而失之矣. 扐固
左右兩揲之餘, 然扐之爲義, 乃指間勒物之處, 故曰歸奇於扐, 言歸此餘數於指間也.
今直謂扐爲餘, 則其曰歸奇於扐者, 乃爲歸餘於餘, 而不成文理矣. 不察此誤, 而戞以
歸奇爲掛一以避之, 則又生一誤, 而失愈遠矣.

주자가 말하였다: 지금 살펴보니 이 설은 크게 잘못되었으니 아마도 횡거의 말이 아닐 것이
다. 괘(掛)라 하고 기(奇)라 하고 륵(扐)이라 한「계사전」의 문장은 진실로 각각 주장함이
있다. 기(奇)는 나머지를 말하니 설시에서 양의를 상징할 때 다만 한 개만 거는 것을 곧
기(奇)라고 할 수 없다. 이것은 필동유씨로부터 잘못된 것이다. 륵(扐)은 진실로 좌우의 양
손에 센 나머지이다. 그렇지만 륵(扐)의 뜻은 손가락사이 물건을 끼우는 곳이다. 그러므로
나머지를 륵에 돌린다(歸奇於扐)고 한 것이니 여기의 나머지 수를 손가락사이에 돌린다는
것을 말한 것이다. 지금 곧바로 륵(扐)을 나머지(餘)라고 한다면 귀기어륵(歸奇於扐)이란

말은 나머지를 나머지에 돌린다는 것이 되어 문리를 이루지 못한다. 이런 잘못을 살피지 못하고 다시 귀기(歸奇)를 하나를 거는 것[掛一]이라 하여 피한다면 또 하나의 잘못이 생기는 것이어서 잃어버림이 더욱 멀다.

郭氏承此爲說, 而詆唐人不當以奇爲扐. 夫以奇爲扐, 亦猶以其扐爲餘爾, 名雖失之而實猶未爽也. 若如其說, 以歸爲掛, 以奇爲一, 則爲名實俱亂, 而大傳之文, 揲四之後, 不見餘著之所在, 歸奇之前, 不見有扐之所由, 亦不復成文理.

곽씨가 이것을 계승하여 설명하면서 당나라 사람이 기(奇)를 륵(扐)이라고 여긴 것은 부당하다고 꾸짖는다. 기(奇)를 륵(扐)이라고 여긴 것은 오히려 륵(扐)를 나머지라고 여긴 것이어서 명칭은 비록 잘못되었지만 실상은 오히려 망가지지 않았다. 만약 그 설과 같이 하여 귀(歸)를 건다[掛]고 여기고 기(奇)를 1개라고 여기면 명칭과 실상이 모두 어지러워져 「계사전」의 문장에서 4씩 세고 난 뒤에는 남는 시초가 있을 곳을 볼 수 없고, 남는 것을 돌리기 전에는 륵한 바의 연유를 볼 수가 없어서 역시 문리를 이룰 수 없다.

再扐者, 一變之中, 左右再揲而再扐也. 一變之中, 一掛再揲再扐, 而當五歲. 蓋一掛再揲, 當其不閏之年, 而再扐當其再歲之閏也. 而後掛者, 一變旣成, 又合見存之著, 分二而掛一, 以起後變之端也. 今曰, 第一變掛而第二第三變不掛, 遂以當掛之變爲掛而象閏, 以不掛之變爲扐而象不閏之歲, 則與大傳之云掛一象三再扐象閏者, 全不相應矣.

두 번 륵(扐)한다는 것은 1변 가운데 좌우를 두 번 세고 두 번 륵하는 것이다. 1변 가운데 1개를 걸고 두 번 세고 두 번 륵하는 것이 5년에 해당한다. 1개를 걸고 두 번 세는 것은 윤달이 드는 해에 해당하지 않고 두 번 륵하여야 두 해에 윤달이 든다. 이후에 건다는 것은 1변이 이미 이루어지면 또 현존하는 시초를 합해서 둘로 나누고 하나를 걸어서 2변의 단서를 일으킨다. 지금 말하길, 1변에서 걸고 2변과 3변에서 걸지 않아서 마땅히 거는 변은 괘(掛)라고 여겨 윤달을 상징하고 걸지 않는 변은 륵(扐)이라고 여겨 윤달이 들지 않는 해를 상징한다고 하면 「계사전」에서 말한 하나를 걸고[掛一] 셋을 상징하고[象三] 두 번 륵하고[再扐] 윤달을 상징한다[象閏]는 것과 전혀 상응하지 않는다.

且不數第一變之再扐, 而謂第二第三變爲再扐, 又使第二第三變中, 止有三營, 而不足乎成易之數. 且於陰陽奇偶老少之數, 亦多有不合者爾. 今未暇悉論, 後當隨事發之爾.

또 제 1변의 두 번 륵하는 것을 세지 않고서, 제2변과 제3변이 두 번 륵하는 것이 된다고 말하고 또 제 2변과 제 3변 가운데 세 번 경영함에 그쳐 역의 수를 이루기에 부족하게 만들었다. 또 음양과 기우와 노소의 수에도 부합하지 않는 것이 많다. 지금은 모두 논할 겨를이 없으니 뒤에 일을 따라 발표해야 한다.

案, 大傳之言掛者懸其一也, 奇者揲之零也, 扐者指間扐物之處, 所謂各有所主者也. 方分二象兩之初, 是爲未揲之前, 先掛其一, 不得以殘零之奇目之. 此則劉氏所謂遇少與歸奇爲五爲四者也. 劉氏得之董生, 董生本於畢中和. 其揲法視疏義爲詳, 而獨有此失也.

내가 살펴보았다: 「계사전」에서 말한 괘(掛)란 그 1개를 거는 것이고, 기(奇)는 세고 남은 것이고, 륵(扐)은 손가락 사이 물건을 끼우는 곳이니 이른바 각각 주장함이 있다는 것이다. 둘로 나누어 양의를 상징하는 처음에 아직 세기 전에 먼저 그 중 1개를 거는 것이지 나머지의 기(奇)를 지목한 것이 아니다. 이것은 유씨가 말한 바 적은 것[少]을 얻으면 나머지가 5가 되고 4가 된다는 것이다. 유씨는 동생에게 얻었고 동생은 필중화에게 얻었다. 그 설시법은 소의(疏義)를 보면 자세한데 유독 이런 잘못이 있다.

扐固左右兩揲餘數之所歸, 而扐之爲義, 乃指間扐物之處, 非直餘數也. 故曰歸奇於扐, 言歸此餘數於指間. 奇字是餘數, 與扐字義異, 而不爲重複. 今直謂扐爲餘數, 則奇字爲餘數之義, 旣不啻分明, 而其曰歸奇於扐者, 乃爲歸餘於餘, 不成文理. 今不察此誤, 而乃以歸奇更起別義, 遂以掛一當之, 以避重複之嫌. 是又生一誤而其失愈遠矣. 橫渠之言必不如此, 而郭氏又因襲爲說詆孔疏歸奇合扐之說, 是以奇爲扐, 故揲法多誤云也.

륵(扐)은 참으로 좌우를 두 번 세고 난 나머지가 돌아가는 곳이다. 륵(扐)의 뜻은 손가락 사이에 물건을 거는 곳이지 곧바로 남은 수가 아니다. 그러므로 '나머지를 돌린다'고 했으니 이 남은 수를 손가락 사이에 돌린다는 말이다. 기(奇)는 남은 수로 륵(扐)과는 의미가 달라 중복되지 않는다. 지금 직접 륵(扐)을 나머지 수라고 한다면 '기(奇)'자가 나머지 수가 된다는 뜻도 이미 분명하지 않을 뿐 아니라 나머지를 돌린다는 말도 '나머지를 나머지에 돌린다'는 말이 되어 문리가 성립하지 않는다. 지금 이런 오류를 살피지 못하고 귀기(歸奇)를 가지고 별도의 뜻을 일으켜 괘일(掛一)에 해당시킴으로써 중복된다는 혐의를 피하려 하였다. 이것은 또 한 번의 오류로 잘못이 더욱 커진다는 것이다. 장횡거의 말은 반드시 이와 같지 않은데 곽씨가 구습대로 설을 지어 공씨 주소의 귀기합륵(歸奇合扐)의 설명이 기(奇)를 륵(扐)으로 여겼기 때문에 설시법에 오류가 많다고 꾸짖었다.

夫以奇爲扐之誤, 亦無異於此以扐直謂餘數之誤也. 其名義則奇字是餘數, 扐字是指間也. 其混而同之者, 固爲失之, 而其實餘數, 所以歸指間而在指間者, 卽所餘之數也, 非有爽也.

기(奇)를 륵(扐)으로 여긴 오류는 이 륵(扐)을 직접 나머지[餘]로 여긴 오류와 다를 게 없다. 그 이름의 뜻은 기(奇)는 나머지 수이고 륵(扐)은 손가락 사이를 가리키는 것이다. 섞어서 같은 것으로 만든 것은 정말 잘못된 것으로 실제는 나머지 수는 손가락 사이에 돌려 손가락 사이에 있는 것으로 곧 남아있는 수이니 잘못되지 않았다.

若如今說乃以歸爲掛, 以奇爲一, 以避歸餘於餘之嫌. 但以扐爲餘, 而反譏以奇爲扐之說, 則奇字旣是餘數之義, 而指爲掛一, 其名與實俱亂, 而不但如以奇爲扐之名異而實相近也. 又於大傳四揲之後, 雖有歸奇之文, 旣以歸奇爲掛一, 則四揲之後, 未見其餘數所在.

만약 지금 귀(歸)를 괘(掛)라고 여기고 기(奇)를 1개[一]라고 여겨 나머지를 나머지에 돌렸다는 혐의를 피하려 하고 있다. 다만 륵(扐)을 나머지[餘]라고 여기면서 기(奇)를 륵(扐)으로 여긴 설을 꾸짖고 있으니, 기(奇)는 나머지[餘]의 뜻인데 도리어 건 하나[掛一]를 가리킨다고 하고 있으니 그 명칭과 실상이 모두 어지럽다는 것으로 단지 기(奇)를 륵(扐)으로 여겨 명칭은 다르지만 실상은 서로 비슷한 것보다 못할 뿐만이 아니다. 또 「계사전」에 4개씩 센 뒤에 비록 귀기(歸奇)라는 문구가 있지만 이미 귀기(歸奇)를 괘일(掛一)로 여긴다면 4개씩 센 다음에 그 나머지가 있을 곳을 볼 수가 없다.

歸奇之前, 雖有四揲之文, 而旣以歸奇爲掛一, 則掛一之前, 不見有扐字之所由, 所謂不成文理.

귀기(歸奇)의 전에 비록 4개씩 센다는 문구가 있지만 이미 귀기(歸奇)를 괘일(掛一)로 삼게 된다면 괘일(掛一)의 전에 륵(扐)자가 연유하는 바를 볼 수 없으니 이른바 문리를 이루지 못한다는 것이다.

掛一再揲再扐爲五歲, 俱在一變之內, 而再扐爲再閏. 且以而後掛者, 爲第二變之掛. 大傳本文及前所正可知.

하나를 걸고 두 번 세고 두 번 륵함이 5년이 되니 모두 1변 안에 있고 두 번 륵하는 것은 윤달을 두 번 두는 것이며 또 이후에 거는 것은 제 2변에서 거는 것이니 「계사전」 본문과 앞에서 바로 잡은 것으로 알 수 있다.

今曰, 第一變掛而後二變不掛, 遂以當掛之變, 雖有再扐, 乃只謂之掛而象閏, 以不掛之變, 雖各有再扐, 而乃通謂之再扐, 象不閏之歲, 其不掛之變, 與大傳掛一象不相應.

지금 말하길, 제1변에서 건 뒤에 2변은 걸지 않고 건 것에 해당하는 변에 비록 재륵(再扐)이 있어 단지 건대[掛]는 것으로 윤달을 상징한다 하고 걸지 않은 변으로써 비록 각각 재륵이 있어도 통틀어 재륵(再扐)은 윤달이 들지 않는 해를 상징한다고 하는데 그 걸지 않는 변은 「계사전」의 하나를 걸고 삼재를 상징한다는 것과 상응하지 않는다는 것이다.

其以掛爲閏, 與大傳再扐象再閏不相應. 其數第一變再扐而謂掛, 第二第三變各有再扐, 而通爲再扐. 又使後二變只有分二揲四扐三營, 而不足乎四營成易之數. 且於陰陽奇偶老少之數, 亦多不合. 如第一變屬陽, 故其餘五九皆奇, 後二變屬陰, 故其餘四八皆偶. 屬陽者陽三陰一, 爲圍三徑一. 屬陰者陰陽各二, 爲圍四用半. 是三變皆掛而得之. 三變之後老陰陽本皆八. 老者動而陰性本靜, 故損陰之四以歸於陽, 老陽爲十二老陰爲四. 少陰陽本皆二十四, 少者靜而陽性本動, 故損陽之四以歸於陰, 少陰爲二十八少陽爲二十, 是亦三變皆掛而得之. 若後二變不掛, 則皆不得. 詳見下文

괘(掛)로써 윤달을 삼으면 「계사전」의 재륵(再扐)이 재윤(再閏)을 상징하는 것과 상응하지 않는다. 그 수는 제1변에서 재륵(再扐)하고 괘(掛)라 이르고 제2변과 3변에서는 각각 재륵(再扐)이 있는데 통틀어 재륵(再扐)이 된다. 또 뒤의 이변에는 다만 둘로 나누고[分二] 4개씩 세고[揲四] 륵(扐)하는 세 번 경영함으로 네 번 경영해서 역을 이루는 수에 부족하다. 그리고 음양(陰陽) 기우(奇偶) 노소(老少)의 수에도 합하지 않는다. 만약 제 1변은 양에 속하기에 그 나머지가 5나 9로 다 홀 수이고, 뒤의 이변은 음에 속하기 때문에 그 나머지가 4나 8로 짝수이다. 양에 속하는 것은 양은 3이고 음은 1이니 둘레가 3일 때 지름이 1이다. 음에 속하는 것은 음양이 각각 2이니 둘레가 4일 때 그 반을 쓰는 것이다. 이것은 3변을 모두 걸어 얻는 것이다. 3변한 후에 노음과 노양의 수의 근본은 다 8이다. 노(老)는 움직이지만 음의 성질은 본래 고요하기 때문에 음의 4를 덜어 양에 돌려 노양은 12가 되고 노음은 4가 된다. 소음과 소양의 수의 근본은 다 24이다. 소(少)는 고요하지만 양의 성질은 본래 움직인다. 그러므로 양의 4를 덜어 음에 돌려 소음은 28이 되고 소양은 20이 된다. 이 또한 3변을 모두 걸어 얻는 것이다. 만약에 뒤의 2변을 걸지 않으면 모두 얻지 못한다. 자세한 것은 아래 글에 보인다.

伊川先生揲著法云, 先以右手指於左手之中, 取著一莖, 掛於左手小指之間, 此名奇也. 次以右手四揲左手之著, 四揲之餘數, 寘案之東西隅, 此名右手之扐. 復以左手四揲右手之著, 四揲之餘亦置於案之東南隅, 此名左手之扐. 其兩手所握之著, 爲所得之正策數.

이천선생의 설시법에 이르길, 먼저 오른 손으로 왼손에서 시초 한 개를 취해서 왼 손의 소지(小指)사이에 거니 이것을 '기(奇)'라고 한다. 다음에 오른 손으로 왼손의 시초를 4개씩 세는데 4개씩 세고 남은 것을 책상의 왼쪽 모퉁이에 놓으니 이것을 오른손의 륵(扐)이라 한다. 다시 왼손으로 오른 손의 시초를 세어 4개씩 세고 남은 나머지를 역시 책상의 왼쪽 모퉁이에 놓으니 이것을 왼손의 륵(扐)이라 한다. 그 양손에 쥐고 있는 시초가 얻어진 바른 책수가 된다.

又云, 再以左右手, 分而爲二, 毎不重掛奇. 又云, 三變訖, 乃歸先所掛之奇於第一扐之中, 次合正策數. 又四揲布之案上, 得四九爲老陽. 〈郭氏曰, 此法先人親受於伊川先生, 雍復受於先人, 本無文字. 歲月滋久, 慮或遺忘, 謹詳書之.〉

또 말하였다: 다시 왼손과 오른손으로 나누어 둘로 나누고, 다시 거는 것[掛]과 나머지[奇]는 중복하지 않는다. 또 말하였다: 삼변을 마치면 먼저 건 나머지를 첫 번째 륵 가운데 돌리고, 다음으로 정책(正策)의 수에 합한다. 또 4개씩 책상 위에 세어 펼치고 4×9을 얻으면 노양이 된다. 〈곽씨가 말하였다: 이 법은 선인이 친히 이천선생에게 배웠고 옹(雍)이 다시 선인에게 배운 것으로 본래 문자가 없다. 세월이 오래되어 아주 잊어버릴까 염려되어 삼가 자세히 적는다.〉

朱子曰, 今按此說, 尤多可疑. 然郭氏旣云, 本无文字, 則其傳受之際, 不无差舛宜矣. 其以掛一爲奇, 而第二三變不掛, 愚已辨矣. 其曰兩手餘數置之案隅, 而不置之指間, 則非歸奇於扐之義. 其以一變過揲之著便爲正策, 則未合四九四六四七四八之數. 其曰, 三變訖乃歸先所掛之奇於第一扐之中, 則其掛之之久也无用, 其歸之之晩也无說, 而尤不合於大傳所言之次第. 又以四揲正策布之案上然後, 見所得之爻, 則其重複又甚焉. 凡此恐皆非伊川先生之本意也. 覽者詳之.

주자가 말하였다: 지금 이 설을 살펴보면 더욱 의심할 것이 많다. 그렇지만 곽씨가 이미 말하길, 본래 문자가 없다고 했으니 가르치고 배우고 사이에 어긋나고 잘못됨이 없을 수 없다. 1개를 건 것[掛一]을 기(奇)라고 여기고 제2변과 제3변을 걸지 않는다는 것에 대해서는 내가 이미 분별하였다. 양 손의 남은 것을 책상모퉁이에 놓고 손가락 사이에 놓지 않는다면 나머지를 륵에 돌리는[歸奇於扐] 뜻이 아니다. 1변을 세고 남은 시초를 정책으로 삼는다면 4×9, 4×6, 4×7, 4×8의 수에 합하지 않는다. 삼변을 마치면 먼저 건 나머지를 첫 번째 륵 가운데 돌린다면, 건 것이 오래되어 또한 쓸 수가 없고 돌린 것이 늦어져서 또한 설명할 수 없으니 더욱 「계사전」에서 말한 순서와 합하지 않는다. 또 4개씩 센 정책을 책상 위에 펼친 뒤에야 효를 얻을 수 있다면 중복이 심하다. 이는 아마도 이천 선생의 본의가 아닐 것이다. 보는 자는 자세히 보아야 한다.

按, 掛一爲奇, 後二變更不重掛之誤, 上章已辨之矣. 其曰, 兩手餘數置之案隅, 而不置之指間, 則雖名某手之扐, 然扐是指間扐物處, 則此所云者非歸奇於扐之義也.

내가 살펴보았다: 1개를 건 것[掛一]을 기(奇)라고 여기고 제2변과 제3변을 걸지 않는다는 것의 오류에 대해서는 윗 장에서 이미 분별하였다. 그가 "양 손의 남은 것을 책상모퉁이에 놓고 손가락 사이에 놓지 않는다"고 한 것은 비록 어느 손의 륵이라 불러도 그 륵은 물건을 륵하는 곳이지 이것이 말하는 것이 나머지를 륵에 돌린다는[歸奇於扐] 뜻은 아니다.

其以一變過揲之蓍, 遽謂之正策, 則初變過揲或四十四或四十, 於四九四六四七四八之數不合. 夫所謂正策之數, 將安用之.

1변을 세고 남은 시초를 정책으로 삼는다면 초변의 과설이 혹 44나 40이 되어 4×9, 4×6, 4×7, 4×8의 수에 합하지 않는다. 이른바 정책의 수라는 것을 장차 어떻게 쓰겠는가?

其曰三變訖, 乃歸先所掛之於第一扐之奇中, 則其初變之掛, 必待三變而歸, 是掛之太久而已無所用, 三變之後, 歸于初變之扐, 是歸之太晚而亦無其說.

그가 "삼변을 마치고서 첫 번째 륵한 나머지 가운데 먼저 건 것을 돌린다"고 하였으니, 그 초변의 거는 것[掛]은 반드시 삼변을 기다린 뒤에 돌리면 이는 거는 것[掛]이 너무 오래 되어 쓸모가 없고, 삼변의 후에 초변의 륵에 돌리면 이는 너무 늦게 되어 또한 설명할 길이 없다.

此以大傳考之, 其揲之以四, 尙未言第一扐置之何處, 豈先言三變後, 歸掛一於第一扐之中乎. 且五歲再閏之文, 俱在一變之內, 而今於五歲之前, 乃以歸奇象閏, 爲三變以後事. 郭氏雖以後二變當再扐, 猶在三變之內, 豈於再扐之前, 先言三變後之歸奇乎. 此皆與本文次序, 尤不合矣.

이것을 「계사전」에서 살펴보면 4개씩 세라고만 하고 제 일륵(一扐)를 어느 곳에 놓을 것인지 말하지 않았는데, 어찌 먼저 삼변의 뒤에 건 1개를 첫 번째 륵 가운데 돌린다고 말하겠는가? 또 5년에 두 번 윤이 든다는 문장은 모두 1변 가운데 있는데 이제 5년의 앞에 있어서 '귀기(歸奇)'와 '상윤(象閏)'을 삼변 뒤의 일로 삼았다. 곽씨가 비록 뒤의 2변을 재륵에 해당시켜서 여전히 3변의 안에 있는 것 같지만, 어찌 재륵의 전에 먼저 삼변 뒤의 귀기(歸奇)를 말하는가? 이는 다 본문의 차례와 합하지 않는다.

又以四揲正策, 布之案上然後, 見陰陽老少之爻, 則其重複又甚於劉氏再運之說. 凡此皆非伊川本意也.

또 4개씩 센 정책을 책상 위에 펼친 뒤에야 음양노소의 효를 얻을 수 있다면, 유씨(劉氏)의 재운(再運)의 설보다 중복이 심하다. 이는 모두 이천 선생의 본의가 아니다.

兼山郭氏曰, 蓍必用四十九者, 惟四十九卽得三十六三十二二十八二十四之策也. 蓋四十九去其十三則得三十六, 去其十七則得三十二, 去其二十一則得二十八, 去其二十五則得二十四. 凡得者策數也, 去者所餘之扐也. 〈雍曰, 世俗皆以三多三少定卦象. 如此則不必四十九數. 凡三十三三十七四十一四十五五十三五十七六十一六十五六十九七十三七十七八十一八十五八十九九十三九十七, 皆可以得初揲非五卽九, 再揲三揲不四卽八之數. 獨不可以得三十六三十二二十八二十四之策爾.〉

겸산곽씨가 말하였다: 시초에서 반드시 49를 쓰는 것은 49만이 36·32·28·24책을 얻기 때문이다. 49에서 13을 제거하면 36이고 17을 제거하면 32이고 21을 제거하면 28이고 25를 제거하면 24이다. 얻는 것은 책수이고 버리는 것은 남는 륵이다. 〈곽옹이 말하였다: 세속에서 모두 삼다(三多)와 삼소(三少)로 괘상을 정한다. 이와 같이 한다면 반드시 49수일 필요가 없다. 33,37,41,45,53,57,61,65,69,73,77,81,85,89,93,97은 모두 초변에서 5아니면 9가 되고 2변과 3변에서 4아니면 8의 수를 얻을 수 있다. 다만 36·32·28·24책을 얻지 못할 뿐이다.〉

朱子曰, 今按此書之中此說, 最爲要功, 而其疏率亦无甚於此者. 蓋四十九者, 著之全數也. 以其全而揲之, 則其前爲掛扐, 其後爲過揲. 以四乘掛扐之數, 必得過揲之策. 以四除過揲之策, 必得掛扐之數. 其自然之妙, 如牝牡之相銜, 符契之相合, 可以相勝而不可以相无. 且其前後相因, 固有次第, 而掛扐之數所以爲七八九六, 又有非偶然者, 皆不可以不察也. 今於掛扐之數, 旣不知其所自來, 而以爲无所務於揲法, 徒守過揲之數以爲正策, 而亦不知正策之所自來也. 其欲增損全數以明掛扐之可廢, 是又不知其不可相无之說, 其失益以甚矣. 聖人之道中正公平, 無向背取舍之私, 其見於象數之自然者, 蓋如此. 今乃欲以一偏之見議之, 其亦誤矣.

주자가 말하였다: 지금 살펴보면 이 책 가운데 이 설이 가장 긴요하고 절실하지만 소략함은 이보다 심한 것이 없다. 49는 시초의 전수이다. 전수를 가지고 설시를 하면 그 앞은 괘륵(掛扐)이 되고 그 뒤는 과설(過揲)이 된다. 4로 괘륵지수(掛扐之數)에 곱하면 반드시 과설지책(過揲之策)을 얻는다. 4로 과설지책(過揲之策)을 나누면 반드시 괘륵지수(掛扐之數)를 얻는다. 그 자연스러운 신묘함이 암수가 상함하는 것과 같고 신표가 서로 합하는 것과 같아서 서로 감당할 수는 있어도 서로 없을 수는 없다. 그리고 그 전후가 서로 원인이 되는 것이 진실로 순서가 있어서 괘륵지수(掛扐之數)가 7,8,9,6이 됨은 또 우연한 것이 아니니 살피지 않을 수 없다. 지금 괘륵지수(掛扐之數)에 대해 이미 그 유래를 알지 못하고 설시법을 지키는 데 힘쓸 필요가 없다고 생각하고 한갓 과설지수(過揲之數)만 정책(正策)으로 삼는다면 또한 정책(正策)의 유래를 알지 못하는 것이다. 전수를 더하고 덜어 괘륵지수(掛扐之數)를 폐할 수 있음을 밝히고자 하니, 이것은 또 서로 없을 수 없다는 설명을 알지 못하는 것으로 그 잘못이 더욱 심하다. 성인의 도는 중정하고 공평하여 향배(向背)와 취사(取捨)에 사사로움이 없으니 상수의 저절로 그러함에 드러남이 이와 같다. 지금 한 쪽의 견해로 의론하는데 그 또한 잘못이다.

按, 四十九者, 著之所用全數也. 以其全數而揲之, 其掛扐之奇偶參之兩之, 而九八七六, 其過揲得三十六三十二二十八二十四之數, 卽是四九四八四七四六也. 夫掛扐雖若後於過揲, 而掛一已在揲四之前. 掛與扐每變已有得三得二之數, 合三變而卽成九八七六. 若過揲則必待三變之後得四九四六等數. 在初二變不得言過揲所得之數, 是謂其前爲掛扐其後爲過揲, 而掛扐之七八九六, 以四乘之, 必得過揲三十六三十二二十八二十四之數. 過揲之四九四八四七四六, 以四除之, 必得掛扐七八九六之數. 二者相對乘除迭相贏乏, 其自然之妙如牝牡之相銜符契之相合, 可相勝而不可相無. 牝牡相銜, 謂兩物聯接, 柄鑿相入也. 符契相合謂一物判合凹凸相當也. 朱子嘗言, 諸路地圖傍設牝牡, 使其犬牙相入者, 意亦如此.

내가 살펴보았다: 49는 시초를 쓰는 온전한 수이다. 그 온전한 수로 설시하면 그 괘륵의 기우를 3으로 하고 2로 하여 9·8·7·6이 되고 그 과설은 36·32·28·24 수이니 곧 4×9, 4×8, 4×7, 4×6이다. 괘륵이 과설보다 뒤인 것 같지만 1을 건 것이 이미 4개씩 세는 것보다 앞선다. 괘(掛)와 륵(扐)은 매 변에서 3과 2의 수를 얻으니 3변을 합하면 9·8·7·6을 이룬다. 과설이라면 반드시 3변이 마치길 기다려 4×9, 4×6 등의 수를 얻고, 초변과 2변에서는 과설하여 얻은 수라고 말하지 못하니 이것을 앞이 괘륵이 되고 뒤가 과설이 된다고 하는 것이다. 괘륵의 7·8·9·6을 4로 곱하면 반드시 과설의 36·32·28·24의 수를 얻는다. 과설의 4×9, 4×8, 4×7, 4×6을 4로 나누면 반드시 괘륵의 7·8·9·6의 수를 얻는다. 두 가지가 상대해서 곱하고 나누며 서로 차고 모자람에 그 자연한 묘가 빈모가 서로 상함(相銜)하는 것 같고 신표가 서로 합하는 것과 같아서 서로 이겨 서로 없을 수 없다. 빈모가 서로 상함한다는 것은 두 물건이 연접하여 자루와 구멍이 서로 들어가는 것과 같다. 신표가 서로 합함은 한 물건을 나누어 요철이 서로 합하는 것이다. 주자가 일찍이 말하길, 모든 길의 지도에 곁으로 빈모를 베풀어놓아 들쑥날쑥하게 만들었으니 의미가 또한 이와 같다.

相勝, 退溪先生所謂有進有退迭爲消長若相制勝也. 且其掛扐旣在前過揲旣在後, 過揲之數因於掛扐者, 固有次第, 而掛扐之數, 又因奇偶參兩之法而成七八九六者亦非偶然, 皆不可不察也.

서로 이김[相勝]은 퇴계선생이 말한 진퇴가 있어 서로 줄어들고 늘어나 서로 제재하여 이기는 것과 같다는 것이다. 그리고 괘륵이 이미 앞에 있고 과설이 뒤에 있으면 과설지수는 괘륵을 통해 차례가 있게 되고, 괘륵지수는 또 기우삼양(奇偶參兩)의 법을 통해 7·8·9·6을 이룸이 또한 우연이 아니니 모두 살펴야 한다.

今於掛扐之數, 旣不知其本於方圓參兩之法, 而以爲無預於揲法, 徒守過揲四九四八四六之數以爲正策, 而亦不知正策之本於掛扐九八七六之數. 其欲求四十九之全數, 四四增之, 自五十三至九十七, 四四損之, 自四十五至三十三, 以爲皆可以得初揲非五則九, 再三揲非四則八之數, 獨不可以得過揲三十六三十二二十八二十四之策, 以明掛扐之可廢, 過揲之獨用, 是又不知掛扐九八七六, 過揲四九四八四七四六, 不可相無之說, 其失益甚矣.

지금 괘륵지수(掛扐之數)에 대해 이미 그것이 방원(方圓)의 삼양(參兩)법에 근본한 것을 알지 못하여 설시법에 간여함이 없다고 생각하고, 한갓 4×9, 4×8, 4×7, 4×6의 수만 지켜서 정책(正策)으로 삼고 또한 정책(正策)이 괘륵의 9·8·7·6의 수에 근본한 것을 알지 못한다. 49의 전수를 구하고자 4개씩 더해 53에서 97에 이르고 4개씩 덜어 45에서 36에 이르고서 모두 초설(初揲)에 5아니면 9이고 재설과 삼설에 4아니면 8의 수를 얻을 수 있다고 여겼으며 다만 과설(過揲)의 36·32·28·24책을 얻지 못함을 가지고 괘륵(掛扐)을 버릴 수 있고 과설(過揲)만 쓸 수 있다고 하니 이 또한 괘륵의 9·8·7·6과 과설의 4×9, 4×8, 4×7, 4×6이 서로 없을 수 없다는 설을 알지 못하는 것이다. 잘못이 더욱 심하다.

其掛扐過揲不可相無者, 是象數自然之妙, 而聖人之道中正公平, 無向肯取舍之私, 可見於此. 今乃以一偏之見, 必欲舍此而取彼, 其亦誤矣. 且以三變爲三揲, 本是正義之誤, 而前章已辨之. 此則郭氏因正義本文言之, 故此不復論.

괘륵과 과설이 서로 없을 수 없음은 상수의 자연한 묘로 성인의 도는 중정하고 공평해서 향배에 취하고 버리는 사사로움이 없음을 여기서 볼 수 있다. 지금 한 편의 견해로 이것을 버리고 저것을 취하려 하니 그 또한 잘못이다. 또 3변을 3설로 여긴 것은 본래『주역정의』의 잘못으로 앞장에서 이미 변론했다. 이것은 곽씨가『주역정의』본문에 의거해 말했기 때문에 여기에서 다시 논하지 않는다.

按, 啓蒙註, 引此條, 要解, 以前後相因固有次第, 爲過揲在前, 掛扐在後, 雖其前後, 固有次第云云. 然上文旣明言, 其前爲掛扐, 其後爲過揲, 以辨郭氏不知正策之所自來, 則要解似失之.

내가 살펴보았다:『역학계몽』의 주에서 이 조목을 인용하였는데『역학계몽요해』에서는 전후가 서로 근거해 차례가 있어 과설이 앞에 있고 괘륵이 뒤에 있으니 비록 앞에 있고 뒤에 있지만 진실로 차례가 있다고 운운하였다. 그렇지만 윗글에서 이미 앞이 괘륵이 되고 뒤가 과설이 된다고 분명히 말하여 곽씨가 정책의 유래를 모른다고 변론했으니『요해』에서 잘못 본 것 같다.

又按, 胡雙湖翼傳謂, 朱子用掛扐而不用過揲. 夫掛扐過揲雖有原委之不同, 朱子言其不可偏廢, 若是詳悉, 則雙湖說亦未爲的當矣.

또 살펴보았다: 쌍호호씨의『계몽익전』에서, "주자는 괘륵을 쓰고 과설을 쓰지 않았다"고 하였다. 괘륵과 과설에 비록 본말의 다름은 있지만 주자는 치우쳐 폐하면 안된다고 했으니 이처럼 자세히 갖추려면 쌍호의 설도 적당하지 않다.

김상악(金相岳) 『산천역설(山天易說)』

二篇謂上下經也. 凡陽爻一百九十二, 得六千九百一十二策, 陰爻一百九十二, 得四千六百八策, 合爲一萬一千五百二十策, 當萬物之數也.

두 편은 상하경을 말한다. 양효가 192로 6912책이고 음효가 192로 4608책이니 합하면 11520책이 되어 만물의 수에 해당한다.

오치기(吳致箕) 「주역경전증해(周易經傳增解)」

乾屬老陽, 故一爻之策爲三十六, 而六爻之策合爲二百一十有六. 坤屬老陰, 故一爻之策爲二十四, 而六爻之策合爲百四十有四, 皆以過揲之策言也. 當謂適相當也. 期之日謂一年之日數也. 二篇之策謂上下經三百八十四爻之策也. 若以諸爻陰陽總論之, 陽爻百九十二, 皆本乎乾陽, 故每一爻爲三十六策, 而合得六千九百一十二策, 陰爻百九十二, 皆本乎坤陰, 故每一爻爲二十四策, 而合得四千六百八策, 總之爲萬有一千五百二十, 當萬物之數也.

건은 노양에 속하기 때문에 1효의 책이 36이고 6효의 책을 합하면 216이다. 곤은 노음에 속하기 때문에 1효의 책이 24이고 6효의 책을 합하면 144이니 모두 과설의 책으로 말한 것이다. '당(當)'은 서로 알맞게 해당한다는 것이다. 기(期)의 날이라는 것은 1년의 날 수이다. 두 편의 책은 상하경의 384효의 책이다. 만약 모든 효의 음양으로 총론하면 양효는 192로 모두 본래 건괘의 양에 속하기 때문에 매 1효가 36책이 되고 합하면 6912책이 되며, 음효는 144로 모두 본래 곤괘의 음에 속하기 때문에 매 1효가 24책이 되고 합하면 4608책이 되어 모으면 11520이 되어 만물의 수에 해당한다.

이진상(李震相) 『역학관규(易學管窺)』

二篇之策.

상하 두 편(篇)의 책수(策數).

陽爻百九十二, 以老陽策三十六乘之, 則爲六千九百十二, 陰爻百九十二, 以老陰策二十四乘之, 則爲四千六百八, 合之爲萬一千五百二十. 以二少乘之亦然. 易法之用九六而不用七八, 於此可見.

양효 192를 노양책수인 36으로 곱하면 6912가 되고, 음효 192를 노음책수인 24로 곱하면 4608이 되며 합하면 11520이 된다. 소양과 소음으로 곱해도 마찬가지이다. 역법은 9와 6을 쓰고 7과 8을 쓰지 않음을 여기에서 볼 수 있다.

小註, 數有未及.

소주의 "수에 언급하지 않음이 있다".

數當作疏.

'수(數)'는 마땅히 '소(疏)'로 바꿔야 한다.

○ 白雲說.

백운의 설

据本文, 有當作必, 象當作家, 且以分別老少謂非聖人之意者, 誤矣.

본문에 의거해볼 때 '유(有)'자는 '필(必)'자로 써야하고, '상(象)'자는 '가(家)'자로 해야 한다.[235] 그리고 '노소의 상을 분별함'을 가지고, 성인의 뜻이 아니라고 한 것은 잘못이다.

---

235) 然卜史之象欲取動爻之後卦.

是故, 四營而成易, 十有八變而成卦,

이러므로 네 번 경영하여 역(易)을 이루고 18번 변하여 괘(卦)를 이루니,

‖中國大全‖

本義

四營, 謂分二, 掛一, 揲四, 歸奇也. 易, 變易也, 謂一變也. 三變成爻, 十八變則成六爻也.

네 번 경영한다는 것은 둘로 나누고 하나를 걸고 넷으로 세고 나머지 수를 돌리는 것이다. 역(易)은 변역(變易)이니 한 번 변(變)함을 이른다. 세 번 변하여 효(爻)를 이루니, 18번 변하면 육효(六爻)를 이룬다.

小註

朱子曰, 四營而成易, 易字, 只是個變字, 四度經營方成一變. 若說易之一變, 卻不可, 這處, 未下得卦字, 亦未下得爻字, 只下得易字.

주자가 말하였다: "네 번 경영하여 역을 이룬다"에서 '역(易)'자는 '변(變)'자이니 네 번 경영해야 비로소 일변(一變)을 이룬다. 만약 역의 일변(一變)이라고 말해도 안 된다. 이런 곳에서는 '괘(卦)'자를 쓸 수도 없고 '효(爻)'자를 쓸 수도 없어 다만 '역(易)'자를 썼다.

○ 四營而成易者, 營謂經營, 易卽變也, 謂分二掛一揲四歸奇, 凡四度經營蓍策乃成一變也. 十有八變而成卦者, 謂旣三變而成一爻, 復合四十九策, 如前經營以爲一變, 積十八變則成六爻而爲一卦也. 其法初一變, 兩揲之餘爲掛扐者, 不五則九. 第二變, 兩揲之餘爲掛扐者, 不四則八. 第三變, 兩揲之餘爲掛扐者, 亦不四則八. 五四爲少, 九八爲多. 若三變之間, 一五兩四則謂之三少, 一九兩八則謂之三多. 或一九一八而一四, 或一五而二八則謂之兩多一少, 或一九而二四, 或一五一四而一八, 則謂之兩少一多. 蓋四十九策, 去其初掛之一而存者四十八. 以四揲之, 爲十二揲之數. 四五爲少者,

一撰之數也, 八九爲多者, 兩撰之數也. 一撰爲奇兩撰爲偶. 奇者屬陽而象圓, 偶者屬陰而象方. 圓者, 一圍三而用全, 故一奇而含三. 方者, 一圍四而用半, 故一偶而含二也. 若四象之次, 則一曰太陽二曰少陰三曰少陽四曰太陰. 以十分之, 則居一者含九, 居二者含八, 居三者含七, 居四者含六, 其相爲對待而具於洛書者亦可見也. 故三少爲老陽者, 三變各得其一撰之數, 而三三爲九也. 其存者三十六, 而以四數之, 復得九撰之數也. 左數右策, 則左右皆九. 左右皆策, 則一而圍三也. 三多爲老陰者, 三變各得兩撰之數, 而三二爲六也. 其存者二十四, 而以四數之, 復得六撰之數也. 左數右策, 則左右皆六. 左右皆策, 則圍四用半也. 兩多一少爲少陽者, 三變之中, 再得兩撰之數, 一得一撰之數, 而兩二一三爲七也. 其存者二十八, 而以四數之, 復得七撰之數也. 左數右策則左右皆七. 左右皆策則方二圓一也. 方二謂兩八, 圓一謂一十二. 兩少一多爲少陰者, 三變之中再得一撰之數, 一得兩撰之數而二三一二爲八也. 其存者三十二而以四數之復得八撰之數也. 左數右策則左右皆八. 左右皆策則圓二方一也. 圓二謂兩十二, 方一謂一八.

"네 번 경영해서 역을 이룬다"에서 영(營)은 경영이고 역(易)은 곧 변(變)이니 둘로 나누고 하나를 걸고 4개씩 세고 나머지를 돌리니 모두 네 번 경영해서 1변을 이룬다. "18변하여 괘를 이룬다"는 것은 3변해서 1효를 이루고 다시 합친 49책을 앞에서와 같이 경영하여 1변을 이루고 쌓아서 18변이 되면 한 괘를 이룸을 말한다. 그 방법은 처음 1변에서 양쪽 손의 것을 세고 남아 걸고 끼운 수는 5나 9이다. 제 2변에서 양쪽 손의 것을 세고 남아 걸고 끼운 수는 4나 8이다. 제 3변에서 양쪽 손의 것을 세고 남아 걸고 끼운 수도 4나 8이다. 5와 4는 적고 9와 8은 많다. 만약 3변하는 사이에 5가 하나이고 4가 둘이면 '삼소(三少)'라 부르고, 9가 하나이고 8이 둘이면 삼다(三多)라 부른다. 혹 9가 하나 8이 하나 4가 하나이거나 5가 하나이고 8이 둘이면 양다일소(兩多一少)라 부르고, 혹 9가 하나 4가 둘이거나 혹 5가 하나 4가 하나 8이 하나이면 양소일다(兩少一多)라 부른다. 49책에서 처음에 건 1을 제외하면 남는 것이 48책이다. 4개씩 세었기에 12번 세는 수가 된다. 4나 5가 적은 것은 한 번 센 수이고 8이나 9가 많은 것은 두 번 센 수이다. 한 번 센 것은 기(奇)이고 두 번 센 것은 우(偶)이다. 기(奇)는 양에 속해 원을 상징하고 우(偶)는 음에 속해 방을 상징한다. 원(圓)은 지름이 1일 때 둘레가 3인데 전부를 다 쓰기 때문에 하나의 기(奇)가 삼(三)을 포함한다. 방(方)은 직경이 1일 때 둘레가 4인데 절반을 쓰기 때문에 하나의 우(偶)가 이(二)을 포함한다. 사상의 순서로 말하면, 1이 태양이고 2가 소음이고 3이 소양이고 4가 태음이다. 10을 분리하면 1에 거해 9를 품고, 2에 거해 8을 품고, 3에 거해 7을 품고, 4에 거해 6을 품어 서로 대대(對待)하니 「낙서」에 구비된 것에서도 볼 수 있다. 그러므로 삼소(三少)로 노양인 경우는 3번에 각기 한 번 센 수를 얻어 3×3=9이다. 그 남아있는 책수가 36인데 4개씩 따지면 다시 9번 센 수를 얻는다. 좌[왼 손]는 수로 따지고 우[오른 손]는 책수로 따지면 좌우가 다 9이다. 좌우를 모두 책수로 따지면 1에 둘레가 3인 셈이다. 삼다(三多)로 노음인 경우는 3변에 각기 한두 번 센 수를 얻어 3×2=6이다. 그 남아있는 책수가 24인데 4개씩 따지면 6번 센 수이다. 좌[왼 손는 수로 따지고 위[오른 손는 책수로 따지면 좌우가 다 6이다. 좌우를 모두 책수로 따지면 둘레가 4인데 절반을 쓰는 셈이다. 양다일소(兩多一少)로 소양인 경우는 3변에 두 번 센 수를 2번 얻고 한 번 센 수를 1번 얻어 (2×2)+(1×3)=7이다. 그 남아있는 책수가 28인데 4개씩 따지면 7번 센 수이다. 좌[왼 손는 수로 따지고 위[오른 손는 책수로 따지면 좌우가 다 7이다. 좌우를 모두 책수로 따지면 방은 2이고 원은 1이다. 원이 1이라는 것은 하나의 12를 말한다. 양소일다(兩少一多)로 소음인 경우는 3변에 두 번 센 수를 1번 얻고 한 번 센 수를 2번 얻어 (2×3)+(1×2)=8이다. 그 남아있는 책수가 32인데 4개씩 따지면 8번 센 수이다. 좌[왼 손는 수로 따지고 위[오른 손는 책수로 따지면 좌우가 다 8이다. 좌우를 모두 책수로 따지면 원은 2이고 방은 1이다. 원이 2라는 것은 둘인 12이다. 방이 1이라는 것은 하나의 8을 말한다.

○ 多少之說雖不經見, 然其實以一約四, 以奇爲少, 以偶爲多而已. 九八者, 兩其四也, 陰之偶也, 故謂之多. 五四者, 一其四也, 陽之奇也, 故謂之少. 奇陽體圓, 其法徑一圍三而用其全, 故少之數三. 偶陰體方, 其法徑一圍四而用其半, 故多之數二. 歸奇積三三而爲九, 則其過揲者四之而爲三十六矣. 歸奇積三二而爲六, 則其過揲者四之而爲二十四矣. 歸奇積二三一二而爲八, 則其過揲者四之而爲三十二矣. 歸奇積二二一三而爲七, 則其過揲者四之而爲二十八矣. 過揲之數, 雖先得之, 然其數衆而繁, 歸奇之數, 雖後得之, 然其數寡而約. 紀數之法, 以約御繁, 不以衆制寡. 故先儒舊說, 專以多少決陰陽之老少, 而過揲之數亦冥會焉, 初非有異說也.

다소(多少)의 설명은 경전에는 나타나지 않지만 1로 4를 요약하여 기(奇)를 소(少)를 삼고 우(偶)를 다(多)로 삼을 뿐이다. 9나 8은 그 4가 둘이니 음의 우(偶)이기 때문에 다(多)라고 한다. 5나 4는 그 4가 하나이니 양의 기(奇)이기 때문에 소(少)라고 한다. 기(奇)는 양으로 원의 몸체이니 그 법은 지름이 1일 때 둘레가 3이고 그 전부를 쓰기 때문에 소(少)의 수가 3이다. 우(偶)는 음으로 방의 몸체이니 그 법은 직경이 1일 때 둘레가 4이고 그 절반을 쓰기 때문에 다(多)의 수가 2이다. 나머지를 돌려서 축적된 것이 3×3=9이면 그 세고 남은 것을 4개씩 따지면 36이다. 나머지를 돌려서 축적된 것이 3×2=6이면 그 세고 남은 것을 4개씩 따지면 24이다. 나머지를 돌려서 축적된 것이 (2×3)+(1×2)=8이면 그 세고 남은 것을 4개씩 따지면 32이다. 나머지를 돌려서 축적된 것이 (2×2)+(1×3)=7이면 그 세고 남은 것을 4개씩 따지면 28이다. 세고 남은 수는 비록 먼저 얻었지만 그 수가 많고 번거로우며 나머지를 돌린 수는 비록 뒤에 얻었지만 그 수가 적고 간략하다. 수를 기록하는 법은 간략함으로 번거로운 것을 통어하지 많은 것으로 간략한 것을 제어하지는 않는다. 그러므로 앞선 학자들의 옛 설명은 오로지 다소(多少)를 가지고 음양의 노소를 결단하였지만 세고 남은 수 또한 은근히 부합하니 처음부터 이설이 있었던 것은 아니다.

○ 平菴項氏曰, 此一節以是故發辭, 蓋接上文二篇之策而論揲蓍求卦之法, 于以總括夫一章之事也, 自下文八卦小成以下, 乃言得卦之後, 占象推演之法, 而一章之事備矣.
평암항씨가 말하였다: 이 한 구절은 '시고(是故)'의 이끄는 말로 윗 글의 '이편지책(二篇之策)'을 이어서 설시하여 괘를 구하는 방법을 논했으니 이 장의 일을 총괄하였고, 아래 글의 '팔괘소성(八卦小成)' 이하는 괘를 얻은 뒤에 점친 상을 미루어 넓히는 법을 말하여 이 장의 일을 구비하였다.

‖韓國大全‖

박치화(朴致和)「설계수록(雪溪隨錄)」
四營四時之義也. 四營而十八變, 則爲七十二, 應七十二候之數也.
네 번 경영함은 사시의 뜻이다. 네 번 경영해서 18변을 하면 72가 되어 72절후의 수에 대응한다.

유정원(柳正源)『역해참고(易解參攷)』
四營.
네 번 경영한다.

小註, 朱子說, 左數右策, 左右皆策. 詳見河洛指要.
소주에 주자가 말한 좌(왼 손는 수로 따지고 우(오른 손는 책수로 따진다는 것과 좌우를 모두 책수로 따진다는 것은 자세한 내용이 『하락지요』에 보인다.

案, 揲蓍之法始於此. 正義小失其指, 而郭氏辨疑辨證釋疑等書, 又大失焉. 朱子辨正, 詳見於蓍卦考. 誤纂註者, 往往引郭氏說, 而不載朱子辨說, 致人疑晦難明. 故今抄錄如左, 因略釋其意, 使讀者有所攷焉.

내가 살펴보았다: 설시하는 법은 여기에서 시작하였다. 『주역정의』에서는 그 뜻을 조금 잃어버렸고 곽씨의 변의와 변증과 석의 등의 글에서도 크게 잃어버렸다. 주자가 바르게 변증한 것은 「시괘고」에 자세하게 보인다. 주를 잘못 모으는 자는 종종 곽씨의 설을 인용하고 주자의 변증을 싣지 않아 사람들을 의심하고 어둡게 하여 밝히기 어렵게 만들었다. 그렇기 때문에 지금 아래에 초록을 해놓으며 그 뜻을 대략 풀어 읽는 사람들이 상고하게 하였다.

正義, 推演天地之數, 唯用五十策. 就五十策中去其一, 餘所用者四十有九. 合同未分是象太一也. 分而爲二以象兩者, 以四十九分而爲二, 以象兩儀也.[此以上繫節文] 掛一以象三者, 就兩儀之間, 於天數之中, 分掛其一, 而配兩儀, 以象三才也. 揲之以四以象四時者, 分揲其蓍, 皆以四四爲數以象四時也. 歸奇於扐以象閏者, 奇謂四揲之餘, 歸此殘奇於所扐之策而成數, 以法象天道歸殘聚餘分而成閏也. 五歲再閏者, 凡前閏後閏相去略三十二月, 在五歲之中, 故五歲再閏. 再扐而後掛者, 旣分天地, 天於左手, 地於右手, 乃四四揲天之數, 最末之餘, 歸之合於扐掛之一處, 是一揲也. 又以四四揲地之數, 最末之餘, 又合於前歸之扐而總掛之, 是再扐而後掛也.

『주역정의』에서 말하였다: 천지의 수를 미루어 넓히는데 오직 50책을 쓴다. 50책 가운데 1을 제거하고 나머지 쓰는 것이 49이다. 함께 합해서 나누지 않음은 태일을 상징한다. 나누어서 둘로 만들어 양의를 상징한다는 것은 49를 나누어 둘로 만들어 양의를 상징하는 것이다.[이 이상은 계사전의 글이다] 하나를 걸어 삼재를 상징한다는 것은 양의의 사이에 나아가 하늘의 수 가운데서 하나를 분리해 걸어 양의와 배합함으로써 삼재를 상징한 것이다. '넷으로 세어 사시를 상징한다'는 것은 시초를 나누어 세는 것을 모두 4개씩 세어 사시를 상징하는 것이다. 남은 것을 륵에 돌려 윤달을 상징함에서 '기(奇)'는 4개씩 세고 난 나머지인데 이 나머지를 손가락의 책에 돌려 수를 이루어 천도(天道)가 나머지 여분을 돌려 윤달을 이루는 것을 상징한다. 앞의 윤달과 뒤의 윤달의 간격이 32개월인데 5년 내에 있기 때문에 5년에 윤달이 두 번이라고 하였다. 두 번 륵한 뒤에 건다는 것은 이미 천지를 나누고 하늘은 왼손에 땅은 오른손에 두고 4개씩 하늘의 수를 세면 가장 마지막 남는 것을 륵하고 건 것과 한 곳에 합해놓으니 이것이 한번 셈이다. 또 4개씩 땅의 수를 세어 가장 마지막 남는 것을 앞에서 륵에 돌린 것을 합해서 모두 거니 이것이 두 번 륵한 뒤에 거는 것이다.

朱子曰, 今攷正義之說, 大槪不差. 但其文有闕略不備, 及顚倒失倫處, 致人難曉. 又解掛扐二字, 分別不明, 有以大起諍論, 而是一揲也之揲, 以傳文及下文攷之, 當作扐字. 恐傳寫之誤也. 已下見小註

주자가 말하였다: 지금 『주역정의』의 설을 고찰해보니 크게는 착오가 없다. 다만 글에 빠지거나 생략되어 갖추어지지 않은 곳이 있어 거꾸로 되고 차례를 잃은 곳이 있으니 사람들이

알기 어렵게 만든다. 또 건대[掛]와 륵[扐]한다는 두 글자의 구분이 명확하지 않아 큰 논쟁을 일으킬 수 있으니 여기에서 '한번 센다[一揲]'는 '설(揲)'은 「계사전」이나 아래의 글을 상고해 볼 때 마땅히 륵(扐)자가 되어야 한다. 아마도 전하여 베껴 쓸 때의 잘못일 것이다. 이 아래는 소주에 보인다.

案, 正義之說, 其五十虛一, 分二象兩, 掛一象三, 揲四象四, 歸奇象閏等說, 所謂大槪不差者也. 但分二不言置左右兩手, 掛一不言取右手一策懸於某指, 而只云於天數之中分掛其一. 揲四不言以某手先揲某手之策. 歸奇不言某手所揲之零數, 或一或二或三或四者, 歸諸某指. 五歲再閏不言一掛兩揲兩扐爲五歲而其間兩扐象再閏. 又不言而後掛者, 爲第二變掛一, 所謂闊略不備者也.

내가 살펴보았다: 『주역정의』의 설명은 50에서 1을 비우고 둘로 나누어 양의를 상징하고 하나를 걸어서 삼재를 상징하고 4씩 세어 사시를 상징하고 나머지를 돌리어 윤을 상징하는 등의 설로 대략적으로는 착오가 없다. 다만 둘로 나누는 것에 대해 좌우 양 손에 나누어놓는다고 말하지 않고, 하나를 거는 것에 대해 우수의 1책을 취해 아무 손가락에 건다고 말하지 않고, 다만 천수의 가운데 그 하나를 나누어 건다고 하였다. 4씩 센다는 것에 대해 아무 손으로 먼저 아무 손의 책을 센다는 것을 말하지 않았다. 나머지를 돌리는 것에 대해 아무 손으로 세도 남은 것이 1이나 2나 3이나 4인데 아무 손가락에 돌린다고 말하지 않았다. 5년에 두 번 윤달을 두는 것에 대해서 하나를 걸고 두 번 세고 두 번 끼움이 5년이 되고 그 사이에 두 번 륵하는 것이 윤달을 두 번 두는 것을 상징한다고 말하지 않았다. 또 이후에 건다는 것에 대해 제 2변의 하나를 거는 것이라고 말하지 않았으니 이른바 소략해서 갖추지 못했다는 것이다.

其言象兩, 不言左手象天右手象地而只云兩儀, 言歸奇, 又只云歸此殘奇於所扐之策, 及下言再扐而後掛, 乃云天於左手地於右手, 四四揲天之數最末之餘, 歸之合於扐, 四四揲地之數最末之餘, 又合於前所歸之扐, 所謂顚倒失倫也.

양의를 상징하는 것에 대해 좌수는 하늘을 상징하고 우수는 땅을 상징한다는 것을 말하지 않고 다만 양의라고만 하고, 나머지를 돌리는 것에 대해 다만 이 잔여의 나머지를 륵한 책에 돌린다고 하고, 이어서 거듭 륵한 뒤에 건다는 것에 대해 하늘은 왼손에 땅은 오른손에 두고 4개씩 하늘의 수를 세면 가장 마지막 남는 것을 륵에 돌려 합하고, 4개씩 땅의 수를 세어 가장 마지막 남는 것을 앞에서 돌린 륵에 합한다고 하니 이른바 거꾸로 되고 차례를 잃은 곳이 있다는 것이다.

且旣言掛一而又言天數之餘合於扐, 則是以掛而爲扐也. 又言地數之餘合前所歸之扐,則是竝謂之扐也. 旣言歸此殘奇, 而又言總掛之, 是以掛與扐竝謂之掛也. 此所謂解掛扐二字分別不明也. 蓋孔氏旣以而後掛之掛, 不作第二變掛一, 故以掛一與左右奇有合掛一處之誤, 其所以大起諍論者, 以此也.

또 이미 하나를 건다고 해놓고 천수의 나머지를 륵에 합한다고 말했으니 이는 거는 것으로 륵이라고 여긴 것이다. 또 지수의 나머지를 앞에 돌린 륵에 합한다고 했으니 이것도 륵을 말한 것이다. 이미 이런 나머지를 건다고 하고 또 총합해서 건다고 하였으니 이 때문에 건다[掛]는 것과 륵[扐]한다는 것은 모두 건다는 것을 말한 것이다. 이것이 이른바 건다[掛]와 륵[扐]한다는 두 글자의 구분이 명확하지 않다는 것이다. 공씨는 이미 이후에 건다는 것을 제2변에서 하나를 거는 것으로 하지 않았다. 그래서 하나를 거는 것과 좌우의 나머지를 합해 하나를 건다는 것으로 오인하였는데 큰 논쟁을 일으킬 수 있다는 것은 이 때문이다.

正義, 乾之策二百一十有六者 [至] 總合萬有一千五百二十當萬物之數. 見小註.
『주역정의』에서 말하였다: 건의 책수는 216 … 총합은 11520이니 만물의 수에 해당한다. 소주에 보인다.

朱子曰, 凡言策者卽所謂蓍也. 禮曰, 龜爲卜策爲筮. 又曰, 倒策側龜云云. 疏義及其解說, 皆已得之云云. 不專以乾坤爲老六子爲少云云. 疏案, 小註誤作數字, 有未及云云.
주자가 말하였다: '책'이라고 한 것은 시초를 말한다. 『예기』에서 "거북은 복이고 책은 시초이다"라고 하였고, 또 "시초를 전도하고 거북을 뒤집는다"고 운운 하였다. "소의(疏義)와 그 해설이 모두 적합하다"고 운운하였다. "오로지 건곤이 노양노음이고 육자는 소양소음인 것은 아니다"라고 운운하였다. 주소에서 내가 살펴보았다: 소주에는 수(數)자라고 잘못 썼으니, 언급하지 않은 것이 있다고 하였다.

案. 蓍之一筭卽謂一策. 古人用字皆以蓍爲策. 故曲禮曰龜爲卜策爲筮. 又曰倒策側龜. 士冠禮言筮人執策. 少儀又云執龜策. 楚辭亦云端策拂龜, 則此皆指將筮之蓍爲策, 不但指過揲而言者尤分明易見.
내가 살펴보았다: 시초의 한 가지는 곧 1책이다. 옛 사람이 글자를 쓸 때 시(蓍)를 책(策)으로 삼았다. 그렇기 때문에 「곡례」에 거북은 복이고 시초는 서라고 하였다. 또 시초를 전도하고 거북을 뒤집는다고 하였다. 「사관례」에 서인은 책을 잡는다고 하였다. 「소의」에 또 이르길, 거북[龜]과 책을 잡는다고 하였다. 『초사』에도 점대를 바르게 하고 귀갑을 깨끗하게 닦는다고 했으니 이는 모두 서법의 시초를 책이라고 여긴 것으로 세고 남은 것만을 가리켜 말한 것이 아님을 더욱 분명히 알 수 있다.

大傳雖言過揲之策, 亦不以掛扐不爲策也. 疏義及解說, 亦不言過揲爲策掛扐不爲策, 則在經義固已得之, 非如郭氏廢棄掛扐. 但用過揲爲正策之說也.

대전에서 세고 남은 책수[過揲]를 말했지만 역시 걸고 끼운[掛扐] 것을 '책(策)'이라고 여기지 않은 것은 아니다. 소의와 해설에서도 세고 남은[過揲] 것은 '책(策)'이고 걸고 끼운[掛扐] 것은 '책(策)'이 아니라고 하지 않았으니 진실로 경전의 뜻에 참으로 이미 적합하다. 곽씨가 걸고 끼운[掛扐] 것을 버려두고 세고 남은[過揲] 것만을 바른 책(策)으로 삼은 것과는 같지 않다.

且竝言乾少陽一爻二十八策, 坤少陰一爻三十二策, 則非如郭氏以九六爲乾坤, 七八爲六子, 乾坤有象六子无象之說也. 至於乾坤二少之合亦爲三百六十, 二篇二少之合亦萬一千五百二十者, 則皆未及之, 然學者可反隅而知也. 朱子曰, 此獨以老陰陽爲言者, 易用九六而不用七八也. 疑正義亦此意歟.

또 함께 "건의 소양 1효는 28책이고 곤의 소음 1효는 32책이다"라고 하였으니 곽씨가 9와 6을 건곤으로 삼고 7과 8을 여섯 자녀[六子]로 삼아 건곤에는 상이 있지만 여섯 자녀[六子]에게는 상이 없다는 설과도 같지 않다. 건곤의 두 소양소음의 합도 360이고 두 편의 소양소음의 합도 11520임은 모두 언급하지 않은 것이지만 배우는 자가 한 부분을 들면 알 수 있을 것이다. 주자가 "여기에서 유독 노음과 노양으로 말한 것은 역은 9와 6을 쓰고 7과 8을 쓰지 않기 때문이다"라고 하였는데, 아마도 『주역정의』 또한 이 뜻일 것이다.

白雲郭氏曰, 邵子云, 歸奇合扐之數, 得五與四四, 則策數四九云云. 歸奇合扐之數, 謂不用之餘數也, 策數所得之正策數也. 去此不用之餘數, 止語歸奇合扐之餘數, 故有三多三少之言.

백운곽씨가 말하였다: 소자가 "나머지를 돌리고 륵에 합하는 수가 5·4·4를 얻으면 책수는 4×9이다."라고 운운한 것은 나머지를 돌리고 륵에 합하는 수니 쓰지 않는 나머지수를 말하고 책수는 얻어진 그대로의 책수이다. 쓰지 않는 나머지수를 제거하고 단지 나머지를 돌리고 륵에 합하는 수만 말하였기 때문에 삼다(三多)나 삼소(三少)의 말이 있게 되었다.

朱子曰, 今按康節歸奇合扐四字, 本於正義所謂最末之餘歸之合於掛扐之一處. 蓋因其失而不暇正也. 然四九四六四七四八之數, 則正義已明言之, 安得謂唐初以來不論策數耶. 且康節又言得五與四四, 則亦未得爲去此不用之餘數矣.

주자가 말하였다: 지금 살펴보니 강절의 '귀기합륵(歸奇合扐)' 네 글자는 『주역정의』에서 말한 가장 끝에 나머지를 돌려 걸고 끼운[掛扐] 한 곳에 합한다는 것에 근거를 두었다. 잃어버린 문장에 근거했기 때문에 바로잡을 겨를이 없었다. 그렇지만 4×9, 4×6, 4×7, 4×8의 수

는 『주역정의』에서 이미 분명하게 말하였으니 어찌 당나라 초기 이래로 책수를 논하지 않았다고 말하겠는가? 또 강절 또한 5·4·4를 얻음을 말했으니 또한 이 쓰지 않은 나머지 수를 제거하는 것이 될 수는 없다.

大抵爲此辨者, 未知掛扐之中, 奇偶方圓參兩進退之妙. 是以必去掛扐之數, 而專用過揲之策. 其說愈多, 而其法愈偏也.
대체로 보아 이렇게 변론한 것은 걸고 끼운[掛扐] 가운데 기우(奇偶)와 방원(方圓)과 삼양(參兩)과 진퇴(進退)의 묘함이 있음을 알지 못하는 것이다. 그렇기 때문에 반드시 걸고 끼운[掛扐] 수를 제거하고 오로지 세고 남은 책수만 쓰게 되니 그 설명은 더욱 잡다해지고 그 법칙은 더욱 치우치게 된다.

案, 康節之說見啓蒙頗詳曰, 五與四四去掛一之數, 則四三十二也. 九與八八去掛一之數, 則四六二十四也. 五與八八九與四八去掛一之數, 則四五二十也. 九與四四五與四八去掛一之數, 則四四十六也. 故去其三四五六之數, 以成九八七六之策.
내가 살펴보았다: 강절의 설명은 『역학계몽』에 자세히 보이는데 다음과 같이 말하였다: 5·4·4에서 건 1을 제거하면 4×3=12이다. 9·8·8에서 건 1을 제거하면 4×6=24이다. 5·8·8이나 9·4·8에서 건 1을 제거하면 4×5=20이다. 9·4·4나 5·4·8에서 건 1을 제거하면 4×4=16이다. 그렇기 때문에 3·4·5·6의 수를 제거하고 9·8·7·6의 책을 이룬다.

蓋所謂去掛一之數, 謂去初揲掛一也. 去三四五六之數, 以成九八七六之策, 謂去老陽三四少陰四四少陽四五老陰四六之數, 用奇偶方圓徑一圍三圍四用半之法, 以成九八七六之策也. 此五與四四等數, 卽所以成九八七六之數, 非謂去此掛扐以爲不用之餘數, 只用過揲以爲所得之正策也. 夫掛扐過揲不可无, 況掛扐爲原過揲爲委乎. 朱子與郭沖晦書, 亦譏其歸奇以上皆棄不錄而獨以過揲四乘之數之誤.
건 1을 제거한다는 것은 처음 셀 때의 건 1을 제거한다는 의미이다. 3,4,5,6의 수를 제거하여 9,8,7,6의 책을 이룬다는 것은 노양의 3×4=12, 소음의 4×4=16, 소양의 4×5=20, 노음의 4×6=24를 제거하고 기우(奇偶) 방원(方圓)의 직경이 1일 때 둘레가 3이고 둘레가 4일 때 그 반을 쓰는 법을 써서 9,8,7,6의 책을 이루는 것을 말한다. 이것은 5,4,4 등의 수가 곧 9,8,7,6의 수를 이루는 까닭임을 말한 것이지, 이 걸고 끼운[掛扐] 것을 제거하여 쓰이지 않는 나머지 수로 삼고 다만 세고 남은[過揲] 것만을 바른 책(策)으로 삼는다는 것을 말한 것은 아니다. 괘륵과 과설은 없을 수 없는데 하물며 괘륵이 근원이고 과설이 가지임에랴! 주자가 곽충회에게 쓴 편지에서도 나머지를 돌리는 것까지를 다 버리고 기록하지 않고 세고 남은 것을 4로 곱한 수로만 한 것의 오류를 나무랐다.

白雲郭氏曰, 張子曰, 奇, 所掛之一也, 扐, 左右手之餘也. 再扐而後掛者, 每成一爻而後掛也, 謂第二第三揲不掛也. 閏常不及三歲而至, 故曰五歲再閏. 此歸奇必俟再扐, 故象閏之中間四歲也. 自唐初以來以奇爲扐, 故揲法多誤, 至橫渠而始分.

백운곽씨가 말하였다: 장자는 "기(奇)는 건 1이다. 륵(扐)은 좌우 손에 남아있는 것이다. 두 번 륵한 뒤에 건다는 것은 매번 1효를 이룬 뒤에 건다는 것이니, 제2설과 3설은 걸지 않음을 말한다. 윤달은 늘 3년이 되지 않아 이르기 때문에 5년에 두 번 윤달이 든다고 하였다. 기(奇)를 돌림은 반드시 두 번 륵(扐)함을 기다려야 하기 때문에 윤달의 중간에 있는 4년을 상징한다."고 하였다. 당나라 초기 이래로 기(奇)를 륵(扐)이라고 여겼기 때문에 설시법에 오류가 많았는데 횡거에 이르러 비로소 구분되었다.

朱子曰, 今按此說大誤, 恐非橫渠之言. 掛也奇也扐也, 大傳之文, 固各有所主矣. 奇者殘零之謂, 方著象兩之時, 特掛其一, 不得便謂之奇. 此則自畢董劉氏而失之矣. 扐固左右兩揲之餘, 然扐之爲義, 乃指間勒物之處, 故曰歸奇於扐, 言歸此餘數於指間也. 今直謂扐爲餘, 則其曰歸奇於扐者, 乃爲歸餘於餘, 而不成文理矣. 不察此誤, 而叓以歸奇爲掛一以避之, 則又生一誤, 而失愈遠矣.

주자가 말하였다: 지금 살펴보니 이 설은 크게 잘못되었으니 아마도 횡거의 말이 아닐 것이다. 괘(掛)라 하고 기(奇)라 하고 륵(扐)이라 한 「계사전」의 문장은 진실로 각각 주장함이 있다. 기(奇)는 나머지를 말하니 설시에서 양의를 상징할 때 다만 한 개만 거는 것을 곧 기(奇)라고 할 수 없다. 이것은 필동유씨로부터 잘못된 것이다. 륵(扐)은 진실로 좌우의 양 손에 센 나머지이다. 그렇지만 륵(扐)의 뜻은 손가락사이 물건을 끼우는 곳이다. 그러므로 나머지를 륵에 돌린다[歸奇於扐]고 한 것이니 여기의 나머지 수를 손가락사이에 돌린다는 것을 말한 것이다. 지금 곧바로 륵(扐)을 나머지(餘)라고 한다면 '귀기어륵(歸奇於扐)'이란 말은 나머지를 나머지에 돌린다는 것이 되어 문리를 이루지 못한다. 이런 잘못을 살피지 못하고 다시 귀기(歸奇)를 하나를 거는 것[掛一]이라 하여 피한다면 또 하나의 잘못이 생기는 것이어서 잃어버림이 더욱 멀다.

郭氏承此爲說, 而詆唐人不當以奇爲扐. 夫以奇爲扐, 亦猶以其扐爲餘爾, 名雖失之而實猶未爽也. 若如其說, 以歸爲掛, 以奇爲一, 則爲名實俱亂, 而大傳之文, 揲四之後, 不見餘著之所在, 歸奇之前, 不見有扐之所由, 亦不復成文理.

곽씨가 이것을 계승하여 설명하면서 당나라 사람이 기(奇)를 륵(扐)이라고 여긴 것은 부당하다고 꾸짖는다. 기(奇)를 륵(扐)이라고 여긴 것은 오히려 륵(扐)을 나머지라고 여긴 것이어서 명칭은 비록 잘못되었지만 실상은 오히려 망가지지 않았다. 만약 그 설과 같이 하여 귀(歸)를 건다[掛]고 여기고 기(奇)를 1개라고 여기면 명칭과 실상이 모두 어지러워져 계사전의 문장에서 4씩 세고 난 뒤에는 남는 시초가 있을 곳을 볼 수 없고, 남는 것을 돌리기 전에는 륵한 바의 연유를 볼 수가 없어서 역시 문리를 이룰 수 없다.

再扐者, 一變之中, 左右再揲而再扐也. 一變之中, 一掛再揲再扐, 而當五歲. 蓋一掛再揲, 當其不閏之年, 而再扐當其再歲之閏也. 而後掛者, 一變旣成, 又合見存之蓍, 分二而掛一, 以起後變之端也.

두 번 륵(扐)한다는 것은 1변 가운데 좌우를 두 번 세고 두 번 륵하는 것이다. 1변 가운데 1개를 걸고 두 번 세고 두 번 륵하는 것이 5년에 해당한다. 1개를 걸고 두 번 세는 것은 윤달이 드는 해에 해당하지 않고 두 번 륵하여야 두 해에 윤달이 든다. 이후에 건다는 것은 1변이 이미 이루어지면 또 현존하는 시초를 합해서 둘로 나누고 하나를 걸어서 2변의 단서를 일으킨다.

今曰, 第一變掛而第二第三變不掛, 遂以當掛之變爲掛而象閏, 以不掛之變爲扐而象不閏之歲, 則與大傳之云掛一象三再扐象閏者, 全不相應矣.

지금 말하길, 1변에서 걸고 2변과 3변에서 걸지 않아서 마땅히 걸어야 하는 변은 괘(掛)라고 여겨 윤달을 상징하고 걸지 않는 변은 륵(扐)이라고 여겨 윤달이 들지 않는 해를 상징한다고 하면 「계사전」에서 말한 하나를 걸고[掛一] 셋을 상징하고[象三] 두 번 륵하고[再扐] 윤달을 상징한다[象閏]는 것과 전혀 상응하지 않는다.

且不數第一變之再扐, 而謂第二第三變爲再扐, 又使第二第三變中, 止有三營, 而不足乎成易之數. 且於陰陽奇偶老少之數, 亦多有不合者爾.

또 제1변의 두 번 륵하는 것을 세지 않고서 제2변과 제3변이 두 번 륵하는 것이 된다고 한다면 또 제2변과 제3변 가운데 세 번 경영함에 그쳐 역의 수를 이루기에 부족하게 만들었다. 또 음양과 기우와 노소의 수에도 부합하지 않는 것이 많다.

案, 大傳之言掛者懸其一也, 奇者揲之零也, 扐者指間扐物之處, 所謂各有所主者也. 方分二象兩之初, 是爲未揲之前, 先掛其一, 不得以殘零之奇目之. 此則劉氏所謂遇少與歸奇爲五爲四者也. 劉氏得之董生, 董生本於畢中和. 其揲法視疏義爲詳, 而獨有此失也.

내가 살펴보았다: 「계사전」에서 말한 괘(掛)란 그 1개를 거는 것이고, 기(奇)는 세고 남은 것이고, 륵(扐)은 손가락 사이 물건을 끼우는 곳이니 이른바 각각 주장함이 있다는 것이다. 둘로 나누어 양의를 상징하는 처음에 아직 세기 전에 먼저 그 중 1개를 거는 것이지 나머지의 기(奇)를 지목한 것이 아니다. 이것은 유씨가 말한 바 적은 것[少]을 얻으면 나머지가

5가 되고 4가 된다는 것이다. 유씨는 동생에게 얻었고 동생은 필중화에게 얻었다. 그 설시법은 소의를 보면 자세한데 유독 이런 잘못이 있다.

扐者指間扐物之處, 非直餘數也. 奇者兩揲之餘數也, 非謂扐物也. 其爲字義各有所主而不爲重複. 今直謂扐爲餘數, 則非但於揲蓍之法大有乖謬, 而於古人看文義亦有所不通矣. 旣不識扐字名義, 而乃以歸奇叟起別義, 遂以掛一當之, 以避重複之嫌, 是所謂生一誤而失愈遠矣. 橫渠之言必不如此, 而郭氏又因襲爲說詆孔疏歸奇合扐之說. 是以奇爲扐, 故揲法多誤云也.

륵(扐)은 손가락 사이 물건을 끼우는 곳이지 직접 남은 수를 가리키는 것이 아니다. 기(奇)는 두 번 세고 난 나머지이지 륵(扐)한 것이 아니다. 그 글자마다의 의미가 각각 주장하는 바가 있어 중복되지 않는다. 지금 직접 륵(扐)을 나머지라고 한다면 설시법에 큰 오류일 뿐만 아니라 옛사람이 문자를 보는 것과도 통하지 않는다. 이미 륵(扐)자의 이름과 뜻을 알지 못하고 귀기(歸奇)를 가지고 별도의 뜻을 일으켜 괘일(掛一)에 해당시킴으로써 중복된다는 혐의를 피하려 하였으니 이것은 이른바 한 번의 오류로 잘못이 더욱 커진다는 것이다. 장횡거의 말은 반드시 이와 같지 않은데 곽씨가 구습대로 설을 지어 공씨 주소의 귀기합륵(歸奇合扐)의 설명이 기를 륵으로 여겼기 때문에 세는 법에 오류가 많다고 꾸짖었다.

夫以奇爲扐之誤, 亦无異於以扐爲餘之誤也. 奇者是餘數, 扐字是指間, 而混而同之, 名義之失者也. 究其實, 則餘數必歸指間而在指間者, 卽所餘之數也. 所謂實猶未爽者也. 今乃以歸爲掛, 以奇爲一, 以避歸餘於餘之嫌. 但以扐爲餘, 而反譏以奇爲扐之說, 則奇者是餘之義, 而反指爲掛一, 所謂名實俱亂, 而不但如以奇爲扐之名異而實相近也. 又於大傳四揲之後, 雖有歸奇之文, 而旣以歸奇爲掛一, 則四揲之後, 未見其餘數之所在. 歸奇之前, 雖有四揲之文, 而旣以歸奇爲掛一, 則掛一之前, 不見有扐字之所由, 所謂不成文理者也.

기(奇)를 륵(扐)으로 여긴 오류는 륵(扐)을 나머지[餘]로 여긴 오류와 다를 게 없다. 기(奇)는 나머지 수이고 륵(扐)은 손가락 사이를 가리키는 것인데 섞어서 같은 것으로 만들었으니 명칭과 의미를 잃었다. 그 실상을 연구해보면 나머지 수는 반드시 손가락 사이에 돌려 손가락 사이에 있는 것으로 곧 남아있는 수이니 이른바 실상은 오히려 잘못되지 않았다는 것이다. 지금 귀(歸)를 괘(掛)라고 여기고 기(奇)를 1개[一]라고 여겨 나머지를 나머지에 돌렸다는 혐의를 피하려 하고 있다. 다만 륵(扐)을 나머지[餘]라고 여기면서 기(奇)를 륵(扐)으로 여긴 설을 꾸짖고 있으니, 기(奇)는 나머지[餘]의 뜻인데 도리어 건 하나[掛一]를 가리킨다고 하고 있으니 이른바 그 명칭과 실상이 모두 어지럽다는 것으로 단지 기(奇)를 륵(扐)으로 여겨 명칭은 다르지만 실상은 서로 비슷한 것보다 못할 뿐만이 아니다. 또 계사전에 4개씩 센 뒤에 비록 귀기(歸奇)라는 문구가 있지만 이미 '나머지를 돌리다'를 '하나를 건다'로 여긴다면 4개씩 센 다음에 그 나머지가 있을 곳을 볼 수가 없다. 귀기(歸奇)의 전에 비록 4개씩 센다는 문구가 있지만 이미 귀기(歸奇)를 괘일(掛一)로 삼게 된다면 괘일(掛一)의 전에 륵(扐)자가 연유하는 바를 볼 수 없으니 이른바 문리를 이루지 못한다는 것이다.

掛一再揲再扐爲五歲, 俱在一變之內, 而再扐爲再閏. 且以而後掛者, 爲第二變之掛. 大傳本文可知.
하나를 걸고 두 번 세고 두 번 륵함이 5년이 되니 모두 1변 안에 있고 두 번 륵하는 것은 윤달을 두 번 두는 것이며 또 이후에 거는 것은 제2변에서 거는 것이니 「계사전」 본문을 알 수 있다.

今曰, 第一變掛而後二變不掛, 遂以當掛之變, 雖有再扐, 乃只謂之掛而象閏, 以不掛之變, 雖各有再扐, 而乃通謂之再扐, 象不閏之歲, 其不掛之變, 與大傳掛一象三不同, 所謂全不相應者也.
지금 말하길, 제1변에서 건 뒤에 2변은 걸지 않고 건 것에 해당하는 변에 비록 재륵(再扐)이 있어도 단지 건대掛]는 것으로 윤달을 상징한다 하고 걸지 않은 변에 비록 각각 재륵이 있어도 통틀어 재륵(再扐)은 윤달이 들지 않는 해를 상징한다고 하는데 그 걸지 않는 변은 「계사전」의 하나를 걸고 삼재를 상징한다는 것과 같지 않으니 이른바 모두 상응하지 않는다는 것이다.

且第一變本有再扐, 第二第三變各有再扐, 而通謂再扐, 則是不計第一變之再扐, 而直以第二第三變爲再扐也. 後二變只有分二揲四歸奇, 則是未四營而成矣. 且況奇偶老少之數, 必三變皆掛而得之, 後二變不掛, 則不得者乎.
또 제1변에 본래 재륵이 있고 제2변과 제3변에도 각각 재륵이 있어 통틀어 재륵이라 하면 이것은 제1변의 재륵을 계산하지 않고 직접 제2변과 제3변을 재륵으로 여기는 것이다. 뒤의 이변에만 단지 둘로 나누고[分二] 넷씩 세고[揲四] 나머지를 돌린다면[歸奇] 이것은 네 번 경영하여 이루지 못한다. 하물며 기·우·노소(奇偶老少)의 수는 반드시 삼변을 모두 걸어야 얻는데 뒤에 이변을 걸지 않는다면 얻지 못함에랴!

白雲郭氏曰, 程子揲蓍法, 先以右手指於左手之中, 取蓍一莖, 掛於左手小指之間, 此名奇也. 次以右手四揲左手之蓍, 四揲之餘數, 實案之東西隅, 此名右手之扐. 復以左手四揲右手之蓍, 四揲之餘亦置於案之東南隅, 此名左手之扐. 其兩手所握之蓍, 爲所得之正策數.

백운곽씨가 말하였다: 정자의 설시법은 먼저 오른 손으로 왼손에서 시초 한 개를 취해서 왼 손의 소지(小指) 사이에 거니 이것을 '기(奇)'라고 한다. 다음에 오른손으로 왼손의 시초를 4개씩 세는데 4개씩 세고 남은 것을 책상의 왼쪽 모퉁이에 놓으니 이것을 오른손의 륵(扐)이라 한다. 다시 왼손으로 오른 손의 시초를 세어 4개씩 세고 남은 나머지를 역시 책상의 동남쪽 모퉁이에 놓으니 이것을 왼손의 륵(扐)이라 한다. 그 양손에 쥐고 있는 시초가 얻어진 바른 책수가 된다.

又云, 再以左右手, 分而爲二, 戛不重掛奇. 又云, 三變訖, 乃歸先所掛之奇於第一扐之中, 次合正策數. 又四揲布之, 案上得四九爲老陽. 此法先人親受於伊川先生, 雍復受於先人, 本旡文字.

또 말하였다: 다시 왼손과 오른손으로 나누어 둘로 나누고, 다시 거는 것[掛]과 나머지[奇]는 중복하지 않는다. 또 말하였다: 삼변을 마치면 먼저 건 나머지를 첫 번째 륵 가운데 돌리고, 다음으로 정책(正策)의 수에 합한다. 또 4개씩 세어 펼치고 책상 위에 4×9를 얻으면 노양이 된다. 이 법은 선인이 친히 이천선생에게 배웠고 옹(雍)이 다시 선인에게 배운 것으로 본래 문자가 없다.

朱子曰, 今按此說, 尤多可疑. 然郭氏旣云, 本旡文字, 則其傳受之際, 不旡差舛宜矣. 其以掛一爲奇, 而第二三變不掛, 愚已辨矣. 其曰兩手餘數置之案隅, 而不置之指間, 則非歸奇於扐之義. 其以一變過揲之蓍便爲正策, 則未合四九四六四七四八之數. 其曰, 三變訖乃歸先所掛之奇於第一扐之中, 則其掛之之久也旡用, 其歸之之晚也旡說, 而尤不合於大傳所言之次第. 又以四揲正策布之案上然後, 見所得之爻, 則其重複又甚焉. 凡此恐皆非伊川先生之本意也.

주자가 말하였다: 지금 이 설을 살펴보면 더욱 의심할 것이 많다. 그렇지만 곽씨가 이미 말하길, 본래 문자가 없다고 했으니 가르치고 배우고 사이에 어긋나고 잘못됨이 없을 수 없다. 1개를 건 것[掛一]을 기(奇)라고 여기고 제2변과 제3변을 걸지 않는다는 것에 대해서는 내가 이미 분별하였다. 양 손의 남은 것을 책상 모퉁이에 놓고 손가락 사이에 놓지 않는다면 나머지를 륵에 돌리는[歸奇於扐] 뜻이 아니다. 1변을 세고 남은 시초를 정책으로 삼는다면 4×9, 4×6, 4×7, 4×8의 수에 합하지 않는다. 삼변을 마치면 먼저 건 나머지를 첫 번째 륵 가운데 돌린다면, 건 것이 오래되어 또한 쓸 수가 없고 돌린 것이 늦어져서 또한 설명할 수 없으니 더욱 「계사전」에서 말한 순서와 합하지 않는다. 또 4개씩 센 정책을 책상위에 펼친 뒤에야 효를 얻을 수 있다면 중복이 심하다. 이는 아마도 이천 선생의 본의가 아닐 것이다.

案, 正策之數者, 三變旣成後, 四九四六四七四八之過揲也. 初變過揲或四十四或四十, 則是不合於九六七八之數, 而所謂正策之數將安用之. 其初變之掛, 必待三變而歸, 是掛之太久也. 三變之後歸于初變之扐, 是歸之太晚也. 大傳只言揲之以四, 而尙未言第一扐寘之何處. 豈先言三變後歸掛一於第一扐之中乎. 且五歲再閏之文, 俱在一變之內, 而今乃以歸奇象閏爲三變以後事, 此皆與本文次序不合者也.

내가 살펴보았다: 정책의 수는 삼변이 이미 이루어진 뒤 4×9, 4×6, 4×7, 4×8의 과설(過揲)이다. 초변의 과설(過揲)은 44나 40인데 그러면 이것은 9·6·7·8의 수에 부합하지 않으니 이른바 정책의 수를 어디에 쓰겠는가? 그 초변의 거는 것[掛]은 반드시 삼변을 기다린 뒤에 돌리면 이는 거는 것[掛]이 너무 오래 걸린다. 삼변의 후에 초변의 륵에 돌리면 이는 너무 늦게 된다. 「계사전」에서 단지 4개씩 센다고만 하고 제 일륵(一扐)를 어느 곳에 놓을 것인지 말하지 않았는데 어찌 먼저 삼변의 뒤에 건 1개를 첫 번째 륵 가운데 돌린다고 말하겠는가? 또 5년에 두 번 윤이 든다는 문장은 모두 1변 가운데 있는데 지금 '귀기(歸奇)'와 '상윤(象閏)'을 삼변의 뒤의 일로 삼았으니 이는 다 본문의 차례와 합하지 않는다.

白雲郭氏曰, 世俗皆以三多三少定卦象. 如此則不必四十九數. 凡三十三三十七四十一四十五五十三五十七六十一六十五六十九七十三七十七八十一八十五八十九九十三九十七, 皆可以得初揲非五卽九, 再揲三揲不四卽八之數. 獨不可以得三十六三十二二十八二十四之策爾.

백운곽씨가 말하였다: 세속에서 모두 삼다(三多)와 삼소(三少)로 괘상을 정한다. 이와 같이 한다면 반드시 49수일 필요가 없다. 33·37·41·45·53·57·61·65·69·73·77·81·85·89·93·97은 모두 초변에서 5아니면 9가 되고 2변과 3변에서 4아니면 8의 수를 얻을 수 있다. 다만 36·32·28·24책을 얻지 못할 뿐이다.

朱子曰, 今按此說, 最爲要切, 而其疏率亦无甚於此者. 蓋四十九者, 著之全數也. 以其全而揲之, 則其前爲掛扐, 其後爲過揲. 以四乘掛扐之數, 必得過揲之策. 以四除過揲之策, 必得掛扐之數. 其自然之妙, 如牝牡之相衙, 符契之相合, 可以相勝而不可以相无. 且其前後相因, 固有次第, 而掛扐之數所以爲七八九六, 又有非偶然者, 皆不可以不察也. 今於掛扐之數, 旣不知其所自來, 而以爲无所務於揲法, 徒守過揲之數以爲正策, 而亦不知正策之所自來也. 其欲增損全數以明掛扐之可廢, 是又不知其不可相无之說, 其失益以甚矣.

주자가 말하였다: 지금 이 설을 살펴보면 가장 긴요하고 절실하지만 소략함은 이보다 심한 것이 없다. 49는 시초의 전수이다. 전수를 가지고 설시를 하면 그 앞은 괘륵(掛扐)이 되고 그 뒤는 과설(過揲)이 된다. 4로 괘륵지수(掛扐之數)에 곱하면 반드시 과설지책(過揲之

策)을 얻는다. 4로 과설지책(過揲之策)을 나누면 반드시 괘륵지수(掛扐之數)를 얻는다. 그 자연스러운 신묘함이 암수가 서로 머금는 것과 같고 신표가 서로 합하는 것과 같아서 서로 감당할 수는 있어도 서로 없을 수 없다. 그리고 그 전후가 서로 원인이 되는 것이 진실로 순서가 있어서 괘륵지수(掛扐之數)가 7·8·9·6이 됨은 또 우연한 것이 아니니 살피지 않을 수 없다. 지금 괘륵지수(掛扐之數)에 대해 이미 그 유래를 알지 못하고 설시법을 지키는 데 힘쓸 필요가 없다고 생각하고 한갓 과설지수(過揲之數)만 정책(正策)으로 삼는다면 또한 정책(正策)의 유래를 알지 못하는 것이다. 전수를 더하고 덜어 괘륵지수(掛扐之數)를 폐할 수 있음을 밝히고자 하니 이것은 또 서로 없을 수 없다는 설명을 알지 못하는 것으로 그 잘못이 더욱 심하다.

案, 以四十九之全數而揲之, 則其掛扐之奇偶參之兩之, 而成九八七六之數. 其過揲得三十六三二二十八二十四之數, 卽是四九四八四七四六也. 夫掛扐雖若後於過揲, 而掛扐已在揲四之前. 掛與扐, 每變已有得三得二之數, 合三變而卽成九八七六. 若過揲則必待三變之後, 得四九四六等數. 在初二變不得言過揲所得之數, 所謂前爲掛扐後爲過揲者也. 掛扐之七八九六, 以四乘之, 必得過揲三十六三十二二十八二十四之數. 過揲之四九四八四七四六, 以四除之, 必得掛扐七八九六之數. 二者相對乘除迭爲贏乏, 如牝牡符契之相勝而不可相无. 牝牡相銜, 謂兩物聯接, 柄鑿相入也. 符契相合, 謂一物判合凹凸相當也.

내가 살펴보았다: 49의 전수를 가지고 설시를 하면 괘륵(掛扐)의 기우(奇偶)를 3으로 하고 2로 해서 9,8,7,6의 수를 이루고 그 과설(過揲)은 36,32,28,24의 수를 얻으니 곧 4×9, 4×8, 4×7, 4×6이다. 괘륵이 비록 과설의 뒤이지만 괘륵은 이미 과설의 전에 있다. 거는 것과 륵하는 것은 3변마다 이미 3과 2의 수를 얻으니 삼변을 합하면 곧 9,8,7,6의 수를 이룬다. 만약 과설이라면 반드시 삼변의 뒤를 기다려 4×9나 4×6의 수 등을 얻고 초변과 2변에서는 과설의 얻어진 수를 말하지 못하니 이른바 앞이 괘륵이 되고 뒤가 과설이 된다는 것이다. 괘륵의 7,8,9,6을 4로 곱하면 반드시 과설의 36,32,28,24의 수를 얻는다. 과설의 4×9, 4×8, 4×7, 4×6의 수를 4로 나누면 반드시 괘륵의 7,8,9,6의 수를 얻는다. 두 가지는 상대하면서 곱하고 나누어 차례로 차고 모자라니 마치 암수와 신표가 서로 작용해 서로 없을 수 없음과 같다. 암수가 서로 머금는다는 것은 두 물건이 서로 이어져 자루와 구멍이 서로 들어가는 것과 같다. 신표가 서로 합함은 한 물건이 갈라지고 합해 오목과 볼록이 서로 짝인 것과 같다.

退溪先生所謂有進有退迭爲消長, 若相制勝者, 是爲相勝也. 且其掛扐旣在前, 過揲旣在後, 過揲之數因於掛扐者, 固有次第, 而過揲之數, 又因奇偶參兩之法, 而成七八九六者, 亦非偶然皆, 不可不察也.

퇴계선생이 말한 나가고 물러남이 있어 줄어들고 늘어나 서로 절제하여 이기는 것과 같으니 이것이 서로 작용함이다. 그리고 괘륵(掛扐)은 이미 앞에 있고 과설(過揲)은 이미 뒤에 있어 과설지수(過揲之數)가 괘륵(掛扐)을 통하는 것이 진실로 순서가 있고, 과설지수(過揲之數)도 기우(奇偶)의 삼양(參兩)법을 통해 6,8,9,6을 이루는 것이 우연이 아니니 살피지 않으면 안 된다.

今於掛扐之數, 旣不知其本於方圓參兩之法, 而以爲无預於揲法, 徒守過揲四九四八四七四六之數, 以爲正策, 而亦不知正策之本於掛扐九八七六之數. 其欲求四十九之全數, 四四增之, 自五十三至九十七, 四四損之, 自四十五至三十六, 以爲皆可以得初揲非五卽九, 再三揲非九卽八之數, 而獨不得過揲三十六三十二二十八二十四之策, 以明掛扐之可廢, 過揲之獨用, 是又不知掛扐七八九六, 過揲四九四八四七四六, 不可相无之說. 是謂其失益甚也. 以三變爲一揲, 本是正義之誤, 而郭氏又失正義之旨, 致有此誤也.

지금 괘륵지수(掛扐之數)에 있어 이미 방원(方圓) 삼양(參兩)의 법에 근본한 것을 모르고 설시법에 간여함이 없다고 여겨, 한갓 과설(過揲)의 4×9, 4×8, 4×7, 4×6의 수만 지켜서 정책(正策)으로 삼고, 또 정책(正策)이 괘륵(掛扐)의 9·8·7·6의 수에 근본함을 모르고 전수를 구하려 함에 4개씩 더해 53에서 97에 이르고 4개씩 덜어 45에서 36에 이른 것으로 초설(初揲)에 5아니면 9이고 재설과 삼설에 9아니면 8의 수를 얻는데 다만 과설(過揲)의 36·32·28·24책을 얻지 못함을 가지고 괘륵(掛扐)을 버리고 과설(過揲)만 쓸 수 있다고 하니 이 또한 괘륵의 7·8·9·6과 과설의 4×9, 4×8, 4×7, 4×6이 서로 없을 수 없다는 설을 알지 못하는 것이다. 이를 일러 잃어버림이 더욱 심하다고 하는 것이다. 삼변(三變)을 일설(一揲)로 삼은 것은 본래 『주역정의』의 오류인데 곽씨가 또 『주역정의』의 취지를 잃어서 이런 오류를 불러들였다.

○ 又案, 啓蒙註, 引此條, 而要解以前後相因, 固有次第, 爲過揲在前掛扐在後云云.

또 살펴보았다: 『역학계몽』의 주에 이 조목을 인용했는데 『요해』에서는 전후가 서로 원인이 되어 진실로 순서가 있으니 과설(過揲)이 앞에 있고 괘륵(掛扐)이 뒤에 있다고 운운하였다.

上文旣明言其前爲掛扐其後爲過揲, 以辨郭氏不知正策之所自來, 則要解似失之矣. 又胡雙湖翼傳, 謂朱子用掛扐而不用過揲. 夫掛扐過揲雖有原委之不同, 朱子旣言其不可偏廢. 若是詳悉, 則雙湖說恐未的當.

윗 글에서 이미 앞이 괘륵(掛扐)이 되고 뒤가 과설(過揲)이 된다고 하여 곽씨가 정책(正策)

의 유래를 알지 못한다고 변론하였으니 『요해』에서 실수한 것 같다. 그리고 쌍호의 익전에 주자는 괘륵(掛扐)을 쓰고 과설(過揲)을 쓰지 않았다고 하였다. 괘륵(掛扐)과 과설(過揲)은 비록 본말의 다름은 있지만 주자가 이미 폐기할 수 없다고 하였다. 만약 이를 상세히 갖추려면 쌍호의 설명은 적당치 않다.

兼山郭氏曰, 四象之數必曰九八七六者, 三十六三十二二十八二十四之策, 以四揲而得之也. 九六天地之數也, 乾坤之策也. 七八出於九六者也, 六子之策也, 乾坤相索而成者也.
겸산곽씨가 말하였다: 사상의 수를 반드시 9·8·7·6이라고 하는 것은 36·32·28·24의 책을 4개씩 세어서 얻어지기 때문이다. 9·6은 천지의 수이고 건곤의 책이다. 7·8은 9·6에서 나온 것으로 여섯 자녀의 책이니 건곤이 서로 구해 이룬 것이다.

朱子曰, 今按四象之數, 乃天地間, 自然之理, 其在河圖洛書, 各有定位. 故聖人畫卦自兩儀而生, 有畫以見其象. 有位以定其次, 有數以積其實. 其爲四象也, 久矣. 至於揲蓍然後, 掛扐之奇偶方圓, 有以兆之於前. 過揲之三十六三十二二十八二十四, 有以乘之於後, 而九六七八之數, 隱然於其中. 九七天數也, 三十六二十八, 凡老陽少陽之策數也. 六八地數也, 三十二二十四, 凡老陰少陰之策數也. 今專以九六爲天地之數乾坤之策, 謂七八非天地之數而爲六子之策, 則已誤矣.
주자가 말하였다: 지금 사상의 수를 살펴보니 천지의 자연한 도리가 「하도」와 「낙서」에 있음이 각각 정해진 자리가 있다. 그렇기 때문에 성인이 괘를 그음에 양의로부터 생하고 획을 그어 그 상을 나타내고, 자리를 두어 그 차례를 정하고, 수를 두어 그 실질을 쌓았으니, 그 사상이 됨이 또한 오래이다. 설시에 이른 연후에 괘륵(掛扐)의 기우와 방원이 앞에서 조짐을 드러내고, 과설의 36·32·28·24가 뒤에서 곱해짐이 있으니, 9·6·7·8의 수가 그 가운데 은연하다. 9·7은 천수이고 36과 28은 노양과 소양의 수이다. 6·8은 지수이고 32와 24는 노음과 소음의 책수이다. 지금 오로지 9·6으로 천지의 수와 건곤의 책을 삼는데, 7·8은 천지의 수가 아니고 여섯 자녀의 책이 된다는 것은 이미 잘못되었다.

案, 圖書出, 而一二三四九八七六各有定位. 聖人則之, 有重單交坼之畫, 以見其象. 有一二三四之位, 以定其次. 有九八七六之數, 以積其實. 其布在天地. 著在圖書, 卦畫位數, 粲然可考矣.
내가 살펴보았다: 「하도」·「낙서」가 나와 1·2·3·4와 9·8·7·6이 각각 자리를 정하고 성인이 이를 본받아 중·단·교·탁(重單交坼)의 획을 그어 그 상을 나타내고, 1·2·3·4의 자리를 두어 그 순서를 정하고, 9·8·7·6의 수를 두어 그 실제를 쌓았다. 그 펼쳐짐이

천지에 있고 시초는 「하도」·「낙서」에 있으니 괘획의 자리와 수가 밝아서 고찰할 수 있다.

至於揲蓍然後, 掛扐爲七八九六之原, 過揲爲七八九六之委, 卽上所謂以四乘掛扐之數, 得過揲之數, 是四象九六七八之數, 隱然於揲蓍之中. 其九七本圖書之天數也, 凡老陽策數三十六, 少陽策數二十八, 而屬乎九七. 六八本圖書之地數也, 凡老陰策數二十四, 少陰策數三十二, 而屬乎六八. 今專以天九地六爲乾坤之策, 以天七地八爲六子之策, 則天地之數安有有九六而无七八耶

설시를 한 이후에 괘륵(掛扐)이 7·8·9·6의 본(本)이 되고, 과설(過揲)이 7·8·9·6의 말(末)이 되니 곧 위에서 말한 바 4로 괘륵의 수에 곱하면 과설(過揲)의 수를 얻으니 이는 사상 9·6·7·8의 수가 설시하는 가운데 은연하다. 9·7은 「하도」·「낙서」의 천수에 해당하는데 노양 책수는 36이고 소양 책수는 28로 9와 7에 속한다. 6·8은 「하도」·「낙서」의 지수에 해당하는데 노음 책수는 24이고 소음 책수는 32로 6과 8에 속한다. 지금 하늘의 9와 땅의 6이 건곤의 책수가 되고, 하늘의 7과 땅의 8은 여섯 자녀의 책수가 되니 곧 천지의 수가 어찌 9와 6만 있고 7과 8이 없겠는가?

兼山郭氏曰, 天之生數一三五合之爲九, 地之生數二四合之爲六, 故曰九六者天地之數也. 乾之策二百一十有六, 以六分之, 則爲三十六, 又以四分之, 則爲九. 坤之策百四十有四, 以六分之, 則爲二十四, 又以四分之, 則爲六, 故曰九六者, 乾坤之策數也.

겸산곽씨가 말하였다: 천수 중의 생수인 1,3,5를 합하면 9가 되고 지수 중의 생수인 2,4를 합하면 6이 된다. 그러므로 9와 6을 천지의 수라고 한다. 건의 책수는 216인데 6으로 나누면 36이 되고 또 4로 나누면 9가 된다. 곤의 책수는 144인데 6으로 나누면 24가 되고 또 4로 나누면 6이 된다. 그러므로 9와 6을 건곤의 책수라고 한다.

陰陽止於九六而已, 何七八之有, 故少陽震坎艮三卦, 皆乾畫一, 其策三十六, 坤畫二, 其策四十八, 合之爲八十四. 復三分之而爲二十八, 復四分之而爲七.

음양이 9와 6에 그칠 뿐이니 어찌 7과 8이 있겠는가! 그렇기 때문에 소양인 진(震), 감(坎), 간(艮)의 세 괘는 모두 건의 획이 1개로 그 책수는 36이고, 곤의 획은 2개로 그 책수는 48이니 합하면 84가 된다. 다시 3으로 나누면 28이 되고 4로 나누면 7이 된다.

少陰巽離兌三卦, 皆乾畫二, 其策七十二, 坤畫一, 其策二十四, 合之爲九十六. 復三分之而爲三十二, 復四分之而爲八. 是七八出於九六, 而爲六子之象也. 然九六有象而七八无象. 蓋以卦則六子之卦七八隱於其中而无象. 以爻則六子皆乾坤之畫而无六子之畫也. 故唯乾坤有用九用六之道. 諸卦之得奇畫者, 用乾之九也, 得偶畫者, 用坤之六

也. 旡用七八之道也. 〈案, 此說已見小註. 蓋纂註者只見大傳稱乾之策坤之策. 郭氏言乾坤有用九用六之道, 遂收入註中而不覺其誤. 今竝錄其全文, 及朱子辨說. 下白雲郭氏二說同此.〉

소음인 손(巽), 리(離), 태(兌) 세 괘는 모두 건의 획이 2개로 그 책수는 72이고 곤의 획이 1개로 그 책수는 24이니 합하면 96이다. 다시 3으로 나누면 32가 되고 다시 4로 나누면 8이 된다. 이것은 7과 8이 9와 6에서 나와 여섯 자녀의 상이 되는 것이다. 그렇지만 9와 6은 상이 있지만 7과 8은 상이 없다. 대개 괘로 보면 여섯 자녀의 괘는 7과 8이 그 가운데 숨겨져 있어 상이 없다. 효로 보면 여섯 자녀는 모두 건과 곤의 획으로 여섯 자녀의 획이 없다. 그렇기 때문에 오직 건곤에만 9를 쓰고 6을 쓰는 도리가 있다. 모든 괘에서 기획(奇畫)을 얻는 것은 건의 9를 쓰고 우획(偶畫)을 얻은 것은 곤의 6을 쓴다. 7과 8을 쓰는 도리는 없다. 〈내가 살펴보았다: 이 설은 이미 앞의 소주에 보인다. 대개 주를 편찬하는 자가 다만 「계사전」에서 건의 책수와 곤의 책수를 말하고 곽씨가 건곤에 9를 쓰고 6을 쓰는 도리를 말한 것만 보고 드디어 주 가운데 집어넣어 그 잘못을 알지 못했다. 지금 전문과 주자가 변론한 설명을 함께 기록한다. 아래의 백운곽씨의 두 가지 설도 이와 같다.〉

朱子曰, 今按一二三四五, 天地之生數也, 五中數, 故不用. 六七八九十, 天地之成數也, 十全數, 故不用, 而河圖洛書之四象, 亦旡所當於五與十焉. 故四象之畫成, 而以一二三四紀其次, 九八七六積其實, 其揲著之法具, 而掛扐之五與四, 以一其四而爲奇, 九與八以兩其四而爲偶. 奇以象圓而徑一者其圍三, 故凡奇者其數三. 偶以象方而徑一者其圍四而用半, 故凡偶者其數二. 所謂參天兩地者也.

주자가 말하였다: 지금 살펴보니 1·2·3·4·5는 천지의 생수인데 5는 중수이기 때문에 쓰지 않는다. 6·7·8·9·10은 천지의 성수인데 10은 전수이기 때문에 쓰지 않는다. 「하도」· 「낙서」의 사상에도 5와 10은 해당이 없다. 그렇기 때문에 사상의 획이 이루어짐에 1·2·3·4로 그 순서를 기록하고 9·8·7·6으로 그 실질을 쌓아 설시의 방법이 갖추어진다. 괘륵의 5와 4는 그 4가 한 개로 홀이 되고 9와 8은 그 4가 둘로 짝이 된다. 홀은 원을 상징하며 직경이 1일 때 둘레가 3이기 때문에 홀은 그 수가 3이다. 짝은 방을 상징하며 직경이 1일 때 둘레가 4인데 그 반을 쓰기 때문에 짝은 그 수가 2이다. 이른바 하늘을 셋으로 하고 땅을 둘로 한다는 것이다.

及其揲之三變, 則凡三奇者三其三而爲九, 三偶者參其兩而爲六. 此九六所以得數之實也. 至於兩奇一偶, 則亦參其兩奇以爲六, 兩其一偶以爲二, 而合之爲八. 兩偶一奇, 則亦兩其兩偶以爲四, 參其 一奇以爲三, 而合之爲七. 此七八所以得數之實也.

설시의 3변을 마치면 세 홀수는 3이 셋이어서 9가 되고 세 짝수는 2가 셋이어서 6이 된다.

이것은 9와 6이 수의 실질을 얻은 것이다. 홀수가 둘이고 짝수가 하나인 것에 이르면 역시 두 홀수를 셋으로 해서 6이 되고 하나의 짝을 둘로 해서 2가 되어 합하면 8이 된다. 짝수가 둘이고 홀수가 하나이면 두 짝수를 둘로 해서 4가 되고 하나의 홀수를 셋으로 해서 3이 되어 합하면 7이 된다. 이는 7과 8이 수의 실질을 얻은 것이다.

是其老少雖有不同, 然其成象之所自, 得數之所由, 則皆有從來而不可誣矣. 若專以一三五爲九, 二四爲六, 則雖合於積數之一段, 而於七八則有不可得以通者矣. 不自知其不通, 而反以七八爲无象, 不亦誤乎.

노소가 비록 다르지만 상을 이루는 근원과 수를 얻는 연유는 다 내력이 있어서 속일 수 없다. 만약 1,3,5를 9로 삼고 2,4를 6으로만 삼는다면 비록 수를 쌓는 한 계단에 부합하더라도 7,8에 있어서는 통용될 수 없다. 스스로 그 통하지 못함을 모르고 도리어 7과 8을 상이 없다고 여기니 잘못이 아닌가?

又況自其四營三變, 而先得其七八九六之數, 而後得其一卦過揲之策. 此於大傳之文, 蓋有序矣, 今乃以乾坤之策爲母, 反再分之而後得九六焉. 且又不及乎七八而以爲无象, 誤益甚矣.

하물며 네 번 경영함과 세 번 변함으로부터 먼저 7·8·9·6의 수를 얻고 뒤에 한 괘의 과설지책(過揲之策)을 얻음에랴! 이는 「계사전」의 문장으로 순서가 있는데 지금 건곤의 책을 어머니로 삼고 도리어 거듭 나눈 뒤에 9와 6을 얻고 또 7과 8에 이르지 못해 상이 없다고 여겼으니 잘못이 더욱 심하다.

抑七八九六之用於著, 正以流行經緯乎陰陽之間, 而別其老少以辨其爻之變與不變也. 九六豈乾坤之所得專而七八豈六子之所偏用哉. 若如其言, 則凡筮得乾坤者无定爻, 得六子者无定卦矣. 尙何筮之云哉. 其曰乾坤有用九用六之道, 六子无用七用八之道, 此又不攷乎.

도리어 7·8·9·6이 시초에 쓰여 바로 음양의 사이 경위를 유행하면서 노소로 효의 변하고 변하지 않음을 분별한다. 9와 6이 어찌 건곤을 얻은 것에만 오로지 하고 7과 8이 어찌 여섯 자녀에만 치우쳐 쓰이겠는가? 그 말처럼 한다면 시초를 해서 건곤을 얻으면 정해진 효가 없고 여섯 자녀를 얻으면 정해진 괘가 없으니 어찌 서법이라 할 수 있겠는가? 건곤에는 9를 쓰고 6을 쓰는 도가 있지만 여섯 자녀에는 7과 8을 쓰는 도가 없다고 한다면 이 또한 문제가 아닌가?

歐陽子明用之說, 其鑿甚矣, 又況方爲四象之時未有八卦之名耶. 如蘇氏所引一行之言, 謂其有象而合其數, 則可爾. 今直以八卦分之, 不亦太早計哉.

구양자의 씀을 밝힌 설명은 천착이 심하다. 또 하물며 사상의 때에는 팔괘의 이름이 없었음에랴! 만약 소씨가 일행의 말을 인용한 것처럼 그 상이 있으면 그 수를 합한다고 하면 괜찮지만, 지금 직접 팔괘로 분배하는 것은 너무 일찍 계산하는 것이 아니겠는가!

案, 掛扐之五與四, 去初變之掛, 則皆爲四, 而以四約之, 得一揲之數, 一者奇也. 九與八去初變之掛, 則皆有八, 而以四約之, 得二揲之數, 二者偶也. 此所以奇圓用全, 偶方用半也. 啓蒙論河圖先言進退饒乏之正, 以見其象數之原, 後言互藏其宅之變. 謂一三五積爲九, 二四積爲六, 九退而爲七, 六進而爲八, 正如後天卦變之說, 所謂某卦自某卦來云爾. 此所謂九六雖合積數之一端, 而於七八有所不通矣. 今旣不知其說有不通, 而反以七八爲无象, 此所以爲誤也.

내가 살펴보았다: 괘륵의 5와 4에서 초변의 건 것을 제거하면 모두 4가 되는데 4로 묶으면 한 번 세는 수를 얻으니 1은 홀이다. 9와 8에서 초변의 건 것을 제거하면 모두 8이 되는데 4로 묶으면 두 번 센 수를 얻으니 2는 짝이다. 이로써 홀의 원은 전부를 쓰고 짝의 방은 반을 쓴다. 『역학계몽』에 「하도」를 논함에 먼저 진퇴와 남고 모자람의 바름을 말하여 상수의 근원을 보이고 뒤에 서로 상대의 집에 감추는 변화를 말하였다. 1,3,5가 쌓여서 9가 되고 2,4가 쌓여서 6이 되는데 9는 물러나 7이 되고 6은 나아가 8이 된다는 것은 마치 후천 괘변의 설명에서 어떤 괘는 어떤 괘로부터 왔다고 말하는 것과 같을 뿐이다. 이는 이른바 9와 6이 비록 쌓아 합한 수의 한 단서이지만 7과 8에 있어서는 통용되지 못함이 있다. 지금 이미 그 설이 통하지 못함을 알지 못하고 도리어 7과 8을 상이 없는 것으로 여기기 때문에 잘못이라고 한 것이다.

況三變旣畢, 先得七八九六之數, 而以四乘之, 得一爻三十六二十八二十四三十二之數, 十八變旣畢, 得六爻而後, 以六乘之, 得一卦二百一十六一百四十四等策. 觀大傳之文, 先言掛一揲四歸奇再扐然後, 及乾坤過揲之策, 自有其序. 今乃以乾坤之策爲母數, 遂六分之, 又四分之而後得九六之數, 又不及七八之數以爲无象, 此所以其誤益甚者也.

하물며 삼변을 다 마친 뒤에 먼저 7,8,9,6의 수를 얻고 4로 곱해 한 효의 36,28,24,32의 수를 얻으며 18변을 다 마쳐 6효를 얻은 뒤에 6으로 곱하면 한 괘에 216과 144책 등을 얻음에 있어서랴! 「계사전」의 문장을 보면 먼저 하나를 걸고 4개씩 세고 나머지를 돌리고 두 번 륵한 뒤에 건곤의 과설지책(過揲之策)을 언급하였으니 자연스런 순서가 있다. 지금 건곤의 책을 어머니로 삼고 드디어 6으로 나누고 또 4로 나눈 뒤에 9와 6의 수를 얻으며, 또 7과 8의 수에는 미치지 않아 상이 없는 것으로 하니 이것 때문에 그 잘못이 더욱 심하다고 한 것이다.

韓康伯註, 乾之策二百一十有六, 曰, 乾一爻三十六策, 則是取其退揲四分而九也. 坤
之策百四十有四, 曰, 坤一爻二十四策, 則是取其退揲四分而六也. 今郭氏必以乾坤之
策再分之者, 蓋本於此而尤差矣.

한강백의 주석에서 "건의 책이 216이다"에 대해 말하길, "건의 1효가 36책이니 이것을 가지
고 거슬러 세어 4로 나누면 9이다"라고 하고, "곤의 책이 144이다"에 대해 말하길, "곤의
1효가 24책이니 이것을 가지고 거슬러 세어 4로 나누면 6이다"라고 하였다. 지금 곽씨가
건곤의 책으로 나눈 것은 다 여기에 근본한 것인데 더욱 어긋났다.

歐陽子曰, 乾坤之用九用六何謂也. 曰, 乾爻七九坤爻八六, 九六變而七八无爲. 易道
占其變, 故以其所占者名爻, 所謂六爻皆九六也. 及其筮也, 七八常多而九六常小, 有
无九六者焉. 此不可以不釋也. 六十四卦皆然, 特於乾坤見之, 則餘可知耳.

구양자가 말하였다: 건곤의 9를 쓰고 6을 쓴다는 것은 어떤 말입니까?
답하였다: 건효는 7과 9이고 곤효는 8과 6이다. 9와 6은 변하고 7과 8은 하는 것이 없다.
역의 도는 변화를 점치기 때문에 점친 것을 효로 이름하였으니 이른바 육효가 다 9와 6이다.
시초점에 미쳐서 7과 8은 늘 많고 9와 6은 늘 적다. 9나 6이 없는 것도 있으니 이것은 분석
하지 않으면 안 된다. 64괘가 다 그렇지만 특히 건곤을 보면 나머지를 알 수 있다.

朱子引之於啓蒙, 謂此說發明先儒所未到, 最爲有功. 觀此則見郭氏說其鑿甚矣. 又況
方爲四象之時, 又是一爻之陰陽老少, 未有八卦之名. 若如下章所載, 蘇氏所引一行之
言, 所謂三少乾之象也, 乾所以爲老陽, 而合九數, 三少坤之象也, 坤所以爲老陰, 而合
六數, 則可也. 今乃直以八卦分之, 此所謂太早計也.

주자가 『역학계몽』에서 이를 인용하고 "이 설은 선배 학자들이 이르지 못한 것을 밝혀놓았
다"고 하였는데 가장 친절하다. 이것을 보면 곽씨의 설이 천착함이 심함을 볼 수 있다. 또
하물며 막 사상이 되었을 때는 한 효의 음양노소이지 아직 팔괘의 이름이 없음에랴! 아랫
장에 실린 소씨가 인용한 일행의 말인 이른바 "삼소(三少)는 건괘의 상이다"는 건괘가 노양
이 되고 합하면 9인 까닭이고 "삼다(三多)는 곤괘의 상이다"는 곤괘가 노음이 되고 합하면
6인 까닭이니 괜찮다. 지금 곧바로 팔괘로 나누면 이것은 너무 일찍 계산한 것이다.

且朱子答程泰之書曰, 大傳專以六爻乘老陽老陰而言之, 其實六爻之爲陰陽者, 老少
錯雜其積而爲乾者未必皆老陽, 積而爲坤者未必皆老陰. 其爲六子諸卦, 亦互有老少
焉. 蓋老少之別本所以生爻, 而非所以名卦. 今但以乾有老陽之象, 坤有老陰之象, 六
子有少陰陽之象, 且均其策數, 又偶合焉, 而因假此以明彼則可. 若便以乾坤皆爲老陰
陽, 六子皆爲少陰陽, 恐甚未安. 與此參攷則其義可見矣.

또 주자가 정태지에게 답한 글에서 말하였다: 「계사전」에서는 오로지 6효에 노양과 노음을 곱한 것으로 그 사실을 말했지만, 육효가 음양이 되는 것에는 노소가 섞여있으니, 그것이 쌓여 건괘가 된 것이 다 노양이 되는 것이 아니며, 쌓여서 곤괘가 되는 것이 다 노음이 되는 것은 아니다. 여섯 자녀의 괘에도 노소가 있다. 노소의 구별은 본래 효를 생하기 때문이지 괘를 명명하기 때문이 아니다. 지금 건에 노양의 상이 있고 곤에 노음의 상이 있고, 여섯 자녀에 소음과 소양의 상이 있으며, 또 그 책수가 균등하고 또 우연히 합하니 이것을 빌려 저것을 밝히면 괜찮다. 만약 곧 건곤으로 노음과 노양을 삼고 여섯 자녀를 소음과 소양으로 삼는다면 안 될 것이다. 이것과 함께 참고하면 그 뜻을 알 수 있다.

釋疑序云, 繫辭不載九六七八陰陽老少之數. 聖人畫卦, 初未必以陰陽老少爲異. 然卜史之家, 欲取動爻之後卦, 故分別老少之象, 與聖人畫卦之意, 已不同矣. 〈案, 聖人畫卦以下見小註, 而初未必之必字誤作有字, 卜史之家之家字, 誤作象字.〉

『석의』의 서문에서 말하였다: 「계사전」에 9·6·7·8의 음양 노소의 수를 기재하지 않았다. 성인이 괘를 그을 때 처음부터 반드시 음양노소를 달리한 것은 아니다. 그런데 점치는 사람들이 효가 변동한 뒤의 괘를 취하고자 하여 노소의 상을 분별하였는데 성인이 괘를 그은 뜻과는 이미 다르다. 〈내가 살펴보았다: 성인이 괘를 그은 이하는 소주에 보인다. '처음부터 반드시'의 '반드시[必]'는 '있다[有]'로 잘못되어 있고, '점치는 사람들'의 '사람들[家]'은 '상(象)'으로 잘못되어 있다.〉

朱子曰, 今按周禮太卜, 占人筮人之官槪擧, 其法不能甚詳. 然其不見於大傳者已多矣. 然皆周公法也. 安知七八九六之說不出於其中, 而夫子贊易之時, 見其已著而遂不之及乎. 聖人作易本爲卜筮. 若但有陰陽而无老少, 則又將何以觀變而玩其占乎. 且策數之云, 正出於七八九六者. 今深主策數而力排七八九六爲非聖人之法, 進退无所據矣.

주자가 말하였다: 지금 『주례』 태복을 살펴보니 점치는 사람과 시초점 치는 사람의 관직을 거론하고 있는데 그 법을 자세히 알 수는 없다. 그렇지만 「계사전」에 나오지 않는 것이 이미 많다. 그렇지만 다 주공의 법이다. 어찌 7·8·9·6의 설이 그 가운데서 나오지 않았다고 주장할 수 있겠는가? 공자가 역을 찬할 때 이미 드러나 있음을 보고 드디어 언급하지 않았겠는가? 성인이 역을 지음은 본래 복서를 위해서이다. 만약 음양만 있고 노소가 없다면 어떻게 변화를 보고 점을 완미할 수 있겠는가? 또 책수를 운운한 것도 바로 7·8·9·6에서 나온 것이다. 지금 깊숙이 책수를 주로 해서 7·8·9·6의 설이 성인의 법이 아니라고 힘주어 배척하지만 나가고 물러남에 근거가 없다.

案周禮太卜掌三易, 占人占八頌及之八[236], 筮人辨九筮之類[237]. 皆周公法也. 朱子於大傳本義, 亦云, 意其詳具於太卜筮人之官, 今不可攷, 安知非七八九六之說, 已具於卜筮之職邪.

『주례·태복』을 살펴보면 삼역을 관장한다는 부분에 '점치는 사람이 여덟 가지로 점을 치는데 여덟 가지 점사로 한다'는 것과 '시초점을 치는 사람이 아홉 가지 시초점의 명칭을 구분한다'는 것은 다 주공의 법이다. 주자가 「계사전」의 『본의』에서도 "의미는 태복편 서인의 관직에 상세하게 갖추어져 있지만 지금은 상고해볼 수 없다."고 하였으니 어찌 7·8·9·6의 설이 이미 복서를 맡은 관직에 갖추어져있지 않다고 주장하겠는가?

左傳有曰, 貞屯悔豫皆八, 又曰泰之八. 是必自周公以來及至春秋之時, 其法已著, 故夫子繫易遂不之及乎. 大傳雖不明言七八九六, 而其曰參伍以變錯綜其數者, 非指此言歟.

『춘추좌씨전』에도 정(貞)은 준(屯)이고 회(悔)는 예(豫)로 모두 8이라는 말이 있다. 또 태지팔(泰之八)이라고도 하였다. 이는 필시 주공이래로 춘추시대에까지 그 법이 이미 드러나 있었으므로 공자가 「계사전」에 언급하지 않았으리라. 「계사전」에 비록 분명하게 7·8·9·6을 언급하지 않았어도 3과 5로 변하고 그 수를 착종한다고 하였으니 이것을 가리킨 말이 아니겠는가?

辨證曰, 凡卦爻所得之數, 獨謂之策, 自餘雖天地大衍, 亦皆但謂之數.

변증에서 말하였다: 괘효에서 얻은 수만을 책이라 하고, 나머지로부터는 비록 천지의 대연수라 하더라도 역시 다만 수라고만 한다.

朱子曰, 今按, 此說之誤已辨矣. 大凡蓍之一籌, 謂之一策. 策中乘除之數, 則直謂之數矣.

주자가 말하였다: 지금 살펴보니 이 설의 잘못은 이미 분별되었다. 시초 한 가지를 1책이라하고, 책 가운데 곱하고 나눈 수를 곧바로 수라고 한다.

案, 朱子與郭冲晦書曰, 數是自然之數, 策則蓍之筮數也. 所以破此等說也.

내가 살펴보았다: 주자가 곽충회에게 준 글에서 "수는 자연의 수이고 책은 시초할 때의 시초의 수이다"라고 한 것은 그런 설명을 깨뜨리기 위함이다.

---

236) 『周禮·太卜』占人以八筮, 占八頌.
237) 『周禮·太卜』掌三易, 以辨九筮之名.

辨證曰, 扐者數之餘也, 如禮言祭用數之仂是也. 或謂指間爲扐非也. 揚子雲作扐亦謂
著之餘數, 豈以草間爲扐耶.

변증에서 말하였다: 륵은 수의 나머지인데『예기』에서 말한 제사에는 수의 나머지[1/10]를
쓴다는 것이 이것이다. 어떤 이는 손가락 사이를 륵이라고 하는데 틀렸다. 양자운도 륵을
시초의 나머지 수라고 했으니 어찌 풀 사이를 륵이라고 하겠는가?

朱子曰, 今按歸奇於扐, 謂歸此餘數於指間耳, 則此扐者乃歸餘數之處, 而非所歸餘數
之名也. 祭用數之仂者, 亦謂正數在握中, 而其奇零之數在指間. 指屬人身, 故從人從
力而爲仂也. 芳主於著, 而言此草在人指間也. 凡從力者皆勒之省文.

주자가 말하였다: 지금 나머지를 륵에 돌린다는 것이 나머지 수를 손가락 사이에 돌린다는
것을 말하는 것일 뿐이라면, 여기의 륵이란 나머지 수를 돌리는 곳이지 나머지 수를 말하는
것이 아니다. 제사에는 수의 나머지를 쓴다는 것도 정수는 손안에 있고 그 나머지 수는 손가
락사이에 있음을 말한다. 손가락은 인체에 속하기 때문에 '인(人)'자와 '력(力)'자를 써서 '륵
(扐)'자가 되었다. 륵은 시초로 주로 쓰이는데 이 풀이 사람 손가락 사이에 있음을 말한다.
대체로 '력(力)'자를 따르는 글자는 다 륵(勒)의 생략이다.

案, 王制所謂祭用數之仂者, 亦謂正數在握中, 而其奇零之數在指間, 如家禮所謂取其
二十之一, 以爲祭田云者. 其二十分之正數在握中, 而布數旣畢, 其一分餘數畱在指
間, 是之爲仂. 正如著策在手中, 而其奇策則歸指間也.

내가 살펴보았다: 「왕제」편에서 말한 제사에는 수의 나머지를 쓴다는 것도 정수는 손 안에
있고 그 나머지 수는 손가락 사이에 있음을 말하니 마치 「가례」에서 말한 것과 같이 20에서
1을 취하여 제전으로 삼는다고 운운한 것과 같다. 그 20분의 정수는 손 안에 있고 수를 펼치
는 것이 끝나면 1분의 나머지 수는 손가락 사이에 있는데 이것이 륵이 된다. 마치 시초의
책은 손 안에 있고 그 나머지 책은 손가락 사이에 있는 것과 같다.

太玄揲法, 用三十三策, 掛一而中分, 其餘以三揲之, 竝餘於扐, 一扐之後, 而數其餘.
旣曰竝餘於扐, 則扐亦謂歸餘數之處, 非餘數之名矣.

『태현경』의 설시법은 33책을 쓴다. 하나를 걸고 가운데를 나누고 그 나머지를 3개씩 세고
륵에 나머지를 아우르고 한번 륵한 후에 그 나머지를 센다. 이미 륵에 나머지를 아우른다고
하였으니 륵(扐)이란 것도 나머지를 돌리는 곳이지 나머지 수를 말하는 것이 아니다.

辨證口, 如正義之說, 是六揲六扐而成一爻, 三十六揲三十六扐而成一卦, 與十八變成
卦之文異矣.

변증에서 말하였다: 『주역정의』의 설명은 육설(六揲)과 육륵(六扐)으로 한 효를 이루고, 36설과 36륵으로 한 괘를 이룬다는 것인데, 18변으로 괘를 이룬다는 문장의 뜻과는 다르다.

朱子曰, 今按, 一變之中, 再揲再扐, 則十有八變之與三十六揲三十六扐, 未有所戾也.
주자가 말하였다: 지금 살펴보니 1변 가운데 재설과 재륵을 하면 18변은 36설과 36륵과 어긋남이 없다.

案, 一變有再揲再扐, 則變數十八, 自有三十六揲三十六扐, 未見其相悖也.
내가 살펴보았다: 1변 가운데 재설과 재륵이 있으면 변의 수는 18이니 저절로 36설과 36륵이 있어 어긋남을 볼 수 없다.

郭氏必以前一變爲掛, 後二變爲再扐. 又因以三變爲三揲. 故指一變爲一揲, 一爻爲再扐, 而反譏孔氏以再揲再扐在一變之內, 以成三十六揲三十六扐, 其誤甚矣.
곽씨는 필시 앞의 1변을 '괘(掛)'라고 여기고 뒤에 2변을 재륵(再扐)이라 여기고 또 3변을 삼설(三揲)이라 여겼을 것이다. 그러므로 1변을 가리켜 1설로 삼고 1효를 재륵이라고 하여 도리어 공씨가 재설과 재륵이 1변의 안에 있어서 36설과 36륵을 이룬다고 여긴 것을 기롱하였으니 그 잘못이 심하다.

辨證曰, 蘇氏所載一行之學曰, 多少者奇偶之象也, 三變皆少則乾之象也, 乾所以爲老陽, 而四數其餘得九, 故以九名之. 三變皆多則坤之象也, 坤所以爲老陰, 而四數其餘得六, 故以六名之.
변증에서 말하였다: 소씨가 기재한 일행의 학에 이르길, 다소(多少)는 기우의 상인데 3변이 모두 적은 수이면 건괘의 상이며 건괘는 노양이 되기에 4개로 세면 그 나머지가 9이기 때문에 9라고 한다. 3변이 모두 많은 수이면 곤괘의 상이다. 곤괘는 노음이 되기에 4개로 세면 그 나머지가 6이 되기 때문에 6이라고 한다.

又曰, 七八九六者, 因餘數以名陰陽, 而陰陽之所以爲老少者, 不在是, 而在乎三變之間, 八卦之象也. 如上所言, 則是直取三變多少卦象相類, 以畫爻而不復論其策數也.
또 말하였다: 7·8·9·6은 나머지 수로 음양을 일컬은 것인데, 음양이 노소가 됨은 여기에 있지 않고 삼변의 사이에 있으니 팔괘의 상이 있다. 위에서 말한 대로라면 이것은 직접 3변의 다소가 괘상과 서로 같음을 취해 효를 긋고 다시 그 책수를 논하지 않는다.

朱子曰, 今按蘇氏之說, 旣不知七八九六之已具於掛扐, 而必求之過揲之間, 其與郭氏之說已略相似矣. 但蘇氏以八卦之象爲斷, 而郭氏以四象之策爲言, 少不同耳. 然蘇氏亦云四數其餘得九, 則固亦兼取策數矣, 而郭氏峻文深詆邃至於此, 亦可畏哉.

주자가 말하였다: 지금 소씨의 설을 살펴보니 이미 7·8·9·6이 이미 괘륵에 갖추어져 있음을 모르고 반드시 과설의 사이에서 구한다는 것은 곽씨의 설과 대략 비슷하다. 다만 소씨는 팔괘의 상으로 판단하였는데 곽씨는 사상의 책으로 말한 것이 조금 다르다. 그렇지만 소씨도 4로 세면 9를 얻는다고 하였으니 진실로 책수를 아울러 취했는데 곽씨는 준엄한 글로 깊이 꾸짖음이 이와 같으니 또한 두려워할만 하다.

案, 四十九策中, 掛扐過揲, 聖人未嘗偏廢, 七八九六无所不周.

내가 살펴보았다: 49책 가운데 괘륵과 과설은 성인이 일찍이 폐기하지 않았으니 7·8·9·6이 함께하지 않음이 없다.

蘇氏不知掛扐之奇偶方圓參兩進退, 七八九六之數已見於其中, 必求之於過揲四數得九得六等說. 是雖不言廢置掛扐, 而其與郭氏廢置掛扐只用過揲四九四六之說同, 所謂略相似者也.

소씨는 괘륵의 기우와 방원과 삼양이 진퇴하는 가운데 7·8·9·6의 수가 이미 나타나 있음을 모르고 반드시 과설을 4로 세어 9를 얻고 6을 얻는다는 등의 설에서 구하였다. 이것은 비록 괘륵을 폐기한 것은 아니라도 곽씨가 괘륵을 폐기하고 다만 과설의 4×9, 4×6의 설을 쓴 것과는 같기 때문에 대략 비슷하다고 하였다.

蘇氏, 反以過揲爲餘數, 論陰陽在四數其餘得九七與六八, 而老少則不在乎是. 但以三變掛扐多少, 象奇少偶多之畫, 以乾坤爲老, 六子爲少. 此所謂以八卦之象爲斷者也.

소씨는 도리어 과설을 나머지 수로 여겨 음양이 4로 세어 그 나머지인 9,7과 6,8에 있고 노소는 여기에 있지 않다고 논하였다. 다만 3변의 괘륵의 다소를 가지고 기(奇)는 적고[少] 우(偶)는 많은[多] 획을 상징하여 건곤으로 노(老)를 삼고 여섯 자녀 괘로 소(少)를 삼았다. 이것이 이른바 팔괘의 상으로 판단했다는 것이다.

郭氏乃謂陰陽老少皆不在掛扐, 而在三變過揲, 此所謂小不同者也.

곽씨가 말한 음양의 노소는 괘륵에 있지 않고 3변의 과설에 있다는 것이 이른바 조금 다르다는 것이다.

然蘇氏亦云四數其餘得九, 則不但取八卦奇偶之象, 固亦兼取四象過揲之策. 郭氏以少有不同之, 故峻加詆斥, 邃謂不復論其策數. 此朱子所以深辨也.

그렇지만 소씨도 4로 세어 나머지 9를 얻는다고 하였으니 팔괘의 기우의 상만 취한 것이 아니라 진실로 사상의 과설의 책도 아울러 취한 것이다. 곽씨가 조금 다름이 있다 하여 준엄하게 꾸짖어 배척하여 드디어 다시는 책수를 논하지 않았다. 이를 주자가 깊이 변론한 것이다.

辨證曰, 凡揲蓍第一變, 必掛一者, 謂不掛一, 則无變, 所餘皆得五也. 唯掛一則所餘非五則九, 故能變. 第二第三變, 雖不掛, 亦有四八之變, 蓋不必掛也. 朱子曰, 今按, 三變皆掛, 蓋本大傳所謂四營而成易. 然其所以不可不掛者, 則又有兩說.

변증에서 말하였다: 설시의 제1변에서 반드시 1개를 거는 것은 1개를 걸지 않으면 변화가 없어 나머지가 모두 다 5이다. 오직 1개를 걸어야 나머지가 5아니면 9로 변화가 가능하다. 제2변과 3변에서는 비록 걸지 않더라도 또한 4와 8의 변화가 있기 때문에 모두 걸 필요가 없다. 주자가 말하였다: 지금 살펴보니 3변에서 다 거는 것은 「계사전」의 네 번 경영해서 역을 이룬다는 것에 근본한다. 그렇지만 걸지 않을 수 없는 이유에는 두 가지 설이 있다.

蓋三變之中, 前一變屬陽, 故其餘五九皆奇數, 後二變屬陰, 故其餘四八皆偶數. 屬陽者爲陽三而爲陰一, 圍三徑一之術也. 〈掛一而左一右三也, 掛一而左右皆二也, 掛一而左三[238]右一也, 皆陽也. 掛一而左右皆四也, 陰也.〉

대체로 3변의 가운데 앞의 1변은 양에 속하기 때문에 그 나머지인 5나 9는 모두 기수이고 뒤의 2변은 음에 속하기 때문에 그 나머지인 4나 8은 모두 우수이다. 양에 속하는 것은 양이 3이 되고 음의 1이 되니 주위가 3이고 직경이 1인 방법이다. 〈건 하나와 좌의 1과 우의 3, 건 1과 좌우가 다 2, 건 하나와 좌의 3과 우의 1은 모두 양이다. 건 하나와 좌우가 모두 4인 것은 음이다.〉

屬陰者爲陰二而爲陽二, 皆以圍四用半之術也. 〈掛一而左一右二也, 掛一而左二右一也, 陽也. 掛一而左三右四也, 掛一而左四右三也, 陰也.〉

음에 속한 것은 음의 2로 양의 2가 되니 모두 주위가 4이고 그 반을 쓰는 방법이다. 〈건 하나와 좌의 1과 우의 2, 건 하나와 좌의 2와 우의 1은 양이다. 건 하나와 좌의 3과 우의 4, 건 하나와 좌의 4와 우의 3은 음이다.〉

是皆以三變皆掛之法得之, 後兩變不掛, 則不得也. 〈後兩變不掛, 則左一右三, 左二右二, 左三右一, 皆爲陽. 唯左右皆四, 乃爲陰.〉

이들은 모두 3변을 다 거는 방법으로 얻은 것이니 뒤의 2변에 걸지 않으면 얻지 못한다.

---

238) 三: 경학자료집성DB와 영인본에 '二'로 되어있으나, 문맥을 살펴 '三'으로 바로잡았다.

〈뒤의 2변에 걸지 않으면 좌1과 우3, 좌2와 우2, 좌3과 우1로 모두 양에 속하고 오직 좌우가 다 4인 것만 음이 된다.〉

三變之後, 其可爲老陽者十二, 可爲老陰者四, 可爲少陰者二十八, 可爲少陽者二十. 雖多寡之不同, 而皆有法象.〈老陰陽數本皆八. 老者動而陰性本靜, 故損陰之四以歸於陽. 少陰陽數本皆二十. 少者靜而陽性本動, 故損陽之四以歸於陰.〉

3변의 뒤에 노양이 될 수 있는 것은 12이고 노음이 될 수 있는 것은 4이고 소음이 될 수 있는 것은 28이고 소양이 될 수 있는 것은 20이다. 비록 다과의 다름이 있지만 모두 법상이 있다.〈노음과 노양의 수의 근본은 다 8이다. 노(老)는 움직이지만 음의 성질은 본래 고요하기 때문에 음의 4를 덜어 양에 돌린다. 소음과 소양의 수의 근본은 다 20이다. 소(少)는 고요하지만 양의 성질은 본래 움직인다. 그러므로 양의 4를 덜어 음에 돌린다.〉

是亦以三變皆掛之法得之而後, 兩變不掛則不得也. 後兩變不掛, 則老陽少陰皆二十七, 少陽九老陰一.

이 또한 3변을 다 거는 법으로 얻은 뒤이니 양변을 걸지 않으면 얻지 못한다. 뒤의 양변을 걸지 않으면 노양과 소음은 다 27이고 소양은 9이고 노음은 1이다.

郭氏僅見第二第三變可以不掛之一端爾, 而遂執而爲說. 夫豈知掛與不掛之爲得失乃如此哉.

곽씨가 다만 제2변과 제3변을 걸지 않을 수 있다는 하나만 보고 드디어 집착하여 설을 만들었다. 어찌 걸고 걸지 않는 득실이 이와 같음을 알았겠는가?

案, 郭氏僅見後兩變不掛, 亦有四八之一端, 遂以爲說. 是不過三營, 而與大傳四營成易不合矣. 其他如廢置掛扐, 以奇爲掛, 以扐爲餘, 初變爲掛象閏, 後二變爲再扐象不閏, 九六爲乾坤, 七八爲六子等說, 偏滯雖多而皆失於文義者也. 此後二變不掛之說, 其於成卦成爻之法, 大有所害, 不但文義之差而已.

내가 살펴보았다: 곽씨가 겨우 뒤의 두 변화에 걸지 않는 것에도 4와 8의 한 단서가 있음만 보고 드디어 설을 만들었다. 이는 세 번 경영함에 불과하고 「계사전」의 네 번 경영해서 역을 이룬다는 것과 부합하지 않는다. 기타 괘륵을 폐기하고 기(奇)를 괘(掛)로 여기고 륵(扐)을 여(餘)로 여기고, 초변을 괘(掛)와 윤달을 상징함[象閏]으로 하고 뒤의 2변은 재륵(再扐)과 윤달을 넣지 않음을 상징함[象不閏]으로 하고, 9와 6을 건곤으로 하고 7과 8을 여섯 자녀로 하는 등의 설 등은 치우치고 막힘이 많고 모두 문징의 뜻을 잃은 것이다. 여기의 뒤의 2변에 걸지 않는다는 설은 괘를 이루고 효를 이루는 법에 있어 크게 해로움이 있으니 문장의 뜻만

어긋나는 것이 아니다.

白雲郭氏曰, 一變掛扐甲閏, 二變扐乙, 三變扐丙, 四變掛扐丁閏, 五變扐戊, 六變扐己, 七變掛扐庚閏, 八變扐辛, 九變扐壬.
백운곽씨가 말하였다: 1변의 괘륵(掛扐)은 갑의 윤이고, 2변의 륵은 을이고, 3변의 륵은 병이고, 4변의 괘륵은 정의 윤이고, 5변의 륵은 무이고, 6변의 륵은 기이고, 7변의 괘륵은 경의 윤이고, 8변의 륵은 신이고, 9변의 륵은 임이다.

朱子曰, 郭氏之說, 以掛爲奇, 三變之中, 第一變掛扐, 第二第三變不掛而扐, 故以有掛有扐之變爲掛, 无掛有扐之變爲扐, 其有掛之扐, 又棄不數而曰歸奇, 必俟再扐者, 象閏之中閏再歲也. 然則掛象閏歲而不象三才, 扐反象不閏之歲, 而不象閏, 且必三扐而後復掛, 與大傳之文殊不相應, 又其閏必六歲而後再至, 亦不得爲五歲而再閏矣.
주자가 말하였다: 곽씨의 설은 괘(掛)를 기(奇)로 여기고, 3변의 가운데 제1변은 괘하고 륵하고 제2변과 제3변은 괘하지 않고 륵하기 때문에 괘가 있고 륵이 있는 변을 괘(掛)로 삼고, 괘가 없고 륵이 있는 변을 륵(扐)으로 하는데, 그 괘(掛)가 있는 륵은 또 버리고 세지 않아 '귀기(歸奇)'라고 하니 반드시 재륵을 기다림은 윤달을 상징한 가운데 재세(再歲)를 찾는다. 그렇지만 괘(掛)로 윤세(閏歲)를 상징하고 삼재를 상징하지 않고 륵은 도리어 윤달이 없는 해를 상징하며 윤달을 상징하지 않고 또 반드시 세 번 륵한 후에 다시 괘(掛)하니 「계사전」의 문장과 달라 서로 호응하지 않고, 또 그 윤달은 반드시 6년이 지난 후에 두 번 이르니 또한 5년에 두 번 윤달이 듦을 얻지 못한다.

案, 大傳掛一象三, 而今以第一變爲掛, 以象閏歲而不象三才. 大傳再扐象再閏, 而今以後二變不掛爲再扐, 反象不閏之歲, 而不象閏. 且大傳再扐而後掛, 而今雖不數初變之扐, 只以後二變之扐爲再歲, 而其實三變之內凡三扐而後掛. 此與大傳之文絶不相應者也. 然則三變而一掛, 六變而再掛, 是爲六歲而再閏也, 亦安在其爲五歲而再閏也.
내가 살펴보았다: 「계사전」에 괘일(掛一)과 상삼(象三)에 대해 지금 제1변으로 괘(掛)를 삼고 윤세(閏歲)를 상징하는 것으로 하여 삼재를 상징하지 않는다. 「계사전」의 재륵(再扐)과 재윤(再閏)을 상징하는 것에 대해 지금 뒤의 2변의 걸지 않음을 재륵(再扐)으로 삼아 도리어 윤달이 없는 해를 상징하고 윤달을 상징하지 않는다. 또 「계사전」의 재륵(再扐)한 뒤에 건다는 것에 대해 지금 초변(初變)의 륵(扐)을 세지 않고 다만 뒤의 2변의 륵으로 2년을 삼아 실제는 3변의 안에 삼륵(三扐)한 후에 괘(掛)한다. 이는 계사전의 문장과 완전히 상응하지 않는 것이다. 그렇게 하면 3변이 1괘가 되고 6변이 두 번 괘하는 것이 되니 이는 6세에 윤이 두 번 드는 것이어서 또 어찌 5년에 두 번 윤달이 든다는 것이 됨에 있겠는가?

正義, 四營而成易者, 營謂經營, 四度經營, 著策乃成易之一變也. 十有八變而成卦者, 每一爻有三變, 謂初一揲不五則九, 是一變也. 第二揲不四則八, 是二變也. 第三揲亦不四則八, 是三變也. 若三者俱多爲老陰, 謂初得九第二第三俱得八也. 若三者俱少爲老陽, 謂初得五第二第三俱得四也.

『주역정의』에서 네 번 경영해서 역을 이루는 것에서 영(營)이란 경영으로 네 차례 경영하면 시책이 역의 1변을 이루는 것이다. 18변에 괘를 이루는 것은 매 한 효에 3변이 있으니 처음 1설은 5가 아니면 9이니 이것이 1변이다. 제2설은 4가 아니면 8이니 이는 2변이다. 제3설도 4가 아니면 8이니 이는 3변이다. 만약 세 가지가 모두 많으면 노음이 되는데 처음에 9를 얻고 두 번 째와 세 번 째 모두 8을 얻은 것이다. 만약 세 가지가 모두 적으면 노양이 되는데 처음에 5를 얻고 두 번 째와 세 번 째 모두 4를 얻은 것이다.

若兩少一多爲少陰, 謂初與二三之間, 或有四或有五而有八也, 或有二箇四而有一箇九, 此爲兩少一多也. 其兩多一少爲少陽者, 謂三揲之間或有一箇九有一箇八而有一箇四, 或有二箇八而有一箇五, 此爲兩多一少也. 如此三變旣畢, 乃定一爻, 六爻則十有八變乃定一卦, 則十有八變乃其始成卦也.

양소일다(兩少一多)이면 소음이 되는데 처음과 두세 번째에 혹 4나 5가 있고 8이 있거나, 혹 두 개의 4와 한 개의 9가 있으면 이것이 양소일다(兩少一多)이다. 양다일소(兩多一少)이면 소양이 되는데 세 번 세는 사이에 혹 9가 하나이고 8이 하나이고 4가 하나이거나 혹 8이 두 개 5가 하나이면 이것이 양다일소(兩多一少)이다. 이와 같이 3변을 마치면 한 효를 정하고 6효는 18변으로 한 괘를 정하니 18변을 해야 비로소 괘를 이룬다.

老陽數九老陰數六, 老陽老陰皆變, 周易以變者爲占, 故陽爻稱九陰爻稱六. 所以老陽數九老陰數六者, 以揲著之數, 九過揲則得老陽, 六過揲則得老陰, 其少陽稱七少陰稱八義準此.

노양수는 9이고 노음수는 6인데 노양과 노음은 다 변하니 주역은 변하는 것으로 점치기 때문에 양효를 9라 하고 음효를 6이라 한다. 노양수는 9이고 노음수는 6인 것은 설시의 수가 9이면 과설이 노양을 얻고 6이면 과설이 노음을 얻으니 소양을 7이라 하고 소음을 8이라 하는 뜻은 이에 준한다.

劉禹錫曰, 一變遇少與歸奇而爲五, 再變遇少與歸奇而爲四, 三變如之, 是老陽之數. 分措手指間者, 十有二策焉, 其餘三十有八. 四四而運得九, 是已.〈餘三象同.〉第一指〈餘一益三, 餘二益二, 餘三益一, 餘四益四.〉第二指〈餘一益二, 餘二益一, 餘三益四,

餘四益三.〉 第三指〈與第二指同.〉

유우석이 말하였다: 1변에서 적은 것을 만나 귀기(歸奇)와 함께 5가 되고, 2변에서 적은 것을 만나 귀기(歸奇)와 함께 4가 되고, 3변에서도 이와 같으면 이것은 노양의 수이다. 나누고 손가락사이에 놓은 것이 12책이고 그 나머지는 36이다. 4개씩 세면 9를 얻으니 이것뿐이다. 〈나머지 세 상도 같다.〉 제1지(指)〈나머지가 1이면 더해지는 것은 3이고, 나머지가 2이면 더해지는 것은 2이고, 나머지가 3이면 더해지는 것은 1이고, 나머지가 4이면 더해지는 것은 4이다.〉제2지〈나머지가 1이면 더해지는 것은 2이고, 나머지가 2이면 더해지는 것은 1이고, 나머지가 3이면 더해지는 것은 4이고, 나머지가 4이면 더해지는 것은 3이다.〉제3지〈제2지와 동일하다.〉

李泰伯曰, 聖人撰著, 虛一分二, 掛一撰四, 歸奇再扐, 確然有法象, 非苟作也. 故五十而用四十有九, 分於兩手, 掛其一則存者四十八. 以四撰之十二, 撰之數也. 左手滿四右手亦滿四矣, 乃扐其八而謂之多. 左手餘二右手亦餘二矣, 乃扐其四而謂之少, 則扐十二, 竝掛而十三, 其存者三十六爲老陽, 以四計之則九撰也, 故稱九.

이태백이 말하였다: 성인이 설시를 함에 1개를 비우고 둘로 나누고 1개를 걸고 4개씩 세고 나머지를 돌리고 거듭 륵함은 확실하게 법상이 있어서 구차하게 만든 것이 아니다. 그러므로 50에서 49를 쓰는데 양손에 나누고 1개를 걸면 현존하는 것이 48이다. 4개씩 세면 12이니 세는 수이다. 좌수에 4개가 차고 우수에도 4개가 차면 8개를 륵하여 많다고 한다. 좌수에 2가 남고 우수에도 2가 남으면 4개를 륵하여 적다고 한다. 그러면 12를 륵하고 건 것과 아우르면 13이고 현존하는 것은 36으로 노양이 되는데 4로 계산하면 9번 세는 것이기 때문에 9라고 한다.

三多則扐二十四, 竝掛而二十五, 其存者二十四爲老陰, 以四計之則六撰也, 故稱六.

삼다(三多)면 24를 륵하고 건 것과 아우르면 25이니, 현존하는 것은 24로 노음이 되는데 4로 계산하면 6번 세는 것이기 때문에 6이라고 한다.

一少兩多則扐二十, 竝掛而二十一, 其存者二十八爲少陽, 以四計之則七撰也, 故稱七.

일소양다(一少兩多)면 20을 륵하고 건 것과 아우르면 21이니, 현존하는 것은 28로 소양이 되는데 4로 계산하면 7번 세는 것이기 때문에 7이라고 한다.

一多兩少則扐十六, 竝掛而十七, 其存者三十二爲少陰, 以四計之則八撰也, 故稱八. 所謂七八九六者, 蓋取四象之數也.

일다양소(一多兩少)면 16을 륵하고 건 것과 아우르면 17이 되니 현존하는 것은 32로 소음이 되는데 4로 계산하면 8번 세는 것이 되기 때문에 8이라고 한다. 이른바 7,8,9,6은 모두 사상의 수를 취한 것이다.

朱子曰, 今攷三家之說, 正義大槪得之. 但不推多少, 所以爲陰陽老少之數爲大略, 而 易字之解, 三揲之分, 亦爲小疵.

주자가 말하였다: 지금 3가(三家)의 설을 살펴보면 『주역정의』의 설이 좋다. 다만 다소가 음양노소의 수가 되는 까닭을 유추하지 못한 것이 너무 소략하고 역(易)자의 풀이와 세 번 셈함을 나눈 것도 조금 하자가 있었다.

劉氏言遇多遇少與歸奇爲若干, 則是誤以兩扐爲所遇, 而謂掛一爲歸奇矣.

유씨가 말한 '많은 것을 만나고 적은 것을 만남'과 '나머지를 돌림'이 약간이 된다고 한 것은, 이는 양륵(兩扐)을 얻은 것으로 오인하여 괘일(掛一)을 귀기(歸奇)가 된다고 한 것이다.

其曰, 餘三十有六策, 四四而運得九, 則是反以過揲爲餘數, 而又必再運之矣. 此皆不 如正義之名正而法簡. 其論第一指與第二指第三指之餘數不同, 則是爲三變皆掛之法. 然曰餘若干而益若干, 則爲揲左不揲右, 而不免有以意增益之嫌. 其以三變掛扐之策, 分措于三指間, 則初變之扐誤竝於掛, 再變之掛誤竝於扐, 亦爲失之. 且一手所操多至 二十五策, 亦繁重而不便於事矣.

이르길, "나머지가 36책이면 4로 나누면 9를 얻는다"고 하였는데, 이것은 도리어 과설을 가 지고 남은 수로 삼은 것이어서 반드시 거듭 운용한 것이다. 이는 『주역정의』에서 명칭을 바로 하고 법을 간단히 한 것만 못하다. 그 제1지와 제2지 제3지의 나머지 수가 다름을 논했 으니 이것은 3변을 모두 거는 법이 된다. 그렇지만 나머지 약간과 더한 약간을 말했으니 좌측만 세고 우측은 세지 않아 증익했다는 혐의를 면치 못한다. 삼변에서 괘륵(掛扐)의 책 을 삼지(三指) 사이에 놓는다면 초변의 륵은 괘(掛)와 아우르고, 재변의 괘(掛)는 륵과 아우 르게 되어 역시 잘못이다. 그리고 한 손에 잡은 것이 많게는 25책에 이르니 역시 점치기에 번거롭고 불편하다.

李氏之說最爲簡直, 而分別掛扐尤爲明白. 但其法爲多者一爲少者三, 而不知後二變 多少之各二. 且曰扐十二竝掛一爲十三, 而不知扐十竝掛三爲十三, 〈餘三象同〉 則是 後二變不掛, 而不若劉說之爲得也.

이씨의 설이 가장 간단하고 바르며 괘륵(掛扐)을 분별함도 명백하다. 다만 그 법은 다(多) 가 1이 되고 소(少)가 3이 되니 뒤의 2변의 다소가 각각 둘이 됨을 알지 못한 것이다. 또 이르길, 12를 륵하고 건 것 하나와 아우르면 13이라고 한 것은 10을 륵하고 건 3을 아우르면

13이 됨을 알지 못하여 〈나머지 세 상도 같다〉 이후의 2변을 걸지 않으니 유씨의 설이 옳은 것만 같지 못하다.

今皆正之. 案正義只言三變奇策多少, 而不推奇偶方圓參兩之法, 所成陰陽老少七八九六之數, 又不復詳言四九四八四七四六者, 是爲太略. 且四營而成易, 是四營而成一變之謂, 而今言成易之一變, 三變各有再揲, 而今指一變爲一揲, 再變爲再揲, 三變爲三揲, 是皆爲小疵.

지금 모두 바르게 하여 살펴보면, 『주역정의』에서는 다만 삼변(三變)의 남은 책의 다소만 말하여 기우(奇偶)·방원(方圓)·삼양(參兩)의 법을 미루지 않고 이루어진 음양노소의 7·8·9·6의 수에도 다시 상세하게 4×9, 4×8, 4×7, 4×6를 말하지 않았으니 이것이 너무 간략한 것이다. 그리고 네 번 경영해서 역을 이루는데 이것은 네 번 경영해서 1변을 이룸을 말한다. 지금 역을 이루는 1변을 말함에 삼변에 각각 재설(再揲)이 있는데 지금 1변을 가리켜 1설이라 하고 재변을 재설이라 하고 삼변을 삼설이라 하니 이는 모두 조금 하자가 된다.

朱子嘗云, 易字只是箇變字. 若說易之一變則不可. 亦所以辨此說也. 劉氏則竝言奇策多少及過揲之數, 是其法始備也. 然其曰遇多遇少與歸奇爲五爲四等說, 是不知兩扐是所歸之奇, 而但以兩扐爲所遇多少, 析出掛一爲歸奇者誤也. 此則與郭說誤記橫渠說以爲奇所掛之一者相似矣.

주자가 일찍이 말하길, 역(易)자는 단지 변(變)자이나 만약 역의 1변이라고 하면 불가하다고 한 것도 이 설을 분별하기 위함이다. 유씨는 나머지 책의 다소와 과설의 수를 아울러 말하였는데 이에 그 법이 갖추어지기 시작하였다. 그렇지만 많은 것을 얻고 적은 것을 얻어 귀기(歸奇)와 함께 5가 되고 4가 된다는 등의 설은 양륵(兩扐)이 돌아가는 나머지임을 알지 못하고 다만 양륵(兩扐)으로 다소를 만난 것으로 삼아 괘일(掛一)을 귀기(歸奇)라고 분석해낸 것은 잘못이다. 이는 곽씨가 횡거의 설이 기(奇)를 건 1이라고 말하여 잘못 기록한 것과 비슷하다.

其曰餘三十六策, 四四而運得九者, 是不知兩扐爲餘數, 而反謂過揲爲餘數. 前旣四四揲之, 而今叟四四而運, 此皆不如正義以兩扐爲歸奇, 合掛與扐爲多少之爲名正, 不再運過揲而以九過揲六過揲證九六之爲法簡也.

이르길, 나머지 36책을 4로 나누면 9를 얻는다고 한 것은 양륵(兩扐)이 나머지 수임을 모르고 도리어 과설(過揲)을 나머지 수로 여긴 것이다. 앞에서 이미 4로 센다고 했는데 지금 다시 4로 나눈다는 것은 모두 『주역정의』에서 양륵(兩扐)을 귀기(歸奇)로 삼아 괘(掛)와 륵(扐)을 합해 많고 적은 것을 만들어 이름을 바르게 하고 다시 과설(過揲)을 세지 않고

9로 과설하고 6으로 과설하여 9와 6이 되는 법을 증명한 법이 간단한 것만 못하다.

下說第一指餘一益三, 第二指餘二益二等說, 是雖得三變皆掛之法, 非如李氏不言後二變多少各二, 及郭氏後二變不掛之說. 然餘一益三, 餘一益二云者, 是若但揲左而不揲右, 只見揲左所餘之數, 而遽以右策用意拈出增益者.

아래의 설에 제1지에 나머지가 1이면 더해지는 것은 3이고, 나머지가 2이면 더해지는 것은 2라는 등의 설명은 비록 삼변을 모두 거는 법을 얻었지만 이씨가 뒤의 2변에 다소가 각각 둘이 있는 것을 말하지 않고 곽씨가 뒤에 2변을 걸지 않는다고 한 설만 같지 못하다. 그렇지만 나머지가 1이면 더해지는 것은 3이고, 나머지가 1이면 더해지는 것은 2라는 등의 설명은 다만 좌측만 세고 우측은 세지 않았으니 단지 좌측의 남은 수만 세보고 갑자기 우측의 책을 쓰려는 뜻으로 증익한 것이다.

然且以三變掛扐之策, 分措三指之間, 其初變之掛在小指則可, 而以其兩扐則不可. 再變之左扐在无名指則可, 而其掛一及扐左則不可. 三變之右扐在長指則可, 而其掛一及扐右則不可. 此所謂初變之扐誤竝於掛, 再變之掛誤竝於扐之失也.

그렇지만 삼변 동안의 괘륵의 책으로 나누어 삼지(三指)의 사이에 놓고 초변에서의 거는 것을 소지(小指)의 사이에 두는 것은 되지만 양륵(兩扐)으로 하면 안된다. 재변의 좌륵(左扐)을 무명지에 두는 것은 되지만 괘일(掛一)과 륵좌(扐左)하는 것은 안된다. 삼변의 우륵(右扐)을 장지(長指)에 두는 것은 되지만 괘일(掛一)과 륵우(扐右)는 안된다. 이것이 이른바 초변의 륵을 잘못 괘(掛)에 아우르고 재변의 괘(掛)를 잘못 륵에 아우르는 실수이다.

只言再變, 則再變以後在其中. 只言扐, 則左右扐皆在其中. 且一手竝持三變之掛扐, 則自老陽掛扐十三, 多至老陰掛扐二十五. 著在三指, 是謂繁重而不便於事者也.

다만 재변(再變)만 말하면 재변이후는 그 가운데 있다. 단지 륵만 말하면 좌우의 륵은 그 가운데 있다. 또 한 손에 삼변의 괘륵을 아울러 지니면 노양의 괘륵인 13으로부터 많게는 노음의 괘륵인 25에 이르기까지가 삼지(三指)에 드러나 있으니 이를 일러 점치기에 번거롭고 불편하다는 것이다.

蓋劉氏三變之策, 分措三指者, 出於畢中和, 而朱子答程泰之書, 亦論其小誤. 李氏則言五十用四十九, 分於兩手, 掛一揲四, 兩手所餘多少及過揲之數, 比正義之闊略顚倒.

대체로 유씨의 삼변의 책을 나누어 삼지(三指)에 놓는 것은 필중화에게서 나왔다. 주자가 정태지에게 답하는 글에도 그 약간의 잘못을 논했다. 이씨는 50에 49를 쓰는데 양수에 나누고 하나를 걸고 4개씩 세고 양수의 나머지 다소(多少)와 과설지수까지를 말했는데 이는 『주역정의』의 간략함에 비하면 전도된 것이다.

劉氏之只以兩扐爲所遇多少, 謂掛一爲歸奇, 再運過揲, 分措三指等說, 最爲簡易. 其分別掛一及扐八扐四等說, 比正義所論掛扐二字爲明白, 而但其言去掛一, 左手滿四, 則右手亦滿四, 乃扐其八, 而謂之多, 左手餘二則右手亦餘二乃扐其四, 而謂之少, 是可見爲多者一爲少者三, 而只言左右餘二扐其四, 則左一右三左三右一皆扐其四者, 在其中.

유씨가 단지 양륵(兩扐)으로 다소(多少)를 얻는 것으로 삼고 괘일(掛一)을 귀기(歸奇)로 삼아 거듭 과설을 운용해 삼지(三指)에 나누어 놓는다는 등의 설명은 가장 간략하고 쉽다. 괘일(掛一)과 륵팔(扐八) 륵사(扐四) 등의 설명을 분별한 것은 『주역정의』에서 논한 괘륵 두 글자에 비교해 보면 명백하다. 다만 괘일(掛一)을 제거하고 좌수에 4개가 차면 우수에도 4개가 차야만 8개를 륵하여 많다고 하고, 좌수에 2가 남으면 우수에도 2가 남아야 4개를 륵하여 적다고 한다고 한 말을 보면 다(多)가 1이 되고 소(少)가 3이 됨을 볼 수 있다. 다만 좌수에 2가 남고 우수에도 2가 남으면 4개를 륵한다고 말한 것을 보면 좌일우삼(左一右三) 좌삼우일(左三右一)이 모두 4개를 륵한다는 것은 그 가운데 있다.

然卻不言後二變左手餘一者右手餘二, 左手餘二者右手餘一, 左手餘三者右手餘四, 左手餘四者右手餘三, 則是不知後二變多少之各二也.

그렇지만 뒤 2변의 좌수에 1이 남은 것은 우수에 2가 남음과, 좌수에 2가 남은 것은 우수에 1이 남음과, 좌수에 3이 남은 것은 우수에 4가 남음과, 좌수에 4가 남은 것은 우수에 3이 남음을 말하지 않았으니 뒤 이변의 다소에 각각 둘이 있음을 알지 못한 것이다.

且曰扐十二竝掛而十三, 是但去初變掛一, 便以三變之多少皆謂之扐, 而不言後二變之三變之多少, 則是不知三變之扐十, 竝三變之掛三而爲十三也. 是反與郭氏後二變不掛之說相近, 不若劉氏餘一益三餘一益二, 卻得三變皆掛之法也.

또 이르길, 12를 륵하고 건 것과 아우르면 13이라고 한 것은 단지 초변의 괘일(掛一)만 제거하였을 뿐이다. 이 삼변(三變)의 다소(多少)를 다 륵이라 하고 뒤의 이변과 삼변의 다소를 말하지 않았으니 이는 삼변(三變)의 륵인 10과 삼변의 괘인 3을 아울러 13이 됨을 모르는 것이다. 이는 도리어 곽씨의 '뒤 이변은 걸지 않는다'는 설과 비슷하니, 유씨의 나머지가 1이면 더해지는 것은 3이고, 나머지가 1이면 더해지는 것은 2라고 하여 오히려 삼변을 다 거는 법을 얻은 것만 같지 못하다.

案, 諸家之得失, 至此歸正, 而大傳揲蓍之法, 夐无餘蘊矣.

내가 살펴보았다: 제가의 득실이 여기에 이르면 바름에 돌아가고 「계사전」의 설시법은 다시 남은 것이 없다.

김상악(金相岳) 『산천역설(山天易說)』

營經營也. 易變易也. 分二掛一揲四歸奇, 是四營而成一變也. 三變則成一爻, 十八變則成一卦.

'영(營)'은 경영이고 '역(易)'은 변역이다. 둘로 나누고 하나를 걸고 4개씩 세고 나머지를 돌리는 이것이 네 번 경영해서 1변을 이룸이다. 3변하면 1효를 이루고 18변하면 1괘를 이룬다.

유휘문(柳徽文) 『시괘고오해(蓍卦考誤解)』

四營而成易十有八變而成卦.

네 번 경영하여 역(易)을 이루고 18번 변하여 괘(卦)를 이루니.

正義曰, 四營而成易者, 營謂經營, 四度經營蓍策, 乃成易之一變也. 十有八變而成卦者, 每一爻有三變, 謂初一揲不五則九, 是一變也. 第二揲不四則八, 是二變也. 第三揲亦不四則八, 是三變也. 若三者俱多爲老陰, 謂初得九第二第三俱得八也. 若三者俱少爲老陽, 謂初得五第二第三俱得四也.

『주역정의』에서 말하였다: '네 번 경영해서 역을 이룬다'에서 영(營)이란 경영으로 네 번 시책을 경영해야 역의 1변을 이룬다는 것이다. 18변에 괘를 이루는 것은 매 한 효에 3변이 있으니 처음 1설은 5가 아니면 9이니 이것이 1변이다. 제2설은 4가 아니면 8이니 이는 2변이다. 제3설도 4가 아니면 8이니 이는 3변이다. 만약 세 가지가 모두 많으면 노음이 되는데 처음에 9를 얻고 두 번째와 세 번째 모두 8을 얻은 것이다. 만약 세 가지가 모두 적으면 노양이 되는데 처음에 5를 얻고 두 번째와 세 번째 모두 4를 얻은 것이다.

若兩少一多爲少陰, 謂初與二三之間, 或有四或有五而有八也, 或有二箇四而有一箇九, 此爲兩少一多也. 其兩多一少爲少陽者, 謂三揲之間或有一箇九有一箇八而有一箇四, 或有二箇八而有一箇五, 此爲兩多一少也. 如此三變旣畢, 乃定一爻, 六爻則十有八變乃定一卦, 則十有八變乃其始成卦也.

양소일다(兩少一多)이면 소음이 되는데 처음과 두세 번째에 혹 4나 5가 있고 8이 있거나, 혹 두 개의 4와 한 개의 9가 있으면 이것이 양소일다(兩少一多)이다. 양다일소(兩多一少)면 소양이 되는데 세 번 세는 사이에 혹 9가 하나이고 8이 하나이고 4가 하나이거나 혹 8이 두 개 5가 하나이면 이것이 양다일소(兩多一少)이다. 이와 같이 3변을 마치면 한 효를 정하고 6효는 18변으로 한 괘를 정하니 18변을 해야 비로소 괘를 이룬다.

正義又曰, 老陽數九老陰數六, 老陽老陰皆變, 周易以變者爲占, 故陽爻稱九陰爻稱六. 所以老陽數九老陰數六者, 以揲蓍之數, 九過揲則得老陽, 六過揲則得老陰, 其少陽稱七少陰稱八義準此.〈見乾卦初九下.〉

『주역정의』에서 또 말하였다: 노양수는 9이고 노음수는 6인데 노양과 노음은 다 변하니 주역은 변하는 것으로 점치기 때문에 양효를 9라 하고 음효를 6이라 한다. 노양수는 9이고 노음수는 6인 것은 설시의 수가 9이면 과설이 노양을 얻고 6이면 과설이 노음을 얻으니 소양을 7이라 하고 소음을 8이라 하는 뜻은 이에 준한다.〈건괘 초구 아래에 보인다.〉

劉禹錫曰, 一變遇少與歸奇而爲五, 再變遇少與歸奇而爲四, 三變如之, 是老陽之數. 分揲手指間者, 十有二策焉, 其餘三十有六. 四四而運得九, 是已.〈餘三象同.〉第一指〈餘一益三, 餘二益二, 餘三益一, 餘四益四.〉第二指〈餘一益二, 餘二益一, 餘三益四, 餘四益三.〉第三指.〈與第二指同.〉

유우석이 말하였다: 1변에서 적은 것을 만나고 귀기(歸奇)와 함께 5가 되고, 2변에서 적은 것을 만나고 귀기(歸奇)와 함께 4가 되고, 3변에서도 이와 같으면 이것은 노양의 수이다. 나누고 손가락사이에 놓은 것이 12책이고 그 나머지는 36이다. 4개씩 세면 9를 얻으니 이것은 이것일 뿐이다.〈나머지 세 상도 같다.〉제1지〈나머지가 1이면 더해지는 것은 3이고, 나머지가 2이면 더해지는 것은 2이고, 나머지가 3이면 더해지는 것은 1이고, 나머지가 4이면 더해지는 것은 4이다.〉제2지〈나머지가 1이면 더해지는 것은 2이고, 나머지가 2이면 더해지는 것은 1이고, 나머지가 3이면 더해지는 것은 4이고, 나머지가 4이면 더해지는 것은 3이다. 제3지〈제2지와 동일하다.〉

李泰伯曰, 聖人揲蓍, 虛一分二掛一揲四歸奇再扐, 確然有法象, 非苟作也. 故五十而用四十有九, 分於兩手, 掛其一則存者四十八. 以四揲之十二, 揲之數也. 左手滿四右手亦滿四矣, 乃扐其八而謂之多. 左手餘二右手亦餘二矣, 乃扐其四而謂之少, 則扐十二, 竝掛而十三, 其存者三十六爲老陽, 以四計之則九揲也, 故稱九. 三多則扐二十四, 竝掛而二十五, 其存者二十四爲老陰, 以四計之則六揲也, 故稱六. 一少兩多則扐二十, 竝掛而二十一, 其存者二十八爲少陽, 以四計之則七揲也, 故稱七. 一多兩少則扐十六, 竝掛而十七, 其存者三十二爲少陰, 以四計之則八揲也, 故稱八.

所謂七八九六者, 蓋取四象之數也.

이태백이 말하였다: 성인이 설시를 함에 1개를 비우고 둘로 나누고 1개를 걸고 4개씩 세고 나머지를 돌리고 거듭 륵함은 확실하게 법상이 있어서 구차하게 만든 것이 아니다. 그러므

로 50에서 49를 쓰는데 양손에 나누고 1개를 걸면 현존하는 것이 48이다. 4개씩 세면 12이 니 세는 수이다. 좌수에 4개가 차고 우수에도 4개가 차면 8개를 륵하여 많다고 한다. 좌수에 2가 남고 우수에도 2가 남으면 4개를 륵하여 적다고 한다. 그러면 12를 륵하고 건 것과 아우 르면 13이고 현존하는 것은 36으로 노양이 되는데, 4로 계산하면 9번 세는 것이기 때문에 9라고 한다. 삼다(三多)면 24를 륵하고 건 것과 아우르면 25이니 현존하는 것은 24로 노음 이 되는데 4로 계산하면 6번 세는 것이기 때문에 6이라고 한다. 일소양다(一少兩多)면 20 을 륵하고 건 것과 아우르면 21이니 현존하는 것은 28로 소양이 되는데 4로 계산하면 7번 세는 것이기 때문에 7이라고 한다. 일다양소(一多兩少)면 16을 륵하고 건 것과 아우르면 17이 되니 현존하는 것은 32로 소음이 되는데 4로 계산하면 8번 세는 것이 되기 때문에 8이라고 한다. 이른바 7·8·9·6은 모두 사상의 수를 취한 것이다.

朱子曰, 今攷三家之說, 正義大槪得之. 但不推多少所以爲陰陽老少之數, 又以過揲之 數已見乾卦, 而遂不復言, 此爲太略, 而易字之解. 三揲之分亦爲少疵.
주자가 말하였다: 지금 3가의 설을 살펴보면 『주역정의』의 설이 좋다. 다만 다소가 음양노 소의 수가 되는 까닭을 유추하지 못하였고, 또 과설지수는 이미 건괘에 보이는데도 다시 말하지 않았으니, 이것이 크게 소략함이 되고, 역(易)자의 풀이와 세 번 셈함을 나눈 것도 조금 하자가 있다.

劉氏蓋合正義二說而言, 其法始備. 然其曰, 遇多遇少與歸奇爲若干則是誤. 以兩扐爲 所遇, 而謂掛一爲歸奇矣.
유씨가 『정의』의 두 가지 설을 합해 말해 그 법이 비로소 갖추어졌다. 그러나 그가 '다를 얻고 소를 얻음'과 '귀기(歸奇)가 약간이 된다'고 한 것은 잘못이다. 양륵(兩扐)을 얻은 것으 로 인하여 괘일(掛一)이 귀기(歸奇)가 된다고 한 것이다.

其曰, 餘三十有六策, 四四而運得九, 則是反以過揲爲餘數, 而又必再運之矣. 此皆不 如正義之名正而法簡. 其論第一指與第二指第三指之餘數不同, 則是爲三變皆掛之法. 然曰餘若干而益若干, 則爲揲左不揲右, 而不免有以意增益之嫌. 其以三變掛扐之策, 分揲于三指間, 則初變之扐誤竝於掛, 再變之掛誤竝於扐, 亦爲失之. 且一手所操多至 二十五策, 亦繁重而不便於事矣.
그가 "나머지가 36책이면 4로 나누면 9를 얻는다"고 한 것은 도리어 과설을 가지고 남은 수로 삼은 것이고 반드시 거듭 운용한 것이다. 이는 『주역정의』에서 명칭을 바로 하고 법을 간단히 한 것만 못하다. 그 제1지와 제2지 제3지의 나머지 수가 다름을 논했으니 이것은 3변을 모두 거는 법이 된다. 그렇지만 나머지 약간과 더한 약간을 말했으니 좌측만 세고 우측은 세지 않아 증익했다는 혐의를 면치 못한다. 삼변에서 괘륵(掛扐)의 책을 삼지간에 놓는다면 초변의 륵은 잘못 괘(掛)와 아우르고, 재변의 괘(掛)는 잘못 륵과 아우르게 되어 역시 잘못이다. 그리고 한 손에 잡은 것이 많게는 25책에 이르니 역시 점치기에 번거롭고 불편하다.

李氏之說最爲簡直, 而分別掛扐尤爲明白. 但其法爲多者一爲少者三, 而不知後二變多少之各二. 且曰扐十二竝掛一爲十三, 而不知扐十竝掛三爲十三〈餘三象同〉, 則是後二變不掛, 而不若劉說之爲得也. 今皆正之如左方云
이씨의 설이 가장 간단하고 바르며 괘륵(掛扐)을 분별함도 명백하다. 다만 그 법은 다(多)가 1이 되고 소(少)가 3이 되니 뒤의 2변의 다소가 각각 둘이 됨을 알지 못한 것이다. 또 이르길, 12를 륵하고 건 것과 아우르면 13이라고 한 것은 10을 륵하고 건 3을 아우르면 13이 됨을 알지 못하여〈나머지 세 상도 같다〉, 이후의 2변을 걸지 않으니 유씨의 설이 옳은 것만 같지 못하다. 이제 다음과 같이 바로잡아 말한다.

按, 三家之說, 正義則上說四營十八變, 及三變陰陽老少之奇策多少, 下說過揲所以爲陰陽老少之數. 比劉說析出掛一爲歸奇, 只以兩扐爲所遇多少, 以過揲爲餘數, 必再運之, 三變之策分措三指. 李氏不言後二變, 多少各二後二變, 不言掛一, 皆謂之扐.
내가 살펴보았다: 세 사람의 설 가운데 『정의』에서 앞에서는 '네 번 경영함'과 '18변' 및 삼변한 음양노소의 남은 책수의 많고 적음을 말했고, 뒤에서는 세고 남은 책이 음양노소의 수가 됨을 말했다. 유씨가 괘일(掛一)을 귀기(歸奇)로 여겨 설명해놓은 것과 비교해보면, 단지 두 번 륵한 것을 얻은 다소(多少)로 삼고 과설(過揲)을 남은 수로 삼아서 반드시 두 번 운영하여 삼변한 책을 세 손가락에 나누어 놓아야 한다. 이씨는 뒤의 이변(二變)을 말하지 않았는데 다소가 각기 둘인 것이 뒤의 이변(二變)이며, '하나를 거는 것'을 말하지 않았는데 모두 '륵(扐)'이라 하였다.

郭氏廢置掛扐乾坤爲老六子爲少等說, 則此亦大槪得之. 但只言三變奇策多少, 而不推奇偶方圓參兩之法所成陰陽老少七八九六之數. 又以過揲之數已見乾卦初九下, 不復詳言老陽過揲三十六以四數之得四九, 少陰過揲三十二以四數之得四八, 少陽過揲二十八以四數之得四七, 老陰過揲二十四以四數之得四六者, 是爲太略. 且四營而成易, 是四營而成一變之謂, 而今言成易之一變, 三變各有再揲, 而今指一變爲一揲, 再變爲再揲, 三變爲三揲, 是皆爲少疵.
곽씨는 '괘륵(掛扐)'의 건곤이 노양과 노음이 되고 육자가 소양과 소음이 된다는 설을 폐기해놓았으니 이것은 대략 옳다. 그런데 단지 삼변(三變)의 남은 책수의 다소(多少)만 말하고 기우(奇偶)·방원(方圓)·삼양(參兩)의 법이 이룬 음양노소의 7·8·9·6의 수를 미루지 않았다. 또 과설지수(過揲之數)는 이미 건괘의 초구에 보이지만 다시 자세하게 노양(老陽)은 과설(過揲)이 36으로 4로 나누면 9를 얻고, 소음(少陰)은 과설(過揲)이 32로 4로 나누면 8을 얻고, 소양(少陽)은 과설(過揲)이 28로 4로 나누면 7을 얻고, 노음(老陰)은 과설(過揲)이 24로 4로 나누면 6을 얻음은 말하지 않았으니 너무 소략하다. 또 '네 번 경영해서 역을 이룬다'에서 사영(四營)은 일변(一變)을 이룸을 말한 것인데, 이제 역(易)의 일변(一變)을 이룬 것으로 말하고, 삼변(三變)에 각기 재설(再揲)이 있는데 이제 일변(一變)이 일설(一揲)이고 재변(再變)이 재설(再揲)이고 삼변(三變)이 삼설(三揲)이 된다고 하니 이것들은 모두 조금 하자가 있다.

朱子嘗云, 易字只是箇變字. 若說易之一變則不可. 亦所以辨此說也. 劉氏則竝言奇策多少及過揲之數, 是其法始備也. 然其曰遇多遇少與歸奇爲五爲四等說, 是不知兩扐是所歸之奇, 而但以兩扐爲所遇多少, 析出掛一爲歸奇者誤也. 此則與郭說誤記橫渠說以爲奇所掛之一者相似矣.

주자가 일찍이 말하길, "역(易)자는 단지 변(變)자이나 만약 역의 1변이라고 하면 불가하다"고 한 것도 이 설을 분별하기 위함이다. 유씨는 나머지 책의 다소와 과설의 수를 아울러 말하였는데, 이에 그 법이 갖추어지기 시작하였다. 그렇지만 다를 얻고 소를 얻어 귀기(歸奇)와 함께 5가 되고 4가 된다는 등의 설은 양륵(兩扐)이 돌아가는 나머지임을 알지 못하고 다만 양륵(兩扐)으로 다소를 만난 것으로 삼아 괘일(掛一)을 귀기(歸奇)라고 분석해낸 것은 잘못이다. 이는 곽씨가 횡거의 설이 기(奇)를 건 1이라고 말하여 잘못 기록한 것과 비슷하다.

其曰餘三十六策, 四四而運得九者, 是不知兩扐爲餘數, 而反謂過揲爲餘數. 前旣四四揲之, 而今叓四四而運, 此皆不如正義以兩扐爲歸奇, 合掛與扐爲多少之爲名正, 不再運過揲而以九過揲六過揲證九六之爲法簡也.

이르길, 나머지 36책을 4로 나누면 9를 얻는다고 한 것은 양륵(兩扐)이 나머지 수임을 모르고 도리어 과설(過揲)을 나머지 수로 여긴 것이다. 앞에서 이미 4로 센다고 했는데 지금 다시 4로 나눈다는 것은 모두 『주역정의』에서 양륵(兩扐)을 귀기(歸奇)로 삼아 괘(掛)와 륵(扐)을 합해 다소를 만들어 이름을 바르게 하고 다시 과설(過揲)을 세지 않고 9로 과설하고 6으로 과설하여 9와 6이 되는 법을 증명한 법이 간단한 것만 못하다.

下說第一指餘一益三, 第二指餘二益二等說, 是雖得三變皆掛之法, 非如李氏不言後二變多少各二, 及郭氏後二變不掛之說. 然餘一益三, 餘一益二云者, 是若但揲左而不撲右, 只見撲左所餘之數, 而遽以右策用意拈出增益者.

아래의 설에 제1지에 나머지가 1이면 더해지는 것은 3이고, 나머지가 2이면 더해지는 것은 2라는 등의 설명은 비록 삼변을 모두 거는 법을 얻었지만 이씨가 뒤의 2변에 다소가 각각 둘이 있는 것을 말하지 않고 곽씨가 뒤에 2변을 걸지 않는다고 한 설만 같지 못하다. 그렇지만 나머지가 1이면 더해지는 것은 3이고, 나머지가 1이면 더해지는 것은 2라는 등의 설명은 다만 좌측만 세고 우측은 세지 않았으니 단지 좌측의 남은 수만 보고 갑자기 우측의 책을 쓰려는 뜻으로 증익한 것이다.

然且以三變掛扐之策, 分措三指之間, 其初變之掛在小指則可, 而以其兩扐則不可. 再變之左扐在兂名指則可, 而其掛一及扐左則不可. 三變之右扐在長指則可, 而其掛一及扐右則不可. 此所謂初變之扐誤竝於掛, 再變之掛誤竝於扐爲失之.

그렇지만 삼변 동안의 괘륵의 책으로 나누어 삼지(三指)의 사이에 놓고 초변에서의 거는 것을 소지(小指)의 사이에 두는 것은 되지만 양륵(兩扐)으로 하면 안 된다. 재변의 좌륵(左扐)을 무명지에 두는 것은 되지만 괘일(掛一)과 륵좌(扐左)하는 것은 안된다. 삼변의 우륵(右扐)을 장지(長指)에 두는 것은 되지만 괘일(掛一)과 륵우(扐右)는 안 된다. 이것이 이른바 초변의 륵을 잘못 괘(掛)에 아우르고 재변의 괘(掛)를 잘못 륵에 아우르는 실수이다.

只言再變, 則再變以後在其中. 只言扐, 則左右扐皆在其中. 且一手竝持三變之掛扐, 則自老陽掛扐十三, 多至老陰掛扐二十五. 著在三指, 是謂繁重而不便於事矣.

다만 재변(再變)만 말하면 재변 이후는 그 가운데 있다. 단지 륵만 말하면 좌우의 륵은 그 가운데 있다. 또 한 손에 삼변의 괘륵을 아울러 지니면 노양의 괘륵인 13으로부터 많게는 노음의 괘륵인 25에 이르기까지가 삼지(三指)에 드러나 있으니 이를 일러 점치기에 번거롭고 불편하다는 것이다.

蓋劉氏三變之策, 分措三指者, 出於畢中和, 而朱子答程泰之書, 亦論其小誤. 李氏則言五十用四十九, 分於兩手, 掛一撲四, 兩手所餘多少及過撲之數, 比正義之闊略顚倒.

대체로 유씨의 삼변의 책을 나누어 삼지(三指)에 놓는 것은 필중화에게서 나왔다. 주자가 정태지에게 답하는 글에도 그 약간의 잘못을 논했다. 이씨는 50에 49를 쓰는데 양수에 나누고 하나를 걸고 4개씩 세고 양수의 나머지 다소(多少)와 과설지수까지를 말했는데 이는『주역정의』의 간략함에 비하면 전도된 것이다.

劉氏之只以兩扐爲所遇多少, 謂掛一爲歸奇, 再運過撲, 分措三指等說, 最爲簡易. 其分別掛一及扐八扐四等說, 比正義所論掛扐二字爲明白, 而但其言去掛一, 左手滿四, 則右手亦滿四, 乃扐其八, 而謂之多, 左手餘二則右手亦餘二乃扐其四, 而謂之少, 是可見爲多者一爲少者三, 而只言左右餘二扐其四, 則左一右三左三右一皆扐其四者, 在其中.

유씨가 단지 양륵(兩扐)으로 다소(多少)를 얻는 것으로 삼고 괘일(掛一)을 귀기(歸奇)로 삼아 거듭 과설을 운용해 삼지(三指)에 나누어 놓는다는 등의 설명은 가장 간략하고 쉽다. 괘일(掛一)과 륵팔(扐八) 륵사(扐四) 등의 설명을 분별한 것은 『주역정의』에서 논한 괘륵 두 글자에 비교해 보면 명백하다. 다만 '괘일(掛一)'을 제거하고 좌수에 4개가 차면 우수에도 4개가 차야만 8개를 륵하여 많다고 하고, 좌수에 2가 남으면 우수에도 2가 남아야 4개를 륵하여 적다고 한다'라고 한 말을 보면 다(多)가 1이 되고 소(少)가 3이 되는 것을 볼 수 있다. 다만 '좌수에 2가 남고 우수에도 2가 남으면 4개를 륵한다'고 말한 것을 보면 좌일우삼(左一右三) 좌삼우일(左三右一)이 모두 4개를 륵한다는 것은 그 가운데 있다.

然卻不言後二變左手餘一者右手餘二, 左手餘二者右手餘一, 左手餘三者右手餘四, 左手餘四者右手餘三, 則是不知後二變多少之各二.

그렇지만 뒤 이변의 좌수에 1이 남은 것은 우수에 2가 남음과, 좌수에 2가 남은 것은 우수에 1이 남음과, 좌수에 3이 남은 것은 우수에 4가 남음과, 좌수에 4가 남은 것은 우수에 3이 남음을 말하지 않았으니 뒤 이변의 다소에 각각 둘이 있음을 알지 못한 것이다.

且曰扐十二竝掛而十三, 是但去初變掛一, 便以三變之多少皆謂之扐, 而不言後二變之三變之多少, 則是不知三變之扐十, 竝三變之掛三而爲十三也. 是反與郭氏後二變不掛之說相近, 不若劉氏餘一益三餘一益二, 卻得三變皆掛之法也.

또 이르길, 12를 륵하고 건 것과 아우르면 13이라고 한 것은 단지 초변의 괘일(掛一)만 제거하였을 뿐이다. 이 삼변(三變)의 다소(多少)를 다 륵이라고 하고 뒤의 이변과 삼변의 다소를 말하지 않았으니 이는 삼변(三變)의 륵인 10과 삼변의 괘인 3을 아울러 13이 됨을 모르는 것이다. 이는 도리어 곽씨의 뒤 이변은 걸지 않는다는 설과 비슷하니, 유씨의 나머지가 1이면 더해지는 것은 3이고, 나머지가 1이면 더해지는 것은 2라고 하여 오히려 삼변을 다 거는 법을 얻은 것만 같지 못하다.

諸說之互有得失, 今皆正之如左. 凡大傳撰著之法至此, 而更無餘蘊矣.

모든 설에 서로 득실이 있는데 지금 바로잡으니 「계사전」의 설시법은 다시 남은 것이 없다.

朱子曰, 四營而成易者, 營謂經營, 易卽變也, 謂分二掛一揲四歸奇, 凡四度經營著策乃成一變也. 十有八變而成卦者, 謂旣三變而成一爻, 復合四十九策, 如前經營以爲一變, 積十八變則成六爻而爲一卦也. 其法初一變, 兩揲之餘爲掛扐者, 不五則九. 第二變, 兩揲之餘爲掛扐者, 不四則八. 第三變, 兩揲之餘爲掛扐者, 亦不四則八. 五四爲少, 九八爲多. 若三變之間, 一五兩四則謂之三少, 一九兩八則謂之三多. 或一九一八而一四, 或一五而二八則謂之兩多一少, 或一九而二四, 或一五一四而一八, 則謂之兩少一多. 蓋四十九策, 去其初掛之一而存者四十八. 以四揲之, 爲十二揲之數. 四五爲少者, 一揲之數也, 八九爲多者, 兩揲之數也.

주자가 말하였다: "네 번 경영해서 역을 이룬다"에서 영(營)은 경영이고 역(易)은 곧 변(變)이니 둘로 나누고 하나를 걸고 4개씩 세고 나머지를 돌리니 모두 네 번 경영해서 1변을 이룬다. "18변하여 괘를 이룬다"는 것은 3변해서 1효를 이루고 다시 합친 49책을 앞에서와 같이 경영하여 1변을 이루고 쌓아서 18변이 되면 한 괘를 이룸을 말한다. 그 방법은 처음 1변에서 양쪽 손의 것을 세고 남아 걸고 끼운 수는 5나 9이다. 제2변에서 양쪽 손의 것을 세고 남아 걸고 끼운 수는 4나 8이다. 제3번에서 양쪽 손의 것을 세고 남아 걸고 끼운 수도 4나 8이다. 5와 4는 적고 9와 8은 많다. 만약 3변하는 사이에 5가 하나이고 4가 둘이면 '삼소(三少)'라 부르고, 9가 하나이고 8이 둘이면 삼다(三多)라 부른다. 혹 9가 하나 8이 하나 4가 하나이거나 5가 하나이고 8이 둘이면 양다일소(兩多一少)라 부르고, 혹 9가 하나 4가 둘이거나 혹 5가 하나 4가 하나 8이 하나이면 양소일다(兩少一多)라 부른다. 49책에서 처음에 건 1을 제외하면 남는 것이 48책이다. 4개씩 세었기에 12번 세는 수가 된다. 4나 5가 적은 것은 한 번 센 수이고 8이나 9가 많은 것은 두 번 센 수이다.

一揲爲奇兩揲爲偶. 奇者屬陽而象圓, 偶者屬陰而象方. 圓者, 一圍三而用全, 故一奇而含三. 方者, 一圍四而用半, 故一偶而含二也. 若四象之次, 則一曰太陽二曰少陰三曰少陽四曰太陰. 以十分之, 則居一者含九, 居二者含八, 居三者含七, 居四者含六, 其相爲對待而具於洛書者亦可見也. 故三少爲老陽者, 三變各得其一揲之數, 而三三爲九也. 其存者三十六, 而以四數之, 復得九揲之數也. 左數右策則, 左右皆九. 左右皆策, 則一而圍三也. 三多爲老陰者, 三變各得兩揲之數, 而三二爲六也. 其存者二十四, 而以四數之, 復得六揲之數也. 左數右策, 則左右皆六. 左右皆策, 則圍四用半也. 兩多一少爲少陽者, 三變之中, 再得兩揲之數, 一得一揲之數, 而兩二一三爲七也. 其存者二十八, 而以四數之, 復得七揲之數也. 左數右策則左右皆七. 左右皆策則方二圓一也. [方二謂兩八, 圓一謂一十二]. 兩少一多爲少陰者, 三變之中再得一揲之數, 一得兩揲之數而二三一二爲八也. 其存者三十二而以四數之復得八揲之數也. 左數右策則左右皆八. 左右皆策則圓二方一也. [圓二謂兩十二, 方一謂一八].

한 번 센 것은 기(奇)이고 두 번 센 것은 우(偶)이다. 기(奇)는 양에 속해 원을 상징하고 우(偶)는 음에 속해 방을 상징한다. 원(圓)은 지름이 1일 때 둘레가 3인데 전부를 다 쓰기 때문에 하나의 기(奇)가 삼(三)을 포함한다. 방(方)은 직경이 1일 때 둘레가 4인데 절반을 쓰기 때문에 하나의 우(偶)가 이(二)을 포함한다. 사상의 순서로 말하면, 1이 태양이고 2가 소음이고 3이 소양이고 4가 태음이다. 10을 분리하면 1에 거해 9를 품고, 2에 거해 8을 품고, 3에 거해 7을 품고, 4에 거해 6을 품으니 서로 대대(對待)하니 「낙서」에 구비된 것에서도 볼 수 있다. 그러므로 삼소(三少)로 노양인 경우는 3변에 각기 한 번 센 수를 얻어 3×3=9이다. 그 남아있는 책수가 36인데 4개씩 따지면 9번 센 수이다. 좌[왼] 손는 수로 따지고 위[오른] 손는 책수로 따지면 좌우가 다 9이다. 좌우를 모두 책수로 따지면 1에 둘레가 3인 셈이다. 삼다(三多)로 노음인 경우는 3변에 각기 한두 번 센 수를 얻어 3×2=6이다. 그 남아있는 책수가 24인데 4개씩 따지면 6번 센 수이다. 좌[왼] 손는 수로 따지고 위[오른] 손는 책수로 따지면 좌우가 다 6이다. 좌우를 모두 책수로 따지면 둘레가 4인데 절반을 쓰는 셈이다. 양다일소(兩多一少)로 소양인 경우는 3변에 두 번 센 수를 2번 얻고 한 번 센 수를 1번 얻어 (2×2)+(1×3)=7이다. 그 남아있는 책수가 28인데 4개씩 따지면 7번 센 수이다. 좌[왼] 손는 수로 따지고 위[오른] 손는 책수로 따지면 좌우가 다 7이다. 좌우를 모두 책수로 따지면 방은 2이고 원은 1이대[방이 2라는 것은 두 개의 8을 말하고 원이 1이라는 것은 하나의 12를 말한다]. 양소일다(兩少一多)로 소음인 경우는 3변에 두 번 센 수를 1번 얻고 한 번 센 수를 2번 얻어 (2×3)+(1×2)=8이다. 그 남아있는 책수가 32인데 4개씩 따지면 8번 센 수이다. 좌[왼] 손는 수로 따지고 위[오른] 손는 책수로 따지면 좌우가 다 8이다. 좌우를 모두 책수로 따지면 원은 2이고 방은 1이다.[원이 2인 것은 두 개의 12를 말하고 방이 1이라는 것은 하나의 8을 말한다].

按, 上文旣辨劉氏再運過揲得九之說, 以爲不若正義之簡, 此又云其存者三十六, 以四數之復得九揲之數何也. 此旣以掛扐中奇偶參兩之法得七八九六之數, 比正義尤爲簡. 又推而廣之, 就過揲之中, 以四數之復得七八九六之數, 而與之合焉, 比諸家爲最備. 若不知奇偶方圓之法, 而直以過揲再運, 而得七八九六, 則大爲繁複矣. 左數右策, 謂左列奇偶參兩所得七八九六之數, 右列過揲三十六三十二二十八二十四之策, 而每四四相連以分每揲之數, 亦得六七八九揲之策也. 左右皆策, 謂左列掛扐之策, 右列過揲之策, 見徑一圍三圍四用半之象. 左右皆策, 於下文所列掛扐過揲圖可見. 左數右策今又排列爲圖, 以附于篇末.

내가 살펴보았다: 윗 글에서 이미 유씨가 거듭 과설을 운용해 9를 얻는다는 설이 『주역정의』의 간략함만 못하다는 것은 이미 변론했는데 또 이르길, 현존하는 36을 4로 셈해 다시 9번 세는 수를 얻는다고 한 것은 어째서인가? 여기에서 괘륵책 가운데 기우의 삼양(參兩)의 법으로 7,8,9,6의 수를 얻는 것은 『주역정의』에 비해 더욱 간단하다. 또 미루어 넓혀 과설의

책에 나아가 4로 셈해 다시 7,8,9,6의 수를 얻어 더불어 합하니 다른 학자들과 비교하면 가장 갖추어져있다. 만약 기우(奇偶) 방원(方圓)의 법을 모르고 곧바로 과설·책수으로 거듭 운용해 7,8,9,6을 얻었다면 매우 번잡했을 것이다. 좌수우책(左數右策)은 좌열(左列)은 기우의 삼양(參兩)의 법으로 얻은 7,8,9,6의 수이고, 우열(右列)은 과설인 36,32,28,24책이다. 매번 넷씩 서로 연계되어 매번 세는 수를 나누어도 6,7,8,9로 세는 수를 얻는다. 좌우개책(左右皆策)은 좌열(左列)은 괘륵의 책이고 우열(右列)은 과설의 책을 말하는데 지름이 1일 때 둘레가 3인 것과 둘레가 4일 때 반을 쓰는 상을 보여준다. 좌우개책(左右皆策)은 아래 글에 벌인 「괘륵과설도(掛扐過揲圖)」에서 볼 수 있다. 좌수우책(左數右策)은 지금 또 배열하여 그림으로 만들어 편말에 붙인다.

八卦而小成,

팔괘(八卦)에 조금 이루어,

‖中國大全‖

本義

謂九變而成三畫, 得內卦也.

아홉 번 변하여 세 획을 이루어 내괘(內卦)를 얻음을 이른 것이다.

‖韓國大全‖

김상악(金相岳) 『산천역설(山天易說)』

八卦者, 乾兌離震巽坎艮坤也. 九變而成三畫, 故曰小成.

팔괘는 건·태·리·진·손·감·간·곤이다. 9변하면 삼획을 이루기 때문에 "조금 이룬다"고 하였다.

심대윤(沈大允) 『주역상의점법(周易象義占法)』

四營而成一變, 三變而成一爻, 十八變而成六爻. 八卦三畫卦也, 小成者, 未成六畫之卦, 而只成內卦也.

네 번 경영해서 1변을 이루고 3변해서 1효를 이루고 18변해서 6효를 이룬다. 팔괘는 삼획괘이다. 소성은 6획을 이루지 못하고 다만 내괘만 이룬 것이다.

引而伸之, 觸類而長之, 天下之能事畢矣,

이끌어 펴며 종류에 따라 확장하면 천하에서 할 수 있는 일을 다할 것이니,

‖ 中國大全 ‖

本義

謂已成六爻而視其爻之變與不變, 以爲動靜, 則一卦可變而爲六十四卦, 以定吉凶, 凡四千九十六卦也.

이미 육효(六爻)를 이루고 그 효(爻)의 변함과 변하지 않음을 보아 동정(動靜)을 삼으면 한 괘(卦)가 변하여 육십사괘(六十四卦)가 되어 길흉(吉凶)을 정함을 이르니, 무릇 4096괘(卦)인 것이다.

小註

朱子曰, 引而伸之觸類而長之, 是占得這一卦, 則就上面推看. 如乾則推其爲圜爲君爲父之類, 是也.

주자가 말하였다: "이끌어 펴서 종류에 따라 확장하면"이라는 것은 점을 쳐서 한 괘를 얻으면 그것에 근거하여 미루어보는 것이다. 예를 들어 건괘가 나왔다면 미루어 원(圜)이 되고 군주(君)가 되고 아비(父)가 되는 부류가 그것이다.

○ 雙湖胡氏曰, 按, 四千九十六卦, 乃焦延壽變卦之法. 詳見啓蒙原卦畫篇.

쌍호호씨가 말하였다: 살펴보건데 4096괘는 초연수의 변괘 방법이다. 자세한 것은 『역학계몽』의 「원괘획」편에 보인다.

‖韓國大全‖

박치화(朴致和) 「설계수록(雪溪隨錄)」

○ 引而伸之者, 言八卦而爲六十四卦. 觸類而長之者, 如乾卦爲圜爲君爲父之類也.

이끌어 펴는 것은 8괘가 64괘가 됨을 말함이다. 종류에 따라 확장함은 건괘는 원이 되고 임금이 되고 아버지가 되는 종류이다.

김상악(金相岳) 『산천역설(山天易說)』

已成六爻, 復引此八卦而伸之爲六十四卦, 觸類而長之爲四千九十六卦.

이미 6효를 이루고 다시 이 팔괘를 이끌어 펼쳐 64괘가 되고 이끌어 펴서 4096괘가 된다.

顯道, 神德行. 是故, 可與酬酢, 可與祐神矣.

도(道)를 드러내고 덕행(德行)을 신묘(神妙)하게 한다. 이 때문에 더불어 수작(酬酢)할 수 있으며 더불어 신(神)을 도울 수 있는 것이다.

┃中國大全┃

小註

程子曰, 顯明於道而見其功用之神, 故可與應對萬變, 可贊祐於神道矣, 謂合德也. 人唯順理以成功, 乃贊天地之化育也.

정자가 말하였다: 도를 드러내고 공용의 신묘함을 나타내기 때문에 만 가지 변화에 대응하고 신묘한 도를 도울 수 있으니 '덕을 합함'이다. 사람은 오직 이치를 따름으로써 공을 이루니 이에 천지의 화육을 돕는다.

本義

道, 因辭顯, 行, 以數神. 酬酢, 謂應對, 祐神, 謂助神化之功.

도(道)는 말로 인하여 드러나고 행(行)은 수(數)로써 신묘(神妙)해진다. 수작(酬酢)은 응대(應對)함을 이르고, 우신(祐神)은 신화(神化)[신묘한 조화]의 공(功)을 도움을 이른다.

小註

或問, 顯道神德行. 朱子曰, 道較微妙无形影, 因卦辭說出來. 道, 這是吉這是凶, 這可爲這不可爲, 德行, 是人做底事. 因數推出來, 方知得這不是人硬恁地做, 都是神之所爲也. 又曰, 須知得是天理合如此.

어떤 이가 물었다: "도를 드러내고 덕행을 신묘하게 한다"는 것이 무엇입니까?

주자가 답하였다: 도는 비교적 미묘해서 형상이 없으니 괘사를 통해 말로 드러난다. '도'는 이것은 길하고 이것은 흉하니 이것은 해도 되고 이것은 하면 안 된다는 것이고, '덕행'은 사람이 하는 일이다. 수를 통해 드러나면 비로소 이런 것은 사람이 억지로 하는 것이 아니고 모두 신이 하는 바임을 알게 된다.

또 말하였다: 천리와 합함이 이와 같음을 알아야 한다.

○ 此是說蓍卦之用, 道理因此顯著. 德行是人事. 卻由取決於蓍, 旣知吉凶, 便可以酬酢事變. 神又豈能自說吉凶猷. 人因有易後方著見, 便是易來佑助神也. 又曰, 易唯其顯道神德行, 故能與人酬酢而佑助夫神化之功也.

여기는 시초와 괘의 쓰임을 말했으니 도리가 이것을 통해 드러난다. 덕행은 인사이다. 시초를 취해서 결단하여 이미 길흉을 알게 되면 일의 변화에 수작할 수 있다. 신이 어찌 스스로 길흉을 말할 수 있겠는가? 사람이 역을 통한 뒤에 드러나니 이것이 곧 역이 신을 돕는 것이다.

또 말하였다: 오직 도를 드러내고 덕행을 신묘하게 하기 때문에 사람들과 수작할 수 있고 신화의 공을 도울 수 있는 것이다.

○ 神德行是說人事, 那蠢做底, 只是人爲. 若決之於鬼神, 德行便神.

덕행을 신묘하게 함은 인사를 말하니 그것은 거칠게 하면 다만 사람의 일이다. 만약 귀신에게서 결단하면 덕행은 곧 신묘함이다.

○ 酬酢者, 言幽明之相應, 如賓主之相交也.

수작은 어둠과 밝음이 서로 호응하는 것과 손님과 주인이 서로 사귀는 것과 같다.

○ 平庵項氏曰, 天道雖幽, 可闡之以示乎人, 人事雖顯, 可推之以合乎天. 明可以酬酢事物之宜, 幽可以贊出鬼神之命.

평암항씨가 말하였다: 천도가 비록 그윽하지만 밝혀서 사람에게 보일 수 있고 사람의 일이 비록 드러나 있지만 미루어서 천도에 합치할 수 있다. 밝게는 사물의 마땅함과 수작하고 그윽하게는 귀신의 명을 드러나도록 돕는다.

○ 雲峯胡氏曰, 道在天, 德行在人. 在天者幽, 顯道, 闡幽也. 在人者顯, 神德行, 微顯也. 蓍與卦, 可與酬酢, 其在人者, 可與贊助, 其在天者.

운봉호씨가 말하였다: 도는 하늘에 있고 덕행은 사람에게 있다. 하늘에 있는 것은 그윽하니

'도를 드러냄'이란 그윽함을 밝히는 것이다. 사람에 있는 것은 드러나 있으니 "덕행을 신묘하게 함"은 드러난 것을 은미하게 함이다. 시초와 괘를 수작할 수 있는 것은 사람에게 있고 도울 수 있는 것은 하늘에 있다.

‖韓國大全‖

박치화(朴致和)「설계수록(雪溪隨錄)」

可與人酬酢事變, 可與天地祐助神化, 此皆以易言也.

사람과 함께 일의 변화를 수작하고 천지와 함께 신의 조화를 도우니 다 역으로써 말한 것이다.

○ 易中變化之道, 神之所爲, 不過辭象變占而已. 故四者, 變化之道, 神之所爲者也.

역 가운데 변화의 도는 신이 하는 바로 괘효사와 괘상과 괘효변과 점일 뿐이다. 그러므로 4가지는 변화의 도이고 신이 하는 바이다.

○ 四者皆問著而得, 故曰神之所爲者也.

네 가지는 모두 시초로 물어서 얻기 때문에 신이 하는 바라고 하였다.

김상악(金相岳)『산천역설(山天易說)』

道理因此而顯, 德行由此而神. 酬酢者, 如賓主之相應對也. 祐神者代鬼神之言, 祐助其不及也.

도리는 이것을 통해 드러나고 덕행은 이것을 통해 신비로워진다. '수작'은 손님과 주인이 서로 응대하는 것과 같다. 돕는다는 것은 귀신의 말을 대신하는 것으로 그 미치지 못함을 돕는 것이다.

심대윤(沈大允)『주역상의점법(周易象義占法)』

道德顯而神, 可以與鬼神酬酢, 可以助神宣化.

도덕이 드러나 신묘함에 귀신과 수작할 수 있고 신의 마땅한 조화를 도울 수 있다.

子曰, 知變化之道者, 其知神之所爲乎.

공자(孔子)가 말하였다: 변화(變化)의 도(道)를 아는 자는 신(神)의 하는 바를 알 것이다.

∥中國大全∥

小註

程子曰, 知變化之道, 則知神之所爲也, 合與上文相連, 不合在下.

정자가 말하였다: "변화를 아는 자는 신이 하는 바를 알 것이다"란 문장은 윗 글과 서로 이어져 있어야 하고 아래에 있어서는 합당치 않다.

本義

變化之道, 卽上文數法, 是也, 皆非人之所能爲. 故夫子歎之而門人加子曰, 以別上文也.

변화(變化)의 도(道)는 곧 윗 글의 수의 법칙이 이것이니, 이는 모두 사람이 인위(人爲)로 할 수 있는 것이 아니다. 그러므로 부자(夫子)께서 감탄하시자, 문인(門人)들이 '자왈(子曰)'을 더하여 윗 글과 구별한 것이다.

小註

磐澗董氏曰, 陽化爲陰, 陰變爲陽者, 變化也, 所以變化者, 道也. 道者, 本然之妙, 變化者, 所乘之機. 故陰變陽化而道无不在, 兩在故不測. 故曰知變化之道者, 其知神之所爲乎.

반간동씨가 말하였다: 양이 화하여 음이 되고 음이 변하여 양이 됨은 변화이고 변화하게 하는 것이 도이다. 도는 본래부터 그러한 묘함이고 변화는 타는 바의 기틀이다. 그렇기 때문

에 음이 변하고 양이 화함에 도는 있지 않은 곳이 없어 두 군데 있기에 헤아릴 수 없다. 그렇기 때문에 이르길 변화의 도를 아는 자는 신(神)이 하는 바를 알 것이라고 하였다.

○ 南軒張氏曰, 變者不能自變, 有神以變之. 化者不能自化, 有神以化之. 故知變化之道者, 疑若窺測其妙也.
남헌장씨가 말하였다: 변(變)은 스스로 변하지 못하고 신(神)이 있어 변한다. 화(化)는 스스로 화(化)하지 못하고 신(神)이 있어 화(化)한다. 그렇기 때문에 변화의 도를 아는 자는 그 묘함을 엿보는 것과 같은 것이다.

○ 雲峯胡氏曰, 本義曰, 變化之道, 卽上文數法是也, 皆非人之所能爲. 蓋爲河圖大衍之數, 揲蓍求卦之法, 有變有化, 非人之所爲也, 皆神之所爲也.
운봉호씨가 말하였다:『본의』에서 이르길 "변화의 도는 윗글에서 말한 수의 법칙이 이것이니 다 사람이 할 수 있는 것이 아니다"라고 하였다.「하도」의 대연의 수와 설시하여 괘를 구하는 방법에 변도 있고 화도 있음은 사람이 한 것이 아니고 다 신이 한 것이다.

韓國大全

김장생(金長生)『경서변의(經書辨疑)-주역(周易)』

子曰, 知變化之道.
공자가 말하였다: 변화의 도를 아는 자는.

本義, 上文數法.
『본의』윗 글의 수의 법칙.

上文云者, 指八卦小成觸類長之等語也. 數法云者, 指上文數三法也.
'윗글'이라고 한 것은 팔괘가 작게 이루어지고 류에 따라 확장한다는 등의 말을 가리킨다. '수의 법칙'은 윗글의 3변법의 수리를 가리킨다.

김상악(金相岳) 『산천역설(山天易說)』

變化者, 陰陽之變化也. 陰陽兩在, 故曰神之所爲也.

변화는 음양의 변화이다. 음양은 양쪽에 있기 때문에 신이 하는 바라고 하였다.

윤행임(尹行恁) 『신호수필(薪湖隨筆)·계사전(繫辭傳)』

自天一至地十, 陰陽奇耦之數也. 大衍之數於河洛範易一也. 相得而有合者, 蔽一言曰陰陽也. 以奇得耦, 以陽合陰, 故能變化. 象兩象兩儀也. 象三象三極也. 乾坤之策三百六十, 象一歲也. 一歲有四時, 故揲四, 而二篇之策, 所以象萬物也. 究其本則因以重之而已也. 引伸觸長, 可以知天下之理, 而明于道行于神, 酬酢于萬變, 爕贊于大化, 化而變變而化, 其神乎.

천1에서 지10까지는 음양 기우의 수이다. 대연지수는 「하도」와 「낙서」나 「홍범」과 『역』이나 동일하다. '서로 얻고 합함이 있음'은 한마디로 말해 음양이다. 홀수가 짝수를 얻고 양이 음을 얻기 때문에 변화가 가능하다. 둘을 상징함은 양의를 상징함이다. 셋을 상징함은 삼극을 상징함이다. 건곤의 책수가 360인 것은 1년을 상징한다. 1년에 4시가 있기 때문에 4개씩 세는데 2편의 책수를 써서 만물을 상징한다. 그 근본을 연구하면 인하여 거듭한 것일 뿐이다. 이끌어 펴고 류를 확장함으로써 천하의 이치를 알고 도를 밝히고 신을 행하며 만 가지 변화에 수작하고 큰 변화에 참여해 돕는다. 화하여 변하고 변하여 화함은 그 신인저!

오희상(吳熙常) 「잡저(雜著)-역(易)」

第九章, 承上章卦爻之用, 遂推本言大衍之數與揲蓍之法也.

제 9장은 윗 장의 괘효의 쓰임을 이어 미루어 나아가 대연의 수와 설시의 법을 말했다.

윤종섭(尹鍾燮) 『경(經)-역(易)』

九章成變化行鬼神者, 道而生神神而生數. 河圖中一點, 卽太極也. 一之千變萬化, 所以不測者, 皆神之爲也. 神者易之體也, 易者神之用也. 故曰神無方而易無體. 終日知變化之道者, 其知神之所爲, 以應成變化行鬼神也, 所以成之者道也. 言知道之行然後, 可知神之妙也. 盈天地只是道與神而已.

9장의 "변화를 행하고 귀신을 행한다"는 것은 도에서 신을 생하고 신에서 수를 생하는 것이다. 「하도」의 중앙에 1점은 곧 태극이다. 1이 천변만화하여 헤아릴 수 없음은 다 신이 하는 것이다. 신은 역의 본체이고 역은 신의 작용이다. 그러므로 "신은 방소가 없고 역은 체가 없다'고 하였다. 마지막에 '변화를 아는 자는 신이 하는 바를 안다'고 한 것은 '변화를 이루고 귀신을 행한다'는 것에 호응하니 이루는 것은 도이다. 도가 행한 뒤에 신의 묘함을 알 수 있음을 말한 것이다. 천지에 가득 찬 것은 도와 신일 뿐이다.

오치기(吳致箕) 「주역경전증해(周易經傳增解)」

是故四營而成易 … 其知神之所爲乎.
이러므로 네 번 경영하여 역(易)을 이루고 … 신(神)의 하는 바를 알 것이다.

四營謂分二掛一揲四歸奇也. 易謂變易也. 四營爲一變, 三變爲一爻, 十八變成六爻, 故曰成卦. 九變成三畫卦, 故曰小成. 引而伸之者, 八卦相乘而爲六十四卦也. 觸類而長之者, 一卦各變爲六十四卦, 而合四千九十六卦也. 趨吉避凶之理, 悉備于中, 故天下之能事畢矣. 道在天幽隱而因卦以著顯, 德行在人未形而因卦以通神. 酬酢言卦爻之辭如應答之言也. 祐神言卦爻之辭助神化之功也. 此莫非變化之道而神之所爲, 故終又贊歎也.

네 번 경영함은 둘로 나누고 하나를 걸고 4개씩 세고 나머지를 돌리는 것을 말한다. 역은 변역을 말한다. 네 번 경영하면 1변이 되고 3변하면 1효가 되고 18변하면 6효를 이루기 때문에 괘를 이룬다고 하였다. 9변하면 3획괘를 이루기 때문에 작게 이룬다고 하였다. '이끌어 편다'는 것은 8괘를 서로 곱해 64괘가 되는 것이다. '류에 따라 확장시킴'은 1괘가 각각 변해 64괘가 되어 합하면 4096괘가 되는 것이다. 길함으로 나아가고 흉함을 피하는 도리가 속에 갖추어져있기 때문에 천하의 가능한 일을 마친다. 도는 하늘에 있어 그윽히 숨어있어 괘를 통해 드러나고, 덕행은 사람에게 있어 나타나지 않아 괘를 통해 신과 통한다. 수작은 괘효의 말씀이 응답하는 말과 같음은 말한다. '신을 돕는다'는 것은 괘효의 말씀이 신의 조화와 공을 돕는 것을 말한다. 이것은 변화의 도로 신이 하는 바가 아님이 없기 때문에 마지막에 또 찬탄한 것이다.

此章言揲蓍求卦之法, 而贊歎其神化之功也.
이 장은 설시하여 괘를 구하는 법을 말하고 신의 조화를 찬탄하였다.

이진상(李震相) 『역학관규(易學管窺)』

知變化註盤澗說.
변화의 도를 안다는 것에 대한 반간의 설.

此言所乘之機, 而又以變化言, 蓋氣有變化, 而道無不宰, 故言之. 然非以太極之動静爲變化也. 借用處, 不當尋本旨.

여기에서 타는 바의 기틀로 말하고 또 변화로 말한 것은 기에 변화가 있지만 도가 주재하지 않음이 없기 때문에 말한 것이다. 그렇지만 태극의 동정으로 변화를 삼은 것은 아니다. 작용처를 빌려서 본뜻을 찾지 말아야 한다.

○ 乾策註兼山說.

건책의 주에 겸산의 설.

爻取動變, 故特稱九六, 而占得之卦, 七八常多, 烏可直謂之無象. 況以乾坤言九六, 六子言七八尤爲未安.

효는 움직임과 변화를 취하였기 때문에 9와 6이라 칭하고 점을 해서 얻은 괘에 7과 8이 늘 많은데 어찌 곧바로 상이 없다고 이르는가? 하물며 건곤을 9와 6이라 하고 여섯 자녀를 7과 8이라 하는 것이 더욱 온당치 못함에랴!

이병헌(李炳憲) 『역경금문고통론(易經今文考通論)』

乾之策二百一十有六坤之策百四十有四凡三百有六十當期之日二篇之策萬有一千五百二十當萬物之數也是故四營而成易十有八變而成卦八卦而小成引而伸之觸類而長之天下之能事畢矣顯道神德行是故可與酬酢可與佑神矣

건(乾)의 책수(策數)가 216이요 곤(坤)의 책수(策數)가 144이다. 그러므로 모두 360이니 1년의 일수(日數)에 해당하고, 상하 두 편(篇)의 책수(策數)가 11520이니, 만물(萬物)의 수(數)에 해당하니, 이러므로 네 번 경영하여 역(易)을 이루고 18번 변하여 괘(卦)를 이루니, 팔괘(八卦)에 조금 이루어 이끌어 펴며 유(類)에 따라 확장하면 천하(天下)의 능사(能事)가 다할 것이니, 도(道)를 드러내고 덕행(德行)을 신묘(神妙)하게 한다. 이 때문에 더불어 수작(酬酢)할 수 있으며 더불어 신(神)을 도울 수 있는 것이다. 공자(孔子)가 말하였다: 변화(變化)의 도(道)를 아는 자는 신(神)의 하는 바를 알 것이다.

荀曰, 陽爻之策三十有六, 乾六爻皆陽, 合二百一十有六也. 陰爻之策二十有四, 坤六爻皆陰, 合一百四十有四也.

순상이 말하였다: 양효의 책은 36이고 건괘의 6효는 모두 양이니 합하면 216이다. 음효의 책은 24이고 곤괘의 6효는 모두 음이니 합하면 144이다.

正義曰, 此據乾之老陽坤之老陰之策也. 其少陽稱七少陰稱八.

『주역정의』에서 말하였다: 이것은 건의 노양과 곤의 노음의 책에 근거한 것이다. 소양을 7이라 하고 소음을 8이라 한다.

陸曰, 十二月爲一朞, 分二掛一揲四歸奇爲四營.
육적이 말하였다: 12월이 1년이고 둘로 나누고 1개를 걸고 4개씩 세고 나머지를 돌리는 것이 네 번 경영하는 것이다.

荀曰, 營者謂七八九六也. 〈蓋取四象之數.〉
순상이 말하였다: 경영은 7·8·9·6이다. 〈사상의 수를 취하였다.〉

按, 四度經營以成易, 三變以成一爻, 六爻以成一卦. 其體則由天地水火雷風山澤而成八卦, 推而盡其變, 則由八卦而六十四, 由六十四而之四千九十六卦, 皆自十有八變而來也. 四營或云四揲, 佑或作侑.
내가 살펴보았다: 네 번 경영하여 역을 이루고 3변하여 1효를 이루고 6효로 1괘를 이룬다. 그 본체는 천·지·수·화·뢰·풍·산·택을 말미암아 8괘를 이루고, 미루어 그 변화를 다하면 8괘를 말미암아 64가 되고 64를 말미암아 4096으로 가니, 모두 18변을 통해 온 것이다. 사영(四營)을 혹은 사설(四揲)이라고 하고 우(佑)는 혹 유(侑)라고 한다.

右, 第九章
이상은 제9장이다.

‖ 中國大全 ‖

本義

此章, 言天地大衍之數, 揲蓍求卦之法. 然亦略矣, 意其詳, 具於大(太)卜筮人之官, 而今不可考耳, 其可推者, 啓蒙, 備言之.
이 장(章)은 천지(天地) 대연(大衍)의 수(數)와 시초(蓍草)를 세어 괘(卦)를 구하는 법을 말한 것이다. 그러나 또한 간략하니, 짐작건대 그 상세한 내용이 태복(太卜) 서인(筮人)의 관직(官職)에 갖추어져 있었는데 지금은 상고할 수 없고, 미룰 수 있는 것은 『계몽(啓蒙)』에 자세히 말하였다.

小註

雙湖胡氏曰, 此章首論天地之數, 次論蓍策之數, 末論卦畫之數. 天地, 數之原也, 蓍策, 數之衍也, 卦畫, 數之鍾聚也, 蓋至於卦畫, 足以濟生人之用矣. 故始之以成變化而行鬼神, 明數之體段, 原於天地者, 將必有如是之功用. 終之以變化之道神之所爲, 明數之功用, 達於蓍卦者, 原其初已有如是之體段也. 變化之道, 卽成變化之事, 揲蓍中, 老陽變爲少陰, 老陰變爲少陽, 是也. 神之所爲, 卽行鬼神之事, 卦畫旣立, 吉凶禍福皆可得而前知, 所謂定天下之吉凶, 成天下之亹亹, 是也. 簡編釐正之功, 大矣.

쌍호호씨가 말하였다: 이 장에서는 먼저 천지의 수를 논했고 다음으로 설시의 책수을 논했고 말미에 괘획의 수를 논했다. 천지는 수의 근원이고 시책(蓍策)은 수의 넓힘이고 괘획은 수의 취합이니 괘획에 이르면 사람을 구제하고 살리는 데 쓸 수 있다. 그렇기 때문에 변화를 이루고 귀신을 행하는 것으로 시작해서 수의 체단(體段)을 밝혔으니 천지에 근원한 것은 반드시 이와 같은 공용이 있어야 한다. 변화의 도와 신의 하는 바로 마쳐서 수의 공용을 밝혔으니 시초와 괘에 이른 것은 애초부터 이와 같은 체단이 있음에 근원한 것이다. 변화의 도는 곧 변화의 일이니 설시하는 가운데 노양이 변해 소음이 되고 노음이 변해 소양이 됨이 이것이다. 신의 하는 바는 곧 귀신을 행함이니 괘획이 이미 세워지면 길흉화복을 다 미리 알 수 있으니 이른바 "천하의 길흉을 정하며 천하의 힘쓸 것을 이룬다"는 것이 이것이다. 책장을 바르게 다스린 공이 크다.

제10장第十章

易有聖人之道四焉. 以言者尙其辭, 以動者尙其變, 以制器者尙其象, 以卜筮者尙其占.

『주역』에는 성인의 도(道) 네 가지가 있다. 말하는 자는 『주역』의 말을 숭상하고, 행동하는 자는 『주역』의 변을 숭상하고, 기물을 만드는 자는 『주역』의 상을 숭상하고, 거북점과 시초점을 치는 자는 『주역』의 점을 숭상한다.

‖中國大全‖

小註

程子曰, 易有聖人之道四焉, 止非天下之至精其孰能與於此.

정자가 말하였다: "『주역』에는 성인의 도(道) 네 가지가 있다" 단락은 "천하의 지극히 정밀한 자가 아니면 누가 여기에 참여할 수 있겠는가"까지이다.

○ 言, 所以述理. 以言者尙其辭, 謂其言求理者, 則存意於辭也. 以動者尙其變, 動則變也. 順變而動, 乃合道也. 制器作事, 當體乎象, 卜筮吉凶, 當考乎占. 受命如響, 遂知來物, 非神乎, 曰感而通, 求而得, 精之至也.

'말'은 이치를 진술하는 것이다. '말하는 자는 『주역』의 말을 숭상함'은 말로 이치를 구하는 자는 뜻을 말에 둠을 말한다. 행동하는 자는 변(變)을 숭상하니 행동이 곧 변이다. 변을 따라 행동하는 것이 곧 도에 합함이다. 기물을 만들어 일하는 자는 상을 본받아야 하고 거북 점과 시초점으로 길흉을 알고자 하는 자는 점을 상고해야 한다. 명령을 받음이 메아리 같아 드디어 미래의 일을 아니 신이 아니겠는가? 느껴서 통하고 구하여 얻게 되니 정밀함이 지극한 것이다.

本義

四者 皆變化之道 神之所爲者也

'네 가지'는 모두 변화의 도이니, 신이 하는 것이다.

小註

朱子曰, 易有君子之道四, 至精至變, 則合做兩箇, 是他裏面各有那箇.

주자가 말하였다: 『주역』에는 군자의 도 네 가지가 있어서 지극히 정밀하고 지극히 변화하면 두 가지에 합일하니 그 속에 각각 이런 것이 들어있다.

○ 問, 以言, 以動, 以制器, 以卜筮, 這以字是指以易而言否. 曰, 然. 又問, 辭占是一類, 變象是一類, 所以下文至精, 合辭占說, 至變, 合變象說. 曰, 然. 占與辭, 是一類者, 曉得辭, 方能知得占. 若與人說話, 曉得他言語, 方見他胸中底蘊. 變是事之始, 象是事之已形者, 故亦是一類也.

물었다: '말함[以言]·행동함[以動]·기물을 만듦[以制器]·거북점과 시초점을 침[以卜筮]'에서 '이[以]'는 『주역』을 가리켜 말한 것입니까?

답하였다: 그렇습니다.

또 물었다: 말[辭]과 점(占)이 한 종류이고 변(變)과 상(象)이 한 종류이기 때문에 아래 글에 '지극히 정밀함[至精]'을 말·점과 합하여 설명하고 '지극히 변함[至變]'을 변·상과 합하여 설명한 것입니까?

답하였다: 그렇습니다. 점과 말은 한 종류이니 말을 깨달아야 점을 알 수 있습니다. 예컨대 다른 사람과 말할 때 다른 사람이 하는 말을 깨달아야 그의 가슴 속에 쌓인 생각을 알 수 있는 것과 같습니다. '변'은 일의 시초이고 '상'은 일이 드러난 것이므로 한 종류입니다.

○ 問, 以言者尙其辭, 以言, 是取其言以明理斷事, 如論語上擧不恒其德或承之羞否. 曰是.

물었다: "말하는 자는 『주역』의 말을 숭상함"에서 '말함[以言]'은 『주역』의 말을 취하여 이치를 밝히고 일을 결단함이니 예컨대 『논어』에서 "그 덕을 항상 하지 않으면 혹자가 부끄러움을 받는다"[239]를 인용한 것과 같습니까?

답하였다: 맞습니다.

---

239) 『周易·恒卦』: 九三, 不恒其德, 或承之羞, 貞, 吝.

○ 問, 以制器者尙其象. 曰, 這都難說. 蓋取諸離取諸益, 不是先有見乎離而後爲網罟, 先有見乎益而爲耒耜之屬. 聖人亦只是見魚鼈之屬, 欲有以取之, 遂做一箇物事去攔截他, 欲得耕種, 見地土硬, 遂做一箇物事去剔起他, 卻合於離之象, 合於益之意. 有取其象者, 有取其意者.

물었다: “기물을 만드는 자는 『주역』의 상을 숭상함”은 무슨 뜻입니까?

답하였다: 이것은 다 설명하기 어렵습니다. 대개 ‘리괘(離卦☲)에서 취했다’, ‘익괘(益卦䷩)에서 취했다’는 것은 먼저 리괘를 본 뒤에 그물을 만들거나, 먼저 익괘를 본 뒤에 농기구를 만들었다는 말이 아닙니다. 성인이 다만 어류(魚類)를 보고 그것을 잡을 수 있고자 하여 드디어 하나의 기구를 만들어 어류를 그물로 막아 잡고, 농사짓고자 하나 땅이 딱딱함을 보고 드디어 하나의 기구를 만들어 땅을 갈아 북돋운 것이니 이것이 바로 리괘의 상에 합하고 익괘의 뜻에 합하는 것입니다. 또 상에서 취함이 있고 뜻에서 취함이 있는 것입니다.

○ 問, 以卜筮者尙其占, 卜用龜, 亦使易占否. 曰, 不用, 只是文勢如此.

물었다: “거북점과 시초점을 치는 자는 『주역』의 점을 숭상함”에서 거북점[卜]은 거북을 사용하는 것이니 『주역』에서도 거북을 사용하여 점을 칩니까?

답하였다: 거북을 사용하지는 않으나 문장의 흐름이 이와 같습니다.

○ 南軒張氏曰, 易有聖人之道四焉. 故指其所之者, 易之辭也, 以言者尙之, 則言无不當矣. 化而裁之者, 易之變也, 以動者尙之, 則動无不時矣. 象其物宜者, 易之象也, 制器者尙之, 則可以盡創物之智. 極數知來者, 易之占也, 卜筮者尙之, 則可以窮先知之神.

남헌장씨가 말하였다: 『주역』에는 성인의 도 네 가지가 있다. 그러므로 나아갈 바를 가리키는 것이 ‘『주역』의 말’이니 말하는 자가 그것을 숭상한다면 합당하지 않는 말이 없을 것이다. 변화하여 마름질하는 것이 ‘『주역』의 변’이니 행동하는 자가 그것을 숭상한다면 때에 맞지 않는 행동이 없을 것이다. 물건의 마땅함을 형상한 것이 ‘『주역』의 상’이니 기물을 만드는 자가 그것을 본뜬다면 물건을 창조하는 지혜를 다 할 수 있을 것이다. 수(數)를 극진히 하여 미래를 아는 것이 ‘『주역』의 점’이니 거북점과 시초점을 치는 자가 그것을 숭상한다면 미리 아는 신묘함을 다할 수 있을 것이다.

○ 廬陵龍氏曰, 四者, 皆是用易. 然有言動時取用者, 有制器卜筮時取用者, 四句, 唯尙變難通. 變雖在辭象占之外, 實不出辭象占之間, 凡擧動必合易之變, 唯心與理會者, 能之.

여릉용씨가 말하였다: 네 가지는 모두 『주역』을 쓴다. 그러나 말하거나 행동할 때에 취하여 쓰는 것이 있고, 기물을 만들거나 거북점·시초점을 칠 때 취하여 쓰는 것이 있으니 네 구절

중에 '변을 숭상함'이 통하기 어렵다. '변'은 말·상·점의 밖에 있으나 실제로는 말·상·점에서 벗어나지 않으니, 무릇 행동하여 반드시 『주역』의 변에 합하는 것은 마음과 이치가 만난 자라야만 할 수 있을 것이다.

○ 雲峯胡氏曰, 辭占是一類, 變象是一類, 辭以明變象之理, 占以斷變象之應. 故四者之目, 以辭與占始終焉.
운봉호씨가 말하였다: 말과 점이 한 종류이고 변과 상이 한 종류이니 '말로써 변·상의 이치를 밝히고, 점으로써 변·상의 대처를 결단한다. 그러므로 네 가지의 조목은 말과 점이 처음과 끝이다.

▎韓國大全▎

조호익(曺好益) 『역상설(易象說)』

以動者尙其變.
행동하는 자는 『주역』의 변을 숭상하고.

變卦爻之變.
변은 괘효의 변이다.

吳氏曰, 動者因變得占也.
오씨가 말하였다: 움직임은 변을 통해 점을 얻는다.

이익(李瀷) 『역경질서(易經疾書)』

以言尙辭, 如鳴鶴子和, 則取其氣類相求. 先咷後笑則但取其凶變爲吉而不及於象變與占也. 以動尙變, 動有二義爻也卦也. 以爻則卦各有六變, 不待占而取其義. 如左傳豊之離則曰不過之矣, 復之頤則曰迷復是也. 以卦則六十四卦之序, 蒙次於屯則有物生必蒙之道, 需次於蒙則有物穉不可不養之道也.
말함에 말씀을 숭상한다는 것은 우는 학에 새끼가 화답함과 같으니 그 기운의 종류가 서로 구함을 취한 것이다. 먼저는 울고 나중에 웃는다는 것은 다만 흉이 변해 길함이 됨을 취하고 상변(象變)과 점(占)은 취하지 않았다. 행동함에 변을 취한다는 것에서 행동은 두 가지 뜻이 있으니 효와 괘이다. 효로써 하면 괘에 각각 6변이 있어서 점을 기다리지 않고도 그 뜻을 취한다. 예를 들어 『춘추좌씨전』에 풍괘가 이괘로 변한 것[豊之離]에, 넘지 않는다고 말한 것과 복괘가 이괘로 변한 것[復之頤]에 돌아옴에 혼미하다는 것이 그런 것이다. 괘로써 하면 64괘의 차례가 몽괘가 준괘 다음에 있음은 물건이 나오면 반드시 어리다는 도가 있게 되고, 수괘가 몽괘 다음에 있음은 물건이 어리면 기르지 않을 수 없는 도가 있는 것이다.

制器尙象, 如卦名井鼎及下篇二章十二卦所取是也. 孔子又以尙象不特制器, 其於處事必有觀象取則, 故別著大象. 一則曰以, 二則曰以, 以者尙也.
기물을 만드는데 상을 숭상함은 괘명의 정(井)이나 정(鼎)과 하편 2장의 12괘를 취한 것이 그것이다. 공자는 또 상을 숭상함을 씀은 다만 기물을 만드는 것뿐만 아니라, 일에 처해서 반드시 상을 보고 법칙을 취했기 때문에 별도로 대상을 지었다. 첫째도 이(以)라 하고 둘째도 이(以)라 하였으니 이(以)는 숭상함이다.

以卜筮尙占, 如設蓍求卦以占未來之吉凶, 所謂極數知來是也.
거북점과 시초점으로 한다는 것은 설시를 해서 괘를 얻어 미래의 길흉을 점치는 이른바 수를 지극히 미루어 미래를 안다는 것이 이것이다.

朱子謂卜用龜不使易占, 只是文勢如此. 然周禮占人, 掌占龜以八筮占八頌, 以八卦占筮之八故, 以眡告凶, 則龜亦以易占, 故下章云莫大乎蓍龜, 而本義又以蓍龜註神物當考. 是以以下承尙占言卜筮者必將有爲有行然後占之也. 問焉者人問之也. 以言者易荅言也. 受命者人又受易之命而知其吉凶如聲之有響也. 於是無遠無近無幽無深無有不知. 夫易之言, 文王周公所繫之辭, 人乃以蓍策問於神明, 而神明不能自荅, 故以文王周公之辭爲荅. 以者猶憑也. 文王周公繫辭於千百年之前, 使神明一一憑此爲言, 無所不合, 易之至精如此.
주자가 말하였다: 거북점[卜]은 거북을 사용하는 것이지만 문장의 흐름이 이와 같다. 그렇지만 주례에 점치는 관리가 점을 관장하는데 『주례·춘관·점인』에 "거북점을 관장하여 팔서로 팔송을 점치고, 팔괘로 점친 팔고에 따라 길흉을 드러낸다"고 하였으니 거북점도 역으로 점치는 것이다. 그러므로 아래 장에서 이르길, 시초와 거북보다 더한 것이 없다고 하였고 『본의』에서는 또 시초와 거북으로 신물을 주석하였으니 마땅히 고찰해야 한다. 이로써 그 아래에서 점을 숭상함을 이어 복서하는 자는 반드시 군자가 큰일을 하고자 하거나, 시행하고자 하려고 한 뒤에 점을 친다고 말하였다. 묻는다는 것은 사람이 묻는 것이다. 말로써

한다는 것은 역으로 대답하는 것이다. 명령을 받는다는 것은 사람이 또 역의 명령을 받아 길흉을 아는 것이 소리에 메아리가 있는 것과 같다. 이에 멀고 가까움과 그윽하고 깊음과 관계없이 알지 못할 것이 없다. 역의 말씀은 문왕과 주공이 천백 년 전에 말씀을 매달아 신명이 일일이 여기에 의지해 말하게 하여 부합하지 않음이 없게 하였으니 역의 지극한 정미로움이 이와 같다.

김상악(金相岳) 『산천역설(山天易說)』

辭與占爲一類, 象與變爲一類. 辭以明變象之理, 占以斷變象之應, 所以至精而至變也.
말과 점이 동일한 종류이고, 상과 변이 동일한 종류이다. 말로는 변과 상의 도리를 밝히고 점으로는 변과 상의 호응을 판단하니, 이른바 지극한 정미로움과 지극한 변화이다,

윤행임(尹行恁) 『신호수필(薪湖隨筆)·계사전(繫辭傳)』

尙辭者翫乎象辭, 尙變者翫乎變體, 制器者翫乎物象, 卜筮者翫乎爻義.
말을 숭상함은 단사를 완미함이고 변을 숭상함은 변체를 완미함이고 기물을 제작함은 물상을 완미함이고 복서를 함은 효의를 완미함이다.

오희상(吳熙常) 「잡저(雜著)-역(易)」

此以下象辭變占, 散見層出, 橫竪顚倒而皷舞之, 溯而至於太極儀象, 源頭之理, 靡不發揮. 以盡易道之體用. 又與聖人錯互, 爲說易與聖人融爲一致, 而末章末節說歸於人之德行以終之, 與首章, 極言乾坤易簡之德, 而結之以賢人之德業實相叫應, 其旨微矣. 當着眼反覆也.
이 아래에 상사변점(象辭變占)은 흩어져서 층층이 나타나는데 종횡으로 전도되어 두드리고 춤추게 하여 거슬러 올라가 태극과 양의와 사상에 이르면 근원의 도리가 발휘되어 역도의 체용을 다하지 않음이 없다. 또 성인이 착종교호함에 참여함으로써『주역』과 성인이 융합하여 하나가 됨을 주장하고, 12장 끝 구절에 사람의 덕행에 귀결함을 말한 것으로 마쳤으니 1장과 더불어 건괘·곤괘의 평이하고 간략한 도를 지극히 말하여 현인의 덕업이 서로 호응함으로 맺었다. 그 뜻이 은미하니 반복해서 살펴보아야 한다.

심대윤(沈大允) 『주역상의점법(周易象義占法)』

朱子曰, 荀子窺敵制變, 欲參以伍. 韓非曰省同異之言, 以知朋黨之分, 偶參伍之驗, 以責陳言之實. 又曰, 參之以此物, 伍之以合參. 史記曰必參而伍之, 又曰參伍不失. 漢書曰參伍其賈以類相準云云.

주자가 말하였다: 순자(荀子)는 "적을 엿보고 변화에 대처함에는 오(伍)하고 삼(參)하고자 한다" 하였고, 한비자(韓非子)는 "같고 다른 말을 살펴 붕당의 나눠짐을 알고 삼오(參伍)의 징험을 맞추어 진언(陳言)의 실제를 책한다" 하였다. 또 "이 일로써 삼(參)하고, 다섯으로 맞추어 삼(參)에 합한다" 하였다. 『사기(史記)』에 "반드시 삼(參)으로 세고 오(伍)로 센다" 하였고, 또 이르기를 "삼오(參伍)함에 실수하지 않는다" 하였다. 『한서(漢書)』에 "그 값을 삼오(參伍)하여 유(類)로써 서로 기준한다" 하였다.

오치기(吳致箕)「주역경전증해(周易經傳增解)」

易之爲道不過辭變象占四者而已. 故天下之言吉凶者皆尙乎易之辭, 天下之有動作者皆尙乎易之變, 天下之制器用者皆尙乎易之象, 天下之求卜筮者皆尙乎易之占也.

역의 도는 사·변·상·점(辭變象占) 네 가지에 지나지 않는다. 그러므로 천하에 길흉을 말하는 사람은 모두 역의 말을 숭상하고, 천하의 동작을 두는 자는 모두 역의 변을 숭상하고, 천하의 기물을 제작해 쓰는 자는 모두 역의 상을 숭상하고, 천하의 복서를 구하는 자는 모두 역의 점을 숭상한다.

이병헌(李炳憲)『역경금문고통론(易經今文考通論)』

此一節, 又引夫子之言, 以明變化之道神實尸之, 而明易之有聖人之道四焉. 自此以下, 因推演其義, 終擧此而結之.

이 한 구절은 또 공자의 말을 인용하여 변화의 도에 신이 실제로 출입함을 밝히고 역에 성인의 도가 넷이 있음을 밝혔다. 이 아래에서부터는 그 뜻을 미루어 넓혀 이것을 들어서 마쳤다.

是以君子將有爲也, 將有行也, 問焉而以言. 其受命也如嚮,
无有遠近幽深, 遂知來物, 非天下之至精, 其孰能與於此.

이러므로 군자가 큰일을 하고자 하거나, 시행하고자 할 때 말로써 물으면 그 명령을 받음이 메아리와 같아 멀고 가까우며 그윽하고 깊음에 상관없이 드디어 미래의 일을 아니, 천하의 지극히 정밀한 자가 아니면 누가 여기에 참여할 수 있겠는가.

▌中國大全▐

小註

程子曰, 卜筮之能應, 祭祀之能享, 亦只是一理. 蓍龜, 雖无情, 然所以爲卦, 而卦有吉凶, 莫非有此理. 以其有是理也, 故以是問焉, 其應也如嚮. 若以私心及錯卦象而問之, 便不應, 蓋沒此理. 今日之理, 與前日已定之理, 只是一箇理故應也. 至如祭祀之享亦同. 鬼神之理在彼, 我以此理向之, 故享也. 不容有二三, 只是一理也.

정자가 말하였다: 거북점·시초점에 응하는 것과 제사를 지냄에 흠향하는 것도 한 가지 이치일 뿐이다. 시초와 거북이 심정(心情)은 없으나 괘가 되고 괘에 길흉이 있음은 이 이치 아님이 없다. 이런 이치가 있기 때문에 이것으로 물으면 응함이 메아리 같다. 그러나 사사로운 마음으로 괘상(卦象)을 섞어가며 묻는다면 곧 응하지 않을 것이니 이는 이런 이치가 없기 때문이다. 오늘의 이치와 전날 이미 정해진 이치는 한 가지 이치일 뿐이기 때문에 응한다. 제사를 지냄에 흠향하는 것도 마찬가지이다. 귀신의 이치는 저기에 있으나 내가 이 이치로 올리기 때문에 흠향한다. 둘이나 셋을 허용하지 아니하니 다만 한 가지 이치일 뿐이다.

本義

此尙辭尙占之事. 言人以蓍問易, 求其卦爻之辭, 而以之發言處事, 則易受人之命. 而有以告之如嚮之應聲, 以決其未來之吉凶也. 以言, 與以言者尙其辭之以言, 義同. 命則將筮而告蓍之語, 冠禮, 筮曰宰自右贊命是也.

이것은 말을 숭상하고 점을 숭상하는 일이다. 사람이 시초로써 『주역』에 물어 괘사와 효사를 구하여 이것으로써 말을 하고 일에 처하면 『주역』이 사람의 명령을 받아 고해주기를 마치 메아리가 목소리에 응하듯이 하여 미래의 길흉을 결단해 줌을 말한 것이다. '말로써 함[以言]'은 '말하는 자는 『주역』의 말을 숭상하고[以言者尙其辭]'의 '말하는[以言]'과 뜻이 같다. '명(命)'은 점을 치려 할 때 시초에게 고하는 말이니, 관례(冠禮)에 '날짜를 점칠 적에 재(宰)가 오른쪽에서 명령을 돕는다' 함이 이것이다.

小註

或問, 君子將有爲也, 將有行也, 問焉而以言, 其受命也如響. 朱子曰, 此是說君子作事, 問於蓍龜. 言是命龜, 受命如嚮, 龜受命也. 抱龜南面是也.

어떤 이가 물었다: "군자가 큰일을 하고자 하거나, 시행하고자 할 때 말로써 물으면 그 명령을 받음이 메아리와 같다"는 무슨 뜻입니까?

주자가 답하였다: 이것은 군자가 일을 하려 할 때에 시초와 거북에게 묻는다는 말입니다. '말[言]'은 거북이에게 명하는 것이니 "명을 받음이 메아리 같다"는 거북이 명을 받은 것입니다. 『예기(禮記)·제의(祭義)』에 "거북을 안고 남쪽을 향해 서다"[240]가 이런 뜻입니다.

○ 張子曰, 易无思无爲, 受命乃如響. 又曰, 此言易之爲書也. 至精者, 謂聖人窮理極盡精微處也.

장자가 말하였다: 역은 생각도 없고 함도 없어 명을 받음이 메아리 같다.

또 말하였다: 이것은 『주역』이라는 서책을 말한 것이다. '지극히 정밀함'은 성인이 이치를 궁구함이 매우 정밀하고 극진함을 말하였다.

○ 開封耿氏曰, 物之來者, 遠自八荒之上, 深在六極之下, 吾能知之, 此則天地之鑑也, 萬物之照也, 所謂至精者也.

개봉경씨가 말하였다: 만물이 오는 것을 멀리는 팔황의 위로부터 깊게는 육극의 아래에 있는 것까지 내가 알 수 있으니, 이것이 바로 천지의 귀감이고 만물에 비춤이라는 것이니 이른바 '지극히 정밀함'이다.

○ 雲峯胡氏曰, 君子言動, 必擬於易, 但言在行先, 故將有爲有行, 必先問焉, 而以之發言, 然後以之行事也. 易受人之命, 其應如響, 未來之事, 无幽深遠近, 皆知之. 此尙

---

240) 『禮記·祭義』: 易抱龜南面, 天子卷冕北面.

辭尙占之事. 而曰天下之至精者, 言辭占至精之道, 其精无以加也.

운봉호씨가 말하였다: 군자의 언행은 반드시 『주역』을 본받으나 말이 행동의 앞에 있기 때문에 큰일과 실행함이 있으면 반드시 먼저 물어 말을 한 뒤에 그 답변으로 일을 실행한다. 『주역』이 사람의 명을 받은 것이 응함이 메아리 같아 미래의 일에 대하여 그윽하고 깊으며 멀고 가까움에 상관없이 다 아니, 이것이 '말을 숭상'하고 '점을 숭상'하는 일이다. '천하의 지극히 정밀함'이라고 말한 것은 말과 점이 지극히 정밀한 도임을 말한 것이니 그 정밀함이 더할 나위 없다.

▎韓國大全 ▎

조호익(曺好益)『역상설(易象說)』

其受命也如嚮.

그 명령을 받음이 메아리와 같아.

本義, 宰自右贊命, 宰有司主政敎者也. 贊佐也, 命告也. 佐主人告所以筮也.

『본의』에서 "재(宰)가 오른쪽에서 명령을 돕는다"라고 하였는데, 재(宰)는 정치와 교육을 맡아 주관하는 자이다. 찬은 도움이고 명은 고함이다. 주인을 도와 점치는 것을 고하는 것이다.

유정원(柳正源)『역해참고(易解參攷)』

君子 [至] 於此.

군자가 … 여기에 참여할 수 있겠는가.

朱子曰, 問焉而以言, 以上下文義推之, 而以言則是命筮之辭. 古人亦大段重筮, 但而以言三字, 若作以易之言, 於上下文義不順.

주자가 말하였다: '말로써 물으면'을 상하의 문장 뜻으로 추리하면 말로써는 시초에게 명령하는 말이다. 고인도 시초를 대단히 중요하게 여겼다. 다만 '이이언(而以言)' 세 글자를 '역의 말로씨'라고 하면 상하 문징의 뜻이 순하지 않다.

○ 君子作事, 問於蓍龜. 言是命龜, 受命如響, 龜受命也. 見小註.
군자가 일을 할 때 시초와 거북에게 묻는다. 말은 거북에게 명령하는 것이고 명령을 받음이 메아리와 같음은 거북이 명령을 받음이다. 소주에 보인다.

○ 案, 此朱子說二段與本義不同. 蓋本義竝言尙辭尙占之事, 故以問焉以言四字, 謂求卦爻而發言處事也. 君子之有爲有行而問焉者, 是將發言處事而問於蓍龜者也. 然旣問於蓍龜, 又以之發言處事, 而蓍龜受人之命如響云, 則語意不圓. 朱子所謂上下文義不順者此也. 然則以言二字爲命筮之辭, 恐當爲定論也.
내가 살펴보았다: 이 주자의 설 두 문단은 『본의』와는 다르다. 『본의』에서는 말을 숭상하고 점을 숭상하는 일을 아울러 말하였다. 그렇기 때문에 문언이언(問焉以言) 4글자를 가지고 괘효를 구하면서 말하는 것으로 여겼다. 군자가 큰일을 하고자 하거나, 시행하고자 할 때 말로써 묻는다는 것은 장차 말을 하면서 시초와 거북에게 묻는 것이다. 이미 시초와 거북에게 묻고 또 그것으로 말을 하면서 시초와 거북이 사람의 명령을 들음이 메아리와 같다고 하였으니 말의 뜻이 원만하지 않다. 주자가 말한 상하의 문장 뜻이 순하지 못하다는 것이 이것이다. 그렇다면 이언(以言) 두 글자를 시초에게 명령하는 말로 여긴다면 아마도 정론이 될 것이다.

且夫君子之道, 辭變象占四者而已. 此一節兼言尙辭尙占, 而下一節獨擧尙象, 其下又不言尙變亦不可曉. 細究其語意, 則此一節當云, 言尙占之事而辭在其中, 下一節當云, 言尙象之辭而變在其中. 如是看了, 於上下文義, 似爲穩便. 此旡先儒見說, 姑識之.
또 군자의 도는 사·변·상·점(辭變象占)의 넷일 뿐이다. 이 한 구절은 말을 숭상하고 점을 숭상한다는 것을 아울러 말한 것이고 아래 한 구절은 상을 숭상하는 것만 거론했고 그 아래에 또 변화를 숭상하는 것을 말하지 않은 것도 알 수가 없다. 말의 뜻을 세밀하게 추구해보면 이 한 구절은 당연히 "점을 숭상하는 일을 말했지만 말을 숭상하는 일이 그 가운데 있다"고 하고, 그 아래 구절에서는 당연히 "상을 숭상하는 일을 말했지만 변화를 숭상하는 일이 그 가운데 있다"고 말해야 한다. 이와 같이 보아야만 상하의 글 뜻이 온당할 것 같다. 이에 대해서는 선배학자들의 설명이 없으니, 우선 기록해놓는다.

김상악(金相岳) 『산천역설(山天易說)』

此尙辭尙占之事.
이것은 말을 숭상하고 점을 숭상하는 일이다.

박윤원(朴胤源) 『경의(經義)·역경차략(易經箚略)·역계차의(易繫箚疑)』

受命如嚮, 程朱皆以嚮字作應聲之響. 豈古者嚮與響通用歟. 來氏以爲嚮者向也, 卽嚮明而治之嚮也. 如嚮言如彼此相向之近, 受命親切. 此說不改本字, 自成意致, 從之無妨歟.

명령을 받음이 메아리와 같다. 정자와 주자는 모두 향(嚮)을 소리에 호응하는 메아리의 향으로 보았으니 옛날에 향(嚮)과 향(響)을 통용했던 것인가? 래씨는 향(嚮)을 향(向)으로 보았으니 곧 밝음을 향해 다스린다는 향함[嚮]이다. '여향(如嚮)'은 피차간에 서로 가까워서 명령을 받음이 매우 절실한 것이다. 이 설명은 본래의 글자를 고치지 않아도 저절로 의미를 이룰 것이니 그대로 따라도 무방할 것이다.

윤행임(尹行恁) 『신호수필(薪湖隨筆)·계사전(繫辭傳)』

君子於動也, 質諸神明, 其應也如響, 其知也如神, 以其心也. 弗貳弗叄, 主一無適而後可以孚感於神明. 詩曰, 神之格思, 不可度思, 矧可射思.

군자가 행동함에 신명에게 물어 응답이 메아리와 같고 아는 것이 신과 같음은 마음 때문이다. 두 번 세 번 하지 않고 하나를 주장하여 벗어나지 않은 뒤에 신명과 믿음으로 감응할 수 있다. 『시경』에 "신이 이르는 것을 헤아릴 수 없는데 하물며 싫어할 수 있겠는가"라고 하였다.

오치기(吳致箕) 「주역경전증해(周易經傳增解)」

此尙辭尙占之事也. 嚮謂響應也. 來物謂將來吉凶之事也. 辭以明占決占以斷吉凶. 故二者合而言之也.

이것은 말을 숭상하고 점을 숭상하는 일이다. 향(嚮)은 메아리이다. 래물(來物)은 장래의 길하고 흉한 일이다. 말로써 점을 밝히고 점을 결단하여 길흉을 판단한다. 그러므로 두 가지를 합하여 말하였다.

이진상(李震相) 『역학관규(易學管窺)』

第十章, 問焉而以言.

제 10장의 말로써 물으면.

語類學蒙錄曰, 以上下文推之, 以言卻是命筮之詞. 而以言三字義似拗. 若作以易言之, 又於上下文不順. 此是甲寅後所聞.

『주자어류』의 학몽의 기록에서 말하였다: 상하의 글로 미루어보면 이언(以言)은 시초에게 명령하는 말이다. 이이언(而以言) 세 글자의 뜻은 비틀어진 것 같다. 만약 '역으로써'라고 한다면 상하 문장의 뜻에 순하지 못하다. 이것은 갑인년 이후에 들은 것이다.

去僞錄曰, 求其卦爻之辭, 以之發言處事, 此是乙未所聞, 而本義之成在丁酉, 以早晚則當以命筮之詞爲定論.

거위의 기록에서 말하였다: 괘효의 말을 구하여 발언하고 일에 대처한다. 이것은 을미년에 들은 것인데 『본의』는 정유년에 이루어졌으니 빠르고 늦음으로 하면 당연히 시초에게 명하는 말이라는 것으로 정론을 삼아야 한다.

問以決疑, 言以致命, 未必爲拗參攷.

물어서 의심을 결단하고 말해서 명령을 내리니 반드시 비틀어서 참고할 필요는 없다.

曰, 此一節尙占之事, 而辭在其中. 下一節尙象之事而變在其中, 恐爲得之.

말하였다: 이 한 구절은 점을 숭상하는 일로 말이 그 가운데 있고 아래 한 구절은 상을 숭상하는 일이지만 변이 그 가운데 있다고 해야 할 것 같다.

參伍以變, 錯綜其數, 通其變, 遂成天地之文, 極其數, 遂定
天下之象, 非天下之至變, 其孰能與於此.

삼(參)과 오(伍)로 세어 변하며 수를 교착하고 종합하여 변을 통하여 드디어 천지의 문양을 이루며,
수를 지극히 하여 드디어 천하의 상을 정하니, 천하의 지극히 변화하는 자가 아니면 누가 여기에
참여할 수 있겠는가.

中國大全

本義

此, 尙象之事, 變則象之未定者也. 參者, 三數之也. 伍者, 五數之也, 旣參以變,
又伍以變, 一先一後, 更相考覈, 以審其多寡之實也. 錯者, 交而互之, 一左一右
之謂也. 綜者, 總而挈之, 一低一昂之謂也, 此亦皆謂揲蓍求卦之事. 蓋通三揲兩
手之策, 以成陰陽老少之畫, 究七八九六之數, 以定卦爻動靜之象也. 參伍錯綜,
皆古語而參伍尤難曉. 按荀子云 窺敵制變, 欲伍以參, 韓非曰 省同異之言, 以知
朋黨之分, 偶參伍之驗, 以責陳言之實, 又曰 參之以此物, 伍之以合參, 史記曰
必參而伍之, 又曰 參伍不失, 漢書曰 參伍其賈(價), 以類相準, 此足以相發明矣.

이는 상(象)을 숭상하는 일이니, 변(變)은 상(象)이 아직 정해지지 않은 것이다. 삼(參)은 삼(三)으
로 셈이고 오(伍)는 오(五)로 셈이니, 이미 삼으로 세어 변하고 또 오로 세어 변하여 한 번 먼저하고
한 번 나중에 하여 번갈아 서로 상고해서 많고 적음의 실제를 살피는 것이다. '교착함[錯]'은 사귀어
서로 함이니 한 번 왼쪽으로 하고 한 번 오른쪽으로 함을 이르며, '종합함[綜]'은 총괄하여 셈이니
한 번 낮추고 한 번 높임을 이르니, 이 또한 모두 시초를 세어 괘를 구하는 일을 말한다. 두 손의
시책을 통틀어 세 번 세어서 음양의 노소의 획을 이루고, 칠(七)·팔(八)·구(九)·육(六)의 수를
연구하여 괘효와 동정의 상을 정한다. 삼·오·착·종(參伍錯綜)은 모두 옛말인데, 삼오가 더욱 알
기 어렵다. 살펴보건대 『순자(荀子)·의병(義兵)』에 "적을 엿보고 변화에 대처함에는 오(伍)하고
삼(參)하고자 한다" 하였고, 『한비자(韓非子)·비내(備內)』에 "같고 다른 말을 살펴 붕당의 나눠짐
을 알고 삼오(參伍)의 징험을 맞추어 진언(陳言)의 실제를 책한다" 하였으며, 또 「양권(揚權)」에
이르기를 "이 일로써 삼(參)하고, 다섯으로 맞추어 삼(參)에 합한다" 하였다. 『사기(史記)·태사공
자서(太史公自序)』에 "반드시 삼(參)으로 세고 오(伍)로 센다" 하였고, 또 이르기를 "삼오(參伍)함

에 실수하지 않는다” 하였으며, 『한서(漢書)』에 “그 값을 삼오(參伍)하여 유(類)로써 서로 기준한 다” 하였으니, 이것을 보면 충분히 알 수 있을 것이다.

小註

朱子曰, 參以三數之也, 伍以五數之也. 如云什伍其民, 如云或相什伯, 非直爲三與五 而已也. 蓋紀數之法, 以三數之則遇五而齊, 以五數之則遇三而會. 故荀子韓非漢書所 云皆其義也. 所謂參伍以變者, 蓋言或以三數而變之, 或以五數而變之, 前後多寡更相 反覆, 以不齊而要其齊. 如河圖洛書大衍之數, 伏羲文王之卦, 歷象之日月五星章蔀紀 元, 是皆各爲一法, 不相依附, 而不害其相通也.

주자가 말하였다: 삼(參)은 삼으로 세는 것이고, 오(伍)는 오로 세는 것이다. 예컨대 ‘백성을 십(什)으로 세고 오(伍)로 센다’와 ‘혹은 서로 열배가 되고 백배가 된다’고 말하는 것과 같으 니 ‘삼’ ‘오’가 될 뿐만이 아니다. 수(數)를 기록하는 법은 삼으로 세면 오를 만나 가지런해지 고 오로 세면 삼을 만나 모인다. 그러므로 『순자』·『한비자』·『한서』에 말한 것이 모두 그런 뜻이다. 이른바 “삼으로 세고 오로 세어 변하여[參伍以變]”는 어떤 것은 삼으로 세어 변하고 어떤 것은 오로 세어 변하여 앞뒤로 많고 적음이 서로 반복하여 가지런하지 않은 것으로 가지런하게 함을 말한다. 예컨대 「하도」·「낙서」의 대연수와 복희씨·문왕의 괘와 일월·오성(五星)·장부기원(章蔀紀元)[241]을 추산하고 관찰하는 것[242]은 모두 각기 하나 의 법이 있어 서로 의지하지 않으면서도 서로 통하는 데에 방해되지 않는다.

○ 撲蓍, 本无三數五數之法, 只言交互參考皆有自然之數, 如三三爲九, 五六三十之 類. 雖不用以撲蓍, 而推算變通, 未嘗不用.

시초를 세는 것은 본래 삼으로 세고 오로 세는 법이 없고, 단지 서로 참고하면 모두 자연한 수가 있음을 말한 것이니 3×3=9나 5×6=30의 종류와 같다. 비록 시초를 세는 데에 쓰이지 않더라도 추산하고 변통하는 것을 쓰지 않은 적이 없다.

○ 荀子說參伍, 楊倞解之爲詳. 漢書所謂欲問馬先問牛, 參伍之, 以得其實. 大抵陰陽 奇偶, 變化无窮, 天下之事, 不出諸此. 成天地之文者, 若卦爻之陳例變態者是也. 定天

---

241) 장부기원(章蔀紀元): 한(漢) 나라 초기에 전해진 여섯 종류의 고대 역법으로, 장(章)은 19년이고, 4장이 1부(蔀)가 되며, 20부가 1기(紀)이고, 3기가 1원(元)이다.

242) 추산하고 관찰하는 것: 원문의 역상(歷象)을 풀었다. 역상(歷象)은 역상(曆象)이며 책력으로 기록하고 관상(觀象)하는 기구로 관찰하는 것이다. 『서경·요전』에 “乃命羲和, 欽若昊天, 曆象日月星辰, 敬授 民時”라 하였다.

下之象者, 物象皆有定理, 足以經綸天下之事也.

『순자』에서 말한 "삼(參)과 오(伍)"는 양경(楊倞)[243]의 해설이 상세하다.『한서』에서 말한 '말 값을 묻고 싶으면 먼저 소 값을 물어 참작[參伍]하여 참된 값을 찾는다'[244]는 것이다. 대체로 음양의 기우(奇偶)는 변화가 무궁하여 천하의 일이 여기에서 벗어나지 않는다. '천지의 문양을 이룬다'는 것은 괘효가 벌여 있어 형태를 변화함이 이것이고, '천하의 상을 정한다'는 것은 물상이 모두 정해진 이치가 있어 천하의 일을 경륜하기에 충분하다는 것이다.

○ 問, 參伍者, 是旣三以數之, 又五以數之, 譬之三十錢, 以三數之, 看得幾箇三了, 又五以數之, 看得幾箇五, 兩數參合, 方看得幾箇成數. 曰, 正是如此. 又問, 不獨是以數算. 大槪只是參合底意思, 如趙廣漢欲問馬, 先問牛, 便只是以彼數來參此數否. 曰, 是. 又曰, 若是他數猶可揍, 三與五兩數, 自是參差不齊. 所以擧以爲言. 如這箇是三箇, 將五來比, 又多兩箇, 這是五箇, 將三來比, 又少兩箇. 兵家謂窺敵制變, 欲伍以參. 今欲覘敵人之事, 敎一人探來恁地說, 又差一人去探來, 若說得不同, 便將這兩說相參看如何, 以求其實, 所以謂之欲伍以參.

물었다: '삼오'라는 것은 이미 삼으로 세고 또 오로 세는 것이니 비유컨대 삼십전을 삼으로 세어 몇 개의 삼을 얻는 지를 살피고, 또 오로 세어 몇 개의 오를 얻는지를 살펴서 두 수를 참작해보아야 몇 개로 이루어 지는지를 알 수 있다는 것입니까?

답하였다: 바로 그런 것입니다.

또 물었다: 수를 계산하는 것뿐만 아니라 대개 참작한다[參合]는 뜻은 조광한(趙廣漢)이 "말 값을 묻고 싶으면 소 값을 물어본다"고 한 것과 같습니다. 바로 저쪽의 수를 가지고 이쪽의 수를 참작하는 것입니까?

답하였다: 맞습니다.

또 답하였다: 다른 수의 경우는 그래도 꼽아볼 수 있는데 삼과 오의 두 수는 본래 어긋나 가지런하지 않으니 이 때문에 예로 든 것입니다. 예컨대 이것은 세 개인데 오를 가지고 비교해 보면 또 두 개가 많고, 이것은 다섯 개인데 삼을 가지고 비교해 보면 또 두 개가 부족하니, 병가(兵家)에서 "적을 엿보아 변화에 대처하려면 오로 세고 삼으로 세어야 한다"[245] 하였습니다. 지금 적인(敵人)의 일을 살피고자 하여 한 사람을 시켰는데 탐색해 와서 이와

---

243) 양경(楊倞): 당(唐)나라 홍농(弘農)사람으로 생평연대는 미상이다. 대리평사(大理評事)를 지냈으며 저서에 『순자주(荀子注)』가 있다. 이 책은 『순자』의 현존하는 주석서중 가장 빠른 것으로 많은 학자들이 그의 주석을 참고하고 있다.

244) 『漢書·趙廣漢傳』: 鈎距者, 設欲知馬賈, 則先問狗, 已問羊, 又問牛, 然後及馬, 參伍其賈, 以類相準, 則知馬之貴賤不失實矣.

245) 『荀子·議兵』: 窺敵制勝, 欲伍以參.

같이 말하고 또 다른 한 사람이 탐색하러 갔다 왔는데 만약 말이 같지 않다면 곧 이 두 가지 말이 어떤지 서로 참작해 보아 그 실상을 찾을 것이니 이 때문에 그것을 '오로 세고 삼으로 센다'고 이른 것입니다.

○ 問, 錯綜之義. 曰, 錯, 是往來底, 綜, 是上下底. 古人下這字極子細. 又曰, 錯是往來交錯之義, 綜如織底綜, 一箇上去, 一箇下來. 陽上去做陰, 陰下來做陽. 又曰, 錯綜其數, 便只是七九八六. 六對九, 七對八, 便是東西相錯. 六上生七爲陽, 九下生八爲陰, 便是上下爲綜.

물었다: '교착하고 종합함[錯綜]은 무슨 뜻입니까?

답하였다: 교착[錯]은 왔다갔다함이고, 종합[綜]은 오르내림이니 옛사람이 이런 글자를 쓰는 것이 매우 자세합니다.

또 답하였다: 교착[錯]은 왔다갔다 교차하는 뜻이고 종합[綜]은 잉앗실[246]을 직조(織造)함과 같으니 하나가 올라가면 하나가 내려옵니다. 양은 올라가서 음을 만들고 음은 내려가서 양을 만듭니다.

또 답하였다: '그 수를 교착하고 종합함[錯綜其數]'은 곧 칠·구·팔·육 일뿐입니다. 육은 구와 상대하고 칠은 팔과 상대함이 곧 동·서가 서로 교착함이고, 육 위에 칠이 생겨 양이 되고 구 아래에 팔이 생겨 음이 되는 것이 곧 위·아래가 종합함입니다.

○ 錯綜是兩樣, 錯者雜而互之也, 綜者條而理之也. 參伍錯綜, 又各自是一事, 參伍, 所以通之, 其治之也, 簡而疎. 錯綜, 所以極之, 其治之也, 繁而密.

교착하고 종합함[錯綜]은 두 가지이니 교착[錯]은 섞어서 번갈아 드는 것이고 종합[綜]은 조리가 있어 잘 다루는 것이다. 삼오(參伍)와 착종(錯綜)은 또 각기 한 가지 일이다. '삼오'는 통하게 하는 것이니 그 다스림이 간단하면서 소통되고, '착종'은 지극히 하는 것이니 그 다스림이 번거롭고 세밀하다.

○ 漢上朱氏曰, 參伍以變者, 縱橫十五, 天地五十有五之數也, 錯之爲六七八九, 綜之爲三百六十, 通六七八九之變, 則剛柔相易, 遂成天地之文, 極五十有五之數, 則剛柔有體, 遂定天下之象. 非成文, 不足以成物, 非定象, 不足以制器. 變之又變, 謂之至變.

한상주씨가 말하였다: "삼과 오로 세어 변함"은 가로와 세로의 합이 십오인 것이 천지의 오십오의 수이니 육·칠·팔·구를 교착하고 삼백육십을 종합하여 육·칠·팔·구의 변화를 통하면 강·유가 서로 바뀌어 드디어 천지의 문양을 이루고 오십오의 수를 지극히 하면

---

246) 잉앗실: 베틀의 날실을 한 칸씩 걸러서 끌어 올리도록 맨 굵은 실.

강・유가 몸체가 있게 되어 드디어 천하의 상을 정한다. 문양을 이룬 것이 아니면 물상을 이루기에 부족하고, 상을 정한 것이 아니면 기물을 만들기에 부족하다. 변하고 또 변한 것을 지극히 '변함[至變]'이라고 한다.

○ 南軒張氏曰, 三五天也, 參而伍之人也.
남헌장씨가 말하였다: 삼(三)과 오(五)는 하늘이고, '삼으로 세고[參]' '오로 셈[伍]'은 사람이다.

○ 平庵項氏曰, 凡占之法, 有數有變. 每爻三揲爲三變, 每揲有象兩象三, 象四時象閏再閏爲五小變, 此參伍以變也. 三揲之奇, 分而計之, 則得三少三多, 一少兩多, 一多兩少之數. 去三揲之奇, 以左右手之正策, 合而計之, 則得四九四六, 四七四八之數, 此錯綜其數也. 錯謂分而間之, 綜謂合而綜之, 此兩句, 止論一爻之法. 通六爻之變. 得十有八, 遂成初二三四五上, 以爲剛柔相雜之文. 極六爻之數, 得七八九六, 遂定重單交拆, 以爲內外兩卦之象. 此兩句, 成卦之法.
평암항씨가 말하였다: 점치는 법에는 수(數)가 있고 변(變)이 있다. 효마다 세 번 세는 것이 삼변(三變)이고, 셀 때마다 둘을 상징하고 셋을 상징하며 사시(四時)를 상징하고 윤달과 윤달이 5년에 두 번 있음을 상징함이 작은 변화[小變]이니 이것이 삼과 오로 세어 변화함이다. 세 번 세고 난 나머지를 계산하면 '세 개 모두 소양[三少]'인 수이거나 '세 개 모두 태양[三多]'인 수, '한 개가 소음이고 두 개가 태양 一少兩多'인 수, '한 개가 태양이고 두 개가 소음[一多兩少]'인 수를 얻는다. 세 번 세고 난 나머지를 제외하고 왼손과 오른손의 시책을 합하면 '4×9, 4×6, 4×7, 4×8'의 수를 얻으니 이것이 그 수를 교착하고 종합하는 것이다. '교착하다[錯]'는 나누어 끼워 넣는 것이고 '종합하다[綜]'는 합하여 짜는 것이니 이 두 구절은 단지 한 효를 만드는 방법을 논하였다. 여섯 효의 변화를 관통하면 십팔변(十八變)을 얻어 드디어 초효・이효・삼효・사효・오효・상효를 완성하여 굳센 양과 부드러운 음이 서로 섞이는 문양을 만들고, 여섯 효의 수를 지극히 하여 칠・팔・구・육을 얻어 드디어 태양[重]・소양[單]・노음[交]・소음[拆]을 정하여 내괘와 외괘의 상을 만든다. 이 두 구절은 괘를 만드는 방법이다.

○ 雲峯胡氏曰, 上文曰尙辭尙占之事, 此獨曰尙象, 而不曰尙變. 參伍以變, 此變字, 象之未定者也. 參伍以一變而言, 錯綜合十八變而言. 本義以參伍爲一先一後, 更相考覈以究其多寡之實. 筮法四五爲寡, 九八爲多, 五九爲先, 四八爲後, 五九四八之中, 又各自有先後焉. 除掛一外, 餘九者, 先後皆四. 餘八者, 或先三而後四, 或先四而後三, 是二以變也. 餘五者, 或先後皆二, 或先三而後一, 或先一而後三. 餘四者, 或先二而後一, 或先一而後二, 是伍以變也. 參伍以變, 蓋三揲兩手之策也, 通三揲兩手之策, 而陰

陽老少之畵遂成矣. 三變方成, 陰陽老少之畵, 雜十有八變, 乃見陰陽老少之數, 故謂
之錯. 總[247]三變之數成一爻, 總十有八變成一卦, 故謂之綜. 錯綜七八九六之數, 而卦
爻動靜之象, 遂定矣. 天下至變, 言易之有象, 其至變之道, 天下无以加之也.

운봉호씨가 말하였다: 윗글에서는 말을 숭상하고 점을 숭상하는 일이라고 말하였는데 여기
에서는 상을 숭상하는 일이라고만 말하고 변을 숭상하는 일이라고 말하지 않았다. 그 이유
는 '삼으로 세고 오로 세어 변한다'의 '변한대變'는 말은 상이 아직 정해진 것이 아니기 때문
이다. 삼으로 세고 오로 세는 것은 일변(一變)으로 말한 것이고, 교착하고 종합한다는 것은
십팔변(十八變)으로 말한 것이다. 『본의』에서 '삼으로 세고 오로 세어'를 "한 번 먼저하고
한 번 나중에 하여 번갈아 서로 상고해서 많고 적음의 실제를 살핀다" 하였다. 서법(筮法)에
사(四)·오(五)는 '적음'이고 구(九)·팔(八)은 '많음'이며 오(五)·구(九)는 '먼저'이고 사
(四)·팔(八)은 '나중'이니, 오·구·사·팔 가운데에도 각각 먼저와 나중이 있다. 손가락에
걸어 놓은 하나를 제외하고 나머지가 구(九)인 것은 먼저 하고 나중에 하는 것이 모두 사
(四)이고, 나머지가 팔(八)인 것은 먼저 한 것이 삼(三)이면 나중에 한 것이 사(四)이거나,
먼저 한 것이 사(四)이면 나중에 한 것이 삼(三)이니, 이것이 삼으로 세어 변하는 것이다.
나머지가 오(五)인 것은 먼저와 나중이 모두 이(二)이고, 먼저가 삼(三)이면 나중이 일이거
나, 먼저가 일(一)이면 나중이 삼이다. 나머지가 사(四)인 것은 먼저가 이(二)이면 나중이
일(一)이고 먼저가 일(一)이면 나중이 이(二)이니 이것이 오(五)를 세어 변하는 것이다. 이
것이 양손으로 세 번 센 시책수이니 양손으로 세 번 센 시책을 통합하여 드디어 음양(陰陽)
의 노소(老少)의 획이 이루어진다. 삼변이 이루어짐에 음양의 노소의 획이 섞여서 십팔변
(十八變)을 하면 음양의 노소의 수를 볼 수 있기 때문에 '교착한다'라 하고, 삼변의 수를
총괄하여 한 효를 이루고 십팔변을 총괄하여 한 괘를 이루기 때문에 '종합한다'라 하였다.
칠·팔·구·육의 수를 교착하고 종합하여 괘효의 움직이고 고요한 상이 드디어 정해진다.
천하의 지극히 변화하는 것은 『주역』에 상이 있음을 말한 것이니 지극히 변하는 도는 천하
에 더 이상 보탤 것이 없다.

○ 雙湖胡氏曰, 按楊倞荀子註, 伍參猶雜也, 使間諜或參之或伍之於敵間而盡知其事.
史記引周書曰, 必參而伍之, 註三卿五大夫欲更議也.

쌍호호씨가 말하였다: 양경(楊倞)의 『순자주(荀子註)』를 살펴보니 "오(伍)와 삼(參)은 섞
음과 같다" 하였으니 간첩에게 적진에 섞여서 그 곳의 일을 다 알아오게 함이다. 『사기(史
記)·몽염열전(蒙恬列傳)』에서는 「주서(周書)」를 "인용하여 반드시 참작하여 살핀다" 하
였는데 주석에 "세 경(卿)과 다섯 대부가 다시 논의하고자 함이다" 하였다.

---

247) 總:『중국전의대전』에 '綜'으로 되어 있으나, 현종본 『주역전의』에 의거하여 '總'으로 바로 잡았다.

┃韓國大全┃

조호익(曺好益) 『역상설(易象說)』

參伍以變錯綜其數.

삼(參)과 오(伍)로 세어 변하며 수를 교착하고 종합하여.

本義, 窺敵制變.

『본의』에서 말하였다: 적을 엿보고 변화에 대처한다.

按, 荀子制作觀.

내가 살펴보았다: 『순자』에는 제(制)가 관(觀)으로 되어있다.

○ 偶參伍之驗. ‘

삼오(參伍)의 징험을 맞춘다.

愚意, 偶猶合也.

내가 생각하기에 우(偶)는 합함과 같다.

○ 必參而伍之. 本註三卿五大夫欲叓議也. 〈遷史.〉

“반드시 참작하여 살핀다”는 주석에 세 경(卿)과 다섯 대부에게 다시 논의하게 하고자 함이다. 〈사마천의 『사기』에 보인다.〉

索隱曰, 參謂三卿, 伍謂五大夫, 欲參伍叓議也. 〈蒙恬傳.〉

『사기색은』에 말하였다: 삼(參)은 삼경이고 오(伍)는 오대부이니 삼경과 오대부에게 다시 논의하게 하고자 함이다. 〈「몽염열전」에 나온다.〉

○ 參伍不失. 本註參錯交互, 明知事情.

“삼오(參伍)함에 실수하지 않는다”에 대하여 본주에 “삼오(參伍)로 교착해서 사정을 밝게 안다.”라고 하였다.

○ 參伍其價, 以類相準.

그 값을 삼오(參伍)하여 유(類)로써 서로 기준 한다.

按, 趙廣漢欲知馬價則先問牛價. 參伍其價以類相準, 則知馬之貴賤不失實矣.

내가 살펴보았다: 조광한이 말의 값을 알려면 먼저 소의 값을 물었다. 그 값을 삼오(參伍)하여 유(類)로써 서로 기준해보면 말의 귀천을 실제의 값과 틀리지 않게 알 수 있다.

○ 註, 朱子曰, 章蔀紀元.

주에 주자가 말한 장부기원.

按, 漢律曆志, 十九歲七閏, 氣朔分齊爲一章. 閏盡歲爲蔀首詩註疏, 七十六歲爲一蔀, 二十蔀爲一紀. 律曆志四千六百十七歲爲一元.

내가 살펴보았다: 『한서』의 「율력지」에 19년에 7윤이면 기영과 삭허가 고르게 되어 1장이 된다. 윤이 다하면 세가 부의 첫머리가 된다. 『시경주소』를 보면 76년이 1부가 되고 20부가 1기가 되니 「율력지」에서는 4617년이 1원이 된다.

이익(李瀷) 『역경질서(易經疾書)』

天一地二一節本在此章之首, 今移在上章, 其義亦允然, 又與此章相關功. 參伍錯綜, 宜於河圖上求之, 一三與五成參居東北, 七九與五成參居西南. 二四與十成參居西南, 六八與十成參居東北. 生數與成數交互內外, 分居陰陽之方, 是之謂參. 一三七九與五成伍 二四六八與十成伍. 陽起於北終於西, 陰起於南終於東, 是之謂伍.

"천이 1이고 지가 2이다"라고 한 구절은 본래 이 장의 머리에 있었는데 지금은 윗 장에 있으니 그 뜻이 또한 미덥고 이 장과 서로 절실한 관계가 있다. 삼(參)과 오(伍)로 세어 변하며 수를 교착하고 종합함을 「하도」에서 구해보면 1,3은 5와 함께 셋을 이루어 동북에 거처하고 7,9는 5와 함께 셋을 이루어 서남에 거처한다. 2,4는 10과 함께 셋을 이루어 서남에 거처하고 6,8은 10과 함께 셋을 이루어 동북에 거처한다. 생수는 성수와 함께 내외에서 서로 교착하며 음양의 방위에 나누어 거처하니 이를 일러 삼(參)이라 한다. 1,3,7,9는 5와 함께 오(伍)를 이루고 2,4,6,8은 10과 함께 오(伍)를 이룬다. 양은 북에서 일어나 서에서 그치고 음은 남에서 일어나 동에서 마치니 이를 일러 오(伍)라 한다.

五與十居中統外, 陽常與陽參伍, 陰常與陰參伍, 此太極圖中兩儀已具也. 天一地二一節爲數之祖宗, 分而排例或參或伍, 是之謂變. 變自河圖始, 然後且置中五與十. 以八方奇偶之數畫爲八象, 一三七九陽數也, 二四六八陰數也. 皆隔一而迭擧, 是之謂錯. 陽常統於五, 陰常統於十, 是之謂綜. 參伍錯綜之義不過如此也.

5와 10이 중앙에서 거처하며 밖을 통합하는데 양은 늘 양과 함께 삼오(參伍)하고 음은 늘 음과 함께 삼오(參伍)하니 이는 태극도 가운데 양의가 이미 갖추어진 것이다. "천이 1이고 지가 2이다"라고 한 구절은 수의 근본으로 나누어 배열하면 혹 삼이 되고 오가 되니 이를 변(變)이라 한다. 변은 「하도」와 「낙서」에서 시작되어 그런 뒤에 중앙에 5와 10을 놓았다. 팔방의 기우의 수로 그어서 8상이 되니 1,3,7,9는 양수이고 2,4,6,8은 음수이다. 모두 하나씩 사이를 두고 차례로 거론되니 이를 착(錯)이라 이른다. 양은 늘 5에서 통합되고 음은 늘

10에서 통합되니 이를 종(綜)이라 이른다. 삼오착종(參伍錯綜)의 뜻은 이것에 불과하다.

一三七九陽也, 而其門在西北. 二四六八陰也, 而其門在東南. 至兩儀判, 則門在西北者退居東與南, 門在東南者退居西與北, 而三與四相易, 七與六相易, 以成乾天兌澤离火震雷巽風坎水艮山坤地之文. 此於先天圖可見, 於是推而極之爲大衍之數, 揲蓍求卦以成老陽老陰少陽少陰之象, 而三百八十四爻無所不周. 又推而演之, 配合之數成後天卦位, 生成之數, 成洪範九宮, 故曰至變也.

1,3,7,9는 양으로 그 문은 서북에 있다. 2,4,6,8은 음으로 그 문은 동남에 있다. 양의가 판단됨에 이르면 문이 서북에 있는 것은 물러나서 동과 남에 거처하고, 문이 동남에 있는 것은 물러나 서와 북에 거처한다. 3과 4가 서로 바꾸고, 7과 8이 서로 바꾸어 건천(乾天) 태택(兌澤) 리화(离火) 진뢰(震雷) 손풍(巽風) 감수(坎水) 간산(艮山) 곤지(坤地)의 문양을 이룬다. 이것은 선천도에서 볼 수 있다. 이에 지극히 미루어 대연지수가 되고 설시하여 괘를 구해 노양과 노음과 소양과 소음의 상을 이루어 384효를 두루 하지 않음이 없다. 또 미루어 넓히면, 배합한 수가 후천의 괘위를 이루고 생성의 수가 홍범의 구궁을 이루기 때문에 지극한 변화라 하였다.

若荀韓班馬之言, 參伍字彷彿皆出於此而不可盡曉也. 且本義引韓子, 比物之比誤作此, 合虛之虛誤作參, 本書可考.

순자·한비자·반고·사마천의 말은 삼(參)과 오(伍)자가 모두 여기에서 나온 듯하지만 다 알기는 어렵다. 그리고 『본의』에서 한자를 인용할 때 비물(比物)의 비(比)를 잘못 차(此)로 해놓고 합허(合虛)의 허(虛)를 삼(參)으로 해놓았는데 본서에서 고찰할 수 있다.

荀子曰, 窺敵制變欲伍而參. 本義, 引此又引韓非子曰, 參之以此物, 伍之以合參, 此朱子只據荀註之誤, 而不考本文. 楊用修辨得良. 是何謂合虛數起於參天兩地. 參與兩合成伍, 一參一伍而兩在其中. 二老二少生於成數九六七八是也. 參其九爲二十七, 伍其九爲四十五, 以二十七較四十五, 虛十八, 又兩其十八爲三十六, 老陽之數也. 參其六爲十八, 伍其六爲三十, 以十八較三十, 虛十二, 又兩其十二爲二十四, 老陰之數也.

순자가 말하였다: 적을 엿보고 변화에 대처함에는 오(伍)하고 삼(參)하고자 한다. 『본의』에서는 이것을 인용하고 또 한비자를 인용하여 '이 일로써 삼(參)하고, 다섯으로 맞추어 삼(參)에 합한다'고 하였는데 이것은 주자가 다만 순자에 근거해서 주를 단 오류이며 순자 주석의 오류에만 근거하고 본문을 살피지 않았다. 양경(楊倞)이 변론해놓은 것이 좋다. 여기에서 어찌 합허의 수를 삼천양지에서 일으킨다고 하는가? 3과 2를 합하면 5이고 한 번은 3으로 하고 한 번은 5로 하면 2는 그 가운데 있으니 노양노음과 소양소음이 성수인 9,6,7,8

에서 생함이 이것이다. 9에 3배를 하면 27이고 9에 5배를 하면 45인데 27과 45를 비교하여 18을 비우고 또 18에 두 배를 하면 36의 노양수가 된다. 6에 3배를 하면 18이고 6에 5배를 하면 30인데 18과 30을 비교하여 12를 비우고 또 12에 두 배를 하면 24인 노음의 수가 된다.

參其七爲二十一, 伍其七爲三十五, 以二十一較三十五, 虛十四, 又兩其十四爲二十八, 少陽之數也. 參其八爲二十四, 伍其八爲四十, 以二十四較四十, 虛十六, 又兩其十六爲三十二, 少陰之數也. 是謂錯綜其數, 錯者互擧也, 綜者條理也. 荀說只取互證之義.
7에 3배를 하면 21이 되고 7에 5배를 하면 35인데, 21과 35를 비교하여 14를 비우고, 또 14에 두배를 하면, 28인 소양수가 된다. 8에 3배를 하면 24가 되고, 8에 5배를 하면 40인데, 24와 40을 비교하여 16을 비우고, 또 16을 두배하면 32인 소음의 수가 된다. 이것이 그 수를 착종한다는 것이니 착은 서로 거론하는 것이고 종은 조리이다. 순자의 설은 다만 서로 증명하는 뜻만 취하였다.

유정원(柳正源) 『역해참고(易解參攷)』

參伍 [至] 之文.
삼오 … 천지의 문양을 이룬다.

沙隨程氏曰, 易之爲書, 十有八變而成六爻. 故參以變所以畫乾坤相雜之文, 蓋錯其數而通之也. 五位相得而有合, 故伍以變所以行乎卦爻之間, 蓋錯綜其數而極之也. 經曰八卦相錯, 則參以變者可知. 織者之用綜, 蓋以經相間而低昂之, 如天一地二之類是也, 則伍以變者可知.
사수정씨가 말하였다: 『주역』이라는 책은 18변하여 육효를 이룬다. 그렇기 때문에 삼(參)으로 변하여 건곤이 서로 섞인 문양을 그으니 그 수를 섞어서 변통한다. 다섯 자리가 서로 얻어지고 합함이 있기 때문에 오(伍)로써 변하여 괘효의 사이에 행하니 그 수를 착종하여 지극하게 한다. 경전에 말한 팔괘가 서로 섞임은 삼(參)으로 변함을 알 수 있다. 직조하는 자가 잉아[綜]를 씀은 날줄로 서로 사이를 두어 내리고 올리는데 천은 1이고 지는 2라는 류가 이것이니 오(伍)로써 변함을 알 수 있다.

朱子曰, 綜字義沙隨得之.
주자가 말하였다: 종(綜)자의 뜻은 사수정씨의 설이 좋다.

○ 問, 本義交而互之, 一左一右, 莫是揲著之左揲右右揲左否. 朱子曰, 不特此. 如乾

對坤坎對離, 自是交錯綜者, 總而絜之. 且以七八九六明之, 六七八九便是次序. 然而
七是陽, 六壓他不得, 便當挨上, 七生八, 八生九, 九須挨下, 便是一低一仰.

물었다: 『본의』에서 '교착함[錯]'은 사귀어 서로 함이니 한 번 왼쪽으로 하고 한 번 오른쪽으
로 함은 설시에서 좌수로 우수를 세고 우수로 좌수를 세는 것이 아닙니까?

주자가 말하였다: 그것뿐이 아닙니다. 건괘는 곤괘와 상대하고 감괘는 리괘와 상대함도 자
연히 사귀어 교착하고 종합함으로 총괄하여 헤아리는 것입니다. 또 7,8,9,6으로 밝혀보면
6,7,8,9가 곧 순서입니다. 그러나 7은 양이어서 6이 그것을 누를 수 없으므로 곧 마땅히 밀쳐
올려야 합니다. 7은 8을 낳고 8은 9를 낳으니 9는 밀쳐 내려야 합니다. 곧 한 번 낮추고
한 번 높이는 것입니다.

○ 案, 本義曰, 通三揲兩手之策以成陰陽老少之畫. 此兩句卽指參伍以變之實. 蓋先
看三揲兩手之掛扐, 以奇少偶多數之, 得三奇三偶二偶一奇二奇一偶, 亦可以成陰陽
老少.

내가 살펴보았다: 『주역본의』에서 말하였다: 삼설을 거쳐 양손의 책으로 음양노소의 획을
이룬다. 이 두 구절은 삼(參)과 오(伍)로 세어 변하는 실제를 가리킨 것이다. 먼저 삼설한
양 손의 괘륵을 보아 기·소·우·다(奇少偶多)로 헤아려 삼기(三奇)와 삼우(三偶)와 이우
일기(二偶一奇)와 이기일우(二奇一偶)를 얻으니 또한 음양노소를 이룰 수 있다.

又以奇三偶兩數之, 得九六七八, 亦可以成陰陽老少. 後看過揲四四數之, 得九揲六揲
七揲八揲, 亦可以成陰陽老少. 此所謂一先一後考覈而審多寡也.

또 기삼우양(奇三偶兩)으로 헤아려 9,6,7,8을 얻으면 또 음양노소를 이룰 수 있다. 뒤에 과
설의 넷씩 세어나가 9,6,7,8을 얻어도 음양노소를 이룰 수 있다. 이것이 이른바 한 번 먼저하
고 한 번 나중에 하여 번갈아 서로 상고해서 많고 적음의 실제를 살피는 것이다.

又曰, 究七八九六之數, 以定卦爻動靜之象. 此兩句卽指錯綜其數之實. 蓋九與六七與
八相對, 而今九變爲七, 六變爲八, 交錯以定卦爻動靜. 此所謂交而互之一左一右也.

또 말하였다: 7,8,9,6의 수를 연구하여 괘효의 동정의 상을 정한다. 이 두 구절은 수를 교착
하고 종합하는 실제를 가리킨 것이다. 9와 6, 7과 8은 서로 상대하는데 지금 9가 변하여
7이 되고 6이 변하여 8이 되어 교착하여 괘효의 동정을 정한다. 이것이 이른바 사귀어 서로
함이니 한 번 왼쪽으로 하고 한 번 오른쪽으로 한다는 것이다.

九陽八陰七陽六陰相間, 而今九下生八, 六上生七, 低昂以定卦爻動靜. 此所謂總而絜
之一低一仰也. 錯如黑白之左右相對, 綜如織絲之上下相交.

9양 8음 7양 6음이 서로 간격이 있는데 지금 9가 아래로 8을 낳고 6이 위로 7을 낳아 낮추고 높이어 괘효의 동정을 정한다. 이것은 이른바 총괄하여 세는 것이니 한 번 낮추고 한 번 높인다는 것이다. 교착은 흑백이 좌우로 상대함과 같고 종합은 실을 직조함에 상하로 서로 사귐과 같다.

小註, 朱子說章蔀紀元.
소주에 주자가 말한 장부기원.
律歷志十九歲一章, 四章一部, 二十部一統, 三統爲一元, 有四千五百六十年.
『율력지』에는 19년이 1장이고 4장이 1부이고 20부가 1통이고 3통이 1원으로 4560년이 된다.
○ 案, 據此則蔀當作部, 紀當作統. 又古者以十二年爲一紀, 歷家以六十年爲一紀者. 然朱子旣據律歷志言之, 恐未必攙入他數叓詳之.
내가 살펴보았다: 이것에 근거하면 부(蔀)는 부(部)라고 해야 하고 기(紀)는 통(統)이라고 해야 한다. 또 옛적엔 12년이 1기가 되고 역가에서는 60년을 1기로 삼았다. 그렇지만 주자는 이미 『율력지』에 근거해서 말했으니 다른 수를 가지고 다시 상론할 필요는 없을 것 같다.

김상악(金相岳) 『산천역설(山天易說)』

此尙象尙變之事. 變者象之未定者, 象者變之已成者. 參者三數之也, 伍者五數之也. 錯者一左一右之謂也, 綜者一低一仰之謂也. 蓋或多或寡或上或下或前或後, 有參伍錯綜之意, 乃分揲掛扐之形容也.
이것은 상을 숭상하고 변을 숭상하는 일이다. 변은 상이 아직 정해지지 않은 것이고 상은 변이 이미 이루어진 것이다. 삼(參)은 3으로 세는 것이고 오(伍)는 5로 세는 것이다. 착(錯)은 한 번은 좌로 한 번은 우로 하는 것이고 종(綜)은 한 번은 낮추고 한번은 높임을 말한다. 모두 혹 다과가 있고 상하가 있고 전후가 있음은 3과 5로 교착하여 종합하는 뜻이니 나누고 세고 걸고 끼우는 모습이다.

○ 參者三也, 伍者五也. 三五皆奇數, 而參而伍之者人也. 蓋參其伍爲十五, 伍其參亦爲十五, 十五者九六之合也. 陰陽各居, 則九自九六自六, 不成參伍. 九六旣合, 而參伍之象成, 故參伍者九六之變動也. 變而通之, 以此之有餘補彼之不足, 而卦爻之象殊矣. 故曰參伍以變錯綜亦九六之交也.
삼(參)은 3이고 오(伍)는 5이다. 3과 5는 모두 기수인데 3으로 하고 5로 하는 것은 사람이다. 대체로 5에 3배를 하면 15이고 3에 5배를 해도 15인데 15는 9와 6의 합이다. 음양이 각각 거처하면 9는 9이고 6은 6이어서 삼오(參伍)를 이루지 못한다. 9와 6이 이미 합하면 삼오(參伍)의 상이 이루어지기 때문에 삼오(參伍)는 9와 6이 변동한 것이다. 변하여 통하게 하면 이 남음이 있음으로 저 부족함을 보충하며 괘효의 상이 달리 나누어진다. 그러므로 삼오(參伍)로서 변화하여 착종함도 9와 6의 사귐이다.

윤행임(尹行恁) 『신호수필(薪湖隨筆)·계사전(繫辭傳)』

叅伍者奇耦也, 錯綜者卦爻也. 以奇耦而卦爻變焉, 以卦爻而數理定焉.

삼오(叅伍)는 기우이고 착종(錯綜)은 괘효이다. 기우를 써서 괘효가 변화하고 괘효를 써서 수리가 정해진다.

오치기(吳致箕) 「주역경전증해(周易經傳增解)」

此尙變尙象之事也. 或一或二而成三, 故曰參. 或二或三而成五, 或一或四而亦成五, 故曰伍. 此皆揲蓍掛扐之法也. 錯者交而互之一左一右之謂也, 綜者總而絜之一低一昂之謂也. 此亦求卦之事也. 陰變爲陽陽變爲陰, 老少陰陽相雜, 故曰文也. 變者象之未定象者變之已成, 故象與變二者不離也. 象出於數故曰極其數遂定天下之象也.

이것은 변을 숭상하고 상을 숭상하는 일이다. 혹 1이나 2로 3을 이루므로 삼(參)이라 하였고, 혹 2나 3으로 5를 이루고 혹 1이나 4로 5를 이루므로 오(伍)라 하였다. 이것은 모두 설시하여 걸고 끼우는 법에서 나왔다. '교착함[錯]'은 사귀어 서로 함이니 한 번 왼쪽으로 하고 한 번 오른쪽으로 함을 이르며, '종합함[綜]'은 총괄하여 셈이니 한 번 낮추고 한 번 높임을 이르니, 이 또한 괘를 구하는 일이다. 노소음양이 서로 섞이기 때문에 문(文)이라 하였다. 변은 상이 아직 정해지지 않은 것이고 상은 변이 이미 이루어진 것이다. 그러므로 상과 변의 두 가지는 떨어지지 않는다. 상은 수에서 나오기 때문에 수를 지극히 하여 드디어 천하의 상을 정한다고 하였다.

이병헌(李炳憲) 『역경금문고통론(易經今文考通論)』

是以, 君子將有爲也, 將有行也, … 易有聖人之道四焉者, 此之謂也.

이러므로 군자가 큰일을 하고자 하거나, 시행하고자 할 때 … "『주역』에 성인의 도(道) 네 가지가 있다"는 것은 이것을 말한 것이다.

姚曰, 參三也伍五也. 不云三五而云參伍者, 參其伍也. 參其五則爲其五也三. 故不云五而云伍, 若卒之有伍也. 參伍則十五矣. 七八爲象, 其數十五, 九六爲爻, 其數亦十五. 中引乾蔽度文以證其說, 故曰參伍以變錯綜其數也. 錯交錯列女傳曰, 推而往引而來者綜也. 姚氏所引參伍之說甚詳. 雖不得盡錄, 與本義相叅觀, 則其義益備與〈右十章.〉

요신이 말하였다: 삼(參)은 3이고 오(伍)는 5이다. 3과 5라고 하지 않고 삼오(參伍)라고 한 것은 그 5에 3배를 한 것이다. 5에 3배를 하면 5가 셋이다. 그러므로 5라고 하지 않고 오(伍)라고 했으니 군졸에 오(伍)가 있는 것과 같다. 5에 3배를 하면 15이다. 7과 8은 괘로 그 수가 15이고 9와 6은 효로 그 수도 15이다. 중간에 건착도의 글을 인용하여 그것을 증명하였다. 그러므로 삼오(參伍)로써 변하고 그 수를 교착하여 종합한다고 하였다. 착(錯)은 교착함이다. 『열녀전』에 “미루어 가고 이끌어 옴이 종(綜)이다.”라고 하였다. 요씨가 인용한 삼오의 설이 매우 상세하다. 비록 다 기록하지는 못하지만『본의』와 함께 본다면 그 뜻이 10장과 함께 더욱 갖추어질 것이다.〈이상은 10장이다.〉

김근행(金謹行)「주역차의(周易箚疑)・역학계몽차의(易學啓蒙箚疑)・독역범례(讀易凡例)・주역의목(周易疑目)」

第十章, 叄伍者參考憑準之意. 以掛扐言之, 餘三奇則九叄也. 其撰亦九伍也. 策亦四九三十六爲居一之太陽. 是參伍以變者也.

제10장의 삼오(叄伍)는 참고하여 기준으로 근거한다는 뜻이다. 괘륵으로 말하면 나머지가 삼기(三奇)이면 9니 삼(叄)이고, 그 센 것도 9니 오(伍)이다. 책수도 4×9=36으로 1에 거하는 태양이 된다. 이것이 삼(參)과 오(伍)로 세어 변한다는 것이다.

易无思也, 无爲也, 寂然不動, 感而遂通天下之故. 非天下之
至神, 其孰能與於此.

역(易)은 생각도 없고 함도 없어 고요히 움직이지 않다가 느껴서 드디어 천하의 연고를 통하니,
천하의 지극히 신묘한 자가 아니면 누가 여기에 참여하겠는가.

‖中國大全‖

小註

程子曰, 老子曰, 无爲. 又曰, 无爲而无不爲. 當有爲而以无爲爲之, 是乃有爲爲也. 聖
人作易, 未嘗言无爲, 惟曰无思也, 无爲也, 此戒夫作爲也. 然下卽曰寂然不動, 感而遂
通天下之故, 是動靜之理, 未嘗爲一偏之說矣.

정자가 말하였다: 『노자』에 "함이 없다" 하고 또 "함이 없으나 이루어지지 않음이 없다" 하였
다. 마땅히 큰일을 해내는 데에 '함이 없음'으로써 한다면 이것이 바로 큰일이 해내는 '함'이
될 것이다. 성인이 『주역』을 지을 때에 '함이 없음'을 말한 적이 없고 "생각도 없고 함도
없다"라고만 말했으니 이것은 일을 하는 것을 경계한 말이다. 그러나 이어서 곧 "고요히 움
직이지 않다가 느껴서 드디어 천하의 연고를 통함"이라고 하였으니 이것은 움직일 때와 고
요할 때의 이치로서 일찍이 한쪽으로 치우친 설이 아니다.

○ 寂然不動, 感而遂通者, 天理具備, 元无少欠, 不爲堯存, 不爲桀亡. 父子君臣, 常理
不易, 何曾動來. 因不動, 故言寂然. 雖不動, 感便通, 感非自外也.

"고요히 움직이지 않다가 느껴서 드디어 통함"이라는 것은 천리(天理)가 구비되어 원래 조
금도 결함이 없으니 요임금 때문에 보존되는 것이 아니고 걸왕 때문에 없어지는 것이 아니
다. 부자간이나 군신간은 떳떳한 이치를 바꿀 수 없으니 어찌 변동된 적이 있었겠는가? 변동
되지 않기 때문에 '고요히'라고 한 것이다. 비록 변동되지는 않으나 느끼면 통하니 느낌은
밖에서 오는 것이 아니다.

○ 寂然不動, 萬物森然已具在. 感而遂通, 感則只是自內感, 不是外面將一件物來, 感於此也.

'고요히 움직이지 않음'은 이미 만물이 빽빽이 갖추어 있는 것이다. '느껴서 드디어 통함'은 느낌은 단지 안으로부터 느끼는 것이니 외부의 어떤 일을 가지고 여기에서 느끼는 것이 아니다.

○ 寂然不動, 感而遂通, 此只言人分上事. 若論通, 則萬理皆具, 更不說感與未感.

"고요히 움직이지 않다가 느껴서 드디어 통함"은 사람인 분수의 일로 말하였다. '통함'으로 논하자면 온갖 이치가 모두 갖추어 있으니 느낌인지 느낌이 아닌지 더 이상 말할 필요가 없다.

○ 答與叔書曰, 心一也. 有指體而言者, 寂然不動是也, 有指用而言者, 感而遂通天下之故是也.

여숙(與叔)[248]에게 답하는 편지[249]에 말하였다: 마음은 하나이다. 본체를 가리켜 말한 것이 있으니 '고요히 움직이지 않는다'는 것이 이것이고, 쓰임을 가리켜 말한 것이 있으니 '느껴서 드디어 천하의 일에 통한다'는 것이 이것이다.

○ 感而遂通天下之故, 以其寂然不動, 小則事物之至, 大則无時而不感.

"느껴서 드디어 천하의 연고를 통함"은 '고요히 움직이지 않음' 때문이니 작게는 사물이 다가올 때 느끼고 크게는 어느 때든 느끼지 않음이 없다.

○ 龜山楊氏曰, 惟无思爲足以感通天下之故, 而謂无思, 土木可乎. 此非窮神知化, 未足與議也.

구산양씨가 말하였다: 오직 생각이 없어야 느껴서 천하의 연고를 통하는데 생각이 없다는 것이 토목(土木)이라면 가능하겠는가? 이는 신을 궁구하여 변화를 아는 이가 아니고는 더불어 의논하기 부족하다.

○ 藍田呂氏曰, 寂然之中, 天機常動, 感應之際, 本原常靜. 洪鐘在簴, 叩與不叩, 鳴未常已, 寶鑑在手, 照與不照, 明未嘗息.

---

248) 여숙(與叔): 여대림(呂大臨)의 자이다. 섬서성(陝西省) 남전(藍田) 사람으로 처음에 장재(張載)에게 배우다 뒤에는 정호·정이의 문하에 들어갔다. 사량좌, 유초, 양시와 함께 '정문사선생(程門四先生)'이로 불린다. 만년에 태학박사(太學博士)·비서성정자(秘書省正字)가 되었다. 저술로『옥계집(玉溪集)』과『고고도(考古圖)』등이 있다.

249) 이글은『이정수언(二程粹言)』에 보인다.

남전여씨가 말하였다: 고요히 움직이지 않는 가운데 천기(天機)는 늘 움직이고, 감응하는 즈음에 본원(本原)은 늘 고요하다. 종틀에 있는 큰 종은 치건 치지 않건 간에 울림이 그치지 않고, 손에 있는 보배로운 거울은 비추건 비추지 않건 간에 밝음이 쉰 적이 없다.

○ 張子曰, 一故神, 譬之人身, 四體皆一物, 故觸之而无不覺. 此所謂感而遂通, 不疾而速, 不行而至也.

장자가 말하였다: "하나이기 때문에 신이다"를 사람의 몸에 비유하면 사지는 모두 하나의 몸이기 때문에 접촉하면 느끼지 않음이 없는 것과 같다. 이것이 이른바 "느껴서 드디어 통함"이고, "빠르게 하지 않아도 빠르고 다니지 않아도 이른다"는 것이다.

本義

此, 四者之體所以立, 而用所以行者也. 易, 指著卦. 无思无爲, 言其无心也. 寂然者, 感之體, 感通者, 寂之用, 人心之妙, 其動靜亦如此.

이 말은 네 가지의 체(體)가 이렇게 서서, 네 가지의 용(用)이 이렇게 행해지는 것이다. '역'은 시초와 괘를 가리킨다. "생각도 없고 함도 없음"은 무심함을 말한다. "고요히"는 느낌[感]의 체(體)이고 "느껴서 통함"은 고요함[寂]의 용(用)이니, 사람 마음의 신묘한 동정(動靜)이 또한 이와 같다.

小註

朱子曰, 易无思也无爲也, 易是箇无情底物事, 故寂然不動. 占之吉凶善惡隨事著見, 乃感而遂通. 又曰, 感而遂通, 感著他卦, 卦便應也. 如人來問底善, 便與說善, 來問底惡, 便與說惡. 所以先儒說道潔靜精微, 這般句說得有些意思. 又曰, 凡言易者多只指著卦而言, 著卦何嘗有思有爲. 但只是叩著便應无不通, 所以爲神耳, 非是別有至神在著卦之外也.

주자가 말하였다: "역은 생각도 없고 함도 없음"이니 역은 뜻이 없는 물건이기 때문에 고요해서 움직이지 않음을 말한다. 점을 쳐서 길흉과 선악이 일을 따라 나타나야 이에 느껴서 드디어 통한다.

또 말하였다: "느껴서 드디어 통함"은 그 괘를 느끼면 괘가 곧 그것에 맞게 응함이다. 마치 사람이 와서 묻는 것이 선이면 곧 더불어 선을 말하고 와서 묻는 것이 악이면 곧 더불어 악을 말하는 것과 같다. 이 때문에 예전의 학자들이 '청결하고 고요하며, 정밀하고 자세함[潔靜精微]'[250)]이라고 하였으니 이런 문구는 몇 가지 뜻이 담겨있다.

또 말하였다: 역을 말하는 것은 대부분 시초와 괘를 가리켜 말할 뿐이다. 시초와 괘가 언제 생각이 있고 함이 있었던 적이 있었던가? 다만 물으면 이에 응하여 통하지 않음이 없다. 그래서 신묘할 뿐이지 별도로 시초와 괘 밖에 지극한 신이 있는 것이 아니다.

○ 寂然不動感而遂通天下之故, 與窮理盡性以至於命, 本是說易, 不是說人. 諸家皆是借來就人上說, 亦通.
"고요히 움직이지 않다가 느껴서 드디어 천하의 연고를 통한다"와 "이치를 궁구하고 본성을 다하여 천명에 이른다"는 본래 '역'을 말한 것이지 '사람'을 말한 것이 아니다. 여러 학자들이 모두 이것을 사람의 관점에서 말하였으니 또한 통한다.

○ 寂然是體, 感是用. 當其寂然時, 理固在此, 必感而後發. 如仁, 感爲惻隱, 未感時只是仁. 義, 感爲羞惡, 未感時只是義.
'고요히'는 체이고 '느낌'은 용이다. 고요할 때 리가 본래 여기에 있으나 반드시 느낀 뒤에야 드러난다. 예컨대 인(仁)은 느끼면 측은지심이지만 느끼지 못할 때에는 다만 인(仁)이다. 의(義)는 느끼면 수오지심이지만 느끼지 못할 때에는 다만 의(義)이다.

○ 易无思也无爲也寂然不動, 忠也敬也, 立大本也. 感而遂通天下之故, 恕也義也, 行達道也.
"역은 생각도 없고 함도 없어 고요히 움직임이 없다가"는 충(忠)이며 경(敬)이니 대본(大本)을 세움이다. "느껴서 드디어 천하의 연고를 통함"은 서(恕)이며 의(義)이니 달도(達道)를 행함이다.

○ 問, 无思也无爲也寂然不動感而遂通天下之故者, 何也. 曰, 无思慮也, 无作爲也, 其寂然者, 无時而不感, 其感通者, 无時而不寂也. 是乃天命之全體, 人心之至正, 所謂體用之一源, 流行而不息者, 疑若不可以時處分矣. 然於其未發也, 見其感通之體, 於已發也, 見其寂然之用, 亦各有當而實未嘗分焉. 故程子曰, 中者言寂然不動者也, 和者言感而遂通者也. 然中和以性情言者也, 寂感以心言者也, 中和蓋所以爲寂感也.
물었다: "생각도 없고 함도 없어 고요히 움직이지 않다가 느껴서 드디어 천하의 연고를 통함"은 어떤 것입니까?
답하였다: 사려함도 없고 작위함도 없어 고요한 것은 느끼지 않는 때가 없고 느껴서 통함은 고요하지 않은 때가 없습니다. 이는 천명의 전체이자 사람의 지극한 바름으로 이른바 "체용

---

250) 朱子, 「讀易法」: 潔靜精微, 是之謂易, 體之在我, 動有常吉.

이 한 근원"이고 "유행하여 쉼이 없음"으로 시간과 장소로 구분할 수 없을 것 같습니다. 그러
나 발하기 전은 느껴서 통하는 체임을 알 수 있고, 발한 뒤는 고요함의 용임을 알 수 있으니
또한 각기 해당함은 있으나 실제로는 구분된 적이 없습니다. 그러므로 정자가 "중(中)은 고
요히 움직임이 없음을 말하고 화(和)는 느껴서 드디어 통함을 말한다"고 하였습니다. 중화
(中和)는 성정으로 말한 것이고 적감(寂感)은 마음으로 말한 것이니, 중화는 대체로 적감이
되는 것입니다.

○ 平庵項氏曰, 著之變, 策之數, 爻之文, 卦之象, 皆寂然不動之物. 初不能如人之有
思, 亦不能如人之有爲, 皆純乎天者也. 及問焉而以言, 則其受命也如響, 无有遠近幽
深 遂知來物, 則感而遂通天下之, 故皆同乎人者也.
평암항씨가 말하였다: 시초의 변화·산가지의 수·효의 문양·괘의 상은 모두 고요히 움직
임이 없는 물건이다. 물건은 애초에 사람처럼 생각이 있지도 못하고 함이 있지도 못하니
다 천리에 순수한 것이다. 묻는데 말로써 하면 명령을 받음이 메아리 같아 멀고 가까우며
그윽하고 깊음에 상관없이 올 것을 알면 느껴서 드디어 천하의 연고를 통하기 때문에 모두
사람과 같아진다.

○ 潘氏曰, 易无思慮, 无作爲, 寂然不動, 若无與於物. 然一有所感, 則天下之故无不
通者. 感於離, 則通乎綱罟之故, 感於夬, 則通乎書契之故. 大而天地, 微而鳥獸, 近而
一身, 遠而萬物, 苟有感焉, 无不通者. 然非極天下之至神者, 不能也.
반씨가 말하였다: "역은 생각도 없고 함도 없어 고요히 움직임이 없음"은 "일에 관여함이
없음"과 같다. 그러나 한번 느끼는 것이 있으면 천하의 연고를 통하지 않음이 없는 것이다.
리괘에서 느끼면 그물의 연고를 통하고, 쾌괘에서 느끼면 문자의 연고를 통한다. 크게는
천지를, 작게는 조수를, 가까이는 한 몸을, 멀리는 만물을 진실로 느껴서 통하지 않음이 없
다. 그러나 천하의 지극히 신묘한 자가 아니면 할 수 없다.

○ 雲峯胡氏曰, 象未[251]畫, 辭在策, 著未變, 占在櫝, 皆无思无爲寂然不動, 人心之寂
也如是. 揲著以求卦, 則天下之故无有不通者矣, 人心之感也如是. 非至精至變之外,
他有所謂至神. 神卽精與變之至妙至妙者也.
운봉호씨가 말하였다: 상이 그어지기 전에 말이 산가지에 있고, 시초가 변화하기 전에 점이
산통에 있음은 모두 "생각도 없고 함도 없어 고요히 움직임이 없음"이니 인심의 고요함이

---

251) 未: 『중국전의대전』에 在로 되어 있으나, 『周易本義通釋』의 "象未畫, 辭在策, 著未變, 占在櫝, 皆无思
无爲寂然不動, 人心之寂也如是"에 의거하여, 未로 바로잡았다.

이와 같다. 시초를 세어 괘를 구하면 천하의 연고를 통하지 않음이 없으니 인심의 느낌이 이와 같다. 지극한 정미함과 지극한 변화의 밖에 저 이른바 지극한 신묘함이 있는 것이 아니다. 신은 바로 정미함과 변화가 지극히 묘하고도 지극히 묘한 자이다.

‖韓國大全‖

송시열(宋時烈) 『역설(易說)』

易有聖人之道四焉以下.

『주역』에는 성인의 도(道) 네 가지가 있다, 이하.

言動制器卜筮四者, 卽聖人之道也. 自是以君子將有爲也, 至天下之至精其孰能與於此者, 卽以言而尙辭者也. 自參伍而變, 至天下之至變其孰能與此者, 卽以動而尙變者也. 以制器者, 如下傳第二章作結繩之類是也. 以卜筮者, 如下章蓍之德圓而神之類是也. 以其孰能與於此之文勢觀之, 似是. 此章之例言之, 可悚下文四焉者此之謂也, 分明是結語也. 寂然不動感而遂通, 似是應卜筮尙其占也, 制器尙象未知何指. 雖以此例言之, 或是箇衰例置否.

언(言)과 동(動)과 제기(制器)와 복서(卜筮)의 네 가지는 곧 성인의 도이다. "이러므로 군자가 큰일을 하고자 하거나, 시행하고자 할 때"부터 "천하의 지극히 정밀한 자가 아니면 누가 여기에 참여할 수 있겠는가"까지는 말하는 자는 『주역』의 말을 숭상한다는 것이다. "삼(參)과 오(伍)로 세어 변하며"에서 "천하의 지극히 변화하는 자가 아니면 누가 여기에 참여할 수 있겠는가"까지는 행동하는 자는 『주역』의 변을 숭상한다는 것이다. 기물을 만드는 자는 「계사하전」 2장의 노끈을 맨다는 류가 그것이다. 거북점과 시초점을 치는 자는 아랫 장의 시초의 덕은 둥글고 신비롭다는 류가 그것이다. "누가 여기에 참여할 수 있겠는가"는 문세로 보면 그것과 비슷하다. 이 장의 예로 말하면 아랫 글의 "네 가지가 있다는 것은 이것을 말한 것이다"는 분명 이것은 맺음말이다. "고요히 움직이지 않다가 느껴서 드디어 통함"이라는 것은 "복서하는 자는 점을 숭상한다"는 것과 상응하는 것 같은데 기물을 만드는 자는 상을 숭상한다는 것은 무엇을 가리키는지 알 수 없다. 비록 이런 예로 말해도 혹 이것은 내가 노쇠한 예증이 아니겠는가.

이만부(李萬敷) 「역통(易統)·역대상편람(易大象便覽)·잡서변(雜書辨)」

朱曰, 云云.

주씨가 말하였다, 운운.

聖人之心與道一, 故至誠不息. 才涉思爲便違仁離道, 昧寂然不動之體, 失感而遂通之用. 顏子不違仁, 歷三月之久, 而有一念思爲之間, 苟能恒之則聖矣. 夫天下之至神, 莫越乎心, 制心之道, 斯言爲至.

성인의 마음은 도와 하나이기 때문에 지극한 정성으로 쉼이 없다. 잠깐 생각과 행위에 관여하면 곧 인을 어기고 도를 떠나 고요히 움직이지 않는 본체에 어둡고 느껴서 드디어 통하는 쓰임을 잃는다. 안자가 인을 어기지 않음이 3개월의 오랫동안인데 한 생각과 행위의 사이에 진실로 항구할 수 있으면 성인이다. 천하의 지극한 신도 마음을 넘지 못하니 마음을 제어하는 도는 이 말이 가장 지극하다.

愚按, 大傳本旨據易而言, 故曰易無思也無爲也, 言其感通之神也. 若以心言之, 其體寂然不動, 而及其用之感通也. 其有意有思乃天理所乘之幾, 而非可以强閉者也.

내가 살펴보았다: 「계사전」의 본 뜻은 『역』을 근거로 말한 것이다. 그러므로 『역』은 생각도 없고 함도 없다고 한 것은 느껴서 통하는 신을 말한 것이다. 만약 마음으로 말하면 그 본체는 고요히 움직이지 않는 것이고 그 작용이 느껴서 통함에 미친다. 뜻이 있고 생각이 있는 것은 천리가 타고 있는 기미라서 억지로 닫을 수 있는 것이 아니다.

孟子曰, 心之官則思, 思則得之, 若不思何得之有.

맹자가 말하기를, "마음의 기관은 생각하니 생각하면 얻어진다"고 했으니 만약 생각하지 않으면 어떻게 얻어짐이 있겠는가?

書曰, 思曰睿, 睿作聖. 若不思, 何以作聖之有.

『서경』에서 말하기를, "생각은 슬기롭고 슬기로움은 성인을 짓는다"고 하였으니 만약 생각하지 않으면 어떻게 성인을 지을 수 있겠는가?

故孔子之無意, 無私意, 非全無意也. 易所謂何思何慮, 亦爲憧憧往來者言, 非全無思慮也. 不然大學之敎, 何不言無意, 而言誠意, 中庸之訓, 何不言無思, 而言愼思也.

그러므로 공자의 뜻이 없음은 사사로운 뜻이 없다는 것이지 전혀 뜻이 없다는 것이 아니다. 역에서 말한 바 "천하가 무엇을 생각하며 무엇을 걱정하리오"라는 것은 동동대며 오가는 것으로 말한 것이지 전혀 생각과 걱정이 없다는 것이 아니다. 그렇지 않다면 대학의 가르침에 어찌 뜻 없음을 말하지 않고 뜻을 성실히 함을 말했으며, 중용의 가르침에도 어찌 생각 없음을 말하지 않고 신중히 생각함을 말했겠는가!

惟聖人生知安行, 不見思爲之跡, 而無感不通, 亦何嘗牢閉其心, 絶聖棄智之謂哉.
오직 성인이라야 나면서 알고 편안히 행해서 생각하고 행위 하는 흔적을 볼 수 없고 느껴 통하지 않음이 없으니 또한 어찌 일찍이 그 마음을 닫고 성스러움을 끊고 지혜를 버리는 것을 이르겠는가?

是以聖賢千言萬語, 但欲操存省察以正其所發, 而養其本原, 不必以無意無思爲貴也. 顔子所從事於仁者, 惟於非禮處勿之而已. 循循見誘於博約之中, 則又豈可以無念思 爲不違仁之證乎.
이렇기 때문에 성현의 천만가지 말은 잡아 보존하고 살펴서 그 발하는 것을 바르게 하여 그 본원을 기르고자 함이지 반드시 뜻이 없고 생각이 없음을 귀하게 여기지 않는다. 안자가 인에 종사한 것은 오직 예가 아니면 하지 않은 것일 뿐이다. 널리 배움과 간략한 예의 가운데 순순히 인도되면 어찌 생각과 행위가 없음으로써 인을 어기지 않음을 증명할 수 있겠는가?

유정원(柳正源) 『역해참고(易解參攷)』

易无 [至] 之故.
역은 생각도 없고 … 천하의 연고를 통한다.

朱子曰, 人之一身知覺運用, 莫非神之所爲, 則心者固所以主於身, 而无動靜語默之間 者也. 然方其靜也, 事物未至, 思慮未萌, 而一性渾然, 道義全具, 其所謂中, 是乃心之 所以爲體, 而寂然不動者也. 及其動也, 事物交至, 思慮萌焉, 則七情迭用各有攸主, 其 所謂和, 是乃心之所以爲用, 感而遂通者也. 然性之靜也, 而不能不動, 情之動也, 而必 有節焉, 是則心之所以寂然感通, 周流貫徹, 而體用未始相離也.
주자가 말하였다: 사람의 한 몸의 지각운용은 신이 하는 바가 아님이 없으니 마음은 본래 몸을 주관하여 동정어묵의 틈이 없는 것이다. 그렇지만 고요할 때에 사물이 이르지 않고 사려는 싹트지 않아 한 성품으로 섞여있고 도의가 온전히 갖추어지니 이른바 중(中)으로 마음의 본체가 되며 고요히 움직이지 않는 것이다. 움직일 때 사물이 이르러 사귀고 사려가 싹터서 칠정이 번갈아가며 각각 주관하는 바가 있으니 이른바 화(和)로 마음의 작용이 되며 느껴서 드디어 통하는 것이다. 그렇지만 성품의 고요함은 움직이지 않을 수 없고 감정의

움직임은 반드시 조절이 있어야 하니 그러므로 마음이 고요하고 느껴 통해 두루 흘러 꿰뚫어 체용이 서로 떨어진 적이 없는 것이다.

○ 案, 神者兼體用, 該寂感而言.
내가 살펴보았다: 신은 체용을 겸하고 적연부동(寂然不動)하면서도 감이수통(感而遂通)함을 통틀어 말한 것이다.

小註, 程子說老子至不爲.
소주에 정자가 말한 노자의 함이 없음에 이른다.
道德經第一章, 聖人處无爲之事, 三十七章道常无爲而无不爲. 註道常无爲, 然天下之物莫非道之所爲.
『도덕경』제1장에 성인은 무위의 일에 처한다고 하였고 37장에 도는 늘 함이 없지만 하지 않는 것이 없다고 하였다. 그렇다면 천하의 사물은 도가 한 것이 아님이 없다.

김상악(金相岳) 『산천역설(山天易說)』

易指蓍卦也. 辭變象占爲易之體, 而其用因蓍而行也. 蓍之爲物无思无爲, 故於未發也寂然不動, 於已發也, 感而遂通. 故贊之曰天下之至神.
역은 시초와 괘를 가리킨다. 사・변・상・점(辭變象占)은 역의 체가 되고 그 쓰임은 시초를 통해 드러나 행해진다. 시초란 물건은 생각도 없고 행위도 없기 때문에 발하지 않을 때는 고요히 움직이지 않고 이미 발해서는 느껴서 드디어 통한다. 그러므로 찬탄하여 말하기를, '천하의 지극한 신묘함'이라 하였다.

오치기(吳致箕) 「주역경전증해(周易經傳增解)」

此承上文辭變象占四者, 而總言易之道. 蓋蓍卦之體寂然而不動, 及其發而爲用, 无不感通于天下之事故也.
이것은 윗 글의 사・변・상・점(辭變象占) 네 가지를 이어서 역의 도를 통틀어 말한 것이다. 시초와 괘의 본체는 고요해서 움직이지 않다가 발해서 쓰임이 되면 천하의 일에 감통하지 않음이 없다.

이진상(李震相) 『역학관규(易學管窺)』

程子說, 感非自外.

정자가 말한 "느낌은 밖으로부터 오지 않는다."

感之者外物, 而感者只是心, 故曰感非自外. 然語類有內感外感之說.

느끼는 것은 바깥의 사물이고 느낌은 다만 이 마음일 뿐이다. 그러므로 느낌은 밖으로부터 오지 않는다고 하였다. 그렇지만 「어류」에 안으로 느끼고 밖으로 느끼는 설이 있다.

○ 朱子說, 寂然者無時而不感.

주자가 말한 고요함은 때로 느끼지 않음이 없음이다.

此恐是中和舊說. 蓋寂者必感, 而感則非寂, 感者必寂, 而寂則非感. 豈不可以時處分乎. 且云中和 蓋所以爲寂感, 亦恐未安. 中是寂然時性之德, 非所以爲寂也. 和是感通時情之德, 非所以爲感也.

이것은 아마도 중화(中和)에 관한 옛 이론일 것이다. 고요함은 반드시 느끼지만 느끼면 고요함이 아니고, 느낌은 반드시 고요함이지만 고요하면 느낌이 아니다. 어찌 때와 장소에 따라 구분이 없겠는가? 그리고 중화가 적감이 된다는 것은 온당치 않은 것 같다. 중(中)은 고요할 때의 성품의 덕이지 고요함이 아니다. 화(和)는 느껴 통할 때의 감정의 덕이지 느낌이 아니다.

夫易, 聖人之所以極深而研幾也,

역(易)은 성인이 깊음을 다하고 기미를 살피는 것이니,

┃中國大全┃

本義

研, 猶審也. 幾, 微也. 所以極深者, 至精也. 所以研幾者, 至變也.

연(研)은 살핀다는 '심(審)'과 같고 기(幾)는 기미이다. 깊음을 다한다는 것은 지극히 정밀함이고, 기미를 살핀다는 것은 지극히 변화함이다.

小註

或問, 如何是極深. 朱子曰, 聖人都曉得至深難見底道理, 都就易中見得. 問, 如所謂幽明之故死生之說鬼神之情狀之類否. 曰, 然. 問, 何如是研幾. 曰, 便是研磨出那幾微處. 且如一箇卦, 在這裏便有吉凶有悔吝, 幾微毫釐處, 都研出來. 又問, 如此說, 正與本義所謂所以極深者至精也, 所以研幾者至變也, 正相發明. 曰, 然.

어떤 이가 물었다: '깊음을 다하다[極深]'는 무엇입니까?

주자가 답하였다: 성인은 모두 깊고 보기 어려운 도리를 깨우쳤는데 이는 다 『역』 가운데서 알아낸 것입니다.

물었다: 이승과 저승의 연고ㆍ삶과 죽음에 대한 주장ㆍ귀신의 실정 따위를 말함입니까?

답하였다: 그렇습니다.

또 물었다: '기미를 살피다[研幾]'는 무엇입니까?

답하였다: 이는 기미가 되는 것을 살펴 갈고 닦는 것입니다. 예컨대 하나의 괘가 있으면 그 속에 길흉이 있고 회린(悔吝)이 있으니 그것의 기미와 미세한 곳을 살펴 갈고 닦는 것입니다.

또 물었다: 그런 말과 같다면 『본의』에서 말한 "깊음을 다한다는 것은 지극히 정밀함이고, 기미를 살핀다는 것은 지극히 변화함이다"고 한 것과 서로 보완하여 밝혀주는 것입니까? 답하였다: 그렇습니다.

○ 易便有那深有那幾, 聖人便用極出那深研出那幾, 研是研磨到底之意. 詩書禮樂, 皆是說那已有底事, 惟是易說那未有底事. 研幾是不待他顯著, 只在那芒昧時, 都處置了.

역(易)에는 깊은 곳도 있고 기미도 있는데 성인은 깊은 곳을 지극히 밝혀내고 기미를 살펴내었으니 연(研)은 연마해 이르는 뜻이다. 시서예악은 다 이미 있는 일을 말하는데 『주역』만은 아직 있지 않은 일을 말한다. '기미를 살피대[研幾]'는 그것이 드러나기를 기다리는 것이 아니라 단지 작고 희미할 때에 모두 조치하는 것이다.

○ 知至如極深, 能慮便是研幾. 又曰, 知至能慮, 與極深研幾, 句略相似.

'이를 곳을 안대[知至]'는 '깊음을 다하대[極深]'와 같고 '생각을 잘하대[能慮][252]는 '기미를 살피대[研幾]'와 같다.

또 말하였다: '이를 곳을 안대[知至]' · '깊음을 다하대[極深]'와 '생각을 잘하대[能慮]' · '기미를 살피대[研幾]'는 대략 문구가 서로 같다.

○ 平庵項氏曰, 至精至變至神者易之體也. 惟深惟幾惟神者易之用也. 故曰夫易聖人所以極深而研幾也. 立此一句, 以承上體起下用也.

지극히 정밀함[至精] · 지극히 변화함[至變] · 지극히 신묘함[至神]은 역(易)의 체이고, 깊음[惟深] · 기미[惟幾] · 신묘함[惟神]은 역의 용이다. 그러므로 "『역(易)』은 성인이 깊음을 다하고 기미를 살피는 것이다"고 하였다. 이 한 구절을 세워서 위의 체를 잇고 아래의 용을 일으켰다.

---

252) 『大學』: 知止而后有定, 定而后能靜, 靜而后能安, 安而后能慮, 慮而后能得.

┃韓國大全┃

조호익(曺好益) 『역상설(易象說)』

至精故極深, 至變故硏幾.

지극히 정미롭기 때문에 깊음을 다하고 지극히 변하기 때문에 기미를 연구한다.

김상악(金相岳) 『산천역설(山天易說)』

易之道至精至變, 所以聖人極其深而硏其幾也. 幾微也.

역의 도는 지극히 정미롭고 지극히 변화한다. 그래서 성인이 깊음을 다하고 기미를 살피는 것이다. 기는 은미함이다.

唯深也, 故能通天下之志, 唯幾也, 故能成天下之務, 唯神也, 故不疾而速, 不行而至.

깊기 때문에 천하의 뜻을 통할 수 있으며, 기미이기 때문에 천하의 일을 이룰 수 있으며, 신묘하기 때문에 달리지 않아도 빠르며 가지 않아도 이른다.

‖中國大全‖

小註

程子曰, 神无速亦无至. 須如此言者, 不如是, 不足以形容故也.

정자가 말하였다: 신은 빠름도 없고 이름도 없다. 굳이 이와 같이 말한 것은 이와 같이 말하지 않으면 충분히 형용할 수 없기 때문이다.

本義

所以通志而成務者, 神之所爲也.

뜻을 통하고 일을 이루는 것은 신(神)이 하는 것이다.

小註

朱子曰, 深是幽深, 通是開通. 人所以閉塞, 只爲他淺, 若是深後, 便能開通人志. 道理若淺, 如何開通得人. 所謂通天下之志, 亦只是開物相似, 所以下一句, 也說個成務. 易是說那未有底. 六十四卦, 皆是如此.

주자가 말하였다: 깊음[深]은 그윽히 깊음[幽深]이고 통함[通]은 열려서 통함[開通]이다. 사람이 닫히고 막힘은 단지 그가 얕기 때문이니 만약 깊다면 사람의 뜻을 개통할 수 있다. 도리가 얕다면 어떻게 사람들을 개통시켜줄 수 있겠는가? 이른바 "천하의 뜻을 통함"도 '만

물을 엶[開物]'과 서로 같기 때문에 아래 구절도 '일을 이룸[成務]'을 말하였다.[253] 『역』은 아직 있지 않은 것을 말했으니 64괘가 모두 이와 같다.

○ 深就心上說, 幾就事上說. 幾便是有那事了, 雖是微畢竟是有. 深在心甚玄奧, 幾在事半微半顯. 通天下之志, 猶言開物, 開通其閉塞也. 故其下對成務.
'깊음'은 마음으로 말하였고 '기미'는 일로 말하였다. 기미는 그런 일이 있는 것으로 비록 미미하지만 결국은 있는 것이다. '깊음'은 마음에 있는 것으로 매우 심오하며, '기미'는 일에 있는 것으로 반은 은미하고 반은 드러난다. 천하의 뜻을 통함은 '만물을 엶[開物]'이라 하는 것과 같으니 그 닫히고 막힌 것을 개통해주는 것이다. 그러므로 아래에 '일을 이룸[成務]'으로 대를 이루었다.

○ 極出那深, 故能通天下之志, 研出那幾, 故能成天下之務.
깊이를 다하기 때문에 천하의 뜻을 통할 수 있고 기미를 연마하기 때문에 천하의 일을 이룰 수 있다.

○ 問, 唯深也唯幾也唯神也, 此是說聖人能如此否. 曰, 此是說聖人, 亦是易如此, 若不深, 如何通得天下之志. 又曰, 他恁黑窣地深, 疑若不可測, 然其中卻事事有. 又曰, 事事都有一個端緒可尋. 又曰, 各有個絡脉線索在裏面. 所以曰唯幾也故能成天下之務. 研者便是研窮他. 問, 如何是幾. 曰, 這便是周子所謂動而未形有无之間者也.
물었다: 깊음·기미·신묘함은 성인이 이와 같을 수 있다는 말입니까?
답하였다: 이것은 성인을 말하였고 또 『주역』도 이와 같다는 것이니, 깊지 않다면 어떻게 천하의 뜻에 통할 수 있겠습니까?
또 말하였다: 그것은 이처럼 아득하게 깊어서 헤아릴 수 없을 듯하지만 그 안에 일마다 모두 갖추어 있습니다.
또 말하였다: '일마다'는 그것을 찾을 수 있는 하나의 실마리가 있는 것입니다.
또 말하였다: 그 안에 각각 맥락과 실마리가 있기 때문에 "기미이기 때문에 천하의 일을 이룰 수 있다"고 말하였습니다. '살핌[研]'은 그것을 끝까지 살핀다는 뜻입니다.
물었다: 기미는 무엇입니까?
답하였다: 이것이 바로 주자(周子)가 말한 "움직여도 드러나지 않으며 있음과 없음의 사이"라는 것입니다.

---

253) 『周易·繫辭傳』: 夫易, 開物成務, 冒天下之道, 如斯而已者也.

○ 通天下之志, 通是開通之意. 蓋當時之民, 遇事多閉塞, 不知所爲. 故聖人作易, 示以此理, 教他恁地做便會吉, 如此做便會凶, 必恁地則吉而可爲, 如此則凶而不可爲. 所謂通天下之志, 開物亦只是如此.

"천하의 뜻을 통한다"에서 '통한다'는 개통의 뜻이다. 당시의 백성이 일을 만나면 막힘이 많아 할 바를 몰랐다. 그래서 성인이 역을 지어 이 이치로써 보여주어 그들에게 이렇게 하면 길하고 이렇게 하면 흉하니, 반드시 이렇게 하면 길하여 할 수 있고 이렇게 하면 흉하여 해서는 안 된다고 가르쳤다. 이것이 이른바 천하의 뜻을 통함이니 '만물을 엶'[開物]도 이와 같을 뿐이다.

○ 臨川吳氏曰, 本義云, 極深者至精也, 研幾者至變也. 唯辭之能極深也, 故以辭爲占則可以前知而開通天下人之心志, 唯變之能研幾也, 故以變得象則可以制作而完成天下人之事務. 然辭占變象, 所以能如此者, 皆妙不可測之神爲之. 唯其妙不可測, 故不待疾之而自速, 不待行之而自至, 謂自然而然非人所能爲也.

임천오씨가 말하였다: 『본의』에서 "깊음을 다한다는 것은 지극히 정밀함이고, 기미를 살핀다는 것은 지극히 변화함이다"라고 하였다. 오직 말이 깊음을 다할 수 있기 때문에 말로 점을 치면 앞날을 알아서 천하 사람들의 마음과 뜻을 개통할 수 있고, 오직 변화가 기미를 연마할 수 있기 때문에 변화로 상을 얻으면 기물을 제작하여 천하 사람들의 일을 완성할 수 있다. 그러나 사·점·변·상(辭占變象)이 이와 같을 수 있는 것은 모두 신묘하여 헤아릴 수 없는 신이 그렇게 하는 것이다. 오직 신묘해서 헤아릴 수 없기 때문에 달리기를 기다리지 않아도 본래 빠르고 가기를 기다리지 않아도 본래 이르니 저절로 그러하여 사람이 할 수 있는 바가 아님을 이른다.

○ 誠齋楊氏曰, 天下之理, 唯疾故速唯行故至, 未有不疾而速不行而至者也, 蓋不如是不足以爲神也. 然則聖人之神果何物也. 心之精也. 豈惟心之能神哉, 物理亦有之, 銅山東傾而洛鍾西應. 豈唯物理哉, 人氣亦有之, 其母齧指而其子心動. 此一物之理, 一人之氣, 相應相同, 有不疾而速不行而至者也. 況聖心之神乎. 是故, 範圍天地而一念不踰時, 經緯萬方而半武不出戶, 豈假疾而後速, 行而後至. 何爲其然也, 心之神也.

성재양씨가 말하였다: 천하의 이치는 달려야만 빨라지고 가야만 이르니 달리지 않아도 빨라지고 가지 않아도 이르는 것은 없다. 이는 이와 같지 않으면 신이 되기에 부족하다는 말이다. 그렇다면 성인의 신묘함은 과연 어떤 물건일까? 마음이 정묘(精妙)하다. 어찌 마음만 신묘할 수 있겠는가? 물건의 이치에도 신묘함이 있으니 동산(銅山)이 동쪽에서 무너지니 낙종(洛鍾)이 서쪽에서 응하였다.[254] 어찌 물건의 이치에만 신묘함이 있겠는가? 사람의 기운에도 있으니 어미가 손가락을 깨물면 자식의 마음이 움직인다.[255] 이는 물건의 이치나

사람의 기운이 서로 응하고 서로 같이해서 달리지 않아도 빠르고 가지 않아도 이르는 것이다. 하물며 성인의 신묘함은 어떻겠는가. 이런 까닭에 천지를 규정지음에 한 생각도 때를 넘지 않고 온 세상을 다스림에 반 발자국도 문을 벗어나지 않는다. 어찌 달린 뒤에야 빨라지고 간 뒤에야 이를 필요가 있겠는가? 어찌하여 그런가? 마음이 신묘해서이다.

‖ 韓國大全 ‖

김상악(金相岳) 『산천역설(山天易說)』

深就心上說, 幾就事上說, 所以通志而成務者, 神之所爲也. 不疾不行, 卽寂然不動也, 速而至, 卽感而遂通也.

깊음은 마음으로 말했고 기미는 일로 말했으니 뜻을 통하고 일을 이루는 까닭이며 신이 하는 바이다. 달리지 않고 가지 않음은 고요히 움직이지 않음이고 빨리 이름은 느껴서 통하는 것이다.

박윤원(朴胤源) 『경의(經義)ㆍ역경차략(易經箚略)ㆍ역계차의(易繫箚疑)』

惟神也, 故不疾而速不行而至. 此神字卽上至神之神, 而平庵項氏分作體用說何歟. 至神該寂感而言, 則兼體用矣, 何以單言體歟. 惟神以不疾不行爲體, 以而速而行爲用, 則何以單言用歟. 夫天下之事未有不疾而速不行而至者, 而惟神爲然, 其妙莫可測矣.

오직 신이기 때문에 달리지 않아도 빠르고 가지 않아도 이른다. 이 신(神)자는 위의 '지극한 신'의 신인데 평암항씨는 체용으로 나누어 말했으니 어째서인가? 지극한 신은 고요함과 느낌을 모두 말해 체용을 겸한 것인데 어찌 체만 말한 것인가? 신만이 달리지 않고 가지 않음

---

254) 동산(銅山)이 …… 응하였다: 남조(南朝)시대 송(宋)나라 유경숙(劉敬叔)의 『이원(異苑)』에 "위나라 궁궐 앞의 큰 종이 이유 없이 울리자 장화(張華)가 '촉군(蜀郡)의 동산(銅山)이 무너졌기 때문에 종이 울릴 것이다'라고 하였는데 촉군에 가서 조사해 보니 장화의 말과 같았다"는 기록이 있다. 이 일로 말미암아 '산붕종응(山崩鐘應)'은 사물이 서로 감응한다는 뜻으로 쓰인다.

255) 어미가……움직인다: 본래 간절히 그리울 때 쓰는 말이다. 송(宋)나라 잠상구(岑象求)이 『길흉영향록(吉凶影響錄)』에 "증자(曾子)가 공자를 따라 초나라에 갔는데 마음이 울렁거리자 하직인사를 하고 귀향하여 어머니에게 물으니, 어머니는 '네가 보고 싶어 손가락을 깨물었다'고 하였다"는 기록이 있다.

을 체로 하고 빠르고 가는 것을 용으로 한다면 어찌 용만 말한 것인가? 천하의 일에는 달리지 않고 빠르며 가지 않고 이르는 것은 없는데 오직 신만이 그러하니 그 묘함을 헤아릴 수 없다.

程子曰, 神無速無至. 旣是無速無至, 則何以言而速而至歟, 而速而至, 只作無速之速無至之至看, 則意味尤深遠歟.
정자가 말하였다: 신은 빠름도 없고 이름도 없다. 이미 빠름도 없고 이름도 없는데 어찌 빠르고 이른다고 하였는가? 빠르고 이르는 것을 다만 빠름이 없는 빠름이고 이름이 없는 이름으로 본다면 의미가 더욱 심원할 것이다.

子曰, 易有聖人之道四焉者, 此之謂也.

공자가 말하였다: "『주역』에 성인의 도(道) 네 가지가 있다"는 것은 이것을 말한 것이다.

┃中國大全┃

小註

朱子曰, 變化之道, 莫非神之所爲也. 故知變化之道則知神之所爲矣. 易有聖人之道四焉, 所謂變化之道也. 觀變玩占, 可以見其精之至矣, 玩辭觀象, 可以見其變之至矣. 然非有寂然感通之神, 則何以爲精爲變而成變化之道哉. 此變化之道所以爲神之所爲也. 所以極深者, 以其精也, 所以硏幾者, 以其變也, 極深硏幾所以不疾而速不行而至者, 以其神也. 此又覆明上文之意, 復以易有聖人之道四焉者結之也.

주자가 말하였다: 변화의 도는 신이 하는 바가 아님이 없다. 그러므로 변화의 도를 아는 자는 신이 하는 바를 안다. "『주역』에 성인의 도가 넷이 있다"는 것이 이른바 변화의 도이다. 변화를 보고 점을 완미하면 정밀함의 지극함을 알 수 있고, 말을 완미하고 상을 보면 변화의 지극함을 알 수 있다. 그러나 고요히 느껴 통하는 신이 아니라면 어떻게 정밀함과 변화가 되어 변화의 도를 이루겠는가? 이는 변화의 도를 신이 하는 바이기 때문이다. 깊음을 다함은 그것이 정밀하기 때문이고, 기미를 연마함은 그것이 변화하기 때문이며, 깊음을 다하고 기미를 연마하여 달리지 않아도 빠르고 가지 않아도 이르는 것은 그것이 신묘하기 때문이다. 이는 또한 반복하여 윗글의 뜻을 밝히고, 다시 "『주역』에 성인의 도가 넷이 있다"는 것으로 마친 것이다.

或曰, 至精至變皆以書言之矣, 至神之妙亦以書言之可乎. 曰, 至神之妙固无不在, 詳考之文意則實以書言之也. 所謂无思无爲寂然不動云者, 言在冊, 策在畫, 著在櫝, 而變未形也. 至於玩辭觀象而揲著以變, 則感而遂通天下之故矣. 推而極於天地之大, 反而驗諸心術之微, 其一動一靜循環終始之妙亦如此而已矣. 嗚呼此其所以不疾而速不行而至也歟.

어떤 이가 물었다: '지극히 정밀함[至精]'과 '지극히 변화함[至變]'을 책으로 말하였는데 '지극히 신묘함[至神]'의 신묘함도 책으로 말해도 됩니까?

답하였다: 지신(至神)의 묘함은 정말로 없는 곳이 없으니 문장의 뜻을 상세히 살펴보면 실은 책으로 말한 것입니다. 이른바 "생각도 없고 함도 없어 고요히 움직임이 없음"은 말은 책으로 말한 것입니다. 이른바 "생각도 없고 함도 없어 고요히 움직임이 없음"은 말은 책에 있고, 시책(蓍策)은 획에 있으며, 시초는 산통에 있어 변화가 드러나지 않습니다. 말을 완미하고 상을 보아 시초를 헤아려 변화에 이르면, 느껴서 드디어 천하의 연고에 통합니다. 미루어 천지의 큼을 다하고 돌이켜 심술의 은미함을 징험하면 '한번 움직이고 한번 고요함'으로서 순환하며 마치고 시작하는 신묘함도 이와 같을 뿐입니다. 아, 이것이 달리지 않아도 빠르고 가지 않아도 이르는 것이 아니겠습니까.

○ 平庵項氏曰, 四者雖云辭變象占, 而自君子將有爲也以下, 則皆論占也. 至此又以易有聖人之道四焉終之者, 蓋占則有辭, 變則有象, 擧其一則四事在其中矣.
평암항씨가 말하였다: 네 가지를 비록 사·변·상·점(辭變象占)이라고 말하지만 "군자가 큰일을 하고자 하다[君子將有爲也]"이하는 모두 점을 논하였다. 여기에 이르러 또 "역에 성인의 도가 넷이다[易有聖人之道四焉]"로 마친 것은 점이 있으면 말이 있고 변화가 있으면 상이 있으니 그 하나를 들면 네 가지 일이 그 가운데 있기 때문이다.

∥韓國大全∥

이익(李瀷) 『역경질서(易經疾書)』

易者書也, 豈有思而有爲寂感, 雖曰心體有如此, 而此則以易言者也. 聖人作易只有六十四卦三百六十四爻, 渾然畫出一天地. 寂然不動卽無思無爲之註脚. 若但如此, 易不過無能之一紙, 非憂患後世之意. 故聖人又作揲蓍求卦之法, 一有感觸三百八十四爻, 各以吉凶善惡, 通達著顯, 一與天地之心, 同其體用. 下章洗心退藏, 發揮尤明易之至神如此. 下文不疾而速不行而至卽至神之註脚.
『주역』이라는 것은 책이니, 어찌 생각이 있고 함도 있고 고요히 느끼는 것도 있겠는가? 비록 마음의 본체가 이렇다 하더라도 이것은 역을 가지고 말한 것이다. 성인이 역을 지음엔 다만 64괘 384효가 있을 뿐이어서 혼연히 하나의 천지를 그어낸 것이다. 고요히 느껴 움직임이 없음은 생각도 없고 함도 없다는 것의 주각이다. 다만 이와 같다면 역은 무능한 하나의 종이에 지나지 않는 것이어서 후세를 근심하는 뜻이 없다. 그래서 성인이 또 설시하여 괘를 구하는 방법을 만들어 한번에 384효를 따라서 느껴 각각 길흉선악으로 통달하여 드러내 천

지의 마음과 더불어 하나가 되어 그 체용을 함께 한다. 아래 장의 마음을 닦고 물러나 감춤
은 역의 지극한 신이 이와 같음을 더욱 분명히 한 것이고 아래 문장의 달리지 않아도 빠르며
가지 않아도 이른다는 것은 '지극한 신'에 대한 주석이다.

易之道其深也, 窮極到底其幾也, 磨研幾微, 天下之志至繁也, 天下之務至廣也, 不深
而淺則象志或窒而無以通之也, 不幾而差則象務或敗而無以成之也. 惟其神也故不疾
而速, 謂未著而先知也. 不行而至, 謂雖遠而能見也. 疾速屬幽深, 行至屬遠近, 此皆卜
筮之事也, 易之至神也如此.
朱子謂周禮三易皆掌於太卜, 易爲卜筮之書. 然聖人分明道有此四道, 且四詩皆掌於
太師, 詩固有聲樂之用故然耳. 若曰詩但爲聲樂之書, 未允何以異是, 但易之用多在於
卜筮, 故本義必以尙占爲解.

역의 도는 깊으니 그 기미의 궁극에 도달한다. 기미를 연마한다는 것은 천하의 뜻은 지극히
번다하고 천하의 일은 지극히 넓으니 깊지 않고 얕으면 뜻을 상징함에 혹 막혀서 통할 수
없고, 기미에 밝지 못하고 어긋나면 일을 상징함에 혹 실패하여 이룰 수 없다. 오직 신묘하
기 때문에 달리지 않아도 빠르며 가지 않아도 이른다는 것은 드러나지 않았는데 먼저 아는
것이다. 가지 않아도 이른다는 것은 비록 멀지만 볼 수 있다는 것이다. 달리고 빠른 것은
그윽하고 깊음에 속하고 가고 이르는 것은 멀고 가까움에 속하니 이는 모두 복서의 일로
역의 지극한 신이 이와 같다.

주자는 『주례』 "삼역은 모두 태복에게서 관장되었다"고 하였으니 역은 복서의 책이다. 그렇
지만 성인은 이 네 가지 도가 있다고 분명히 말했다. 또 사가시(四家詩)는 모두 태사에게서
관장되었으니 시(詩)는 본래 음악의 용도가 있기 때문에 그러했을 뿐이나, 만약 시가 다만
성악의 글이라고만 한다면 어떻게 이것과 다른지는 미덥지 못하다. 다만 역의 쓰임은 복서
에 많기 때문에 『주역본의』에서는 반드시 점을 숭상하는 것으로 풀이하였다.

윤행임(尹行恁) 『신호수필(薪湖隨筆)・계사전(繫辭傳)』

旡思旡爲者未發也, 故寂然不動. 感者已發也, 故遂通. 其所謂故者, 孟子言性者故也.
寂者坤也, 感者復也. 寂而感, 感而通, 通而又寂, 寂者隱也, 感而通者費也. 深者靜之
根也, 幾者動之芽也. 根以藏焉, 芽以微焉. 藏則難知, 微則難見. 極者窮之也, 窮之則
盡. 硏者磨之也, 磨之則精. 深靜而在心也, 故極之則萬人之志皆通. 幾動而爲事也,
故硏之則一代之務皆成. 若所謂神者, 不見其速而速, 不見其至而至, 如不言而喩者
焉, 如不期而然者焉. 尋之而不得其迹, 詰之而不聞其聲. 其大也旡外, 其小也旡內, 孟
子所謂聖而不可知之之謂神, 亶如斯歟.

생각도 없고 함도 없음은 발하지 않을 때이기 때문에 고요해서 움직이지 않는다. 감응은 이미 발한 것이기 때문에 드디어 통한다. 고(故)라고 한 것은 『맹자』의 "성을 말함은 현상일 뿐이다"이다. 고요함은 곤괘이고 감응은 복괘이다. 고요하다가 감응하고 감응하여 통하며 통하다가 또 고요하니 고요함은 은미함이고 통함은 쓰여짐이다.

깊음은 고요함의 뿌리이고 기미는 움직임의 싹이다. 뿌리로 감추고 싹으로 은미하다. 감추면 알기 어렵고 은미하면 보기 어렵다. 극(極)은 궁극이니 궁극까지 하면 다 마친다. 연(研)은 가는 것이니 갈면 정미롭다.

깊음은 고요해서 마음에 있기 때문에 다 마치면 만인의 뜻을 모두 통한다. 기미는 움직여서 일이 되니 연마하면 한 세대의 일을 다 이룬다. 신이라고 이른 것은 빠름을 보지 못했는데 빠르고 이름을 보지 못했는데 이름이니 말하지 않고도 깨우침과 같고 기약하지 않고도 그렇게 됨과 같다. 찾아도 그 자취를 얻을 수 없고 따져도 그 소리를 들을 수 없다. 커서 그 밖이 없고 작아서 그 안이 없다. 맹자가 말한 성스러우면서도 알 수 없는 존재가 신이란 것이 진실로 이와 같을 것이다.

重言聖人之道四焉者, 以結上文之意, 蓋詠歎極美之言也. 此章言心體, 五章言性, 夫子言心性, 惟於此乎見.

성인의 도가 넷이 있다고 거듭 말함으로써 윗글의 뜻을 맺었으니 지극한 아름다움을 길이 찬탄하는 말이다. 이 장은 심체를 말했고 5장은 성을 말했으니 공자가 심성을 말함이 오직 여기에서 보인다.

오치기(吳致箕) 「주역경전증해(周易經傳增解)」

極深言究極其精深也. 未有究深而不能通志者也. 研幾言研審其幾微也. 未有審幾而不能成務者也. 通天下之志者, 卽指受命如嚮也. 成天下之務者, 卽指成文定象也. 不疾不行卽寂然不動也. 而速而至卽感而遂通也.

극심은 정미로움을 극도로 연구함을 말한다. 깊이 연구하지 않고 통할 수 있는 자는 없다. 연기(研幾)는 기미를 연구하고 살피는 것이다. 기미를 살피지 않고 일을 이룰 수 있는 자는 없다. 천하의 뜻을 통한다는 것은 명령을 받음이 메아리와 같음이다. 천하의 일을 이룬다는 것은 글을 이루고 상을 정함이다. 달리지 않아도 가는 것은 고요함의 본체이고 달려서 이르는 것은 느껴서 드디어 통함이다.

右, 第十章.

이상은 제 10장이다.

‖中國大全‖

本義

此章, 承上章之意, 言易之用, 有此四者.

이 장은 윗 장의 뜻을 이어 『주역』의 쓰임에 이 네 가지가 있음을 말하였다.

‖韓國大全‖

송시열(宋時烈) 『역설(易說)』

參伍以變錯綜其數者, 指後天洛書之數. 縱橫左右上下皆三五也.

삼(參)과 오(伍)로 세어 변하며 수를 교착하고 종합한다는 것은 후천 「낙서」의 수를 가리킨다. 좌우상하가 종횡으로 모두 3과 5이다.

박치화(朴致和) 「설계수록(雪溪隨錄)」

有爲有行, 兼以言以動以制器者而言也. 問焉則以卜筮而言也.

큰일을 하고자 하거나 시행하고자 하는 것은 말과 행동과 기물을 만드는 것을 겸하여 말하였고, 묻는 것은 거북점과 시초점으로 말한 것이다.

○ 言, 命龜之辭, 辭正則龜之受命如嚮. 辭正者能尙辭故也.

말은 거북에게 명령하는 말인데 말이 바르면 거북이 명령을 받는 것이 메아리와 같다. 말이 바른 것은 말씀을 숭상하기 때문이다.

○ 問焉, 以蓍問易, 尙占也. 以言, 問易而言, 尙辭也. 以言則人之受命也如嚮, 謂言則人易從也.

묻는 것은 시초로 역에 묻는 것이니 점을 숭상함이다. 말로써 함은 역에 물어 말하는 것이니 말씀을 숭상함이다. 말로써 하면 사람이 명령을 받음이 메아리와 같다는 것은 사람이 따르기 쉽다는 말이다.

○ 問焉而以言問호되言으로써ᄒᆞ거든. 以此解釋亦似無妨.
묻되 말로써 하거든. 이렇게 해석해도 무방할 듯하다.

○ 參伍以變錯綜其數, 謂揲蓍求卦之事. 通其變遂成天地之文, 謂成陰陽老少之畫. 極其數遂定天下之象, 謂定卦爻動静之象. 文亦象也, 故星宿謂之乾文.
삼(參)과 오(伍)로 세어 변하며 수를 교착하고 종합한다는 것은 설시하여 괘를 구하는 일이다. 변을 통하여 드디어 천지의 문양을 이룸은 음양노소의 획을 이룸을 말한 것이다. 수를 지극히 하여 드디어 천하의 상을 정함은 괘효 동정의 상을 정함을 말한 것이다. 문양도 상이기 때문에 별자리를 하늘의 문양이라고 한다.

○ 錯綜猶經緯也. 綜則經也, 故曰一低一昂之謂也. 〈本義〉
착종(錯綜)은 경위(經緯)와 같으니 종이 경이다. 그러므로 한 번은 낮고 한 번은 높다고 하였다. 〈『본의』의 말이다.〉

○ 自揲蓍而成卦畫, 則謂之天地之文. 自卦爻而定物象, 則謂之天下之象.
설시해서 괘획을 이루면 천지의 문양이라 이른다. 괘효로 물상을 정하면 천하의 상이라 이른다.

○ 天地之文, 以卦爻陰陽言. 天下之象, 以象其物宜言. 陽爲天文, 陰爲地文, 以陰陽卦爻言.
천지의 문양은 괘효의 음양으로 말하였다. 천하의 상은 그 물건의 마땅함을 상징한 것으로 말하였다. 양은 천문이고 음은 지문이니 음양의 괘효로 말하였다.

○ 未判者謂之天地之文, 已判者謂之天下之象.
아직 갈라지지 않은 것은 천지의 문양이고 이미 갈라진 것은 천하의 상이다.

○ 通其變, 以揲蓍成卦而言也. 極其數, 以卦爻老少定動静而言也.
변을 통함은 설시하여 괘를 이루는 것으로 말하였다. 수를 지극히 함은 괘효의 노소로 동정을 정한 것으로 말하였다.

○ 深故包含衆理. 能通天下之志, 幾故辨之於早, 能成天下之務. 幾深之著處

깊기 때문에 많은 도리를 품고 있어서 천하의 뜻에 통할 수 있고, 기미를 알기 때문에 일찍
분별하여 천하의 일을 이룰 수 있다. 기미는 깊은 것이 드러난 곳이다.

○ 幾者, 變之漸.

기미는 변화가 점진적인 것이다.

○ 易道至精, 故極深, 易道至變, 故研幾.

역의 도는 지극히 정미하기 때문에 깊음을 다하고 역의 도는 지극히 변화하기 때문에 기미
를 연구한다.

○ 此章第一節分言辭變象占. 第二節第三節合說辭變象占, 而辭變象皆因占見, 故專
以占言. 第四節承上言四者變化皆出於自然, 而非人作爲之意也. 第五節第六節言易
道如此, 故聖人所以極深而研幾也. 第七節結之以首章之意也.

이 장의 제1절은 사변상점(辭變象占)을 나누어 말하였다. 제2절과 제3절은 사변상점(辭變
象占)을 합해 말하였는데, 사변상(辭變象)은 모두 점을 통해 드러나기 때문에 점으로만 말
하였다. 제4절은 윗글을 이어 네 가지의 변화가 모두 자연에서 나온 것으로 사람이 작위한
뜻이 아님을 말하였다. 제5절과 제6절에서는 역도가 이와 같기 때문에 성인이 깊음을 다하
고 기미를 살핀다는 것을 말하였다. 제7절에서는 1장의 뜻으로 맺었다.

심취제(沈就濟) 『독역의의(讀易疑義)』

至精至變至神者, 精而變變而神也. 變之居中者, 變而後化之意也. 化者渾包周旋之意
也, 變者致曲旁通之謂也. 不爲致曲而極其變通, 則何以泛應周旋乎. 此猶陰陽不體乎
剛柔, 五行則何以成陰陽變化之功乎.

지극한 정미로움과 지극한 변화와 지극한 신묘함은 정미로워야 변화하고 변화해야 신묘하
다. 변화가 그 중간에 있는 것은 변한 뒤에 화(化)한다는 뜻이다. 화(化)라는 것은 합해 포
용하여 두루 도는 뜻이다. 변은 곡진함을 이루어 곁으로 통함을 말한다. 곡진함을 이루어
변통을 지극히 하지 못하면 어떻게 널리 호응하고 두루 돌겠는가? 이것은 음양이 강유를
본받지 않는 것과 같으니 오행이 어찌 음양의 변화의 공을 이루겠는가?

오치기(吳致箕) 「주역경전증해(周易經傳增解)」

此章承上章揲著求卦之意, 言易道有辭變象占四者, 而亦申明第二章之義也.

이 장은 윗 장의 설시하여 괘를 구하는 뜻을 이어 역의 도에 사변상점(辭變象占) 네 가지가 있음을 말했고, 또 제 2장의 뜻을 거듭 밝혔다.

윤동규(尹東奎)『경설(經說)-역(易)』

第九章至十章, 言觀象玩辭, 觀變玩占, 設蓍求卦之法, 明神之用. 四營而成易, 明來知德以謂營求也, 以四求. 如老陽數九, 以四求之, 則其策三十六. 老陰數六以四求之, 則其策二十四, 餘倣此. 其解四營之義, 恐爲得且四揲之後得成九六七八之數, 其義似分明可取. 右自第九章至十章.

9장에서 10장까지는 괘상을 보고 괘효사를 완미하는 것, 변화를 보고 점을 완미하는 것, 시초를 베풀어 괘를 구하는 방법을 말하여 신묘한 작용을 밝혔다. '네 번 경영해서 역을 이룸'은 명나라의 래지덕은 경영함은 구함이니 4로 구함을 말한다고 하였다. 노양의 수는 9인데 4로 구하면 그 책수는 36이고 노음수 6인데 4로 구하면 그 책수는 24인 것과 같으니 나머지도 이와 같다. 그 네 번 경영하는 뜻을 풀면 아마도 네 번 센 뒤에 9,6,7,8의 수를 얻으니 그 의미를 분명히 취할 수 있다. 이상은 9장에서 10장까지이다.

제11장第十一章

子曰, 夫易, 何爲者也. 夫易, 開物成務, 冒天下之道, 如斯而
已者也. 是故, 聖人以通天下之志, 以定天下之業, 以斷天下
之疑.

공자가 말하였다: 역(易)은 무엇을 하는 것인가? 역은 만물을 열고 일을 이루어 천하의 도리를 덮나
니, 이와 같을 따름이다. 이런 까닭으로 성인이 이로써 천하의 뜻을 통하며, 천하의 일을 정하며,
천하의 의혹을 결단하는 것이다.

‖中國大全‖

本義

開物成務, 謂使人卜筮, 以知吉凶而成事業. 冒天下之道, 謂卦爻旣設, 而天下
之道, 皆在其中.

‘만물을 열고 일을 이룸’은 사람에게 점쳐서 길흉을 알아 일을 이루게 함을 이른다. ‘천하의 도리를
덮음’은 괘효(卦爻)가 이미 펼쳐지면 천하의 도리가 모두 그 속에 있음을 이른다.

小註

朱子曰, 此言易之書其用如此. 又曰, 易本爲卜筮而言, 古人淳質, 初无文義. 故畫卦
爻, 以開物成務. 故曰夫易何爲而作也, 夫易開物成務, 冒天下之道, 如斯而已也. 是
故, 以通天下之志, 以定天下之業, 以斷天下之疑. 是故, 蓍之德, 圓而神, 卦之德, 方
以知, 六爻之義, 易以貢, 聖人, 以此洗心, 退藏於密, 此易之大意在此. 又曰, 易本欲
定天下之志, 斷天下之疑而已, 不是要說道理也.

주자가 말하였다: 이것은 『주역』의 작용이 이와 같음을 말한 것이다.

또 말하였다: 역(易)은 본래 점치기 위하여 말하였는데, 옛 사람들은 자질이 순수하여 처음에는 글과 뜻이 없었다. 그러므로 괘효를 긋고 이것으로 만물을 열고 일을 이루었다. 그러므로 "역은 무엇을 하는 것인가? 역은 만물을 열고 일을 이루어 천하의 도리를 덮나니, 이와 같을 따름이다. 이런 까닭으로 [성인이] 이로써 천하의 뜻을 통하며, 천하의 일을 정하며, 천하의 의혹을 결단한 것이다. 이런 까닭으로 시초[蓍]의 덕(德)은 둥글어 신묘하고, 괘(卦)의 덕은 모나서 지혜롭고, 육효(六爻)의 의미는 바뀌면서 알려주니, 성인이 이것으로 마음을 씻어 은밀함에 물러나 숨는다"고 하였으니, 이 역의 대의는 여기에 있는 것이다.

또 말하였다: 역은 본래 천하의 뜻을 정하고 천하의 의혹을 결단하려 한 것이지, 도리를 말하고자 한 것이 아니다.

○ 古之時, 民淳俗朴, 風氣未開, 於天下事全未知識. 故聖人立龜與之卜, 作易與之筮, 使之趨吉避害, 以成天下之事. 故曰開物成務, 物只是人物, 務只是事務, 冒只是罩得天下許多道理在裏, 出不得他箇.

옛날에는 민속이 순박하고 풍속이 미개하여 천하의 일을 전혀 알지 못하였다. 그러므로 성인이 거북을 세워 이것으로 거북점을 치고, 『주역』을 지어 이것으로 시초점을 쳐서 사람들이 길(吉)로 나아가고 해(害)를 피하여 천하의 일을 이루게 하였다. 그러므로 "만물을 열고 일을 이룬다"고 하였는데, '만물'은 사람과 사물이고, '일[務]'은 직무[事務]이며, '덮음[冒]'은 단지 천하의 수많은 도리를 속으로 감싸 저것에서 벗어날 수 없다는 것이다.

○ 問, 易開物成務, 冒天下之道, 是易之理能恁地, 而人以之卜筮, 又能開物成務否. 曰, 然.

물었다: 『주역』의 '만물을 열고 일을 이루어 천하의 도리를 덮음'은 역의 이치가 이와 같아서 사람들이 이것으로 점치고, 또한 만물을 열고 일을 이룰 수 있다는 것이 아닙니까?

답하였다: 그러합니다.

○ 讀繫辭者, 須見得如何是開物, 如何是成務, 如何是冒天下之道, 須要就卦中一一見得許多道理然後, 可讀繫辭也. 蓋易之爲書, 大抵皆是因卜筮以設敎, 逐爻開示吉凶, 包括无遺, 如將天下許多道理, 包藏在其中. 故曰冒天下之道. 繫辭, 自大衍數以下, 皆是說卜筮事, 若不曉他盡是說爻變中道理, 則如所謂變動不居周流六虛之類, 有何憑著. 今人說易, 所以不將卜筮爲主者, 只是怕小卻這箇道理. 故憑虛失實, 茫昧臆度而已, 殊不知由卜筮而推, 而上通鬼神, 下通事物, 精及於无形, 粗及於有象, 如包罩在此, 隨取隨得. 居則觀象玩辭者, 又不待卜而後見, 只是體察, 便自見吉凶之理.

「계사전」을 읽는 사람은 반드시 어떤 것이 '만물을 엶'이고 어떤 것이 '일을 이룸'이고 어떤 것이 '천하의 도리를 덮음'인지를 알아야만 하니, 반드시 괘에서 일일이 수많은 도리를 깨달은 뒤에야 「계사전」을 읽을 수 있다. 『주역』이라는 책은 대체로 모두 점치는 것을 통하여 가르침을 펼치고, 효(爻)를 따라서 길흉을 열어 보여 남김없이 포괄하니, 천하의 수많은 도리를 가져다 그 안에 쌓아 두는 것과 같다. 그러므로 "천하의 도리를 덮는다"고 하였다. 「계사전」에서는 대연(大衍)의 숫자를 말한 뒤로는 모두 점치는 일을 설명하였으니, 만약 그것들이 모두 효가 변하는 가운데의 도리를 설명한 것임을 깨닫지 못한다면, 이른바 '변동하여 머물지 아니하고 여섯 빈자리에 두루 흘러감'256)과 같은 부류를 무엇으로 나타낼 수 있겠는가? 지금 사람들이 역을 말함에 점치는 것을 위주로 하지 않는 것은 단지 조금이라도 저 도리가 없어질까 두려워해서이다. 그러므로 헛됨을 의거하고 참됨을 상실하여 아득하게 억측할 뿐이지만, 점치는 것에 의해 유추하여 위로는 귀신에게 통하고 아래로는 사물에 통하여 정밀하게는 무형에 미치고 거칠게는 형상이 있는 것에 미치는 것이 여기에 쌓아 두고 수시로 취하고 수시로 얻음과 같음을 결코 모르는 것이다. "머물면 상을 살펴 말을 음미한다"257)는 또한 점을 친 뒤에 보는 것이 아니라, 단지 몸으로 살펴서 즉시 길흉의 이치를 스스로 아는 것일 뿐이다.

○ 臨川吳氏曰, 開物, 謂人所未知者, 開發之, 成務, 謂人所欲爲者, 成全之. 冒猶蒙尸之冒, 謂天下之道, 悉包裹於其中也. 通志, 開物也, 定業, 成務也, 斷疑, 謂易於天下之道, 包裹无遺故, 於天下之疑事, 皆能決之也.
임천오씨가 말하였다: '만물을 엶'은 사람이 알지 못하는 것을 개발시킴을 이르고, '일을 이룸'은 사람이 하고자 하는 것을 완성시킴을 이른다. '덮음'은 "시신을 덮어 가린다"의 '덮음'과 같으니, 천하의 도리가 모두 그 가운데 포함되어 있음을 이른다. '뜻을 통함'은 만물을 엶이고, '일을 정함'은 일을 이룸이고, '의혹을 결단함'은 역이 천하의 도리를 남김없이 포함하기 때문에, 천하의 의심되는 일을 모두 결정할 수 있음을 이른다.

○ 雲峯胡氏曰, 學者以爲易專言卜筮, 易至於小吾易, 殊不知未有卜筮以前, 人无以知吉凶, 而成事業. 有卜筮, 則可開示吉凶, 而天下事事物物之理, 无不包括在此. 故曰冒天下之道, 開示天下以吉凶, 所以通天下之志, 成務, 所以定天下之業, 冒天下之道, 所以斷天下之疑. 下文凡六節, 各有是故二字, 皆以言卜筮之妙也.

---

256) 『周易·繫辭傳』: 易之爲書也不可遠, 爲道也屢遷, 變動不居, 周流六虛, 上下无常, 剛柔相易, 不可爲典要, 唯變所適.
257) 『周易·繫辭傳』: 是故, 君子居則觀其象而玩其辭, 動則觀其變而玩其占.

운봉호씨가 말하였다: 학자들이, 역(易)을 점치는 것으로만 말하면 우리의 역을 작게 하기 쉽다고 하는데, 점치는 것이 있기 이전에는 사람들이 길흉을 미리 알고서 일을 성사시킨 적이 없었음을 결코 모르는 것이다. 점치게 되면 길과 흉을 열어 보일 수 있으며 천하의 모든 사물의 이치가 여기에 포함되지 않음이 없다. 그러므로 "천하의 도리를 덮는다"고 하였으니, 천하에 길과 흉을 열어 보임은 천하의 뜻을 통하게 하는 것이고, '일을 이룸'은 천하의 일을 정하는 것이고, '천하의 도리를 덮음'은 천하의 의혹을 결단하는 것이다. 아래의 여섯 구절에는 각각 '이런 까닭으로[是故]'라는 말이 있는데, 모두 점치는 것의 묘용을 말한 것이다.

║韓國大全║

유정원(柳正源) 『역해참고(易解參攷)』

張子曰, 物凡物也, 務事也. 開明之也, 成處之也. 事无大小, 不能明則何由能處. 雖至粗至小之事, 亦莫非開物成務. 譬如不深耕易耨, 則稼穡烏得而立. 唯深也故能通天下之志, 唯幾也故能成天下之務. 是則開物成務者, 必也有濟時之才.

장자가 말하였다: 물건은 모든 물건이고 업무는 일이다. 여는 것은 밝힘이고 이룸은 대처함이다. 일에 크고 작음이 없이 밝지 못하면 어떻게 대처하겠는가? 지극히 거칠고 작은 일이라도 물건을 밝히고 일에 대처함이 아닌 것이 없다. 깊이 밭 갈고 잘 김매지 않으면 농사일을 어떻게 정립할 수 있겠는가? 오직 깊기 때문에 천하의 뜻에 통하고, 오직 기미를 알기 때문에 천하의 일을 이루니, 물건을 밝히고 일에 대처함에 반드시 때를 구제할 재질이 있어야 한다.

○ 漢上朱氏曰, 萬物在天地間不離五十有五之數. 聖人雖不言其能逃乎. 然則易之爲書何爲者也. 物有理易則開之, 事有時易則成之. 聖人冒天下之道, 所謂易者如斯而已者也. 冒天下之道, 日月所照, 霜露所墜, 舟車所至, 凡有血氣者, 必待此道而後覆.

한상주씨가 말하였다: 천지의 만물은 55수를 떠날 수 없다. 성인이 말은 하지 않았지만 어찌 도망갈 수 있겠는가? 그렇다면 역은 어떤 글인가? 물건에 이치가 있으니 역으로 열고 일에 때가 있으니 역으로 이룬다. 성인이 천하의 도리를 덮으니, 이와 같을 따름이다. 천하의 도리를 덮음은 일월이 비추고 서리와 이슬이 떨어지고 배와 수레가 다니는 곳에 모든 혈기가 있는 자들은 반드시 이 도를 기다린 뒤에 덮인다.

關子明曰, 象生有定數, 吉凶有前期, 變而能通, 則治亂有可易之理, 天命人事其同歸乎. 故聖人以此通天下之志, 謂其極深也. 以此定天下之業, 謂其成務也. 以此斷天下之疑, 謂其受命如響也.

관자명이 말하였다: 상을 생함에는 정해진 수가 있고 길과 흉에는 미리 기약함이 있다. 변하여 통하면 다스림과 어지러움을 바꿀 수 있는 이치가 있으니 천명과 인사가 함께 돌아간다. 그러므로 성인이 이로써 천하의 뜻을 통하니 깊음을 다함을 말한다. 이로써 천하의 일을 정하니 일을 이룸을 말한다. 이로써 천하의 의심을 결단하니 명령을 받음에 메아리와 같음을 말한다.

小註臨川說, 韜尸之冒.

소주에 임천오씨가 말한 주검을 덮는 모.

士喪禮, 冒質殺, 註冒制如直囊, 上曰質, 下曰殺. 喪大記註, 冒旣襲所以韜尸.

『예기·사상례』의 모·질·쇄에 대한 주석에 "모(冒)는 곧은 자루처럼 만드니 위는 질이라 하고 아래는 쇄라 한다."라 하고, 「상대기」에 "모는 염한 뒤에 시신을 싸는 것이다"라 하였다.

김상악(金相岳) 『산천역설(山天易說)』

開物所以通天下之志, 成務所以定天下之業, 冒道所以斷天下之疑.

만물을 엶으로써 천하의 뜻을 통하고, 일을 이룸으로써 천하의 일을 정하고, 도를 덮음으로써 천하의 의심을 판단한다.

오치기(吳致箕) 「주역경전증해(周易經傳增解)」

開者發也, 物謂事理也, 成者成就也, 務謂事業也. 冒謂覆冒而言悉備也. 知其未然以通人之志, 故曰開物. 定其當然以成人之事, 故曰成務. 悉備天下之道, 故志通, 而心之疑決業定, 而事之疑決矣.

개(開)는 발하는 것이고 물(物)은 사물의 이치이고 성(成)은 성취이고 무(務)는 사업이다. 모(冒)는 덮음이니 다 갖춘 것을 말한다. 아직 그렇지 않을 때 사람의 뜻을 통하기 때문에 사물의 이치를 발한다고 하였다. 마땅히 그럴 때에 사람의 사업을 성취하기 때문에 사업을 성취한다고 하였다. 천하의 도리를 다 갖추었기 때문에 뜻을 통하고 마음의 의심을 결단하고 사업을 결정하니 사업의 의심이 결단된다.

是故, 蓍之德, 圓而神, 卦之德, 方以知, 六爻之義, 易以貢,
聖人, 以此洗心, 退藏於密, 吉凶, 與民同患, 神以知來, 知以
藏往, 其孰能與於此哉. 古之聰明叡知神武而不殺者夫.

이런 까닭으로 시초[蓍]의 덕(德)은 둥글어 신묘하고, 괘(卦)의 덕은 모나서 지혜롭고, 육효(六爻)의 의미는 바뀌면서 알려주니, 성인이 이것으로 마음을 씻어 은밀함에 물러나 숨으며, 길흉에 백성과 더불어 근심을 같이 하여 신묘함으로 올 것을 알고 지혜로 간 것을 간직하니, 그 누가 여기에 참여할 수 있겠는가? 옛날의 총명(聰明)하고 슬기롭고 무력(武力)이 신묘하고도 죽이지 아니하던 자일 것이다.

中國大全

小註

程子曰 生生之謂易, 天地設位而易行乎其中. 乾坤毀, 則无以見易, 易不可見, 乾坤或
幾乎息矣, 易畢竟是甚. 又指而言曰, 聖人以此洗心, 退藏於密, 聖人示人之意, 至此深
且明矣, 終无人理會易者, 此也密也, 是甚物. 人能至此深思, 當自得之.

정자가 말하였다: 낳고 낳음을 이르는 것이 역(易)이고,[258] 천지가 자리를 펼치면 역이 그 가운데 유행한다.[259] 건과 곤이 훼손되면 역을 볼 수가 없고, 역을 볼 수 없다면 건과 곤이 혹 거의 그칠 것이니,[260] 역은 필경 어떠한 것인가? 또 가리켜 말하기를 "성인이 이것으로 마음을 씻어 은밀함에 물러나 숨는다"고 하였으니, 성인이 사람들에게 보인 뜻이 이에 깊고도 분명하지만, 끝내는 사람들이 역을 이해할 수 없는 것은 이것이 은밀하기 때문이니, 이것은 어떤 물건이란 말인가? 사람들이 여기에 이르러 깊이 생각할 수 있다면 마땅히 스스로 터득할 것이다.

---

258) 『周易·繫辭傳』.

259) 『周易·繫辭傳』: 天地設位, 而易行乎其中矣, 成性存存, 道義之門.

260) 『周易·繫辭傳』: 乾坤其易之縕邪. 乾坤成列, 而易立乎其中矣, 乾坤毀則无以見易, 易不可見, 則乾坤或幾乎息矣.

又曰, 安有識得易後, 不知退藏於密. 密是用之原, 聖人之妙處. 知不專爲藏往, 易言知來藏往, 主蓍卦而言.

또 말하였다: 어찌 역을 알아낸 뒤에 은밀함에 물러나 숨을 줄을 모른단 말인가? '은밀함'은 작용의 근원이고 성인의 신묘한 곳이다. 지혜는 전적으로 간 것을 감추기 위한 것은 아니니, 『주역』에서 "올 것을 알고 간 것을 감춘다"고 한 것은 시초와 괘를 위주로 말한 것이다.

○ 張子曰, 圓神, 故能通天下之志, 方知, 故能定天下之業, 易貢, 故能斷天下之疑. 易書成, 三者備, 憂患明, 聖人得以洗濯其心, 退藏於密矣.

장자가 말하였다: 둥글어 신묘하기 때문에 천하의 뜻을 통할 수 있고, 모나서 지혜롭기 때문에 천하의 일을 정할 수 있고, 바뀌면서 알려주기 때문에 천하의 의혹을 결단할 수 있다. 『주역』이라는 책이 이루어져 세 가지가 갖춰지고 백성의 우환이 밝혀지자, 성인은 이것으로 그 마음을 씻어내 은밀함에 물러나 숨는 것이다.

本義

圓神, 謂變化无方, 方知, 謂事有定理, 易以貢, 謂變易以告人. 聖人體具三者之德, 而无一塵之累. 无事則其心寂然, 人莫能窺, 有事則神知之用, 隨感而應, 所謂无卜筮而知吉凶也. 神武不殺, 得其理而不假其物之謂.

'둥글어 신묘함'은 변화함에 방위가 없음을 이르고, '모나서 지혜로움'은 일에 정해진 이치가 있음을 이르고, '바뀌면서 알려줌'은 바뀌면서 사람에게 알려줌을 이른다. 성인은 세 가지의 덕을 몸소 갖추어 티끌만 한 허물도 없다. 일이 없으면 그 마음이 고요하여 사람들이 엿볼 수 없고, 일이 있으면 신묘하고 지혜로운 작용이 느낌에 따라서 응대하니, 이른바 "점치지 않고도 길흉을 안다"는 것이다. '무력이 신묘하고도 죽이지 않음'은 그 이치를 얻고도 그 물건을 빌리지 않음을 이른다.

小註

朱子曰, 此言聖人所以作易之本也. 蓍動卦靜, 而爻之變易无窮, 未畫之前, 此理已具於聖人之心矣. 然物之未感, 則寂然不動, 而无兆朕之可名, 及其出而應物, 則憂以天下, 而圓神方知者, 各見於功用之實. 聰明叡知神武而不殺者, 言其體用之妙也.

주자가 말하였다: 이것은 성인이 『주역』을 지은 근본을 말한 것이다. 시초는 움직이고 괘는 고요하며 효의 변하여 바뀜은 끝이 없는데, 획을 긋기 이전에도 이러한 이치는 이미 성인의 마음에 갖추어져 있었다. 그러나 사물에 감응하지 않으면 고요히 움직이지 않아서 이름 붙일 만한 조짐이 없고, 나와서 사물에 응대하게 되면 천하로 근심하여 둥글어 신묘하고 모나

서 지혜로운 것이 각각 실제의 힘쓰는 곳에 나타난다. '총명하고 슬기롭고 무력이 신묘하고 도 죽이지 않는 자'는 그 본체와 작용의 신묘함을 말한 것이다.

又曰, 蓍之德三句, 蓍與卦以德言, 爻以義言, 但只是具這箇道理在此而已. 所謂以此 洗心者, 心中渾然此理, 別无他物, 退藏於密, 只是未見於用, 所謂寂然不動也, 下文說 神以知來, 便是以蓍之德知來, 知以藏往, 便是以卦之德藏往. 洗心退藏, 言體, 知來藏 往, 言用. 然亦只言體用具矣, 而未及使出來處, 到下文是興神物, 以前民用, 方發揮許 多道理, 以盡見於用也. 然前段必結之以聰明叡知神武而不殺者, 只是譬喩, 蓍龜雖未 用, 而神靈之理具在, 猶武雖是殺人底事, 聖人卻存此神武而不殺也.

또 말하였다: '시초의 덕은 …' 이하 세 구절에서, 시초와 괘는 덕으로 말하였고 효는 의미로 말하였지만, 단지 저 도리를 여기에 갖추고 있다는 것일 뿐이다. 이른바 '이것으로 마음을 씻음'은 마음속이 온전히 이 이치여서 별도의 다른 물건이 없다는 것이고, '은밀함에 물러나 숨음'은 단지 작용에 나타나지 않은 것일 뿐이니, 이른바 '고요히 움직이지 않음'이다. 아래 글에 "신묘함으로 올 것을 안다"고 한 것은 바로 시초의 덕이 올 것을 알기 때문이며, "지혜로 간 것을 간직한다"는 바로 괘의 덕이 간 것을 간직하기 때문이다. '마음을 씻고 물러나 숨음'은 본체를 말한 것이고, '올 것을 알고 간 것을 간직함'은 작용을 말한 것이다. 그러나 또한 본체와 작용을 갖추어 말했지만 아직 나오게 하는 곳을 언급하지 않았으니, 아래 글의 '이에 신령한 물건을 일으켜 백성의 씀을 이끌게 하니'에 이르러야 바야흐로 수많은 도리를 발휘하여 작용으로 모두 드러날 것이다. 그러나 앞 단락에서 '총명하고 슬기롭고 무력이 신 묘하고도 죽이지 않는 자'로 결연히 끝맺은 것은 다만 비유일 뿐이니, 시초와 거북을 아직 쓰지 않았지만 신령한 이치가 갖추어져 있는 것이, 무력이 비록 사람을 죽이는 일이지만 성인이 도리어 이 무력의 신묘함을 지니고도 죽이지 않음과 같다는 것이다.

又曰, 聖人以此洗心, 退藏於密, 是以那易之理來, 洗濯自家心了, 更没些私意小知在 裏許, 聖人便似易了. 不假卜筮而知吉凶, 所以說神武而不殺, 這是有那神以知來, 知 以藏往. 又說箇齋戒以神明其德, 皆是得其理, 不假其物.

또 말하였다: '성인이 이것으로 마음을 씻어 은밀함에 물러나 숨음'은 저 역의 이치를 가져와 스스로의 마음을 씻어내 다시 안에 조금의 사사로운 뜻이나 얕은 생각이 없음이니, 성인이 역과 같아짐이다. 점치지 않고서도 길함과 흉함을 알기에 무력이 신묘하고도 죽이지 않는다 고 말한 것이니, 이것이 '신묘함으로 올 것을 알고 지혜로 간 것을 간직함'이다. 다시 "깨끗이 하며 두려워하여 그 덕을 신묘하고 밝게 한다"고 하였으니, 모두 그 이치를 얻고 그 물건을 빌리지 않는다는 것이다.

又曰, 退藏於密時, 固不用這物事, 吉凶與民同患, 也不用這物事. 用神而不用蓍, 用知而不用卦, 全不犯手. 退藏於密, 是不用事時, 到他用事, 也不犯手. 事未到時, 先安排在這裏了, 事到時, 恁地來恁地應.

또 말하였다: 은밀함에 물러나 숨을 때는 참으로 저 사물을 쓰지 않지만, 길흉에 백성과 더불어 근심을 함께 함에도 또한 저 사물을 쓰지 않는다. 신묘함을 쓰고 시초는 쓰지 않으며 지혜를 쓰고 괘는 쓰지 않으니, 일체 손을 쓰지 않는 것이다. '은밀함에 물러나 숨음'은 일에 쓰이지 않는 때이며, 그것이 일에 쓰이게 되어도 또한 손을 쓰지 않는다. 일이 이르지 않았을 때에는 먼저 저 안에서 안배하고, 일이 이르렀을 때에는 오는 대로 응대하는 것이다.

○ 蓍以七爲數. 故七七四十九而屬陽, 是未成卦時, 所用未有定體. 故其德, 圓而神, 所以知來. 卦以八爲數. 故八八六十四而屬陰, 是因蓍之變而成, 已有定體. 故其德, 方以知, 所以藏往.

시초의 수(數)는 칠(七)이다. 그러므로 칠에 칠인 사십구[7×7=49]여서 양에 속하고, 아직 괘가 이루어지지 않았을 때이기에 쓰는 것이 정해진 몸체가 없다. 그러므로 그 덕이 둥글어 신묘하니, 그래서 올 것을 아는 것이다. 괘(卦)의 수는 팔이다. 그러므로 팔에 팔인 육십사[8×8=64]여서 음에 속하고, 시초의 변화를 통하여 이루어져 이미 정해진 몸체가 있다. 그러므로 그 덕이 모나서 지혜로우니, 그래서 간 것을 감추는 것이다.

○ 一卦之中, 凡爻辭所載, 皆具已見底道理, 此藏往也. 占得此爻, 卻因已見底道理, 以推未來之事, 便是知來.

하나의 괘에서 모든 효사에 기재된 것은 모두 이미 드러난 도리를 갖추고 있으니, 간 것을 감춘 것이다. 점쳐서 이 효를 얻으면 이미 드러난 도리에 의거하여 아직 오지 않은 일을 추론하니, 바로 올 것을 아는 것이다.

○ 易以貢, 是變易以告人, 貢字, 只作告字說. 但上面神字知字, 下得重, 不知此字又卻下得輕, 卻曉不得.

'바뀌면서 알려줌[易以貢]'은 변하여 바뀌면서 사람에게 알려주는 것이니, '공(貢)'자는 단지 '고(告)'자로 간주하여 말한 것이다. 다만 위의 '신(神)'자와 '지(知)'자는 무겁게 처리하였는데, 이 글자[貢]는 오히려 가볍게 처리하여 이해할 수 없게 했는지 알 수가 없다.

○ 建安丘氏曰, 四十九蓍, 分掛揲扐, 陰陽老少, 變化无方. 故其德圓而神. 六十四卦, 象辭森列, 吉凶得失, 一定不易. 故其德方以知. 貢猶告也, 三百八十四爻, 剛柔迭用, 九六相推, 其理又變易以告人. 故其義易以貢.

건안구씨가 말하였다: 49의 시책을 나누고 걸며 세고 끼움에 음양의 노(老)와 소(少)가 변화하여 모남이 없다. 그러므로 그 덕이 둥글어 신묘한 것이다. 64괘의 상사(象辭)가 빽빽하게 나열되어 길함과 흉함, 얻음과 잃음이 바뀌지 않고 일정하다. 그러므로 그 덕이 모나서 지혜로운 것이다. '공(貢)'은 알림과 같으니, 384효의 강과 유가 번갈아 운용되고 양[九]과 음[六]이 서로 밀치니, 그 이치가 또한 변하여 바뀌면서 사람에게 알려준다. 그러므로 그 의미가 바뀌면서 알려주는 것이다.

○ 孔氏曰, 吉凶與民同患者, 凶雖民之所患, 吉亦民之所患也. 旣得其吉, 又患其凶, 老子曰, 寵辱若驚也.
공씨가 말하였다: "길흉에 백성과 더불어 근심을 같이 한다"에서 흉이 비록 백성이 근심하는 것이지만, 길도 또한 백성이 근심하는 것이다. 이미 그 길을 얻었어도 다시 그 흉을 근심함이니, 노자는 "총애 받거나 욕되거나 모두 놀람은 같다"고 하였다.

○ 雲峯胡氏曰, 此以著卦爻之理而言也. 理无一定之用, 故曰圓而神, 事有一定之理, 故曰方以知, 易以六爻之理敎人, 有定體而无定用, 故曰易以貢. 聖人一心, 著卦爻之理具焉, 具此三者之理, 而无一塵之累. 故无事則退藏於密, 莫窺其際, 卽著卦爻之无思无爲寂然不動者也, 有事則吉凶與民同患, 其神自足以知來, 其知自足以藏往, 卽著卦爻之感而遂通天下之故者也. 易開物成務, 是使人以卜筮而知吉凶, 與民同患, 而知來藏往, 是聖人无卜筮而知吉凶也. 本義, 謂神武不殺, 得其理而不假其物之謂, 蓋謂理必有資乎著卦爻之爲物, 而聖人得其理, 而不假其物, 便如武必有資乎殺, 而聖人則存此神武, 而不假乎殺也.
운봉호씨가 말하였다: 이것은 시책과 괘와 효의 이치로 말한 것이다. 이치에는 일정한 작용이 없으므로 "둥글어 신묘하다"고 하였고, 일에는 일정한 이치가 있으므로 "모나서 지혜롭다"고 하였으며, 역이 육효의 이치로 사람에게 가르침에 정해진 몸체는 있지만 정해진 작용은 없으므로 "바뀌면서 알려준다"고 하였다. 성인의 한 마음에는 시책과 괘와 효의 이치가 갖추어져 있는데, 이 세 가지 이치를 갖추고도 조금의 얽매임이 없다. 그러므로 일이 없을 때에는 은밀함에 물러나 숨어서 그 즈음을 엿볼 수 없으니, 시초와 괘와 효가 생각함도 없고 행함도 없이 고요히 움직이지 않는 것이다. 그리고 일이 있을 때에는 길흉에 백성과 더불어 근심을 같이 하며, 신묘함은 스스로 올 것을 알 수가 있고 지혜는 스스로 간 것을 감출 수 있으니, 시초와 괘와 효가 감응하여 마침내 천하의 연고에 통하는 것이다. '역이 만물을 열고 일을 이룸'은 사람에게 점치는 것으로 길함과 흉함을 알게 함이고, '백성과 더불어 근심을 같이 하며 올 것을 알고 간 것을 간직함'은 성인이 점치지 않아도 길과 흉을 아는 것이다. 『본의』에서 "무력이 신묘하고도 죽이지 않음은 그 이치를 얻고도 그 물건을 빌리지 않음을

이른다"고 하였다. 이는 대체로 이치는 시초와 괘와 효라는 물건을 의거해야만 하는데, 성인이 그 이치를 얻고도 그 물건을 빌리지 않은 것이 바로 무력은 죽임을 의거해야만 하는 것이 성인이 이 신묘한 무력을 지니고도 죽임을 빌리지 않는 것과 같다고 한 것이다.

○ 平庵項氏曰, 自子曰夫易何爲者也, 至定之以吉凶所以斷也, 朱子合爲一大章, 專言卜筮之事, 而其間節目有四. 第一節, 自夫易何爲者也, 至神武而不殺者夫, 統言易中有蓍卦爻三德. 章首先設問答, 次以是故發辭. 開物者, 知其未然也, 陽之始物也, 成務者, 定其當然也, 陰之終物也. 天下之始終, 皆備於此書之內矣. 是故聖人用之, 以通人之志, 所謂開物也, 以定人之事, 所謂成務也, 以決人之疑, 卽志與事之決也. 此三者, 皆蓍卦爻之所能也. 是故蓍用七故, 其德圓, 卦用八故, 其德方, 爻用九六故, 其義易貢, 蓍開於无卦之先, 所以爲神, 卦定於有象之後, 所以爲知, 爻決之先者也, 所以爲貢. 聖人, 以此三者, 洗心以存其神, 退藏以定其體, 同患以贊其決. 故其知幾, 卽神之開物也 其畜德, 則知之成務也, 此所謂聰明叡知也. 其斷吉凶, 卽神武之決也, 其與民同患, 卽不殺之仁也, 古之人有能備是德者, 卽伏羲聖人, 是也. 故自此以下, 始言建立卜筮之人焉.

평암항씨가 말하였다: "공자께서 말씀하셨다. 역은 무엇을 하는 것인가?"에서부터 "길흉으로 정함은 이로써 결단하는 것이다"까지를 주자가 합쳐서 하나의 장으로 만들고 전적으로 점치는 일을 말하였다고 하였는데, 그 사이에는 절목이 넷이 있다. 첫째 절은 "역은 무엇을 하는 것인가?"에서부터 "무력이 신묘하고도 죽이지 않는 자일 것이다"까지이니, 역에 시초와 괘와 효의 세 가지 덕이 있음을 합쳐 말한 것이다. 장의 첫머리를 먼저 문답으로 시작했기에 다음에 '이런 까닭으로[是故]'로 말을 전개하였다. '만물을 엶'은 아직 그러하지 않음을 주재함이니 양(陽)이 만물을 시작함이고, '일을 이룸'은 마땅히 그러해야 함을 정함이니 음(陰)이 만물을 마침이다. 천하의 시작과 마침이 모두 이 책의 안에 갖춰져 있다. 이런 까닭으로 성인이 이를 써서 사람의 뜻을 통하게 하니 이른바 '만물을 엶'이고, 사람의 일을 정하니 이른바 '일을 이룸'이고, 사람의 의혹을 결단하니 바로 뜻과 일을 결단함이다. 이 세 가지는 모두 시초와 괘와 효가 해내는 것이다. 이런 까닭으로 시초는 칠(七)을 쓰기 때문에 그 덕이 둥글고, 괘는 팔(八)을 쓰기 때문에 그 덕이 모나고, 효는 구(九)와 육(六)을 쓰기 때문에 그 의미가 바뀌면서 알려주는 것이다. 시초는 괘가 있기 이전에 열어 주기에 신묘한 것이고, 괘는 상(象)이 있는 뒤에 정해 주기에 지혜로운 것이고, 효는 앞서 결단하는 것이기에 알려주는 것이다. 성인이 이 세 가지로 마음을 씻어 그 신묘함을 보존하고, 물러나 숨어서 그 본체를 안정시키고, 근심을 같이 하여서 그 결정을 돕는다. 그러므로 그 기미를 앎이 바로 신묘함이 만물을 여는 것이고, 그 덕을 쌓음이 곧 지혜가 일을 이루는 것이니, 이것이 이른바 "총명하고 슬기롭다"는 것이다. 그 길흉을 결단함은 곧 신묘한 무력의 결단이고, 그 백성과 근심을

같이 함은 곧 죽이지 않는 어짊이니, 옛 사람으로 이러한 덕을 갖출 수 있었던 자는 복희 성인이 이 분이다. 그러므로 여기서부터 비로소 점치는 것을 만든 사람을 말하게 된다.

∥韓國大全∥

유정원(柳正源) 『역해참고(易解參攷)』

韓氏曰, 圓者運而不窮, 方者止而有分. 唯變所適, 无數不周, 故曰圓. 列卦分爻各有其體, 故曰方. 貢告也, 六爻變易以告人吉凶.

한씨가 말하였다: 원은 움직임에 끝이 없고 방은 그쳐서 분수가 있다. 오직 변해 가는 것이기 때문에 한없이 돌기 때문에 원이라고 한다. 괘를 벌리고 효를 나누어 각각 그 몸체가 있기 때문에 방이라 한다. 공(貢)은 고함이니 육효의 변역으로 사람에게 길흉을 고해준다.

○ 張子曰, 開物於幾先, 故曰知來. 明憂患而彌其故, 故曰藏往. 示人吉凶其道顯矣. 知來藏往其德行神矣, 語蓍龜之用也. 神武而不殺, 神之大者使懼而不犯, 神武者也.

장자가 말하였다: 기미에 앞서서 물건을 밝히기 때문에 올 것을 안다고 하였다. 우환을 밝히고 그 연고를 두루 알기 때문에 지난 것을 감춘다고 하였다. 사람에게 길흉을 보여주니 그 도가 드러난다. 올 것을 알고 지난 것을 감추니 그 덕행이 신묘함은 시초와 거북의 쓰임을 말한다. 신묘한 무력으로 죽이지 않음은 신의 위대함으로 두려워하게 하고 범하지는 않는 것이 신묘한 무력이다.

○ 朱子曰, 聖人之心渾只是圓神方知易貢三箇物事, 奭无別物. 一似洗得來潔淨了. 聖人以此洗心, 此字, 指蓍卦之德六爻之義而言, 洗心, 言聖人玩此理而默契其妙也.

주자가 말하였다: 성인의 마음은 이 둥글게 신묘하고 모나게 지혜롭고 바꾸어 고해주는 세 가지를 섞었을 뿐 다른 것이 아니다. 한 번 닦으면 깨끗해진다. 성인이 이것으로 마음을 닦는데 '이것'은 시초와 괘의 덕과 육효의 뜻을 말하고, '마음을 닦음'은 성인이 이 이치를 완미하여 그 묘함에 묵묵히 계합함이다.

○ 神以知來, 如明鏡然, 事物來都看見. 知以藏往, 只是見在有底事, 他都識得都藏得在這裏面.

신으로 올 것을 아는 것은 밝은 거울과 같아서 사물이 옴에 모두 보인다. 지혜로 지난 것을 감춤은 다만 현재의 일로 그가 모두 내면에 감출 줄 아는 것이다.

○ 如揲蓍然, 當其未揲也都不知, 成卦了則事都絣定在上面了, 便是藏往. 聖人於天下, 自是所當者摧, 所向者伏, 然而他都不費手脚, 這便是神武不殺.

시초를 헤아리는 것처럼, 아직 시초를 헤아리지 않았을 때에는 알지 못하다가, 괘가 이루어진 다음에는 일이 모두 그 위에 정해져 있으니, 이것이 바로 '지난 것을 감출'이다. 천하 사람들은 성인에 대해서 저절로 맞닥뜨리면 꺾이고 향하면 복종하지만, 성인은 전혀 손발을 쓰지 않으니, 이것이 바로 무력(武力)이 신묘하고도 죽이지 아니하는 것이다.

김상악(金相岳) 『산천역설(山天易說)』

蓍无定策而隨時變化, 故圓而神. 卦有成象而衆理具備, 故方以知. 六爻之義, 則因九六之數剛柔變易而告之. 故聖人以此洗心, 无事則藏往之知與卦同, 有事則知來之神與蓍同. 故與民同患而知吉凶也. 聰明睿知, 知之盛, 神武不殺, 神之至也.

시초는 정해진 책수가 없이 때에 따라 변하기 때문에 둥글고 신묘하다. 괘는 이루어진 상이 없이 모든 이치가 갖추어 있기 때문에 모나고 지혜롭다. 육효의 뜻은 9,6의 수와 강유의 변역으로 일러주기 때문에 성인이 이것으로 마음을 씻는다. 일이 없으면 지나간 것을 간직한 지혜가 괘와 같고, 일이 있으면 올 것을 아는 신이 시초와 같다. 그러므로 백성과 함께 근심하며 길흉을 안다. 총명하고 슬기로운 것은 지혜의 성함이고 신묘한 무력으로 죽이지 않음은 신의 지극함이다.

심대윤(沈大允) 『주역상의점법(周易象義占法)』

易動也, 貢呈也. 聖人洗心之私欲, 絶分外之求望, 清静寂寞而不動, 故能徧應而無滯, 隨事而得中也.

역(易)은 움직임이다. 공(貢)은 바침이다. 성인이 사사로운 욕심을 씻어 분수 밖의 바람을 끊고 청정하고 고요해서 움직이지 않기 때문에 능히 두루 응하고 걸림이 없으며 일을 따라 알맞음을 얻는다.

오치기(吳致箕) 「주역경전증해(周易經傳增解)」

承上節而言蓍卦爻三者之事. 蓍用七七故其德圓而有開物之神. 卦用八八故其德方而

有成務之知. 爻用九六故其義變易而有決疑之貢, 貢者告也. 聖人具此三者之德, 而心无一塵之累. 方其无事則退藏于密, 及其斯民不知趨吉避凶之道, 則與之同其憂患而用神知, 故其神自足以知未來而開物, 其知自足以藏旣往而成務也. 藏卽退藏也, 往卽卦爻之事也. 古之聖人有此神知, 卽聰明叡知者, 而決斷吉凶, 卽其神武之勇, 與民同患, 卽其不殺之仁也.

위 구절을 이어서 시초와 괘와 효 세 가지의 일을 말하였다. 시초는 7,7을 쓰기 때문에 그 덕이 둥글고 사물의 이치를 개발하는 신묘함이 있다. 괘는 8,8을 쓰기 때문에 그 덕이 모나고 업무를 이루는 지혜가 있다. 효는 9,6을 쓰기 때문에 그 뜻이 변역하여 의심을 결정하는 공(貢)이 있으니 공(貢)은 고해줌이다. 성인이 이 세 가지의 덕을 갖추었기 때문에 마음에 한 티끌의 더러움이 없어 일이 없을 때에는 물러나 은밀한데 감추고 백성들이 흉을 피하고 길로 나아가는 도리를 알지 못함에 미쳐서는 더불어 우환을 함께하여 신묘함과 지혜를 쓴다. 그렇기 때문에 신묘함은 스스로 족하고 지혜는 미래를 알아 사물의 이치를 발하고, 그 지혜가 저절로 족해 이미 지난 것을 감추어 업무를 이룬다. 감춤은 곧 물러나 감춤이다. 지난 것은 곧 괘효의 일이다. 점치는 성인에게 이런 신묘함과 지혜가 있으니 곧 총명하고 슬기로운 자이다. 길흉을 결단하니 곧 신묘한 무력의 용기이고, 백성과 같이 근심하니 곧 죽이지 않는 어짊이다.

是以明於天之道, 而察於民之故, 是興神物, 以前民用, 聖人, 以此齋戒, 以神明其德夫.

이 때문에 하늘의 도리를 밝히고 백성의 연고를 살펴서 이에 신령한 물건[神物]을 일으켜 백성의 씀을 이끌게 하니, 성인이 이것으로 깨끗이 하며 두려워하여 그 덕을 신묘하고 밝게 하신 것이로다!

┃中國大全┃

小註

程子曰, 聖人, 以此退藏於密, 以此齋戒以神明其德, 夫要須玩索.
정자가 말하였다: 성인이 이것으로 은밀함에 물러나 숨으며, 이것으로 깨끗이 하며 두려워하여 그 덕을 신묘하고 밝게 하니, 이를 곰곰이 생각해야만 한다.

○ 張子曰, 言天之變遷禍福之道, 由民逆順取舍之故故, 聖人作易以先之.
장자가 말하였다: 하늘의 변천과 재화(災禍)나 복됨의 도리는 백성들이 거스르고 순응하며 취하고 버리는 연고에 연유하기 때문에 성인이 역을 지어 앞서게 했다고 말한 것이다.

本義

神物, 謂蓍龜. 湛然純一之謂齋, 肅然警惕之謂戒. 明天道, 故知神物之可興, 察民故, 故知其用之不可不有以開其先, 是以作爲卜筮, 以敎人, 而於此焉齋戒, 以考其占, 使其心神明不測, 如鬼神之能知來也.

'신령한 물건[神物]'은 시초와 거북을 이른다. 담담하게 깨끗하고 한결같음을 '재(齋)'라 하고, 엄숙하게 경계하고 두려워함을 '계(戒)'라 한다. 하늘의 도리를 밝혔으므로 신령한 물건[神物]이 일어날 수 있음을 알고, 백성의 연고를 살폈으므로 그것의 쓰임이 앞서 열리지 않으면 안 될 것을 안다. 이 때문에 점치는 것을 만들어 사람들을 가르치고, 여기에서 깨끗이 하며 두려워하여 점괘를 살펴서 그 마음을 헤아릴 수 없이 신묘하고 밝게 하였으니, 귀신이 올 것을 알 수 있는 것과 같다.

小註

朱子曰, 是以明於天之道, 而察於民之故, 是興神物, 以前民用, 此言作易之事也, 聖人, 以此齋戒, 以神明其德夫, 此言用易之事也. 齋戒, 敬也. 聖人, 无一時一事不敬, 此特因卜筮而言. 尤見其精誠之至, 如孔子所愼齋戰疾之意. 湛然純一之謂齋, 肅然警惕之謂戒, 玩此則知所以神明其德之意也. 又曰, 齋較詳於戒, 到湛然純一時, 肅然警惕, 也无了.

주자가 말하였다: "이 때문에 하늘의 도리를 밝히고 백성의 연고를 살펴서 이에 신령한 물건을 일으켜 백성의 씀을 이끌게 하였다"는 것은 역을 지은 일을 말한 것이고, "성인이 이것으로 깨끗이 하며 두려워하여 그 덕을 신묘하고 밝게 하신 것이로다"는 것은 역을 쓰는 일을 말한 것이다. '재계(齋戒)'는 삼감이다. 성인은 때마다 일마다 삼가지 않음이 없지만, 이는 특별히 점치는 것을 가지고 말한 것이다. 더욱 정성의 지극함을 알 수 있으니, "공자께서 삼가신 것은 재계와 전쟁과 질병이었다"[261]의 의미와 같다. 담담하게 깨끗하고 한결같음을 '재(齋)'라 하고 엄숙하게 경계하고 두려워함을 '계(戒)'라 하니, 이것을 음미한다면 그 덕을 신묘하고 밝게 한다는 것의 의미를 알 것이다.

또 말하였다: 재(齋)는 비교적 계(戒)보다 자세하니, 담담하게 깨끗하고 한결같을 때에는 엄숙하게 경계하고 두려워함이 또한 없을 것이다.

○ 是以明於天道以下, 言敎民卜筮之事, 而聖人亦未嘗不敬而信之, 以神明其德也.

'이 때문에 하늘의 도리를 밝히고'의 아래로는 백성에게 점치는 일을 가르치고, 성인도 또한 삼가 믿어서 그 덕을 신묘하고 밝게 하지 않은 적이 없음을 말하였다.

○ 明於天之道, 而察於民之故, 是興神物, 以前民用, 蓋聖人見得天道人事, 都是這道理, 蓍龜之靈, 都包得盡, 於是作爲卜筮, 使人因卜筮知得道理都在裏面.

"하늘의 도리를 밝히고 백성의 연고를 살펴서 이에 신령한 물건을 일으켜 백성의 씀을 이끌게 하였다"는 성인이 천도와 인사가 모두 이 도리이고, 시초와 거북의 신령함이 모두를 포함하여 다할 수 있음을 보고, 이에 복서를 만들어 사람들에게 점치는 것을 통하여 도리가 모두 안에 있음을 알게 한 것이다.

○ 是興神物, 以前民用, 此言有以開民, 使民皆知. 前時民皆昏塞, 吉凶利害是非都不知, 因這箇開了, 便能如神明然, 此便是神明其德. 又云, 民用之, 則神明民德, 聖人用

261) 『論語 · 述而』.

之, 則自神明其德.

"이에 신령한 물건을 일으켜 백성의 씀을 이끌게 하였다"는 것은 이것으로 백성들을 개발하여 백성들이 모두 알게 하였음을 말한다. 옛날의 백성들은 모두 어둡고 막히어 길함과 흉함, 이로움과 해로움, 옳음과 그름을 모두 알지 못하였는데, 이렇게 열어줌으로 인하여 신묘하고 밝은 것처럼 될 수 있으니, 이것이 곧 그 덕을 신묘하고 밝게 하는 것이다.

또 말하였다: 백성이 이를 쓰면 백성의 덕을 신묘하고 밝게 하며, 성인이 이를 쓰면 스스로 그 덕을 신묘하고 밝게 한다.

○ 問, 聖人齋戒, 以神明其德. 曰, 顯道神德行, 便是這神字, 猶言吉凶若有神明陰相之相似. 這都不是自家做得 都若神之所爲

물었다: "성인이 깨끗이 하며 두려워하여 그 덕을 신묘[神]하고 밝게[明] 한다"는 무슨 뜻입니까?

답하였다: '도리를 드러내고 덕행을 신묘하게 함'[262]이 바로 저 '신(神)'자이니, 길과 흉에 어떤 신묘하고 밝은 것이 몰래 도와준다고 말하는 것과 서로 비슷합니다. 저것들은 모두 스스로 한 것이 아니라, 모두 귀신이 행한 것과 같습니다.

○ 問, 明於天之道, 而察於民之故, 天之道, 便是民之故否. 曰, 論極處, 固只是一箇道理, 看時, 須做兩處看, 方看得周匝无虧欠處. 問, 天之道, 只是福善禍淫之類否. 曰, 如陰陽變化, 春何爲而生, 秋何爲而殺, 夏何爲而暑, 冬何爲而寒, 皆要理會得. 問, 民之故, 如君臣父子之類是否. 曰, 凡民生日用皆是. 若只理會得民之故, 卻理會不得天之道, 便卽民之故亦未是在. 到得極時, 固只是一理, 要之, 須是都看得周匝, 始得.

물었다: "하늘의 도리를 밝히고 백성의 연고를 살핀다"에서 하늘의 도리가 바로 백성의 연고입니까?

답하였다: 지극한 곳을 논하면 참으로 하나의 도리일 뿐이지만, 볼 때는 반드시 둘로 나누어 보아야만 두루두루 결함 없이 볼 수 있습니다.

물었다: '하늘의 도리'는 단지 착함에 복을 주고 음란함에 재앙을 내리는 부류일 뿐입니까?

답하였다: 음양이 변화하여 봄에는 어째서 낳고 가을에는 어째서 죽이며, 여름에는 어째서 덥고 겨울에는 어째서 추운가와 같은 것을 모두 이해해야만 합니다.

물었다: '백성의 연고'는 임금과 신하, 아비와 자식과 같은 부류가 이것입니까?

답하였다: 백성들이 살아가며 날마다 쓰는 모든 것입니다. 만약 백성의 연고는 이해하였는데 도리어 하늘의 도리를 이해하지 못했다면, 백성의 연고도 또한 옳은 것이 아닙니다. 지극

---

262) 『周易・繫辭傳』: 顯道神德行. 是故, 可與酬酢, 可與祐神矣.

함에 이르면 참으로 하나의 도리일 뿐이지만, 요컨대 모두 두루두루 살펴보아야만 얻을 수 있을 것입니다.

○ 洗心, 聖人觀象玩辭, 理與心會也, 齋戒, 聖人觀變玩占, 臨事而敬也.
'마음을 씻음'은 성인이 상을 살펴 말을 음미함이니 이치와 마음이 만나는 것이고, '깨끗이 하며 두려워함'은 성인이 변화를 살펴 점사를 음미함이니 일에 임하여 경건한 것이다.

○ 聖人, 以通天下之志, 以定天下之業, 以斷天下之疑, 此只是說蓍龜. 若不指蓍龜, 如何通之定之斷之. 到蓍之德圓而神以下, 卻是從源頭說, 卻未是說卜筮. 蓋聖人之心, 自有易之三德. 故渾然是此道理, 不煩用一毫之私, 便是洗心, 卽是退藏於密. 所謂密者, 只是他人自无可捉摸處, 便是寂然不動處. 吉凶與民同患, 神以知來, 知以藏往, 皆已具此理, 但卻未用於蓍龜. 故曰古之聰明叡知神武而不殺者夫. 神武不殺之言, 只是譬喩, 謂聖人已具此理, 卻不犯手耳. 明於天之道以下, 方說蓍龜, 乃是發用處. 是興神物, 以前民用, 蓋聖人旣具此理, 又將此理就蓍龜上, 發明出來, 使民亦得前知而用之也. 聖人, 以此齋戒, 以神明其德, 德卽聖人之德. 又卽卜筮, 以神明之, 聖人自有此理, 亦用蓍龜之理, 以神明之.

"성인이 이로써 천하의 뜻을 통하며 천하의 일을 정하며 천하의 의혹을 결단한다"는 단지 시초와 거북을 말한 것이다. 만약 시초와 거북을 가리키지 않는다면 어떻게 통하고 정하고 결단할 수 있겠는가? "시초의 덕은 둥글어 신묘하다"부터는 다시 근원을 말한 것이지, 점치는 것을 말한 것은 아니다. 대체로 성인의 마음에는 본래 역의 세 가지 덕이 갖추어져 있다. 그러므로 온전히 이 도리(道理)인 것이니, 쓸데없이 조금의 사심도 쓰지 않음이 바로 '마음을 씻음'이며, 바로 '은밀함에 물러나 숨음'이다. 이른바 '은밀함[密]'은 단지 다른 사람이 포착할 수 없는 곳으로, 바로 고요히 움직이지 않는 곳이다. '길흉에 백성과 더불어 근심을 같이 하여 신묘함으로 올 것을 알고 지혜로 간 것을 간직함'은 모두 이 도리를 이미 갖추었으나 단지 시초와 거북을 쓰지 않는다는 것이다. 그러므로 "옛날의 총명하고 슬기롭고 무력이 신묘하고도 죽지 아니하던 자일 것이다"라고 하였다. "무력이 신묘하고도 죽지 않는다"는 말은 비유일 뿐이니, 성인이 이미 이 도리를 갖추고도 힘을 쓰지 않음을 이른다. "하늘의 도리를 밝히고"부터 막 시초와 거북을 말했으니, 바로 펼쳐 쓰는 곳이다. "이에 신령한 물건을 일으켜 백성의 씀을 이끌게 하였다"는 대체로 성인이 이미 이 도리를 갖추고서 다시 이 도리를 시초와 거북으로 펼치고 밝혀서 백성들도 미리 알아서 쓰도록 한 것이다. "성인이 이것으로 깨끗이 하며 두려워하여 그 덕을 신묘하고 밝게 하였다"에서 덕은 바로 성인의 덕이다. 다시 점을 쳐서 이를 신묘하고 밝게 하였으니, 성인이 스스로 이 도리가 있으면서 또 시초와 거북의 이치를 써서 이를 신묘하고 밝게 한 것이다.

○ 南軒張氏曰, 蓍, 植物也, 足以揲天地之數, 龜, 動物也, 足以見天下之象. 故天能生之, 而不能興之. 惟聖人, 用其四十九而幽贊鬼神明者, 所以興其蓍也, 鑽之七十二而置之前列者, 所以興其龜也. 天下之民, 其終不倦而樂於有爲, 亹亹不忘而勇於有行者, 以其有蓍以前之也. 然後, 聖人深居簡出, 利用安身. 齊以去其不一之思, 戒以防其不測之患, 神明自得, 有莫知其所以然者矣.

남헌장씨가 말하였다: 시초는 식물로서 천지의 수(數)를 셈할 수 있고, 거북은 동물로서 천하의 상(象)을 드러낼 수 있다. 그러므로 하늘은 이를 낳을 수는 있지만 일으킬 수는 없다. 오직 성인은 시초 49개를 써서 귀신의 밝음을 그윽이 도운 자이니 그래서 시초가 흥기된 것이며, 거북의 등 껍데기에 구멍 72개를 뚫어 앞의 줄에 놓은 자이니 그래서 거북이 흥기된 것이다. 천하의 백성이 끝까지 싫증내지 않고 즐겁게 일하며 부지런히 애씀을 잊지 않고 용감히 행하는 것은 그 시초가 이끌고 있기 때문이다. 이런 뒤에야 성인은 깊이 은거하고 때맞춰 나오며 씀을 이롭게 하고 몸을 편안히 한다. 그리고는 가지런히 하여 한결같지 않은 생각을 제거하고, 경계하여 헤아리지 못한 환난을 방비하여 신묘하고 밝음을 스스로 얻으니, 사람들이 그러한 까닭을 알지 못함이 있는 자이다.

○ 李氏曰, 以爲神耶, 則旣物於物, 以爲物矣, 則神所寄焉, 夫是之謂神物. 均是物也, 而蓍龜爲神者, 以知象數是也.

이씨가 말하였다: 귀신[神]인가 하면 이미 물건 가운데 물건이고, 물건인가 하면 신묘함이 깃들여 있으니, 저것을 일컬어 신령한 물건이라 한다. 같은 물건이면서도 시초와 거북이 신묘한 것은 상(象)과 수(數)를 아는 것이기 때문이다.

○ 雲峯胡氏曰, 上文謂蓍卦爻之理, 不假於物, 而皆具於聖人之心, 此則謂蓍卦爻之用, 不能不假於物, 而亦不能外乎聖人之心. 故彼曰聖人以此洗心者, 此心至靜而理之體具也, 此曰聖人以此齋戒者, 此心至敬而理之用行也. 蓋聖人, 明天道而知神物之可興, 察民故而知其用之不可以不開其先. 然聖人非齋戒, 无以神明, 聖人之德. 敎人卜筮, 人不齋戒, 亦无以神明, 人之德也.

운봉호씨가 말하였다: 위의 글에서 "시초와 괘와 효의 이치는 물건을 빌리지 않아도 모두 성인의 마음에 갖추어져 있다"고 하고, 여기서는 "시초와 괘와 효의 작용은 물건을 빌리지 않을 수 없지만 또한 성인의 마음을 벗어날 수 없다"고 하였다. 그러므로 저기서 "성인이 이것으로 마음을 씻는다"고 한 것은 이 마음이 지극히 고요하여 이치의 본체가 갖춰진 것이고, 여기서 "성인이 이것으로 깨끗이 하며 두려워한다"고 한 것은 이 마음이 지극히 경건하여 이치의 작용이 유행히는 것이다. 대체로 성인은 하늘의 도리를 밝혀서 신령한 물건이 일어날 만함을 알고, 백성의 연고를 살펴서 그 작용이 앞서 열리지 않으면 안 되는 것을

안다. 그러나 성인이 깨끗이 하며 두려워함이 아니라면 신묘하고 밝을 수 없으니, 성인의 덕인 것이다. 사람에게 점치는 것을 가르침에 사람들도 깨끗이 하며 두려워하지 않는다면 또한 신묘하고 밝을 수 없으니, 사람들의 덕인 것이다.

○ 平庵項氏曰, 此第二節. 言始立蓍筮之人, 以是以發辭. 惟其聰明叡知也, 是以明於天道之遠, 而察於民事之近, 惟其神武不殺也, 是以建立蓍策, 以開斯民占決之用. 聖人又以卜筮之法 所以齋心而戒事 問之於神而貢之以明者 以自齋戒 以自神明 其齋則洗心也 其戒則藏密也 其神明其德則與民同患也 自此以下 遂言畫爻布卦之法 以見神明其德之事也

평암항씨가 말하였다: 이는 두 번째 절(節)이다. 시책을 만든 사람을 처음 말하면서 '이 때문에[以是]'로 말을 시작하였다. 총명하고 슬기롭기에 이 때문에 멀리 하늘의 도리를 밝히고 가까이 백성의 연고를 살폈으며, 무력이 신묘하고도 죽이지 않았기에 이 때문에 시책을 만들어서 백성들이 점쳐 결단하는 씀을 열어주었다는 것이다. 성인이 또한 점치는 방법으로 마음을 깨끗이 하고 일을 삼가며 귀신에게 물어서 알려주어 밝힌 것은, 스스로 깨끗이 하며 두려워하기 때문이며, 스스로 신묘하고 밝기 때문이다. 그 깨끗이 함은 마음을 씻음이며, 그 두려워함은 은밀함에 숨음이며, 그 덕을 신묘하고 밝게 함은 백성과 더불어 근심을 같이함이다. 여기서부터는 드디어 효를 긋고 괘를 펼치는 방법을 말하여 그 덕을 신묘하고 밝게 하는 일을 드러냈다.

韓國大全

유정원(柳正源) 『역해참고(易解參攷)』

强齋柴氏曰, 齋戒以致其誠, 以自神明其德, 人心誠則神, 神則與理无間斷.

강재시씨가 말하였다: 재계하여 그 정성을 다함으로써 그 덕을 신명하게 한다. 사람의 마음이 정성스러우면 신명해지고, 신명해지면 이치와 더불어 간격이나 단절이 없다.

本義小註南軒說, 鑽七十二.

『본의』소주에 남헌의 설에 구멍 72개.

莊子宋元君刳龜七十二鑽, 註占七十二次也.

『장자』에 "송원군이 거북이 등껍질을 벗기고 72개 구멍을 뚫었다"고 하였는데, 그 주에 72차례 점을 쳤다고 하였다.

김상악(金相岳) 『산천역설(山天易說)』

聖人惟聰明睿知. 是以明於天之道而察於民之故, 于是興起蓍龜以開其先, 而齋心戒事以神明其德, 故如鬼神之能知來也.

성인은 오직 총명하고 슬기롭다. 이 때문에 하늘의 도를 알고 백성의 연고를 살핀다. 이에 시초와 거북을 일으켜 먼저 열고 마음을 엄숙히 하고 일에 경계하여 그 덕을 신명하게 한다. 그러므로 귀신이 올 것을 아는 것과 같다.

○ 神物指蓍卦爻, 民用指制器. 卜筮之所尙齋戒, 所以洗心, 神明其德, 所以藏往知來.

신물은 시초와 괘효를 가리키고 백성의 씀은 그릇을 제작함을 가리킨다. 복서하며 재계하는 것으로 마음을 씻고, 그 덕을 신명하게 함으로 지난 것을 감추고 올 것을 안다.

오치기(吳致箕) 「주역경전증해(周易經傳增解)」

上節因蓍卦爻三者之理而言聖人心易爲用易之本也. 此節承上節而言聖人之作易用易由於神明之德也. 天道謂盈虛消長之理也, 民故謂得失善惡之事也. 神物謂蓍龜也. 民用者卽所謂通志定業斷疑也. 明占在前民用在後, 故曰前齋戒言敬之也. 聖人觀變玩占臨事而敬之也. 蓍龜本有神明之德, 而百姓則褻而不用, 聖人則敬而用之. 是所以神明其德者也.

윗 구절은 시초와 괘와 효 세 가지의 이치를 통해 성인의 심역(心易)이 역을 쓰는 근본임을 말했다. 이 구절은 윗 구절을 이어서 성인이 역을 짓고 역을 쓰는 것이 신명의 덕을 말미암음을 말했다. 하늘의 도는 차고 비고 줄고 느는 이치이고, 백성의 연고는 얻고 잃고 선하고 악한 일이다. 신물은 시초와 거북이다. 백성이 씀은 곧 뜻을 통하고 일을 정하고 의심을 결단함이다. 점을 밝힘이 앞에 있고 백성이 쓰는 것이 뒤에 있다. 그러므로 먼저 재계를 말했으니 공경하는 것을 말한다. 성인이 변화를 보고 점을 완미하며 일에 임해 공경한다. 시초와 거북엔 본래 신명한 덕이 있고 백성은 친압하여 쓰지 못하고 성인은 공경하면서 쓴다. 이것이 그 덕을 신명하게 하는 까닭이다.

是故, 闔戶, 謂之坤, 闢戶, 謂之乾, 一闔一闢, 謂之變, 往來
不窮, 謂之通, 見, 乃謂之象, 形, 乃謂之器, 制而用之, 謂之
法, 利用出入, 民咸用之, 謂之神.

이런 까닭으로 문을 닫음을 곤(坤)이라 하고, 문을 엶을 건(乾)이라 하고, 한 번 닫고 한 번 엶을
변(變)이라 하고, 오가면서 다하지 않음을 통(通)이라 하고, 나타난 것을 곧 상(象)이라 하고, 형성된
것을 곧 기(器)라 하고, 만들어 씀을 법(法)이라 하고, 쓰기에 이롭게 하여 내며 들여 백성들이 모두
씀을 신(神)이라 한다.

中國大全

本義

闔闢, 動靜之機也. 先言坤者, 由靜而動也. 乾坤變通者, 化育之功也, 見象形器
者, 生物之序也. 法者, 聖人修道之所爲, 而神者, 百姓自然之日用也.

'닫음'과 '엶'은 움직임과 고요함의 계기이다. 곤(坤)을 먼저 말한 것은 고요함을 말미암아 움직이기
때문이다. '건(乾)'과 '곤(坤)'과 '변(變)'과 '통(通)'은 낳아 기르는 일이고, '현(見)'과 '상(象)'과
'형(形)'과 '기(器)'는 만물을 낳는 차례이다. '법(法)'은 성인이 도(道)를 닦아 만든 것이고, '신
(神)'은 백성이 자연히 날마다 쓰는 것이다.

小註

朱子曰, 闔闢乾坤, 理與事, 皆如此, 書亦如此, 這箇則說理底意思多.
주자가 말하였다: 닫음과 엶이 건과 곤임은 이치와 일이 모두 이와 같고 책도 또한 이와
같지만, 여기는 이치를 말하려는 의사가 많다.

○ 問, 易中多言變通之意, 如何. 曰, 處得恰好處, 便是通. 問, 往來不窮謂之通, 如何.
曰, 處得好, 便不窮, 不通便窮.
물었다: 역에서 자주 변통의 뜻을 말하는데 어떤 것입니까?

답하였다: 아주 잘 처리하는 것이 바로 '통(通)'입니다.

물었다: 오가면서 다하지 않음을 통이라 한다는 어떤 것입니까?

답하였다: 잘 처리하면 다하지 않고, 통하지 않으면 다하게 됩니다.

○ 見乃謂象, 只是說動而未形, 有无之間者. 幾底意思, 幾雖是未形, 然畢竟是有箇物了. "나타난 것을 곧 상이라 한다"는 움직였으나 아직 형성되지 않아 있음과 없음의 사이인 것을 말할 뿐이다. 기미의 의미이니, 기미는 비록 형성되지는 않았지만 필경 한 개의 물건이 있는 것이다.

○ 問, 闔戶謂之坤一段, 只是這一箇物, 以其闔謂之坤, 以其闢謂之乾, 以其闔闢謂之變, 以其不窮謂之通, 以其發見而未成形謂之象, 以其成形則謂之器, 聖人修明以立教則謂之法, 百姓日用則謂之神. 曰, 是如此. 又曰, 利用出入者, 便是人生日用, 都離他不得. 又曰, 民之於易, 隨取而各足, 易之於民, 周徧而不窮, 所以謂之神, 所以謂之活潑潑地, 便是這處.

물었다: "문을 닫음을 곤이라 한다"는 단락은, 단지 하나의 것이 그것의 닫힘을 곤(坤)이라 하고 그것의 열림을 건(乾)이라 하며, 그것이 닫히고 열림을 변(變)이라 하고 그것의 다함이 없음을 통(通)이라 하며, 그것이 나타났으나 아직 형성되지 않음을 상(象)이라 하고, 그것이 형성되면 기(器)라 하며, 성인이 닦아 밝혀 가르침을 세우면 법(法)이라 하고, 백성이 날마다 쓰면 신(神)이라 한다는 것입니까?

답하였다: 그런 것입니다.

또 말하였다: '쓰기에 이롭게 하여 내며 들임'은 사람이 살면서 날마다 쓰는 것이 모두 그것에서 떨어질 수 없다는 것입니다.

또 말하였다: 백성은 역을 수시로 취하여 각각 충족시키고, 역은 백성에게 두루두루 미쳐서 다하지 않기에 '신(神)'이라고 하는 것이니, '활발발하다'고 하는 것이 바로 이 곳입니다.

○ 漢上朱氏曰, 坤自夏至以一陰右行, 萬物由之而入, 故曰闔戶, 乾自冬至以一陽左行, 萬物從之而出, 故曰闢戶. 又曰, 无闔則无闢, 无靜則无動. 此歸藏, 所以先坤歟.

한상주씨가 말하였다: 곤은 하지부터 하나의 음이 우측으로 가는 것으로 만물이 이를 따라서 들어오므로 '문을 닫음'이라 하였고, 건은 동지부터 하나의 양이 좌측으로 가는 것으로 만물이 이를 좇아서 나오므로 '문을 엶'이라 하였다.

또 말하였다: 닫음이 없으면 엶도 없고 고요함이 없으면 움직임도 없다. 이것이 귀장역에서 곤이 앞서는 까닭일 것이다.

○ 進齋徐氏曰, 天道流行, 有動有靜, 猶戶之闔闢也. 陽之噓也, 戶之闢也, 群蟄由是而作也, 是謂之乾. 陰之翕也, 戶之闔也, 群動由是而息也, 是謂之坤. 先坤後乾, 陰陽之義也.

진재서씨가 말하였다: 천도가 흘러감에 움직임도 있고 고요함도 있으니 문을 닫고 엶과 같다. 양(陽)의 발산과 문의 열림으로 무리의 칩거가 이를 따라서 깨어나니, 이를 건이라 한다. 음(陰)의 수렴과 문의 닫힘으로 무리의 움직임이 이를 따라서 그치니 이를 곤이라 한다. 곤이 앞서고 건이 뒤에 있음은 음양의 의미이다.

○ 息齋余氏曰, 戶一而已. 闔斯爲坤, 闢斯爲乾, 且闔且闢爲變, 可往可來爲通. 見此戶之象也, 戶則器也, 制之於棟宇之初者, 法也, 千萬世由之而不能離者, 神也. 皆言戶也, 知戶之說, 則知乾坤之說. 聖人偶有觸於一物, 而發明乾坤之妙如此, 知此者, 謂之知易. 觀天地, 則圖書與得諸此戶, 无異也, 先儒觀兔, 及斷公事之說, 亦然.

식재여씨가 말하였다: 문은 하나일 뿐이다. 닫으면 이에 '곤'이 되고, 열면 이에 '건'이 되며, 닫히기도 하고 열리기도 하면 '변(變)'이 되고, 갈 수도 있고 올 수도 있으면 '통(通)'이 된다. 나타난 것은 문의 '상(象)'이고, 문은 곧 '기(器)'이며, 처음 집을 지을 때에 제작하는 것이 '법(法)'이고, 만세토록 거치면서 떠날 수 없는 것이 '신(神)'이다. 모두 문을 말한 것이니, 문에 대한 설명을 이해하면 건곤에 대한 설명을 이해할 것이다. 성인이 우연히 한 물건을 의거하여 건곤의 묘리를 밝힌 것이 이와 같으니, 이것을 아는 자는 역을 안다고 할 것이다. 천지를 본다면 「하도」와 「낙서」도 모두 이 문[戶]에서 얻은 것과 차이가 없으니, 선유의 '토끼를 본다'[263]는 것과 '공사를 결단한다'[264]는 말도 또한 그러하다.

○ 雲峯胡氏曰, 此章, 本義以爲專言卜筮, 此段, 若從卜筮說, 闔戶謂之坤者, 四十九策之合也, 闢戶謂之乾者, 四十九策之分也. 一合一分, 是謂蓍之變, 分合進退之中, 有往來不窮之妙, 是謂蓍之通. 見而爲七八九六之數, 謂之象, 形而爲剛柔動靜之爻, 謂之器. 此乃聖人制爲卜筮, 以敎人, 是爲揲蓍之法, 民一出一入, 咸用之以爲利, 則爲用蓍之神.

운봉호씨가 말하였다: 이 장[11장]은 『본의』에서 전적으로 점치는 것을 말했다고 했으니, 이 단락을 점치는 것을 가지고 말한다면, "문을 닫음을 곤이라 한다"는 49개의 시책을 합침이고, "문을 엶을 건이라 한다"는 49개의 시책을 나눔이다. 한 번 합치고 한 번 나눔은 시책의 '변(變)'을 이른 것이고, 나누고 합치며 나가고 물러나는 가운데 오가면서 다하지 않는

오묘함이 있음은 시초의 '통(通)'을 이른 것이다. 드러나 7·8·9·6의 수가 됨을 '상(象)'이라 이르고, 형성되어 강유와 동정의 효가 됨을 '기(器)'라 이른다. 이는 곧 성인이 점치는 것을 만들어 사람에게 가르친 것이니, 시초를 셈하는 '법(法)'이 되고, 백성이 한 번 내고 한 번 들이며 모두 사용하여 이롭게 여기니, 시초를 쓰는 '신(神)'이 된다.

○ 平庵項氏曰, 第三節, 言畫卦布爻之法, 以是故發辭. 闔戶謂之坤, 言畫偶爻也, 凡偶皆屬陰. 闢戶謂之乾, 言畫奇爻也, 凡奇皆屬乾. 一闔一闢謂之變, 六爻既成, 剛柔相雜, 言成卦也. 往來不窮謂之通, 九六之動, 交相往來, 言之卦也. 皆自神而明之也. 按其迹而言, 見於著策謂象, 形於卦爻謂器, 制用之謂卜筮之法, 可謂明矣. 究其用言之, 枯莖敗葉, 而內外靜作之務, 皆資於利用, 王公皂隷之人, 皆用以決疑. 極深研幾, 其妙如此, 豈非天下至神乎. 此自明而神也. 此下復推明制作之本.

평암항씨가 말하였다: 세 번째 절은 괘를 긋고 효를 펼치는 방법을 말하면서 '이런 까닭으로[是故]'로 말을 시작하였다. "문을 닫음을 곤이라 한다"는 짝의 효[--]를 그음을 말한 것이니, 모든 짝의 효는 음에 속한다. "문을 엶을 건이라 한다"는 홀의 효[—]를 그음을 말한 것이니, 모든 홀의 효는 건에 속한다. "한 번 닫고 한 번 엶을 변이라 한다"는 육효가 이미 이루어져 강과 유가 서로 섞임이니, 성괘(成卦)를 말한 것이다. "오가면서 다하지 않음을 통이라 한다"는 구[陽]와 육[陰]이 움직여서 서로 서로 오고가는 것이니, 변화된 지괘(之卦)를 말한 것이다. 이것들은 모두가 신묘함으로 인해 밝힌 것이다. 그 자취를 살펴서 말하면 시책에 나타난 것을 '상(象)'이라 이르고, 괘효에 형성된 것을 '기(器)'라 이르고, 만들어 씀을 점치는 '법(法)'이라 이르니, 분명하다고 할만하다. 그 작용을 궁구하여 말하면, 가지가 마르고 낙엽이 떨어져도 안팎으로 가만히 일으키려 힘씀은 모두 '씀을 이롭게 함[利用]'을 의지하는 것이고, 왕공이나 아랫사람도 모두 이를 써서 의혹을 결단한다. 깊음을 다하고 기미를 연구하면 그 신묘함이 이와 같으니, 어찌 천하에 지극히 신묘한 것이 아니겠는가? 이것은 밝음으로 인해 신묘해진 것이다. 이 아래는 다시 제작하는 근본을 미루어 밝혔다.

▮韓國大全▮

조호익(曺好益) 『역상설(易象說)』

是故闔戶謂之坤, 闢戶謂之乾.

이런 까닭으로 문을 닫음을 곤(坤)이라 하고, 문을 엶을 건(乾)이라 하고.

○ 朱子於本義泛論易理, 而小註中書亦如此云者, 恐如胡氏註說耳.

주자가 『본의(本義)』에서는 역(易)의 이치에 대해서 범범히 논하였는데, 소주(小註)에서 "서(書)도 역시 이와 같다.[書亦如此]"고 이른 것은 아마도 호씨(胡氏)의 주(註)와 같다는 말인 듯하다.

○ 註, 項氏, 云云.

주에서 평암항씨(平庵項氏)가 운운하였다.

項氏所論此章, 上兩節則與朱子不同. 獨此節所論與本義專言卜筮之義相合. 故有取焉.

항씨가 이 장(章)에 대해서 논한 것을 보면, 위 두 단락의 경우는 주자와 뜻이 같지 않다. 그런데 유독 이 단락에서 논한 것만은 『본의』에서 전적으로 복서(卜筮)의 뜻에 대하여 말한 것과 서로 합치된다. 그러므로 취한 것이다.

○ 枯莖敗槧, 槧削牘也, 版長三尺.

항씨의 주에 '고경패참(枯莖敗槧)'이라 하였는데, 참(槧)은 나뭇조각을 깎아내어 글씨를 쓸 수 있게 만든 것으로, 판(版)의 길이는 3척(尺)이다.

이익(李瀷) 『역경질서(易經疾書)』

成務與上章成務相勘, 則開物卽通志之謂也. 非志則物無可開, 故志通便是物開也. 冒如珪之有冒, 一冒而衆珪皆合, 易之道亦如此也.

일을 이룬다는 것을 윗 장의 일을 이룬다는 것과 비교해보면 만물을 여는 것은 곧 뜻을 통한다는 말이다. 뜻이 아니면 열 수가 없기 때문에 뜻을 통함이 곧 만물이 열림이다. 덮음은 옥에 덮개가 있어 한 번 덮으면 모두 합해지는 것과 같으니 역의 도도 이와 같다.

德猶性也, 蓍莖之爲性也, 形圓故動而行神. 卦畫之爲性也, 形方故静而藏知. 神者知

之用, 知者神之體. 以著之神合卦之知, 體用咸備, 可以酬酢萬變. 卦一而爻六, 又可以
應物無窮. 就其中, 剛柔相易, 隨事隨物, 呈露其吉凶, 是謂貢也.

덕은 성질과 같다. 시초의 성질이 형체가 둥글기 때문에 움직여 신을 행하고, 괘획의 성질은
형체가 모나기 때문에 고요해서 지혜를 감춘다. 신은 지혜의 작용이고 지혜는 신의 본체이
다. 시초의 신이 괘의 지혜에 합하여 체용이 모두 갖추어지면 만 가지 변화에 수작할 수
있다. 괘 하나에 효가 여섯이니 또 만물에 대응함이 무궁하다. 그 가운데 나아가 강유가
서로 바뀌고 일을 따르고 물건을 따라 그 길흉을 드러내니, 이를 알려준다[貢]고 한다.

聖人能以天下爲一家, 明於其利, 達於其患, 咸有以極濟之惟其不能, 如此者無他, 私
累在心也. 洗去其私則公而已矣, 公則與百姓同其患. 凡患亂者, 旣至則難弭, 未成
則易消, 天下之不能先防而致患者多也. 聖人旣殫其心力於天下, 迤及後世, 視民之患
猶己憂思所以得免於困若. 於是作爲易書, 使人知避趨之道, 是聖人洗濯其公天下之
心, 寄在其中, 將有以待其考問而響答焉.

성인이 천하를 한 집으로 생각해 그 이로움에 밝고 근심에 통달하지만, 모두를 지극함을
써서 구제함은 오직 불가능하니, 이와 같은 것은 다름이 아니라 사사로움이 마음에 있기
때문이다. 사사로움을 씻어버리면 공변될 따름이니, 공변되면 백성과 더불어 그 근심을 같
이 한다. 환란은 이미 이르면 그치기 어렵고 이루어지지 않으면 해소하기 쉽다. 천하에 먼저
막지 못하고 환란을 부르는 자들이 많다. 성인은 이미 천하에 마음과 힘을 다해 후세에까지
뻗치니, 백성의 근심을 자기의 근심처럼 생각하여 곤란을 면할 것을 생각한다. 이에 역서를
지어 사람들이 피해가는 도리를 알게 하였으니, 이것이 성인이 천하를 공변되게 생각하는
마음을 씻어 그 가운데 기탁해 장차 물음을 기다려 응답하려 한 것이다.

然則這一片易便是畫出聖人腔子. 其考問也又制撲著求卦之術, 若對面而詢詰. 當其
無事寂然不同, 則聖人之心藏密於卦中, 至其考問, 感而遂通, 則聖人之志著顯於爻
上. 其身雖遠, 尙昭昭在易中, 易與天下後世同其患也.

그렇다면 이 한 편의 『주역』은 성인의 속내를 그어서 내놓은 것이다. 물음에는 또 설시하여
괘를 구하는 방법을 만들어 얼굴을 보고 질문하는 것과 같다. 일이 없을 때에는 고요해서
움직이지 않으니, 성인의 마음이 괘 가운데 은밀하게 숨어있는 것이다. 물어보면 느껴서
드디어 통해서 성인의 뜻이 괘효에 드러난다. 성인의 몸은 비록 멀리 있지만 오히려 밝고
밝게 역 가운데 있으니, 역이 천하 후세와 그 근심을 함께 한다.

知來者著之神也, 藏往者卦之知也. 卦雖靜寂, 萬事萬物之理無不備具, 泛應不差, 是
謂藏往也. 易爲憂患後世而作患之最大者曰兵戈, 止戈爲武, 則殺伐非所欲也. 凡有患

亂殺伐, 以禦之者下也, 安靜而治之者上也. 然猶未若未萌而先消, 故神武不殺, 莫如先幾預防. 人謀之不及, 惟易可以知來而處之也. 苟非古之聰明睿知則亦無此力量也. 所謂孰能與此贊歎之甚, 先言事而後贊歎者, 猶是歇後, 其先贊歎而後言事者, 贊歎爲急其意尤切.

올 것을 아는 것은 시초의 신이고 지난 것을 감춤은 괘의 지혜이다. 괘가 비록 고요하지만 만 가지 일과 만 가지 물건의 도리가 갖추어지지 않음이 없어 널리 응하면서 어긋나지 않으니 이를 지난 것을 감춤이라 한다. 역은 후세를 근심한 것인데 근심의 가장 큰 것이 전쟁이다. 창을 그침이 '무(武)'라면 쳐서 죽이는 것은 하고자 할 바가 아니다. 환란과 쳐서 죽이는 일을 막는 것은 하책이고, 편안하고 고요할 때 다스리는 것이 상책이다. 그러므로 아직 싹트지 않을 때 먼저 해소하는 것과 같기 때문에 신묘한 무력을 지니고도 죽이지 않는 것은 먼저 기미를 보고 예방하는 것만 함이 없다. 사람의 꾀로는 미치지 못하고 오직 역이라야 올 것을 알아 대처할 수 있다. 만약 옛날의 총명(聰明)하고 슬기로운 사람이 아니면 이런 역량이 없다. 이른바 "그 누가 여기에 참여할 수 있겠는가"는 깊이 찬탄한 것이다. 먼저 말을 하고 뒤에 찬탄을 한 것은 뒤를 생략함과 같은데, 먼저 찬탄을 하고 뒤에 일을 말한 것은 찬탄함이 급하니 그 뜻이 더욱 절실하다.

不明於天道, 無以知卦畫而像之. 不察於民, 故無以知占筮而斷事也. 興之爲言起之也. 神物蓍龜也. 前猶導也. 苟聖人不興之, 蓍龜特一物而已. 於是興化神物, 以導民之作用. 然或不能極明詳察於天道人故之際, 開示有未盡, 則爲害大矣. 故聖人必齋戒而慎重之, 此易道之所以明也. 然後聖人之心之德不止於一身一時, 普天下後世流行無間, 是謂神明. 故下章云神而明之存乎其人.

천도에 밝지 못하면 괘획을 알아 상징할 수 없다. 백성을 살피지 않기 때문에 점서를 알아 일을 판단할 수 없다. '흥(興)'이란 말은 일으킴이다. 신물은 시초와 거북이다. '전(前)'은 이끄는 것이다. 진실로 성인이 일어나지 않으면 시초와 거북은 하나의 물건일 뿐이다. 이에 신물을 일으켜 백성의 작용을 이끈다. 그렇지만 혹 천도와 사람의 연고에 극명히 밝고 자세히 살피지 못해 열어 보여줌에 극진하지 못하면 해로움이 크다. 그러므로 성인이 반드시 재계하여 신중하니 이것이 역도가 밝은 까닭이다. 그런 뒤에 성인의 마음과 덕이 한 몸 한 때에 그치지 않고 천하에 넓게 흘러 다녀 틈이 없으니 이를 신명이라 한다. 그러므로 아래 장에 신묘하여 밝힘은 그 사람에 있다고 한 것이다.

乾坤之道物莫不具. 以一事言, 則闔戶便是坤, 闢便是乾, 闔闢便是變, 人之往來便是通. 凡氣之可見者皆象也, 其有形者皆器也. 人之制用皆法也. 因以出入咸得其利皆神也.

건곤의 도는 물건마다 갖추지 않음이 없다. 한 가지 일로 말하면 문을 닫는 것이 곤이고

여는 것이 건이며 닫고 여는 것이 변이며 사람이 왕래함이 통이다. 기운을 볼 수 있는 것이
다 상이고 형체가 있는 것은 다 기(器)이다. 사람이 만들어 쓰는 것이 법이고 인하여 출입하
면서 그 이로움을 얻는 것이 신이다.

以卦爻言, 則乾坤易之門戶. 天地有闔闢之道, 故乾坤像之. 乾三索於坤而得三男, 坤
三索於乾而得三女. 闢者自坤而闢也. 若無坤則闢於何施. 闔者自乾而闔也, 若無乾則
闔於何施.
괘효로 말하면 건곤은 역의 문호이다. 천지에 닫고 여는 도리가 있기 때문에 건곤으로 상징
하였다. 건이 곤에게 세 번 구하여 삼남을 얻고 곤이 건에게 세 번 구하여 삼녀를 얻는다.
여는 것은 곤으로부터 열리는 것이다. 만약 곤이 없으면 어디에서부터 열리는가? 닫는 것은
건으로부터 닫는 것이다. 만약 건이 없으면 어디로부터 닫히는가?

分言, 則各一闔一闢. 合言, 則乾坤各三索. 是之謂變. 於是剛柔相推, 卦各有六變. 如
乾變爲姤, 則在乾爲往, 在姤爲來, 姤變爲乾, 則在姤爲往, 在乾爲來. 是之謂通. 見對
形言, 則氣之現顯者也. 器對象言, 則體之有受者也. 如雷風水火之類是之謂象, 震巽
坎离之類是之謂器. 卦之體函象在中故曰器.
나누어 말하면 각각 한 번은 닫히고 한 번은 열린다. 합해서 말하면 건곤이 각각 세 번 구하
니 이를 변(變)이라 한다. 이에 강유가 서로 밀치고 괘에 각각 6변이 있다. 예를 들어 건괘
가 변하면 구괘가 되니 건괘에 있으면 감[往]이고 구괘에 있으면 옴[來]이며, 구괘가 변하여
건괘가 되면 구괘에 있으면 감[往]이고 건괘에 있으면 옴[來]이니 이를 통(通)이라 한다. 보
이는 것[見]은 형체[形]에 대해서 한 말이니 기운이 드러난 것이다. 그릇[器]은 형상[象]에
대해 말한 것이니 형체에 받음이 있는 것이다. 뇌풍수화(雷風水火之)의 종류는 상이고 진
손감리(震巽坎离)의 종류는 그릇이라는 것과 같다. 괘의 몸체에 상을 가운데 함유하고 있
기에 그릇이라 한다.

然聖人若不作揲蓍求卦之法, 後人何以知裁制而用之. 是之謂法. 出入承闔闢言, 闢戶
爲出闔戶爲入. 易中三畫卦, 除乾坤爲九十六, 其四十八皆出乾入坤. 其四十八皆出坤
入乾也.
그렇지만 성인이 설시하여 괘를 구하는 법을 만들지 않았으면 후인이 어찌 재단하고 만들어
쓸 수 있겠는가? 이를 법이라 한다. 출입은 합벽을 이어서 말한 것인데 문을 여는 것이 출
(出)이고 문을 닫는 것이 입(入)이다. 역 가운데 삼획괘에서 건곤을 제하면 96인데 48은
모두 건에서 나와 곤으로 들어가고 48은 곤에서 나와 건으로 들어간다.

因其制用之法, 當出而出, 當入而入, 人無不用, 故曰利用. 聖人旣遠, 而使天下後世, 人無貴賤, 事無鉅細, 曲當不差, 是之謂神.

만들어 쓰는 법을 통해 나갈 때에는 나가고 들어갈 때에는 들어가니 사람이 쓰지 않음이 없어 이용(利用)이라고 하였다. 성인은 이미 먼데 천하 후세에 사람마다 귀천이 없고 일마다 크고 작음이 없이 곡진히 해당되어 어긋남이 없으니 이를 신(神)이라 한다.

유정원(柳正源) 『역해참고(易解參攷)』

是故闔戶.

이런 까닭에 문을 닫음.

小註漢上說, 一陰右行.

소주에서 한상주씨가 말하였다: 하나의 음이 우측으로 간다.

案, 朱子論先天圓圖有曰, 自冬至至夏至爲順, 自夏至至冬至爲逆. 自北而東爲左, 自南而西爲右. 其左右與天文說左右不同. 玉齋胡氏曰, 天道非右行, 行於方之右, 若逆天而行. 此朱子一陰右行之說, 當與此一例看.

내가 살펴보았다: 주자가 「선천원도」를 논하면서 말하였다: 동지에서 하지까지는 순이고 하지에서 동지까지는 역이다. 북에서 동으로 가는 것은 좌이고 남에서 서로 가는 것은 우이다. 이곳의 좌우는 천문설의 좌우와 다르다.

옥재호씨가 말하였다: 천도는 우행하지 않고 방위의 우측으로 행하니 하늘과 거꾸로 행하는 것 같다. 이것이 주자의 하나의 음이 우측으로 간다는 설인데, 마땅히 이것과 더불어 같은 예로 보아야 한다.

송능상(宋能相) 「계사전질의(繫辭傳質疑)」

闔戶謂之坤, 闢戶謂之乾, 此合天地分動靜而言也. 如所謂乾道成男坤道成女之云爾. 其曰戶者以天地之氣有闔有闢, 而若有門戶者. 然非是借棟宇中物, 比擬於天地也. 或有如是看者定非本義也.

문을 닫는 것을 곤이라 하고 문을 여는 것을 건이라 이른다는 것은 천지를 합하고 동정을 나누어 말한 것이다. 건의 도는 남자를 이루고 곤의 도는 여자를 이룬다는 것과 같다. '문'이라고 한 것은 천지의 기에 닫히고 열림이 있음이 문호와 같음을 말한 것이다. 그렇지만 이것은 건물의 물건이 아니고 빌려 천지를 견준 것이다. 어떤 이는 이처럼 보는데 이것은 본래 뜻이 아니다.

김상악(金相岳) 『산천역설(山天易說)』

闔闢二氣之機也, 變通二氣之運也. 見象形器者生物之序也. 聖人修明而立敎謂之法.
百姓日用而不知謂之神.

닫고 여는 것은 두 기운의 기틀이고 변통은 두 기운의 움직임이다. 나타남[見]과 형상[象]과
형체[形]와 그릇[器]은 물건이 나오는 순서이다. 성인이 밝게 닦아 가르침을 세움을 법이라
한다. 백성이 날마다 쓰면서도 알지 못하는 것을 신이라 한다.

○ 以戶爲喩卽制器之象. 下文將言太極兩儀四象之相生, 故先以至近而易見者證之.
一闔一闢卽一靜一動也. 往謂闢而向外, 來謂闔而向內. 見謂其光明透徹, 形謂其形體
合度. 制謂制爲此戶之法, 利用出入謂民皆由此而出入也. 故下文所謂法象莫大乎天
地與闔闢, 一端相應.

문으로 비유했으니 그릇을 만드는 상이다. 아래 문장에서 태극과 양의와 사상이 서로 생함
을 말했기 때문에 먼저 지극히 가깝고 보기 쉬운 것으로 증명했다. 한 번 닫고 한 번 여는
것은 곧 한 번 움직이고 한 번 고요함이다. 가는 것은 열어 밖을 향함을 이르고, 오는 것은
닫아서 안을 향함을 이른다. 현(見)은 광명이 투철한 것이다. 형(形)은 그 형체가 도수에
합치됨이다. 제(制)는 이 문을 만드는 법을 제작함이다. 이용출입(利用出入)은 백성들이
모두 이를 말미암아 출입함이다. 그러므로 아래 문장에서 이른 바 상을 본받은 것이 천지보
다 큰 것이 없다고 한 것은 닫고 여는 것과 더불어 일정 정도 상응한다.

오치기(吳致箕) 「주역경전증해(周易經傳增解)」

此節又承上節言易雖神明, 亦非深遠難知也, 卽不過乾坤二氣有變通有象形有法神而
爲易, 故取于戶而喩之. 戶一也而闔之則謂之坤, 闢之則謂之乾. 能闔能闢而一動一靜
不定于一則謂之變. 旣闢而復闔, 旣闔而復闢, 往來相續而不窮則謂之通. 一闔一闢乃
見而有迹, 非无聲无臭之比, 則謂之象. 旣有象形必有規矩方圓, 則謂之器. 古之聖人
制上棟下宇而有此戶, 則謂之法. 由是戶爲出入之利用, 百姓日用而不知, 則謂之神.
卽一戶而易之理已具矣.

이 구절은 또 윗 구절을 이어서 역이 신명하지만 또한 심원하여 알기 어려운 것은 아니고,
곧 건곤·음양에 변(變)과 통(通)이 있고 상(象)과 형(形)이 있고 법(法)과 신(神)이 있는
것이 역이 되는데 불과함을 말했기 때문에 문을 취해 비유하였다. 문은 하나인데 닫으면

곤이라 이르고 열면 건이라 이른다. 닫고 열며 한 번은 움직이고 한 번은 고요해서 한 군데 정하지 않음을 변(變)이라 이른다. 이미 열면 다시 닫고 닫으면 다시 열어 왕래에 서로 이어 져 다함이 없음을 통(通)이라 이른다. 한 번 닫고 한 번 여는 것은 나타나 자취가 있어 소리 도 없고 냄새도 없는 비유가 아니기 때문에 상이라고 한다. 이미 상이 있고 형이 있으면 반드시 규구방원(規矩方圓)이 있으니 기(器)라고 이른다. 옛적에 성인이 위로 기둥을 올리 고 아래로 지붕을 내려 이 문이 있게 되었으니 곧 법(法)이라 이른다. 이 문을 통해 출입하 며 이용하지만 백성은 날마다 쓰면서도 알지 못하니 곧 신(神)이라 이른다. 곧 하나의 문에 역의 이치가 이미 갖추어져있다.

이진상(李震相)『역학관규(易學管窺)』

十一章闔戶註, 一陰右行.
11장 '문을 닫음'의 주석에서 말하였다: 하나의 음이 우행한다.

巽至坤, 由南而轉西, 故謂之右行, 自震至乾, 由北而轉東, 故謂之左行, 與天文說左右不同.
손괘에서 곤괘에 이르기까지 남방에서 서방으로 돌아가기 때문에 우행이라 하고, 진괘에서 건괘에 이르기까지 북방에서 동방으로 돌아가기 때문에 좌행이라 하니, 천문설의 좌우와는 다르다.

이병헌(李炳憲)『역경금문고통론(易經今文考通論)』

工古文作貢, 先作洗, 竝從孟京三家本.
공(工)은 고문에 공(貢)으로 되어있고 선(先)은 세(洗)로 되어있다. 모두 맹희와 경방과 삼 가의 본을 따랐다.

虞曰, 以陽闢坤謂之開物, 以陰翕乾謂之成務. 冒觸也, 觸類而長之如此也.
우번이 말하였다: 양으로 곤을 여는 것을 개물(開物)이라 하고 음으로 건을 닫는 것을 성무 (成務)라고 한다. 모(冒)는 접촉함이니 종류에 접촉해서 따라 확장함이 이와 같다.

韓曰, 冒覆也. 圖者運而不窮, 方者止而有分, 言蓍以圖象神, 言卦以方象知也.
한강백이 말하였다: 모(冒)는 덮음이다. 원은 움직여 끝이 없음이고 방은 그쳐서 분수가 있 음이니, 시초를 말해 원으로 신을 상징하고 괘를 말해 방으로 지혜를 상징하였다.

惠棟曰, 工讀爲功, 陰陽相變功業相成.
혜련이 말하였다: 공(工)은 공(功)으로 읽으니 음양이 서로 변하고 공업이 서로 이룬다.

姚曰, 此此著及卦爻也. 聖人以此故不自用而先心退藏謀及卜筮也. 患憂也, 前猶導也.
요신이 말하였다: 이것은 시초와 괘를 언급한 것이다. 성인이 이 때문에 스스로를 쓰지 않고 먼저 마음을 닦고 물러나 감추며 도모함에 복서를 한다. '환(患)'은 근심이고 '전(前)'은 이끄는 것이다.

陸曰, 聖人制器, 以以周民用, 民皆用之而不知所由來, 故謂之神也. 今文雖以洗作先, 先亦音洗, 工亦無意味. 先與工, 恐是洗與貢之略字.
육적이 말하였다: 성인이 그릇을 만들어 백성들에게 두루 쓰게 하지만, 백성은 쓰면서도 그 유래를 알지 못하기 때문에 '신'이라 하였다. 금문에 비록 세(洗)를 선(先)이라고 하였지만 선(先)도 세(洗)로 발음하고 공(工)도 의미가 없다. 선(先), 공(工)은 아마도 세(洗)와 공(貢)의 약자인 듯하다.

是故, 易有大極, 是生兩儀, 兩儀生四象, 四象生八卦,

이런 까닭으로 역(易)에 태극(太極)이 있으니, 이것이 양의(兩儀)를 낳고, 양의가 사상(四象)을 낳고, 사상이 팔괘(八卦)를 낳으니,

中國大全

本義

一每生二, 自然之理也. 易者, 陰陽之變, 大極者, 其理也. 兩儀者, 始爲一畫, 以分陰陽, 四象者, 次爲二畫, 以分太少, 八卦者, 次爲三畫, 而三才之象, 始備. 此數言者, 實聖人作易自然之次第,. 有不假絲毫智力而成者 畫卦揲蓍, 其序皆然, 詳見序例啓蒙.

하나가 매번 둘을 낳음은 자연한 이치이다. '역(易)'은 음양의 변화이고, '태극(太極)'은 그 이치이다. '양의(兩儀)'는 처음에 한 획을 그어 음(陰)과 양(陽)을 나눈 것이고, '사상(四象)'은 다음에 두 번째 획을 그어 대(大)와 소(小)를 나눈 것이고, '팔괘(八卦)'는 그 다음에 세 번째 획을 그어 삼재(三才)의 모습이 비로소 갖추어진 것이다. 이 몇 마디 말은 실로 성인이 『주역』을 지은 자연스러운 차례이니, 조금도 지혜의 힘을 빌리지 않고 이루어진 것이다. 괘를 긋고 시초를 세는 것도 그 차례가 모두 그러하니, 자세한 것은 「서례(序例)」와 『역학계몽(易學啓蒙)』에 자세히 나온다.

小註

朱子曰, 天地之間, 只有動靜兩端, 循環不已, 更无餘事. 此之謂易, 而其動其靜, 必有所以動靜之理焉, 是則所謂太極也.

주자가 말하였다: 천지의 사이에는 다만 움직임과 고요함의 두 단서만 있을 뿐이다. 순환하여 그치지 않고 다시 다른 일은 없으니 이것을 이르는 것이 역(易)이며, 그 움직임과 고요함에는 반드시 움직이고 고요한 것의 이치가 있으니 이것이 이른바 태극이다.

○ 易有太極, 便是下面兩儀四象八卦, 自三百八十四爻, 總爲六十四, 自六十四, 總爲

八卦, 自八卦, 總爲四象, 自四象, 總爲兩儀, 自兩儀, 總爲太極. 以物論之, 易之有太極, 如木之有根, 浮圖之有頂. 但木之根, 浮圖之頂, 是有形之極, 太極, 卻不是一物, 无方所頓放, 是无形之極. 故周子曰, 无極而太極, 是他說得有功處. 然太極之所以爲太極, 卻不離乎兩儀四象八卦, 如一陰一陽之謂道, 指一陰一陽爲道, 則不可, 然道不離乎陰陽也.

"역에 태극이 있다"가 바로 아래의 양의·사상·팔괘이니, 384효를 총괄하면 64가 되고, 64괘를 총괄하면 팔괘가 되고, 팔괘를 총괄하면 사상이 되고, 사상을 총괄하면 양의가 되고, 양의를 총괄하면 태극이 된다. 사물로 논하면 역에 태극이 있음은 나무에 뿌리가 있고 불탑에 꼭대기가 있음과 같다. 다만 나무의 뿌리와 불탑의 꼭대기는 형체 있는 것의 극치이지만, 태극은 하나의 사물이 아니기에 어디에도 풀어 놓을 수 없으니, 형체 없는 것의 극치이다. 그러므로 주자(周子)가 "무극(無極)이면서 태극(太極)이다"[265]라고 하였으니, 그의 말에 공로가 있는 곳이다. 그러나 태극이 태극인 까닭은 도리어 양의·사상·팔괘에서 떨어지지 않아서니, "한 번은 음이 되고 한 번은 양이 됨을 도(道)라 이르니"[266]에서 한 번은 음이 되고 한 번은 양이 됨을 가리켜 바로 도(道)라 해서는 안 되지만, 도가 음양에서 떨어지지 않는 것과 같다.

○ 易有太極, 是生兩儀, 卽所謂易也, 但先倒說此一句. 故曰易有太極.
역에 태극이 있어 이것이 양의를 낳음이 곧 이른바 역이지만, 다만 먼저 이 한 구절을 뒤집어 말하였다. 그러므로 '역에 태극이 있다'고 하였다.

○ 太極, 十全是具一箇善, 若三百八十四爻中, 有善有惡, 皆陰陽變化後, 方有.
태극은 하나의 선(善)을 완전하게 갖춘 것이고, 384효 가운데 선(善)도 있고 악(惡)도 있는 것은 모두 음양이 변화한 뒤에 있게 된 것이다.

○ 周子康節, 說太極, 是和陰陽袞說, 易中便擡起說. 周子言太極動而生陽, 靜而生陰, 動時便是陽之太極, 靜時便是陰之太極, 蓋太極只在陰陽裏. 如易有太極, 是生兩儀, 則先從實理處說. 若說其生, 則俱生, 太極依舊在陰陽裏, 但言其次序, 須有這實理, 方始有陰陽也. 其理則一, 雖然自見在事物而觀之, 則陰陽函太極, 推其本, 則太極生陰陽.

주자(周子)와 강절이 태극을 말한 것은 음양과 묶어서 말하였고, 『주역』에서는 태극을 들어

---

265) 周濂溪,「太極圖說」.
266)『周易·繫辭傳』.

올려 따로 말하였다. 주자는 "태극이 움직여서 양을 낳고 고요하여 음을 낳는다"고 하였는데, 움직일 때에는 바로 양의 태극이며 고요할 때에는 바로 음의 태극이니, 대체로 태극은 음양의 안에 있을 뿐이다. "역에 태극이 있으니 이것이 양의를 낳는다"와 같은 것은 먼저 진실된 이치가 있는 곳을 쫓아가 말한 것이다. 만약 그것들의 발생을 말한다면 함께 나오는 것이니 태극은 처음부터 음양의 안에 있지만, 그 차례를 말한다면 반드시 저 진실된 이치가 있어야만 비로소 음양이 있게 된다. 그 이치는 하나이지만, 사물에 나타난 것으로 본다면 음양이 태극을 머금었고, 그 근본을 미룬다면 태극이 음양을 낳는다.

○ 問, 一陰一陽上, 又各生一陰一陽之象, 以圖言之, 兩儀生四象, 四象生八卦, 節節推去, 固容易見. 就天地間, 著實處, 如何驗得. 曰, 一物上, 自各有陰陽, 如人之男女, 陰陽也. 逐人身上, 又各有這血氣, 血陰而氣陽也. 如晝夜之間, 晝陽也夜陰也, 而晝陽自午後屬陰, 夜陰自子後又是陽, 此便是陰陽各生陰陽之象.

물었다: 한 번은 음이 되고 한 번은 양이 된 위에 다시 각각 한 번은 음이 되고 한 번은 양이 되는 상(象)을 낳음이니, 「팔괘도」로 말하면 양의가 사상을 낳고 사상이 팔괘를 낳는 것이어서 절마다 미루어 가면 참으로 쉽게 볼 수 있을 듯합니다. 그렇지만 천지의 사이에서 현실적으로 드러난 것은 어떻게 경험할 수 있습니까?

답하였다: 하나의 물건 위에 본래 각각 음양이 있으니, 사람의 남녀가 음양인 것과 같다. 사람의 몸을 쫓아가면 다시 각각 혈기가 있는데, 혈(血)은 음이고 기(氣)는 양이다. 낮과 밤의 사이와 같으면 낮은 양이고 밤은 음이지만, 낮인 양이 정오의 뒤로는 음에 속하고, 밤인 음이 자시(子時) 뒤로는 다시 양에 속하니, 이것이 곧 음양이 각각 음양을 낳는 상이다.

○ 南軒張氏曰, 易者, 生生之妙, 而太極者, 所以生生者也.

남헌장씨가 말하였다: 역은 낳고 낳는 신묘함이고, 태극은 낳고 낳는 까닭인 것이다.

┃韓國大全┃

송능상(宋能相) 「계사전질의(繫辭傳質疑)」

兩儀本在畫卦上說, 後人因復作陰陽之稱. 三才本謂天地人性道. 後人直用爲天地人之名, 則是皆爲擇之不精矣. 然濂洛諸先生猶且用之, 何也.

양의는 본래 괘를 긋는 과정에서 말한 것인데, 그 후 사람들이 다시 음양으로 일컬었다. 삼재는 본래 천지인의 성질을 말한 것인데, 그 후 사람들이 직접 천지인으로 명명하였다. 이런 것은 모두 선택함에 정밀하지 못한 것이다. 그런데 송대의 모든 선생들도 오히려 이것을 썼으니 어째서인가?

조호익(曺好益) 『역상설(易象說)』

本義序例, 本義序例也.

위의 『본의』 조목에 나오는 「서례(序例)」란 『본의』의 「서례」를 가리킨다.

유정원(柳正源) 『역해참고(易解參攷)』

朱子曰, 闔闢往來乃是易之道. 易有太極則承上文而言, 所以往來闔闢而无窮者, 以其有是理耳. 有是理則天地設位而易行乎其中矣. 兩而生四四而生八至於八, 則三變相因而三才可見. 故聖人因之畫爲八卦, 以形變易之妙而定吉凶.

주자가 말하였다: 합벽과 왕래는 역의 도이다. 역에 태극이 있음은 윗글을 이어서 말한 것이니 끊임없이 왕래·합벽하는 까닭은 이런 이치가 있기 때문이다. 이런 이치가 있으니 천지가 자리를 베풀고 역이 그 가운데 행한다. 2에서 4로, 4에서 8에 이르면 삼변이 서로 원인이 되고 삼재를 볼 수 있다. 그러므로 성인이 그것을 근거로 팔괘를 만들어 변역의 신묘함을 드러내고 길흉을 정했다.

○ 兩儀者兩箇儀象也, 非是指天地之形而言. 伏羲初畫陰陽, 指言此二畫爲陰陽之象, 故曰兩儀也.

양의는 두 가지 모습이지 천지의 형체를 가리켜 말한 것이 아니다. 복희씨가 처음에 음양을 그을 때 이 두 획이 음양의 상임을 가리켜 말하였기 때문에 양의라 한다.

○ 西山眞氏曰, 按古書言太極自易之外. 如老子曰, 有物混成先天地生, 寂兮寥兮, 獨立而不改, 周行而不殆, 可以爲天下母, 吾不知其名, 字之曰道, 强名之曰大.

서산진씨가 말하였다: 옛 글에서 살펴보면 태극을 말한 것은 역의 밖에서부터이다. 예컨대, 노자는 "어떤 물건이 있어 혼돈으로 이루어졌으니 천지보다도 먼저 생겨났다. 고요하고 비어서 홀로 서서 변하지 않고 두루 행해도 위태롭지 않으니 천지의 어미가 될 만하다. 나는 그 이름을 알지 못하니 자를 붙여 도라고 하고 억지로 이름하여 '크다'고 한다"고 하였다.

佛氏因之亦曰, 有物先天地, 无形本寂寥, 能爲萬象主, 不逐四時凋.

불가에서도 그것을 근거로 말하였다. 하늘과 땅 이전에 한 물건이 있는데 형체도 없이 본래 고요하고 비어있지만, 능히 만상의 주인 되어 계절을 따라 변하지 않는다.

夫太極理而已矣, 二氏乃以物言可乎.
태극은 리일 뿐인데 노자와 불가에서는 물건으로 말했으니 가한가?

又老子曰, 道生一, 一生二, 二生三, 三生萬物.
또 노자가 말하였다: 도가 1을 낳고 1이 3을 낳고 3이 만물을 낳는다.

莊子曰, 夫道有情有信, 旡爲旡形. 可傳而不可見. 自本自根, 未有天地自古以固存. 神鬼神帝, 生天生地. 在太極之先而不爲高, 在六極之下而不爲深. 先天地生而不爲久, 長於上古而不爲老.
장자가 말하였다: 도는 실정이 있고 신표가 있지만 작위도 없고 모습도 없다. 전할 수는 있지만 보여줄 수는 없다. 자기를 근본으로 삼고 자기를 뿌리로 삼아 천지가 있기 전 오래부터 있었다. 신을 나타내고 상제를 나타내고 하늘을 낳고 땅을 낳았다. 태극보다 먼저이지만 높지 않고, 육극의 밖에 있지만 깊지 않다. 천지보다 먼저 생했지만 오래되지 않았고, 상고보다 길지만 늙지 않았다.

列子曰, 氣形質具而未嘗離, 故曰混淪.
열자가 말하였다: 기와 형과 질이 갖추어져 서로 나뉘지 않기 때문에 혼륜이라고 한다.

凡此皆指太極而言也. 孰知太極之爲理而非氣也哉.
이런 것들은 모두 태극을 가리켜 말한 것이다. 누구 태극이 리가 되고 기가 아님을 알았겠는가?

或謂古書有所謂太一, 有所謂太易太初太始太素. 〈列子天瑞篇文.〉 其與太極同乎異乎.
어떤 이가 물었다: 옛 글에 이른바 태일(太一)이 있고 태역이나 태초나 태시나 태소란 것이 있는데〈『열자·천서편』의 문장이다.〉 태극과 같은 것입니까, 다른 것입니까?

曰, 太一者太極之異名也. 禮曰, 禮必本於太一, 分而爲天地. 以其極至則曰極, 以其旡二則曰一, 所謂名殊而義一者也. 若所謂太易未見氣, 太初氣之始, 太始形之始, 太素質之始也. 則以氣形質言之而非指乎此理矣. 不必引以爲類也.
답하였다: 태일은 태극의 다른 명칭입니다. 『예기』에 "예는 반드시 태일에 근본하니 나뉘어

천지가 된다”고 하였습니다. 지극한 것으로써 ‘극(極)’이라고 한 것이고 둘이 아님으로써 하지 않기 때문에 ‘일(一)’이라고 한 것이니 이른바 이름은 달라도 그 뜻은 같다는 것입니다. 만약 태역이 기를 보지 못하는 것이라 하고 태초는 기의 시작이라 하며, 태시는 형체의 시작이라 하고, 태소는 형질의 시작이라 하면, 기와 형과 질로 말한 것으로 이 리를 가리키는 것이 아닌 게 됩니다. 인용해서 동류로 삼을 필요가 없습니다.

本義序例.
『본의』에서 말한 서례.
案指篇首九圖
내가 살펴보았다: 편 머리의 아홉 가지 그림을 가리킨다.

小註朱子說, 浮圖之頂.
소주에 주자가 말하였다: 탑의 꼭대기.
後漢書浮圖註佛也. 唐書塔曰浮圖.
『후한서』에서 ‘부도’의 주에 “부처이다”라고 했다. 『당서』에는 탑을 부도라 하였다.
案, 浮圖之形上尖下闊, 以比兩儀四象八卦之生於太極.
내가 살펴보았다: 탑의 모습은 위는 뾰족하고 아래는 넓은데 이것으로 양의 사상 팔괘가 태극에서 나옴을 비유하였다.

김상악(金相岳) 『산천역설(山天易說)』

太極者至極之理也. 曰生者加倍法也. 詳見圖說.
태극은 지극한 이치이다. ‘생(生)’이라고 한 것은 배수로 더하는 법이다. 자세한 것은 「도설」에 보인다.

이진상(李震相) 『역학관규(易學管窺)』

易有太極.
역에 태극이 있다.
理不可懸空說, 故先從陰陽變易上體認, 出太極本體. 其下方說是生兩儀, 所以明未有此氣, 已有此理之實. 上是倒說, 下是竪說.
이치는 공허하게 말할 수 없기 때문에 먼저 음양이 변역하는 위에서 체인하여 태극의 본체를 제출하였다. 그 아래에서 이것이 양의를 생한다고 하여 이 기가 있기 전에 이미 이 이치의 실제가 있음을 밝혔다. 위에서는 거꾸로 말했고 아래에서는 종적으로 말했다.

○ 小註, 一陰一陽爲道則不可.

소주에서 말하였다: 한 번은 음이 되고 한 번은 양이 됨이 도가 된다고 하면 안 된다.

端蒙錄曰, 陰陽氣也, 一陰一陽卽理也. 〈驤錄銖錄皆同.〉

『주자어류』에 단몽이 기록하였다: 음양은 기이고 한 번은 음이 되고 한 번은 양이 됨은 곧 리이다. 〈양양(楊驤)이 기록한 것과 동수(董銖)가 기록한 것이 모두 같다.〉

今謂陰陽非道則可, 一陰一陽如何不可謂之道. 決是誤錄.

지금 음양이 도가 아니라는 것은 좋지만 한 번은 음이 되고 한 번은 양이 됨을 어떻게 도라고 할 수 없겠는가? 결단코 잘못된 기록이다.

○ 和陰陽衮說.

음양을 묶어서 말함.

周子於陰陽圈中, 挑出太極在上, 仍曰, 太極動而生陽, 静而生陰, 則其不雜陰陽而爲言明矣. 夫子先言亦〈易之誤〉有, 則亦非離陰陽而言之也. 恐不可二視之也.

주자(周子)가 음양권 가운데 태극을 위에 도출해놓고 이르길, "태극이 움직여 양을 생하고 고요하여 음을 생한다"고 하였으니 음양에 섞지 않고 말한 것이 분명하다. 공자가 먼저 "역에 있다[易有]"고 말했으니, 〈역(亦)자는 '역(易)'자의 잘못이다.〉 또한 음양을 떠나 말한 것이 아니다. 아마도 두 가지로 보면 안 될 것이다.

八卦定吉凶, 吉凶生大業.

팔괘(八卦)가 길흉(吉凶)을 정하고, 길흉이 대업(大業)을 낳는다.

┃中國大全┃

本義

有吉有凶, 是生大業.

길함도 있고 흉함도 있으니, 이것이 대업을 낳는다.

小註

朱子曰, 卦畫旣立, 便有吉凶在裏, 蓋是陰陽往來, 交錯於其間. 時則有消長之不同, 長者便爲主, 消者便爲客. 事則有當否之或異, 當者便爲善, 否者便爲惡. 卽其主客善惡之辨, 而吉凶見矣. 故曰八卦定吉凶. 吉凶旣決定而不差, 則以之立事, 而大業自此生矣.

주자가 말하였다: 괘의 획이 이미 성립되면 길과 흉이 안에 있으니, 음과 양이 오가면서 그 사이에서 서로 섞이기 때문이다. 때에는 줄고 자람의 같지 않음이 있으니, 자라는 것이 주인이 되고 주는 것은 손님이 된다. 일에는 마땅함과 마땅치 않음의 차이가 있으니, 마땅한 것이 선이 되고 마땅치 않은 것이 악이 된다. 주인과 손님, 선과 악이 분별됨에 길과 흉이 드러난다. 그러므로 "팔괘가 길흉을 정한다"고 하였다. 길과 흉이 이미 결정되어 어긋나지 않으면, 이것으로 일이 세워지고 대업이 이로부터 나올 것이다.

○ 雲峯胡氏曰, 易有交易之義, 上文所謂闔闢往來者, 易也. 故承上文而言其所以闔闢往來而不窮者, 以其有是太極之理也. 此章所謂兩儀四象八卦卽易也. 又原其始而言者, 惟其有太極之理, 所以生儀生象生卦而謂之易也. 以畫卦, 則始爲一畫, 以分陰陽, 而謂之兩儀, 次爲二畫, 以分老少, 謂之四象, 又次爲三畫, 而謂之八卦. 以揲蓍, 則一揲而有兩儀之象, 次二揲而有四象之象, 又三揲而有八卦之象. 自一生兩, 皆有太極之理存焉, 吉凶生大業, 有理必有用也.

운봉호씨가 말하였다: 역에는 서로 바뀐다[交易]는 뜻이 있으니, 위의 글에 이른바 "닫으며 열고 오고 간다"는 것이 역이다. 그러므로 위의 글을 이어서 그 닫으며 열고 오가면서 다하지 않는 까닭은 태극이라는 이치가 있기 때문이라고 말한 것이니, 이 장(章)의 이른바 양의와 사상과 팔괘가 역이다. 또 그 처음을 찾아서 말한 것은, 오직 태극이라는 이치가 있기에 양의를 낳고 사상을 낳고 팔괘를 낳아 역이라고 이르기 때문이다. 괘를 긋는 것은 처음에 한 획을 그어 음과 양을 나누어 양의라 하고, 다음에 두 번째 획을 그어 노와 소를 나누어 사상이라 하고, 다시 다음으로 세 번째 획을 그어 팔괘라고 한 것이다. 시초를 세는 것은 한 번 셈하여 양의의 상이 있고, 다시 두 번째 셈하여 사상의 상이 있고, 다시 세 번째 셈하여 팔괘의 상이 있게 된다. 하나로부터 둘을 낳음에 모두 태극의 이치가 보존되어 있는데, '길흉이 대업을 낳음'은 이치가 있으면 반드시 작용이 있어서이다.

○ 臨川吳氏曰, 易謂陽奇陰偶, 互相更換, 而爲四象八卦也. 大者, 大之至也, 極者, 屋棟之名, 天地間之有此理, 猶屋之有極也. 易有太極, 謂一陰一陽之相易, 有理而爲之主宰也. 儀, 匹也, 一陰一陽相匹配而爲兩. 卦之第一畫也, 是謂兩儀. 兩儀之上, 各加一陰一陽, 則倍二而爲四, 卦之第二畫也, 是謂四象. 四象之上, 又各加一陽一陰, 則倍四而爲八, 卦之第三畫也, 是謂八卦. 有此八卦, 則其別有六十四, 而可用之占筮, 以定吉凶, 俾民无所疑, 而勇於趨事赴功. 故曰生大業. 此蓋申言方以知之卦, 因及卜筮者所尙之占, 二四而八, 卦之方也, 定吉凶生大業者, 其知也.

임천오씨가 말하였다: 역(易)은 양인 홀과 음인 짝이 서로서로 고치고 바꿔서 사상과 팔괘가 됨을 이른다. '대(大)'는 지극히 큰 것이고 '극(極)'은 집 마룻대의 이름이니, 천지의 사이에 이 이치가 있음은 집에 마룻대가 있음과 같다. '역에 태극이 있음'은 한 번은 음이 되고 한 번은 양이 되어 서로 바뀜에 이치가 있어서 주재함을 이른다. '의(儀)'는 짝이니, 한번은 음이 되고 한 번은 양이 됨이 서로 짝이 되어 둘이 됨이다. 괘의 첫 번째 획이니, 이를 '양의'라 한다. 양의의 위에 각각 한번은 음이 되고 한 번 양이 됨을 더하면 둘이 배가 되어 넷이 되는데, 괘의 두 번째 획으로 이를 '사상'이라 한다. 사상의 위에 다시 각각 한 번은 양이 되고 한 번은 음이 됨을 더하면 넷이 배가 되어 여덟이 되는데, 괘의 세 번째 획으로 이를 '팔괘'라 한다. 팔괘가 있으면 따로 64가 있게 되고, 이것으로 점쳐서 길과 흉을 정하여 백성에게 의혹을 없게 하고 신속히 일에 나아가 공을 이루게 할 수 있다. 그러므로 "대업을 낳는다"고 하였다. 이것은 대체로 모나서 지혜로운 괘를 재차 언급하고는 곧 점치는 자가 숭상하는 점사에 미친 것이니, 둘이며 넷이며 팔이 됨은 괘의 모남이고, 길흉을 정하고 대업을 낳음은 괘의 지혜로움이다.

○ 平庵項氏曰, 自太極以至末章, 爲第四節, 極言聖人制作之本. 然制作之本有三, 易有太極以下六句, 言爻象之所由生, 法象莫大乎天地以下六句, 言成器之所由立, 天生神物以下四者, 爲易書之所由作.

평암항씨가 말하였다: '태극'으로부터 장의 끝에 이르기까지가 네 번째 절이 되니, 성인이 제작하는 근본을 끝까지 말하였다. 그러나 제작하는 근본에는 셋이 있으니 "역에 태극이 있다"부터 여섯 구절은 효와 상이 생겨난 연유를 말한 것이고, "법과 상이 천지보다 큰 것이 없다"부터 여섯 구절은 기물(器物)을 이룸이 성립된 연유를 말한 것이고, "하늘이 신령한 물건을 내었다"부터 네 구절은 『주역』이라는 책이 제작된 연유가 된다.

┃韓國大全┃

유정원(柳正源) 『역해참고(易解參攷)』

正義, 萬事各有吉凶, 廣大悉備, 能生天下大事業.

『주역정의』에서 말하였다: 만 가지 일에는 각각 길흉이 있어 광대하게 다 갖추어서 천하의 큰 사업을 낸다.

小註平庵說, 雙湖胡氏曰, 項氏分節甚好, 但其間語未盡純.

소주의 평암항씨의 설에 대해 쌍호호씨가 말하였다: 항씨가 구절을 나눈 것은 좋은데, 그 사이의 말이 순전함을 다하지 못했다.

김상악(金相岳) 『산천역설(山天易說)』

八卦旣生, 則剛柔迭用, 九六相推. 時有消長位有當否, 故定吉凶. 吉凶旣定, 則以之立事而生大業.

팔괘가 이미 생겨나면 강유가 번갈아 사용되고 9,6이 서로 밀친다. 때에는 줄어들고 늘어남이 있고 자리에는 마땅함과 그렇지 않음이 있어 길흉을 정한다. 길흉이 이미 정해지면 그것으로 일을 세우고 대업을 생한다.

이항로(李恒老) 「주역전의동이석의(周易傳義同異釋義)」

繫辭一條記疑.

「계사전」 한 조목에 대한 의심을 기록함.

易有太極, 是生兩儀, 兩儀生四象, 四象生八卦, 八卦生吉凶, 吉凶生大業.

역(易)에 태극(太極)이 있으니, 이것이 양의(兩儀)를 낳고, 양의가 사상(四象)을 낳고, 사상이 팔괘(八卦)를 낳으니, 팔괘(八卦)가 길흉(吉凶)을 정하고, 길흉이 대업(大業)을 낳는다.

恒老按, 易有太極猶言天道流行也. 謂所以流行不息者, 以其太極爲骨子也. 曰儀曰象曰卦曰吉凶曰大業, 皆從形質, 指形質所具之太極也. 何以明之. 儀是著見之稱, 著見於外指何物耶, 曰太極也. 象是肖似之稱, 所謂肖似者肖似乎誰耶, 曰太極也. 卦是掛示之稱, 所謂掛示者指何物耶, 曰太極也. 曰吉凶者, 太極之顯於得失者也. 曰大業者, 太極之著於事物者也. 故愚以爲就事物上, 指事物所具之太極而言.

내가 살펴보았다: 역에 태극이 있다는 것은 천도가 유행한다고 말하는 것과 같다. 유행하며 쉬지 않는 것은 태극을 골자로 삼았음을 말한다. 의(儀)라 하고 상(象)이라 하고 괘(卦)라 하고 길흉(吉凶)이라 하고 대업(大業)이라 함은 모두 형질을 따라 형질이 갖추고 있는 태극을 가리킨 것이다. 어떻게 알 수 있는가? 의(儀)는 드러남을 일컫는데 밖으로 드러났다는 것은 무엇을 지목하는가? 말하자면 태극이다. 상(象)은 흡사하게 그린 것을 일컫는데 이른바 흡사하게 그렸다는 것은 무엇을 지목하는가? 말하자면 태극이다. 괘(卦)는 걸어서 보여줌을 일컫는데 이른바 걸어서 보여준다는 것은 무엇을 지목하는가? 말하자면 태극이다. 길흉(吉凶)이라는 것은 태극이 실득으로 드러남이고 대업(大業)은 태극이 사물에 드러난 것이다. 그러므로 내가 사물에 나아가 사물이 갖추고 있는 태극을 가리켜 말한 것이라고 하였다.

오치기(吳致箕) 「주역경전증해(周易經傳增解)」

此節言易卦之所由生也. 一而生二, 卽自然之理也. 易謂陰陽之變而太極者卽其理也. 六十四卦, 本于八卦, 故止言八卦而包在其中. 大業謂萬事之用也.

이 구절에서는 역괘가 생한 연유를 말했다. 1이 2를 생함은 자연스러운 이치이다. 역은 음양의 변화를 말하고 태극은 그 이치이다. 64괘는 8괘에 근본하기 때문에 8괘를 말하는데 그쳤지만 그 가운데 포함되어있다. 대업은 만 가지 일의 쓰임을 말한다.

是故, 法象, 莫大乎天地, 變通, 莫大乎四時, 縣象著明, 莫大
乎日月, 崇高, 莫大乎富貴, 備物致用, 立成器, 以爲天下利,
莫大乎聖人, 探賾索隱, 鉤深致遠, 以定天下之吉凶, 成天下
之亹亹者, 莫大乎蓍龜.

이런 까닭으로 법(法)과 상(象)이 천지(天地)보다 큰 것이 없고, 변(變)하며 통(通)함이 사시(四時)보
다 큰 것이 없고, 상을 내걸어 널리 밝힘이 일월(日月)보다 큰 것이 없고, 숭고함이 부귀(富貴)보다
큰 것이 없고, 만물을 갖추며 씀을 다하며 기물(器物)을 만들어 내어 이로써 천하의 이로움을 삼음이
성인보다 큰 것이 없고, 잡다한 것을 뽑아내며 은미한 것을 찾아내며 깊은 것을 끌어내며 먼 것을
불러들여 이로써 천하의 길흉을 정하며 천하의 부지런히 애씀을 이루는 것이 시초와 거북보다
큰 것이 없다.

中國大全

本義

富貴, 謂有天下履帝位. 立下, 疑有闕文. 亹亹, 猶勉勉也. 疑則怠, 決故勉.

'부귀'는 천하를 지니고 황제의 지위에 오름을 이른다. '입(立)'의 아래에는 빠진 글자가 있는 듯하
다. '미미(亹亹)'는 부지런히 힘씀과 같으니, 의혹되면 나태하지만 결단했으므로 힘쓰는 것이다.

小註

朱子曰, 探賾索隱, 若與人說話時, 也須聽他雜亂說將出來底, 方可索他那隱底.
"잡다한 것을 뽑아내며 은미한 것을 찾아낸다"는 사람들과 대화할 때 같으면, 또한 저가 잡
다하게 말하려는 것을 들어야만 비로소 그의 은미한 것을 찾아 낼 수 있다.

○ 問, 以定天下之吉凶, 成大下之亹亹. 曰, 人到疑而不能決處, 便放倒了, 不肯向前,
動有疑阻. 既得卜筮, 知其吉凶, 自然勉勉住不得, 則其所以亹亹者, 是卜筮成之也.
물었다: "천하의 길흉을 정하며 천하의 부지런히 애씀을 이룬다"는 무슨 뜻입니까?

답하였다: 사람들은 의혹되어 결단할 수 없게 되면 곧 풀어 놓고 나아가려 하지 않으니, 움직임에 장애가 있게 됩니다. 그러나 이미 점을 쳐서 그 길과 흉을 알게 되면 자연히 부지런히 애쓰고 멈추지 않으니, 부지런히 애쓰게 된 것은 점치는 것이 이룬 것입니다.

○ 易占, 不用龜, 而每言蓍龜, 皆具此理也.
역(易)의 점에는 거북을 쓰지 않는데, 매번 시초와 거북을 말하는 것은 모두 이 이치를 갖춰서이다.

○ 進齋徐氏曰, 法謂效法, 象謂成象. 萬物之生, 有顯有微, 皆法象也, 而莫大乎天地. 萬化之運, 終則有始, 皆變通也, 而莫大乎四時. 天文煥爛, 皆懸象著明也, 而莫大乎日月. 崇高以位言, 而貴爲天子, 富有四海者, 爲尤大. 智者創物, 巧者述之, 皆足以爲利, 而物无不備, 用无不致, 立成器, 以爲天下利者, 惟聖人爲大. 賾隱, 以物象言, 深遠, 以事理言. 探之索之, 則賾者陳, 而隱者顯矣. 鉤謂曲而取之, 致謂推而極之, 則深者出, 而遠者至矣. 卦爻示人者, 明若觀火, 則有以決其吉凶, 而勉其有成也. 故曰成天下之亹亹者, 莫大乎蓍龜. 上三言, 以易之在造化者言也, 下三言, 以易之在人事者言也. 天地有自然之法象, 非崇高富貴, 位與天地竝, 何以修道而立敎. 四時有自然之變通, 非聖人作易, 變通盡利, 何以神化而宜民. 日月之明, 旁燭幽遐, 非易之示人, 本隱之顯, 何以開物成務. 是三言者, 各有所合也.

진재서씨가 말하였다: '법(法)'은 법을 드러냄을 이르고 '상(象)'은 상을 이룸을 이른다. 만물이 생겨남에 드러남도 있고 은미함도 있는 것이 모두 법이며 상이지만, 천지보다 큰 것이 없다. 온갖 변화가 운행되어 끝마치면 시작이 있는 것이 모두 변하며 통함이지만, 사시보다 큰 것이 없다. 하늘의 색채가 환한 것이 모두 상을 내걸어 널리 밝힘이지만, 일월보다 큰 것이 없다. 숭고는 자리로 말한 것인데, 귀함은 천자가 되고 부유함은 천하를 소유한 자가 가장 큰 것이 된다. 지혜로운 자가 사물을 시작하고 재주 있는 자가 이어가는 것이 모두 이로움이 될 수 있지만, 사물을 갖추지 않음이 없고 씀을 다하지 않음이 없으며 기물(器物)을 만들어 내어 이로써 천하의 이로움을 삼는 것이 오직 성인만이 위대하다. 잡다함과 은미함은 물건의 상(象)으로 말한 것이고, 깊음과 멂은 일의 이치로 말한 것이다. 뽑아내고 찾아내면 잡다한 것이 진열되고 은미한 것이 드러날 것이다. '구(鉤)'는 구석구석 취함을 이르고 '치(致)'는 미루어 다함을 이르니, 깊은 것이 나오고 먼 것이 이를 것이다. 괘효로 사람에게 보인 것이 불을 보듯이 분명하니, 길과 흉을 결단함이 있고 이룸이 있도록 격려하게 된다. 그러므로 "천하의 부지런히 애씀을 이루는 것이 시초와 거북보다 큰 것이 없다"고 하였다. 위의 세 가지는 천지의 조화에 있는 역을 말한 것이고, 아래의 세 가지는 인사에 있는 역을 말한 것이다. 천지에는 자연스러운 법과 상이 있는데, 숭고하고 부귀하여 자리가 천지와

나란하지 않는다면 어떻게 도(道)를 닦아 가르침을 세우겠는가? 사시에는 자연하게 변하며 통함이 있는데, 성인이 역을 지어 변통하여 이로움을 다함이 아니라면, 어떻게 신묘하게 교화하여 백성을 마땅하게 하겠는가? 일월의 밝음이 구석지고 깊은 곳을 널리 비추는데, 역이 사람에게 보여 본래의 은미함을 드러냄이 아니라면, 어떻게 만물을 열고 일을 이루겠는가? 이 세 가지로 말한 것에는 각각 합치하는 바가 있다.

○ 雲峯胡氏曰, 此六者之功用, 皆大也, 聖人欲借彼之大, 以形容蓍龜功用之大. 故以是終焉.

운봉호씨가 말하였다: 이 여섯 개의 공용이 모두 위대하기에, 성인이 저것들의 위대함을 빌려서 시초와 거북의 공용이 위대함을 형용하려 하였다. 그러므로 이것[시초와 거북]으로 끝맺었다.

○ 節齋蔡氏曰, 經文立字下, 當有象字.

절재채씨가 말하였다: 경문의 '입(立)'자 아래에는 '상(象)'자가 있어야만 한다.

▏韓國大全▏

조호익(曺好益) 『역상설(易象說)』

註雲峯說, 恐得本意.

주에 나오는 운봉호씨의 설이 아마도 본뜻을 얻은 듯하다.

김상악(金相岳) 『산천역설(山天易說)』

賾隱以物象言, 深遠以事理言.

잡다한 것을 뽑아내며 은미한 것을 찾아냄은 물상으로 말했고, 깊은 것을 끌어내며 먼 것을 불러들임은 이치로 말했다.

○ 立謂始立此器之名, 成謂始成此器之形. 來註, 物天之所生, 備此以致用, 如乘馬服牛之類. 器乃人之所成, 立此以利天下, 如耒耜網罟之類.

세움은 처음으로 이 그릇의 이름을 세우는 것이다. 이룸은 처음으로 이 그릇의 형체를 이루는 것이다. 래씨의 주에 만물은 하늘이 낸 것으로 이것을 갖추어 쓰임을 이루니 말을 타고 소를 길들이는 종류이다. 그릇은 사람이 이룬 것으로 이것을 세워 천하를 이롭게 하니, 쟁기와 보습과 그물 같은 종류이다.

심대윤(沈大允) 『주역상의점법(周易象義占法)』

亹亹, 猶勉勉也.

미미는 힘쓰고 힘씀이다.

오치기(吳致箕) 「주역경전증해(周易經傳增解)」

此節盛言易道之在造化及人事者, 而以著龜功用之大終言之也. 法謂效法, 象謂成象, 萬物之生皆有法象, 而莫大乎天地. 萬化之運皆有變通, 而莫大乎四時. 天文煥爛皆有懸象著明, 而莫大乎日月. 處崇高之位者, 莫大乎富有四海貴爲天子者. 馭群生之物備以致用, 如服牛乘馬立成日用之器, 如作舟車作杵臼以爲天下利者, 莫大乎聖人. 雜而賾者討而理之, 幽而隱者尋而得之, 深不可度者曲而鉤之, 遠不可致者推而極之. 以定其吉凶成其勉勉之業者, 莫大乎著龜. 此節言莫大者凡六, 而以上五言形容著龜之大用而贊之也.

이 구절은 조화와 인사에 들어있는 역의 도리를 말하고, 시초와 거북의 쓰임이 큼을 끝에서 말했다. 법(法)은 본받는 것이고 상(象)은 상을 이룸이다. 만물이 나올 때 다 법상이 있지만 천지보다 큰 것은 없다. 만 가지 조화의 움직임에 다 변통이 있지만 사시보다 큰 것은 없다. 천문의 밝게 비춤이 다 상을 매달아 밝음을 드러내지만 일월보다 큰 것은 없다. 숭고한 자리에 처함은 부유함이 사해를 소유하고 귀함이 천자가 되는 자보다 큰 것은 없다. 많은 살아있는 물건들을 부려 갖추어 쓰이도록 함이 소를 길들이고 말을 타서 날마다 쓸 그릇을 세워 이루고, 배와 수레와 절구와 절구공이를 만들어 천하를 이롭게 함이 성인보다 큰 것은 없다. 섞여 잡란한 것을 검토해 다스리고 그윽히 숨어있는 것을 찾아서 얻으며, 깊어서 헤아릴 수 없는 것은 굽혀서 갈고리질하고 멀어서 갈 수 없는 곳은 미루어 지극히 하여 길흉을 정하고 힘써야할 일을 정하는 것이 시초와 거북보다 큰 것은 없다. 이 구절에서 막대함을 말한 것이 여섯인데, 이상의 다섯은 시초와 거북의 큰 쓰임을 형용하여 찬탄한 것이다.

이진상(李震相) 『역학관규(易學管窺)』

小註, 成器之所由立.

소주에 기물(器物)을 이룸이 성립된 연유.

法象以下, 三言天道也. 備物以下三言人事也. 成器特其中之一事, 而項氏表出之誤矣.
법상(法象) 이하에서는 세 번 천도를 말했고, 비물(備物) 이하에서는 세 번 인사를 말했다.
그릇을 이룸은 그 가운데 한 가지 일인데, 항씨가 잘못 표현하였다.

是故, 天生神物, 聖人則之, 天地變化, 聖人效之, 天垂象, 見
吉凶, 聖人象之, 河出圖, 洛出書, 聖人則之,

이런 까닭으로 하늘이 신령한 물건[神物]을 내거늘 성인이 본받으며, 천지(天地)가 변화하거늘 성인
이 본받으며, 하늘이 상(象)을 드리워 길흉을 나타내거늘 성인이 그려내며, 하수(河水)가 「하도(河圖)
」를 내며 낙수(洛水)가 「낙서(洛書)」를 내거늘 성인이 본받으니,

‖ 中國大全 ‖

本義

此四者, 聖人作易之所由也. 河圖洛書, 詳見啓蒙.

이 네 가지는 성인이 역을 지은 유래이다. 「하도」와 「낙서」는 『역학계몽』에 자세히 보인다.

小註

雙湖胡氏曰, 神物, 謂蓍則之, 而四十九之用以行, 變化, 謂陰陽效之, 而卦爻之動靜以
備. 象, 謂日月星辰, 循度失度, 而吉凶見, 象之而卦爻有以斷吉凶. 圖書則金木水火
土, 生成克制之數, 則之而卦畫方位以定, 皆作易之本也.

쌍호호씨가 말하였다: '신령한 물건'은 시초로 본받아 49개의 작용이 진행됨을 이르고, '변화
(變化)'는 음양으로 본받아 괘효의 동정이 갖춰짐을 이른다. '상(象)'은 일월성신이 도수를
따르거나 도수에 어긋나서 길흉이 드러남을 이르니, 이를 그려내어 괘효에 길과 흉을 결단
함이 있는 것이다. 「하도」와 「낙서」는 금·목·수·화·토가 낳아 이루고 이겨 제재하는
수(數)로, 이를 본받아 괘획의 방위가 정해진 것이니, 모두 역을 짓는 근본이다.

○ 南軒張氏曰, 通於天者, 河也. 有龍馬負圖而出, 此聖人之德上配於天, 而天降其祥
也. 中於地者, 洛也. 有神龜戴書而出, 聖人之德下及於地, 而地呈其瑞也. 聖人則之.
故易興於世然後, 象數推之, 以前民用, 卦爻推之, 以前民行, 而示天下後世也.

남헌장씨가 말하였다: 하늘에 통하는 것은 하수(河水)이니, 용마가 「하도(河圖)」를 지고 나

왔다. 이는 성인의 덕이 위로 하늘에 짝하여 하늘이 상서로움을 내린 것이다. 땅에 중심이 되는 것은 낙수(洛水)이니, 신령한 거북이 「낙서(洛書)」를 싣고 나왔다. 성인의 덕이 아래로 땅에 미쳐 땅이 상서로움을 드러낸 것이다. 성인이 이것들을 본받았다. 그러므로 역이 세상에 흥성한 뒤에야 상수(象數)로 미루어 백성의 씀을 이끌게 하고, 괘효로 미루어 백성의 행함을 이끌게 하여 천하와 후세에 보인 것이다.

○ 雲峯胡氏曰, 四者, 言聖人作易之由, 而易之所以作, 由於卜筮. 故又以天生神物始焉.
운봉호씨가 말하였다: 네 가지는 성인이 역을 지은 연유를 말한 것인데, 역이 지어진 까닭은 점치는 것에 연유한다. 그러므로 다시 하늘이 신령한 물건을 내었다는 것으로 시작하였다.

‖韓國大全‖

권근(權近) 『주역천견록(周易淺見錄)』

河出圖洛出書, 聖人則之.
하수(河水)가 「하도(河圖)」를 내며 낙수(洛水)가 「낙서(洛書)」를 내거늘 성인이 본받으니.

此章之說, 愚已略陳於首篇矣. 河出圖者河中龍馬負圖, 出於伏羲觀象之時. 洛出書者洛中神龜負文, 出於大禹理水之日. 伏羲則之而畫卦, 大禹則之而敍疇義. 易有畫而無書故曰圖, 易範有文而可讀故曰書. 天地之間萬物之生, 皆得是理與是數.
이 장의 설에 대해서는 내가 이미 편머리에서 대략 진술하였다. "하수에서 「하도」가 나왔다"는 것은 하수에서 용마가 그림을 지고 나왔다는 것으로 복희가 상을 관찰할 당시에 나왔다. "낙수에서 「낙서」가 나왔다"는 것은 낙수에서 신령스런 거북이가 무늬를 지고 나왔다는 것으로 우가 치수사업을 하던 날에 나왔다. 복희가 이를 본받아 괘를 그리고, 우가 이를 본받아 구주(九疇)를 펼쳤다. 복희의 역에는 그림은 있으나 글이 없으므로 '도(圖)'라 하고, 역과 홍범에는 무늬가 있어 읽을 수 있으므로 '서(書)'라고 한다. 천지 사이의 만물이 나올 때는 모두 이 이치와 수를 지니고 있다.

天生神物, 不出於山, 而生於水中. 水者天一之所生, 萬物之最無莫之, 未定而變之甚速者也. 聖人神化之極, 天地太和之氣, 充塞兩間, 而水先得之. 龜龍效靈以彰眞理, 龍者變化不測之物, 不變其形而得其常數之體. 龜者賦形有定之物, 故仍其質而得其變數之用. 常必有其變, 變必本乎常, 此造化之妙也.

하늘이 신물을 낼 때는 산에서 나오지 않고 물에서 나온다. 물은 하늘 하나[天一]에 의해 만들어진 것이고 만물 가운데 가장 없을 수 없는 것으로, 고정되지 않아 매우 빠르게 변하는 것이다. 성인이 신묘한 조화의 극치로 천지 태화의 기운이 천지에 가득한데 물이 먼저 그것을 얻었다. 거북과 용이 영명함을 본받아 진리를 드러내니, 용은 변화를 예측할 수 없는 물건으로 형체를 변화시키지 않고 상수(常數)의 체(體)를 얻었다. 거북은 정해진 형체를 부여받은 물건이므로 바탕은 그대로이나 그 변수의 작용을 얻었다. 항상되면 반드시 변하고 변화는 반드시 항상됨에 근본하니, 이것이 조화의 묘함이다.

龍圖之數一六爲水而居北. 二七爲火而居南. 三八爲木而居東. 四九爲金而居西. 五十爲土而居中. 五行之序左旋相生, 是得天地五十五之全數, 故爲體之靈. 龜文之數一居北而統西北之六亦爲水也. 三居東而連東北之八是亦木也. 九居南而管東南之四者金也. 七居西而接西南之二者火也. 五居中而爲土獨無成數之十. 然其外面一與九三與七二與八四與六. 縱橫相對, 皆爲十也.

용 그림의 수는 1, 6이 물이 되어 북쪽에 자리하고 2, 7은 불이 되어 남쪽에 자리하고, 3, 8은 나무가 되어 동쪽에 자리하고, 4, 9는 쇠가 되어 서쪽에 자리하며, 5, 10은 흙이 되어 가운데 자리한다. 오행의 순서는 왼쪽으로 돌면서 상생(相生)하고 천지 55의 온전한 수를 얻었으므로 본체의 일정함이 된다. 거북 무늬의 수는 1이 북쪽에 자리하여 서북쪽의 6을 통솔하니 또한 물이 된다. 3이 동쪽에 자리하여 동북쪽의 8과 연결되니 이것 역시 나무이다. 9는 남쪽에 자리하여 동남쪽의 4를 주관하니 쇠이다. 7은 서쪽에 자리하여 서남쪽의 2와 접하니 불이다. 5는 중앙에 자리하여 흙이 되고 홀로 성수(成數)인 10이 없다. 그러나 그 외부에 1과 9, 3과 7, 2와 8, 4와 6이 종과 횡으로 상대하니 모두 10이 된다.

五行之序右轉相克, 其數極於九而不全, 故爲用之變. 然龜文陽居其正, 陰居其偏, 以陽統陰, 以陰屬陽. 老少四象各處其方, 是則體之常也. 龍圖陰居東北之陽方, 陽居西南之陰方. 二少進於前, 二老退於後, 是則用之變也.

오행의 순서는 오른쪽으로 돌면서 상극(相克)이고 그 수는 9에서 극에 이르고 온전하지 않으므로 용(用)의 변화가 된다. 그러나 거북이가 지고 나온 무늬에서 양은 그 바른 자리에 거하고 음은 치우친 자리에 거하여, 양으로 음을 통솔하고 음으로 양에게 배속된다. 노소(老少)의 사상(四象)[267]이 각각 자기 자리에 거처하니, 이것이 체(體)의 상(常)이다. 용의 그림

---

267) 사상(四象): 소양의 수는 7, 노양의 수는 9, 소음의 수는 8, 노음의 수는 6이다.

에서 음은 동북의 양자리에 자리하고 양은 서남의 음 자리에 거처하니 소양과 소음이 앞으로 나가고 노양과 노음이 뒤로 물러나 있으니 이것이 작용의 변화이다.

合而言之, 水木不變而火金變, 奇皆居正而偶有進退. 水木陽故不變, 火金陰故變, 皆貴陽而賤陰,皆以五而居中則一也. 則河圖而作易者, 一奇一偶兩儀之象也. 六七八九四象之象也. 其位分三八卦之象也. 分三而又兩之六爻之象也. 其初皆自一奇一偶而推之耳. 其位分三者上中下爲三, 左右中亦三也. 兩之者二七爲上, 五十爲中, 一六爲下之類也.

합하여 말하면 물과 나무는 변하지 않으나 불과 쇠는 변하고, 홀수는 바른 자리에 위치하지만 짝수는 나아가고 물러남이 있다. 물과 나무는 양이므로 변하지 않고, 불과 쇠는 음이므로 변하니, 모두 양을 높이고 음을 낮춘 것이며 모두 5가 중앙에 있다는 점은 동일하다. 「하도」를 본받아 역을 지었다는 것은 홀수와 짝수는 양의(兩儀)의 상이고, 6‧7‧8‧9는 사상(四象)의 상이다. 그 자리를 셋으로 나눈 것은 팔괘의 상이다. 셋으로 나누고 다시 둘로 만든 것은 육효(六爻)의 상이다. 그 처음에는 모두 하나의 홀수와 하나의 짝수에서 미룬 것일 뿐이다. 그 자리를 셋으로 나누었다는 것은 상‧중‧하가 삼이고, 좌‧중‧우 역시 삼이라는 것이다. 둘로 한 것은 2와 7이 상이 되고, 5와 10이 중이 되고, 1과 6이 하가 되는 것 등을 가리킨다.

先儒謂虛其中者, 以兩儀四象而言, 不言其卦位爻象也. 蓋其初畫爻則虛其中爲大極, 其終作卦則幷則之而爲六位也. 則洛書而作範, 則九疇之自初一五行至次九之福極是也. 先儒多因此章以爲圖書皆伏羲所則以作易者. 然此傳旣陳河圖, 自天一至地十之數, 而不陳洛書之數. 伏羲之時未有文字, 此章又明言洛出書, 則龜非出於畫卦之日明矣.

이전의 학자들이 그 가운데를 비웠다고 하는 것은 양의와 사상으로써 말한 것이지, 괘의 자리와 효의 상으로 말하는 것이 아니다. 처음 효를 그릴 때는 가운데를 비워 태극으로 삼고, 마지막으로 괘를 그릴 때는 함께 본받아 육위로 삼는다. 「낙서」를 본받아 「홍범(洪範)」을 지었다는 것은 홍범구주의 "첫째는 오행이다"에서 아홉째의 오복과 육극까지가 그것이다. 이전의 학자들은 이 장 때문에 「하도」와 「낙서」는 모두 복희가 본받아 역을 지은 것이라고 보았다. 그러나 이 전(傳)에서 이미 「하도」의 천1에서 지10까지의 수를 펼쳐놓고 「낙서」의 수는 펼쳐놓지 않았다. 복희씨의 시절에는 문자가 없었고, 이 장에서도 "낙수에서 「낙서」가 나왔다"고 분명히 말하고 있으므로, 거북은 복희가 괘를 그리던 당시에 나온 것이 아님이 분명하다.

故蔡氏嘗辨之曰, 天地之理一而已, 雖時有古今先後之不同, 而其理不容於有二也. 故伏羲但據河圖以作易, 則不必預見洛書而已逆與之合矣. 大禹但據洛書以作範, 則亦不必追考河圖而已, 暗與之符矣. 誠以此理之外無後他理故也.

그 때문에 채씨가 일찍이 그것을 변론하여 말하였다: 천지의 이치는 하나일 뿐이니 시대에는 고금이 있고 선후의 다름이 있지만 그 이치는 둘일 수 없다. 그러므로 복희씨는 하도에 근거해 역을 지어서 미리 「낙서」를 예견할 필요가 없었지만 그것과 부합한다. 우임금이 단지 「낙서」에 근거해 「홍범」을 지어서 또한 하도를 미루어 고찰할 필요 없었지만 암묵적으로 부합한다. 진실로 이 이치밖에 다시 다른 이치가 없기 때문이다.

此說, 於圖書之出雖有先後, 易範之數誠相表裏者, 辨之殆無餘縕.

이 설은 「하도」와 「낙서」가 나온 것에 선후의 차이가 있기는 하지만, 『주역』과 「홍범」의 수가 진실로 서로 표리가 되는 것에 대해서 거의 남김없이 변론하였다.

後世熊氏又謂圖書皆所則以作易也. 故以先後天八卦方位考之, 則洛書一居北六居西北, 老陰之位也, 故坤艮居之. 九居南四居東南, 老陽之位也, 故乾兌居之. 三居東八居東北, 少陰之位也, 故离震居之. 七居西二居西南, 少陽之位也, 故坎巽居之. 五居中虛之爲大極. 此非先天之四象乎. 河圖天一地六爲水居北, 故坎亦居北. 地二天七爲火居南, 故离亦居南. 天三地八爲木居東, 故震亦居東. 地四天九爲金居西, 故兌亦居西. 天五地十爲土房中分旺四季, 故乾坤艮巽亦居四維. 此非後天之四象乎.

후세의 웅씨[268]는 또 말했다: 「하도」와 「낙서」를 모두 본받아서 역을 지은 것이다. 그러므로 선후천 8괘 방위로 고찰하면 「낙서」에서 1은 북쪽에 거처하고 6은 서북쪽에 거처하여 노음의 자리이므로 곤과 간이 거처한다. 9는 남쪽에 거처하고 4는 동남쪽에 거처하여 노양의 자리이므로 건과 태가 거처한다. 3은 동쪽에 거처하고 8은 동북쪽에 거처하여 소음의 자리이므로 이와 진이 거처한다. 7은 서쪽에 거처하고 2는 서남쪽에 거처하여 소양의 자리이므로 감과 손이 자리한다. 5는 가운데 빈 곳에 거처하여 태극이 된다. 이것이 선천의 사상(四象)이 아닌가? 하도에서 천1과 지6이 물이 되어 북쪽에 거처하므로 감 또한 북쪽에 거처한다. 지2와 천7이 불이 되어 남쪽에 거처하므로 이 또한 남쪽에 거처한다. 천3과 지8이 나무가 되어 동쪽에 거처하므로 진 또한 동쪽에 거처한다. 지4와 천9가 쇠가 되어 서쪽에 거처하므로 태 또한 서쪽에 거처한다. 천5와 지6이 흙이 되어 중앙에 거처하여 나뉘어 왕성한 사계절에 분거(分居)하므로 건·곤·간·손 또한 사유(四維)에 거처한다. 이것이 후천의 사상(四象)이 아닌가?

---

268) 웅씨(熊氏) : 이름은 웅화(雄禾)이고 자(字)는 길비(吉非)이며 호(號)는 물헌(勿軒)이다.

愚按, 熊氏以先後天八卦, 配合圖書之數, 最爲明白. 然亦其理無二而已, 非書亦出於伏羲之時也. 蔡氏雖已明辨, 而熊氏又謂此說者, 蔡氏但據其理而言, 不得明證. 故熊氏觀其象數之合與夫孔子并言圖書而疑皆出於一時也.   苟以孔子并言而謂圖書皆出一時, 則今熊氏以先後天合言, 後世觀者因謂後天亦出於伏羲可乎. 此說後出而象數配合甚詳. 學者必將信其同出一時, 故敢引大傳陳河圖之數, 而不陳洛書之數. 伏羲之時未有文字, 而此言出書以爲證而辨之. 然其卦位與圖書相合者, 則熊氏之說不可廢, 而亦學者所當知者也.

내가 살펴보았다: 웅씨가 선후천 8괘를 「하도」와 「낙서」의 수에 배합한 것이 가장 명백하다. 그러나 또한 그 이치는 둘이 아니라는 것일 뿐이지 「낙서」 또한 복희 시대에 나왔다는 것은 아니다. 채씨가 비록 분명하게 변론했음에도 웅씨가 다시 이러한 설을 말한 것은, 채씨는 다만 그 이치에 근거해서 말하고 분명하게 증명하지 못했기 때문이다. 그러므로 웅씨는 그 상수가 공자가 「하도」와 「낙서」를 함께 언급한 것과 합치하므로 모두가 일시에 나온 것이라고 의심하였다. 정말로 공자가 아울러 언급한 것을 근거로 「하도」와 「낙서」가 모두 일시에 나온 것이라고 한다면, 이제 웅씨가 선천과 후천을 합하여 말하는 것을 가지고 후세의 관찰자가 후천 또한 복희에게서 나왔다고 한다면 옳겠는가? 이 설이 뒤에 나왔지만 상수의 배합이 매우 상세하여 학자들이 반드시 동시에 나왔다고 믿을 것이므로 감히 「계사전」에서 「하도」의 수만을 펼치고 「낙서」의 수를 펼치지 않은 것을 인용하였다. 복희씨의 때에는 문자가 없었는데 「계사전」에서 "글이 나왔다[出書]"고 말한 것을 가지고 증거로 삼아 변론하였다. 그러나 괘의 자리와 「하도」와 「낙서」가 서로 합치되는 것에 관해서는 웅씨의 설을 버릴 수가 없으니, 이 또한 학자들이 알아야 할 것이다.

이익(李瀷) 『역경질서(易經疾書)』

太極者從八卦推至其極也. 八生於四, 四生於兩, 兩生於一, 更無所推, 是謂太極. 太極兩儀如所謂一陰一陽之謂道. 陰陽屬兩, 道屬太極, 之字屬生字也. 此當與揲著帖看, 大衍置一而用四十九一者太極也.   分二象兩兩者兩儀也.   揲四歸奇至十二營成一畫, 二老二少, 於是咸具, 是謂兩儀生四象. 如是者三, 至三十六營而成八卦, 是謂四象生八卦.

태극은 팔괘를 따라 그 궁극까지 미룬 것이다. 팔괘는 4에서 생하고 4는 2에서 생하고 2는 1에서 생하니, 다시 미룰 곳이 없어 이를 태극이라 한다. 태극과 양의는 이른바 한 번은 음이 되고 한 번은 양이 됨을 도라 한다는 것이다. 음양은 양의에 속하고 도는 태극에 속한다. 지(之)자는 생(生)자에 속한다. 이것을 설시와 맞추어보면 대연에서 1을 놔누고 49를 쓰는 것에서 1이 태극이다. 둘로 나누어 양(兩)을 상징함은 양의이다. 넷씩 세고 나머지를 돌리고 12영에 이르러 1획을 이루어 노양·노음과 소양·소음이 이에 갖추어지니, 이를 일러 양의가 사상을 생한다고 한다. 이와 같은 것이 세 번이면 36영에 이르러 팔괘를 이루니, 이를 일러 사상이 팔괘를 생한다고 한다.

然其生象也. 只得其一象非一時竝列四象也. 求其或奇或偶, 有此四者而已. 其生卦也, 只得其一卦, 非一時竝列八卦也. 求其或乾或坤有此八者而已.
그렇지만 그 상(象)을 생함에는 다만 한 상만 얻을 뿐 동시에 사상을 함께 벌이는 것이 아니다. 구함에 혹 기수이거나 혹 우수이어서 이 4가지일 뿐이다. 그 괘를 생함에는 다만 그 1괘를 얻을 뿐 동시에 팔괘를 함께 벌이는 것이 아니다. 구함에 혹 건이나 곤이어서 이 여덟 가지일 뿐이다.

若曰卦之初畫帖兩儀, 至中畫始有老少四象之名, 則易何以有初九初六之義也. 至中畫旣定老少之名, 則乾兌坤艮之上畫固加於二老之上, 而坎离震巽加於二少之上者, 均有九六之義何也.
만약 괘의 처음 획을 양의에 맞추면 가운데 획에서부터 노소, 사상의 명칭이 있게 되니, 역에 어찌 초구나 초육의 뜻이 있겠는가? 가운데 획에 이르러 이미 노소의 명칭이 정해지면 건태곤간(乾兌坤艮)의 상획은 정말로 노양과 노음의 위에 더한 것이고, 감리진손(坎离震巽)은 소양과 소음의 위에 더하여 균등하게 9와 6의 뜻이 있음은 어째서인가?

若果初畫當兩儀, 則上五畫皆兩儀中事, 每以初爲微弱而愈上愈重何也.
만약 정말 초획이 양의에 해당한다면 위의 다섯 획은 다 양의 가운데의 일로 매번 초획이 미약하고 위로 올라갈수록 무거운 것은 어째서인가?

蓋太極生兩儀, 兩外無物, 此不與於八卦之畫也. 兩儀生四象, 四外無物, 四象生八卦, 八外無物. 不三畫不成八, 其實初畫各得四象之一, 中畫亦得四象之一, 上畫亦得四象之一也. 其始畫卦時, 用少而不用老, 卦體所以立. 及其占筮, 竝用老少, 卦用所以行也.
태극이 양의를 생할 때 양의의 밖에는 아무것도 없으니, 이것은 팔괘와 상관이 없다. 양의가 사상을 생할 때 사상 밖에는 아무것도 없다. 삼획을 이루지 않으면 팔괘를 이루지 않지만, 실제로는 초획이 각각 사상 가운데 하나를 얻고 중획도 사상 가운데 하나를 얻고 상획도 사상 가운데 하나를 얻는다. 처음 획을 그을 때 소양과 소음을 쓰고 노양과 노음을 쓰지 않아 괘의 몸체가 정립된다. 점서에 미쳐서 노소를 함께 쓰니, 이 때문에 괘의 쓰임이 행해진다.

且其辭止於八卦, 則邵子之加一倍, 或者未必信矣. 詳在下.

「계사전」의 말이 팔괘에서 그쳐서 소강절의 가일배법을 어떤 이는 믿지 못한다. 자세한 것은 아래에 있다.

天地者乾坤之所取象, 則法象宜莫大於此. 四時者, 一闔一闢一往一來, 則變通宜莫大於此. 日月者, 懸著於天地之間, 日以照晝月以照夜, 非此天地幾於晦息, 則著明宜莫大於此. 富貴之極有天下而爲天子, 萬物得所兆民仰瞻, 則崇高宜莫大於此. 聖人居其位, 物無不備, 用無不致, 而器之可成者, 無不立成, 如耒耟舟楫之類利天下, 宜莫大於此.

천지는 건곤이 취한 상으로 상을 본받음이 이보다 큰 것이 없다. 사시는 한 번 닫고 한 번 열며 한 번 가고 한 번 오는 것으로 변통이 이보다 큰 것이 없다. 일월은 천지의 사이에 매달려 해는 낮을 비추고 달은 밤을 비추어 밝음을 드러냄이 이보다 큰 것이 없다. 천하에서 부귀를 극도로 소유한 이가 천자인데, 만물을 얻고 많은 백성이 우러르니 숭고함이 이보다 큰 것이 없다. 성인이 그 자리에 거하여 물건을 갖추지 않음이 없고 쓰임을 이루지 않음이 없어 그릇을 이루어 세우고 이루지 않음이 없으니, 보습과 쟁기와 배와 노 같은 종류가 천하를 이롭게 함에 마땅하게 함이 이보다 큰 것이 없다.

然事則有吉凶, 業則亹亹, 亹亹者長久不倦之義, 此承大業說. 大則無外, 亹亹則不止於一時也. 蓍龜者, 探索賾隱, 鉤致深遠, 能先斷其吉凶, 助成長久之大業, 則宜莫大於此, 睦㮰周易稽疑云, 漢紀引此云立象成器, 當考.

그렇지만 사(事)에는 길흉이 있고 업(業)에는 부지런히 애쓰는 것이 있다. 부지런히 애씀은 오래도록 하고 게으르지 않는 뜻이니, 이것은 대업을 이어 말한 것이다. 크면 밖이 없고 부지런히 애씀은 한 때에 그치지 않는다. 거북과 시초는 잡다한 것을 뽑아내며 은미한 것을 찾아내며 깊은 것을 끌어내며 먼 것을 불러들여 능히 천하의 길흉을 먼저 판단하여 장구한 대업을 도와 이루니, 마땅함이 이보다 큰 것이 없다. 명나라 주목계(朱睦㮰)의 『주역계의』에 "『한서』에서 이 글을 인용하여 '상을 세워 기물을 이룸'이라고 하였다"고 했으니, 고찰해 봐야 한다.

天生神物承蓍龜說. 蓍龜之爲物本神靈, 故聖人因之爲揲灼之法. 然苟非聖人效天地變化而畫成八卦, 則蓍龜雖神, 亦無所施也. 承蓍龜故先言此. 天有雷風火之象, 地有水山澤之象. 然地統於天, 凡地之象莫非天之爲也. 故曰天垂也. 八象交錯順逆殊軌, 吉凶所以見也. 聖人象此而繫之, 辭有輕重之別, 今易中吉凶悔吝之類是也.

하늘이 신령한 물건[神物]을 냄은 시초와 거북을 이어서 말하였다. 시초와 거북이라는 물건이 본래 신령하기 때문에 성인이 그것을 통해 설시하고 굽는 법을 만들었다. 그러나 성인이 천지의 변화를 본받아 팔괘를 긋지 않았다면, 시초와 거북이 비록 신령해도 베풀 곳이 없다. 시초와 거북을 이었기 때문에 이것을 먼저 말했다. 하늘에는 우레와 바람과 불의 상이 있고 땅에는 물과 산과 못의 상이 있다. 그러나 땅은 하늘에 거느려지니 땅의 상은 하늘이 만든 것이 아님이 없다. 그러므로 하늘이 드리웠다고 하였다. 팔괘가 교착하여 순역에 궤를 달리 하니 길흉이 나타난다. 성인이 이것을 본받아 매달아 말에는 가볍고 무거운 구별이 있으니, 지금의 『주역』 가운데 길·흉·회·린의 종류가 이것이다.

河出圖洛出書伏羲夏后之瑞也. 史稱受圖畫卦恐未有據. 伏羲之畫卦, 聖人只云, 仰則觀象於天, 俯則觀法於地, 觀鳥獸之文與地之宜, 近取諸身遠取諸物, 始作八卦, 以通神明之德, 以類萬物之情.

하수에서 그림이 나오고 낙수에서 글이 나온 것은 복희와 하후의 상서로움이다. 역사의 기록에서 그림을 받아 괘를 그었다는 것은 근거가 없다. 복희씨가 괘를 그은 것에 대해 성인은 다만 "우러러 하늘에서 상(象)을 살피고 구부려 땅에서 법(法)을 살피며, 새와 짐승의 무늬와 땅의 마땅함을 살피며, 가까이 자신에게 취하고 멀리 사물에게 취하여, 이에 비로소 팔괘를 만들어 이로써 신묘하고 밝은 덕에 통하며, 만물의 실정을 분류하였다"고 하였다.

其所取極廣, 何曾云河圖耶. 伏羲之刱畫也, 只是如此. 於是河圖應時而出, 若合符節, 所謂先天而天不違也. 夏后得洛書而作範, 所謂後天而奉天時也.

그 취한 것이 지극히 넓은데 어찌 일찍이 「하도」를 운운하겠는가? 복희씨가 괘를 그은 것은 다만 이와 같을 뿐이다. 이에 「하도」가 때에 상응하여 나옴이 부절처럼 합하니, 이른바 '하늘보다 먼저 해도 하늘이 어기지 않음'이다. 하후씨가 낙서를 얻어 홍범을 지음은 이른바 '하늘보다 뒤에 해서 하늘의 때를 받듦'이다.

孔子又表出天一地二一節, 此又河圖之本源也. 排列爲圖則一六二七三八四九五十之位次是也. 先天之卦雖先於圖, 泂合不差. 後天之圖不知刱於何世, 而文王用之. 或者神農爲之耶. 詳在篇首.

공자는 또 천1지2 한 절을 표출했으니, 이것은 「하도」의 본원이다. 배열하여 그림으로 만들면 1·6과 2·7과 3·8과 4·9와 5·10의 자리 차례가 이것이다. 선천의 괘가 그림보다 앞서도 홀연히 합해서 어긋나지 않는다. 후천의 그림은 어느 때에 나온 지 알 수 없지만 문왕이 사용하였다. 어떤 이는 신농씨가 만들었다고 하는데 자세한 것은 편머리에 있다.

洛書則夏后用之, 先天後天及洛書三者, 皆總括於河圖而其義均也. 河圖之數, 有以奇

偶者, 有以配合者, 有以生成者. 此皆爲先後天及洛書三者之所以然. 外此更無其物
也. 其奇偶爲先天圖者何也. 一三七九爲奇, 二四六八爲偶. 驗之河圖奇數, 則一三居
內七九居外, 其縫在西北. 偶數則二四居內六八居外, 其縫在東南.

「낙서」는 하후씨가 사용했는데, 선천과 후천과 「낙서」의 세 가지는 모두 「하도」를 총괄하
여 그 뜻이 고르다. 「하도」의 수는 기우로써 한 것이 있고, 배합으로 한 것이 있고, 생성으로
한 것이 있다. 이것은 선천과 후천과 「낙서」세 가지를 써서 그러한 것이다. 이 밖에는 그런
물건이 없다. 기수와 우수가 「선천도」가 됨은 어째서인가? 1·3·5·7·9는 기수이고
2·4·6·8은 우수이다. 「하도」의 기수로 증험해보면 1·3은 안에 거하고 7·9는 밖에 거
하며 그 봉합은 서북에 있다. 우수는 2·4는 안에 거하고 6·8은 밖에 거하며 그 봉합은
동남에 있다.

陰陽表裏, 交結一圈, 是謂太極. 陽奇陰隅, 判而爲二, 則縫在西北者, 退居于東與南.
故一居東北隅, 三居東七居東南隅, 九居南也. 縫在東南者, 退居于西與北, 故二居西
南隅, 四居西六居西北隅, 八居北也. 是謂兩儀. 九與一合成十爲老陽而居始終. 七與
三合成十爲少陽而居其中. 八與二合成十爲老陰而居始終. 六與四合成十爲少陰而居
其中. 陰陽不交造化不成, 故三與四相易, 七與六相易, 則老陽包少陰, 老陰包少陽, 是
謂四象.

음양의 표리는 한 부분에서 만나는데, 이를 태극이라 한다. 양은 기수이고 음은 우수인데
갈라서 둘로 만들면 봉합은 서북에 있는 것은 물러나 동과 남에 거한다. 그러므로 1은 동북
의 모퉁이에 거하고 3은 동에 거하고 7은 동남의 모퉁이에 거하고 9는 남에 거한다. 봉합이
동남에 있는 것은 물러나 서와 북에 거하는 것이다. 그러므로 2는 서남의 모퉁이에 거하고
4는 서에 거하고 6은 서북의 모퉁이에 거하고 8은 북에 거한다. 이것을 양의라고 한다.
9와 1은 합해 10을 이루어 노양이 되어 시·종에 거한다. 7과 3은 합해 10을 이루어 소양이
되어 중앙에 거한다. 8과 2는 합해 10을 이루어 노음이 되어 시·종에 거한다. 6과 4는 합해
10을 이루어 소음이 되어 중앙에 거한다. 음양이 사귀지 않으면 조화가 이루어지지 않기
때문에 3과 4가 서로 바뀌고 7과 8이 서로 바뀌면 노양이 소음을 포용하고 노음이 소양을
포용하니 이것을 사상이라 한다.

乾一索得震, 故一爲震, 再索得坎, 故三爲坎, 三索得艮, 故七爲艮, 九者奇數之極, 故
九爲乾. 坤一索得巽, 故二爲巽, 再索得离, 故四爲离, 三索得兌, 故六爲兌, 八者偶數
之極, 故八爲坤. 是爲八卦. 九八之爲乾坤, 其奇偶次第宜然, 非二老之實數也.

건은 한 번 구해 진을 얻으므로 1이 진이 되고, 두 번 구해 감을 얻으므로 3이 감이 되고,
세 번 구해 간을 얻으므로 7이 간이 되고, 9는 기수의 끝이 되기 때문에 9가 건이 된다.

곤은 한 번 구해 손을 얻으므로 2가 손이 되고, 두 번 구해 리를 얻으므로 4가 리가 되고, 세 번 구해 태를 얻으므로 6이 태가 되고, 8은 우수의 끝이 되기 때문에 8가 곤이 된다. 이것이 팔괘이다. 9와 8이 건곤이 되고 기우의 순서가 마땅하니 노양 노음의 실제의 수가 아닌가!

其配合爲後天圖者, 何也. 一居北不動而六次於東北隅. 二居南不動而七次於西南隅. 三居東不動而八次於東南隅. 四居西不動而九次於西北隅. 一八爲始終而六三居中. 二九爲始終而七四居中. 陰陽不交造化不成, 故六與七居隅者相易, 而三與四居方者不動. 天一生水故一爲坎, 地二生火故二爲离, 天三生木故三爲震, 地四生金故四爲兌.

배합이 「후천도」가 되는 것은 어째서인가? 1이 북에 거해 움직이지 않고 6이 동북의 모퉁이에 머문다. 2가 남에 거해 움직이지 않고 7이 서남의 모퉁이에 머문다. 3이 동에 거해 움직이지 않고 8이 동남의 모퉁이에 머문다. 4가 서에 거해 움직이지 않고 9가 서북의 모퉁이에 머문다. 1과 8이 시·종이 되고 6과 3이 중앙에 거한다. 2와 9가 시·종이 되고 7과 4가 중앙에 거한다. 음양이 사귀지 않으면 조화가 이루어지지 않는다. 그러므로 6과 7이 모퉁이에 거한 것은 서로 바뀌고, 3과 4가 자리에 거한 것은 움직이지 않는다. 천1이 수(水)를 생하기 때문에 1이 감이 되고, 지2가 화(火)를 생하기 때문에 2가 리가 되고, 천3이 목을 생하기 때문에 3이 진이 되고, 지4가 금(金)을 생하기 때문에 4가 태가 된다.

艮少陽故七爲艮, 巽少陰故八爲巽, 乾爲老陽故九爲乾, 坤爲老陰故六爲坤. 坤象之得朋喪朋, 又是相易之證也. 先天之奇偶者主多少次第, 故以八當坤. 後天之配合者主陰陽方位, 故六爲坤. 以第以位, 九爲乾則均, 今爻辭用後天, 故以九六爲言. 二者同出於河圖, 爲八卦之所以然, 而與洛書同例旣變之後, 須別置一圖, 河圖及卦序源委脉絡方可以指的推明. 余嘗試爲先天之數立說云, 九冠八履右三左四足當一七肩分六二, 又爲後天之數立說云, 一本二首三左四右雙肩八六兩足七九, 極知僭妄. 然邵子朱子亦各有排定次序, 但不立說. 不然圖與卦, 終無著落之地矣.

간은 소양이기 때문에 7이 간이 되고, 손은 소음이기 때문에 8이 손이 되고, 건은 노양이기 때문에 9가 건이 되고, 곤은 노음이기 때문에 6이 곤이 된다. 곤의 단사에 '벗을 얻고 잃음'은 또한 서로 바꾸는 증거이다. 선천의 기우는 다소의 차례를 주로하기 때문에 8이 곤에 해당한다. 후천의 배합은 음양의 방위를 주로하기 때문에 6이 곤이 된다. 차례로 하고 자리로 함에 9가 건이 됨은 균등한데 지금 효사에서 후천을 쓰기 때문에 9와 6으로 말한 것이다. 둘은 모두 「하도」에서 나와 팔괘가 그렇게 된 까닭이 되었는데, 「낙서」와 함께 예가 되어 이미 변한 뒤에 반드시 별도로 한 그림에 놓아야만 「하도」와 괘의 차례의 본말과 맥락을 가리켜 밝힐 수 있다. 내가 일찍이 시험삼아 선천의 수를 만들어 설을 세우기를, "9가 관(冠)이고 8이 발이고 오른 쪽은 3이고 왼쪽은 4이고 발은 1과 7에 해당하고 어깨는 6과 2로 나눈다"고 하였고, 또 후천수를 만들어 설을 세우길, "1이 근본이고 2가 머리이고 3은 왼쪽 4는 오른쪽 양쪽어깨는 8과 6이고 양 발은 7과 9이다"라고 하였는데 참람하고 망령됨을 지극히 안다. 그렇지만 소강절과 주자도 각기 배정한 차례와 순서가 있지만 설을 세우지 않았을 뿐이다. 그렇지 않으면 그림과 괘는 끝내 붙일 곳이 없다.

其生成爲洛書者何也. 亦與上二圖同例. 一二三四爲生, 六七八九爲成, 北與東爲陽方生數居之, 南與西爲陰方成數居之, 五居中爲九數. 九數者以一爲三, 以三爲九, 故一二三自北左旋至於東, 四五六自東南隅貫過於中至於西北隅, 七八九自西右旋至於南, 其勢三摺折轉自下而上也. 陰陽不交, 則造化不成, 是故東北隅之二與西南隅之八相易. 二者一三之中也, 八者七九之中也. 何以明其然也. 洛書之演而洪範作, 其二五事之肅乂哲謀聖, 與八庶徵之肅乂哲謀聖相符合. 五事屬人, 庶徵屬天, 天人感通之理的然可知, 而惟生成中, 二八兩數, 分明交換. 箕子豈欺我哉. 余以是知有陰陽交易之理, 而推之先後天兩圖, 若執左契而索物也. 此豈偶然也哉.

생성이 「낙서」가 됨은 어째서인가? 역시 위 두 그림과 같은 예이다. 1·2·3·4는 생수이고 6·7·8·9는 성수이다. 북과 동은 양방으로 생수가 거하고 남과 서는 음방으로 성수가 거하며 5가 중앙에 거해 9수가 된다. 9수는 1로 3을 삼고 3으로 9를 삼기 때문에 1·2·3은 북에서 좌선하여 동에 이르고 4·5·6은 동남의 모퉁이에서 가운데를 관통해 지나가 서북의 모퉁이에 이른다. 7·8·9는 서에서부터 우선하여 남에 이른다. 셋씩 포개어 꺾어 돌아 아래에서 위로 올라간다. 음양이 사귀지 않으면 조화가 이루어지지 않는다. 그러므로 동북의 2와 서남의 8이 서로 바뀐다. 2는 1과 3의 가운데이고 8은 7과 9의 가운데이다. 어찌 그러함을 밝힐 수 있는가? 「낙서」를 펼쳐 「홍범」을 지었는데, 그 두 번째 오사(五事)의 숙예철모성(肅乂哲謀聖)과 여덟 번째 서징(庶徵)의 숙예철모성(肅乂哲謀聖)이 서로 부합한다. 오사(五事)는 사람에 속하고 서징(庶徵)은 하늘에 속하는데, 하늘과 사람이 감통하는 이치가 밝음을 알 수 있고, 오직 생수·성수 가운데 2와 8의 두 수만이 분명히 교환한다. 기자(箕子)가 어찌 나를 속이겠는가? 내가 이로써 음양이 교역하는 도리를 알아 선후천 두 그림에 미루어 보니, 마치 부절의 한 쪽을 쥐고 물건을 찾는 것과 같은데, 어찌 우연이겠는가?

示之以象, 惟恐見之不明, 告之以辭, 惟恐聽之不聰. 斷之以吉凶, 於是無遇不明, 可以知所從矣.

상으로 보여주어도 밝게 보지 못할까 두렵고, 말로 일러주어도 밝게 듣지 못할까 두렵다. 길흉으로 판단하여 이에 만나는 것마다 밝지 않음이 없으니, 어디로부터 왔는지를 알겠다.

下章引大有者, 卽繫辭定吉凶之證案.
아래 장에서 대유괘를 인용한 것은 말을 매어 길흉을 판단함을 증명한 것이다.

유정원(柳正源) 『역해참고(易解參攷)』

正義, 春秋緯云, 河以通乾出天苞, 洛以流坤吐地符. 河龍圖發, 洛龜書獻, 河圖有九篇, 洛書有六篇.
『주역정의』에서 말하였다: 「춘추위」에서 "하수는 건에 통해 천포(天苞)를 내고 낙수는 곤으로 흘러 지부(地符)를 내었다. 하수의 용은 그림을 내고 낙수의 거북은 글을 바쳤다. 하도는 9편이 있고 낙서는 6편이 있다"고 하였다.

○ 程子因見賣兎者曰, 聖人見河圖洛書而畫八卦. 然何必圖書, 只看此兎亦可作八卦.
정자가 토끼를 파는 것을 보고 말하였다: 성인이 「하도」와 「낙서」를 보고 팔괘를 그었다. 그렇지만 꼭 「하도」와 「낙서」이겠는가? 다만 저 토끼만 보더라도 팔괘를 그을 수 있다.

○ 漢上朱氏曰, 著一根百莖, 龜具八卦五行天地之數, 神物也, 故聖人則之. 天地變化, 四時行焉, 百物生焉, 故聖人效之. 日月五星天象也, 天不言, 示人以象, 吉凶見矣, 故聖人象之. 河圖九宮〈案, 漢上從劉牧, 易置圖書之說, 故謂河圖九宮.〉洛書五行, 聖人則之效之者, 效之以立爻之動, 故曰爻也者效天下之動者也. 象之者象也.
한상주씨가 말하였다: 시초는 한 뿌리에 백 줄기이고 거북은 팔괘와 오행과 천지의 수를 갖추고 있으니 신령한 물건이기 때문에 성인이 본받았다. 천지가 변화함에 사시가 행해지고 백물이 생하기 때문에 성인이 본받았다. 일월과 오성은 천상인데 하늘은 말이 없어 상으로 보여주어 길흉이 나타나기 때문에 성인이 상징했다. 「하도」의 구궁과 〈내가 살펴보았다: 한상주씨는 유목의 설을 따라 「하도」와 「낙서」를 바꾸어 설명했기 때문에 「하도」가 구궁이라고 하였다.〉「낙서」의 오행을 성인이 본받았으니, 본받아서 효의 움직임을 정립했기 때문에 효는 천하의 움직임을 본받은 것이라고 하였다. 상징한 것이 상이다.

於著龜圖書則之者, 大衍之數八卦五行, 作易者則之, 故乾坤坎離震巽艮兌三畫之卦爻, 皆合九六七八數皆十五. 水六火七木八金九五行之數具焉.
시초와 거북, 「하도」와 「낙서」에서 본받은 것은 대연지수와 팔괘와 오행인데 역을 지은 자가 본받았다. 그러므로 건곤감리진손간태(乾坤坎離震巽艮兌) 삼획의 괘효가 모두 9,6과 7,8의 합수인 15이다. 수(水)의 6과 화(火)의 7과 목의 8과 금의 9로 오행의 수가 구비되었다.

傳曰, 聖人以蓍龜而信天地四時日月之象數, 以河圖洛書而信蓍龜之象數. 信矣其不疑也, 於是乎作易.

「전」에 이르길, "성인이 시초를 쓰면서 천지·사시·일월의 상수를 믿고, 「하도」와 「낙서」를 쓰면서 시초와 거북의 상수를 믿었다. 믿고 의심하지 않았기 때문에 이에 역을 지었다"고 하였다.

○ 節齋蔡氏曰, 效學也, 象形象也. 變化垂象, 天地造化之可考者. 聖人效象之而易道以明. 神物圖書, 天地生物而備數者. 聖人則之而易法以著. 此乃作易之旨也.

절재채씨가 말하였다: 본받음은 배우는 것이다. 상은 형상이다. 변화하며 상을 드리우니 천지의 조화를 고찰할 수 있는 것인데, 성인이 본받아 형상하여 역도로 밝혔다. 신물과 도서는 천지가 낸 물건으로 수를 갖춘 것인데, 성인이 본받아 역법으로 드러냈다. 이것이 역을 지은 취지이다.

송능상(宋能相) 「계사전질의(繫辭傳質疑)」

天生神物一節, 首尾四言儘有次序. 神物旣生, 則其自然之象體, 而制用之利用變化, 斯效於天地矣. 旣變而定剛柔爻畫, 斯有吉凶之象矣. 爻畫旣成而三才之象具焉, 則其中所有隨各不同而動靜大小自有定理. 夫是之謂則圖書者也. 或者以爲上則字乃用字之誤, 其言似是而實非. 蓋此段專論作易之所由. 故天地變化以下, 皆只論效象則而已. 豈可於上面先已下用字也哉.

하늘이 신물을 낸다는 한 구절의 앞뒤 네 마디는 모두 질서가 있다. 신물이 이미 나왔다면 자연스러운 상을 체득하여 제작하여 쓰는 이롭게 쓰는 변화가 이에 천지를 본받는다. 이미 변하여 강유의 획이 정해지면 이에 길흉의 상이 있게 된다. 효의 획이 이미 이루어지고 삼재의 상이 갖추어지면, 그 가운데 각각 다름을 따라 동정과 대소가 저절로 정해지는 이치가 있다. 이것을 일러 「하도」와 「낙서」를 본받았다고 한 것이다. 어떤 이는 위의 칙(則)자를 용(用)자의 오류라고 하는데 그 말이 그럴듯하지만 그르다. 이 문단은 오로지 역을 지은 연유를 논했다. 그러므로 천지변화 이하는 다만 모두 효(效)와 상(象)과 칙(則)을 논했을 뿐이다. 어찌 위에서 먼저 '용'자를 썼겠는가?

김상악(金相岳) 『산천역설(山天易說)』

神物謂蓍. 伏羲受河圖而畫八卦, 禹得洛書而陳九疇. 各是一事, 而曰聖人則之者, 蓋言其理之无二也. 如上文所謂莫大乎蓍龜, 易之書有蓍而无龜也.

신물은 시초를 말한다. 복희는 「하도」를 받아 팔괘를 그었고 우(禹)는 「낙서」를 얻어 구주를 펼쳤다. 각각 하나의 일인데 성인이 본받았다고 한 것은 그 이치가 둘이 아님을 말한 것이다. 위 문장에서 말한 "시초와 거북보다 큰 것이 없다"와 같은 것이니, 역의 글에는 시초만 있고 거북은 없다.

○ 南軒張氏曰, 通於天者河也, 有龍馬負圖而出, 此聖人之德上配於天, 而天降其祥也. 中於地者洛也, 有神龜戴書而出, 聖人之德下及於地, 而地呈其瑞也.
남헌장씨가 말하였다. 하늘에 통한 것은 하수인데 용마가 그림을 지고 나오니, 이는 성인의 덕이 위로 하늘과 배합하여 하늘이 그 상서를 내려준 것이다. 땅의 가운데 있는 것이 낙수인데 신령한 거북이 글을 지고 나오니, 이는 성인의 덕이 아래로 땅에 미쳐 땅이 그 상서를 드러낸 것이다.

박윤원(朴胤源) 『경의(經義)·역경차략(易經箚略)·역계차의(易繫箚疑)』

易有太極, 此易字是易書歟, 是造化歟. 太極所以形狀此理之至極無加也, 自夫子始發出此名目歟. 太極不離於陰陽, 無懸空獨立時節, 而今曰是生兩儀, 而理氣果有先後歟. 陽前是陰陰前是陽, 故程子曰, 動靜無端, 陰陽無始. 宜無兩儀未生時, 而謂之生者何歟. 夫生者自無而有之謂也, 陰陽果是自無而有者歟. 夫子此言, 蓋言卦畫生出之序. 故曰生兩儀卽言生陰陽奇耦之畫也. 是則然矣, 而濂溪太極圖說, 動而生陽靜而生陰, 亦豈卦畫說耶. 此誠不能無疑. 天生神物聖人則之, 此則字與下文則字爲重疊何歟. 非但重疊之爲嫌, 亦有可疑者. 夫則之爲言法也, 河圖洛書卽天地之文, 其方位象數, 聖人法而陳之, 固可謂之則矣. 神物卽蓍也. 蓍不過枯草之滿百莖者, 聖人特取而掛揲耳, 豈可曰效法之乎. 或曰神物之下則, 是用字之誤, 此說何如.

"역에 태극이 있다"는 '역'자는 역서를 말함인가, 조화를 말함인가? 태극은 이치가 지극하여 더할 것이 없음을 형상한 것인데, 공자로부터 이 이름이 시작된 것인가? 태극은 음양을 떠나지 않아 허공에 매달려 독립되어있는 때가 없는데, 지금 이것이 양의를 생한다고 하였으니, 과연 이기에 선후가 있다는 것인가? 양의 앞은 음이고 음의 앞은 양이기 때문에 정자가 동정엔 끝이 없고 음양엔 시작이 없다고 하였다. 마땅히 양의가 나지 않은 때는 없는데, '생'이라고 한 것은 어째서인가? '생'자는 무에서 유로 감을 이른 것이다. 음양이 과연 무에서 유로 온 것인가? 공자의 이 말은 괘획이 나온 순서를 말한 것이다. 그러므로 양의를 생한다는 것은 곧 음양·기우의 획을 생한다는 것이다. 이것은 그렇다고 하고, 염계의 「태극도설」에 동하여 양을 생하고 정하여 음을 생한다는 것도 괘의 획을 말한 것인가? 이것은 정말 의심이 없을 수 없다. "하늘이 신령한 물건[神物]을 내거늘 성인이 본받았다"는 것에서 이 '칙(則)'자가 아래 문장의 칙(則)자와 중첩되는 것은 어째서인가? 중첩의 혐의만 있는 것이 아니라 의심스럽다. '칙(則)'이란 말은 '법(法)'이란 말인데, 「하도」와 「낙서」는 천지의 문양으로 그 방위와 상수를 성인이 본받아 펼친 것이니, 진실로 본받았다고 이를 만하다. 신령한 물건은 곧 시초이다. 시초는 마른 풀로 100줄기가 있는 것에 불과하고, 성인이 다만 취하여 걸고 셀뿐인데, 어찌 본받았다고 하는가? 어떤 이는 신물(神物)의 아래 '칙'자는 '용(用)'자의 오류라고 하는데, 이 설명은 어떤가?

윤종섭(尹鍾燮)『경(經)-역(易)』

易學之不明象數, 全說道理, 自王弼始. 便是懸空說道. 道之在天下, 浩浩無涯, 從何下手. 聖人觀象設卦, 以明吉凶.

역학에서 상수를 밝히지 않고 전적으로 도리만 말한 것은 왕필로부터 시작되었다. 공허하게 도를 말하여 천하에 도가 있음이 넓고 끝이 없어 어느 곳에서부터 손을 댈지 모른다. 성인이 상을 보고 괘를 베푼 것은 길흉을 밝히기 위함이다.

大傳曰, 天垂象見吉凶, 又曰崇德廣業, 所以效天法地, 而人道斯明.

「계사전」에서 "하늘이 상(象)을 드리워 길흉을 나타낸다"고 하였고, 또 "덕(德)을 높이고 업(業)을 넓힌다"고 하였는데, 그래서 하늘을 본받고 땅을 본받아 인도가 이에 밝아지는 것이다.

說易者, 舍其象數而只譚其道, 無主人公事.

역을 설명하는 사람이 상과 수를 버리고 다만 도리만 말하면 주인공의 일이 없는 것이다.

易有四象, 所以示也, 繫辭焉, 所以告也, 定之以吉凶, 所以斷也.

역(易)에 사상(四象)이 있음은 이로써 보여주는 것이고, 말을 단 것은 이로써 일러주는 것이고, 길흉으로 정함은 이로써 결단하는 것이다.

‖中國大全‖

本義

四象, 謂陰陽老少, 示, 謂示人以所値之卦爻.

‘사상(四象)’은 음과 양의 노(老)와 소(少)를 이르고, ‘시(示)’는 사람에게 해당되는 괘효(卦爻)로 보여줌을 이른다.

小註

錢氏藻曰, 有其象, 无其辭, 則示人以其意而已, 聖人懼後世不能與知也. 於是, 係之辭以告之, 定其辭以斷之, 曰示則使人有所見, 曰告則使人有所知, 曰斷則使人无所疑.

전조가 말하였다: 그 상은 있지만 그 말이 없으면 사람에게 그 뜻을 보일 뿐이니, 성인이 후세에 모두 알지 못할까 염려하였다. 이에 말을 달아서 일러주고 그 말을 정하여 결단하였으니, ‘보여준다’고 한 것은 사람들이 보게 하는 것이며, ‘일러준다’고 한 것은 사람들이 알게 하는 것이며, ‘결단한다’고 한 것은 사람들에게 의혹이 없게 하는 것이다.

○ 漢上朱氏曰, 聖人, 所以示人, 吉凶也, 易於吉凶, 有以利言者, 有以情遷者, 有義命當吉當凶 當亨當否者, 一以貞勝而不顧, 非聖人, 不能定之也. 定之者, 所以斷之.

한상주씨가 말하였다: 성인이 사람에게 보인 것은 길흉이다. 『주역』에서는 길흉에 대해 이로움으로 말한 것도 있고, 실정으로 옮긴 것도 있고, 의리와 천명에 마땅히 길하고 흉하며 형통하고 막힌 것도 있어서 하나로 늘 이기려 하고 돌아보지 않으니, 성인이 아니라면 정할

수가 없다. 정함은 결단하는 것이다.

○ 雲峯胡氏曰, 示四象, 所以開物, 繫辭斷吉凶, 則可以成務, 而天下之道, 无不在其
中. 此蓋總一章, 專言卜筮之意也.
운봉호씨가 말하였다: 사상(四象)을 보임은 만물을 여는 것이고, 말을 달아 길과 흉을 결단
하면 일을 이룰 수 있어서 천하의 도리가 그 가운데 있지 않음이 없다. 이것은 대체로 한
장을 총괄하고, 전적으로 점치는 것의 의의를 말한 것이다.

韓國大全

김상악(金相岳) 『산천역설(山天易說)』

示之以象, 告之以辭, 所以定其吉凶而斷之也.
상으로 보여주고 말로 고해줌으로써 길흉을 정하여 판단하게 한다.

윤행임(尹行恁) 『신호수필(薪湖隨筆)·역(易)』

開物者, 建矦行師, 畜民容衆之類也. 成務者, 制禮作樂明賞愼罰之類也. 通上下之志
然後可以定大業, 大業定然後可以斷疑, 斷疑者神也.
만물을 여는 것은 제후를 세우고 군사를 행하고 백성을 기르고 무리를 포용하는 종류이다.
일을 이룸은 예를 만들고 악을 짓고 상을 밝히고 벌은 신중히 하는 종류이다. 상하의 뜻에
통한 뒤에 대업을 정할 수 있고 대업을 정한 뒤에 의심을 판단할 수 있으니, 의심을 판단하
는 것은 신이다.

圓而神者體也, 方而知者用也. 圓而方神而知, 蓍卦之所以爲德也. 自卦而爲爻, 變易
而告人者, 用中之用也.
둥글고 신묘한 것은 본체이고, 모나고 지혜로운 것은 작용이다. 시초와 괘가 덕이 됨은 괘로
부터 효가 되어 변역하여 사람에게 일러주는 것이니 작용중의 작용이다.

心可洗乎. 陸氏之澄心, 蓋祖於此, 而所謂洗心者, 齋心之謂也. 占筮者, 齋心如澡身者, 然無一蔽累而后可以交乎神, 可以藏乎密, 若陸氏澄心者, 空空寂寂, 面壁擎跽, 流於釋家之宗旨. 此所以洗心澄心之異也.

마음을 씻을 수 있는가? 육씨의 마음을 맑게 한다는 것은 여기에 근거를 두고 있다. 마음을 씻는다는 것은 마음을 엄숙히 함을 말한다. 점을 치는 자가 마음을 엄숙히 함을 몸을 조심하듯 함이니, 그래서 하나라도 더러움을 끼치지 않은 뒤라야 신과 사귈 수 있어 은밀한 데 감출 수 있다. 육씨의 마음을 맑게 한다는 것과 같은 것은 비고 고요해서 벽을 마주 대하고 손을 들어 올리고 무릎을 꿇어 석가의 종지로 흐른다. 이것이 세심(洗心)과 징심(澄心)의 다른 차이이다.

吉凶與民同患之患, 卽慮之意也. 慮者如大學能慮, 蓋謂吉凶之事與百姓同其思念也.

"길흉에 백성과 함께 근심한다"는 '근심'은 사려의 뜻이다. 사려는『대학』의 능히 사려함이니, 길하고 흉한 일에 대해서 백성과 그 생각을 함께 함을 말한다.

易之道生生也, 故有神武而不嗜殺人者, 可以與於此乾坤之性. 易之道以生人爲心.

역의 도는 낳고 낳는 것이기 때문에 신묘한 무력으로도 사람 죽이기를 좋아하지 않는 자가 있어 이 건곤의 성품에 참여할 수 있는 것이다. 역의 도는 사람 생함을 마음으로 삼는다.

發育萬物天之道也, 稟賦五常民之故也. 聖人以神道設敎而先明乎已德以神民聽夫, 所謂占筮非欲動人以禍福也. 非欲嚇人以神鬼也. 蓋於日用常行之故, 全其所有之性, 爲子而孝爲臣而忠爲弟而悌, 所以爲久道而化成也.

만물을 발육하는 것은 천지의 도이다. 오상을 품부한 것은 백성의 연고이다. 성인이 신묘한 도로 가르침을 베풂에 자기의 덕을 먼저 밝힘으로 그 덕을 신명하게 한다. 이른바 점치는 것은 사람을 화복으로 움직이고 사람을 귀신으로 겁주려는 것이 아니다. 날마다 쓰는 일상의 연고에 소유한 성품을 온전히 하여 자식이 되어 효도하고 신하가 되어 충성하고 아우가 되어 공경하여 도에 오래하여 변화되어 이루려는 것이다.

乾始坤遂, 故曰闢闔. 闔爲陰闢爲陽, 陰陽迭變而无窮, 故曰通. 棟宇耒耜舟車之器, 百姓日用而不知, 是謂神. 蓋言聖人觀象設卦之義.

건은 시작하고 곤은 이룬다. 그러므로 열고 닫는다고 하였다. 닫음은 음이고 엶은 양이다. 음양이 번갈아 변하여 끝이 없으므로 '통'이라고 한다. 기둥과 지붕과 쟁기와 보습과 배와 수레의 그릇은 백성이 날마다 쓰면서도 알지 못하니 이를 '신'이라 한다. 성인이 상을 보고 괘를 베푼 뜻을 말했다.

易有太極者何謂也. 太極之前豈有易哉. 曰, 易之理自太極而來也.
물었다: 역에 태극이 있다는 것은 무엇을 말합니까? 태극의 앞에 어찌 역이 있겠습니까?
답하였다: 역의 이치가 태극으로부터 왔습니다.

兩儀者何謂也. 儀是儀則儀刑之謂也. 陰陽分而爲兩, 謂之物則形體已具, 謂之事則作
爲已見, 故以儀爲言也.
양의는 무엇을 말하는가? 의(儀)는 의식이나 본보기를 말한다. 음양으로 나뉘면 둘이 되는
데 물건이라고 하면 형체가 이미 갖추어지고 일이라고 하면 작위가 이미 드러나기 때문에
'의(儀)'로 말하였다.

吳幼淸, 以儀爲匹亦通.
오유청이 의(儀)는 짝[匹]이라고 했는데 역시 통한다.

吉凶生大業者, 八卦設而吉凶分, 知吉凶則知卦義, 知卦義則知陰陽五行之理, 故曰大
業生.
'길흉이 대업을 생함'은 팔괘가 베풀어지고 길흉이 나누어져 길흉을 알면 괘의 뜻을 알고
괘의 뜻을 알면 음양오행의 이치를 알기 때문에 "대업을 생한다"고 했다.

在天則成象, 在地則著法, 在四時則春而爲夏謂之變, 貞則復元謂之通.
하늘에 있어서는 형상을 이루고 땅에 있어서는 법을 드러내고 사시에 있어서는 봄이 여름이
됨을 변이라 하고, 정(貞)은 다시 원(元)이 됨을 통이라 한다.

河出圖洛出書聖人則之, 古之河洛只有圖書. 卦疇至周之興商之末, 始著爲文字. 周之
郁乎文哉, 其由於此歟.
하수에서 그림이 나오고 낙수에서 글이 나와 성인이 본받았으니, 옛적의 하락은 다만 도서
였다. 괘와 홍범구주는 주나라가 일어나고 상나라가 망할 때에 처음으로 드러내 문자로 만
들었다. 주나라의 문덕이 성함은 이로 말미암았다.

河洛一而二, 二而一也. 大衍之數又相合如符, 而曰一曰極, 卽大衍之所虛太極也. 一
五行二五事相乘而爲二十五者, 易之天數也.
「하도」와 「낙서」는 하나이면서 둘이고 둘이면서 하나이다. 대연지수는 또 서로 신표처럼
부합하는데, 하나는 1이라 하고 하나는 극(極)이라 하였으니, 대연에서 비운 것이 곧 태극이
다. 첫번째 오행과 두 번째 오사가 서로 곱해져 25가 됨이 역의 천수(天數)이다.

或以河洛爲後世假托之辭, 以繫辭爲曲儒傳會之說, 而此則大不然. 朱子於啓蒙辨之
詳矣. 且按論語曰, 河不出圖, 洪範曰, 天乃錫禹云, 則河圖之在於伏羲, 洛書之在於
禹, 繫辭之在於孔子, 居可知爾.

어떤 이는 「하도」와 「낙서」는 후세에 가탁한 것이고, 「계사전」은 왜곡된 선비들이 부회한
설명이라고 하는데, 이것은 전혀 그렇지 않다. 주자가 『역학계몽』에서 변론한 것이 자세하
다. 또 『논어』에 보면 "하수에서 그림이 나오지 않는다"고 하였고, 「홍범」에서 "하늘이 우임
금에게 주었다"고 하였으니, 「하도」는 복희에게 있고 「낙서」는 우임금에게 있고 「계사전」
은 공자에게 있음은 가만히 있어도 알 수 있다.

河圖乾也, 洛書坤也. 圖圓而書方也. 圓之數十陽而有陰也, 方之數九陰而有陽也.

「하도」는 건이고 「낙서」는 곤이다. 「하도」는 둥글고 「낙서」는 모나다. 동그라미의 수는 10
으로 양이면서 음이 있고, 네모의 수는 9로 음이면서 양이 있다.

오치기(吳致箕) 「주역경전증해(周易經傳增解)」

此節承上文蓍龜功用之語, 而言三聖人作易之由也. 神物卽蓍龜也. 天地變化如日月
寒暑往來相推, 及山峙川流禽飛獸走之類也. 見吉凶者如日月星辰躔次循度晦明薄蝕
之類也. 四象者以蓍策定老少陰陽而成卦, 故推求卦之事而言也. 示謂示人以卦爻也.

이 구절은 윗 글의 시초와 거북의 공용의 말을 이어서 세 성인이 역을 지은 연유를 말하였
다. 신물은 곧 시초와 거북이다. 천지의 변화는 일월(日月)과 한서(寒暑)의 왕래(往來)와
서로 밀침같은 것과 산천의 흐름과 날짐승 들짐승 같은 종류이다. 길흉을 드러냄은 일월·
성신이 순차적으로 지나가며 어둡거나 밝고 일식이 일어나는 종류이다. 사상은 시초의 책수
로 노소·음양을 정해 괘를 이루는 것이므로 괘를 미루어 구하는 일로 말하였다. 보여줌은
사람에게 괘효로 보여주는 것이다.

이병헌(李炳憲) 『역경금문고통론(易經今文考通論)』

乾鑿度曰, 易始於太極, 太極分而爲二, 故生天地. 天地有春秋冬夏之節, 故生四時. 四
時各有陰陽剛柔之分, 故生八卦.

『건착도』에서 말하였다: 역은 태극에서 시작되고 태극이 나뉘어 둘이 되므로 천지를 생한
다. 천지엔 춘하추동의 계절이 있기 때문에 사시를 생한다. 사시에는 각각 음양·강유의
구분이 있기 때문에 팔괘를 생한다.

鄭曰, 極中之道, 淊和未分之氣.

정현이 말하였다: 중극[極中]의 도는 화합되어 나누어지지 않은 기이다.

虞曰, 太極太一也, 四象四時也.

우번이 말하였다: 태극은 태일이고 상은 사시이다.

姚曰, 四象謂七八九六, 卽四營布於四方是曰四時. 陰陽之老少備, 故生八卦, 謂乾坤六子也.

요신이 말하였다 : 사상은 7,8,9,6을 가리키니, 곧 사영이 사방에 펼쳐있는 것을 사시라 한다. 음양·노소가 갖추어지기 때문에 팔괘를 낳으니 건곤과 육자(六子)를 말한다.

釋詁曰, 亹亹勉也.

『이아석고』에서 말하였다: 미미(亹亹)는 힘씀이다.

劉向曰, 著之言者, 龜之言久. 龜千歲而靈, 著百年而神. 以其長久, 故能辯吉凶也.

유향이 말하였다: 시초는 늙었다는 말이고, 거북은 오래되었다는 말이다. 거북은 천년을 살며 신령하고, 시초는 백년을 살며 신령하다. 장구함을 쓰기 때문에 길흉을 분별할 수 있다.

按, 卜筮固一道, 故或并及龜. 然易中言神物者, 當專指著也. 物未必能神, 唯在人之神而明之. 河圖雒書, 歷代未聞有述之者. 後世圖象所傳, 其作俑於陳搏乎. 大有上九孔子所言, 先儒多屬上節, 故從之.

내가 살펴보았다: 복과 서는 본래 동일한 도리이기 때문에 혹 거북을 아우른다. 그렇지만 역 가운데 말한 신물은 마땅히 시초만을 가리킨 것이다. 물건이 반드시 신령할 수 없고 오직 사람이 신명하게 하는 데 달려있다. 「하도」와 「낙서」는 역대에 기술했다는 자를 들어보지 못했다. 후세에 도상을 전한 것은 진단(陳搏)에서 만들어졌다. 대유괘의 상구효에 대한 공자의 말을 선배학자들이 대부분 윗 구절에 붙였기 때문에 따른다.

右第十一章

이상은 제 11장이다.

‖中國大全‖

本義

此章, 專言卜筮.

이 장은 전적으로 점치는 일을 말하였다.

小註

雙湖胡氏曰, 此章凡八稱聖人, 皆指伏羲, 只繫辭以告, 是文王周公事. 首揭夫易何爲者也一句, 爲問辭, 喚起一章大意, 而以夫易開物以下, 爲答辭, 盡說歸卜筮. 其下六箇是故, 一箇是以, 皆發明卜筮之事. 第一箇是故, 說聖人以通以定以斷, 總言卜筮之綱也. 第二箇是故, 言聖人以此洗心, 第三箇是以, 言聖人以此齋戒, 此卽卜筮, 以用卜筮也. 第四箇是故, 分言闔戶爲坤, 闢戶爲乾, 以明畫卦布爻之法. 第五箇是故, 提起易有太極, 以論生儀象卦之法, 亦揲著求卦之象. 第六箇是故, 雖論天地四時日月, 實歸重聖人有富貴之位, 能致用立器, 以利天下, 而必以著龜亹亹者結之, 亦聖人之事也. 至第七箇是故, 四致意於聖人則之效之象之則之, 而未及文王周公之辭焉. 故本義謂此章專言卜筮, 而伏羲畫卦之法, 其綱領已備見於是, 而圖書爲作易之原, 亦因是而發焉, 此皆不可不知也.

쌍호호씨가 말하였다: 이 장에서 모두 여덟 번 일컬은 성인은 모두 복희를 가리키고, 다만 말을 달아서 일러준 것은 문왕과 주공의 일이다. 첫머리에 "역은 무엇을 하는 것인가?"라는 한 구절을 내건 것은 질문하는 말이 되니, 이 장(章)의 대의를 환기시켰고, "역은 만물을 열고"부터는 답하는 말이 되니, 모두 점치는 것[卜筮]을 설명하며 끝냈다. 그 아래에 여섯 개의 '이런 까닭으로[是故]'와 하나의 '이 때문에[是以]'는 모두 점치는 일을 펼쳐 밝힌 것이다. 첫 번째의 '이런 까닭으로'에서는 성인이 이로써 통하고 정하며 결단함을 말했으니, 점치는 일의 강령을 총괄하여 말한 것이다. 두 번째의 '이런 까닭으로'에서는 '성인이 이것으로 마음을 씻음'을 말하였고, 세 번째의 '이 때문에'에서는 '성인이 이것으로 깨끗이 하며 두려워함'을 말하였는데, '이것'은 바로 점을 침[卜筮]이니, 점치는 것을 썼다는 것이다. 네 번째의 '이런 까닭으로'에서는 문을 닫음이 곤이 되고 문을 엶이 건이 된다고 나누어 말하여 괘를 긋고 효를 펼치는 방법을 밝혔다. 다섯 번째의 '이런 까닭으로'에서는 '역에 태극이 있음'을 끌어다가 양의와 사상과 팔괘를 낳는 방법을 논하였으니, 또한 시초를 셈하여 괘를 구하는 상이다. 여섯 번째의 '이런 까닭으로'에서는 비록 천지(天地)와 사시(四時)와 일월(日月)을

논하였지만, 실제로는 성인이 부유한 지위가 있고 씀을 다하며 기물을 만들어 천하를 이롭게 할 수 있음에 중점을 돌렸고, 반드시 시초와 거북이 부지런히 애씀을 이룬다는 것으로 끝을 맺으려 했으니, 또한 성인의 일이다. 일곱 번째의 '이런 까닭으로'에서는 성인이 네 번 본받으며[則之], 본받으며[效之], 그려내며[象之], 본받은[則之] 것에 뜻을 모았고, 문왕과 주공이 말을 단 것은 언급하지 않았다. 그러므로 『본의』에서 "이 장은 전적으로 점치는 일을 말하였다"고 하였는데, 복희의 괘를 긋는 방법은 그 강령이 이미 여기에 갖추어 나타나고, 「하도」와 「낙서」가 역을 짓는 근원이 된다는 것도 또한 이에 근거하여 펼쳐지니, 이것은 모두 알지 않으면 안 되는 것이다.

韓國大全

송시열(宋時烈) 『역설(易說)』

上章闕疑, 不敢復用愚見.

이 장에는 의심스러운 점이 있지만, 감히 다시 나의 견해를 쓰지 않는다.

박치화(朴致和) 「설계수록(雪溪隨錄)」

冒, 包含也.

덮음은 포함함이다.

○ 冒天下之道是統說, 不可與開物成務對說看. 冒天下之道, 故能通志定業斷疑, 通志定業斷疑, 故能開物成務. 然則三者不可以分屬解釋.

천하의 도리를 덮는다는 것은 통합하여 말한 것이니, 만물을 열고 일을 이룬다는 말과 상대한 말로 보면 안 된다. 천하의 도리를 덮기 때문에 뜻을 통하고 일을 정하며, 의혹을 결단하기 때문에 만물을 열고 일을 이룬다. 그러므로 세 가지를 나누어서 해석하면 안 된다.

○ 開物成務, 言易之用. 冒天下之道, 言易之大.

만물을 열고 일을 이룬다는 것은 역의 쓰임을 말하였고, 천하의 도리를 덮는다는 것은 역의 위대함을 말하였다.

○ 非開物成務, 而冒天下之道, 冒天下之道, 故能開物成務也.

만물을 열고 일을 이루어 천하의 도리를 덮는 것이 아니라, 천하의 도리를 덮기 때문에 만물을 열고 일을 이루는 것이다.

○ 密微密, 言至小也. 藏處置, 無痕跡也.

은밀함은 은미하게 감춘 것이니, 지극히 작음을 말한다. 감춤은 그쳐서 놓아둔 것이니, 흔적이 없는 것이다.

○ 退藏於密, 應冒天下之道一句. 神以知來藏以知往, 應開物成務一句.

은밀함에 물러나 숨는다는 것은 천하의 도리를 덮는다는 한 구절에 상응한다. 신묘함으로 올 것을 알고 지혜로 간 것을 간직한다는 것은 만물을 열고 일을 이룬다는 한 구절과 상응한다.

○ 易道滿招損謙受益. 是吉亦有警戒之憂, 故曰吉凶與民同患.

역의 도리는 가득차면 손해를 부르고 겸손하면 이익을 받는 것이다. 길함에도 경계하는 근심이 있기 때문에 길흉에 백성과 더불어 근심을 같이 한다고 하였다.

○ 神武而不殺, 不怒而威者也. 此節言聖人體蓍卦爻之德, 以與民同患, 而神知亦如蓍卦爻之德. 孰能與於此, 古之聰明叡知神武而不殺者也.

무력(武力)이 신묘하고도 죽이지 아니하던 자는 성내지 않고도 위엄스러운 자이다. 이 구절은 성인이 시초와 괘를 체득하여 백성과 더불어 근심을 같이 하고, 신묘한 지혜가 시초와 괘의 덕과 같음을 말한다. 그 누가 여기에 참여할 수 있겠는가? 옛날의 총명(聰明)하고 슬기롭고 무력(武力)이 신묘하고도 죽이지 아니하던 자일 것이다.

○ 言聖人神武而不殺者, 易道亦如此故也. 蓋易中說吉凶, 而以之卜筮者得吉則勸而趨之, 得凶則懲而避之. 善者自勸不善者自化, 有不殺之威武, 如聖人之聰明叡知神武而不殺之德, 故配而言之也.

무력(武力)이 신묘하고도 죽이지 아니하던 자라고 말한 것은 역의 도리가 그렇기 때문이다. 역 가운데 길흉을 말해 이것으로 복서를 하여 길함을 얻는 자는 권면하여 나아가고, 흉함을 얻은 자는 징계하여 피한다. 선한 자는 권면하고 불선한 자는 스스로 교화되어 죽이지 않는 위엄스런 무력이 있는 것이 마치 성인이 총명(聰明)하고 슬기롭고 무력(武力)이 신묘하고도 죽이지 아니하던 덕과 같기 때문에 짝지어 말한 것이다.

○ 易生生之道也. 見示吉凶而人自化之, 眞所謂神武而不殺者也.

역은 낳고 낳는 도리이다. 길흉을 보여주면 사람이 스스로 교화되니, 진실로 이른바 무력이
신묘하고도 죽이지 아니하던 자이다.

○ 雲峯胡氏以神武而不殺, 譬聖人假卦爻蓍之德, 而不用其物爲言, 恐非此節本旨.
聖人何嘗不用其物耶. 故下節曰是興神物以前民用, 此用其物之實也. 胡氏之論未可
知也.
운봉호씨는 무력이 신묘하고도 죽이지 않음을 성인이 괘효와 시초의 덕을 빌리고 그 물건을
쓰지 않는 것으로 비유했는데, 이 구절의 본래 뜻이 아닌 것 같다. 성인이 어찌 일찍이 그
물건을 쓰지 않은 적이 있는가? 그러므로 아래 구절에 말하길, 이에 신령한 물건[神物]을
일으켜 백성의 씀을 이끌게 하였다고 했으니, 이것이 그 물건을 쓴 실제이다. 호씨의 논의를
알지 못하겠다.

○ 朱子之意, 以爲聖人有是德, 置蓍卦而不用. 譬猶古之聰明叡知神武而不殺者. 雖
不殺而神武之意自在. 雖不用而神明之理自在.
주자의 뜻은 성인이 이런 덕을 지니고 시초와 괘를 놔두고 쓰지 않는 것이 마치 옛날의
총명(聰明)하고 슬기롭고 무력(武力)이 신묘하고도 죽이지 아니하던 자와 같다는 것이다.
비록 죽이지 않지만 신묘한 무력은 저절로 있고, 비록 쓰지 않지만 신명의 도리는 저절로
있다.

○ 朱子之意, 專以聖人不待卜筮而知吉凶爲解. 聖人雖無易可也, 故易爲凡民設也.
주자의 뜻은 오로지 성인이 복서를 하지 않고도 길흉을 안다고 풀이한 것이다. 성인은 역이
없어도 가능하기 때문에, 역은 백성을 위해 베푼 것이라고 할 수 있다.

○ 聖人有是德而不待蓍卦, 猶聖人有神武而不待殺伐.
성인이 이 덕을 지니고 있어 시초와 괘를 기다리지 않는 것이 성인이 무력(武力)이 신묘하
고도 죽이지 않는 것과 같다.

○ 體易者惟聰明叡知神武而不殺之聖者能之, 非凡民所可能. 故聖人設卜筮而敎之,
以知吉凶, 則所謂明於天道察於民故是興神物也.
역을 체득한 자는 오직 옛날의 총명(聰明)하고 슬기롭고 무력(武力)이 신묘하고도 죽이지
아니하던 성스런 자라야 가능하지, 평범한 백성이 가능한 것이 아니다. 그러므로 성인이
복서를 베풀어 가르쳐 길흉을 알게 하니, 이른바 하늘의 도리를 밝히고 백성의 연고를 살펴
서 이에 신령한 물건[神物]을 일으켰다는 것이다.

○ 自是故蓍之德, 至神明其德二節, 反覆說聖人體蓍卦爻之德, 而有如此合德, 故聖人是興蓍卦爻, 反以神明其德.

"이런 까닭으로 시최[蓍]의 덕(德)은 둥글어 신묘하고"로부터 "그 덕을 신묘하고 밝게 한 것이로다"까지의 두 구절은 성인이 시초와 괘효의 덕을 체득한 것을 반복하였다. 이처럼 덕을 합하기 때문에 성인이 시초와 괘효를 일으키고 돌이켜 그 덕을 신묘하고 밝게 한다.

○ 易者一闔一闢之中有太極焉. 是生兩儀.

역은 한 번 닫고 한 번 여는 가운데 태극이 있는데, 이것이 양의를 낳는다.

○ 闔闢者兩儀也. 在闔闢之中而爲闔闢之樞機者太極也.

닫고 여는 것은 양의이고, 닫고 여는 가운데 닫고 여는 지도리가 태극이다.

○ 日用之自然者謂之神.

날마다 쓰는 저절로 그런 것을 신이라고 한다.

○ 從一源而言則太極生兩儀, 從流行而言則一陰一陽之謂道.

한 근원으로 말하면 태극이 양의를 낳고, 흘러 다니는 것으로 말하면 한 번은 음이 되고 한 번은 양이 됨을 도라 한다.

○ 一每生二者太極生兩儀, 則太極爲一而兩儀爲二. 兩儀生四象, 則兩儀爲一而四象爲二. 推之莫不皆然.

1이 매번 2를 낳는 것이 태극이 양의를 낳음이니, 태극은 1이 되고 양의는 2가 된다. 양의가 사상을 낳음은 곧 양의가 1이 되고 사상이 2가 된다. 미루어보면 다 그렇지 않음이 없다.

○ 男女爲陰陽, 而男有氣血女亦有氣血. 是一卦三畫之象也.

남녀가 음양이 되는데, 남자에게 기혈이 있고 여자에게도 기혈이 있다. 이것이 한 괘에 세 획이 있는 상이다.

○ 第四節, 言天地之造化, 人事之自然, 以明神物之用也.

제 4절은 천지의 조화와 인사의 자연함을 말하여 신묘한 물건의 쓰임을 밝혔다.

○ 第五節, 承上節, 而言動靜卦爻之所以生之次第也.

제 5절은 윗 구절을 이어 움직이고 고요한 괘효가 생하는 순서를 말했다.

○ 第七節, 言蓍龜之德配合於天地四時日月聖人也.

제 7절은 시초와 거북의 덕이 천지·사시·일월·성인과 배합함을 말했다.

○ 第八節, 承上文以言作易之由也.

제 8절은 윗글을 이어 역을 지은 연유를 말했다.

윤동규(尹東奎) 『경설(經說)-역(易)』

第十一章至十二章, 明聖人作易, 爲開物成務, 與民同患, 以神道設敎之意也. 蓋以卦藏往, 以神知來, 使民咸用之, 此與天之盛德大業同憂者也. 闔戶謂坤, 闢戶謂乾, 一闔一闢之謂變, 往來不窮之謂通者, 是卽乾坤生六子之事. 下文所謂兩儀生四象四象生八卦者是也. 見乃謂之象謂乾, 形乃謂之器謂坤. 首章在天成象在地成形者正謂是也.

제11장에서 12장까지는 성인이 역을 지어 만물을 열고 일을 이루며 백성과 함께 근심하여 신묘한 도로 가르침을 베풀었다는 뜻이다. 괘로는 지난 것을 감추고 신으로는 올 것을 알아 백성들이 함께 쓸 수 있게 했으니, 이것이 하늘과 함께하는 성대한 덕과 대업으로 같이 근심하는 것이다. 문을 닫음을 곤(坤)이라 하고, 문을 엶을 건(乾)이라 하고, 한 번 닫고 한 번 엶을 변(變)이라 하고, 오고가서 다하지 않음을 통(通)이라 하는 것은 건곤이 여섯 자녀를 낳는 일로, 아랫 글에서 말한 양의(兩儀)를 낳고, 양의가 사상(四象)을 낳고, 사상이 팔괘(八卦)를 낳음이 이것이다. 나타난 것을 곧 상(象)이라 함은 건을 말하고, 형성된 것을 곧 기(器)라 함은 곤을 말하니, 1장의 하늘에 있어 형상을 이루고 땅에 있어 형체를 이룬다는 것이 이것이다.

兩儀是坤乾, 坤乾各各, 分陰分陽, 迭用柔剛, 各三變而成男女, 雖有三變, 以陰陽變剛柔言, 則其實陰陽剛柔而已. 故在坤乾謂之兩儀, 在乾坤震巽言謂之四象. 然其各三交則其變剛柔則一, 而卦則自成八. 故曰兩儀生四象四象生八卦, 其例昭然, 而上文闔戶謂坤, 闢戶謂乾者, 自相符合也.

양의는 곤건이다. 곤건이 각각 음과 양으로 나뉘어 갈마들며 유와 강을 쓰며 각각 삼변하여 남녀를 이루는데 삼변이 있다고 하나, 음양의 변과 강유로 말하면 실제는 음양·강유일 뿐이다. 그러므로 곤건을 양의라 이르는데, 건곤진손(乾坤震巽)에 있는 것을 말하면 사상이라 한다. 그렇지만 각각 세 번 사귀니 그 변함이 강유인 것은 동일하며 괘는 각자 여덟을 이룬다. 그러므로 양의가 사상(四象)을 낳고, 사상이 팔괘(八卦)를 낳는다고 하였으니, 그 예가 밝아서 윗글의 문을 닫음을 곤(坤)이라 하고, 문을 엶을 건(乾)이라 한다는 것과 자연스럽게 서로 부합한다.

如不然則何必於此重言復言若此耶. 其所太極者卽三極之極, 而不言三極而言太極者, 只言天也. 蓋上成象謂乾效法謂坤, 卽因一陰一陽之謂道有此, 故只言天爲太極. 然旣言天極, 則三極擧在其中矣. 自陰陽而生剛柔, 則爲四象. 若無此則何以辨易之體用, 而爲觀象繫辭之道耶. 是故曰易有四象所以示也, 繫辭焉所以斷也.

만약 그렇지 않다면 왜 여기에서 거듭거듭 이와 같이 말했겠는가? 태극이라는 것은 삼극의 극인데 삼극을 말하지 않고 태극이라 한 것은 다만 하늘만 말한 것이다. 위에 상을 이룸을 건이라 하고 법을 본받음을 곤이라 하니, 곧 한 번은 음이 되고 한 번은 양이 됨을 통해 이런 것이 있는 것이다. 그러므로 다만 하늘이 태극이 됨을 말하였다. 그러나 이미 천극을 말했으니 삼극은 그 가운데 들어있는 것이다. 음양으로부터 강유를 낳으니 사상이 된다. 만약 이런 것이 없다면 어떻게 역의 체용을 분별하며 상을 보고 말을 매는 도가 되겠는가? 그러므로 역(易)에 사상(四象)이 있음은 이로써 보여주는 것이고, 말을 단 것은 이로써 결단하는 것이라고 한 것이다.

說卦曰, 觀變於陰陽而立卦, 發揮於剛柔而生爻, 分陰分陽而迭用剛柔.
「설괘전」에서 말하였다: 음과 양에서 변화를 보아 괘를 세우고, 굳셈과 부드러움에서 발휘하여 효를 낳으며, 음으로 나누고 양으로 나누며 유순함과 굳셈을 차례로 쓴다.
此則雖因揲著求卦之法, 然與此當互相發也. 宜在詳察也.
이것은 설시하여 괘를 구하는 법을 근거로 한 것이지만, 이곳과 함께 서로 발명(發明)한 것이니 자세히 살펴야 한다.

制而用之謂之法, 利用出入民咸用之謂之神, 此指上文是興神物以前民用之事. 聖人以著揲四, 爲九六之變, 使民以此齊戒而酬酢, 感發而其應之, 不疾而速不行而至, 以神明其德, 使民則而行之. 此所謂利用出入民咸用之者也.
만들어 씀을 법(法)이라 하고, 쓰기에 이롭게 하여 내며 들여 백성들이 모두 씀을 신(神)이라 한다는 것은 윗 글의 이에 신령한 물건[神物]을 일으켜 백성의 씀을 이끌게 하는 일을 가리킨다. 성인이 4개씩 세어 9와 6의 변화를 만들어 백성들이 이로써 재계하고 수작하여 느껴 응하게 하고, 달리지 않아도 빠르며 가지 않아도 이르게 함으로 그 덕을 신명하게 하여 백성들이 행하게 하니, 이것이 쓰기에 이롭게 하여 내며 들여 백성들이 모두 씀을 신(神)이라 한다는 것이다.

第二章旣言自天祐之吉旡不利矣, 此章將言觀變玩占, 故又此重言之, 以明民之用之實求天之祐之意. 故下文更言鼓舞以盡神, 恐非錯簡. 蓋易窮則變, 變則通, 實盡利之大法. 若不知變而通之, 則何可論易耶. 故下文以乾坤其易之縕一節以示變通之義. 夫一陰一陽之道. 乾坤卽陰陽形而下者也, 其道卽易之道立乎其中者, 不可見卽形而上者. 然非乾坤形而下, 則何以見, 故指形而言曰而上, 其義明矣. 上文變通以乾坤之生六子而言在卦. 此章變通以揲著求爻而在人, 故更言措民事業, 下言存變存通存人之意, 其義精矣.

제 2장에서 이미 하늘로부터 돕기에 길(吉)하여 이롭지 않음이 없다고 말하고 이 장에서 변화를 보고 점을 완미함을 말하려 하기 때문에 백성들이 사용하는 실제가 하늘의 도움을 구함이라는 것을 밝혔다. 그러므로 아래 글에 다시 말한 부추기고 춤추게 하여 신묘함을 다하였다는 것은 착간이 아닐 것이다. 역은 궁하면 변하고 변하면 통하여 실제 이로움을 다하는 큰 법이다. 건곤은 곧 음양으로 형이하자이고, 그 도는 곧 역의 도로 그 가운데 서니 볼 수가 없어 형이상자이다. 그렇지만 건곤의 형이하가 아니면 어떻게 볼 수 있겠는가? 그러므로 형상을 가리켜 그 위[而上]라고 하였으니 그 뜻이 분명하다. 윗글의 변통은 건곤이 여섯 자녀를 낳는 것으로써 말하는 것이 괘에 있다. 이 장의 변통은 설시하여 효를 구하는 것이 사람에게 있기 때문에 다시 백성에게 두는 사업을 말하였고, 아래에 변함에 있고 통함에 있고 사람에 있다는 뜻을 말했으니 그 의미가 분명하다.

심취제(沈就濟) 『독역의의(讀易疑義)』

第十一章, 夫子統論易之爲易, 而首章以下許多道理, 皆在此問答中也.
제 11장은 공자가 역이 역이 됨을 통합하여 논했는데, 머릿장 이하의 많은 도리는 모두 이 장의 문답 가운데 있다.

首章以下, 或言羲皇經緯之事, 或言文王經綸之功, 至此章, 則夫子彌綸其羲文之易也.
1장 이하에 혹은 복희가 경위한 일을 말하고 혹은 문왕이 경륜한 공을 말하며, 이 장에 이르러서는 공자가 복희와 문왕의 역을 미륜한 것을 말했다.

著生於伏羲時, 而此乃天生之神物也. 著包卦爻之理, 而其德也圓而神也. 著圓卦方而圓方者天地之本體也. 天地之體方圓而已, 方圓二字始言於此也.
시초는 복희 때에 나왔는데, 이것은 하늘이 신령한 물건을 낸 것이다. 시초는 괘효의 이치를 포함하고 그 덕은 둥글고 신묘하다. 시초는 둥글고 괘는 모나니, 둥글고 모남은 천지의 본체이다. 천지의 본체는 모나고 둥글 뿐이니, '방원(方圓)' 두 글자는 여기에서 시작되었다.

著圓卦方爻義卽三節也. 聰明叡知神武亦三節也. 退藏者藏其著卦爻三者之德也.

시초는 둥근 것과 괘의 모난 것과 효의 뜻은 세 마디이다. 총명과 예지와 신무도 세 마디이다. 물러나 감춤은 시초와 괘와 효 세 가지의 덕을 감춤이다.

闔闢者乾坤, 往來者日月, 出入者人也.
닫고 여는 것은 건곤이고 왕래하는 것은 일월이며 출입하는 것은 사람이다.

闔者乾, 闢者坤也. 至一闔一闢者, 非泰否耶.
닫는 것은 건이고 여는 것은 곤이다. 한 번 닫고 한 번 여는 것은 태괘와 비괘가 아닌가?

首章以下, 皆言易之道, 而未嘗著言陰陽卦爻之所由生也. 自其本而言之, 則太極生兩儀兩儀生四象以至八卦也.
1장 이하는 모두 역의 도를 말했지만, 음양의 괘효가 생한 연유를 말하여 드러내지 않았다. 근본에서부터 말하면 태극이 양의를 생하고 양의가 사상을 생하고 팔괘에 이른다.

業字之義基字近之.
업(業)자의 뜻은 '기(基)'자가 가깝다.

自天地法象至莫大乎蓍龜, 則此章之義全歸卜筮也.
'천지의 법상'에서 "시초와 거북보다 큰 것이 없다"에 이르기까지 이 장의 뜻은 전적으로 복서에 귀착된다.

오희상(吳熙常) 「잡저(雜著)-역(易)」

易有太極是生兩儀, 不曰太極生兩儀, 而只下得是字, 與兩儀四象八卦異其文者. 看來甚好, 卻可見其帶於是底意而不是直把太極爲生兩儀也.
"역에 태극이 있으니, 이것이 양의를 낳는다[是生兩儀]"고 하고, "태극이 양의를 낳는다"고 말하지 않았는데, 다만 '시(是)'자를 써서 양의·사상·팔괘와는 문장을 다르게 하였다. 살펴보건대 그렇게 하는 것이 좋은데, '시(是)'자는 '어시(於是)'의 뜻을 띠고 있으며, 직접 태극이 양의를 낳는다고 한 것이 아님을 알 수 있다.

上繫, 脉絡條理, 首尾交貫, 互相發明. 朱子所謂上繫好看者誠有以也.
「계사상전」은 맥락이 조리가 있고 처음과 끝이 서로 관통되어 서로 밝혀준다. 주자의 이른바 「계사상전」은 읽기가 좋다는 것은 정말 이유가 있다.

윤종섭(尹鍾燮) 『경(經)-역(易)』

上傳發揮出神字章章明矣, 而十一章曰民咸用之謂之神, 又繼以曰易有太極者, 儘有精義. 神雖妙用不測, 而必體乎物, 猶可推而求之. 人易以神爲道, 故發明太極於此, 使人知神之上面, 有實理之爲主宰也. 然不曰太極生兩儀, 而曰是生兩儀, 以明太極非有形象可擬也. 是字當着眼, 神是易之能事, 而畢竟有情僞造作, 非太極之純一無息, 不以成其能.

「계사상전」에서 신(神)자를 꺼내 쓴 것은 장마다 분명한데, 11장에서 "백성들이 모두 씀을 신(神)이라 한다"고 하였고, 이어서 말하길, "역에 태극이 있다"고 한 것은 참으로 정미로운 뜻이 있다. 신이 비록 묘하게 쓰여져 헤아릴 수 없지만, 반드시 사물의 본체가 되니, 오히려 미루어 구할 수 있다. 사람의 역은 신으로 도를 삼기 때문에 여기에서 태극을 밝혀놓아 사람들이 신의 위에 실리가 주재함을 알게 한 것이다. 그래서 태극이 양의를 생한다고 하지 않고 이것이 양의를 생한다고 하여, 태극이 형상으로 비유할 수 있는 것이 아님을 밝혔다. '시(是)'자는 잘 살펴보아야 하니, 신(神)은 역이 능한 일이지만 필경에는 뜻이 있고 조작이 있어, 태극이 순일하여 쉼이 없음이 그 능함을 이루었기 때문이 아닌 것과는 다르다.

오치기(吳致箕) 「주역경전증해(周易經傳增解)」

此章, 言易之用廣大, 而本乎蓍卦也.
이 장은 역의 쓰임이 광대하고 시초와 괘에 근본하였음을 말하였다.

제12장第十二章

. . . .

易曰, 自天祐之, 吉无不利. 子曰, 祐者, 助也, 天之所助者, 順也, 人之所助者, 信也, 履信思乎順, 又以尙賢也. 是以自天祐之, 吉无不利也.

『주역』에서 말하였다: 하늘로부터 돕기에 길(吉)하여 이롭지 않음이 없다. 공자가 말하였다: '우(佑)'는 도움이니, 하늘이 도와주는 것은 순응하기 때문이고, 사람들이 도와주는 것은 미덥기 때문이니, 믿음을 이행하여 순응함을 생각하고 또 어진 이를 숭상한다. 이 때문에 하늘로부터 도와서 길하여 이롭지 않음이 없는 것이다

. . . .

‖中國大全‖

本義

釋大有上九爻義. 然在此无所屬, 或恐是錯簡. 宜在第八章之末.

대유괘 상구효의 뜻을 해석하였다. 그러나 여기에는 붙일 곳이 없으니, 혹 죽간(竹簡)이 어긋난 것이 아닐까 의심스럽다. 마땅히 제8장의 끝에 있어야 한다.

小註

漢上朱氏曰, 天之所助者, 順也, 人之所助者, 信也, 六五履信而思乎順, 又自下以尙賢, 是以自天祐之, 吉无不利. 言此明獲天人之理然後, 吉无不利. 聖人, 明於天之道, 而察於民之故, 合天人者也.

한상주씨가 말하였다: 하늘이 도와주는 것은 순응하기 때문이고, 사람들이 도와주는 것은 미덥기 때문인데, [대유괘] 육오(六五)에서 믿음을 이행하여 순응함을 생각하고 다시 스스로

낮추어 어진 이를 숭상하니, 이 때문에 하늘로부터 도와서 길하여 이롭지 않음이 없다는 것이다. 이는 하늘과 사람의 도리를 밝혀 얻은 뒤에는 길하여 이롭지 않음이 없다고 말한 것이다. 성인은 하늘의 도리를 밝히고 백성의 연고를 살피니 하늘과 사람을 합치한 자이다.

○ 柴氏中行曰, 聖人興易, 以示天下, 欲居則觀其象而玩其辭, 動則觀其變而玩其占. 捨逆取順, 避凶趨吉而已, 六十四卦中, 如大有上九爻辭之順道而獲吉者, 多矣. 夫子於此, 再三擧之者, 以自天祐之吉无不利之辭, 深見人順道而行, 自與吉會之意.

시중행이 말하였다: 성인이 역을 일으켜 천하에 보이고는, 머무르려 하면 그 상을 살펴 그 말을 음미하고, 움직이면 그 변화를 살펴 그 점괘를 음미하였다. 거스름을 버리고 순응함을 취하며 흉함을 피하고 길함으로 나아갔을 뿐이니, 64괘에는 대유괘 상구(上九)의 효사처럼 도리에 순응하여 길함을 얻는 것이 많다. 그런데도 공자가 여기에서 두세 차례 이것을 거론한 것은 "하늘로부터 도와서 길하여 이롭지 않음이 없다"는 말로 사람들에게 도리에 순응하여 행하면 저절로 길함과 만난다는 뜻을 깊이 보인 것이다.

‖韓國大全‖

조호익(曺好益) 『역상설(易象說)』

大[269]有之極而居无位之地, 是謙退不居, 思順之義也. 五之孚信而履之, 履信也. 五之文明而志從於五, 尚賢也.

대유(大有)괘의 끝으로 지위가 없는 곳에 거하니, 이는 겸손히 물러나 자리를 차지하지 않은 것으로, 순응[順]하기를 생각하는 뜻이다. 오효는 '미더움[孚信]'인데,[270] 그것을 이행하고 있으니 미더움을 이행하는 것이다. 오효가 문채나고 밝은데 뜻이 오효를 따르니 어진 이를 숭상하는 것이다.

---

269) 大: 경학자료집성DB와 영인본에는 '有'자만 있으나, 「계사전」의 이 글은 대유괘 상효로 풀이한 것이므로 '大'자를 추가하여 바로잡았다.

270) 大有卦 五爻: 象曰, 厥孚交如, 信以發志也, 威如之吉, 易而无備也.

이익(李瀷) 『역경질서(易經疾書)』

信而不思乎順, 則信或非正. 順者, 謂順於天理也, 旣信而且順矣. 大有者, 君國之象, 故其事至大. 然苟非得賢才以補佐之, 亦何能施其所存乎. 故又添尙賢一句, 夫然後功澤方可以無遠不覃. 此湯文之得伊呂, 是也. 天祐無不利宜哉.

믿으면서 순응함을 생각하지 않는다면 믿음이 혹 바르지 않다. 순응함이란 천리에 순응함을 이르는 것으로, 이미 믿고 또 순응하는 것이다. '대유'란 임금과 나라의 상이므로 그 일이 지극히 크다. 그러나 어진 인재가 보좌하는 것이 아니라면 또 어찌 그 간직한 것을 베풀 수 있겠는가? 그러므로 또 "어진 이를 숭상한다"는 한 구절을 보탠 후에야 은택이 멀리까지 미치지 못함이 없을 것이다. 탕왕과 문왕이 이윤과 여상을 얻음이 이것이다. 하늘이 도와 이롭고 마땅하지 않음이 없다.

김상악(金相岳) 『산천역설(山天易說)』

此引大有上九爻義, 以明獲天人之理. 聖人明於天之道而察於民之故. 所以獲天人之助, 吉无不利也.

이것은 대유괘 상구효의 뜻을 이끌어 하늘과 사람의 도리를 얻었음을 밝힌 것이다. 성인은 하늘의 도를 밝히고 백성의 연고를 살핀다. 그래서 하늘과 사람의 도움을 얻어 길하여 이롭지 않음이 없다.

서유신(徐有臣) 『역의의언(易義擬言)』[271]

履信思乎順,

믿음을 이행하여 순응함을 생각하고,

六五, 有孚爲履信象, 柔中爲思順象.

육오에 미더움이 있으니 믿음을 이행하는 상이고, 부드러우며 가운데 있으니 순응함을 생각하는 상이다.

又以尙賢.

또 어진 이를 숭상한다.

上九陽剛, 又爲五之所尊, 尙賢之象.

상구는 굳센 양이고 또 오효가 높이는 바가 되니, 어진 이를 숭상하는 상이다.

---

271) 경학자료집성DB에서는 「계사전」 '통론'으로 분류했으나, 내용에 따라 이 자리로 옮겼다.

윤행임(尹行恁)『신호수필(薪湖隨筆)·계사전(繫辭傳)』

順其性, 則五常之全德修, 而天其祐之. 信其行, 則五品之庸典遜, 而人其助之. 此夫子所以贊歎於大有之上九也.

그 성(性)을 따르면 오상의 온전한 덕이 닦여서 하늘이 돕는다. 그 행함이 미더우면 오품의 떳떳한 법도를 따라서 사람들이 돕는다. 이것이 공자가 대유괘(大有卦) 상구효를 찬탄한 까닭이다.

심대윤(沈大允)『주역상의점법(周易象義占法)』

此, 至誠之事, 故自首章, 表別而言之.

이는 '지극히 정성스러움'에 관한 일이므로 첫 장에서부터 별도로 드러내어 말하였다.

오치기(吳致箕)「주역경전증해(周易經傳增解)」

此, 釋大有上九爻辭之義, 而擬議于君子之順信也. 朱子以宜在第八章爲訓. 當從天人一理. 故順理而不悖, 則天必助, 有信而相孚, 則人必助, 故曰祐. 六五以順信處乎君位, 而上九比居六五之上, 心常在君履其誠信之道. 思其中順之德, 又以剛明在上, 大有其德, 所尙乃賢, 所以有自天之祐, 吉无不利也. 上居天位, 故言天, 應在人位, 故言人. 離爲信爲思, 變震爲足履之象. 離中坤陰爲順之象.

이는 대유괘 상구 효사의 뜻을 풀이하여 군자의 따름과 미더움에 견주어 말한 것이다. 주자는 마땅히 제8장에 있어야 말이 된다고 여겼다. 마땅히 하늘과 사람이 하나인 이치를 따라야 한다. 그러므로 이치를 따라 어기지 않으면 하늘이 반드시 돕고, 믿어서 서로 미덥게 하면 사람들이 반드시 도우므로 '돕는다[祐]'고 하였다. 육오효는 이치에 따름과 미더움으로써 임금의 자리에 있고, 상구는 육오효의 위에 가까이 있으면서 마음이 항상 임금이 그 정성스럽고 미더운 도를 행하는 것에 있다. 그 알맞고 유순한 덕을 생각하고 또 굳세고 밝음으로서 위에 있으며 크게 그 덕을 지니면서 숭상하는 것은 현인이니, 그래서 하늘로부터 도와 이롭지 않음이 없다. 상효는 하늘의 자리에 있으므로 '하늘'을 말하였고 호응하는 짝이 사람의 자리에 있으므로 '사람'을 말하였다. 리괘(離卦)는 미더움이 되고 생각함이 되며, 바뀐 진괘는 발로 밟는 상이 된다. 리괘의 가운데에 있는 곤의 음이 순응하는 상이 된다.

이진상(李震相)『역학관규(易學管窺)』

又以尙賢.

또 어진 이를 숭상한다.

大畜象尙賢, 旣以上九爲賢而六五尙之, 則大有尙賢, 當以上九爲賢, 而六五尙之也.
易中陽爻稱賢, 未嘗以陰爻爲賢, 如比之外比於賢, 是也.

대축괘의 「단전」에 "어진 이를 숭상한다"고 하였는데, 이미 상구가 어진 이가 되고 육오가
숭상하니, 대유괘에서 '어진 이를 숭상함'은 마땅히 상구가 어진 이가 되고 육오가 숭상하는
것이다. 『주역』에서는 양효를 어진 이로 칭하고 음효를 어진 이로 여긴 적이 없으니 예컨대
비괘(比卦☲☷)에서 "밖으로 어진 이를 돕는다"는 것이 이것이다.

子曰, 書不盡言, 言不盡意, 然則聖人之意, 其不可見乎. 子曰, 聖人立象, 以盡意, 設卦, 以盡情僞, 繫辭焉, 以盡其言, 變而通之, 以盡利, 鼓之舞之, 以盡神.

공자가 말하였다: 글로는 말을 다하지 못하며, 말로는 뜻을 다하지 못하니, 그렇다면 성인의 뜻을 볼 수 없다는 것인가?

공자가 말하였다: 성인이 상을 세워 뜻을 다하며, 괘를 펼쳐 진정과 허위를 다하며, 말을 달아 그 말을 다하며, 변하여 통하게 하여 이로움을 다하며, 부추기고 춤추게 하여 신묘함을 다하였다.

┃中國大全┃

本義

言之所傳者淺, 象之所示者深, 觀奇偶二畫, 包含變化, 无有窮盡, 則可見矣. 變通鼓舞, 以事而言. 兩子曰字, 疑衍其一, 蓋子曰字, 皆後人所加. 故有此誤. 如近世通書, 乃周子所自作, 亦爲後人, 每章, 加以周子曰字, 其設問答處, 正如此也.

말로 전하는 것은 얕고 상으로 보이는 것은 깊으니, 홀과 짝 두 획이 변화를 포함하여 끝까지 다함이 없음을 본다면 알 수 있을 것이다. 변하여 통하게 함과 부추겨 춤추게 함은 일로 말한 것이다. 두 개의 '자왈(子曰)'이란 글자에서 하나는 잘못 붙인 듯하니, 대체로 '자왈'이란 글자는 모두 후인이 덧붙인 것이다. 그러므로 이런 잘못이 있다. 이를테면 근세의 『통서(通書)』는 주자(周子)가 스스로 지은 것이지만, 또한 후인이 매 장마다 '주자왈(周子曰)'이란 글자를 덧붙여 문답식으로 펼쳐 놓은 곳이 바로 이와 같다.

小註

或問, 書不盡言, 言不盡意一章. 朱子曰, 立象盡意, 是觀奇偶兩畫, 包含變化, 无有窮盡. 設卦以盡情僞, 謂有一奇一偶, 設之於卦, 自是盡得天下情僞. 繫辭焉, 便斷其吉凶. 變而通之, 以盡利, 此言占得此卦, 陰陽老少交變, 因其變, 便有通之之理. 鼓之舞之, 以盡神, 未占得則有所疑, 旣占則无所疑, 自然使得人, 脚輕手快, 行得順, 便如大衍之後, 言顯道神德行, 是故可與酬酢, 可與祐神, 定天下之吉凶, 成天下之亹亹, 皆是鼓之舞之之意.

어떤 이가 물었다: "글로는 말을 다하지 못하며, 말로는 뜻을 다하지 못한다"는 구절은 무슨 뜻입니까?

주자가 답하였다: '상을 세워 뜻을 다함'은 홀과 짝 두 획이 변화를 포함하여 끝까지 다함이 없음을 살핀 것이다. '괘를 펼쳐 진정과 허위를 다함'은 하나의 홀과 하나의 짝을 괘에 펼치면 이로부터 천하의 진정과 허위를 다할 수 있음을 이른다. 말을 다는 것은 곧 그것의 길함과 흉함을 결단하는 것이다. "변하여 통하게 하여 이로움을 다한다"는 것은 점쳐서 이 괘를 얻어 음양의 노(老)와 소(少)가 사귀어 변하면, 그 변함을 따라서 곧 통하게 하는 이치가 있다고 말한 것이다. "부추기고 춤추게 하여 신묘함을 다한다"는, 아직 점치지 않았으면 의심하는 것이 있고, 이미 점을 치면 의심하는 것이 없어 자연히 사람들에게 발이 가볍고 손이 유쾌하게 하여 행함이 순조롭다는 것이니, 바로 대연수(大衍數)의 뒤에 "도리를 드러내고 덕행을 신묘하게 한다. 이런 까닭으로 더불어 수작할 수 있으며 더불어 신(神)을 도울 수 있다"고 한 것과 "천하의 길흉을 정하고 천하의 부지런히 애씀을 이룬다"고 한 것이 모두 '부추기고 춤추게 한다'는 의미이다.

○ 問, 書不盡言, 言不盡意, 是聖人設問之辭. 曰, 也是如此, 亦是言不足以盡意, 故立象以盡意, 書不足以盡言, 故因繫辭以盡言. 又曰, 書不盡言, 言不盡意, 是元舊有此語.

물었다: "글로는 말을 다하지 못하며 말로는 뜻을 다하지 못한다"라 하였는데, 이는 성인께서 의문을 제기한 말입니까?

답하였다: 또한 이와 같으니, 역시 말로는 뜻을 다할 수 없으므로 상(象)을 세워 뜻을 다하고, 글로는 말을 다할 수 없으므로 말을 다는 것으로 말을 다한다는 것입니다.

또 말하였다: "글로는 말을 다하지 못하고, 말로는 뜻을 다하지 못한다"는 원래 예로부터 이 말이 있었습니다.

○ 立象以盡意, 不獨見聖人有這意思寫出來, 自是他象上有這意. 設卦以盡情僞, 不成聖人有情又有僞, 自是卦上有這情僞. 但今曉不得他那處是僞, 如下云, 中心疑者其辭枝, 誣善之人其辭游也, 不知如何是枝是游. 看來情僞只是箇好不好. 如剝五陰, 只是要害一箇陽, 這是不好底情, 便是僞. 如復如臨, 便是好底卦, 便是眞情.

'상(象)을 세워 뜻을 다한다'는 성인에게 이런 생각이 있음을 보고 그려 냈다는 것일 뿐만이 아니라, 그 상에는 본래 이러한 뜻이 있다는 것이다. '괘를 펼쳐 진정과 허위를 다한다'는 성인에게 진정이 있고 또 허위가 있다는 것이 아니라, 괘에는 본래 이러한 진정과 허위가 있다는 것이다. 다만 지금 그것의 어느 곳이 허위인지를 깨닫지 못할 뿐이니, 이를테면 아래에서 "속마음이 의혹된 자는 그 말이 갈라지고, 선(善)을 모함하는 사람은 그 말이 겉돈다"[272]고 함에, 또한 어느 것이 갈라짐이고 어느 것이 겉도는 것인지 알지 못하는 것이다. 보아하니 진정과 허위는 단지 하나의 좋음과 좋지 않음일 뿐이다. 박괘(剝卦䷖)의 다섯 음과 같으면 단지 하나의 양을 해치고자 할 뿐이니, 이는 좋지 않은 실정이며 곧 허위인 것이다. 복괘(復卦䷗)나 임괘(臨卦䷒)와 같으면 좋은 괘이니 바로 진정인 것이다.

○ 歐公謂, 書不盡言, 言不盡意者非, 蓋他不曾看立象以盡意一句. 惟其言不盡意, 故立象以盡之 學者, 於言上會得者淺, 於象上會得者深.
구공[273]이 '글로는 말을 다하지 못하며 말로는 뜻을 다하지 못한다는 것은 그르다'고 한 것은 그가 일찍이 '상(象)을 세워 뜻을 다한다'는 한 구절을 보지 못했기 때문이다. 오직 말로는 뜻을 다하지 못하므로 상을 세워서 다한 것이니, 학자가 말에서 이해할 수 있는 것은 얕고, 상에서 이해할 수 있는 것은 깊다.

○ 問, 立象設卦繫辭, 是聖人發其精意見於書, 變通鼓舞, 是聖人推而見於事否. 曰是.
물었다: '상을 세움'과 '괘를 펼침'과 '말을 달음'은 성인이 그 정밀한 뜻을 펼쳐서 책에 나타낸 것이고, '변하여 통하게 함'과 '부추기고 춤추게 함'은 성인이 미루어 일에 나타낸 것입니까? 답하였다: 맞습니다.

○ 變而通之以盡利, 鼓之舞之以盡神, 立象, 設卦, 繫辭, 皆謂卜筮之用, 而天下之人方知所以避凶趨吉, 奮然有所興作, 不知手之舞之, 足之蹈之之意. 故曰定天下之吉凶, 成天下之亹亹者, 莫大乎蓍龜, 猶催迫天下之人, 勉之爲善相似.
"변하여 통하게 하여 이로움을 다하며, 부추기고 춤추게 하여 신묘함을 다하였다"와 '상을 세움'과 '괘를 펼침'과 '말을 달음'은 모두 점을 친 작용을 이르니, 천하 사람들이 흉(凶)을 피하고 길(吉)로 가는 까닭을 막 알게 되면 떨쳐 일어나 '알지 못하는 사이에 손으로 춤추고 발로 구른다'[274]는 뜻이다. 그러므로 "천하의 길흉을 정하며 천하의 부지런히 애씀을 이루는 것이 시초와 거북보다 큰 것이 없다"고 하였으니, 천하의 사람들을 재촉하여 힘써 선을 하게 함과 서로 비슷하다.

---

272) 『周易・繫辭傳』: 將叛者其辭慙, 中心疑者其辭枝, 吉人之辭寡, 躁人之辭多, 誣善之人其辭游, 失其守者其辭屈.
273) 구양수(歐陽脩: 1007~1072): 중국 송나라의 정치가 겸 문인으로 송나라 초기의 시문인 서곤체(西崑體)를 개혁하고, 당나라의 한유를 모범으로 하는 시문을 지었다. 당송8대가(唐宋八大家)의 한 사람이었으며, 후배들에게 많은 영향을 주었다. 주요 저서에는 『구양문충공집』 등이 있다.
274) 『맹자・이루』.

○ 問, 變而通之, 如禮樂刑政, 皆天理之自然, 聖人但因而爲之品節防範, 以爲教於天下, 鼓之舞之, 蓋有以作興振起之, 使之遷善而不自知否. 曰, 鼓之舞之, 便无所用力, 自是聖人教化如此. 政教皆有鼓舞, 但樂占得分數較多, 自是樂會如此而不自知.

물었다: '변하여 통하게 함'은 예악(禮樂)과 형정(刑政)이 모두 자연한 천리이지만 성인이 의거하여 규범을 만들어 천하에 가르침을 삼은 것과 같고, '부추기고 춤추게 함'은 대체로 진작하고 흥기시켜 선(善)으로 옮겨가도 스스로 알지 못하게 하는 것입니까?

답하였다: 부추기고 춤추게 하면 힘쓸 것이 없으니, 본래 성인의 교화는 이와 같습니다. 정사와 교육도 모두 고무시키지만, 음악이 차지하는 부분이 비교적 많으니, 본래 음악은 알지 못하는 사이에 이와 같게 할 수 있는 것입니다.

○ 問, 鼓之舞之以盡神, 又言鼓天下之動者存乎辭, 鼓舞, 恐只是振揚發明底意思否. 曰然. 蓋提撕警覺, 使人各爲其所當爲也, 如初九當潛, 則鼓之以勿用, 九二當見, 則鼓之以利見大人. 若无辭, 則都發不出了.

물었다: "부추기고 춤추게 하여 신묘함을 다한다"고 하고, 또 "천하의 움직임을 고무하는 것은 말씀에 있다"고 하니, '고무(鼓舞)'는 아마도 단지 떨치고 밝힌다는 뜻인 것 같습니다?

답하였다: 그렇습니다. 이끌어 깨우쳐 사람에게 각각 마땅히 해야 할 것을 하게 하는 것이니, 만약 (건괘의) 초구(初九)여서 잠김에 해당된다면 '쓰지 말라'로 부추기고, 구이(九二)여서 나타남에 해당된다면 '대인을 봄이 이롭다'로 부추기는 것입니다. 만약 계사가 없다면 모두 펼쳐내지 못할 것입니다.

○ 臨川吳氏曰, 立象, 謂羲皇之卦畫, 所以示者也. 盡意, 謂无言而與民同患之意, 悉具於其中. 設卦, 謂文王設立重卦之名也. 盡情僞, 謂六十四, 各足以盡天下事物之情, 其情之本乎性而善者, 曰情, 情之拂乎性而不善者, 曰僞. 辭謂文王周公之象爻, 所以告者也. 羲皇之卦畫, 足以盡意矣, 文王又因卦之象, 設卦之名, 以盡情僞. 然卦雖有名, 而未有辭也, 又繫象辭爻辭, 則足以盡其言矣. 此三句, 答上文不盡言不盡意二語, 設卦一句, 在立象之後, 繫辭之前, 蓋竟盡意之緒, 啓盡言之端也. 盡意盡情僞盡言者, 皆所以爲天下利, 又恐其利有所未盡. 於是, 作揲蓍十有八變之法, 使其所用之策, 往來多少, 相通不窮, 而其所得之卦, 一可爲六十四, 亦相通不窮. 其象其辭, 皆可通用, 而不局於一, 則其用愈廣, 而足以盡利矣. 因變得占, 以定吉凶, 則民皆无疑, 而行事不倦. 如以鼓聲, 作舞容, 鼓聲愈疾, 而舞容亦愈疾, 鼓聲不已, 而舞容亦不已. 自然而然, 不知其孰使之者, 所謂盡神也. 項氏云, 立象設卦繫辭三盡者, 作易之事, 變通鼓舞二盡者, 用易之事, 愚謂立象設卦象也, 繫辭辭也, 變通變也, 鼓舞占也.

임천오씨가 말하였다: '상을 세움'은 희황이 괘를 그음을 이르니, 보여주는 것이다. '뜻을 다

함'은 말없이 백성과 더불어 근심을 같이하는 뜻이 모두 그 가운데 갖춰짐을 이른다. '괘를 펼침'은 문왕이 중괘(重卦)의 이름을 설립함을 이른다. '진정과 허위를 다함'은 64괘가 각각 천하의 사물들의 실정을 다할 수 있음을 이르니, 그 실정이 본성에 근본하여 선한 것은 '진정[情]'이라 하고, 실정이 본성에 어긋나 선하지 않은 것은 '허위[僞]'라고 한다. 말은 문왕과 주공의 단사와 효사를 이르니, 알려주는 것이다. 희황이 괘를 그은 것이 뜻을 다할 수 있었고, 문왕이 다시 괘의 상에 의거하여 괘의 이름을 펼쳐서 진정과 허위를 다하였다. 그러나 괘에 이름이 있더라도 말이 있지 않기에 다시 단사와 효사를 달았으니 그 말을 다할 수 있었을 것이다. 이 세 구절은 윗 글에서 '말을 다하지 못하며, 뜻을 다하지 못한다'는 두 구절에 답한 것이며, '괘를 펼친다'는 구절이 '상을 세움'의 뒤와 '말을 달음'의 앞에 있는 것은 대체로 '뜻을 다함'의 실마리를 마치고 '말을 다함'의 단서를 열기 때문이다. '뜻을 다함'과 '진정과 허위를 다함'과 '말을 다함'이 모두 천하를 이롭게 하는 것이지만, 다시 그 이롭게 함에 미진함이 있을까 염려하였다. 이에 시초를 셈하는 18변(變)의 방법을 만들어 그 쓰이는 책수가 음양[多少]을 오가며 서로 통해 다하지 않게 하고, 그 얻은 괘가 하나가 64개가 될 수 있게 하여 또한 서로 통하여 다하지 않게 하였다. 그 상(象)과 말[辭]도 모두 통용할 수 있고 하나에 국한되지 않으니, 그 쓰임이 더욱 넓어져 이로움을 다할 수 있을 것이다. 변화에 따라 점괘를 얻어서 길흉을 정하니 백성들이 모두 의혹이 없어 행사를 게을리 하지 않는다. 마치 북소리로 무용을 일으킴과 같아서 북소리가 빨라질수록 무용도 또한 더욱 빨라지고, 북소리가 그치지 않으면 무용도 또한 그치지 않는다. 자연하게 그러하여 누가 시키는지도 알지 못하는 것이 이른바 '신묘함을 다함'이다. 항씨가 '상을 세우고 괘를 펼치고 말을 다는 세 가지를 다하는 것은 역을 짓는 일이고, 변하여 통하게 하고 부추기고 춤추게 하는 두 가지를 다하는 것은 역을 쓰는 일이다'[275]라고 하였는데, 나는 상을 세우고 괘를 펼침은 '상(象)'이고, 말을 달음은 '말[辭]'이고 변하여 통하게 함은 '변(變)'이고 부추기고 춤추게 함은 '점(占)'이라고 생각한다.

---

275) 항안세(項安世)가 『주역완사(周易玩辭)』의 권13에서 펼친 '다섯 가지를 다함이 강령이 된다[五盡爲綱領]'는 주장.

‖韓國大全‖

권근(權近) 『주역천견록(周易淺見錄)』

聖人立象, 以盡意 … 皷之舞之, 以盡神.

성인이 상을 세워 뜻을 다하며 … 부추기고 춤추게 하여 신묘함을 다하였다.

前言聖人設卦, 觀象繫辭焉, 是有卦而後有象也. 此先言立象, 而後言設卦繫辭者, 象非唯在卦上, 未有卦前, 先有此象. 如兩儀四象, 在八卦之先, 是也. 但觀奇偶二畫, 則包含變化, 無有窮盡, 聖人之意, 已可見矣. 情僞者, 卦德之善惡也. 盡利者, 使人趨吉而避凶也. 皷之舞之以盡神者, 人有疑事, 聽於鬼神, 問焉以言, 受命如響, 決嫌疑, 定猶豫, 使人樂於有爲, 而成務也. 神者, 變化不測之妙, 隨所變通, 知其吉凶, 而順處之, 則易之妙用, 盡乎是矣.

앞에서는 "성인이 괘를 베풀어 상을 보고 말을 달았다"[276]고 하였으니 이는 괘가 있는 뒤에 상(象)이 있는 것이다. 여기에서 먼저 상(象)을 세움을 말하고 뒤에 괘를 베풀어 말을 단다고 한 것은 상이 괘에만 있는 것이 아니라 괘가 있기 전에 먼저 이 상이 있는 것이다. 예컨대 양의 · 사상이 팔괘보다 앞에 있는 것이 이것이다. 다만 홀 · 짝 두 획을 관찰하면 변화가 포함되어 있어 다함이 없으니, 성인의 뜻을 이미 볼 수 있다. '진정과 허위'는 괘덕의 선과 악이다. '이로움을 다함'은 사람들이 길함을 따르고 흉함을 피하게 하는 것이다. '부추기고 춤추게 하여 신묘함을 다함'이란 사람이 의심스러운 일이 있으면 귀신에게 듣고자 말로써 물어 명을 받음이 메아리와 같아서, 의심스러움을 결단해주고 머뭇거리는 일을 정해주어 사람들로 하여금 즐겁게 일을 해서 힘써 이룰 수 있도록 해주는 것이다. '신묘함'이란 변화를 예측할 수 없는 오묘함이니, 곳에 따라 변하고 통하는 것을 따라 그 길흉을 알아서 순응하여 처리한다면 역의 오묘한 작용이 여기에서 다할 것이다.

조호익(曺好益) 『역상설(易象說)』

註吳氏說, 與前章註錢氏說同. 盡意以上, 爲伏羲事, 盡情僞以上, 爲文王事, 盡言以上, 爲文王周公事. 所論極分曉, 然恐非朱子之意.

소주의 임천 오씨(臨川吳氏)의 설은 앞 장의 소주에 나오는 전조(錢藻)의 설과 내용이 같다. '뜻을 다하며[盡意]' 앞은 복희씨(伏羲氏)의 일이고, '진정과 허위를 다하며[盡情僞]'의

---

276) 『주역 · 계사전상』 제2장.

앞은 문왕(文王)의 일이며, '그 말을 다한다[盡言]'의 앞은 문왕(文王)과 주공(周公)의 일이다. 논한 바가 매우 분명하나 주자의 뜻은 아닌 듯하다.

김장생(金長生)『경서변의(經書辨疑)-주역(周易)』

變而通之, 以盡利.
변하여 통하게 하여 이로움을 다한다.

利, 猶言順也
'이롭다'는 '순응한다'고 말함과 같다.

박치화(朴致和)「설계수록(雪溪隨錄)」

易者, 象而已. 聖人意言, 皆因象而立, 故曰立象以盡意, 如以乾卦言之, 則初九潛龍之象, 便有勿用之意. 推之他卦他爻, 莫不皆然也.
역이란 상(象)일뿐이다. 성인의 뜻과 말은 모두 상을 인하여 세워지므로 "상을 세워 뜻을 다한다"고 했으니 건괘로 예를 들어 말하면 초구인 '잠룡'의 상에는 곧 '쓰지 말라'는 뜻이 있다. 다른 괘와 다른 효를 미루어 보면 모두 그렇지 않음이 없다.

○ 卦象, 變化無窮, 故足以盡天下之意.
괘의 상은 변화가 무궁하므로 충분히 천하의 뜻을 다할 수 있다.

○ 聖人之意, 則聖人作易之意也. 聖人作易之意, 盡見于象, 卦與象, 何以分言乎. 象以變化言, 卦以形體言. 一奇一偶之向背, 自有事物情僞之異狀.
성인의 뜻이란 성인이 역을 지은 뜻이다. 성인이 역을 지은 뜻은 상(象)에서 다 드러나니 괘(卦)와 상(象)을 어떻게 나누어 말하겠는가? 상(象)은 변화로써 말하고, 괘(卦)는 형체로써 말한다. 하나의 홀(奇)과 하나의 짝(偶)이 끌어당기고 물리쳐서 자연히 사물의 진정과 허위가 다른 모습이 있다.

○ 聖人之意無窮, 如變化之象無窮.
성인의 뜻이 무궁함은 변화의 상이 무궁함과 같다.

○ 卦有善惡, 事有情僞, 設卦比事, 以盡天下之情僞.
괘에는 선과 악이 있고 일에는 진정과 허위가 있어서 괘를 베풀어 일에 견주어 이로써 천하의 진정과 허위를 다한다.

○ 盡意盡情僞, 是聖人之意聖人之情僞否. 曰盡天下之意盡天下之情僞, 便是聖人之意所發見也.

뜻을 다하고 진정과 허위를 다한다는 것은 성인의 뜻이고 성인의 진정과 허위가 아니겠는가? "천하의 뜻을 다하고 천하의 진정과 거짓을 다한다"고 한 것은 바로 성인의 뜻이 드러나는 바이다.

○ 象以奇偶變化言, 卦以奇偶形體言.

상은 홀짝의 변화로 말한 것이고, 괘는 홀짝의 형체로 말한 것이다.

이익(李瀷)『역경질서(易經疾書)』

聖人雖有意而爲言, 人不能由其言盡得其意, 故天下無以知之. 雖有言而爲書, 人不能由其書盡得其言, 故後世無以知其言. 聖人之所留者, 只是書. 書者旣不能盡得其言, 況可以盡得其意乎. 所謂不盡者, 卽天下後世之人, 不能盡也. 在聖人, 則固有以盡之也.

성인이 비록 뜻이 있어서 말을 할지라도 사람들은 그 말을 가지고 그 뜻을 다하지 못하므로 천하가 알지 못한다. 비록 말하려는 바가 있어서 글을 쓰더라도 사람들은 그 글을 가지고 그 말을 다하지 못하므로 후세사람들이 그 말을 알지 못한다. 성인이 남긴 것은 글뿐이다. 글이 이미 그 말을 다 할 수 없는데 더구나 그 뜻을 다할 수 있겠는가? 이른바 다하지 못한다는 것은 바로 세상의 후세사람들이 다하지 못하는 것이다. 성인으로서는 참으로 다 한 것이다.

此嗟歎其道之不明也. 後聖有作, 必將因其書而盡[277]其言, 因其言而盡其意, 若燭照而無遺憾, 孔子是也. 此斷辭, 非問辭也. 旣設其不可見之, 故又詳言可盡之由, 而兩端皆孔子言, 故復加子曰字.

이는 그 도가 밝지 못함을 한탄한 것이다. 후세의 성인이 일어나 반드시 그 글로 인하여 그 말을 다하고, 그 말로 인하여 그 뜻을 다해 불을 환히 밝힌 듯 유감이 없었던 것은 공자가 그러하다. 이는 결단하는 말이지 묻는 말이 아니다. 이미 그 볼 수 없는 것을 펼쳤기 때문에 또한 그 다할 수 있는 유래를 상세히 말하였는데, 두 단락이 모두 공자의 말이므로 다시 '자왈'자를 더하였다.

---

277) 盡: 경학자료집성DB와 영인본에는 '盡'자가 없으나, 앞뒤 문맥을 살펴 '盡'자를 추가하였다.

人多言有卦然後有象者, 非也. 象者, 二老二少四象是也. 當一畫時, 已具此四象, 擄撰
著十二營而成一畫, 或陽或陰或老或少, 是謂立象. 雖積至一卦, 若無陰陽老少之象,
則卦爲虛設. 然則聖人之意, 已盡於立象之時. 然積至成卦, 如乾上坤下則爲否, 坤上
乾下則爲泰, 坎上离下則爲旣濟, 离上坎下則爲未濟. 然後情僞始判, 情便吉, 僞便凶.
一上一下之間, 吉凶各異, 故曰情僞相感而利害生.

사람들이 대부분 괘가 있은 뒤에 상이 있다고 하는 것은 옳지 않다. 상이란 태양·태음·소
양·소음의 사상이 이것이다. 한 번 그을 때에 이미 이 사상이 갖추어지니, 설시(撰著)를
열두 번 경영하여 한 획이 이루어지는데,278) 노양이거나 노음이거나 소양이거나 소음이 되
니 이를 ‘상을 세운다’고 한다. 한 괘가 되도록 계속 하였는데도 음양노소의 상이 없다면
괘는 헛되이 펼친 것이다. 그러니 성인의 뜻은 이미 상을 세울 때에 다하였다. 그러나 설시
하여 괘를 이룸에 이르러 건괘가 위에 곤괘가 아래면 비괘(否卦)가 되고, 곤괘가 위에 건괘
가 아래면 태괘(泰卦)가 되며, 감괘가 위에 리괘가 아래면 기제괘가 되고, 리괘가 위에 감괘
가 아래면 미제괘가 된다. 그런 뒤 진정과 허위가 비로소 갈리니, 진정이면 길하고 허위면
흉하다. 한 번 위가 되고 한 번 아래가 되는 사이에 길흉이 각기 다르므로 “진정과 허위가
서로 감응하여 이해(利害)가 생긴다”고 하였다.

聖人之意, 雖盡於立象之時, 至是亦將随其卦而不同, 故曰以盡情僞也. 若又無繫之之
辭, 則後人何從而知立象設卦之義. 聖人之爲辭也, 固曲盡無餘蘊, 但患人之猶不能見
矣. 擄上下文, 一闔一闢化而裁之謂之變, 往來不窮, 推而行之謂之通. 上句皆屬象卦,
下句皆屬人. 陽闔爲陰, 陰闢爲陽, 人於是點化而裁度之. 剛往柔來, 柔進剛來之類, 卽
易中卦變是也. 人於是, 推移而體行之, 此皆欲導人避凶趨吉, 故曰以盡利也.

성인의 뜻은 비록 상을 세울 때에 다하였으나 여기에 이르러 또한 그 괘에 따라서 같지
않다. 그러므로 “진정과 허위를 다한다”고 하였다. 만약 또 매단 말이 없다면 후세 사람들이
무엇을 따라서 상을 세우고 괘를 펼친 뜻을 알겠는가? 성인이 말을 단 것은, 이미 참으로
곡진히 해서 남김이 없지만, 사람들이 오히려 알 수 없을까 염려해서이다. 위아래 문장에
따르면 ‘한 번은 닫고 한 번은 여는 것’과 ‘변화하여 마름질함’을 변(變)이라 하고, ‘오가면서
다하지 않음’과 ‘미루어 행함’을 통(通)이라 하였다. 윗구절은 모두 괘를 본뜬 것에 속하고
아랫구절은 모두 사람의 일에 속한다. 양이 닫히면 음이 되고, 음이 열리면 양이 되며, 사람

---

278) 설시할 때 3변하여 한 획이 이루어지는데, 1변은 네 번 경영하므로 3변하면 12번 경영하는 것이 된다.
4번 경영함이란 49개 시초를 둘로 갈라 천지를 상징하고, 오른쪽 무더기에서 시초 하나를 빼어 손가락에
걸어 사람을 상징하고, 왼쪽 무더기를 넷으로 나눈 나머지를 손가락에 걸어 윤달을 상징하고, 다시 오른쪽
무더기를 넷으로 나눈 나머지를 손가락에 걸어 재윤을 상징하는 것을 말한다.

이 이에 변화시켜 마름질해 헤아린다. 굳센 양이 가고 부드러운 음이 오며 부드러움이 나아가고 굳셈이 오는 종류는 바로 역 가운데 괘변이 이것이다. 사람이 이에 미루어 옮겨 체득해서 행하니, 이는 모두 사람들이 흉함을 피하고 길함을 따르도록 이끌려는 것이다. 그러므로 "이로움을 다한다"고 하였다.

下文云, 鼓天下之動者存乎辭. 動之爲言, 與以動尙變相勘, 亦指人也. 鼓之則聲動, 舞之則形動, 旣盡其利, 從而悅樂. 見於聲容而不知爲之者, 豈非易道之神妙不測也乎.
아랫 문장에서 "천하의 움직임을 고무시키는 것은 말에 있다"고 하였다. '움직임'이란 말은 "움직임으로써 변화를 숭상한다"와 서로 비교할 수 있으니 역시 사람의 일을 가리킨다. '부추기면' 소리가 울리고 '춤추게 하면' 형체가 움직이니, 이미 그 이로움을 다하여 이에 따라 즐겁다. 소리와 모습에서 드러나되 누가 하는지 알지 못하니, 어찌 역의 도가 신묘하여 헤아릴 수 없는 것이 아니겠는가?

유정원(柳正源) 『역해참고(易解參攷)』

書不 [至] 盡神.
글로는 말을 다하지 못하며 … 신묘함을 다하였다.

程子曰, 言貴簡, 言愈多, 於道未必明. 杜元凱卻有此語云, 言高則旨遠, 辭約則義微. 大率言語, 須是涵泳而有餘意, 所謂書不盡言, 言不盡意.
정자가 말하였다: 말은 간단함이 귀하니 말이 많을수록 도에 대해 반드시 밝은 것은 아니다. 두원개는 이러한 말을 두어 "말이 높으면 뜻이 멀고, 말이 간략하면 뜻이 세밀하다"고 하였다. 대체로 말에는 반드시 충분히 음미하여도 남은 뜻이 있으니 이른바 "글로는 말을 다하지 못하며, 말로는 뜻을 다하지 못한다"는 것이다.

○ 誠齋楊氏曰, 以一卦言之, 天地交者, 泰之象也, 天地不交者, 否之象也. 通塞之象立, 治亂之意盡矣. 以一爻言之, 初而潛者, 勿用之象也, 上而亢者, 不知進退之象也. 上下之象立, 而潛退之意盡矣. 卦設而天地萬物之情, 可得而見, 鬼神之情狀, 可得而知, 而況於人之情僞乎. 元亨利貞者, 卦之辭也, 潛龍勿用者, 爻之辭也. 繫之以卦辭不足, 又繫之以爻辭, 則盡其言矣.
성재양씨가 말하였다: 한 괘로써 말하면 하늘과 땅이 사귀는 것은 태괘(泰卦)의 상이고, 하늘과 땅이 사귀지 않는 것은 비괘(否卦)의 상이다. 통하고 막히는 상이 세워지니 다스려지고 어지러워지는 뜻이 다한다. 하나의 효로써 말하면 초효는 잠긴 것이니 '쓰지 말라'는 상이고,

상효는 꼭대기에 있는 것이니 나아가고 물러날 줄 모르는 상이다. 위아래의 상이 세워지니 잠기고 물러나는 뜻이 다한다. 괘가 펼쳐지니 천지만물의 실정을 볼 수 있고, 귀신의 정상을 알 수 있는데 하물며 사람의 진정과 허위쯤이랴! '원형이정'은 괘사이고, '잠긴 용을 쓰지 말라'는 효사이다. 괘사를 매단 것으로 부족하여 또 효사를 매달았으니 그 말을 다한 것이다.

○ 建安丘氏曰, 書以紀言者, 言有非書所能述. 言以道意, 意有非言所能達. 於是聖人爲之立象以示人, 使之觀象而意自得, 爲之繫辭以斷吉凶, 使之玩辭而言以明. 情, 實也, 僞, 虛也. 人之情僞, 何啻萬端. 自六十四卦旣陳而是非得失, 居然可見, 故足以盡情僞. 變通以事言, 謂因其卦之變而通之, 使人凡有所爲, 知所趨避, 故足以盡利. 鼓舞以心言, 謂其奮然有所興起也. 方其未占, 則人心有疑而不敢爲, 旣占則自然作興, 亹亹而不厭, 故足以盡神. 立象設卦繫辭三者, 言作易之體, 變通鼓舞二者, 言用易之事. 小註朱子說樂占得〈一本作於占上〉

건안구씨가 말하였다: 글은 말을 기록하는 것이지만, 말에는 글로 서술하지 못하는 것이 있다. 말로써 뜻을 표현하되 뜻에는 말로 표현하지 못하는 것이 있다. 이에 성인이 상을 세워 사람들에게 보여서 그로 하여금 상을 관찰하여 뜻을 알 수 있도록 하고, 말을 달아 길흉을 결단하도록 하고, 그로 하여금 말[辭]을 완미하여 [성인이 하고자 한] 말을 분명히 알도록 하였다. 정(情)은 실(實)이고, 위(僞)는 허(虛)이다. 사람의 진정과 허위가 어찌 만 가지 단서일 뿐이겠는가. 64괘로부터 이미 펼쳐져 시비와 득실을 쉽게 볼 수 있으니, 그러므로 진정과 허위를 다 할 수 있다. 변함[變]과 통(通)함은 일로써 말한 것이니, 그 괘의 변화로 인해 통해서 사람들이 무슨 일을 할 때 나아갈 바와 피할 바를 알게 하므로 이로움을 다 할 수 있음을 말한다. 부추기고 춤추게 함은 마음으로써 말한 것이니, 그 분연히 흥기할 바가 있음을 말한다. 아직 점을 치지 않았을 때는 사람의 마음에 의심이 있어서 감히 하지 못하는데, 점을 치고 나면 자연히 벌떡 일어나 힘써 마지않으니, 그러므로 신묘함을 다할 수 있다. 상을 세우고, 괘를 펼치고, 말을 매다는 세 가지는 역을 지은 체이고, 변통·고무 두 가지는 역을 쓰는 일을 말한다. 소주에서 주자가 "점치기를 즐겼다"라고 하였다.〈어떤 본에는 점(占)자 앞에 어(於)자를 썼다.〉

김상악(金相岳) 『산천역설(山天易說)』

立象設卦繫辭者, 作易之事也. 變通鼓舞者, 用易之事也. 故能盡意盡情僞盡言盡利盡神.

상을 세우고 괘를 펼치고 말을 다는 것은 역을 짓는 일이다. 변하게 하고 통하게 하고 부추기고 춤추게 하는 것은 역을 쓰는 일이다. 그러므로 뜻을 다하고, 진정과 허위를 다하고, 말을 다하고, 이로움을 다하고, 신묘함을 다할 수 있다.

박제가(朴齊家) 『주역(周易)』

立象以盡意, 設卦以盡情僞

상을 세워 뜻을 다하며, 괘를 펼쳐 진정과 허위를 다하며,

立象盡意, 不獨見聖人有這意思寫出來, 自是他象上有這意. 設卦以盡情僞, 不成聖人有情又有僞, 自是卦上有這情僞, 但今曉不得他那處是僞, 云云.

주자가 "상을 세워 뜻을 다함은 성인이 이러한 뜻을 가지고 그려냈다는 것만 볼 수 있는 것이 아니라, 본디 그 상에 이러한 뜻이 있다는 것이다. 괘를 펼쳐 진정과 허위를 다하는 것은 성인이 진정이 있고 또 허위가 있는 것이 아니라, 본디 괘에 이러한 진정과 허위가 있다는 것인데, 다만 이제 어느 것이 거짓인지 모른다"[279]라고 운운하였다.

案, 情僞卽民之情僞, 盡意之意, 與聖人之意之意不同, 乃象中之意. 情僞乃卽萬物而言者. 作易者, 知盜, 乃知僞也. 豈盜而後作易云耶. 如曰情僞相感而利害生, 可見

내가 살펴보았다: 진정과 허위는 사람의 진정과 허위이다. '뜻을 다한다'에서의 뜻은 '성인의 뜻'에서의 뜻과 같지 않으니 상 가운데의 뜻이다. 진정과 허위는 만물에 대해서 말한 것이다. 역을 지은 이가 도적을 알면 곧 허위를 아는 것이다. 어찌 도적인 뒤에야 역을 짓는 것이라고 하겠는가? "진정과 허위가 서로 감응하여 이해가 생긴다"라 함과 같음을 볼 수 있다.

윤행임(尹行恁) 『신호수필(薪湖隨筆)·계사전(繫辭傳)』

象者, 意也, 辭者, 言也. 言爲書, 書出於圖, 圖出於象. 象不自象, 待人而成. 故曰, 聖人立象. 鼓之舞之, 所以化民也. 唐堯之匡之直之, 孔子之綏之動之, 是也. 陰陽之爻, 各一百九十有二, 皆出於乾坤, 故乾坤位而易之道始行焉.

상은 뜻이고, 사(辭)는 말이다. 말이 글이 되는데, 글은 그림에서 나오고 그림은 상에서 나온다. 상은 저절로 상이 되는 것이 아니라 사람을 기다려 이루어지니, 그래서 "성인이 상을 세운다"라 하였다. "부추기고 춤추게 함"은 백성을 교화하는 것이다. 요임금이 바로잡고 곧게 함[280]과 공자가 안심하게 하고 움직이게 함이 이것이다. 음양의 효는 각기 192로 모두 건곤에서 나왔으므로 건곤이 서면 역의 도가 비로소 행하는 것이다.

---

279) 『朱子語類』 卷75.
280) 『孟子·滕文公』上: "聖人有憂之, 使契爲司徒, 敎以人倫, 父子有親, 君臣有義, 夫婦有別, 長幼有序, 朋友有信. 放勳曰, '勞之來之, 匡之直之, 輔之翼之, 使自得之, 又從而振德之.' 聖人之憂民如此而暇耕乎?"

오치기(吳致箕) 「주역경전증해(周易經傳增解)」

書所以載言, 言所以傳意, 而書言皆有限, 故不足以盡意. 于是聖人, 仰觀俯察, 立陽奇陰耦之畫, 而天地萬物之象, 包括于其中. 然獨立其象, 則意中之所包, 猶有未盡. 于是聖人設卦布爻, 以卦中之陰陽淑慝, 見其情僞善惡. 然人之情僞, 千萬其端, 獨設其卦, 則意中之所發, 猶有未盡. 于是聖人隨其卦爻之變易, 取其失得憂虞之象, 繫之辭, 以闡前聖之精蘊. 然徒言旡益, 于是聖人敎民以占決, 趨吉避凶, 觀其變而通之, 則功業不窮, 足以盡易道之利矣. 由是, 斯民行之旡疑, 用之不倦, 自然而能鼓動舞作, 以至于開物成務, 則足以盡易道之神矣. 至此, 旡復餘蘊, 而聖人作易之功, 至矣盡矣. 此節, 設爲問答之辭, 而兩子曰字, 宜刪其一.

글은 말을 싣는 것이고, 말은 뜻을 전하는 것이지만 글과 말은 모두 한계가 있어서 뜻을 다하기에는 부족하다. 이에 성인이 우러러 천문을 관찰하고 구부려 땅의 이치를 관찰하여 양인 홀과 음인 짝의 획을 세우니 천지만물의 상이 그 안에 포괄된다. 그러나 그 상만을 세우니 뜻이 포괄되기는 하지만 여전히 다할 수는 없었다. 이에 성인이 괘와 효를 펼쳐 괘 속의 음양의 맑고 사특함으로써 그 진정과 허위 및 선과 악을 드러내었다. 그러나 사람의 진정과 허위는 그 단서가 천만가지여서 그 괘를 홀로 세우니 뜻이 드러나긴 하지만 여전히 다할 수는 없었다. 이에 성인이 그 괘효의 변화를 따라 그 잃고 얻음과 우려하는 상을 취하여 말[효사]을 붙여서 옛 성인의 정밀하고 깊은 뜻을 천명하였다. 그러나 말만 하여서는 도움이 없기 때문에 성인이 백성들에게 점치는 법을 가르쳐 길함을 따르고 흉함을 피하며, 그 변화를 보아 통할 수 있도록 하였으니, 공로가 다함이 없어 충분히 역도의 이로움을 다할 수 있었다. 이로써 백성이 행함에 의심이 없고 사용함에 권태롭지 않아 자연히 부추기고 춤추게 하여 '만물을 열어 일을 이루는' 데에까지 이르니 충분히 역도의 신묘함을 다할 수 있었다. 이에 이르러 다시 남은 싹이 없어서 성인이 역을 지은 공이 지극하고 다한 것이다. 이 절은 묻고 답하는 말을 펼친 것인데 두 개의 '자왈(子曰)'자 가운데 하나는 삭제해야 한다.

박문호(朴文鎬) 「경설(經說)·주역(周易)」

其設問答處正如此, 言通書之自問自答, 正如此節之兩子曰也.

질문과 답변을 설정한 것이 바로 이와 같으니, 『통서』에서 자문자답하는 것이 바로 이 절에 두 개의 '자왈(子曰)'과 같다고 하겠다.

乾坤, 其易之縕耶. 乾坤成列, 而易立乎其中矣, 乾坤毁則无以見易, 易不可見, 則乾坤或幾乎息矣.

건과 곤은 역의 쌓임이로다! 건과 곤이 줄을 지음에 역이 그 가운데에 서니, 건과 곤이 훼손되면 역을 볼 수 없고, 역을 볼 수 없다면 건과 곤이 혹 거의 그칠 것이다.

┃中國大全┃

小註

程子曰, 乾健坤順, 人亦不曾果是體認得, 乾坤毁, 則无以見易.

정자가 말하였다: 건의 강건함과 곤의 유순함을 사람들이 또한 참으로 깨달은 적은 없지만, 건과 곤이 훼손되면 역을 볼 수 없다.

本義

縕, 所包蓄者, 猶衣之著也. 易之所有, 陰陽而已, 凡陽皆乾, 凡陰皆坤. 畫卦定位, 則二者成列, 而易之體立矣. 乾坤毁, 謂卦畫不立, 乾坤息, 謂變化不行.

'온(縕)'은 쌓아 간직한 것이니, 옷을 입음과 같다. 역(易)에 있는 것은 음양일 뿐이며, 모든 양은 다 건(乾)이고 모든 음은 다 곤(坤)이다. 괘를 긋고 자리를 정하면 두 가지가 줄을 지어서 역의 본체가 설 것이다. '건과 곤이 훼손됨'은 괘의 획이 세워지지 않음을 이르고, '건과 곤이 그침'은 변화가 진행되지 않음을 이른다.

小註

朱子曰, 乾坤, 其易之縕耶, 乾坤成列, 而易立乎其中, 這又只是言立象以盡意, 設卦以盡情僞. 易不過只是一箇陰陽, 奇偶千變萬變, 則易之體立. 若奇偶不交變, 奇純是奇,偶純是偶, 去那裏見易, 易不可見, 則陰陽奇偶之用, 亦何自而辨. 問, 在天地上, 如何. 曰, 關天地什麼事, 此是說易不外奇偶兩物而已.

주자가 말하였다: "건과 곤은 역의 쌓임이로다! 건과 곤이 줄을 지음에 역이 그 가운데에 선다"는 또한 단지 '상을 세워 뜻을 다하고 괘를 펼쳐 진정과 허위를 다함'을 말한 것일 뿐이다. 역은 단지 하나의 음양에 불과하니, 홀과 짝이 천만번 변화해야 역의 본체가 선다. 만약 홀과 짝이 사귀어 변하지 않아 홀은 오로지 홀이고 짝은 오로지 짝이라면, 저 곳에서 역을 보고자 해도 역을 볼 수 없으니, 음양의 홀과 짝의 작용을 또한 무엇으로부터 분별할 것인가?
물었다: 천지에 있어서는 어떠합니까?
답하였다: 천지의 어떤 일과 연계시켜도, 이것은 역이 홀과 짝 두 물건을 벗어나지 않는다고 말한 것이다.

○ 自易道統體而言, 則乾陽坤陰, 一動一靜, 乃其縕也. 自乾坤成列而觀之, 則易之爲道, 又不在乾坤之外. 唯不在外, 故曰乾坤毀則无以見易. 然易不可見, 則乾自乾, 坤自坤, 故又曰易不可見, 則乾坤或幾乎息矣.

전체적인 역의 도리로 말하면, 건(乾)의 양과 곤(坤)의 음이 한 번 움직이고 한 번 고요한 것이 바로 쌓임[縕]이다. 건과 곤이 줄을 지은 것으로 본다면, 역의 도리는 또한 건과 곤을 벗어나지 않는다. 벗어나지 않으므로 "건과 곤이 훼손되면 역을 볼 수 없다"고 하였다. 그러나 역을 볼 수 없다면 건은 건이고 곤은 곤이므로 다시 "역을 볼 수 없다면 건과 곤이 혹 거의 그칠 것이다"라고 하였다.

○ 乾坤, 其易之縕, 縕如縕袍之縕, 是箇胎骨子. 又曰, 易是包著此理, 乾坤卽是易之體骨.

"건과 곤은 역의 쌓임[縕]이로다"에서 '온(縕)'은 솜옷의 솜과 같으니 바탕과 뼈대인 것이다. 또 말하였다: 역은 이 이치를 감싼 것이고, 건곤이 바로 역의 뼈대이다.

○ 易之言乾坤者, 多以卦言, 易立乎其中, 只是言乾坤之卦旣成而易立矣. 又曰, 乾坤成列, 易立乎其中, 乾坤, 只是說二卦, 此易, 只是說易之書. 與天地設位而易行乎其中之易, 不同, 行乎其中者, 卻是說易之道理. 又曰, 天地設位而易行乎其中, 以造化言之也, 乾坤成列而易立乎其中, 以卦位言之也.

역에서 건곤이라 한 것은 대체로 괘를 말하니, '역이 그 가운데에 선다'는 단지 건과 곤의 괘가 이루어지면 역이 선다고 말한 것일 뿐이다.
또 말하였다: "건과 곤이 줄을 지음에 역이 그 가운데에 선다"에서 건과 곤은 두 괘를 말할 뿐이고, 여기의 역은 『주역』이라는 책을 말할 뿐이다. "천지가 자리를 펼치게 되면 역이

그 가운데에 유행한다"281)는 역과는 같지 않으니, '그 가운데에 유행한다'는 것은 역의 도리를 말한 것이다.
또 말하였다: "천지가 자리를 펼치게 되면 역이 그 가운데에 유행한다"는 조화로 말한 것이고, "건과 곤이 줄을 지음에 역이 그 가운데에 선다"는 괘의 자리로 말한 것이다.

○ 乾坤成列, 便是乾一兌二離三震四卦, 都成列了, 其變易, 方立乎其中. 若只是一陰一陽, 則未有變易在. 又曰, 易有太極, 則以易爲主, 此一段文意, 則以乾坤爲主.
'건과 곤이 줄을 지음'은 바로 첫 번째의 건괘, 두 번째의 태괘, 세 번째의 리괘, 네 번째의 진괘가 모두 줄을 지은 것이고, 그것들의 변하여 바뀜이 비로소 그 가운데 서는 것이다. 만약 단지 한 번 음하고 한 번 양할 뿐이라면 변하여 바뀜은 있지 않을 것이다.
또 말하였다: '역에 태극이 있다'는 역을 위주로 하였고, 이 단락의 글의 뜻은 건곤을 위주로 하였다.

○ 問, 乾坤成列, 是說兩畫之列, 是說八卦之列. 曰, 兩畫也是列, 八卦也是列.
물었다: '건과 곤이 줄을 지음'은 두 획의 줄을 말하는 것입니까? 팔괘의 줄을 말하는 것입니까?
답하였다: 두 획이라도 또한 줄이고, 팔괘라도 또한 줄입니다.

○ 乾坤毀則无以見易, 易只是陰陽卦畫. 沒這幾箇卦畫, 憑箇甚寫出那陰陽造化, 何處更得易來. 這只是反覆說. 易不可見則乾坤或幾乎息, 只是說揲蓍求卦, 別更推不去, 說做造化之理息也得. 不若前說較平
"건과 곤이 훼손되면 역을 볼 수 없다"에서 역은 단지 음과 양의 괘의 획일 뿐이다. 이러한 몇 개의 괘의 획이 없다면, 무엇을 의거하여 저 음양의 조화를 그려내겠으며, 어디에서 다시 역을 얻어 올 수 있겠는가? 이것은 단지 반복해서 말한 것일 뿐이다. "역을 볼 수 없다면 건과 곤이 혹 거의 그칠 것이다"는 단지 시초를 세어 괘를 구하는 것만 말하고 별도로 다시 미루어 가지는 않았지만, 조화의 이치가 그침을 말하였다고 해도 된다. 비교적 평범한 앞의 말만은 못하다.

○ 潛室陳氏曰, 本義云, 乾坤毀, 謂卦畫不立, 乾坤息, 謂變化不行. 此據先天圖言, 謂落筆之初, 陽畫在右, 陰畫在左. 只此二畫, 分左右, 成行列, 而一部易書, 已在其中. 設若當時, 分此兩畫不成, 則易書无自而見, 便是乾坤毀, 无以見易. 設若當時, 作此易

---
281) 『周易·繫辭傳』.

書不成, 則二畫幾於歇滅无用, 便是易不可見, 則乾坤息. 此意, 雖主說易書, 然天地大化, 亦只如是.

잠실진씨가 말하였다: 『본의』에 "건과 곤이 훼손됨은 괘의 획이 세워지지 않음을 이르고, 건과 곤이 그침은 변화가 진행되지 않음을 이른다"고 하였다. 이는 선천도에 근거하여 말한 것이니, 처음 획을 그을 때에 양의 획을 오른쪽에, 음의 획을 왼쪽에 두었음을 이른다. 단지 이 두 획이 왼쪽과 오른쪽으로 나뉘어 행렬을 이룸에 역서의 일부분이 이미 그 가운데 있게 되었다는 것이다. 만약 당시에 이 두 획이 나뉘지 않았다면 역서는 자연히 볼 수 없었을 것이니, 바로 '건과 곤이 훼손되면 역을 볼 수 없다'는 것이다. 만약 당시에 이 역서가 저작되지 않았다면 두 획은 거의 없어져 쓰임이 없었을 것이니, 바로 '역을 볼 수 없다면 건과 곤이 혹 거의 그친다'는 것이다. 이러한 뜻은 비록 역서를 위주로 말한 것이지만, 천지의 조화도 또한 이와 같을 뿐이다.

○ 誠齋楊氏曰, 六十四卦, 其陽爻皆乾之自出, 其陰爻皆坤之自出, 乾坤二卦, 乃六十四卦之奧府, 三百八十四爻之寶藏. 乾坤立, 則易立, 乾坤隱, 則易隱, 非乾坤有毀息之理也, 言易與乾坤, 不可以相无也.

성재양씨가 말하였다: 64괘에서 그 양효는 모두 건에서 나오고 그 음효는 모두 곤에서 나오니, 건과 곤 두 괘는 64괘의 그윽한 곳집이며 384효의 보물 창고이다. 건곤이 서면 역(易)도 서고, 건곤이 숨으면 역도 숨으니, 건곤에 훼손되고 그치는 이치가 있다는 것이 아니라, 역과 건곤이 서로 없을 수 없음을 말한 것이다.

○ 建安丘氏曰, 易未嘗无乾坤, 亦未當息. 特以卦畫不立, 无以見其變易之理, 而併於乾坤之功用, 不可得而見爾.

건안구씨가 말하였다: 역에는 건곤이 없었던 적이 없으니, 당연히 그치지도 않는다. 다만 괘의 획이 서지 않으면, 그 변하여 바뀌는 이치도 볼 수 없고, 아울러 건곤의 공효도 볼 수 없을 뿐이다.

○ 雲峯胡氏曰, 乾坤, 卽是奇偶二畫, 易以道言. 畫以兩而相竝, 故曰列, 道以一而隱乎其中, 故曰立乎其中. 畫不列則道无由而自見 道不著則畫不能以自行

운봉호씨가 말하였다: 건곤은 바로 홀과 짝의 두 획이고 역은 도리로 말한 것이다. 획을 둘로 하여 서로 나란하므로 '줄[列]'이라고 하였고, 도리는 하나로 그 가운데 숨으므로 '그 가운데 선다'고 하였다. 획이 줄을 짓지 않으면 도리는 연유하여 나타날 것이 없고, 도리가 드러나지 않으면 획은 스스로 운행될 수 없다.

▮韓國大全▮

권근(權近) 『주역천견록(周易淺見錄)』

乾坤成列, 而易立乎其中矣.

건과 곤이 줄을 지음에 역이 그 가운데에 선다.

前云, 天地定位而易行乎其中, 以天地自然之用言也, 故曰行. 此以卦爻定位之體言也, 故曰立.

앞에서는 "천지가 자리를 정하면 역이 그 가운데 행하니"[282]라 하여 천지의 자연한 작용으로 말하였기에 '행한다'고 하였다. 여기에서는 괘효의 정해진 자리의 몸체로 말하였기에 '선다'고 하였다.

유정원(柳正源) 『역해참고(易解參攷)』

乾坤 [至] 息矣.

건과 곤은 … 그칠 것이다.

韓氏曰, 縕, 淵奧也.

한씨가 말하였다: 온(縕)은 연못의 깊숙함이다.

○ 張子曰, 乾坤既列, 則其間六十四卦爻位錯綜, 以爲變易. 乾坤不列, 則何以見易. 易不見, 則是无乾坤, 乾坤天地也, 易造化也. 聖人之意, 莫先乎要識造化, 既識造化然後, 有理可窮, 彼唯不識造化, 以爲幻妄也. 不見易, 則何以知天道. 不知道, 則何以語性.

장자가 말하였다: 건곤이 이미 늘어섰으니 그 사이에 64괘 효의 자리가 서로 얽혀 변역이 된다. 건곤이 늘어서지 않으면 어떻게 역을 보겠는가? 역이 보이지 않으면 건곤이 없는 것이니, 건곤은 천지이고 역은 조화이다. 성인의 뜻은 조화를 알아야 하는 것보다 앞서는 것이 없으니, 이미 조화를 안 연후에 다할 수 있는 이치가 있는데, 저만이 조화를 알지 못하고 환상이라 여긴다. 역을 볼 수 없다면 어떻게 천도를 알겠는가? 도를 모른다면 어떻게 성을 말하겠는가?

---

282) 『주역・계사전』 상7장에는 '天地正位'가 아니라 '天地設位'로 되어 있다.

○ 陰陽剛柔仁義之本立而後, 知趨時應變, 故乾坤毁, 則无以見易. 感而遂通, 不有兩, 則无一, 故聖人以剛柔立本, 乾坤毁, 則无以見易.

음양과 강유와 인의의 근본이 선 이후에 때를 따라 변화에 대응할 줄 안다. 그러므로 건곤이 훼손되면 역을 볼 수 없다. 감응하여 마침내 통하니 둘이 있지 않으면 하나가 없다. 그러므로 성인이 강유(剛柔)로 근본을 세우니, 건곤이 훼손되면 역을 볼 수 없다.

송능상(宋能相) 「계사전질의(繫辭傳質疑)」

乾坤其易之縕耶.

건과 곤은 역의 쌓임이로다.

本義摘出此一句, 解之以凡陽皆乾, 凡陰皆坤, 有不可知. 夫一段之內, 其說乾坤, 上下有四, 而文義一串貫來, 不當於其間有所分異也. 若皆以成卦而言之, 正所謂八卦成列, 而兩儀之象, 包在其中矣. 蓋奇偶二畫, 固已自有乾坤之象, 然於易中未嘗有以此而言乾坤者, 如象傳應乎乾應乎天之類似, 亦皆指全卦也, 謂應之於乾天之中耳.

『본의』에서는 이 한 구절을 따서 "모든 양은 다 건이고 모든 음은 다 곤이다"라 풀이하였는데 알 수가 없다. 한 단락 안에서 건곤을 설명한 것이 위아래로 네 번 있는데,[283] 문장의 뜻은 하나로 꿰뚫으니 그 사이에 구분을 두어서는 안된다. 모두 괘가 이루어진 것으로 말하였으니 바로 팔괘가 늘어서면 양의의 상은 그 가운데 포함되어 있는 것과 같다. 홀과 짝 두 획은 참으로 이미 건곤의 상이 있지만, 『주역』에서 이것을 가지고 건곤을 말한 적이 없다. 「단전」에서 '건에 응한다' '하늘에 응한다'라 한 종류와 비슷하니 역시 모두 대성괘를 가리키는 것으로 하늘인 건괘에 호응함을 말한다.

김상악(金相岳) 『산천역설(山天易說)』

縕, 如縕袍之縕也. 乾坤成列, 易之體也, 易立乎中, 乾坤之用也. 故乾坤毁, 則易无以立, 易无以立, 則乾坤之道, 不行矣.

'온(縕)'은 겹겹이 옷 입는다는 온(縕)이다. '건곤이 줄을 지음'은 역(易)의 몸체이고, '역(易)이 그 가운데 섬'은 건곤의 작용이다. 그러므로 건곤이 훼손되면 역이 설 수 없고, 역이 설 수 없으면 건곤의 도가 행해질 수 없다.

○ 天地設位, 易行乎其中, 對待中, 有流行之用. 乾坤成列, 易立乎其中, 流行中, 有對待之體.

---

283) 「계사전상」 1장에 한 번, 12장에 3번 나온다.

천지의 자리가 펼쳐져 역이 그 가운데에서 행함은 대대하는 가운데 유행의 작용이 있는 것이다. 건곤이 줄을 지어 역이 그 가운데 섬은 유행하는 가운데 대대하는 체가 있는 것이다.

박윤원(朴胤源) 『경의(經義)·역경차략(易經箚略)·역계차의(易繫箚疑)』

乾坤其易之縕, 是乾坤之縕于易六十四卦之中歟, 是易之縕于乾坤兩卦之中歟. 乾坤成列, 是乾爻坤爻之謂歟, 是乾卦坤卦之謂歟. 朱子於此, 有兩可之說, 而無一定之論, 何歟. 以本義, 凡陽皆乾, 凡陰皆坤之文觀之, 則乾坤, 是指九六之數奇耦之畫, 而語類中說, 則以爲易之乾坤, 多以卦言, 乾坤只是說兩卦, 此與本義不同, 何歟.

"건과 곤은 역의 쌓임이로다"는 건곤이 역의 64괘 가운데 쌓여있다는 것인가, 역이 건곤 두 괘 가운데 쌓여있다는 것인가? '건곤이 줄을 지음'은 건의 효와 곤의 효를 말하는 것인가, 이는 건곤괘를 말하는 것인가?. 주자가 이에 대해 두 가지 설을 내어 일정한 논의가 없음은 어찌된 일인가? 『본의』의 "모든 양은 다 건이고 모든 음은 다 곤이다"라 한 문장으로 살펴보면 건곤은 구와 육의 수이고 홀짝의 획을 가리키는데, 『주자어류』의 말은 역의 건곤을 대부분 괘로써 말하여 건곤은 단지 두 괘를 말하니 이것이 『본의』와 같지 않음은 어째서인가?

박제가(朴齊家) 『주역(周易)』

乾坤, 其易之縕耶,

건과 곤은 역의 쌓임이로다!

本義, 縕所包蓄者, 猶衣之著也. 如縕袍之縕, 是箇胎骨子. 又曰, 乾坤卽易之體骨.

『본의』에서말하였다: 온(縕)은 쌓아 간직한 것이니, 옷의 솜과 같다. 마치 솜옷의 솜이니 바탕과 뼈대가 되는 것이다.

또 말하였다: 건곤은 바로 역의 골자이다.[284]

案, 然則乾坤爲易之內矣. 經曰, 乾坤成列而易立乎其中, 則又似易爲乾坤之縕者. 經文上下句, 不相連則已, 相連, 則衣之著云云者, 恐未通. 只當曰包, 而不當曰衣之著, 胎骨云耳. 又曰與天地設位易行乎中不同, 彼以造化言, 此以卦位言, 然其中二字, 無彼此之別.

내가 살펴보았다: 그렇다면 건곤이 역의 속이 된다. 그런데 경문에 "건과 곤이 줄을 지음에

---

284) 『朱子語類』 권75: 乾坤其易之縕. 向論, 衣敝縕袍, 縕是綿絮胎, 今看此縕字, 正是如此取義. 易是包著此理, 乾坤卽是易之體骨耳. 〈人傑錄云: 縕, 如縕袍之縕, 是箇胎骨子.〉

역이 그 가운데에 선다"라 하였으니, 또 역이 건곤의 쌓임이 되는 듯하다. 경문의 위아래 구절이 서로 연결되지 않으면 그만이지만, 서로 연결된다면 옷의 솜과 같다고 운운한 것은 통하지 않는 듯하다. 그저 '감싼대[包]'고만 해야지 '옷의 솜이니 옷의 바탕과 뼈대이다'라 해서는 안된다. 또 "'천지가 자리를 펼치게 되면 역이 그 가운데에 유행한다'와는 같지 않으니, 저것은 조화로 말한 것이고 이것은 괘의 자리로 말한 것이다'라 하였다. 그러나 '그 가운데[其中]'이라는 두 글자는 저것이나 이것이나 구별이 없다.[285]

윤행임(尹行恁) 『신호수필(薪湖隨筆)・계사전(繫辭傳)』

縕者, 蘊也. 蘊者, 包也. 以一奇而包一百九十二, 以一耦而包一百九十二, 萬物之類, 皆始於一, 一者蘊也. 極深研幾, 在乎斯, 縕爲深爲幾.

온(縕)은 쌓는 것[蘊]이고, 쌓는 것은 감싸는 것이다. 하나의 홀로써 192를 포괄하고, 하나의 짝으로서 192를 포괄하니 만물의 종류가 다 하나에서 비롯되니, 하나는 온(蘊)이다. 깊음을 다하고 기미를 살핌이 여기에 달렸으니, 온(縕)이 깊이가 되고 기미가 된다.

오치기(吳致箕) 「주역경전증해(周易經傳增解)」

易, 指六十四卦陰陽之體也. 縕, 謂包蓄也. 易者, 乾坤陰陽而已. 凡陽皆乾, 凡陰皆坤, 故乾坤爲六十四卦之縕也. 成列者, 一陰一陽對待也, 二者成列, 易之體立, 而自有變化矣. 毀謂陰陽之卦畫不立, 息謂陰陽之變化不行. 蓋獨陰獨陽, 旡以行變化也.

'역'은 64괘 음양의 몸체를 가리킨다. '온'은 쌓아 간직함을 말한다. '역'이란 건곤음양일 뿐이다. 양은 모두 건이고, 음은 모두 곤이니 그러므로 건곤은 64괘의 쌓임이다. '줄을 지음'은 한 번 음이 되고 한 번 양이 되어 대대하는 것이다. 두 가지가 줄을 지으니 역의 체가 서서 저절로 변화가 있게 된다. '허물어짐'은 음양의 괘획이 서지 못함을 말하고, '그침'은 음양의 변화가 행하지 못함을 말한다. 음이나 양만으로는 변화를 행할 수 없다.

박문호(朴文鎬) 「경설(經說)・주역(周易)」

乾坤其易之縕, 易爲衣而乾坤爲縕. 蓋乾坤雖大, 亦包在易道之中, 易道爲尤大矣.

"건곤은 역의 쌓임이다"라 하였는데, 역은 옷이 되고 건곤은 솜이 된다. 건곤이 비록 크지만 또한 역의 도 가운데 싸여 있으니 역의 도가 더욱 큰 것이다.

---

285) 『계사전』상12장 『본의』 및 주자소주: 又曰, 乾坤成列, 易立乎其中, 乾坤, 只是說二卦, 此易, 只是說易之書. 與天地設位而易行乎其中之易, 不同, 行乎其中者, 卻是說易之道理. 又曰, 天地設位而易行乎其中, 以造化言之也, 乾坤成列而易立乎其中, 以卦位言之也.

是故, 形而上者, 謂之道, 形而下者, 謂之器, 化而裁之, 謂之
變, 推而行之, 謂之通, 擧而措之天下之民, 謂之事業.

이런 까닭으로 형이상의 것을 도(道)라 이르고, 형이하의 것을 기(器)라 이르고, 변화하여 마름질함을
변(變)이라 이르고, 미루어 행함을 통(通)이라 이르고, 들어서 천하의 백성에 놓음을 사업(事業)이라
이른다.

中國大全

小註

程子曰, 有形皆器也, 无形爲道.
정자가 말하였다: 형질이 있는 것은 모두 '기(器)'이고 형질이 없는 것은 '도(道)'가 된다.

○ 形而上爲道, 形而下爲器. 須著如此說, 器亦道, 道亦器也.
형이상의 것은 '도(道)'가 되고 형이하의 것은 '기(器)'가 된다. 모름지기 이와 같이 말해야
하지만, 기(器)가 또한 도이고 도(道)가 또한 기인 것이다.

○ 繫辭曰, 形而上者, 謂之道, 形而下者, 謂之器, 又曰, 立天之道, 曰陰與陽, 立地之
道, 曰柔與剛, 立人之道, 曰仁與義. 又曰, 一陰一陽之謂道. 陰陽, 亦形而下者也, 而
曰道者. 唯此語截得上下最分明, 元來只此是道, 要在人黙而識之也.
「계사전」에 "형이상의 것을 도(道)라 이르고 형이하의 것을 기(器)라 이른다"고 하고, 또
"하늘의 도를 세우는 것을 음(陰)과 양(陽)이라 하고, 땅의 도를 세우는 것을 유(柔)와 강
(剛)이라 하고, 사람의 도를 세우는 것을 인(仁)과 의(義)라 한다"[286]고 하였다. 또 "한 번
음(陰)하고 한 번 양(陽)함을 이르는 것이 도(道)이다"[287]라고 하였으니, 음양은 또한 형이
하의 것인데 '도(道)'라 한 것이다. 오직 이 말만이 상(上)과 하(下)를 구분지음이 가장 분명

---

286) 『周易 · 說卦傳』.
287) 『周易 · 繫辭傳』.

하지만, 원래는 단지 이 도(道)일 뿐이니, 요점은 사람이 묵묵히 아는 것에 있다.

○ 如形而上者, 謂之道, 不可移謂字在之字下, 此孔子文章.
예컨대 '형이상의 것을 도라 이른다'에서 '위(謂)'자를 옮겨 '지(之)'자의 아래에 놓아서는 안 되니, 이것은 공자의 문장이다.

○ 形而上者, 謂之道, 形而下者, 謂之器. 若如或者以淸虛一大爲天道, 則乃以器言, 而非道也.
형이상의 것을 도라 이르고 형이하의 것을 기라 이른다. 어떤 이가 맑고 텅 빈 거대한 하나를 천도(天道)로 간주하는 것과 같은 것은 바로 기(器)로 말한 것이지 도가 아니다.

○ 佛氏不識陰陽晝夜死生古今, 安得謂形而上者與聖人同乎.
불씨는 음과 양, 낮과 밤, 죽음과 삶, 옛날과 지금을 식별하지 못했으니, 어찌 형이상의 것이 성인과 같다고 할 수 있겠는가?

○ 張子曰, 形而上者, 是无形體, 故謂之道, 形而下者, 是有形體, 故謂之器. 无形迹者, 卽道也, 如大德敦化是也. 有形迹者, 卽器也, 見於事實是也. 又曰, 聖人因天地之化, 裁節而立法, 使民知寒暑之變. 故爲之春夏秋冬, 亦化裁之一端爾.
장자가 말하였다: 형이상의 것은 형체가 없으므로 도(道)라 하고, 형이하의 것은 형체가 있으므로 기(器)라 한다. 형체의 자취가 없는 것이 도이니, '큰 덕은 교화를 돈독히 한다'[288]와 같은 것이다. 형체의 자취가 있는 것이 기이니, 사실에 나타나는 것이다.
또 말하였다: 성인이 천지의 조화를 따라서 조절하여 법을 만들어 백성들에게 추위와 더위의 변화를 알게 하였다. 그러므로 봄·여름·가을·겨울을 만든 것이니, 또한 변화하여 마름질한 하나의 단서이다.

○ 朱子曰, 形而上者, 謂之道, 形而下者, 謂之器, 形而上者, 指理而言, 形而下者, 指事物而言. 事事物物, 皆有其理, 事物可見, 而其理難知. 卽事卽物, 便見得此理, 只是如此看. 又曰, 形而上底, 虛渾是道理, 形而下底, 實便是器, 這箇分說得極精切. 故明道云, 唯此語截得上下最分明. 又曰, 道是道理, 事事物物, 皆有箇道理, 器是形跡, 事事亦皆有箇形跡. 有道卽有器, 有器須有道, 物必有則. 又曰, 可見底是器, 不可見底是道, 理是道, 物是器.

---

288) 『中庸』: 小德川流, 大德敦化, 此天地之所以爲大也.

주자가 말하였다: "형이상의 것을 도(道)라 이르고 형이하의 것을 기(器)라 이른다"에서 형이상의 것은 이치를 가리켜 말한 것이고, 형이하의 것은 사물을 가리켜 말한 것이다. 사물마다 모두 그 이치가 있지만, 사물은 볼 수 있어도 그 이치는 알기 어렵다. 사물에 있어서 바로 이 이치를 깨달아 단지 이와 같다고 볼 뿐이다.

또 말하였다: 형이상의 것은 텅 비어 온전한 도리이며 형이하의 것은 실제의 기물이니, 이렇게 나누어 말하는 것이 아주 정밀하고 적절하다. 그러므로 명도가 "오직 이 말이 상(上)과 하(下)를 구분지음이 가장 분명하다"[289]고 하였다.

또 말하였다: '도(道)'는 도리이니 사물마다 모두 도리가 있고, '기(器)'는 형체의 흔적이니 사물마다 또한 모두 형체의 흔적이 있다. 도가 있으면 기가 있고 기가 있으면 반드시 도가 있으니, 사물에는 반드시 법칙이 있다.

또 말하였다: 볼 수 있는 것은 기(器)이고 볼 수 없는 것은 도(道)이니, 이치가 도이고 물건이 기이다.

○ 問, 形而上下, 如何以形言. 曰, 此言最的當, 設若以有形无形言之, 便是物與理, 相間斷了. 所以謂攔截得分明者, 只是上下之間, 分別得一箇界至分明. 器亦道, 道亦器, 有分別而不相離也.

물었다: 형질로부터 위와 아래는 어째서 형질로 말한 것입니까?

답하였다: 이 말이 가장 타당하니, 만약 형질이 있음과 형질이 없음으로 말한다면 바로 사물과 이치가 서로 단절될 것입니다. 차단하여 끊음이 분명하다고 한 까닭은 단지 위와 아래의 사이를 분별함에 경계가 지극히 분명하다는 것입니다. 기(器)가 또한 도이고 도(道)가 또한 기이니, 분별이 있어도 서로 떠날 수는 없습니다.

○ 問, 伊川云, 形而上謂道, 形而下謂器, 須著如此說. 曰, 這是伊川見得分明. 故云, 須著如此說. 形而上者是理, 形而下者是物, 如此開說, 方見得分明. 如此了, 方說得道不離乎器, 器不違乎道處. 如爲君, 須止於仁, 爲臣, 須止於敬, 爲子, 須止於孝, 這皆是道理合如此. 若不恁地索性 兩邊說 怎生說得通. 又曰, 器亦道, 道亦器也, 道未嘗離乎器, 道只是器之理. 這人身是器, 語言動作, 便是人之理. 理只在器上, 理與器, 未嘗相離.

물었다: 이천이 "'형이상은 도(道)라 이르고 형이하는 기(器)라 이른다'는 모름지기 이와 같이 말해야 한다"고 한 것은 무슨 뜻입니까?

답하였다: 이는 이천이 분명하게 보았던 것입니다. 그러므로 "모름지기 이와 같이 말해야

---

289) 『二程遺書』 권11.

한다"고 하였습니다. 형이상의 것은 이치이고 형이하의 것은 사물이니, 이와 같이 말해야만
비로소 분명하게 볼 수 있습니다. 이와 같아야 비로소 도(道)가 기를 떠나지 않고, 기(器)가
도의 자리에서 벗어나지 않음을 말할 수 있습니다. 임금이 되면 모름지기 어짊에 그치고,
신하가 되면 모름지기 공경에 그치고, 자식이 되면 모름지기 효도에 그침과 같으니, 이들은
모두 도리가 이와 같음에 합치된 것입니다. 만약 이와 같이 명료하지 않고 두 측면으로 말한
다면 어떤 말이 통할 수 있겠습니까?

또 말하였다: 기(器)가 또한 도이고 도(道)가 또한 기여서, 도(道)는 기를 떠난 적이 없으니
도는 단지 기의 이치일 뿐입니다. 사람의 이 몸은 기(器)이고 말하고 움직임이 바로 사람의
이치입니다. 리(理)는 단지 기(器)의 위에 있을 뿐이니, 리와 기는 서로 떨어진 적이 없습니다.

○ 問, 明道云, 陰陽亦形而下者, 而曰道, 只此兩句截得上下分明, 截字莫是斷字誤.
曰正是截字, 形而上形而下, 卽就形處, 離合分別, 此正界至處. 若只說作在上在下, 便
是兩截矣.

물었다: 명도가 "음양은 또한 형이하의 것인데 도(道)라 하였고, 오직 이 두 구절만이 상(上)
과 하(下)를 구분지음[截得]이 분명하다"고 하였는데, 절(截)자는 단(斷)자가 잘못된 것이
아닙니까?

답하였다: 절(截)자가 맞는 것입니다. 형이상과 형이하는 바로 형질이 있는 곳에서 떨어짐
과 합함을 분별함이니 이는 경계를 바르게 함이 지극한 곳입니다. 만약 단지 위에 있고 아래
에 있다고 말한다면 바로 둘로 나눈 것입니다.

○ 南軒張氏曰, 道不離形, 特形而上者而已, 器具於道, 以形而下者也. 易之論道器,
特以一形上下而言之也. 然道雖非器, 而道必託於器. 禮樂刑賞, 是治天下之道, 禮雖
非玉帛, 而禮不可以虛拘, 樂雖非鐘鼓, 而樂不可以徒作. 刑本遏惡也, 必託於甲兵, 必
寓於鞭朴, 賞本揚善也, 必表之以旂常, 銘之以鍾鼎. 故形而上者之道, 託於器而後行,
形而下者之器, 得其道而无弊. 故聖人悟易於心, 覺易於性, 在道不溺於无, 在器不墮
於有也.

남헌장씨가 말하였다: 도(道)는 형질을 벗어나지 않지만 형이상의 것일 뿐이고, 기(氣)는
도를 갖추어도 형이하의 것이다. 『주역』에서 도기(道器)를 논함에 형상과 형하 하나로만
말하였다. 그러나 도(道)는 비록 기가 아니지만 도는 반드시 기에 의탁한다. 예악형상(禮樂
刑賞)은 천하는 다스리는 도이니, 예(禮)는 비록 옥백(玉帛)은 아니지만 예는 헛되이 적용
될 수 없고, 악(樂)은 비록 종고(鐘鼓)는 아니지만 악은 헛되이 연주될 수 없다. 형벌은
본래 악을 막음이니 반드시 병갑(兵甲)을 의탁하고 반드시 편박(鞭朴)에 깃들여야 하고,
포상은 본래 선을 드러냄이니 반드시 시상(施賞)으로 나타내고 종정(鍾鼎)으로 새겨야 한

다. 그러므로 형이상의 도는 기(器)에 의탁한 뒤에 행해지고, 형이하의 기(器)는 그 도를 얻어 폐단이 없다. 그러므로 성인이 마음과 성품에서 역을 깨닫고는 도(道)는 없음에 빠지지 않게 하고 기(器)는 있음으로 떨어지지 않게 한 것이다.

○ 潛室陳氏曰, 一物必有一理, 道卽器中之理. 器旣有形, 道卽因而顯, 此是分開不得底事. 先聖欲悟後學, 不奈何指開示人. 所以俱言形者, 見得本是一物. 若除了此字, 止言上者謂之道, 下者謂之器, 卻成二片矣.
잠실진씨가 말하였다: 하나의 사물에는 반드시 하나의 이치가 있으니, 도(道)는 바로 기(器) 가운데의 이치이다. 기는 이미 형체가 있고 도는 [기물로] 인하여 드러나니 이것은 나눌 수 없는 사실이다. 앞선 성인이 후학을 깨치려 하면서 어찌 사람들에게 열어 보여주지 않았겠는가? 그렇지만 둘에게 같이 형질을 말한 것은 본래 하나의 물건임을 알게 함이다. 만약 이 글자를 제거하고 단지 위의 것을 도라 하고, 아래의 것을 기라 한다고 한다면, 도리어 두 조각이 될 것이다.

本義

卦爻陰陽, 皆形而下者, 其理則道也. 因其自然之化而裁制之, 變之義也. 變通二字, 上章以天言, 此章以人言.
괘효와 음양은 모두 형이하의 것이고, 그 이치는 '도(道)'이다. 자연한 조화를 인하여 마름질함이 '변(變)'의 의미이다. '변'과 '통(通)' 두 글자는 위의 장에서는 하늘로 말하였고, 이 장에서는 사람으로 말하였다.

小註

或問, 形而上者, 謂之道, 形而下者, 謂之器, 如何分形器. 朱子曰, 形而上者是理, 纔有作用, 便是形而下者. 問, 陰陽, 如何是形而下者. 曰, 一物便有陰陽, 寒暖生殺, 皆見得是形而下者. 事物雖大, 皆形而下者. 理雖小, 皆形而上者.
어떤 이가 물었다: "형이상의 것을 도라고 이르고 형이하의 것을 기라고 이른다"에서 어떻게 형질과 기물을 구분합니까?
주자가 답하였다: 형이상의 것은 이치이고, 막 작용이 있게 되면 바로 형이하의 것입니다.
물었다: 음양이 어째서 형이하의 것입니까?
답하였다: 하나의 사물에는 바로 음과 양이 있으니, 차고 따뜻하며 살고 죽음에서 모두 형이

하의 것임을 알 수 있습니다. 사물이 비록 크지만 모두 형이하의 것이고, 이치는 비록 작아
도 모두 형이상의 것입니다.

○ 問, 形而上者謂之道一段, 只是這一箇道理, 但卽形器之本體, 而不離乎形器, 則謂
之道, 就形器而言, 則謂之器, 聖人因其自然化而裁之, 則謂之變, 推而行之, 則謂之
通, 擧而措之, 則謂之事業, 裁也行也措也, 都只是裁行措這道. 曰, 是.
물었다: '형이상의 것을 도라 이른다'는 단락은 단지 이 하나의 도리일 뿐입니다. 형기(形器)
의 본체로 형기를 떠나지 않으면 '도(道)'라 이르고, 형기에 나아가서 말하면 '기(器)'라 이르
고, 성인이 그 자연한 조화를 따라서 마름질하면 '변(變)'이라 이르고, 미루어 행하면 '통(通)'
이라 이르고, 들어서 놓으면 '사업'이라 이르는 것이니, 마름질함과 행함과 놓음은 모두 저
도리를 마름질하고 행하고 놓는 것입니까?
답하였다: 맞습니다.

○ 化而裁之, 謂之變, 推而行之, 謂之通, 這是兩截不相干. 化而裁之, 屬前項事, 漸漸
化去裁制成變, 則謂之變, 推而行之, 屬後項事, 謂推而爲別一卦了, 則通行无礙. 故擧
而措之天下, 謂之事業, 便只是定天下之吉凶, 成天下之亹亹者.
"변화하여 마름질함을 변이라 이른다"와 "미루어 행함을 통이라 이른다"는 두 절구는 서로
간여하지 않는다. '변화하여 마름질함'은 앞의 항목에 속하는 일이니 점차 변화해가서 마름
질하여 변함을 이루면 '변'이라 하고, '미루어 행함'은 뒤의 항목에 속하는 일이니 미루어
별도의 한 괘가 이루어지게 되면 통하여 행함이 장애가 없음을 이른다. 그러므로 들어서
천하에 놓음을 사업이라 이르는 것이니, 바로 "천하의 길흉을 정하며 천하의 부지런히 애씀
을 이룬다"[290]는 것이다.

○ 化而裁之, 方是分下頭項, 推而行之, 便是見於事. 如堯典分命羲和許多事, 便是化
而裁之, 到敬授人時, 便是推而行之.
'변화하여 마름질함'은 막 실마리를 분별해 내는 것이고, '미루어 행함'은 바로 일에 드러난
것이다. 예컨대 「요전」에서 희씨(羲氏)와 화씨(和氏)에게 나누어 분부한 수많은 일이 바로
변화하여 마름질함이고, 삼가 백성의 농사철[人時]을 전해 줌[291]은 바로 미루어 행한 것이다.

○ 化而裁之, 謂之變, 推而行之, 謂之通, 裁是裁截之義, 謂如一歲裁爲四時, 一時裁

---

290) 『周易·繫辭傳』: 探賾索隱, 鉤深致遠, 以定天下之吉凶, 成天下之亹亹者, 莫大乎蓍龜.
291) 『書經·虞書』: 乃命羲和, 欽若昊天, 曆象日月星辰, 敬授人時.

爲三月, 一月裁爲三十日, 一日裁爲十二時, 此是變也. 又如陰陽兩爻, 自此之彼, 自彼之此, 若不截斷, 則豈有定體. 通是通其變, 將已裁定者, 推行之卽是通. 謂如占得乾之履, 便是九三變, 如乾乾不息則是我所當行者, 以此措之於民, 則謂之事業也. 又曰, 化而裁之, 化是因其自然而化, 裁是人爲, 變是變了他. 且如一年三百六十日, 須待一日日漸次進去, 到那滿時, 這便是化, 自春而夏, 夏而秋, 秋而冬, 聖人去這裏截做四時, 這便是變. 又曰, 只在那化中裁截取, 便是變. 如子丑寅卯十二時, 皆以漸而化, 不見其化之之迹, 及亥子時, 便截取子屬明日, 所謂變也.

"변화하여 마름질함을 변이라 이르고 미루어 행함을 통이라 이른다"에서 마름질은 마름질하여 끊음이니, 예컨대 한해를 사시로 마름질하고, 한 계절을 삼 개월로 마름질하고, 한 달을 30일로 마름질하고, 하루를 12시진으로 마름질한 것이 변(變)이라고 한 것이다. 또 음과 양의 두 효가 여기에서 저리로 가고 저기에서 이리로 와서 단절되지 않을 듯하니, 어찌 정해진 몸체가 있겠는가? '통'은 그 변함을 통함이니, 이미 마름질하여 정한 것을 미루어 행함이 바로 통인 것이다. 만약 점쳐서 건괘(☰)가 리괘(☲)가 됨을 얻었다면 구삼이 변함이니, 강건하고 강건하여 그치지 않은 듯이 함이 바로 내가 행해야 할 것이고, 이것을 백성에게 놓으면 곧 사업이라 한다고 한 것이다.

또 말하였다: '변화하여 마름질함[化而裁之]'에서 '변화(化)'는 자연함을 따라서 변화함이며, '마름질[裁]'은 사람의 행위이며, '변(變)'은 다른 것으로 바뀐 것이다. 가령 일 년 360일이 하루하루 점차 진행되어 꽉 차게 되는 것이 바로 화(化)이며, 봄으로부터 여름 되고 여름에서 가을 되고 가을에서 겨울 됨은 성인이 거기에다 네 계절을 구분한 것이니 바로 변(變)이다.

또 말하였다: 변화하는 가운데서 마름질하여 구분해 내는 것이 바로 변(變)이다. 예컨대 자·축·인·묘의 12시진이 모두 점차로 변화하여 그 변화의 자취를 볼 수 없지만, 해시(亥時)와 자시(子時)에 이르러 곧 자시를 갈라내어 다음 날에 귀속시킴이 이른바 '변(變)'이다.

○ 問, 易中多言變通, 通字之意, 如何. 曰, 處得恰好處, 便是通. 問, 往來不窮, 謂之通, 如何. 曰, 處得好, 便不窮. 通便不窮, 不通便窮. 問, 推而行之, 謂之通, 如何. 曰, 推而行之, 便就這上行將去. 且如亢龍有悔, 是不通了, 處得來无悔, 便是通. 變是就時就事上說, 通是就上面處得行處說. 故曰通其變. 只要常敎流通不窮. 問, 如貧賤富貴夷狄患難, 這是變, 行乎富貴, 行乎貧賤, 行乎夷狄, 行乎患難, 至於无入而不自得, 是通否. 曰, 然.

물었다: 『주역』에서 '변통'을 자주 말했는데, '통(通)'자의 뜻은 무엇입니까?

답하였다: 아주 잘 처리하는 것이 바로 통입니다.

물었다: "오가면서 다하지 않음을 통이라 이른다"는 무슨 뜻입니까?

답하였다: 잘 처리하면 곧 다하지 않으니, 통하면 다하지 않고 통하지 않으면 끝나게 됩니다.

물었다: "미루어 행함을 통이라 이른다"는 무슨 뜻입니까?

답하였다: '미루어 행함'은 바로 그 위에서 실행해 가는 것입니다. 만약 "지나친 용이니 후회가 있다"라면 통하지 않는 것이지만, 처리함에 후회가 없게 되면 바로 통하게 됩니다. '변'은 때와 일에서 말한 것이고, '통'은 그 위에서 실행되는 것을 말한 것입니다. 그러므로 그 변함을 통한다고 하였는데, 항상 유통시켜 다하지 않게 하려는 것일 뿐입니다.

물었다: 빈천과 부귀, 이적과 환난과 같은 것은 변(變)이고, 부귀한대로 행하며 빈천한대로 행하며 이적 속에서 행하며 환난 속에서 행하여 들어가는 대로 스스로 얻지 않음이 없음[292]에 이르는 것이 통(通)입니까?

답하였다: 그렇습니다.

○ 誠齋楊氏曰, 此一節, 所以別言易道之體, 極言易道之用也. 何謂體, 曰道曰器, 是也. 何謂用, 曰變曰通曰事業, 是也.

성재양씨가 말하였다: 이 구절은 역도(易道)의 본체를 따로 말하고, 역도의 작용을 지극히 말한 것이다. 무엇을 본체라 하는가? 도(道)라 하고 기(器)라 한 것이다. 무엇을 작용이라 하는가? 변(變)이라 하고 통(通)이라 하고 사업(事業)이라 한 것이다.

○ 雲峯胡氏曰, 形者, 謂動而可見之時. 自此而上, 則无體, 故謂之道, 卽上文所謂易也, 自此而下, 則有體, 故謂之器, 卽上文所謂乾坤奇偶之畫也. 理一而神, 氣兩而化, 聖人因其自然之化而裁制之. 故謂之變. 理无窮, 畫之生也, 亦无窮, 聖人則裁制之爲六畫, 裁爲上下爲內外. 裁有定體, 行无定用. 如乾之變, 當潛而行潛之事則潛爲通, 當見而行見之事則見爲通. 事者, 業之未成, 業者, 事之已著.

운봉호씨가 말하였다: 형질은 움직여 볼 수 있을 때를 이른다. 이로부터 위로는 형체가 없으므로 도(道)라 이르니 윗글의 이른바 '역(易)'이며, 이로부터 아래로는 형체가 있으므로 기(器)라 이르니 윗글의 이른바 건과 곤의 홀과 짝의 획이다. 이치는 하나여서 신묘하고 기운은 둘이여서 변화하니, 성인이 자연의 변화를 따라 마름질하여 만들었다. 그러므로 '변(變)'이라 이른다. 이치는 다함이 없고 획이 생겨나도 또한 다함이 없으니, 성인이 곧 마름질하여 여섯 획을 만들었고, 마름질하여 위와 아래, 안과 밖을 삼았다. 마름질하면 정해진 몸체가 있지만 운행에는 정해진 작용이 없다. 건괘의 변함이라면, 잠겨야 할 때는 잠기는 일을 행하

---

292) 『中庸』: 素富貴, 行乎富貴, 素貧賤, 行乎貧賤, 素夷狄, 行乎夷狄, 素患難, 行乎患難, 君子無入而不自得焉.

니 잠김이 통(通)이 되고, 드러나야 할 때는 드러나는 일을 행하니 드러남이 통이 된다. 사(事)는 업이 이루어지지 않은 것이고, 업(業)은 사가 이미 드러난 것이다.

‖韓國大全‖

박치화(朴致和) 「설계수록(雪溪隨錄)」

形而上者謂之道, 形而下者謂之器, 較一陰一陽之謂道, 說得尤緊. 一陰一陽之謂道, 只以陰陽動静言, 形而上之謂道, 形而下之謂器, 包盡陰陽事物一源萬殊而言也.

"형이상의 것을 도(道)라 이르고, 형이하의 것을 기(器)라 이른다"는 "한 번은 음이 되고 한 번은 양이 됨을 도(道)라 이른다"에 비해 더욱 긴밀하게 말한 것이다. "한 번은 음이 되고 한 번은 양이 됨을 도(道)라 이른다"는 단지 음양의 동정으로써 말한 것이지만, "형이상의 것을 도(道)라 이르고, 형이하의 것을 기(器)라 이른다"는 음양과 사물, 일원(一源)과 만수(萬殊)를 전부 포괄하여 말한 것이다.

○ 釋氏求道於陰陽事物之外, 可謂異乎聖人之見也.

석씨는 음양사물의 밖에서 도를 구했으니, 성인의 견해와 다르다고 할 수 있다.

○ 形, 有形也. 凡有形, 莫不有有形之所以然, 推其有形之所以然處, 則便在有形之上, 故曰形而上者謂之道. 凡物有形然後, 方謂之器. 器者, 有形之後也, 故曰形而下者謂之器, 便從形質之中, 截上下而分言也.

형(形)은 형질이 있는 것이다. 형질이 있으면 형질이 있게 되는 까닭이 있지 않을 수 없으니, 그 형질이 있게 되는 곳을 미루어 가면 곧 형질이 있음 이상에 있게 되므로 "형이상의 것을 도(道)라 이른다"라고 하였다. 만물은 형질이 있은 뒤에야 '기(器)'라고 한다. '기'란 형질이 있은 뒤의 것이므로 "형이하의 것을 기(器)라 이른다"고 하였으니, 형질로부터 위아래를 잘라서 구분해서 말한 것이다.

○ 道之所盛, 故曰器. 有形莫非有用, 故曰器也. 形之理曰道, 形之質曰器, 有是理而後, 有是形, 故曰形而上, 有是形而後, 方謂之器, 故曰形而下. 形, 氣也, 道, 理也.

도가 담기는 것이므로 '기(器)'라고 한다. 형질이 있음은 작용이 있지 않음이 없으므로 '기'라고 한 것이다. 형질의 이치는 '도'라고 하고 형질의 바탕[質]은 '기'라고 하니 이 이치가 있은 뒤에 이 '형질[形]'이 있으므로 '형이상'이라 한다. 이 '형질'이 있은 뒤에야 비로소 '기'라고 하므로 '형이하'라고 한다. 형질은 기(氣)이고, 도는 이치[理]이다.

이익(李瀷) 『역경질서(易經疾書)』

形者, 物之方圓曲直大小長短之類是也. 由是而上推, 則有理, 理者道也. 由是而下察 則有質, 質者器也. 道者, 理之流行也, 器者, 質之有受也, 而形居其間. 凡目之見物, 以形爲主, 故鷄形而犬質, 則雖作犬吠, 人將曰鷄, 而犬吠必不以爲犬也. 柳形而桐質, 則雖發桐花, 人將曰柳, 而桐花必不以爲桐也. 此形與器之別也. 其形由是道而生, 而 道又盛在其上. 道者, 易道也, 形者, 卦形也. 卦而盛道而無質之可言, 故只曰器也.

형(形)이란 사물의 모나고 둥글고 구부러지고 곧고 크고 작고 길고 짧은 종류가 이것이다. 이로 말미암아 위로 미루어 가면 리(理)가 있으니, 리는 도(道)이다. 이로 말미암아 아래로 살피면 바탕[質]이 있으니 바탕은 기(器)이다. 도는 리의 유행이고, 기(器)는 형질을 받음이 있는 것인데 형(形)은 그 사이에 있다. 눈으로 사물을 보는 것은 형체를 위주로 한다. 그러므로 닭의 형체이면서 개의 형질이라면 비록 개 짖는 소리를 내더라도 사람들은 닭이라고 할 것이니 개 짖는 소리를 한다고 해서 반드시 개라고 여기지는 않는다. 버드나무 형체이면서 오동나무 형질이라면 비록 오동나무 꽃을 피우더라도 사람들은 버드나무라고 할 것이니, 오 동 꽃을 피운다고 해서 반드시 오동나무라 여기지는 않는다. 이것이 형(形)과 기(器)의 구별 이다. 그 형(形)은 이 도로 말미암아 생기고, 도는 또 형(形)에 담긴다. 도는 역의 도이고, 형은 괘의 형체이다. 괘에 도를 담으나 뭐라 말할 만한 바탕이 없으므로 단지 '기(器)'라 한다.

김근행(金謹行) 「주역차의(周易箚疑)・역학계몽차의(易學啓蒙箚疑)・독역범례(讀 易凡例)・주역의목(周易疑目)」293)

形而上, 形而下, 一形字居中, 而包上下, 正可見理氣不離之妙. 所謂二而一者也. 聖人 之言, 辭約而義備, 會而通之, 自有精蘊.

형이상(形而上)과 형이하(形而下)는 하나의 형(形)자가 가운데 있어서 위[上]와 아래[下]를 포괄하고 있으니, 바로 이기(理氣)가 서로 떨어지지 않는 묘함을 알 수 있다. 이른바 '둘이 면서 하나'라는 것이다. 성인의 말은 말이 간략해도 뜻이 갖춰졌으니, 모아서 통하게 하면 자연히 정밀한 속내가 있다.

---

293) 경학자료집성DB에서는 「계사전」 '제5장'으로 분류했으나, 내용에 따라 이 자리로 옮겨 바로잡았다.

유정원(柳正源) 『역해참고(易解參攷)』

化而 [至] 事業.

변화하여 마름질함을 … 사업이라 이른다.

朱子曰, 化是漸漸消下磨磨地去, 有漸底意思, 不見其化之迹, 且如而今天氣, 漸漸化凉將去, 到得立秋, 便截斷,[294] 這已後是秋, 便是變.

주자가 말하였다: 화(化)는 점점 사그라들어 천천히 진행되는 것이니 점진적인 뜻이 있어 그 화(化)의 자취를 볼 수 없다. 예를 들어 이제 날씨가 점점 서늘해져 입추에 이르면 문득 단절되는 듯해서 이러한 뒤에 가을이니 이것이 곧 변(變)이다.

○ 平庵項氏曰, 自奇偶未形以上, 則謂之太極, 不可以陰陽名也. 自奇偶已形以下, 則謂之兩儀四象八卦, 而陰陽之體定矣. 體定而變化行, 故乾本健也, 初爻化爲入, 中爻化爲麗, 末爻化爲止. 坤本順也. 初爻化爲動, 中爻化爲陷, 末爻化爲說.〈案, 此說字與止字疑換〉 六十四象, 皆示人以化裁之變也. 當其變也, 順而推之則通, 違而執之則窮, 乾之災變, 而无首則吉, 坤之傷變, 而永貞則利. 此皆敎人以推而行之通也. 于以通天下之志, 以定天下之業, 以斷天下之疑, 此擧而措之謂之事業也.

평암항씨가 말하였다: 홀짝이 아직 드러나지 않은 이상을 태극이라 하니, 음양이라고 이름 붙일 수 없다. 홀짝이 이미 드러난 이하를 양의ㆍ사상ㆍ팔괘라 하니, 음양의 몸체가 정해진다. 몸체가 정해지면 변화가 행한다. 그러므로 건괘는 본래 굳센데, 초효가 변화하면 손괘(巽卦☴)로 들어가고, 가운데 효가 변화하면 리괘(離卦☲)로 걸리며, 끝 효가 변화하면 간괘(艮卦☶)로 그친다.[295] 곤괘는 본래 순응하는데, 초효가 변화하면 진괘로 움직이고, 가운데 효가 변화하면 감괘로 빠지며, 끝 효가 변화하면 태괘로 기뻐한다.〈살펴보니 여기에서 '태괘로 기뻐한다'와 '간괘로 그친다'는 바꿔야 하겠다.〉 64괘의 상은 모두 사람들에게 화(化)하여 마름질하는 변화를 보여준다. 그 변함에 당하여 순응해서 미루어 가면 통하고, 어겨서 집착하면 궁하니, 건괘의 재앙이 변하여 머리가 없으면 길하고, 곤괘의 상함이 변하여 길이 곧게 하면 이롭다. 이는 모두 사람들에게 미루어 행하는 통함을 가르쳐 준 것이다. "이로써 천하의 뜻에 통하며, 천하의 일을 정하며, 천하의 의혹을 결단한다"에 이것을 들어서 놓는 것을 사업이라 한다.

---

294) 斷: 경학자료집성DB와 영인본에 '段'으로 되어 있으나, 『주자어류』에 의거하여 '斷'으로 바로 잡았다.
295) 끝 효가 변화하면 간괘로 그친다: 끝 효가 변화하면 간괘가 아니라 태괘(兌卦☱)가 된다.

김상악(金相岳) 『산천역설(山天易說)』

形而上者, 指理而言, 形而下者, 指事物而言. 道與器, 未嘗相離, 有是器, 必有是道. 因其自然之化而裁制之, 推行之, 以措之天下之民.

'형이상의 것'은 리를 가리켜 말하고, '형이하의 것'은 사물을 가리켜 말한다. 도와 기는 서로 떠난 적이 없으니, 이 기가 있으면 반드시 이 도가 있다. 그 자연히 변화함을 따라서 마름질하고, 미루어 행해서 천하 백성에 놓는다.

박윤원(朴胤源) 『경의(經義)·역경차략(易經箚略)·역계차의(易繫箚疑)』

形而上者謂之道, 形而下者謂之器, 此本以卦爻言, 而千古以來, 吾儒將此作理氣之說, 何歟. 如寂然感通, 本以易言, 而程朱移作人心體用上說, 則此固引經之活法歟. 來氏謂此是畫前之易, 與卦爻不相干, 其說與朱子不同, 不可從歟. 大抵易之道器字, 如詩之物則字, 有物必有則, 有器必有道矣. 此是不相離處, 然以形字置諸中間, 而截斷上下, 則道器分矣. 程子所謂道亦器, 器亦道, 必混合言之者, 何歟. 形而上形而下, 如何解, 方爲分曉. 來氏云, 超乎形器之上, 囿乎形器之下, 超字囿字得非剩語歟.

"형이상의 것을 도라 하고 형이하의 것을 기라 한다"는 본래 괘효로 말한 것인데, 오랜 세월동안 우리 유학자들이 이를 이기의 설로 다루는 것은 어째서인가? '고요하다 감응하여 통함'은 본래 변역으로 말한 것인데, 정자와 주자가 마음의 체용을 말하는 것으로 옮겨 썼으니, 이는 참으로 경을 끌어다 생생하게 살려 쓴 방법인 것인가? 래지덕은 이를 '획을 긋기 전의 역'이라 하여 괘효와는 상관없는 것으로 여겨 그 설이 주자와 같지 않으니 [그의 설을] 따를 수 없는 것인가? 대체로 『주역』에서의 '도기(道器)'자는 『시경』에서의 '물칙(物則)'자와 같으니, 사물이 있으면 반드시 법칙이 있고, 기가 있으면 반드시 도가 있는 것이다. 이는 서로 분리될 수 없는 것인데 형(形)자를 그 사이에 두어 위아래를 자르면 도(道)와 기(器)가 나뉜다. 정자가 "도 역시 기(器)이고, 기(器) 역시 도이다"라 하여 기어코 혼합하여 말한 것은 어째서인가? 형이상과 형이하를 어떻게 풀어내야 분명할까? 래지덕은 "형기의 위로 초월하고, 형기의 아래로 얽매인다"고 하였는데, '초월한다[超]'·'얽매인다[囿]'는 말은 군더더기가 아닌가?

윤행임(尹行恁) 『신호수필(薪湖隨筆)·계사전(繫辭傳)』

有形者, 器也, 無形者, 道也. 道何謂形而上也, 形而後, 可以知其道也. 故道器不相離, 就其不相離處, 以言之也. 有器則有道, 有道而後有器. 成形者, 器也, 成之者, 道也. 朱子曰, 太極者, 形器已具, 程子曰, 道亦器, 器亦道,

형체가 있는 것이 기(器)이고, 형체가 없는 것이 도이다. 도를 어째서 형이상이라고 하는가?

형체가 있은 후에 그 도를 알 수 있어서이다. 그러므로 도와 기(器)가 서로 떨어지지 않는다는 것은 그 떨어지지 않은 곳에 나아가 말한 것이다. 기(器)가 있으면 도가 있으니 도가 있은 뒤에 기(器)가 있다. 형체를 이루는 것은 기이고, 이루게 하는 것은 도이다. 주자는 "태극에는 형기(形器)가 이미 갖추어 있다"고 하였고, 정자는 "도 역시 기(器)이고, 기(器)역시 도이다"라 하였다.

心, 器也, 性, 道也. 性, 器也, 天, 道也. 人, 器也, 心, 道也. 明, 道也, 德, 器也. 耳目, 器也, 聰聽, 道也. 天下, 器也, 堯舜, 道也. 堯舜, 器也, 孝悌, 道也. 卦爻, 器也, 易, 道也. 圖書, 器也, 極, 道也.

마음은 기(器)이고, 성(性)은 도이다. 성은 기(器)이고 하늘은 도이다. 사람은 기(器)이고, 심은 도이다. 밝힘은 도이고 덕은 기(器)이다. 귀와 눈은 기(器)이고 귀 밝고 눈 밝음은 도이다. 천하는 기(器)이고 요순은 도이다. 요순은 기(器)이고, 효제는 도이다. 괘효는 기(器)이고 역은 도이다. 「하도」·「낙서」는 기(器)이고 다함[極]은 도이다.

윤종섭(尹鍾燮) 『경(經)-역(易)』

形而上下, 形只是象數也, 就象數而說道理. 象數卽陰陽動靜屈伸消長之機也. 此章道器, 與上第五章一陰一陽之謂道同, 陰陽非道也, 所以陰陽者, 是道也. 不可混而一之, 亦不可分而二之. 一而非二, 二而非一之間, 可以見道器.

형이상하에서 형(形)은 단지 상(象)과 수(數)이니, 상수에 나아가 도리를 말하는 것이다. 상수는 곧 한 번 음이 되고 한 번 양이 되며 움직이고 고요하며 구부리고 펴며 사그라들고 늘어나는 기틀이다. 이 장에서의 도기(道器)는 앞의 제5장에서의 "한 번은 음이 되고 한 번은 양이 됨을 도라 한다"라 할 때의 도와 같으니, 음이 되고 양이 되는 것이 도가 아니고 음이 되고 양이 되는 근거가 도이다. 뒤섞어서 하나로 해도 안되고 나누어서 둘로 해도 안된다. 하나여서 둘이 아니고 둘이여서 하나가 아닌 사이에서 도(道)와 기(器)를 볼 수 있다.

심대윤(沈大允) 『주역상의점법(周易象義占法)』

萬物各有其道, 有形迹而不可雜糅, 如器之不可通用, 故俱曰形.

만물이 각기 그 도가 있으니 형체의 자취가 있다고 해서 뒤섞을 수 없는 것이 그릇을 뒤바꿔 쓸 수 없는 것과 같다. 그러므로 모두 '형(形)'이라고 하였다.

오치기(吳致箕) 「주역경전증해(周易經傳增解)」

承上章, 而因言卦畫陰陽理氣之別, 及裁行變通之事. 蓋一陰一陽之理, 无迹无朕, 故曰形而上謂之道, 陰陽卦畫之體, 有形有象, 故曰形而下謂之器. 理一而神, 氣兩而化. 聖人因其自然之理, 觀其自然之化, 設爲卦畫, 上下內外裁有定體, 而莫不由於陰陽之變, 故曰化而裁之謂之變. 理旣无窮, 卦畫之生, 亦无窮, 雖有定體, 行无定用. 如乾之初九, 當潛而行潛之事, 則潛爲通, 九二當見而行 見之事, 則見爲通, 故曰推而行之謂之通. 事者, 業之未成, 業者事之已成.

윗장을 이어서 괘획의 음양과 이기의 구별 및 마름질하여 행하고 변하여 통하는 일을 말하였다. 한 번 음이 되고 한 번 양이 되는 이치는 흔적도 없고 조짐도 없으므로 '형이상의 것을 도라 한다'고 하였고, 음양·괘획의 몸체는 형체가 있고 상이 있으므로 '형이하의 것을 기(器)라 한다'고 하였다. 이치는 하나여서 신묘하고, 기(氣)는 둘이어서 변화한다. 성인이 그 자연한 이치로 인하여 그 자연한 변화를 살펴 괘획을 펼치니, 상하내외가 나뉘어 정해진 몸체가 있어도 음양의 변화에서 말미암지 않음이 없다. 그러므로 "변화하여 마름질함을 변(變)이라 한다"고 하였다. 이치가 이미 다함이 없어서 괘획이 생겨남도 다함이 없으니, 비록 정해진 몸체가 있더라도 행함에는 정해진 작용이 없다. 예를 들어 건괘의 초구는 잠길 때를 만나서 잠기는 일을 행함이니 잠기는 것이 통함이 되고, 구이는 마땅히 나타날 때여서 나타나는 일을 행함이니 나타나는 것이 통함이 된다. 그러므로 "미루어 행함을 통이라 한다"고 하였다. '일[事]'이란 '업(業)'이 아직 이루어지지 못한 것이고, '업(業)'이란 일이 이미 이루어진 것이다.

이진상(李震相) 『역학관규(易學管窺)』

形而上者謂之道.

형이상의 것을 도라 한다.

繫辭曰, 一陰一陽之謂道, 而又曰形而上者謂之道, 中庸曰天命之謂性, 而又曰喜怒哀樂之未發謂之中, 同一句法, 正嘗參看.

「계사전」에서 "한 번 음이 되고 한 번 양이 되는 것을 도라고 한다"라 하고, 또 "형이상의 것을 도라 한다"라 하였으며, 『중용』에서 "하늘이 명한 것을 성이라 한다"고 하고, 또 "희노애락이 아직 발하지 않은 것을 중이라 한다"라 하였는데, 동일한 문투이니 함께 참조해야 한다.

○ 小註, 雲峰說.

소주에서 운봉호씨의 설.

形是形體之形, 非形見之形, 而今謂動而可見之時, 則未動之前, 無器以具此道, 而已動之後, 無道以管此器, 恐未穩. 然本從卦畫上說, 所以如此.

형(形)은 형체의 형이지 드러난다는 형(形)이 아닌데, 이제 '움직여서 볼 수 있는 때'라고 한다면 움직이기 전에는 이 도를 담을 기(器)가 없고, 이미 움직인 후에는 이 기(器)를 주관할 도가 없게 되니 온당하지 않은 듯하다. 그러나 본래 괘획을 따라서 말하였으니 그래서 이와 같다.

박문호(朴文鎬) 「경설(經說)·주역(周易)」

形而上下, 此諺釋最難, 而見行諺解, 亦未甚分曉. 然舍此而他求, 則或爲理氣之相雜, 又或爲理氣之相離, 又或爲形在其中自爲一物. 蓋形而下, 以可見而言, 形而上, 以不可見而言, 其不可見者常與可見者, 相不離亦不雜, 以此意讀之可也.

'형이상하'는 우리말로 풀이하기가 아주 어려운데, 현행 언해본을 보아도 그다지 분명하지 못하다. 그래서 이것을 버리고 다른 것을 구하면, 자칫 리와 기가 서로 섞인 것이 되고, 또 자칫 리와 기는 서로 떨어진 것이 되며, 또 자칫 형(形)이 그 가운데 있어 자체로 하나의 것이 된다. '형이하'는 볼 수 있는 것으로 말하고, '형이상'은 볼 수 없는 것으로 말하는데, 그 볼 수 없는 것은 항상 볼 수 있는 것과 서로 떨어져 있지도 않고 섞여있지도 않으니 이러한 뜻으로 읽는 것이 옳다.

이병헌(李炳憲) 『역경금문고통론(易經今文考通論)』

子曰, 書不盡言 … 錯之天下之民, 謂之事業.

공자가 말하였다: 글로는 말을 다하지 못하며 … 들어서 천하의 백성에 놓음을 사업이라 이른다.

書不盡言, 言不盡意, 述者引夫子之言, 歎聖人之意, 其不可見, 而又引夫子之言, 以明盡言盡意之事. 蓋非易, 則聖人之意, 實不可見矣. 聖人謂孔子也. 形上之道, 惟心也, 形下之器, 惟物也. 物心同體, 二之則不是.

"글로는 말을 다하지 못하며, 말로는 뜻을 다하지 못한다"는 서술하는 자가 공자의 말을 이끌어 성인의 뜻을 다 볼 수 없음을 한탄한 것이다. 또 공자의 말을 인용하여 말을 다하고 뜻을 다하는 일을 밝혔다. 역이 아니고서는 성인의 뜻을 실로 볼 수가 없다. 성인은 공자를 말한다. 형이상의 도는 마음이고, 형이하의 기는 사물이다. 사물과 마음이 같은 몸체이니 둘로 나누면 옳지 못하다.

陸曰, 變三百八十四爻, 使相交通, 以盡天下之利.

육적이 말하였다: 384효를 변화시켜 서로 사귀어 통하게 해서 천하의 이로움을 다한다.

荀曰, 鼓者, 動也, 舞者, 行也.

순상이 말하였다: '부추김'은 움직이는 것이고, '춤추게 함'은 행하는 것이다.

虞曰, 韞, 藏也.

우번이 말하였다: 온(韞)은 저장함이다.

是故, 夫象, 聖人有以見天下之賾, 而擬諸其形容, 象其物宜, 是故謂之象. 聖人有以見天下之動, 而觀其會通, 以行其典禮, 繫辭焉, 以斷其吉凶, 是故謂之爻.

이런 까닭으로 상(象)은 성인이 천하의 잡다함을 보아 그 모양에서 헤아리며 그 사물의 마땅함을 형상한 것이니, 이런 까닭으로 상이라고 일렀다. 성인이 천하의 움직임을 보아 그 모여 통함을 살펴서 그 법과 예를 행하며, 말을 달아서 길흉을 결단하였으니, 이런 까닭으로 효(爻)라고 일렀다.

┃中國大全┃

本義

重出, 以起下文.

거듭 나와 아래의 글을 일으켰다.

小註

臨川吳氏曰, 象其物宜, 謂文王之象, 申設卦以盡情僞一句. 繫辭以斷吉凶, 謂周公之爻, 申繫辭焉以盡其言一句.

임천오씨가 말하였다: '그 사물의 마땅함을 형상함'은 문왕의 괘상을 이르니, '괘를 펼쳐 진정과 허위를 다한다'는 구절을 거듭한 것이다. '말을 달아서 길흉을 결단함'은 주공의 효사를 이르니, '말을 달아 그 말을 다한다'는 구절을 거듭한 것이다.

┃韓國大全┃

김상악(金相岳)『산천역설(山天易說)』

重出以起下文

거듭 나와 아래의 글을 일으켰다.

오치기(吳致箕)「주역경전증해(周易經傳增解)」

此節重出而承上文, 以起下文.

이 절은 거듭 나와 윗문장을 이어서 아래 문장을 일으켰다.

極天下之賾者, 存乎卦, 鼓天下之動者, 存乎辭.

천하의 잡다함을 지극히 하는 것은 괘에 있고, 천하의 움직임을 부추기는 것은 말에 있다.

中國大全

本義

卦卽象也, 辭卽爻也.

'괘(卦)'는 곧 상이고, '말[辭]'은 곧 효이다.

小註

朱子曰, 極天下之賾者, 存乎卦, 謂卦體之中, 備陰陽變易之形容, 鼓天下之動者, 存乎辭, 是說出這天下之動, 如鼓之舞之相似, 卦卽象也, 辭卽爻也. 大抵易只是一箇陰陽奇偶而已, 此外更有何物.

주자가 말하였다: "천하의 잡다함을 지극히 하는 것은 괘에 있다"는 괘의 몸체 속에 음양의 바뀌는 모습이 구비되어 있음을 이른 것이고, "천하의 움직임을 부추기는 것은 말에 있다"는 이러한 천하의 움직임이 부추기고 춤추게 하는 것과 서로 유사함을 말한 것이다. 괘(卦)는 곧 상이고 말[辭]은 곧 효이다. 대체로 역은 하나의 음과 양, 홀과 짝일 뿐이니, 이것 이외에 다시 어떤 물건이 있겠는가?

○ 雲峯胡氏曰, 窮天地萬物之象, 而歸諸卦, 故曰極, 發天地萬物之理, 而見乎辭, 故曰鼓.

운봉호씨가 말하였다: 천지 만물의 상(象)을 다하여 괘로 돌아갔으므로 '지극히 한다'고 하였고, 천지 만물의 이치를 펼쳐 말에 나타냈으므로 '부추긴다'고 하였다.

┃韓國大全┃

박치화(朴致和) 「설계수록(雪溪隨錄)」

辭者, 斷吉凶, 使人避凶而趨吉. 故曰皷天下之動者, 存乎辭, 則上文皷之舞之以盡神之意也.

사(辭)는 길흉을 판정하여 사람들이 흉함을 피해 길함으로 가도록 하는 것이다. 그러므로 "천하의 움직임을 부추기는 것은 말씀에 있다"고 하였으니, 곧 윗문장의 "부추기고 춤추게 하여 신묘함을 다한다"는 뜻이다.

김상악(金相岳) 『산천역설(山天易說)』

象其物宜而爲卦, 斷其吉凶而爲爻.

그 사물의 마땅함을 본떠서 괘를 만들고, 그 길흉을 결단하여 효를 만들었다.

化而裁之, 存乎變, 推而行之, 存乎通, 神而明之, 存乎其人, 默而成之, 不言而信, 存乎德行.

변화하여 마름질함은 변함에 있고, 미루어 행함은 통함에 있고, 신묘하여 밝힘은 그 사람에 있고, 묵묵히 이루며 말하지 않아도 믿음은 덕행에 있다.

‖ 中國大全 ‖

小註

程子曰, 易, 因爻象論變化, 因變化論神, 因神論人, 因人論德行. 大體通論易道, 而終於默而成之, 不言而信, 存乎德行.

정자가 말하였다: 『주역』은 효와 상을 통하여 변화를 논하고, 변화를 통하여 신묘함을 논하고, 신묘함을 통하여 사람을 논하고, 사람을 통하여 덕행을 논했다. 대체로 역의 도리를 전체적으로 논하면서 "묵묵히 이루며 말하지 않아도 믿음은 덕행에 있다"로 맺은 것이다.

○ 問, 繫辭, 自天道言, 中庸, 自人事言, 似不同. 曰, 同. 繫辭, 雖始從天地陰陽鬼神言之, 然卒曰, 默而成之, 不言而信, 存乎德行. 中庸亦曰, 鬼神之爲德, 其盛已乎. 視之而不見, 聽之而不聞, 體物而不可遺. 使天下之人, 齊明盛服, 以承祭祀, 洋洋乎如在其上, 如在其左右. 詩曰, 神之格思, 不可度思, 矧可射思. 夫微之顯, 誠之不可揜, 如此夫, 是豈不同.

물었다: 「계사전」은 하늘의 도리로부터 말하고, 『중용』은 사람의 일로부터 말했으니 같지 않은 것 같습니다.

답하였다: 같습니다. 「계사전」은 비록 천지와 음양과 귀신으로 시작하여 말했지만 마침내는 "묵묵히 이루며 말하지 않아도 믿음은 덕행에 있다"고 하였습니다. 『중용』에서도 또한 "귀신의 덕이 성대하도다! 보아도 보이지 않으며 들어도 들리지 않지만, 사물의 바탕이 되어 빠뜨릴 수 없도다. 천하의 사람들에게 가지런히 하고 깨끗이 하여서 제사를 받들게 하고는, 충만하게 그 위에 있는 듯하며 그 좌우에 있는 듯하다. 『시경』에서 '신이 이른 것을 예측할 수 없으니, 하물며 싫어할 수 있겠는가?'라고 하였다. 은미함의 드러남이니 성(誠)의 가릴 수 없음이 이와 같도다"라고 하였으니, 어찌 같지 않은 것이랴?

本義

卦爻所以變通者, 在人, 人之所以能神而明之者, 在德.

괘효가 변하고 통하게 하는 것은 사람에게 있고, 사람이 신묘하여 밝힐 수 있는 것은 덕행에 있다.

小註

或問, 化而裁之, 謂之變, 化而裁之, 存乎變, 如何分. 朱子曰, 上文化而裁之, 喚做變, 下是就這變處見得化而裁之.

어떤 이가 물었다: "변화하여 마름질함을 변이라 이른다"와 "변화하여 마름질함은 변함에 있다"는 어떻게 구분합니까?

주자가 답하였다: 윗 글의 '변화하여 마름질함'은 '변'을 환기시킴이고, 아래는 이렇게 변하는 곳에서 변화하여 마름질함을 아는 것입니다.

○ 變化字多相對說, 化裁之變, 又說得來重, 如云幽則有鬼神. 鬼神本皆屬幽, 然以鬼神二字相對說, 則鬼屬幽, 神又自屬明. 變化相對說, 則變是長, 化是消.

변(變)과 화(化)는 상대하여 말함이 많지만, '변화하여 마름질하는 변함'은 또한 겹쳐서 말하였으니, '어두우면 귀신이 있다'[296]고 말함과 같다. 귀신은 본래 모두 어둠에 속하지만, 귀(鬼)와 신(神)을 상대하여 말하면 귀는 어둠에 속하고, 신은 또한 본래 밝음에 속한다. 변(變)과 화(化)도 상대하여 말하면 변은 성장하는 것이고, 화는 소멸하는 것이다.

○ 神而明之一段, 卻與形而上謂之道相對說. 自形而上謂之道, 說至於變通事業, 是自至約處說入至粗處. 自極天下之賾者存乎卦, 至神而明之, 又自至粗上說入至約處. 默而成之, 不言而信, 則說得又微矣.

"신묘하여 밝힌다"는 단락은 도리어 "형이상의 것을 도라 이른다"와 상대하여 말한 것이다. "형이상의 것을 도라 이른다"에서 '변·통·사업'까지 말하였으니, 지극히 긴요한 곳에서 지극히 거친 곳으로 말해 간 것이다. "천하의 잡다함을 지극히 하는 것은 괘에 있다"에서 '신묘하여 밝힘'으로 이르렀으니, 또한 지극히 거친 것에서 지극히 긴요한 곳으로 말해 간 것이다. '묵묵히 이루며 말하지 않아도 믿음'은 말이 다시 미묘해진 것이다

○ 建安丘氏曰, 上文五謂者, 皆聖人作易之用, 此六存者, 則聖人之用夫易也. 前言變

---

296) 『禮記』: 明則有禮樂, 幽則有鬼神.

通, 而歸之事業, 推易道於民也, 此言變通, 而歸之德行, 存易道於己也.

건안구씨가 말하였다: 윗 글의 다섯 개의 '이른다[謂]'는 모두 성인이 역(易)을 짓는 활동이고, 여기의 여섯 개의 '있다[存]'는 성인이 저 역을 쓰는 것이다. 앞서는 변통을 말하고 사업으로 돌아갔으니 역의 도리를 백성에게 넓힌 것이고, 여기서는 변통을 말하고 덕행으로 돌아갔으니 역의 도리를 자기에게 보존한 것이다.

○ 雲峯胡氏曰, 自形而上之道至事業, 由至微推出至著, 自極天下之賾至德行, 由至著收歸至微. 上繫凡十二章, 末乃曰, 書不盡言, 言不盡意, 蓋欲學者自得於書言之外也. 自立象盡意至鼓天下之動者存乎辭, 反覆見之書言, 可謂盡矣. 末乃曰, 默而成之, 不言而信, 存乎德行, 然則易果書言之所能盡哉. 得於心爲德, 履於身爲行, 易之存乎人者, 蓋有存乎心身, 而不徒存乎書言者矣.

운봉호씨가 말하였다: '형이상의 도(道)'로부터 '사업'까지는 지극히 미묘한 것에서 지극히 드러난 것을 이끌어 낸 것이고, '천하의 잡다함을 지극히 함'으로부터 '덕행'까지는 지극히 드러난 것에서 지극히 미묘한 것으로 거두어 돌아간 것이다. 「계사상전」은 모두 12장인데, 끝에 바로 "글로는 말을 다하지 못하며, 말로는 뜻을 다하지 못한다"고 하였으니, 학자들에게 글과 말의 밖에서 스스로 얻게 하려 한 것이다. '상을 세워 뜻을 다함'으로부터 "천하의 움직임을 부추기는 것은 말에 있다"까지는 반복하여 글과 말에 나타냄이니, 극진하다고 할 만하다. 끝에 바로 "묵묵히 이루며 말하지 않아도 믿음은 덕행에 있다"고 하였으니, 그렇다면 『주역』은 과연 글과 말로 다할 수 있는 것인가? 마음에 얻으면 덕이 되고 몸으로 실천하면 행위가 되니, 역이 사람에게 있다는 것은 대체로 마음과 몸에 있다는 것이지, 한갓 글과 말에 있는 것이 아니다.

右第十二章

이상은 제12장이다.

‖中國大全‖

誠齋楊氏曰, 此章, 言聖人作易之意, 其散[297]在六十四卦之爻象,[298] 其聚在乾坤之二卦, 聖人用易之道, 其散在天下之事業, 其聚在一身之德行也. 又曰, 易有三, 一曰天易, 二曰竹易, 三曰人易. 天尊地卑, 乾坤定矣, 天易也, 書不盡言, 言不盡意, 竹易也, 存乎其人, 存乎德行, 人易也. 有聖人焉, 能行易之道, 神而明之, 默而成之, 則易不在天 ,不在竹, 而在人矣.

성재양씨가 말하였다: 이 장은, 성인이 『주역』을 지은 뜻이 펼쳐지면 64괘의 효의 상에 있고, 모아지면 건과 곤 두 괘에 있으며, 성인이 『주역』을 쓰는 방도가 펼쳐지면 천하의 사업에 있고, 모아지면 일신의 덕행에 있음을 말하였다.

또 말하였다: 역은 셋이 있으니 하나는 '하늘의 역'이라 하고, 둘은 '댓가지의 역'이라 하고, 셋은 '사람의 역'이라 한다. "하늘이 높고 땅이 낮으니 건과 곤이 정해진다"는 하늘의 역이고, "글로는 말을 다하지 못하고 말로는 뜻을 다하지 못한다"는 댓가지의 역이고, '그 사람에게 있고 덕행에 있음'은 사람의 역이다. 성인이 있어야 역의 도리를 행하여 신묘하게 밝히고 묵묵히 이룰 수 있으니, 역은 하늘에 있지도 않고 댓가지에 있지도 않고 사람에게 있을 것이다.

‖韓國大全‖

권근(權近) 『주역천견록(周易淺見錄)』

化而裁之, 存乎變, 推而行之, 存乎通.
변화하여 마름질함은 변함에 있고, 미루어 행함은 통함에 있다.

前言化而裁之謂之變, 推而行之謂之通. 謂之者, 指其事而言, 存乎者, 指人而言, 故前則繼言事業, 此則繼言其人也.

---

297) 散:『주역전의대전』에 '敬'으로 되어 있으나, 『성재역전(誠齋易傳)』 등을 참조하여 '散'으로 바로잡았다.
298) 象:『주역전의대전』에 '章'으로 되어 있으나, 『성재역전(誠齋易傳)』 등을 참조하여 '象'으로 바로잡았다.

앞에서는 "변화하여 마름질함을 변함이라 이르고, 미루어 행함을 통함이라고 이른다"라 하였다. '이른대謂之]'는 그 일을 가리켜 말한 것이고, '~에 있다'는 사람을 가리켜 말한 것이다. 그러므로 앞에서는 이어서 사업을 말하였고, 여기에서는 그 사람을 이어서 말하였다.

이익(李瀷) 『역경질서(易經疾書)』

上章一闔一闢往來不窮, 以卦體言, 此章化而裁之推而行之, 以人事言, 擧措以下, 以及人者言. 易自有化裁推行之道, 苟不知變通者, 烏能處之如是. 易自有神明之道, 而言不盡意, 書不盡言, 故苟非其人, 烏能知來如是. 嘿而成之, 以在己者言, 不言而信, 以及人者言. 易爲君子謀, 不爲小人謀, 故苟無德無行之人, 徒以私智作用, 烏能就事如是.

윗장의 '한 번은 닫고 한 번은 여는 것'과 '오가면서 다하지 않음'은 괘체로 말한 것이고, 이 장의 '변화하여 마름질함'과 '미루어 행함'은 사람의 일로 말한 것이며, '들어서…'[299] 이하는 남에게 미치는 것으로써 말한 것이다. 역에는 본디 변화하여 마름질하고 미루어 행하는 도가 있으니, 참으로 변통을 알지 못하는 자가 어찌 이와 같이 행할 수 있겠는가! 역에는 본디 신명한 도가 있어서 말은 뜻을 다할 수 없고, 글은 말을 다할 수 없다. 그러므로 참으로 그 사람이 아니라면, 어찌 오는 것이 이와 같음을 알겠는가! '묵묵히 이룸'은 내게 있는 것으로 말하였고, '말하지 않아도 믿음'은 남에게 미치는 것으로 말하였다. 역은 군자를 위한 방책이지 소인을 위한 방책이 아니므로, 덕행이 없는 사람이 한갓 사사로운 지혜로 쓴다면 어찌 이와 같이 일을 성취할 수 있겠는가?

유정원(柳正源) 『역해참고(易解參攷)』

化而 [至] 德行.
변화하여 마름질함은 … 덕행에 있다.

張子曰, 化而裁之存乎變, 存四時之變, 則周歲之化可裁, 存晝夜之變, 則百刻之通可裁. 推而行之存乎通, 推四時而行, 則能存周歲之通, 推晝夜而行, 則能存百刻之通.

장자(張子)가 말하였다: 변화하여 마름질함은 변함에 있으니, 사계절의 변화를 간직하면 일년의 변화를 마름질 할 수 있고, 밤낮의 변화를 간직하면 100각(刻)의 [시간의] 통함을 마름질할 수 있다. 미루어 행함은 통함에 있으니, 사계절을 미루어 행하면 일년의 통함을 보존할

---

299) 『계사전』상 12장의 아래 문장에 나오는 '擧而措'를 말한다. 是故, 形而上者, 謂之道, 形而下者, 謂之器, 化而裁之, 謂之變, 推而行之, 謂之通, 擧而措之天下之民, 謂之事業.

수 있고, 밤낮을 미루어 행하면 100각의 통함을 보존할 수 있다.

○ 道至有難明處, 而能明之, 此則在人也. 凡言神亦必待形然後著, 不得形, 神何以見. 神而明之存乎其人, 然則須待人然後, 能明乎神.

도가 지극하여 밝히기 어려운 곳이 있더라도 밝힐 수 있으니, 이는 사람에게 달려있다. 신(神)도 반드시 형체를 기다린 뒤에 드러난다고 하니, 형체를 얻지 못하면 신(神)이 어떻게 드러나겠는가? 신묘하여 밝힘은 그 사람에게 달렸으니, 반드시 사람을 기다린 뒤에야 신(神)을 밝힐 수 있다.

○ 節齋蔡氏曰, 神明之化, 能使天下自成而不待乎告教者, 又在乎德行之至而感之耳. 故曰存乎德行. 中庸曰, 聲色之於化民末也, 上天之載无聲无臭, 正謂此也. 神而明之者, 德行之本, 默而成之者, 德行之效也.

절재채씨가 말하였다: 신명스런 감화는 천하 사람이 스스로 이루도록 하여 가르쳐 주는 이를 기다리지 않으니, 또 덕행이 지극하여 감동시킴에 달렸을 뿐이다. 그러므로 "덕행에 있다"고 하였다. 『중용』에 "백성을 교화시킴에 소리와 낯빛으로 하는 것은 끄트머리이니, 하늘의 운행은 소리도 없고 냄새도 없다"고 함이 바로 이것이다. '신묘하여 밝힘'은 덕행의 근본이고, '묵묵히 이루며 말하지 않음'은 덕행의 효험이다.

김상악(金相岳) 『산천역설(山天易說)』

變則不窮, 通則可久, 故能化裁而推行之, 人之所以能神而明之. 默而成之, 不言而信, 不在言而存乎德行.

변하면 궁하지 않고, 통하면 오래갈 수 있다. 그러므로 변화하고 마름질하여 미루어 행할 수 있으니 사람이 신묘하여 밝힐 수 있는 것이다. 묵묵히 이루며 말하지 않아도 믿음은 말에 있는 것이 아니라 덕행에 있다.

심취제(沈就濟) 『독역의의(讀易疑義)』

第十二章, 言天人而天順人信也. 乾坤爲易之蘊者, 言其體也. 易立乎其中者, 言其用也. 形而下者謂之器, 則天地亦一器也. 天下許多之器, 皆在此器之中, 而道則具於其中也. 末乃歸結於其人德行, 則此亦首章之始言乾坤, 而終言易簡之德成位其中之意也.

제12장은 하늘과 인간을 말하였는데 하늘은 따르고 사람은 믿음을 말한 것이다. '건과 곤은

역의 쌓임'이라는 것은 그 체(體)를 말한 것이고, "역이 그 가운데 선다"는 것은 그 쓰임을 말한 것이다. "형이하의 것을 기(器)라 한다"라 하였으니 하늘과 땅도 하나의 기(器)이다. 천하의 수많은 기(器)가 모두 이 기(器)가운데 있고, 도는 그 가운데 갖추어있는 것이다. 끝에서는 사람의 덕행으로 귀결하였는데, 여기에서도 첫 장의 시작에 건곤을 말하고 끝에 "이간(易簡)의 덕이 그 가운데 자리를 이룬다"는 뜻을 말하였다.

繫辭之中, 陰陽剛柔, 前後左右, 上下內外, 本末大小, 遠近精粗, 易簡仁知, 碁衍理數, 無所不備, 而夫子之宗旨, 又有大者, 當玩求也. 上傳, 只言四德之利字者, 以元亨爲體故也. 人能行天之道, 而有得於其心, 則其德明矣. 明則得其妙, 而其妙自入於天之神, 則不知不覺之中, 庶幾見天神之來格也.

「계사전」 가운데는 음과 양, 강(剛)과 유(柔), 앞과 뒤, 오른쪽과 왼쪽, 위와 아래, 안과 밖, 근본과 말단, 정밀함과 거칢, 쉬움과 간단함, 어짊과 지혜로움, 기(碁)와 연(衍), 리와 수가 갖추어지지 않음이 없으나, 공자의 근본 뜻에는 또 큰 것이 있으니 완미하여 구해야 한다. 「계사상전」에는 단지 사덕 가운데 이(利)자를 말하였으니 '원형(元亨)'은 체가 되기 때문이다. 사람이 하늘의 도를 행할 수 있는데, 그 마음에 얻음이 있으면 그 덕이 밝아진다. 밝아지면 그 오묘함을 얻는데 그 오묘함이 하늘의 신묘함에서 저절로 들어오면 알지 못하는 사이에 하늘의 신묘함이 이르는 것을 볼 수 있을 것이다.

윤행임(尹行恁) 『신호수필(薪湖隨筆)·계사전(繫辭傳)』

化而裁之, 裁成也, 推而行之, 達行也. 神而明之, 極深也. 默而成之, 研幾也. 終歸於德行, 蓋謂庸德庸行, 反本於乾也.

'변화하여 마름질함'은 마름질하여 이루는 것이고, '미루어 행함'은 세상에 통하게 행하는 것이다. '신묘하여 밝힘'은 깊이하기를 다하는 것이며, '묵묵히 이룸'은 기미를 살피는 것이다. 마침내 덕행으로 돌아가는 것은 떳떳한 덕과 떳떳한 행동이 돌이켜 건(乾)에 근본함을 이르기 때문이다.

오치기(吳致箕) 「주역경전증해(周易經傳增解)」

此節承上文, 而言卦爻之用, 及聖人用易之事也. 極者, 究也, 賾, 謂雜也. 鼓者, 振作也. 動謂酬酢往來也. 蓋天地萬物之形象, 紛紜輳轕, 千態萬狀, 至雜而難以盡見. 然卦之象, 莫不究極而形容之, 故曰存乎卦. 天地萬物之事理, 酬酢往來, 千變萬化, 至動而難以占決. 然爻之辭, 莫不振作以發揮之, 故曰存乎辭也. 卦卽象也, 辭卽爻也. 化

裁者, 如乾之變在初, 則以理裁度而爲潛龍勿用者, 因其變之在下而然也, 故曰存乎
變. 旣知其變, 則當推而行矣. 當其勿用之時, 遂卽勿用爲通, 故曰存乎通. 運用莫測
之謂神, 發揮極精之謂明. 終能黙而我自成之, 不言而人自信之, 卽聖人用易極功之存
乎德行也.

이 절은 윗 문장을 이어 괘효의 쓰임과 성인이 역을 쓰는 일을 말하였다. '지극히 함'은 끝까
지 다하는 것[究]이고, '잡다함[賾]'은 뒤섞인 것을 말한다. '부추김[鼓]'은 진작시킴이다. '움직
임[動]'은 주고받으며 오고 감을 말한다. 천지만물의 형상이 어지럽고 번잡하여 천태만상이
니 지극히 잡되어 다 볼 수가 없다. 그러나 괘의 상은 끝까지 다하여 형용하지 않는 것이
없으므로 "괘에 있다"고 하였다. 천지만물의 사리는 주고받으며 오고가서 천 가지로 바뀌고
만 가지로 변화하니 움직임이 지극해서 점쳐 결단할 수가 없다. 그러나 효의 말은 진작시켜
발휘하지 않음이 없으므로 "말에 있다"고 하였다. 괘는 곧 상이고, 말은 곧 효이다. '변화하
여 마름질한다'는 예컨대 건괘의 변화가 초효에 있다면 이치로 가늠하여 헤아려 "잠긴 용이
니 쓰지 말라"로 여긴 것이니, 이는 그 변화가 아래에 있어서 그러하다. 그러므로 "변함에
있다"고 하였다. 이미 그 변화를 안다면 마땅히 미루어 행해야 할 것이다. 써서는 안되는
때를 당해서는 마침내 쓰지 않는 것이 통함이 되므로 "통함에 있다"고 하였다. 운용함을 헤
아릴 수 없는 것을 신(神)이라 하고, 극히 정밀함을 발휘하는 것을 '밝음[明]'이라 한다. 끝내
묵묵히 내가 스스로 이루고, 말하지 않아도 남들이 자연히 믿으니, 성인이 역을 쓰는 지극한
공효는 덕행에 있다.

右第十二章. 此章言聖人作易用易之道.
이상은 제 12장이다. 이 장에서는 성인이 역을 짓고 역을 쓰는 도리에 대해 말했다.

이병헌(李炳憲) 『역경금문고통론(易經今文考通論)』

是故, 夫象, 聖人有以見天下之賾 … 黙而成之, 不言而信, 存乎德行.
이런 까닭으로 상(象)은 성인이 천하의 잡다함을 보아 … 묵묵히 이루며 말하지 않아도 믿
음은 덕행에 있다.

一篇大指, 在神而明之, 存乎其人八字, 讀者宜致察焉.
한 편의 큰 뜻이 "신묘하여 밝힘은 그 사람에 있다[神而明之, 存乎其人]"는 이 여덟 자에
있으니 읽는 이가 마땅히 잘 살펴야 할 것이다.

右十二章. 此爲繫辭上篇. 始言乾坤, 終言乾坤, 首尾相應, 指示入易之門戶. 形上之

道, 聖人之意也, 形下之器, 卦中之象也. 意在象中, 神行意中.

이상은 12장이다. 이것이 「계사전」 상편이다. 처음에 건곤을 말하고 마칠 때 건곤을 말하여 처음과 끝이 상응하니 역으로 들어가는 문호를 가리켜 보여준다. 형이상의 도는 성인의 뜻이고, 형이하의 기(器)는 괘 가운데의 상이다. 뜻이 상(象) 가운데에 있고, 신묘함이 뜻 가운데에서 행한다.

한국주역대전 13 계사상전

초판 인쇄 2017년 8월 10일
초판 발행 2017년 8월 30일

엮 은 이 | 한국주역대전 편찬실
펴 낸 이 | 하운근
펴 낸 곳 | 學古房

주   소 | 경기도 고양시 덕양구 통일로 140 삼송테크노밸리 A동 B224
전   화 | (02)353-9908 편집부(02)356-9903
팩   스 | (02)6959-8234
홈페이지 | http://hakgobang.co.kr
전자우편 | hakgobang@naver.com, hakgobang@chol.com
등록번호 | 제311-1994-000001호

ISBN   978-89-6071-693-3 94140
          978-89-6071-680-3 (세트)

값 : 1,250,000원 (전14책)

이 도서의 국립중앙도서관 출판예정도서목록(CIP)은 서지정보유통지원시스템 홈페이지
(http://seoji.nl.go.kr)와 국가자료공동목록시스템(http://www.nl.go.kr/kolisnet)에서 이용하
실 수 있습니다. (CIP제어번호 : CIP2017021511)